94
75.581
К28

Серия «Великие шахматисты мира» основана в 2002 г.

Фото и рисунки из архивов Музея шахмат России,
урналов «Шахматы в СССР» и «64», а также из личных архивов автора,
Сергея Воронкова, Александра Рошаля, Генны Сосонко,
Юрия Авербаха и Бориса Долматовского

В оформлении форзацев использована работа
художника И. Мамедова

Каспаров Г. К., в сотрудничестве с Д. Г. Плисецким
  Мои великие предшественники: Новейшая история развити
шахматной игры: В 7 т. Т. 5: Карпов и Корчной.— М.: РИПОЛ кла
сик, 2006.— 528 с.: ил.— (Великие шахматисты мира).

ISBN 5-7905-4206-9 (т. 5)
ISBN 5-7905-1996-2

Семитомник Гарри Каспарова не имеет аналогов в шахматной литер
туре: 13-й чемпион мира размышляет о судьбах и творчестве двенадцат
предыдущих чемпионов и их соперников, о полуторавековой борьбе за м
ровое первенство. Исследуя знаменитые партии под микроскопом мощны
компьютерных программ, автор меняет многие прежние оценки и, в сущн
сти, подытоживает развитие шахмат в 20-м веке.
  Пятый том посвящен чемпиону мира Карпову и его историческому с
пернику Корчному, их драматичным поединкам за шахматную корону.

УДК 7
ББК 75.5

ISBN 5-7905-4206-9 (т. 5)
ISBN 5-7905-1996-2

Г. КАСПАРОВ

Леониду Листенгартену —
на память о шахматных
баталиях 70-х!

11.06.2006

Нью-Йорк

ГАРРИ КАСПА

В СОТРУДНИЧЕСТВЕ С ДМИТРИЕМ ПЛИ

МОИ
ВЕЛИКИЕ
ПРЕДШЕСТВЕННИК

5

КАРПОВ И КОРЧНОЙ

РИПОЛ
КЛАССИК

МОСКВА
2006

УДК
ББК

К2

ЖИЗНЬ ПОСЛЕ ФИШЕРА

Этот том посвящен двенадцатому чемпиону мира Анатолию Карпову и его историческому сопернику Виктору Корчному, их потрясающе драматичной борьбе за шахматный трон, которая заполнила своеобразный вакуум, возникший после безвременного ухода Фишера. Еще одна важная тема – дебютная революция 70–80-х годов оказалась настолько объемной и интересной, что ее пришлось выделить в отдельный, 6-й том.

В предыдущем томе я выдвинул провокационную версию о том, что Карпов имел бы в матче с Фишером реальные шансы на победу и американский чемпион отказался защищать свой титул из-за боязни поражения от незнакомого соперника – лидера нового поколения, жесткого профессионала, вполне усвоившего уроки своего великого предшественника. Теперь попытаюсь обосновать эту версию, представив возможный сценарий матча и внимательно изучив те уникальные качества Карпова, которые позволили ему почти четверть века пребывать на вершине или буквально в шаге от вершины шахматного Олимпа. Эта глава получилась одной из самых больших во всем многотомнике, что и неудивительно: влияние Карпова на развитие шахмат поистине эпохально – оно ощущалось до самого конца 20-го века.

Но огромен и вклад Корчного, легендарного шахматиста, сумевшего совершить, казалось бы, невозможное – победить время. Вопреки всем представлениям о возрастных границах этот великий матчевый и турнирный боец достиг своего творческого пика в 47 лет, превзойдя бывших чемпионов Петросяна и Спасского. Он единственный в истории претендент, который сыграл де-факто три матча за мировую корону и однажды, в Багио (1978), едва не стал чемпионом мира. При этом будучи на 20 лет старше соперника!

А ведь казалось, что молодому Карпову, поддержанному всей мощью советской машины, попросту нет равных: старшее поколение гроссмейстеров экстракласса уже сходило со сцены, среднее было «выбито» Второй мировой войной (а Фишер «выбил» себя сам), в молодом же, при всей его яркости и профессионализме, не было звезд чемпионского масштаба. Единственной настоящей интригой в середине 70-х выглядел матч Фишер – Карпов, который, несомненно, придал бы развитию шахмат колоссальный импульс. Когда он сорвался, наступило временное затишье и разочарование. Но природа не терпит пустоты, и вскоре на штурм Олимпа решительно пошел Корчной, для чего он был вынужден покинуть СССР, где подвергался гонениям, и заручиться моральной поддержкой Запада.

Его битвы с Карповым, особенно матч в Багио, оказали очень большое влияние на все аспекты игры – и чисто шахматные, и околошахматные, и психологические. Как потом выяснилось, это была прелюдия к баталиям Карпова с лидером уже следующего поколения – автором этих строк (тема 7-го тома). Корчной же, передав мне в матче 1983 года «олимпийскую эстафету», продолжал успешно играть в турнирах и в итоге явил собой исключительный пример спортивного долголетия. В этом отношении его можно сравнить только с Ласкером и Смысловым, но победы Корчного достигнуты в сверхнапряженных шахматах наших дней!

Все эти матчи на первенство мира требовали серьезной исследовательской работы, и в них не только пожинались плоды послефишеровской дебютной революции, но и продолжалось стремительное движение шахматной мысли вперед, к нынешней компьютерной эпохе...

Заново разбирая партии Карпова и Корчного, вспоминая уже рассмотренные партии других чемпионов и претендентов, я задумался о роли интуиции в творчестве выдающихся шахматистов. Этот вопрос меня заинтриговал: не здесь ли корень различий в стилях игры? Оказывается, больших мастеров можно условно разделить на три группы:

1. Игроки с относительно слабой интуицией (конечно, только по чемпионским меркам): Стейниц, Ботвинник, Эйве, Фишер... Но у них были качества, компенсирующие некоторую прямолинейность игры: эрудиция, логика, методичность, железная воля, необычайная работоспособность.

2. Игроки с сильной, порою феноменальной стратегической интуицией: Капабланка, Смыслов, Петросян, Спасский, Карпов... Из претендентов в эту когорту входит, пожалуй, лишь Рубинштейн. Все они с поразительной легкостью и точностью находили лучшие места для своих фигур.

3. Игроки с сильной специфической интуицией, работающей в острых ситуациях с нарушенным материальным и позиционным равновесием: Ласкер, Алехин, Таль, Каспаров... А также Чигорин, Бронштейн, Штейн и Корчной, которого в начале 60-х называли «Талем наоборот».

Кому-то такое деление может показаться спорным, но это плод тщательного изучения и сравнения творчества чемпионов. Кстати, анализируя с компьютером старые партии, я обнаружил, что многие интуитивные решения классиков были правильными и куда больше ошибок допускалось в последующем анализе. Вроде бы парадокс: ведь при анализе можно не спешить и передвигать фигуры. Но дело в том, что в этот момент отключена интуиция, вовсю работающая во время игры, в условиях крайнего напряжения и ограниченного времени. Воистину интуиция – царица шахматных полей!

Выражаю благодарность заслуженным тренерам СССР Александру Никитину и Марку Дворецкому, гроссмейстерам Игорю Зайцеву, Юрию Разуваеву, Юрию Дохояну, Владимиру Белову и мастеру Александру Шакарову за помощь, оказанную при подготовке этого тома к изданию.

ВИКТОР
ГРОЗНЫЙ

МАРАФОНЕЦ

С ложно говорить о своем современнике, прожившем в шахматах такую большую, интересную и напряженную жизнь. Подумать только – первых крупных успехов Виктор Львович Корчной (р. 23.03.1931) добился более полувека назад! Многие из родившихся в 30–40-е годы уже прекратили выступления, а Корчной и в начале 21-го века продолжает сражаться в турнирах, и молодежь может лишь позавидовать его энергии, жажде борьбы, умению играть с полной выкладкой.

По размеру эта глава вполне сопоставима с главами, посвященными чемпионам мира. И дело тут не только в уникальной по протяженности шахматной карьере Корчного, но и в его редкостной изобретательности, неустанных попытках найти нечто новое в, казалось бы, досконально изученных позициях. Всю жизнь он находился на острие шахматной мысли и внес ценный вклад в развитие игры. Именно этот факт побудил меня уделить больше места самобытному творчеству Виктора Львовича, сфокусировав внимание на самых, с моей точки зрения, важных и ярких его чертах.

Наследие Корчного многолико — за минувшие десятилетия он не раз корректировал и видоизменял свой стиль. Но главным неизменно оставался поиск шахматной истины. Корчной всегда был беспощаден и к себе, и к противникам. Эта особенность характера, конечно, не прибавляла ему друзей. Однако иначе, наверное, и нельзя искать вечно ускользающую шахматную истину. Надо быть готовым к тому, что каждый найденный ход будет подвергнут сомнению, каждое решение — жестоко раскритиковано. Надо смотреть правде в глаза и не бояться прийти к любым, даже самым нелицеприятным выводам, если они отражают реальную картину.

Уже в молодости Корчной зарекомендовал себя шахматистом необычным. Большинство предпочитают атаковать, и мало кто любит играть от обороны, так сказать с задней линии, терпеливо готовя переход в контратаку. Но Корчной играл именно так: вызывал огонь на себя, принимал жертвы и затем мастерски использовал слабости, возникшие в неприятельской позиции. Этот крайне рискованный стиль создал ему еще в 50-е годы специфическую славу трудного, неудобного соперника для любого гроссмейстера, вплоть до чемпионов мира.

Удивительный парадокс: когда я, пропустив через жесткий фильтр сотни партий Корчного, отобрал около сорока наиболее показательных, неожиданно выяснилось, что в первых двадцати из них, охватывающих 1954–1977 годы, он играл черными! Но если вдуматься, это вполне соответствует характеру его творчества. Такие вроде бы случайные совпадения только подтверждают общую тенденцию.

ДИТЯ БЛОКАДЫ

Детство Корчного было трудным, полным лишений, как и у многих детей военных лет. Полвека спустя он напишет: «По-видимому, я не получил должного советского воспитания в семье. Наверное, моему отцу воздалось за эту небрежность полной мерой — в числе нескольких сотен других плохо вооруженных ополченцев он погиб на Ладожском озере в ноябре 1941 года. Воздалось сполна и остальным членам отцовской семьи, где я воспитывался, — все как один они скончались от голода в осажденном Ленинграде. А я вот остался, выжил».

Заняться шахматами всерьез Виктор смог лишь в 13 лет, вступив осенью 44-го в шахматный кружок ленинградского Дворца пионеров. Он тогда записался еще в два кружка — художественного слова и музыкальный, однако быстро выяснилось, что у него нет ни правильного произношения, ни обязательного для занятий пианино. А в шахматы он играл уже неплохо — годом раньше, вскоре после частичного прорыва блокады, принял участие в детском турнире (!), видимо, прочитав объявление у разбитой осколками снарядов стены Аничкова дворца: «Прием школьников в открытый чемпионат Ленинграда проводится в понедельник. Руководитель шахматного кружка А.Модель».

«На Фонтанке гремел артобстрел, когда мы с Виктором сели за свою первую шахматную партию, — вспоминает его сверстник, журналист Олег Скуратов. — Моим соперником был худенький черноволосый мальчик в аккуратном ватнике. Играли мы в подвале дворца, холод был адский, но «зал» заброшенного бомбоубежища казался нам просто божественным. Помню, на меня произвела впечатление запись партии, которую партнер четко вел в школьной тетради. С интересом следил я за знаками шахматной нотации. В результате этого (так мне искренне казалось!) проиграл таинственный пешечный эндшпиль. Хмурый как туча подошел к Моделю: «Проиграл!» — «А кому?» Я снова заглянул в тетрадку и прочел фамилию соперника. «Какому-то Корчному!» — сказал я с досадой. Мальчик в ватнике сердито глянул в мою сторону... он долго еще не прощал мне этого нечаянного словечка — «какому-то». В 12 лет Виктор имел уже обостренное чувство достоинства».

Первыми его шахматными книгами были учебник Ласкера и труд Тартаковера «Освобожденные шахматы», первыми шахматными наставниками — мастера Андрей Батуев и Абрам Модель. Затем Корчной занимался в группе известного впоследствии тренера Владимира Зака (в 46-м к нему пришел и девятилетний Боря Спасский, тоже став одним из любимейших учеников) и уже через два года участвовал в юношеском чемпионате СССР. После пяти туров он был среди лидеров, но затем, проиграв партию, как-то расклеился и в итоге разделил лишь 11—12-е места, а первое занял его будущий непримиримый соперник Петросян...

Зато в следующих двух юношеских чемпионатах страны (1947 и 1948) Корчной был уже победителем, хотя во втором из них ему пришлось нелегко. «Проиграв в 1-м туре, он настолько упал духом, что написал своему тренеру Заку грустное письмо, в котором признавался, что не верит в себя, — свидетельствует литератор Виктор Васильев. — Лишь ответная телеграмма наставника, сердитая и ободряющая, заставила его взять себя в руки».

Много партий того периода утеряно, но сохранилась забавная концовка миниатюры, сыгранной между 17-летним Корчным и 11-летним Спасским (Ленинград 1948).

11...♕g4? (вместо нормального 11...♗g7) **12.♘d5!**, и черные сдались, с ужасом обнаружив, что 12...♕:f3 13.♘:f6+ ♔e7 14.♘d5+ и gf проигрывает фигуру. Тянуть безнадежное сопротивление после 12...♔d8 13.♕:g4 ♘:g4 14.h3 ♘h6 15.fe de 16.♗g5+ ♔d7 17.♗f6 ♖g8 у огорченного Бори уже не было моральных сил...

Давид Бронштейн вспоминает трудный сеанс с часами для десяти кандидатов в мастера, проведенный им осенью 1948 года в Ленинградском шахматном клубе: «Каждый играл за себя, но я видел, как возле одной из досок из-за плеча Черепкова выглядывало юное подвижное лицо с блестящими умными глазами. Сеанс продолжался долго — не менее пяти часов. И в самом конце возле одной доски с интереснейшей и сложнейшей позицией оказались трое. Основной мой партнер сидел спокойно, но его добровольный консультант все время ерзал и буквально сверлил меня взглядом. Минут через 15 Черепков предложил мне ничью, и я с радостным облегчением согласился. И тут Витя Корчной (а это именно он был консультантом) вскочил со своего стула, перегнулся через шахматный столик и торопливо, словно боясь, что я могу раствориться в воздухе и исчезнуть, своим неповторимым, ставшим впоследствии знаменитым задиристым голосом выкрикнул: «Не выиграли? А ведь обещали! Всего лишь 5:5!» Но я не растерялся и спокойно ответил: «Что вы! Кто вам сказал об этом? Я мечтал о счете 5:5. Все-таки это шахматисты города с давними традициями и высокой шахматной культурой». Корчной успокоился».

Это была первая встреча двух замечательных шахматистов, с тех пор относившихся друг к другу с неизменной симпатией и уважением.

По окончании школы, уже решив посвятить свою жизнь шахматам, Корчной тем не менее поступил на исторический факультет Ленинградского университета. «Студенческая бедность вошла в поговорку, — писал он позднее. — Вспоминаю себя: в кармане деньги на трамвай, иногда еще на пачку самых дешевых папирос. Совсем редко — на студенческий нищенский обед». Виктор очень любил историю, но еще больше — шахматы и... карточные игры (как, впрочем, и раньше Ласкер, а позже Карпов). По словам очевидца, «на квартире, где собирались многие молодые шахматисты, он мог играть в шахматы или покер с утра до вечера; брал «тайм-аут», когда надо было идти на очередной тур чемпионата Ленинграда, а ближе к ночи вновь возвращался и мог сыграть несколько «пулек» в преферанс».

Благодаря редкой самостоятельности и объективности мышления Корчной пользовался среди ленинградских шахматистов непререкаемым авторитетом: когда в ходе турниров возникали конфликтные ситуации, участники зачастую обращались не к судьям, а к Виктору, и его вердикт ставил точку в споре. Однако эта самостоятельность имела и свою оборотную сторону. «Я брал каждое препятствие лбом, я был уверен в себе до смешного», — признался Корчной годы спустя. Ему не хватало квалифицированной помощи, но когда на исходе 40-х эту помощь предложил гроссмейстер Толуш — «чтобы сделать из него мастера», он гордо ответил: «Я сам стану мастером!» И вскоре стал — после турнира памяти Чигорина (Ленинград 1951). Но позже, увидев, как Толуш помог

преобразиться Спасскому, весьма сожалел о своем отказе...

В итоге, хотя по всем признакам Корчной был весьма одаренным и перспективным шахматистом, каждый новый шаг вперед давался ему с большим трудом. В своем первом полуфинале чемпионата СССР (1950) он умудрился стартовать... 0 из 7 (!), но все же сумел собраться на финише: +4=4. Следующий полуфинал (1951) он закончил уже «в плюсе», а в 1952 году наконец-то пробился в финал — и сразу же занял в нем почетное 6-е место, опередив Бронштейна, Смыслова и Кереса! Это был его первый крупный успех.

По словам самого Корчного, этого успеха он достиг не за счет понимания игры, а благодаря напряженной работе за доской: «Меня переигрывали, но я упорно сопротивлялся, а так как гроссмейстеры — обычные люди (они тоже устают, делают ошибки, попадают в цейтноты), мне довольно часто удавалось выходить сухим из воды. В этом турнире я впервые встретился с чемпионом мира Ботвинником, и хотя партия закончилась вничью, во время разбора я понял, насколько я далек от истинной шахматной мудрости. Я установил, что недостаточно глубоко понимаю стратегию шахмат. Кроме того, я не умел и не любил атаковать, моей стихией была защита. Эту однобокую стратегию часто использовали мои противники... Я понял, что надо разнообразить свой стиль: уметь и атаковать, и бороться за инициативу».

Довольно уверенно вышел он и в финал следующего, 21-го чемпионата СССР. В полуфинале (Вильнюс 1953) Корчной выиграл примечательную партию у Суэтина. В сложном эндшпиле он неожиданным 30-м ходом отдал и пешку, и качество, зато резко активизировал свои силы и добился быстрого перелома в борьбе. «До этой встречи мне почему-то не приходило в голову, — пишет Виктор Львович, — что жертва материала, даже вынужденная, даже когда на доске нет ферзей (!), может привести к перехвату инициативы и выигрышу партии... Мне пришлось переосмыслить многие представления о шахматной игре, которые у меня были до тех пор».

Чемпионат СССР, состоявшийся в начале 1954 года в Киеве, стал новой яркой вехой в биографии Корчного. Начав с поражения от Суэтина (в рискованном «раннем драконе») и одержав три победы при двух ничьих — с Таймановым и Петросяном, он обосновался в лидирующей группе. В 7-м туре ему предстояло играть черными с идущим на пол-очка впереди опытным Семеном Фурманом, будущим секундантом Корчного, а впоследствии многолетним тренером Карпова. Первый ход Фурмана не был секретом ни для кого — 1.d4!?

Поскольку, как уже говорилось, большинство лучших и наиболее характерных партий раннего и даже зрелого Корчного были сыграны им черным цветом, его дебютный репертуар вызывает особый интерес. На 1.e4 он чаще всего и с успехом играл французскую защиту, но оставил свой след и в сицилианской, в защитах Алехина, Пирца-Уфим-

цева и Каро-Канн, в открытом варианте испанской партии (об этом речь впереди), а на 1.d4 многие годы постоянно применял динамичную защиту Грюнфельда и лишь в солидном возрасте перешел к более капитальным защитам — Нимцовича и новоиндийской.

В ту пору защита Грюнфельда оставляла широчайший простор для творчества — за белых едва нащупывались пути, сохраняющие надежду на перевес. Но главное — стратегический план черных в этом дебюте полностью отвечал контратакующему стилю Корчного. Позволяя белым создать сильный пешечный центр, он затем всячески подрывал и разрушал его в надежде использовать слабости, неизбежно возникающие в лагере противника. Приводимая партия с Фурманом, пусть и небезошибочная, хорошо иллюстрирует такую стратегию.

№ 490. Защита Грюнфельда D92
ФУРМАН — КОРЧНОЙ
21-й чемпионат СССР,
Киев 1954, 7-й тур

1.d4 ♞f6 2.c4 g6 3.♞c3 d5 4.♞f3 (или сначала 4.♗f4 ♗g7 5.e3 и ♖c1 — № 309, 326) **4...♗g7 5.♗f4 0-0 6.♖c1.** При обычном 6.e3 c5 7.dc ♛a5 белые не добивались перевеса (Раузер — Алаторцев, СССР(ч) 1931; Левенфиш — Ботвинник, Москва — Ленинград(м/11) 1937).

«Идея системы с 6.♖c1 заключается в том, чтобы заранее захватить линию «c», обладание которой играет большую роль в дальнейшей борьбе; кроме того, угроза пешке c7 побуждает черных взять на c4, что также представляет для белых известную выгоду» (Фурман). Особенно популярной эта система стала на рубеже веков. Понятно, что сегодня она изучена вдоль и поперек.

6...dc. Это признано более надежным, чем 6...c5 7.dc ♗e6, как было еще у Рагозина с Ботвинником (Ленинград(м/8) 1940) и Микенасом (СССР(ч) 1940), или 7...dc 8.♛:d8 ♖:d8 9.e3 (9.e4!? ♘a6 10.e5 Бронштейн — Филип, Амстердам (тп) 1956) 9...♘a6 10.c6 bc 11.♗:c4 ♘d5 12.♗e5 ♘b6 13.♗e2 f6 14.♗g3 со сложным, чуть лучшим для белых окончанием (Корчной — Штейн, СССР(ч) 1962).

7.e3. Укрепляя пункт d4. В партии Борисенко — Корчной (Ленинград 1953) было 7.e4 c5 8.dc ♛a5 9.♘d2 ♗e6 10.♗:c4 ♗:c4 11.♘:c4 ♛:c5 12.♛e2 ♘c6=, но позже Корчной применил против Загоровского (Сочи 1958) сильную новинку 9.e5! После чего на сцену вышло 7...♗g4! (Пахман — Глигорич, Гавана 1962). Этот ход активно испытывался в конце 20-го века, и в главном варианте 8.♗:c4 ♗:f3 9.gf ♘h5 10.♗e3 e5 11.de ♗:e5 12.♛:d8 ♖:d8 у черных вполне приемлемое окончание.

7...♗e6!? Новинка. Хотя возможно и 7...c5 8.♗:c4 cd 9.♘:d4 ♘bd7 10.♗g3 ♘b6 (10...e5? 11.♘db5 ♘e8 12.♘e4 ♛a5+ 13.♛d2 ♛:d2+ 14.♘:d2 a6 15.♘c3 ♘d6 16.♘d5! Фурман — Лившин, 3-й тур) 11.♗b3 ♗g4 12.f3 ♗d7 13.0-0 ♘h5= (Борисенко — Бывшев, Ленинград 1954) или даже 7...♘bd7!? 8.♗:c4 c5= (Карпов — Каспаров, Нью-Йорк(м/3, бш) 2002).

8.♘g5 ♗d5. Этот ход много лет делался автоматически, пока в партии Дреев — Сутовский (Эссен 2000) не встретилось 8...♗g4!? 9.f3 ♗c8. Затем и я успешно сыграл так против Карпова (Нью-Йорк(м/1, бш) 2002).

9.♘:d5. Вроде бы естественный размен. В ответ на 9.e4 было заготовлено 9...h6! 10.ed hg 11.♗:g5 ♘:d5 12.♗:c4 ♘b6 13.♗b3 ♘c6, например: 14.d5 ♘d4 15.0-0 ♖e8= (Торан — Корчной, Пальма-де-Мальорка 1968) или 14.♘e2!? (попытка использовать силу двух слонов) 14...a5, и практика наших дней показала, что у черных достаточная контригра.

9...♘:d5 10.♗g3?! Сохраняя слона в надежде быстро закончить развитие и захватить инициативу. Однако сделать это не удается, и ход в партии оказывается потерей важного темпа. С середины 80-х играют сразу 10.♗:c4 с гамбитной идеей 10...♘:f4 11.♛f3!

10...c5! Типичный «грюнфельдовский» подрыв, подчеркивающий отсталость белых в развитии. «Конечно, у меня и в мыслях не было удерживать пешку посредством 10...b5? ввиду 11.b3!» (Корчной).

11.♗:c4 cd 12.♛b3. Если 12.0-0, то 12...e6, нападая на коня g5 и оставаясь с лишней пешкой. Видимо, Фурман возлагал все надежды на выпад ферзем, создающий угрозы и коню d5, и пункту f7, и пешке b7.

12...de!? «Партия вступает в полосу необозримых осложнений. Продумав более часа, я отказался от 12...e6 ввиду 13.♕:b7 ♘d7 (13...♘b6 14.♘:f7) 14.♗:d5» (Корчной). Хотя, на мой взгляд, после 14...♕g5 проблемы могут быть только у белых.

Неплохо было и 12...♕a5+ 13.♔e2, и здесь не 13...♘b6?! (с идеей 14.♘:f7 ♘c4 А.Геллер) из-за 14.♗:f7+ ♔h8 15.h4 ♘c6 16.h5!? ♕g5 17.hg h5(6) 18.♗f4 с опасной атакой, а 13...d3+ 14.♗:d3 (14.♔:d3 ♘a6 15.♗:d5 ♖ad8! 16.♔e4 e6 и т.д.) 14...♘c6 15.♘e4 ♘db4= или 13...e6 14.♗:d5 ♕:d5! (это проще, чем 14...ed 15.♕:b7 ♘a6 16.♗d6 de 17.fe d4! 18.♘f3 ♕:a2 19.♘:d4! ♖fe8 20.♖hd1 ♖ad8 21.♕b5!?) 15.♕:d5 ed 16.♗c7 b6 с благоприятным для черных окончанием. Однако ход в партии острее и интереснее.

Так или иначе, становится очевидно, что Фурман — уже тогда известный теоретик и «белоцветчик» — проиграл дебютную дуэль. К 12-

му (!) ходу белые оказались в неприятном положении и вынуждены искать способ удержать равновесие. Мне кажется, это показывает уровень развития теории в ту эпоху.

13.♗:d5 e6 (двойной удар, причем слон не может уйти из-за 14...♕d2+) **14.♘:e6 ♕a5+ 15.♗c3.** При 15.♔f1 fe 16.♗:e6+ (16.♗f3 ♘c6) 16...♔h8 17.♕:e3 ♘c6 (Корчной) у черных серьезная инициатива за пешку: белым трудно ввести в бой ладью h1 и обезопасить своего короля.

15...fe 16.♗:e6+?! «Белые продолжают играть на атаку и попадают в худшее положение. Вместо этого они могли перейти в примерно равное окончание: 16.♗:b7 ♕:c3+ 17.♕:c3 ♕b6 18.♕b3 ef+ 19.♔e2 ♘d7 20.♕:b6 ab 21.♗:a8 ♖:a8» (Корчной). Или решиться на острое 17.bc ef+ 18.♔e2 (18.♗:f2? ♕e5+ 19.♔f1 ♕f5) 18...♕f5 19.♖f1 ♘a6 и т.д.

16...♔h8 17.0-0?! И после 17.fe ♘c6 18.♗f2 ♗:c3+ 19.bc ♖f6 20.0-0 ♖af8 позиция черных предпочтительнее (белым слонам нелегко проявить свою силу), но игра носила бы еще неясный характер.

17...e2! Теперь перевес черных очевиден: эта «слабая» пешка оказывается неприкосновенной из-за вилки на d4. «Хуже было 17...ef+ 18.♗:f2 ♗:c3? 19.bc с угрозой мата по большой диагонали или 17...♗:c3 18.bc! ♘c6 19.♕:b7 с перевесом белых» (Корчной).

18.♖e1 ♘c6 19.♖cc1? Все-таки меньшим из зол было 19.♗c4, хотя после 19...♖ae8 20.♖cc1 ♕d2 21.f3 ♘d4 22.♕d3 ♕g5 пешка e2 доставляла бы белым массу хлопот.

19...Ꙥad8? «Здесь я повторил ошибку Фурмана — продолжил играть на атаку, тогда как пора было перейти на более прозаический путь: 19...♘d4! 20.♕d5 *(20.♕c4 b5! — Г.К.)* 20...♛b6 21.♗g4 Ꙥad8 22. ♕c4 ♕:b2 с некоторым перевесом черных» (Корчной).

Слишком скромная оценка! После 20...♕d2! 21.♗e5 Ꙥad8 22.♗:g7+ ♚:g7 23.♕:b7+ ♚h6 белые скорее всего беззащитны, например: 24. ♗b3 Ꙥde8 (с угрозой ♕:c1) 25.Ꙥb1 Ꙥ:f2 26.♗g8 (отчаяние) 26...Ꙥ:g8 (или просто 26...Ꙥf1+) 27.♚:f2 Ꙥe8 28.♚g1 ♘c2, и вновь судьбу партии решает пешка «e». Используй черные этот шанс — и партия стала бы прекрасным произведением шахматного искусства...

Добавлю, что менее эффективно немедленное 19...♕d2 ввиду 20.♕e3 ♕:e3 21.fe Ꙥae8 22.♗d7 Ꙥ:e3 23.♗f2 ♗d4 24.♗:c6 bc 25.b4 ♚g8 26.h3, и хотя неясно, как развязываться белым, но неясно и как выигрывать черным. Скажем, 26...a5 27.ba c5 28. Ꙥb1 Ꙥe7 29.♗:d4 cd 30.Ꙥb3 Ꙥd8 31. Ꙥd3 с вероятной ничьей.

20.♕b7 (теперь у белых вполне приемлемая позиция и даже шансы на перевес) **20...♘d4 21.♗c7 ♕d2 22.♗:d8 ♕f4.** «Угрозы черных выглядят весьма опасными, но Фурман находит правильную линию игры» (Корчной).

23.f3 ♗e5? Неудачная попытка поддержать напряжение. Необходимо было 23...Ꙥ:d8 «со сложной и обоюдоострой игрой» (Корчной), например: 24.Ꙥc8 ♘:e6 25.Ꙥ:d8+ ♘:d8 26.♕e7 ♗d4+ 27.♚h1 ♗b6 28. ♕:e2 ♘f7 — у белых небольшой материальный перевес, но черные должны спастись.

24.g3 ♕e3+?! Не проходило 24...♘:f3+? 25.♚h1 ♕h6 из-за 26. ♗f6+!, но упорнее было 24...♕:f3 25.♕:f3 Ꙥ:f3+ 26.♚g2 ♘e1+ 27.Ꙥ:e1 Ꙥ:d8 (Корчной), хотя после 28.Ꙥ:e2 черных ждала малоприятная защита в эндшпиле без пешки.

25.♚g2 ♘:e6 (конечно, не 25...♘:f3? 26.♗f6+!) **26.♕e4?** В страшном цейтноте (менее одной минуты на 15 ходов!) Фурман спешит разменять ферзей и упускает несложный выигрыш — 26.♗e7 Ꙥf7 (26... Ꙥg8 27.♕e4) 27.♕c8+ или 27.Ꙥc2!

26...♕:e4 27.fe Ꙥ:d8 28.Ꙥ:e2 ♚g7 (черным удалось восстановить примерное материальное равновесие и консолидировать позицию) **29.Ꙥc4 ♚f6 30.Ꙥa4 Ꙥd7 31.Ꙥa5 ♗d4 32.h4.** Ничья по предложению белых: хотя ладья с парой пешек посильнее двух легких фигур, но... цейтнот!

После этой боевой ничьей Корчной одержал пять побед подряд и, набрав 9,5 из 12, возглавил турнирную гонку! Но затем вперед вырвался поймавший кураж Юрий Авербах, участник недавнего турнира претендентов в Цюрихе. В заключительном, 19-м туре он играл черными с Корчным... Годы спустя Юрий Львович вспоминал:

«Опережая Корчного и Тайманова на 1,5 очка, я был настроен весьма благодушно, наивно полагая, что и мой партнер настроен так же: меня ему все равно не догнать, а дележ 2-го места обеспечен. После примененного Корчным усиления мне нужно было сообразить, что он настроен отнюдь не мирно, но я всё еще пребывал в благостном настроении и никак не мог настроиться на боевой лад, даже когда понял, что получил проигранное окончание. Однако неожиданно мне на помощь пришли зрители. Они откровенно болели за самого молодого участника и не стеснялись громко выражать свои симпатии. А когда я оказался в критическом положении, с галерки начали шепотом скандировать: «Авербах, сдавайся! Авербах, сдавайся!» Это подействовало на меня как зов боевой трубы, и я, сжав зубы, стал выискивать малейшие шансы на спасение. Я поставил перед собой задачу не проиграть до контрольного 40-го хода, чтобы отложить партию и не доставить удовольствия наиболее ретивым поклонникам Корчного. Задачу-минимум я выполнил, продержался 40 ходов, однако моя позиция по-прежнему оставалась безрадостной. И здесь мне помог... сам Корчной! Вместо того чтобы отложить партию, он решил прикончить меня сразу, благо на часах еще было время. Но сгоряча упустил выигрыш... Партия была отложена только на 56-м ходу и без доигрывания признана ничьей».

Это лишь один из многочисленных эпизодов, раскрывающих шахматный характер Корчного. Он действительно завоевал общие симпатии своей смелой и разносторонней игрой, став в ряд героев того чемпионата: 1. Авербах — 14,5 из 19; 2–3. Корчной и Тайманов — по 13; 4–5. Лисицын и Петросян — по 12,5; 6. Холмов — 10,5; 7–9. Нежметдинов, Суэтин и Фурман — по 10 и т.д.

«В его лице советские шахматы имеют талантливого представителя с ярко выраженным творческим обликом, полноценного кандидата в гроссмейстеры. В первых выступлениях Корчной зарекомендовал себя как шахматист, искусный в осложнениях и в расчете острых вариантов, но теперь он, сохранив это свое ценное качество, показал, что может вести борьбу в классическом позиционном стиле. Корчной очень молод: во время турнира ему еще не было и 23 лет. Этим отчасти и объясняется неоправданный риск, на который он шел в некоторых партиях. И хотя ему иной раз и удавалось победить таким путем, но он должен понять, что это ненадежный путь к дальнейшему прогрессу», — писал в итоговой статье Александр Константинопольский.

Закономерность успеха в чемпионате страны Виктор подтвердил уже через месяц на своем первом в жизни международном турнире в Бухаресте (1954). Здесь жесточайшую конкуренцию ему составил опытный мастер из Казани Рашид Нежметдинов, взявший со старта очень высокий темп. Только после победы над Филипом в 12-м туре Корчному удалось догнать лидера. Но сколь нелегкой была эта победа!

«Истинные шахматные шедевры создаются и тогда, когда находчивая остроумная атака наталкивается на яростную, изобретательную защиту. Оборона считается неблагодарным делом, хотя в ней есть своя романтика, – писал Корчной в 1961 году. – Но мастера защиты (Стейниц, Ласкер, Нимцович, Ботвинник, Петросян) внесли свою лепту в историю шахмат не меньше, чем шахматисты атакующего стиля (Морфи, Андерсен, Алехин, Таль, Геллер). Мой шахматный вкус лучше всего раскрывает следующая партия».

№ 491. Защита Грюнфельда D86
ФИЛИП – КОРЧНОЙ
Бухарест 1954, 12-й тур

1.d4 ♘f6 2.c4 g6 3.♘c3 d5 4.cd ♘:d5 5.e4 ♘:c3 6.bc ♗g7 7.♗c4 0-0. Один из смелых экспериментов Корчного: вместо обычного подрыва 7...c5 он применяет трудный вариант Симагина, где черные сначала играют ♘c6 и развивают ферзевый фланг.

8.♘e2 ♘c6. Теперь белые сохраняют мощный центр и должны получить перевес, но здесь-то и кроется основная надежда черных: доказательство перевеса требует активных действий (аксиома, сформулированная еще Стейницем), и соперник может создать у себя слабости – объекты для контратаки!

9.♗g5!? «Поскольку не атакован пункт d4, белые могут развить слона не на e3, а поактивнее», – пояс-

няет Корчной. Парой месяцев раньше в чемпионате СССР Лилиенталь сыграл против него 9.0-0 (9.h4?! – № 358), и после 9...♕d7 (фирменный ход Корчного; стандартный ответ – 9...b6) 10.♗a3?! ♘a5 11.♗d3 b6 12.♘f4?! ♗b7 13.♕e2 ♖fd8 14. ♖ad1 e6 15.e5 c5! 16.dc ♕c7! 17.cb?! ♕:e5 18.♕:e5 ♗:e5 19.♘e2 ab 20. ♗c1 ♗d5 черные четко реализовали перевес в окончании.

9...♕d7 (Корчной верен своему ходу и не спешит с 9...♘a5 Копылов – Симагин, СССР(ч) 1951 **10. 0-0** (10.♕d2 e5!?) **10...♘a5 11. ♗d3 b6 12.♕d2.**

12...♖d8?! Та же линия на максимальное усложнение борьбы. «Черные, собираясь играть на выигрыш, сознательно подвергают себя опасной атаке, надеясь в дальнейшем получить контригру в центре. При 12...c5 13.♗h6 белые сохранили бы минимальный перевес в сравнительно простой позиции» (Корчной).

13.♗h6 ♗h8 14.♖ad1 ♗b7 15.♕g5! e6 (подготовка c7-c5; если сразу 15...c5, то 16.d5) **16.e5!** Пользуясь ослаблением поля f6. На 16. f4 черные намечали 16...f6 17.♕g3 f5.

16...c5 17.♘f4. Филип хорошо ведет партию: все его силы нацелены на королевский фланг, угрожает ♘h5-f6+ или h2-h4-h5, а использовать слабости белых в центре (поле d5, пешка d4) и на ферзевом фланге (поле c4) пока невозможно. Однако позиция черных еще отнюдь не проигранная: форсированного мата они не получают, а в отдаленной перспективе у них будут шансы перейти в контратаку.

17...cd 18.cd. Заслуживало внимания немедленное 18.♘h5!? Опасно 18...♛d5 19.cd! (ферзя нельзя отвлекать от защиты короля), а после 18...f5 19.cd ♛f7 20.♘f4 черным во избежание худшего пришлось бы разменивать чернопольных слонов – 20...♝g7 21.♝:g7 ♚:g7, но 22.♝e2 с последующим h2-h4 сохраняло за белыми ясную инициативу. Все-таки ослабление укрытия черного короля весомее всех других факторов!

Впрочем, и после хода в партии у белых тоже мощное давление. Но из подобных микронюансов обычно и складывается результат борьбы...

18...♘c6 19.d5! Типовой прорыв. «Очень сильно было простое 19.♝b5 a6 20.♝:c6 (в случае 20.♘h5 f6! черные без труда защищались) 20...♛:c6 21.f3, и после примерного 21...♝d7 22.♘h5 f5 23.♘f4 у черных ввиду угрозы h2-h4-h5 трудное положение» (Корчной). Скажем, 23...♝c4 24.h4 ♛f7 25.h5 ♖g8 26.hg+ (26.a3!? ♖:d4? 27.♝c1!, и плохо как 27...♛a4 28.♝c7+ ♖d7 29.♝g7!!, так и 27...♛b5 28.♝f8!! или 28.hg+ hg 29.♝g7!!) 26...hg 27.♛h4 ♖:d4 28.♝f8!! или 27...♛:a2 28.♝g5 со страшной атакой.

Однако в случае 21...♛c2! 22.♛e7! (22.h4 ♛f5) 22...♛d5! 23.♖c1 ♛a4 24.♖c7 ♛:d4+ 25.♚h1 ♖f8 26.♘:d5 ♛:d5 27.♝:f8 ♖:f8 28.f4 ♛:a2 перевеса белых могло и не хватить для победы.

19...ed. При 19...♘:e5 (19...♝:e5? 20.dc) 20.de ♛c7! (Корчной) решающую роль играла юркая проходная пешка белых. У них был не один способ развития инициативы:

1) 21.♖fe1 ♘:d3 22.e7! ♖e8 23.♖:d3 ♖ac8 24.h4 или 21...f6 22.♛g3 ♝g7 23.♝:g7 ♛:g7 24.♝b5 ♖:d1 25.♖:d1 ♛e7 26.♝d7 ♖d8 27.♛c3 ♘:d7 28.♛c7 ♝c6 29.h3!! (В.Белов) 29...♝g7 (не лучше 29...♚f8 30.♖d6! g5 31.♘e2 или 29...♛e8 30.♘d5! ♝g7 31.♛:c6 ♘e5 32.♛c7+ ♚h6 33.f4 ♘c6 34.♘:f6!) 30.♖d6! ♖c8 31.♖:c6 ♖:c7 32.♖:c7 ♚f8 33.♖c8+! ♝g7 34.ed ♛:d7 35.♖c7! с очень красивым выигрышем;

2) 21.♝f5 ♖:d1?! 22.♖:d1 ♖e8 (22...f6 23.♛g3 ♝g7 24.♘:g6! hg 25.♖d7!) 23.h4! ♛f3 24.♖d7! или 21...f6 22.♛g3 ♝g7 (22...♛e7? 23.♝:g6!) 23.♝:g7 ♛:g7 24.♝c2 ♛e7 25.♝b3 с устойчивым преимуществом;

3) 21.♝b5 f6 22.♛g3 ♛e7 (плохо и 22...a6 23.♝d7 или 22...♝g7 23.

♗:g7 ♕:g7 24.♕a3!) 23.♖d7! ♘:d7 24.ed (грозит ♘:g6) 24...♗g7 25. ♕b3+ ♔h8 26.♗:g7+ ♔:g7 27.♘e6+ ♔h8 28.♘:d8 ♖:d8 29.♕c3! (с угрозой ♖e1) 29...♕d6 (безнадежно и 29...♕e5 30.♕:e5 fe 31.f4! e4 32.♖c1 и ♖c7) 30.♖e1 ♗g7 31.♕e3+−.

Такая перспектива, конечно, не улыбалась Корчному, и он предпочел уничтожить опасную пешку.

20.♗b5? На первый взгляд, самый естественный ход: угрожает и 21.♘:d5, и 21.e6 fe 22.♘:g6. Однако слон отвлекается от королевского фланга, поэтому стоило поискать иные пути:

1) 20.♘h5 ♕e7 (20...♕e6 21.f4) 21.♘f6+ ♗:f6 22.ef ♕e5 23.♕h4! ♖e8 (недостаточно и 23...♕h5 24.♕:h5 gh 25.f4!) 24.♗g5 h5 25.♗f4 ♕e6 (25...♕b2 26.♗:g6!) 26.♕g5 или 24... ♘d4 25.♕h6 ♘e6 26.f4! ♕e3+ 27. ♔h1 (с угрозой ♖e1 и ♖:e6) 27...♕c5 28.f5 ♕f8 29.fe ♕:h6 30.ef+ ♔:f7 31.♗:h6+−;

2) 20.e6 ♕e7 21.ef+ ♔:f7 22.♘:g6! (Корчной предложил 22.♖fe1, но 22...♘e5! отражает натиск: 23.♖:e5 ♗f6 24.♖f5 ♗:g5 25.♖:f7 ♗:h6 26. ♖:b7 ♗:f4 с примерно равным эндшпилем) 22...hg 23.♗:g6 ♕e7. Именно из-за этого хода Корчной счел жертву коня преждевременной, но после 24.♕h5! у белых сильнейшая атака: угрожает и ♖fe1, и ♖d3-g3, и марш-бросок пешки «f». Например:

а) 24...♗e5?! 25.f4 ♗d4+ 26.♖:d4 ♘:d4 27.♗g5 ♕g7 28.f5 или 27... ♘e2+ 28.♔h1 ♘:f4 29.♗:f4 ♖f8 30. h3! d4 (30...♕g7 31.♖f3) 31.♗c2!+−;

б) 24...♘e5 25.f4 ♘:g6 26.♕:g6+ ♗g7 27.♖fe1 ♖d6 28.♕:g7+ ♕:g7

29.♗:g7, и три связанные проходные белых должны решить исход борьбы в их пользу.

Напрашивается вопрос: значит, вся стратегия черных была неверной? Объективно — да. Однако надо учитывать, что эта партия игралась на заре развития защиты Грюнфельда и возникла сложная, малоизученная позиция. Последствия жертвы фигуры наверняка казались Филипу далеко не очевидными (дело было еще в доталевскую эпоху!), и он, стремясь побыстрее прояснить ситуацию, избрал более спокойное продолжение, которое выглядело оптимальным решением проблемы.

20...♗:e5!! Не надо быть Талем, чтобы после 20...d4? 21.e6 ♕e7 22. ef+ ♕:f7 рассчитать комбинационный удар 23.♗c4! ♕:c4 24.♘:g6+−. Но надо было быть Корчным, чтобы найти 20...♗:e5!! Выглядит как зевок, а на самом деле — совершенно парадоксальная жертва ферзя.

21.♗:c6 (невыгодно 21.♘:d5 ♕:d5 22.♗:c6 ♗:h2+! или 22.♖:d5 ♖:d5 23.♗:c6 ♗:h2+!) **21...♗:f4 22. ♕f6.** Грозит мат, висит ферзь — многие из играющих черными, увидев издалека такую позицию, просто прекратили бы расчет. Но Корчной тонко оценил, что жертва ферзя за двух слонов и две пешки дает хорошие контршансы.

22...♗h6 23.♗:d7 ♖:d7. «Компенсация у черных небольшая, но характер позиции изменился. Вместо атаки на короля белым предстоит решать другие задачи» (Корчной). Действительно, их ладьям трудно вторгнуться в лагерь противника (мешают слоны), а главное — они скованы проходной пешкой «d». Причем, блокируя эту пешку, ладья попадет под удар одного из слонов.

24.♖fe1 ♗f8! Препятствуя ♖e7: любой размен на руку белым, ибо резко возрастает сила ферзя. Похожая ситуация была у меня в партии с Карповым (Нью-Йорк(м/3) 1990), где я пожертвовал ферзя за две легкие фигуры и пешку: сопернику тоже надо было разменивать фигуры, даже ценой жертвы материала...

25.h4?! Игра по шаблону, но при наличии чернопольного слона атака h2-h4-h5 не имеет смысла. Правильно было 25.♖d3 с угрозой ♖de3-e8, и черным, чтобы помешать размену ладей, пришлось бы играть 25...♗b4!? (Корчной). Ясно, что шансы белых выше, вопрос лишь в том, насколько.

25...♖ad8 26.h5?! Загляни Филип в недалекое будущее, он понял бы, что надо сразу блокировать пешку ходом 26.♖d4!, ибо после 26...♗g7 27.♕f4 размен 27...♗:d4 28.♕:d4 опасен для черных ввиду ослабления укрытия их короля. Впрочем, хладнокровное 27...h5 сохраня-

ло неясную позицию. Белым, чтобы использовать силу ферзя, пришлось бы играть g2-g4, а это довольно ответственное решение.

Но Филип по инерции сделал «атакующий» ход 26.h5. Типичная ситуация, когда шахматист, получив перевес, не нашел верного плана и позволил сопернику с помощью внезапной жертвы резко изменить направление борьбы. Подобные повороты обычно выбивают из колеи, а в таком состоянии нелегко находить сильнейшие ходы. Здесь-то и кроется основная опасность игры с шахматистами типа Корчного, очень тонко чувствующими психологические нюансы и не упускающими случая перейти в контратаку.

26...d4 (после этого белым надо играть уже аккуратно) **27.hg hg 28.♖d3 ♗a6.** Мало того что черные успели продвинуть проходную пешку — теперь в случае размена слона на ладью у них останется чернопольный слон, который помимо прочего выполняет важную функцию защитника короля.

29.♖ed1? В цейтноте Филип окончательно теряет нить игры и отдает качество. По Корчному, белые могли без труда сделать ничью путём 29.♖h3 ♗g7 30.♕c6 (или 30.♕h4 d3 — одним шахом на h7 Корчного не напугаешь!) 30...d3 31.♖e8+ ♖:e8 32.♕:d7 ♗b5! 33.♕:b5 ♖e1+ 34.♔h2 d2 35.♖d3 d1♕ 36.♖:d1 ♖:d1 37.♕a6 ♖d5 38.♕:a7 ♖a5 и ♖:a2.

29...♗:d3 30.♖:d3. «Возникла позиция с минимальным перевесом чёрных. Конец партии проходил в сильнейшем обоюдном цейтноте, и мне удалось перешлёпать своего соперника» (Корчной).

30...♖c8. У чёрных прекрасное материальное соотношение — ладья и слон с парой пешек за ферзя и хорошо укреплённый король. В их план входит создание ещё одной проходной на ферзевом фланге. И всё же не факт, что этого хватит для победы. Выяснение точной оценки данного эндшпиля не входит в нашу задачу, но интересно посмотреть, с какой энергией и изобретательностью проводит Корчной техническую часть партии.

31.♕f3. Может быть, лучшим практическим шансом на спасение был переход в ладейное окончание без пешки — 31.♖:d4 ♗g7 32.♕:g7+ ♔:g7 33.♖:d7 (Корчной), хотя после 33...♖c1+ 34.♔h2 a5 белым трудно разменять свою пешку «a» на пешку «b» и у чёрных, скорее всего, технически выигранная позиция.

31...♗g7 32.♕e4 ♖cd8 33.f4 ♖d5 34.g4 ♗f6 35.♔g2 ♔f8 36.♔f3 b5 37.♕e1 ♔g8 38.♕b4 ♖8d7 39.♕b3?! a5 40.a3 ♖c5 41.♕b1 ♖dc7 42.♔e2 a4 43.♕h1 ♖7c6 44.♕b1 ♖c8 45.♕h1 ♖c2+ 46.♖d2. На 46.♔f3 есть выбор между резким 46...b4 47.ab a3, и если 48.♖:a3, то 48...♖2c3+ 49.♖:c3 dc (Корчной), и спокойным 46...♖c1.

46...♖e8+ 47.♔d1 ♖c3 48.♕d5. «Упорнее было 48.g5 — в этом случае попытка 48...d3? не проходила: 49.gf ♖:a3 50.♖a2 ♖:a2 51.♕h6+→» (Корчной). Но после простого 48...♖:a3 чёрные сохраняли решающее преимущество.

48...♖:a3 49.♕:b5. Над белыми, словно дамоклов меч, нависает удар d4-d3: 49.g5 d3! или 49.♕c6 ♖a1+ 50.♔c2 d3+!

49...♖a1+ 50.♔c2 ♖c8+. По мнению Корчного, проще было 50...♖e3 с угрозой 51...d3+ 52.♖:d3 ♖e2+, например: 51.♕d5 ♖c3+ 52.♔b2 d3 или 51.♕b8+ ♔g7 52.g5 d3+ 53.♖:d3 ♖e2+ 54.♖d2 ♖a2+ 55.♔c1 ♗b2+! 56.♖:b2 ♖a:b2, и сопротивление бесполезно.

51.♔d3 ♖e1 (51...a3!-+) **52. ♖c2?!** (уж лучше 52.♖a2) **52... ♖d1+.** Выигрывало и 52...♖:c2 53. ♔:c2 a3 с дальнейшим a3-a2.

53.♔e2? Зевок, но и предложенное Корчным 53.♖d2 ♖c3+ 54.♔e2 не помогало ввиду 54...♖h1! с решающей угрозой 55...♖e3+ 56.♔f2 ♖h2+.

**53...d3+ 54.♔:d1 dc+ 55.♔c1
a3 56.♕a6 ♗b2+.** Белые сдались.

К последнему туру главные конкуренты пришли вровень, и тут Виктору помог его земляк Фурман, обыграв Нежметдинова. Это и определило исход турнира: 1. Корчной — 13 из 17; 2. Нежметдинов — 12,5; 3—4. Филип и Холмов — по 11 и т.д.

Правила отбора были тогда суровы: серебряному призеру чемпионата страны и свежеиспеченному международному мастеру, чтобы попасть в следующий, 22-й чемпионат (зональный!), пришлось снова преодолеть полуфинальный барьер. В 1-м туре финала (Москва 1955), разыграв черными против Симагина излюбленную защиту Грюнфельда, Корчной столкнулся с проблемами, вел трудную защиту, затем двое суток анализировал отложенную позицию, но при доигрывании так и не смог спастись. Это тяжелое поражение надолго повергло Виктора в состояние психологического шока. Итог — предпоследнее, 19-е место...

Впрочем, вскоре он доказал, что этот провал случаен. Сначала добился успеха в очередном полуфинале чемпионата страны — в этих турнирах Корчной играл на редкость стабильно: восемь лет кряду занимал выходящие места (причем дважды 1-е). Затем впервые стал чемпионом Ленинграда (17 из 19), разделил с Олафссоном победу на традиционном турнире в Гастингсе (1955/56) и достойно выступил в 23-м чемпионате СССР: 1—3. Авербах, Спасский и Тайманов — по 11,5 из 17; 4. Корчной — 11; 5—7.

Полугаевский, Таль и Холмов — по 10,5.

Наконец получив звание гроссмейстера, Виктор взял своеобразную передышку: в следующих трех чемпионатах страны занимал скромные места в середине таблицы. Однако яркими победами в отдельных партиях он словно предупреждал шахматный мир: недалек тот день, когда джинн вырвется из бутылки!

В предыдущих главах уже говорилось о зональном чемпионате СССР 1958 года, принесшем блистательный триумф Талю и горькое разочарование Спасскому. Но даже в преддверии своего звездного часа «рижский кудесник» не смог решить проблему Корчного, проиграв ему на середине турнирной дистанции. Кстати, после этой осечки Таль финишировал 8 из 9 (!).

Как известно, Корчной был для него самым трудным и неудобным соперником — единственным в мире шахматистом, у которого Таль до того, как стал чемпионом и даже экс-чемпионом мира, не выиграл ни одной партии и которому проиграл пять при пяти ничьих! Характер их шахматных взаимоотношений не изменился и спустя много лет. Перед полуфинальным матчем претендентов 1968 года счет их результативных встреч был 9:1 в пользу Корчного, а после матча стал 11:2. И только под занавес соперничества, в середине 80-х, Талю удалось чуть улучшить этот катастрофический баланс.

Наверное, именно «кривой» стиль Корчного не позволял Талю в партиях с ним диктовать ход событий, как при игре с другими соперниками. Таль любил жертвовать, владеть инициативой, но Корчного это не смущало: он охотно брал «всё, что дают», упорно защищался и при первой возможности контратаковал. А главное — не терял голову под стремительным натиском Таля! Партия между ними из того чемпионата, несмотря на взаимные ошибки и неточности, весьма показательна для противоборства Таля и Корчного в 50—60-е годы. Это было жесткое столкновение двух полярных шахматных концепций — атакующей и оборонительной.

№ 492. Французская защита C18

ТАЛЬ — КОРЧНОЙ
25-й чемпионат СССР,
Рига 1958, 9-й тур

1.e4 e6. Коронный ответ Корчного на 1.e4, приверженность которому он сохраняет и поныне. С французской защитой связано немало его блестящих побед.

2.d4 d5 3.♘c3 (3.♘d2 — № 504, 541, 542) **3...♗b4 4.e5 c5 5.a3 ♗:c3+ 6.bc ♘e7.** Излюбленный план Ботвинника. Корчной, подхватив и развив его идеи, очень удачно разыгрывал эту сложную позицию с нарушенным равновесием, где конфликт заложен уже априори: у белых два слона и мощный центр, но при этом — хронические слабости на ферзевом фланге, очевидные объекты для контригры черных. Подобные обоюдоострые схемы были в ту эпоху идеальным оружием для бойца контратакующего стиля.

7.♕g4 (7.a4 — № 501, 511, 512) **7...♘f5.** Потом Корчной играл только 7...♕c7 или 7...cd (№ 503, 516), а также 7...0-0! Ход конем он, по собственному признанию, «применил единственный раз в жизни — с целью поймать Таля на вариант». И поймал!

8.♗d3 h5 9.♕h3. Разумеется, Таль повторяет свою победную партию с Петросяном (СССР(ч) 1957), хотя применял и 9.♕f4! (против Ерепова, Рига 1953). В этом случае ему мог не нравиться размен ферзей после 9...♕h4 (мода наших дней — 9...♕c7!?) 10.♘e2 ♕:f4 11. ♘:f4 ♘e7 (Бисгайер — Файн, Нью-Йорк 1948). Здесь у белых несколько лучший эндшпиль, но, как писал Корчной, «видимо, это позиционное продолжение вообще не по вкусу темпераментному Талю».

Любопытно, как меняются вкусы: поздний Таль уже предпочел пойти в этот эндшпиль против Петросяна (СССР(ч) 1983), однако не смог реализовать выгоды своей позиции... Подробнее о 9.♕f4! — см. блестяще выигранную белыми партию Штейн — Петросян (№ 353). Впрочем, и 9.♕h3 еще ничего не портит.

9...cd. Критическая позиция варианта.

10.♘f3?! А вот это уже слишком залихватский ход! Шансы белых связаны прежде всего с выявлением слабости черных полей в лагере противника, например: 10.♘e2 dc 11.♗:f5 ef 12.♕g3 или сразу 10.♗:f5 ef 11.cd (на 11.♕g3 Эйве советовал 11...♗e6 12.♕:g7?! ♗d7 и ♖g8; не так ясно и 11...g6 12.cd ♘c6 13.♘f3(e2) h4! и 14...h3) 11...♘c6 12.♘e2 ♕a5+ 13.♗d2 ♕b5 14.♕e3, и черным еще надо решать проблему эвакуации своего короля.

Вместо этого белые затевают игру на обоих флангах, в частности планируя агрессивное g2-g4. Но при этом их король лишается надежного убежища и у черных появляются прекрасные контршансы. Молодой Таль свято верил в свою звезду, чем и воспользовался Корчной, продемонстрировав тонкое понимание психологии соперника. Все-таки в большинстве позиций надо делать объективно лучшие ходы, а не те, которые отвечают вашему стилю или игровому настрою. Особенно если последнего явно ждет соперник!

10...♕c7! Важное усиление — выигрыш темпа. В прошлогоднем чемпионате Таль пробил оборону «железного Тиграна» после 10...♘c6?! 11.g4 ♘fe7 12.gh! ♕c7 (12...♕a5!?) 13.♗f4 ♘g6 14.♕g4 ♘:f4 15.♕:f4 dc 16.♕g5! и т.д. Не лучше и 10...dc 11.g4 ♘e7 12.gh. А на 10...♕a5, вероятно, последовало бы 11.♖b1 (11.0-0!?) 11...♕:c3+ (11...dc 12.g4) 12.♗d2 ♕:a3 13.g4 (снова неплохо позиционное 13.0-0 с идеей 14.♗:f5 ef 15.♕g3) 13...♘e7 14.gh (менее ясно 14.♘:d4 a6) с дальнейшим ♖g1 — такие позиции с актив-

ными ладьями и стабильной инициативой очень нравились Талю.

С поля c7 ферзь и атакует неприятельские пешки (c3, а главное — e5), и профилактически защищает пешку b7 в преддверии ♘bc6, ♗d7 и 0-0-0. Впрочем, до рокировок ни у одной из сторон дело так и не доходит — еще одно свидетельство высочайшего накала борьбы, царившего в этой партии.

11.♖b1 (11.0-0 не вязалось бы с задуманным g2-g4) **11...dc.** Не видно большого смысла в 11...♕:c3+ 12.♗d2 и g2-g4 (как при 10...♕a5). Однако приемлемо было и 11...♘c6!? 12.g4 ♘fe7 13.cd ♘:d4 14.♘:d4 ♕c3+ 15.♗d2 ♕:d4 16.f4 (Константинопольский — Ивашин, по переписке 1948) 16...♗d7 с неясной игрой.

12.g4 ♘e7 13.gh. Эта пешка может стать опасной проходной — если белые, создав давление по линии «g», возьмут на g7 или вынудят g7-g6. Но черным осталось всего два хода до длинной рокировки, у них компактное расположение фигур, материальный перевес и контригра против пешки e5.

13...♘bc6 14.♗f4. Видимо, лучший ход. «Эта позиция встречается в руководстве Кереса, который оценивает ее в пользу белых, так как, по его мнению, пешка g7 должна потеряться. Данная партия показывает, что ситуация весьма обоюдоострая», — пишет Корчной, отвергая 14.♕g3?! ♖:h5 15.♕:g7 ♘:e5 16.♘g5 ♘:d3+ 17.cd ♘g6 18. ♕g8+ ♔f8 19.f4 f6—+ и считая заслуживающим внимания 14.♔d1 (с идеей 14...♘:e5 15.♕g3), хотя, на мой взгляд, после простого 14...♗d7

и 0-0-0 у белых нет реальной компенсации за развал центра и необеспеченное положение короля.

14...♘g6! Домашняя заготовка — ресурс, не учтенный анализом Кереса: черные все-таки добираются до пешки e5, стесняющей их игру. При 14...g6?! 15.h6 ♘f5 16.0-0 ♘ce7 17.h7 ♘g7 18.♘g5 белые сохраняли инициативу.

15.♗g3 (размен слона — 15.♗:g6 fg означал бы крах плана белых) **15...♘g:e5.** Теперь, чтобы оправдать свою лихую игру в дебюте, Таль должен проявить чудеса изобретательности.

16.♘:e5. «Белые напрасно сужают круг своих возможностей. Принципиально правильнее было отойти королем без размена коней — 16.♔f1» (Корчной). Однако после 16...f6 перед белыми трудные проблемы: 17.♗b5 ♗d7 18.♗:c6 (Корчной) 18...♕:c6! 19.♗:e5 0-0-0!, и нет 20.♗g3(d4) из-за 20...e5 с решающей контратакой. Поэтому ход Таля вряд ли заслуживает осуждения.

16...♘:e5 17.♔f1 (17.♔d1? ♘:d3!) **17...♗d7** (17...f6?! 18.♖g1!) **18.♕h4?** «Активизация ферзя является существенной ошибкой, которая могла поставить белых в тяжелое положение. Следовало играть 18.♖e1, и после 18...f6 19.♗g6+ при любом отступлении черного короля белые сохраняли инициативу» (Корчной). Например: 19...♔d8 20.♔g2 с угрозой 21.♖:e5! fe 22.♖e1 и ♗:e5:g7, открывая дорогу пешке «h».

18...f6? Неэффективен и немедленный прорыв в центре — 18...d4 ввиду 19.♖g1! (но не 19.♕:d4 ♕c6 20.♗e4 ♕c4+ 21.♕:c4 ♘:c4 22.♗:b7 ♖d8) 19...♕c5 20.♗:e5 ♕:e5 21.♖g5 ♕f6 22.♖:b7 ♗c6 23.♖c7 с весомой компенсацией за пешку или 19...♘f3 20.♗:c7 ♘:h4 21.♖:g7 ♗c6 22.♗f4! (вновь уповая на проходную «h») 22...♔e7 (22...♖d8 23.h6; 22...♘f3 23.♗e2!?) и ♖g3) 23.♗g5+ ♔f8 24.♗f6 ♘f3 (24...♖:h5 25.♗h7!) 25.♖g3 с обоюдоострым эндшпилем.

Однако, по мнению Корчного, «предыдущий ход белых мог быть наказан мощным тактическим ударом 18...♘f3!, ибо осложнения после 19.♕b4 ♕c6 *(19...e5!? — Г.К.)* или 19.♕g4 ♘d2+ 20.♔g2(e2) e5 21.♕g7 0-0-0 явно в пользу черных». Сильнее 19.h6!, создавая напряжение на королевском фланге. Так, в случае 19...g5?! 20.♕h5 (20.♕g4!?) 20...♘d2+ 21.♔g2 ♕c6 (21...♕c5 22.♖:b7) 22.♗b5 ♕c8 23.♕:g5 атака белых вполне компенсирует материальные потери. Но после 19...♘:h4! 20.hg 0-0-0! 21.gh♕ ♖:h8 22.♗:c7 ♔:c7 у черных две пешки за качество и лучшее окончание.

19.♗:e5! (теперь дерзкий замысел Таля оправдывается) **19...♕:e5.** При 19...fe 20.♗g6+ ♔f8

21.♛b4+ ♔g8 22.♛:b7 (Корчной) у белых удобная игра: непонятно, как черным вводить в бой ладью h8 (если 22...♝c6, то 23.♖g1).

20.♖:b7 ♖b8! (разменивая грозную ладью на 7-м ряду; 20...g5? 21.♛b4!) **21.♖:b8+.** «Заслуживало внимания промежуточное 21.f4» (Корчной). Тогда после 21...♛d6 22.♖:b8+ ♛:b8 23.♛g4 уже нехорошо 23...♔f8? 24.♖g1, зато возможно 23...f5! 24.♛g5 (24.♛:g7? ♛:f4+ 25.♔g2 ♛h6—+) 24...♝b5! с перевесом черных.

21...♛:b8 22.♛g4 (на 22.♖g1?! Корчной намечал 22...g5, но сильно и 22...♝b5) **22...♔f8 23.♖g1.** Продолжая нагнетать угрозы, которые выглядят довольно опасными: черные еще не наладили координацию фигур.

23...g5! «Единственная, но вполне достаточная защита. Черные возвращают последнюю из пожертвованных им пешек, но король находит уютную гавань на поле g7» (Корчной).

24.hg! Не думаю, что «более верным решением был переход в примерно равный эндшпиль» — 24.

h4 ♛f4 25.hg ♛:g4 26.♖:g4 (Корчной), ибо после 26...e5! белым предстояла бы тяжелая борьба за ничью: 27.♖g3 ♖h5 28.gf ♝h3! или 27.♖b4 ♖h5 28.♖b8+ ♔e7 29.♖b7 ♔d6 30.gf e4 31.♝e2 ♖h7, и если 32.♝g4, то 32...d4 33.♝:d7 d3!—+.

24...♔g7 25.h4 a5. «Полезный профилактический ход, предупреждающий возможную при случае переброску белого ферзя в лагерь черных через поле b4. Вообще черным надо сейчас смотреть в оба, чтобы обезопасить свой тыл от проникновения ферзя» (Корчной). Требует изучения и 25...♛d6 или 25...♛b7.

26.♖g3 ♛b1+ 27.♔g2. На 27.♔e2 черные планировали 27...♝b5 с разменом слонов, хотя после 28.♝:b5 ♛:b5+ 29.♔f3 шансы сторон взаимны. Похоже, больше обещало 27...♛b7!? с идеей e6-e5.

27...♛b7 28.h5 d4+ (при 28...e5 29.♝f5 d4+ 30.♔h2 на доске также примерное равновесие) **29.♝e4.** По Корчному, плохо для белых 29.f3 ♛d5 30.♖h3 e5 31.♝f5 ♝:f5 32.♛:f5 d3!, однако 33.cd c2 34.♖h1 приводит к ничьей, например: 34...♛d4 35.♖c1 ♛b2 36.h6+! ♖:h6 37.♛d7+ с вечным шахом.

29...♝c6. Корчной назвал этот ход ошибкой, указав, что 29...♛b5 30.♖h3 ♛g5 31.♛:g5 fg вело к «сложному ладейно-слоновому окончанию с немалыми трудностями для белых». Но после 32.♖h1! и ♛b1 их шансы даже несколько выше.

Таким образом, начиная с 19-го хода атака и защита уравновешивали друг друга, и наиболее логичным результатом партии явилась бы ничья. Но Таль, как это часто бывало с ним при благоприятном повороте событий, мечтал уже не о сохранении равновесия, а о победе! И в итоге перегнул палку...

30.♗:c6 ♕:c6+ 31.♔g1 ♕d5 32.♕f4 ♕e5.

33.h6+?? В цейтноте Талю померещилась «выигрывающая комбинация», имеющая простое опровержение. К ничьей вело 33.♕f3! ♕d5 34.♕f4 (или 34.♕:d5 ed=) 34... ♕e5 35.♕f3 с повторением ходов.

33...♖:h6 34.♕:h6+ ♔:h6 35.g7 ♕g3+. Белые сдались. Драматичная партия!

К такому же исходу пришла их дуэль и в следующем чемпионате страны. Корчной снова играл черными и на сей раз перехитрил партнера в сицилианской защите, применив систему Найдорфа. Он опять выдержал то высочайшее напряжение, которое оказывалось непосильным для многих других соперников молодого Таля. Вот как охарактеризовал двух шахматных антиподов Виктор Васильев:

«Стиль Корчного – это стиль Таля, как бы вывернутый наизнанку. Таль всегда стремится к захвату инициативы, Корчной готов без сожаления ее уступить. Таль любит атаковать, Корчной – защищаться. Таль особенно уверенно играет белыми, Корчной – черными. Сам Таль, не то в шутку, не то всерьез, называет свои постоянные неудачи затянувшейся «корчнобоязнью», но причина тут, скорее, в другом. Видимо, контратакующий стиль Корчного с его неисчерпаемыми защитительными ресурсами и упорным стремлением к нарушению равновесия позволяет стойко переносить атаки Таля».

Не будем забывать, что тогда рижский гроссмейстер совершал феерический взлет к вершине шахматного Олимпа и был практически неудержим. Успешно противостоять новой звезде удавалось одному лишь Корчному, и этот факт дает представление о силе его игры в конце 50-х годов.

Более конкретную оценку его творчества попытался дать после 25-го чемпионата СССР Михаил Юдович: «Для игры Корчного характерны смелые эксперименты, своеобразие в оценке позиции, оригинальная трактовка стратегических проблем, особенно же изобретательность и упорство в защите трудных позиций. Больших спортивных успехов Корчному не удалось добиться в турнире из-за некоторой «неряшливости» в ведении технической стадии партии, а также потому, что оригинальность в постановке отдельных дебютных систем превращалась у него иногда в оригинальничание, идущее вразрез с требованиями позиции. Корчной

— шахматист больших возможностей, и ему надо стремиться к тому, чтобы его творческие порывы не вступали в противоречие с жесткой практикой турнирной борьбы. Несомненно также, что он должен изживать ставшие для него привычными цейтноты».

Не знаю, читал ли Виктор Львович эти строки, но очень скоро, несмотря на «привычные» цейтноты, его результаты пошли резко вверх...

ПЕРВОЕ ЗОЛОТО

Вершиной раннего периода карьеры Корчного стал 27-й чемпионат СССР (Ленинград, январь—февраль 1960), где он наконец-то завоевал первую из своих четырех золотых медалей. Шахматисты старшего поколения помнят невероятный накал борьбы в советских чемпионатах и звездный состав их участников, сравниться с которым мог мало какой международный турнир. Звание чемпиона СССР дорогого стоило: в течение долгих лет оно было своего рода пропуском в элиту мировых шахмат.

Играя в родном городе, Виктор поначалу несколько волновался и с трудом обретал оптимальную форму: проиграл Лутикову, разделил очко с Таймановым, победил в своем фирменном контратакующем стиле Сахарова (снова система Найдорфа в сицилианской!), затем Нея и Смыслова, но уступил Симагину — и после шести туров отставал на очко от лидирующего Петросяна.

Перелом внесла на редкость драматичная, интригующая партия с Леонидом Шамковичем. Случившееся в ней «чудо» кажется обыкновенным везением, однако, зная суть творчества Корчного, сам его подход к шахматам, можно найти не мистическое, а вполне рациональное

объяснение событиям, происходившим в нервной обстановке во время игры. Вот что писали об этой партии Таль и его секундант Кобленц:

«Совершенно ясно: чтобы преданно «болеть» за Корчного, надо в первую очередь иметь железные нервы и стальное сердце. Эти качества особенно понадобились ленинградцам, когда их фаворит встретился с мастером Шамковичем. Ошеломив гроссмейстера в дебюте интересной жертвой пешки, Шамкович быстро захватил инициативу, и вскоре над позицией короля черных сгустились тучи. Корчной, как обычно, отчаянно сопротивлялся, но москвичу уже удалось захватить своего противника «двойным нельсоном». Судьи готовились фиксировать момент, когда плечи гроссмейстера коснутся ковра...»

№ 493. Защита Нимцовича E25
ШАМКОВИЧ — КОРЧНОЙ
27-й чемпионат СССР,
Ленинград 1960, 7-й тур
1.d4 ♘f6 2.c4 e6. Отказ от защиты Грюнфельда, возможно, был вызван опасением попасть на какую-нибудь заготовку соперника — видного теоретика, известного своим глубоким и нестандартным подходом к решению дебютных проблем.

Однако «на запасных путях» Корчной попадает, что называется, из огня да в полымя.

3.♘c3 ♝b4 4.a3 (агрессивная система Земиша) **4...♝:c3+ 5.bc c5 6.f3!?** (6.e3 рассмотрено в предыдущих томах) **6...d5 7.cd ♘:d5 8.dc f5.** Крепче 8...♛a5 9.e4 ♘f6 или 9...♘e7(c7), как играл Смыслов, но не 9...♛:c3+?! 10.♝d2 ♛e5 11.♘e2 с инициативой у белых (Корчной — Быков, Ленинград 1957).

9.e4!? «Неожиданная новинка, которая, очевидно, выбила Корчного из колеи» (Таль).

9...fe 10.♛c2 ef? Это дает белым подавляющий перевес в развитии. Верно рекомендованное Талем 10...e3! (Фурман — Полугаевский, СССР(ч) 1963).

11.♘:f3 ♛a5 12.♝d3 ♘c6 13. 0-0 ♛:c5+ 14.♔h1 ♝d7 (14...♛:c3 15.♛b1! с убийственной угрозой ♝b2) **15.♘g5!** С темпом переводя коня на e4 и попутно препятствуя длинной рокировке (ввиду ♘f7). Если 15.♝g5, то 15...♘de7 и 0-0-0.

15...♘e5 16.♘e4 ♛c7 17.♝g5 ♜f8. Черным дорог хороший совет: не годится ни 17...♝e7 18.♖ae1, ни 17...♘:d3 18.♛:d3 (грозит c3-c4) 18...b5 19.♛f3 ♝c6 20.♖ae1+−.

18.c4! ♘e7 19.c5! (ценой всего одной пешки белые развили решающую атаку) **19...♝c6.** Редкий случай в практике Корчного: уже к 19-му ходу он получил безнадежную позицию. К эффектному разгрому вело 19...♝c8 20.♖:f8+ ♔:f8 21.♖f1+ ♘f7 (21...♔g8 22.♘f6+!) 22.♛f2 ♝e8 23.♘f6!!

20.♘d6+ ♔d7 21.♛c3?! После серии сильных, энергичных ходов у Шамковича наступает спад. Сразу решало 21.♝:e7! ♔:e7 22.♛c3. Проиграй Корчной эту партию, вряд ли ему удалось бы в итоге победить в том чемпионате...

21...♘d3 22.♝:e7. Мощную атаку сохраняло и 22.♛g7 ♖f1+ 23. ♖:f1 d5 24.♝:e7 ♝c6 25.♖b1! Белые рассудили, что ход 22.♝:e7 тоже хорош, но тут начинаются чудеса.

Шамкович наверняка предавался приятному расчету вариантов наподобие 22...♖f2 23.♖:f2 ♘:f2+ 24.♔g1 ♝d5 (24...♖g8 25.♖f1) 25.♝g5! (25. ♛:g7 ♘h3+! 26.gh ♛:c5+ 27.♔f1 ♖g8! 28.♛:g8 ♝:e7 или 26.♔f1 ♖g8! 27. ♛:g8 ♝c4+ 28.♘:c4 ♛f4+ 29.♔e1 ♛f2+ 30.♔d1 ♛d4+ ведет лишь к ничьей) 25...♘g4 26.♛:g7+ ♔c6 27. ♛d4 ♛a5 28.♝d2 ♛:c5 29.♖c1 или 25...♘e4 26.♘:e4 ♝:e4 27.♛:g7+ ♔c6 28.♛d4 ♝c2 29.♖c1 e5 30.♛c4, и занавес опускается.

Итак, чтобы по крайней мере затянуть сопротивление, от черных сейчас требуется нечто экстраординарное...

22...♝:g2+! Сюрприз! Позиция черных остается проигранной, но Корчной не упускает случая нанести неприятный удар, заставляющий соперника снова решать не совсем ясные проблемы в момент, когда тот уже мысленно записал себе очко в турнирную таблицу.

23.♔:g2 ♘f4+ 24.♖:f4 (вынужденно) **24...♖:f4 25.♖d1.** Самый естественный, человеческий ответ: мобилизация с угрозой вскрытого шаха (в первую очередь ♘b5+). Но, может, проще было 25.♕d2!? ♖g4+ (25...♕c6+ 26.♘e4+!) 26.♔h3 ♕:c5 27.♘:b7+ ♔d4 28.♖d1 ♔e7 29.♕:d4 ♖:d4 30.♖:d4 с выигранным эндшпилем или более агрессивное 27. ♔:g4 ♔e7 28.♖f1! с выигранным миттельшпилем.

25...♕c6+ 26.♔g3 ♕a4! Единственная возможность продолжить борьбу и снова создать какие-то угрозы: и ♖g4+, и ♕d1, а при случае и ♔e7. Теперь уже от белых требуется сверхусилие, чтобы найти четкое выигрывающее продолжение, скорее всего уже единственное. Однако в такой ситуации очень трудно не потерять голову и переключиться на расчет острых вариантов, в которых белым, чтобы развить победоносную атаку, приходится временно жертвовать материал.

27.c6+? Импульсивный цейтнотный ход — жертва пешки, продиктованная желанием отнять поле c6 у черного короля, после чего вторжение ферзя на g7 выглядит смертельным (немедленное 27.♕g7 наталкивалось на тот же ничейный механизм: 27...♖f3+! 28.♔:f3 ♕d1+). Но это оптический обман! К тому же конь на d6 лишается опоры...

Решало 27.♖b1! (Таль) 27...♖g4+ 28.♔h3 ♖:e7 29.♕f3! — надо было увидеть этот страшный ход, создающий неотразимые угрозы. У черных нет ничего лучше, чем 29...♖h4+ 30. ♔g3 ♖g4+ 31.♕:g4 ♕a3+ (чуть упорнее переход в проигранный эндшпиль — 31...♕:g4+ 32.♔:g4 b6 33. ♘e4 и т.д.) 32.♔h4 ♕:c5 33.♕:g7+ ♔d6 34.♖d1+, и во избежание мата приходится отдать ферзя.

27...bc 28.♕:g7. Попытка исправить неверный замысел путем 28.♕b2?! не проходила ввиду 28...e5! 29.♕b7+? ♔e6 30.♕:a8 ♕a3+ с матом или 29.♖d2(3) ♔e6! с явным перевесом черных.

28...♖f3+! Этого остроумного контрудара Шамкович не заметил. Теперь он внезапно оказывается в положении спасающегося.

29.♔:f3 ♕d1+ 30.♔e3 ♕c1+!? Проверочный шах: куда пойдет король? Черные играют уже с ничьей в кармане: 30...♕b3+ 31.♔d2 ♕a2+ 32.♔c1! ♕:a3 33.♔c2 ♕a4+ 34.♔c1 =. Некоторые шансы на успех сулило 31...c5!, но тут белых выручала удивительная «воздушная» конструкция — 32.♘b7! (32.♗g5+ ♔c6!) 32...♕d5+ (32...♕:b7 33.♗:c5+ ♔c6 34.♕g2+) 33.♔e1 ♔c6 (33...♕e4+ 34.♔f1! ♕f3+ 35.♔e1 или 34...♕h1+

35.♔f2 ♛:h2+ 36.♔e3=) 34.♗:c5!, и разрушить эту конструкцию не удается: 34...♖b8 35.♘a5+ ♔b5 36.♗b4 или 34...♛h1+ 35.♔d2 ♛:h2+ 36.♔c3 ♖c8! (засада) 37.a4! ♛h3+ 38.♔d2, удерживая равновесие.

31.♔d3? Последний просмотр. Необходимо было 31.♔f3, и черным оставалось не более чем 31...♛d1+ 32.♔e3 ♛b3+ 33.♔d2 c5! (см. примечание к 30-му ходу). В партии же всё кончается прозаически.

31...♛b1+ 32.♔e3 ♛g6! (теперь белые несут решающие потери) **33.♛b2 ♔:e7 34.♛b7+ ♔:d6 35.♛:a8 ♛g1+**, и черные без хлопот выиграли ферзевый эндшпиль с двумя лишними пешками.

После этого, поймав в свои паруса ветер удачи, Корчной одержал еще три победы кряду — над Гуфельдом, Либерзоном и Полугаевским. Однако резко ускорились и главные конкуренты: Петросян шел вровень (по 7,5 из 10), на очко отставали Геллер и Бронштейн.

«Турнир начался в несколько вялом темпе, — писал по горячим следам Бронштейн. — Не видя красивых комбинаций, не находя пищи для волнений, зрители восклицали: «Скучно без Таля!» Однако внезапно всё переменилось. У Таля нашелся достойный заместитель — Корчной, шахматист исключительной одаренности и своеобразного творческого почерка. Его боевая, бескомпромиссная игра, несомненно, оказала положительное влияние на весь ход спортивной борьбы».

По словам Таля и Кобленца, «в начале второй половины турнира всех интересовал вопрос, сумеет ли Корчной продолжить свое победное шествие — ведь его партнером в 10-м туре был не знавший до сих пор поражений Полугаевский».

Эта партия стала хрестоматийной для защиты Грюнфельда, войдя во все дебютные справочники. Она выдалась необычайно острой, и в этой запутанной, нестандартной борьбе Корчной оказался попросту сильнее, проявил себя в полном блеске: когда началась конкретная счетная игра, сработала его знаменитая контратака. Именно под влиянием этой партии четверть века спустя я взял на вооружение защиту Грюнфельда, и в том числе вариант с 7...♘a6.

№ 494. Защита Грюнфельда D97
ПОЛУГАЕВСКИЙ — КОРЧНОЙ
27-й чемпионат СССР,
Ленинград 1960, 10-й тур
1.d4 ♘f6 2.c4 g6 3.♘c3 d5 4.♘f3 ♗g7 5.♛b3 dc 6.♛:c4 0-0 7.e4 ♘a6. «В середине 20-го века этот ход применялся редко. Делая его, я рассчитывал на эффект новизны» (Корчной). И впрямь, тогда в основном играли вариант Смыслова — 7...♗g4 8.♗e3 ♘fd7 (см. 2-й том).

8.♗e2 (или 8.♗f4 c5, как было у меня в партиях с Топаловым, Сараево 1999, и Пикетом, Вейк-ан-Зее 2000) **8...c5 9.d5 e6 10.0-0 ed 11. ed ♗f5.** Стандартный ответ, ведущий к табии конца 80-х и 90-х годов. Сейчас популярен и необычный ход 11...♘b4 с идеей 12.♖d1 b6, используя положение коня на b4.

12.a3. Предупреждая вторжение коня на b4. Но это медлительный план (теория делала только первые, робкие шаги), и лучше просто заканчивать развитие. Карпов в матчах на первенство мира играл против меня 12.♗f4 или 12.♖d1 (как позже Пикет и Ананд), а Тимман и Халифман ходили 12.♗e3. Подробности – в 7-м томе.

Между прочим, Корчной оценивает позицию на диаграмме в пользу белых, считая, что «у них благодаря сильной центральной пешке должен быть перевес, хотя доказать это не удалось ни Полугаевскому, ни многим противникам Каспарова». Тем не менее мне пришлось убедиться в том, что перед черными действительно непростые проблемы. Так, в партии с Пикетом (Ам-

стердам 1995) я не сумел сдержать рвущуюся в ферзи проходную «d». И понял, что в наш век уже слишком опасно играть такие сложные, стратегически рискованные схемы после долгого перерыва, базируясь только на остаточных впечатлениях многолетней давности.

12...♖e8 13.♖d1 (острее 13.♗f4 ♘e4 14.♘b5!? Бронштейн) **13... ♘e4** (хорошо и 13...♕b6) **14.♗e3 ♘d6!?** У черных вновь была не одна возможность, но они сыграли наиболее творчески.

15.♕f4 (15.♕b3 ♘c7=) **15... ♘e4?!** Обратно! «Этого хода белые, конечно, не видели. Выглядит он вроде нелогично, но создает массу угроз, в первую очередь 16...♘:c3 17.bc ♖e4» (Корчной).

Любопытно, как менялась оценка прыжка конем: щедрый Таль снабдил его двумя восклицательными знаками, Корчной и другие комментаторы — одним, а в книге Корчного 2004 года нет вообще никакого знака. Я иду дальше: это хотя и неожиданный, но объективно подозрительный ход...

16.♘b5?! На руку черным 16. ♗:a6 ba 17.♘a4 ♕a5 18.♘:c5 ♘:c5 19.b4 ♕d8! После длительного раздумья Полугаевский жертвует пешку b2, чтобы создать свою игру, опираясь на силу пешки «d». Аналогичный прием применил против меня Карпов в 19-й партии матча-1986.

Но в данном случае лучше было 16.♗d3!, чтобы использовать не только силу пешки «d», но и слабость черного короля. Если 16...♗:c3 17.bc ♘:c3, то 18.♕h6! ♘:d1 (идея Корчного 18...♕f6 сомнительна из-за 19.

♕:f3+ 33.♔g2 ♕:g4 34.♕:g4 ♗:g4 35.♗:a8 ♗:d1 36.♖:d1 ♘b3!» (Корчной).

32...♖d8 33.♖e2 ♔g7 34.♔g1 ♕b3 35.♕:b3 ♘:b3 36.h3?! (36.♘e5 ♘d4) **36...♘g3** («И опять этот конь заговорил», — улыбается Таль) **37.♖e3 ♘:f1 38.♖:b3 ♗c2.** Белые сдались. Классический пример контратаки!

Затем Виктор завершил вничью партии с Бронштейном, Петросяном и Авербахом, обыграл Гургенидзе и Спасского... Имея 11 из 15, он лидировал вместе с Петросяном, на пол-очка впереди Геллера. И в этот момент, за четыре тура до финиша изнурительного марафона, Корчного подстерегла страшная гримаса фортуны.

№ 495
БАГИРОВ – КОРЧНОЙ
27-й чемпионат СССР,
Ленинград 1960, 16-й тур

26...♗c3 27.♗:a8?! (27.♖:e3! ♕:e3 28.♘:f7! ♖:d1 29.♘:h6+ форсировало ничью), и здесь Корчной, собираясь сыграть 27...♗:e1 28. ♖:e1 (28.♗b7? ♖:d6 29.ed e2!–+)

28...♖:a8 29.♕f3 e2, по ошибке взялся за... слона a6!

«Всё произошло в считанные секунды, – пишет Виктор Васильев. – Он оторвал слона от доски и, побледнев, застыл с поднятой рукой. Встретившись взглядом с Багировым, он едва слышно прошептал: «Сдаюсь». Быстро, делая усилие, чтобы не дрожала рука, расписался на бланках, встал и, не глядя по сторонам, ничего не видя и не слыша, ушел. Если бы он слышал, как застонал зал Ленинградского дворца физкультуры, когда до зрителей дошел смысл происшедшего... Он шел домой, терзая себя одним вопросом: как это могло случиться? Так бездарно, так нелепо потерять пол-очка, а скорее всего очко — ведь позиция Багирова была явно хуже, к тому же на него надвигался цейтнот. До чего же это глупо — взяться не за того слона и потерять сразу всё — ладью, партию, а с ней и надежды на долгожданное звание чемпиона СССР...»

Да, это был очень тяжелый удар, и немногие смогли бы после него прийти в себя. Положение в стане лидеров изменилось: теперь на пол-очка вперед вырвался Геллер. В следующем туре Корчной, сильно рискуя и пройдя через проигрыш, сумел одолеть Крогиуса.

«Нелепая «накладка» с Багировым ничуть не смутила Корчного, — писали Таль и Кобленц. — Он обладатель одного из своеобразнейших стилей, разгадать который не очень легко. Кстати, один из авторов статьи (нетрудно догадаться, который из них!) так и не подобрал сколько-нибудь подходящего ключика к разгадке ленинградца. Возможно, партия с Крогиусом позволит сделать один шаг в этом направлении. Дебют был разыгран очень спокойно... Неожиданно Корчной круто меняет русло борьбы, и изолированная пешка соперника становится очень сильной. Вероятно, этот план в принципе неверен, но он содержит много подводных камней, и один из них Крогиус не сумел обойти».

Однако выиграли в тот день и конкуренты, сохранив статус-кво: Геллер — 12,5 из 17, Корчной и Петросян — по 12.

И вот предпоследний тур, решающий поединок с Геллером. «Да, это очень интересно, если лидеры встречаются на финише между собой, и особенно, если они обладают столь привлекательным стилем игры. Эта партия как магнит притягивала внимание всего зала» (Таль, Кобленц).

Было ясно, что только победа (черными!) оставляет Корчному реальные шансы на золотую медаль. Победа над соперником, слывущим ярко выраженным «белоцветчиком» и, кроме того, демонстрирующим великолепную форму: перед этой партией Геллер набрал 9 из 10! На сей раз его устраивала ничья, и трудно себе представить, как можно было сознательно играть на выигрыш черными против гроссмейстера экстракласса, известного своей глубокой дебютной подготовкой. Тем не менее Корчному удалось поставить перед соперником сложные задачи — и чисто шах-

матные, и психологические, которые в конечном счете оказались неразрешимыми даже для Геллера.

№ 496. Защита Алехина B03
ГЕЛЛЕР – КОРЧНОЙ
27-й чемпионат СССР,
Ленинград 1960, 18-й тур

1.e4 ♘f6. Первый сюрприз: белым предлагается захватить пространство и побороться за перевес, но... в очень сложной и острой игре!

«Выбор дебюта более или менее соответствовал моему азартному настроению; хотя защита Алехина не совсем корректна, это боевой дебют. Не случайно, что ее изредка применяют Фишер, Ларсен, Горт» (Корчной).

К тому же эта защита никогда прежде не встречалась в серьезной практике Геллера. Но, зная о его природном максимализме, можно было предположить, что он попытается «наказать» соперника за дерзость, втянется в водоворот борьбы и на время забудет о стоящей перед ним спортивной цели — о том, что ему нужна ничья. Так оно и случилось!

2.e5 ♘d5 3.d4 d6 4.c4. Впоследствии до конца карьеры Геллер играл почти исключительно 4.♘f3 (в частности, и против Корчного, Стокгольм(мз) 1962).

4...♘b6 5.f4 (самая агрессивная, но и самая обоюдоострая система) **5...♗f5** (5...de 6.fe c5?! — № 208) **6. ♘c3 de 7.fe e6 8.♘f3 ♗e7.** Обычно играют 8...♘c6! 9.♗e3 ♗g4, 9...♕d7 или, чаще всего, 9...♗e7 10.d5!? с большими осложнениями, которые тогда оценивались в пользу белых, а сейчас — как приемлемые для черных.

9.♗e2 (как потом выяснилось, сильнее 9.♗d3!) **9...0-0 10.0-0 f6.** Подорвав центр соперника, черные решают дебютные проблемы, хотя у белых и остается некоторое преимущество в пространстве.

11.♗f4?! Отсутствие коня на c6 побудило Геллера искать новые пути, но в этой схеме слон должен защищать пешку d4. Бесполезно 11.c5 ♘d5 12.♘h4 ввиду 12...♘:c3 13.bc ♗e4. На 11.♗e3 кроме 11...♘c6 возможно 11...fe 12.♘:e5 ♘8d7. Пожалуй, лучше всего турнирной задаче белых отвечало 11.ef ♗:f6 12. ♗e3 ♘c6 (черные перешли в вариант с 8...♘c6 9.♗e3 ♗e7, избежав 10. d5!?) 13.♕d2 ♕e8 (13...♕e7!?) 14. ♖ad1 ♖d8 15.♕c1 с минимальным плюсом (Суэтин – Корчной, СССР (ч) 1952; Фельдман – Корчной, Ленинград 1953).

Вывод Корчного однозначен: «То есть опыт у меня был – в отличие от Геллера, который знал об этой позиции понаслышке. Правильный дебют я выбрал! Дело было за малым: хорошо играть».

11...♘c6 (сразу же создавая давление на пешку «d») **12.ef ♗:f6 13.d5.** Быть может, Геллер хотел пойти 13.♘b5, но тут обнаружил, что это холостой выстрел из-за 13... ♖f7 (или 13...♖c8 с той же идеей a7-a6) 14.d5 ed 15.c5, и теперь не 15... ♗:b2 16.cb! ♗:a1 17.bc ♕e7 18.♘g5, что «выглядит очень опасным для черных» (Корчной), а 15...♘c4! 16. ♘:c7 ♘:b2 (16...♘e3!?) 17.♕d2 (если 17.♕b3(:d5), то 17...♖c8) 17...d4! с острейшей игрой.

13...♕a5. Как ни странно, белые уже столкнулись с довольно неприятными проблемами: висит пешка c4, черные слоны простреливают ферзевый фланг. Надо принимать какое-то ответственное решение...

14.♘e5!? «Несомненно, сначала Геллер собирался сыграть иначе – например, 14.d6 cd 15.♗:d6, но ему не понравилось 15...♖f7 16.c5 ♘bc4, и угрозы черных – ♘:b2, ♘e3, ♘:d6 – кажутся трудными для отражения. А теперь и конь белых оказывается в подвешенном состоянии!» (Корчной).

Но ход в партии, видимо, лучший. Невыгодно белым 14.♘d4?! ♘a:c4 15.♘:e6 ♗:e6 16.de ♕:d1! 17. ♖a:d1 (17.♘:d1 ♖ae8) 17...♘:b2 18. ♖c1 ♖ae8 или более острое 14.♘b5 ♘a:c4! (ход Корчного 14...♗:b2 неясен из-за 15.♗:c7) 15.♗:c4 (15.de ♕:d1 и ♘:b2) 15...♘:c4 16.♘:c7 ♖c8 17.♘:e6 ♗:e6 18.de ♕b6+ 19.♔h1 ♕:e6 и т.д. Да и бегство на ничью путем 14.de ♗:e6 (14...♘a:c4 15. ♗:c4 ♘:c4 16.♕d5!) 15.c5 ♗:c3 16. ♕:d8 ♖a:d8 17.♗:c7! ♘:b2 18.♖ab1 – совсем не то, о чем мечтал Геллер, начиная партию и играя 11.♗f4.

14...♗:e5. «Ошибка, типичная для раннего периода моего шахматного творчества: в стремлении поскорее выиграть материал я недооценил тактические возможности противника», — пишет Корчной, рекомендуя 14...♕e7!? 15.g4! (15.♕d4 ♖ad8! с угрозой ♘c6) 15...♗:e5 16. ♗:e5 ed (при 16...♘a:c4 17.gf ♘:e5 18.fe или 18.de ♕g5+ 19.♔h1 ♖:f5 20.♕b3 ♖e8 21.♘b5 «гвоздь» на е6 уравнивает шансы) 17.♗d4 ♗e6, «и положение черных приятнее». Еще лучше 17...c5!

Однако и белые могут сыграть сильнее — 17.♗g3! ♗e6 18.cd с контригрой за пешку, достаточной для ничьей: 18...♖:f1 19.♗:f1 ♘:d5 20. ♘:d5 ♕c5+ 21.♗f2 ♕:d5 22.♕:d5 ♗:d5 23.♖d1 c6 24.b4 ♘c4 25.♗:c4 ♗:c4 26.♖d7 и ♗d4 или 18...♘:d5 19. ♘:d5 ♕c5+ 20.♖f2 ♖:f2 21.♖c1 ♕:d5 22.♕:d5 ♗:d5 23.♔:f2 ♘c6 24.♗:c7 и ♖d1, стремясь к размену ладей и белопольного слона на коня c6.

Возможно, с практической точки зрения ход 14...♕e7 и пожестче, так как белым было бы непросто найти способ распутать клубок своих фигур и решиться на ослабляющее 15.g4! Однако это не означает, что 14...♗:e5 — ошибка. Беспристрастный анализ показывает, что эти два продолжения примерно равноценны.

15.♗:e5 ♘a:c4 16.♗:c4 ♘:c4 17.♗:g7! «Этот ход я зевнул! — признался Корчной. — Безопасность короля — один из самых важных факторов в середине игры. Инициативой теперь овладевают белые — черным пора бороться за уравнение». По-моему, это преувеличение: Корчной находит очень интересную возможность контригры.

17...♘e3! (в случае 17...♔:g7 18.♕d4+ и ♕:c4 у белых и впрямь инициатива) **18.♕e2!?** Сказывается максимализм Геллера. Для достижения ничьей надежнее было 18. ♕d4 ♕g5 19.♖f2 ♘c2! 20.♖:c2 ♕:g7= (Корчной).

18...♘:f1 19.♗:f8 ♘:h2! Теперь в тревоге и белый король. Возникла весьма нестандартная позиция, в которой открыты оба короля, но черные начинают давать шахи первыми, и это дает им шансы запутать соперника.

20.♗c5. При 20.♔:h2? ♕h4+ 21. ♔g1 ♕d4+! (не так ясно 21...♖:f8 22.

♔e5!) 22.♔h2 ♖:f8 23.♖d1 (23.de ♖f6–+ Корчной) 23...♕f4+ 24.g3 ♕g4 лишняя пешка должна была принести черным победу.

А в случае 20.de ♘g4 21.e7 белым пришлось бы балансировать на краю бездны: 21...♕d6 22.♕f3 ♗e6 23.♘e4 ♕h2+ 24.♔f1 ♕e5! 25.♔g1! или 21...♕d4+ 22.♔h1 ♕f4 23.g3 ♕:g3 24.♖f1! (на ход Корчного 24. ♕c4+? решает 24...♗e6! 25.♕:e6+ ♔h8) 24...♗d7 25.♕c4+ ♔h8 26. ♗g7+! ♔:g7 27.♕f7+ ♔h6 28.♕f8+ с вечным шахом.

«Известие о ничьей в партии Багиров — Петросян как будто подстегнуло лидеров: они стали играть с полной отдачей. В итоге получилась, пожалуй, интереснейшая партия чемпионата» (Таль, Коблен́ц).

20...♘g4! Самый неприятный для белых ответ. Черные создали угрозу ♕h4-h2+, правда, не смертельную: их король тоже открыт, а белая пешка прорывается на е7. «Но, в конце концов, я играл партию своей жизни!» (Корчной).

21.de ♕h4 22.e7 ♕h2+ (22... ♖e8? 23.♕c4+ ♔g7 24.♕f4! Корчной) **23.♔f1 ♕f4+ 24.♔g1.** Инстинктивно Геллер уводит короля подальше от центра, хотя 24.♔e1!? с угрозой ♘d5 было вполне безопасно и быстро вынуждало столь желанную для белых ничью:

1) 24...♕g3+ 25.♔d1 ♔f7 (Корчной; 25...♘e5!? 26.♘d5 c6=) 26. ♕c4+ ♔g6 27.♖c1 ♘e5 28.♘e2 ♕d3+ 29.♕:d3 ♘:d3= или просто 25.♔d2, форсируя вечный шах — 25...♕f4+ 26.♔e1 (26.♔d1 ♘f6!, и нет 27.♘d5? ♕a4+ 28.b3 ♕d7–+ Корчной) 26...♕g3+;

2) 24...♖e8 25.♘d5! ♕h2! (но не 25...♕g3+? 26.♔d2 b6 27.♖f1!+– Корчной) 26.♘:c7 ♖e7 с неизбежным вечным шахом или 26.♔d2!? ♕h6+ 27.♔c3 ♘f6 28.♘:c7 ♘e4+ 29.♔b4 ♘:c5 30.♕c4+ ♗e6 31.♕:c5 с гарантированной ничьей.

24...♖e8 (конечно, отказываясь от повторения ходов) **25.♕f3.** Теперь уже нехорошо 25.♘d5? из-за 25...♕h2+ 26.♔f1 c6! (Корчной).

25...♕h2+ 26.♔f1 ♕h5!

27.♕d5+? Сыграно в азарте борьбы. После холодного 27.♔g1! черных вряд ли могло устроить 27...c6 28.♕f4! или 27...b6 28.♕d5+ ♔g7 29.♗d4+ ♔g6 30.♕c6+ ♔f7 31.♕:c7 ♖:e7 32.♕f4, поэтому им пришлось бы «просить» ничью повторением ходов — 27...♕h2+ 28.♔f1 ♕h5! (плохо 28...♕h1+? 29.♔e2 ♕:a1 30. ♕f5 ♕b2+ 31.♔d3 и т.д.).

Ценное замечание Корчного: «Геллер в своей жизни сыграл и выиграл много решающих партий. Он хладнокровно ломал сопротивление противника, когда ему нужно было выиграть, а того устраивала ничья. Находиться в противоположной ситуации — бороться за ничью — Геллеру приходилось редко. И в этой партии нервы подводят его. Кстати, подобные психологически трудные ситуации бывали и у меня, и мне не всегда удавалось с честью выйти из положения».

27...♔g7 28.♕d4+?! Всего один промах — и белым уже нелегко наладить координацию фигур. «Безусловно, сильнее был развивающий ход 28.♖e1, хотя после 28... ♗d3+! 29.♕:d3 ♕:c5 30.♕g3 h5 у черных лучше, поскольку при 31. ♕h4? ♗c4+ белые теряют ферзя» (Корчной). И все же путем 31.♕f4! ♖:e7 32.♖:e7+ ♕:e7 33.♘d5 они добивались ничьей: 33...♕f7 (33... ♕d6 34.♕g5+) 34.♕:f7+ ♔:f7 35. ♘:c7 ♘e3+ 36.♔f2 ♘d1+ 37.♔g3 ♘:b2 38.♘b5=.

28...♔g6 (здесь королю ничто не угрожает) **29.♘e2.** Тяжелый выбор. Не годилось 29.♕d8? ♕h1+ 30. ♗g1 ♘e3+ или 29.♘d5? ♕h1+ 30. ♗g1 ♗d3+ 31.♔e1 ♕:g1+ 32.♗:g1 ♗c4 (Корчной), а на 29.♖d1 черные могли ответить 29...b6 30.♕d8 ♕h1+ 31.♗g1 ♔f7! 32.♖e1 ♕h6! 33. ♕d5+ ♗e6, окружая «теплом и заботой» пешку e7.

29...♕h1+ 30.♘g1? Упорнее был переход в плохой эндшпиль путем 30.♕g1 ♕:g1+ 31.♔:g1 b6 32. ♗a3 ♘e3 (Корчной) или 32...c5 33. b4 ♘e3! и ♘c2. Черные забирали пешку e7, сохраняя инициативу. При ферзях же они быстро создают решающие угрозы королю.

30...b6 31.♕d8 ♘f6 32.♗a3 ♗e4 33.♕d2 c5 34.b4 c4 35.b5 ♗d3+. Белые сдались. «Эта партия — единственная, самая дорогая моему сердцу. Игранная к концу очень

тяжелого турнира, она насыщена от начала до конца духом борьбы» (Корчной).

В заключительном туре оба его конкурента одержали победы, однако и он выиграл «по заказу» у Суэтина — и все-таки стал чемпионом страны: 1. Корчной — 14 из 19; 2—3. Геллер и Петросян — по 13,5; 4. Багиров — 12; 5. Полугаевский — 11,5; 6. Авербах — 11; 7—8. Смыслов и Тайманов — по 10,5; 9—10. Крогиус и Спасский — по 10; 11. Симагин — 9,5; 12. Бронштейн — 9 и т.д.

Блистательный финиш! И поразительная агрессивность: +12−3=4. «Тщательный самоанализ принес свои плоды, — писал Корчной спустя несколько лет. — Я считаю, что в спортивном отношении это один из самых моих больших успехов». Как мы видели, турнир удался ему не только в спортивном, но и в творческом отношении. Он добился триумфа, неукоснительно следуя своей самобытной манере игры. Соперники, даже самые именитые, не выдерживали создаваемого им напряжения. Это фирменный знак Корчного, которым отмечено всё его творчество на протяжении многих десятилетий.

Приведу два любопытных отклика участников того чемпионата.

Бронштейн: «По существу только трое — Корчной, Петросян и Геллер — боролись за первое место. У каждого из них в этой борьбе был свой девиз: у первого — «Рискуй и побеждай!», у второго — «Выигрывай без риска!», у третьего — «Твори!» Причем каждый из этой тройки в своем стиле является подлинным чемпионом. Для игры нового чемпиона СССР характерны удивительная цепкость в обороне, изобретательность в нападении и виртуозное мастерство в окончаниях... Хочется надеяться, что эта победа не вскружит голову молодому гроссмейстеру».

Симагин: «Творчество Корчного весьма своеобразно. В отличие от иных коллег, он не стремится рационализировать свой шахматный стиль. С самого начала партии Корчной, как правило, навязывает противнику головоломные осложнения. Стремление к осложнениям нередко приводит его к довольно сомнительным позициям, где ему приходится на протяжении многих часов отражать многочисленные угрозы противника. Он исключительно волевой шахматист. А в области тактического мастерства Корчной, на мой взгляд, не уступает Талю».

ДРАМА НА КЮРАСАО

На середине дистанции международного турнира ЦШК (Москва, май—июнь 1960) Виктор выиграл пять партий подряд и все же в итоге отстал от победителей: 1—2. Смыслов и Холмов — по 8,5 из 11; 3. Корчной — 8. Зато здесь ему удалось сыграть очередную учебно-показательную партию в защите Грюнфельда, причем против своего давнего обидчика Владимира Симагина — видного специалиста по этому дебюту.

№ 497. Защита Грюнфельда D91
СИМАГИН – КОРЧНОЙ
Москва 1960, 8-й тур
1.d4 ♘f6 2.♘f3 g6 3.c4 ♗g7 4.♘c3 (4.g3 — № 589, 590) **4...d5 5.♗g5** (не самая агрессивная, зато капитальная система; 5.♗f4 — № 490; 5.♕b3 — № 494) **5...♘e4 6.cd.** На 6.♗h4 Корчной играл 6...с6 или 6...с5, а потом основным возражением стало 6...♘:c3 7.bc de 8.e3 b5 или 8.♕a4+ ♗d7 9.♕:c4 b6.

6...♘:g5. В более раннем поединке Симагин – Корчной (СССР (ч) 1952) после 6...♘:c3 7.bc ♕:d5

8.e3 ♗g4 9.♗e2 ♘c6 10.♗h4 0-0 11. 0-0 ♖fe8 12.♗g3 белые сохранили некоторый перевес.

7.♘:g5 e6. В партии Петросян – Корчной (СССР(ч) 1973) черные удивили соперника жертвой пешки — 7...с6!? и после осторожного 8.♘f3 (принципиальнее 8.dc) 8...cd 9.e3 0-0 10.♗e2 ♘c6 11.0-0 e6 получили вполне надежную позицию.

8.♘f3. На более острую попытку 8.♕d2 ed 9.♕e3+ ♔f8 10.♕f4 ♗f6 11.h4 h6 12.♘f3 c6 13.e3 ♗e6 14.♗d3 ♘d7 15.0-0-0 возможно и 15...♔g7 16.g4 ♕b8!= (Спасский – Штейн, СССР(ч) 1963), и 15...♕b8!= (Бисгайер – Корчной, Лон-Пайн 1979).

8...ed 9.e3. Гроссмейстерский нюанс: немедленное 9.b4 допускает 9...♕d6!, и если 10.♕b3, то 10... ♘c6! Поэтому белые вынуждены терять темп на 10.a3, и после 10... 0-0 11.e3 c6 12.♗e2 ♗f5 13.0-0 ♘d7 14.♘a4?! (14.♕b3=) 14...a5! 15.♕b3?! b5 16.♘c5 a4! 17.♕c3 ♘b6 18.♘d2 ♖ae8 19.♖fe1 ♖e7 у черных отличная игра (Сейраван – Каспаров, Дубай(ол) 1986).

9...0-0. Ныне самым точным считают 9...а5! 10.♗е2 0-0 11.0-0 с6 (И. Иванов — Цешковский, Ереван 1977). На таких микронюансах строится современная дебютная теория.

10.♗е2. Позже выяснилось, что энергичнее классическая атака пешечного меньшинства – 10.b4! Возможны такие продолжения:

1) 10...♗е6 11.♗е2 ♘d7 12.0-0 f5 13.♖е1 g5 (тот же план, что и в примечании к 11-му ходу черных, но... против куда более продвинутого соперника!) 14.♖с1 ♔h8 15.♗d3 с6 (15...а6!? Карпов) 16.b5 g4 17.♘d2 с5 18.dc ♘:с5 19.♘b3 ♘:b3 20.ab! ♖с8 21.♘е2, и белым удалось использовать «дыры» в неприятельском лагере (Карпов — Корчной, Лондон 1984);

2) 10...с6 11.♗d3!? (11.♗е2 ♗е6 12.0-0 ♘d7 13.♖с1 встретилось в партии-первоисточнике Антошин — Глигорич, Загреб 1965) 11...♘d7 12.0-0 ♘b6 13.а4 ♗е6 14.b5 с5 15.dc! ♗:с3 16.♖с1 ♗b2 17.♖b1 ♗f6 18.cb (Сейраван — Корчной, Брюссель 1986) 18...♖:b6, и два слона компенсируют черным слабость изолированной пешки d5;

3) 10...♕d6 11.♕b3 ♗е6 12.♗е2 с6 13.0-0 ♘d7 14.♘е1 а5!? со сложной игрой (Барберо — Корчной, Нови-Сад(ол) 1990).

10...с6 11.0-0. На 11.b4!? могло последовать 11...♗е6 или 11...а5!? 12.b5 а4 (12...с5!?) 13.0-0 ♕а5 (Остермайер — Корчной, Биль 1984). Так или иначе, отказ от b2-b4 облегчает задачу черных.

11...♗е6. Небольшое нововведение, как и 11...а5!? (Ульман — Симагин, Будапешт 1961). Раньше играли 11...♕е7, например: 12.♖с1 ♘d7 13.♘е1 ♘b6 14.♘d3 ♖е8 15.♘с5 ♘с4 и b7-b6= (Вайтонис — Керес, Тарту 1938) или 12.а3 ♘d7!? (12...♗е6 13.♖с1 ♘d7 14.♘е1 ♘b6 15.♘d3 ♖ad8 16.♘с5 ♗с8 17.b4 ♘с4 и b7-b6= Ласкер — Ботвинник, Ноттингем 1936) 13.b4 ♘b6 14.♕b3 ♗е6 15.♖fe1 f5 16.♗f1 g5 17.♘е2 ♘с4 с примерным равновесием (Аронин — Корчной, СССР(ч) 1957).

12.♘а4 (12.b4!?) **12...♘d7 13.♖с1 ♕е7 14.♘е1 ♖ае8.** «Поскольку белые не создают конкретных угроз, черные удобно развивают фигуры — по центру, но с идеей приступить к атаке на королевском фланге» (Корчной).

15.♘d3 ♗f5 (грозит ♗:d4) **16. ♗f3 ♘b6! 17.♘ас5 ♘с4 18.b3 ♘d6.** Идеальное место для коня в позициях с «карлсбадской» пешечной структурой. Мы уже убедились в этом на примере партий Бобоцов — Петросян и Портиш — Каспаров (№ 340, 341).

19.♖е1 h5! 20.g3 h4 21.♗g2 ♗с8 22.♘f4 hg 23.hg ♕g5 24. ♗h3!? (чтобы, разменяв белопольных слонов, сыграть ♔g2 и ♖h1)

24...f5!? Черные против упрощений — явное свидетельство игры на победу!

25.♗g2 (теперь 25.♔g2 оставляло не у дел слона на h3) **25...♖h6.** С очевидным намерением пойти g6-g5, затем f5-f4, а при случае и перекинуть ладью на линию «h».

26.♘:d5! Симагин, шахматист атакующего стиля, пытается переломить ход борьбы с помощью жертвы фигуры. Проигрывало 26.f3? g5 27.♘fd3 (27.♘h3 f4) 27...♖:e3! 28. ♖:e3 ♗:d4, а на 26.♗f3 g5 27.♘h5 Корчной планировал 27...♖e7 (угрожая 28...g4 29.♘:g7 gf) 28.♗e2 f4 с сильной атакой. Не лучше и 28. ♘:g7 ♖:g7 29.♖c2 ♖h7 30.♘d3 f4 или 28.g4 ♘e4!? 29.gf ♗:f5 30.♘:e4 ♗:e4 31.♗g4 ♖ef7 и т.д.

26...cd 27.♗:d5+ ♖f7! Очень интересный момент — из тех, что говорят о силе шахматиста. Характер позиции внезапно изменился: после длительного лавирования пришла пора неясных комбинационных осложнений при нарушенном материальном равновесии. Игроку надо оперировать уже совсем иными категориями, и не каж-

дый смог бы мгновенно перестроиться и верно оценить новую ситуацию. Корчной же нашел способ продолжить борьбу за инициативу с помощью контржертвы качества: «В тот день я не желал отсиживаться в обороне. В самом деле, не отдадут же белые своего мощного слона, прикрывающего все белые поля, за какую-то жалкую ладью?!»

Посмотрим, что сулили другие ответы. В случае 27...♘f7 28.♘:b7 у белых три пешки за фигуру при крепкой позиции, и можно считать, что они совершили выгодный обмен (на 28...♗e6 Корчной советует 29. ♗g2 «с неясной игрой»). При 27...♔h8? 28.♔g2 ♖h7 29.♖h1 ♖h6 30. ♕f3! у черных трудности из-за связки по линии «h». Лучше 27...♖h7, но и здесь белые играют 28.♔g2! (вместо указанного Корчным 28.f4 g5 29.♖c2 ♕f6 30.♖h2+ ♗h6 31.♔f2 ♔g7 с перевесом черных) 28...♕g5 29.♖h1+ ♗h6 30.♘d3 или 30.♕f3 с идеями ♘:b7 и ♘d3-e5, а также ♖h4 и ♗ch1, сохраняя реальную компенсацию за пожертвованную фигуру.

28.e4!? Белые продолжают играть на вскрытие позиции, рассчитывая использовать связку ладьи. «Угрожало b7-b6 и после отступления коня — ♗b7 или ♗e6» (Корчной). На 28.♗:f7+ (28.♕f3 g5!) могло последовать 28...♘:f7 (не так ясно 28...♔:f7 29.♕f3 ♖h8 30.♕d5+) 29.♕f3 g5! Теперь плохо 30.♘:b7 g4 31.♕d5 ♗e6 32.♕b5 (32.♕c6 ♖c8, и угроза ♘g5-f3+ вынуждает белых отдать ферзя) 32...♖b8 с дальнейшим ♘g5-f3+ и страшной атакой по белым полям. В пользу черных и осторожное 30.♕h1 (30.♕d5 ♖d8)

30...♕:h1+ 31.♔:h1 ввиду 31...b6 32.
♘d3 ♗b7+ 33.♔g1 ♗f3!

28...fe. Еще одно нетривиаль-
ное решение. К сложной игре вело
28...f4 (но не 28...b6? 29.e5) 29.e5 fg
30.fg ♕h3 31.♕f3. Но здесь черным
было бы нелегко создать атаку на короля, а пара проходных пешек в центре оставляла белым неплохие перспективы. И это было бы некоторым
достижением Симагина: его комбинация заставила бы соперника не
только решать неожиданные практические проблемы, но и пойти на
определенный стратегический риск.

29.♘:e4. Кажется, что дела черных плачевны (29...♘:e4 30.♖:e4+−).

29...♗e6!! «Защита, не предусмот-
ренная противником» (Корчной).
Фантастический, удивительно красивый ход: черные не только избавляются от связки — они еще и под-
ставляют с шахом ладью!

30.♘:d6 ♗:d5 31.♖:e8+ ♖f8.
Корчной не просто оказался на высоте при резком изменении характера игры, но и сумел поставить перед соперником наиболее неприятные для того проблемы. Ведь Симагин сам стремился к захвату иници-

ативы, а вместо этого вынужден отражать угрозы (пока — мата на h1).

32.♖e4? Грубый промах, ведущий к потере фигуры. «Необходимо было 32.f3 ♖:e8 33.♘:e8 ♕e3+
34.♔g2 ♕:e8, и теперь возможно 35.
♕e1, 35.♕d3 или 35.♖c7 — везде с
примерным равенством» (Корчной). И все же два слона черных были
бы чуть сильнее ладьи с двумя пешками и при случае могли серьезно
побеспокоить короля. Видимо, это
и не понравилось Симагину.

32...g5! Сюрприз: ферзь с h6,
создававший угрозы по линии «h»,
вдруг атакует и коня d6. «Вероятно,
мой противник зевнул этот ход.
Если бы этой цели (выиграть коня!)
не было, черные могли путем 32...
♗:d4 получить инициативу, компенсирующую материальные потери» (Корчной). А по-моему, после
33.♖c2! ♗e4 (явно не проходит
33...♖:f2?) 34.♘:e4 ♕g7 35.♕g4 у
белых здоровая лишняя пешка.

33.♖c7 ♕:d6 34.♖ee7. На
34.♖:g7+ ♔:g7 35.♖e5 черные планировали 35...♗f3!, запирая неприятельского короля: 36.♖:g5+ (36.
♕d2 ♕h6!; 36.♕c1 g4) 36...♔f6 37.
♕d2 ♖h8−+. Ничего не дает и отчаянная атака по 7-му ряду: слоны
защищают все поля. Судьба партии
предрешена.

34...♗f6 35.♖ed7. Упорнее
было 35.♖cd7! ♕c6 36.♖c7, практически вынуждая жертву ферзя −
36...♕:e7! 37.♖:c6 bc «с перевесом
черных» (Корчной). Вероятно, достаточным для победы: едва ли
одинокий ферзь может помешать
ладье и двум слонам создать решающие угрозы королю.

35...♕e6 36.♖:d5. Проигрывало как 36.♕b1 ♗e4 37.♕e1 ♕g4 с угрозой ♕f3, так и 36.♔h2 ♗e5 (Корчной) или 36...♗:d4!

36...♕:d5 37.♕h5 ♗g7 (легко парируя прощальный выпад ферзя) **38.♕g6 ♕:d4 39.♕e6+ ♔h7 40. ♕h3+ ♔g6 41.♕e6+ ♖f6 42.♕e2 b5 43.g4 ♔h6.** Белые сдались. В этой партии Корчной еще раз проявил свои лучшие качества — умение адекватно реагировать на изменяющуюся ситуацию и ставить задачи, психологически наиболее неприятные для соперника.

В июле 1960 года чемпион СССР разделил с Решевским 1—2-е места на крупном турнире в Буэнос-Айресе, опередив 18 участников, и среди них — Сабо, Тайманова, Эванса, Олафссона, Унцикера, Глигорича, Бенко, Ульмана, Ивкова и юного Фишера. А осенью он успешно дебютировал в составе советской команды на олимпиаде в Лейпциге: +8=5 на 4-й доске. Напомню, что на первых трех досках тогда играли Таль, Ботвинник и Керес, а на двух запасных — Смыслов и Петросян. Фантастический состав!

Увенчала тот памятный год победа над Ботвинником в традиционном матче Москва — Ленинград. Ботвинник активно готовился к матчу-реваншу с Талем, и дуэль с новым чемпионом страны была для него просто хорошей тренировкой. «Ну, а для меня сыграть с «патриархом» — так его тогда называли — было чем-то из ряда вон выходящим!» — пишет Корчной и с присущей ему беспощадностью критикует свои примечания почти полувековой

давности: «Молодому гроссмейстеру приятно похвастаться победой над экс-чемпионом мира, подчеркнув при этом последовательность своей игры, закономерность результата. Но на эзоповом советском языке «затрудняло задачу» означает, что в домашнем анализе я не сумел найти выигрыш в случае перевода слона на h3. Выигрыш между тем был... Партия, слабо проведенная обоими противниками».

Отлично выступил он и в зональном, 28-м чемпионате СССР (Москва, январь—февраль 1961): 1. Петросян — 13,5 из 19; 2. Корчной — 13; 3—4. Геллер и Штейн — по 12; 5—6. Смыслов и Спасский — по 11 и т.д.

О финишной драме 24-летнего Спасского рассказано в 3-м томе (№ 350, 354). Сегодня Борис Васильевич объясняет ту свою неудачу каким-то «злым роком» или «божьей карой» и полагает, что в случае его попадания в четверку шахматная история могла сложиться иначе: «Если бы я прошел и межзональный, турнир претендентов на Кюрасао вполне мог выиграть Керес». Правда, итоги турнира на Кюрасао могли быть другими и в случае, если бы вместо Бенко в нем играл Штейн... Однако — приходится повторяться в который уже раз — история не знает сослагательного наклонения.

Вскоре после того чемпионата стартовал матч-реванш Таль — Ботвинник. Накануне оба соперника через своих секундантов выразили желание поработать с Корчным. Его реакция весьма красноречива: «Я отказал обоим. Не то что бы я думал, что мне нечему учиться у Ботвинника или Таля, но я считал, что если я собираюсь сам бороться за звание чемпиона мира, не следует мне идти к ним на работу. В наше время многие молодые ведут себя иначе...»

Состоявшийся через год дебют Корчного в межзональном турнире доставил его болельщикам немало волнений: сенсационное фиаско в партии с Куэлларом, поражения от Портиша и Фишера... Помимо молодого американца уверенно пришли к цели Петросян и Геллер. Но все-таки и Корчной завоевал путевку в турнир претендентов, одержав девять побед и добившись ничьей в важнейшей партии последнего тура. А вот шедший с ним вровень Штейн проиграл и, хотя занял выходящее 6-е место, оказался «четвертым лишним» в споре советских звезд, имевших по прихоти ФИДЕ всего три вакансии.

«Битва восьми» на далеком острове Кюрасао (май—июнь 1962) частично уже освещена в 4-м томе, в главе «Русский сговор». Собственно, сговор состоял в том, что трое советских гроссмейстеров — Петросян, Керес и Геллер — все партии между собой завершали вничью. А выиграть старались у ослабевшего Таля (он играл после тяжелой операции), бескомпромиссных Корчного и Фишера, не говоря уже об уступавших в классе Бенко и Филипе.

Но поначалу этот практичный план не сработал: стартовавший с четырех ничьих Корчной затем вдруг вырвался в лидеры, одержав три победы подряд — над Фишером, Филипом (в 101 ход, после двух дней игры) и Талем! Вот первая из них.

№ 498. Защита Пирца-Уфимцева B09
ФИШЕР — КОРЧНОЙ
Турнир претендентов,
Кюрасао 1962, 5-й тур

1.e4 d6 2.d4 ♞f6 3.♞c3 g6. Этой защитой Корчной сыграл не более дюжины партий за всю карьеру, считая ее «не совсем правильной». На сей раз, учитывая узость дебютного репертуара соперника, он ловил его на конкретный вариант.

4.f4 (4.♞f3 — № 562, 566) **4... ♝g7 5.♞f3 0-0.** Альтернатива — 5...c5 6.dc (6.♝b5+ ♝d7 Савон — Корчной, СССР(ч) 1973) 6...♛a5 7.♝d3 ♛:c5 8.♛e2 ♝g4! 9.♝e3 ♛a5 10.0-0 0-0 11.h3 (11.♖ad1 ♞c6 12.♝c4 ♞h5!? Спасский — Фишер, Рейкьявик(м/17) 1972) 11...♝:f3 12.♛:f3 ♞c6 13.♞e2?! ♝d7 14.c3? ♞de5! 15.fe ♞:e5 16.♛g3 ♞:d3... *0-1* (Хюбнер — Корчной, Шеллефтео 1989).

6.♝e2. «Тогда, летом 62-го, ход ♝e2 считался лучшим» (Корчной). После этой партии все, включая Фишера, перешли на 6.♝d3 (№ 454).

6...c5 7.dc ♛a5 8.0-0 ♛:c5+ 9.♔h1 ♞c6 10.♞d2. Идея Евгения Васюкова, который сам же придумал ее опровержение. Лучше 10.♝d3 с дальнейшим ♛e1 и ♝e3 (Болеславский — Уфимцев, Свердловск 1951) или сначала 10.♛e1.

«Накануне турнира, — вспоминает Корчной, — в подмосковном доме отдыха, я изучал эту позицию со своим помощником гроссмейстером Васюковым. Вообще в те годы я не играл защиту Пирца, всяческие разветвления были мне незнакомы, но Васюков уговорил меня рискнуть: Фишер может сыграть только так! И Фишер меня не подвел».

10...a5! Сильная новинка. К выгоде белых оценивалось тогда 10... ♘d4 11.♘b3 ♘:b3 12.ab (Васюков – Бастриков, Киев 1957) или 10...♗e6 11.♘b3 ♕b6 12.g4!

11.♘b3?! «Это вскоре создаст для белых серьезные трудности. Нешаблонные ходы требуют для своего опровержения нешаблонных же возражений», – пишет Корчной и рекомендует 11.♘c4. Вот примерные варианты:

1) 11...♘g4 12.♘d5! (вяло 12.♗:g4 ♗:g4 13.♕:g4 ♕:c4) 12...♘f2+ 13. ♖:f2 ♕:f2 14.♗e3 ♕h4 15.♘cb6! (не 15.g3 ♕h3 Вестеринен – Доннер, Бамберг 1968) 15...♖b8 16.♘:c8 ♖f(b):c8 17.g3 ♕h6 18.f5 g5 19.♕d2! (не 19.h4 ♗:b2 Филипович – Плятер, Варшава 1964) 19...♗f6 20.h4 или 19...♗:b2 20.♗:g5 ♕g7 21.♖f1, «и у черных трудная позиция»;

2) 11...♗g4! 12.♗e3 ♕h5 13.♗:g4 ♘:g4 14.♗g1 b5! 15.♘b6 ♗d4! 16.h3 ♗:g1 17.♘:a8 ♘f2+ 18.♖:f2 ♕:d1 19.♖:d1 ♗:f2= или 14.h3, и при 14...♘:e3 15.♕:h5 gh 16.♘:e3 «положение белых несколько приятнее», но интересно 14...♗:c3!? 15.bc ♘f6 (Корчной) или 14...b5! с легким уравнением.

11...♕b6 12.a4. Защищаясь от угрозы a5-a4-a3. Невыгодно как 12.♘d5 ♘:d5 13.ed a4! 14.dc?! (14. ♘d2 ♘b4 15.♘c4 ♕c5) 14...ab 15.cb ♖:a2! (Корчной) 16.bc♕ ♖:c8 17. ♗d2 ♗:b2–+, так и 12.a3 a4 13.♘d2 ♕c5(d4).

12...♘b4. В результате медлительного маневра ♘f3-d2-b3 возникла очень удобная для черных разновидность варианта дракона.

13.g4? Стандартный атакующий ход, но здесь он наталкивается на мощный контрудар. Как показала практика, и 13.f5 d5 14.e5 ♘e4!, и 13.♗f3 ♗e6 14.♘d4 ♗c4 15. ♘ce2 (15.♖e1 ♘g4!) 15...e5 16.♘b5 d5!, и 13.♖a3 ♖d8 14.♗f3 d5 15.e5 ♘e4 16.♘d4 f6! не сулит белым даже равных шансов.

Однако лучше рекомендация Корчного 13.♘d2!, и в случае 13... d5?! 14.e5 ♘e4 15.♘c:e4 de 16.c3 ♘d3 17.♘:e4 ♘:c1 (но не 17...♘:b2? 18. ♕d4!) 18.♕:c1 f5 19.♘g3 у черных нет достаточной компенсации за пешку, а если 13...♗e6, то 14.f5 с острой игрой. Неясно и 13...♖d8 или 13...♗d7. Действительно, «трудно дать совет, как черным удержать перевес».

13...♗:g4! 14.♗:g4 ♘:g4 15. ♕:g4 ♘:c2 16.♘b5. При 16.♘d5?! ♕b3 17.♘:e7+ ♔h8 18.f5 ♘:a1 19.f6 ♗:f6 20.♖:f6 ♖fe8 21.♘d5 ♖c4! 22. ♘c3 (22.♗h6? ♖:e4) 22...♘b3 23. ♗h6 ♘c5 или 23...♔g8 (Корчной) черные отражали атаку и должны были реализовать лишнее качество.

16...♘:a1 17.♘:a1 ♖c6. «Пока соотношение сил нормальное, но фигуры белых расположены плохо — материальных потерь не избежать» (Корчной).

18.f5. Безнадежно 18.♕f3 ♖fc8 19.♔g2 ♕c4! 20.b3 ♕:c1 или 19.♘b3 ♕c4, подбираясь к пешке a4. То же и после 19.♗e3 ♗:b2 20.♖b1 (20. ♘a7 ♕:a4; 20.♘b3 ♕c4!) 20...♗f6 21.♘a7 ♖:a7 22.♗:a7 ♕a4–+.

18...♕c4 19.♕f3 ♕:a4 20.♘c7 ♕a1 21.♘d5? Решающий промах. Как указал Корчной, необходимо было 21.♘:a8 ♖:a8 22.fg fg 23. ♕b3+! (если 23.♕f7+ ♔h8 24.♕:e7 в надежде на 24...♕a4 25.♗e3 ♖e8?? 26.♗d4!!+– , то просто 24...♕b1! 25. ♕b7 ♖e8 26.♖e1 ♕d3–+) 23...♔h8 24.♕b7 с шансами на ничью ввиду скверного положения черного ферзя: 24...♖f8 25.♖:f8+ ♗:f8 26.♕c8 или 24...♖g8 25.♕b3 (25.♖:e7!?) 25...♕b1 26.♕c4.

21...♖ae8 22.♗g5. На 22.♗h6 ♕b2 23.♘:e7+ ♖:e7 24.♗:g7, по Корчному, выигрывал «циничный» ход 24...f6!

22...♕:b2 23.♗:e7 (или 23. ♘:e7+ ♖:e7 24.♗:e7 ♗e5!) **23... ♗e5! 24.♖f2** (24.♕h3 ♕e2) **24... ♕c1+ 25.♖f1 ♕h6 26.h3 gf 27. ♗:f8 ♖:f8 28.♘e7+ ♔h8 29.♘:f5 ♕e6 30.♖g1 a4 31.♖g4 ♕b3 32.♕f1 a3.** Белые сдались.

После первого круга ленинградский гроссмейстер, имея 5 из 7, на очко опережал Геллера, Кереса и Петросяна. Второй круг он опять начал с четырех ничьих и после 11 туров лидировал вместе с Геллером, на пол-очка впереди Кереса с Петросяном и на полтора — Фишера.

Но игра с полной выкладкой на фоне тропической жары дала свои плоды: у него накопилась дикая усталость. «Он не был готов к такому ответственному соревнованию прежде всего физически, — пишет Виктор Васильев. — Уже в конце первого круга, когда соперники боязливо следили за его успехами, Корчной отчетливо понял, что за первое место бороться не сможет. Ему тяжело игралось, после каждой партии он чувствовал себя утомленным и разбитым».

Зная об этом, уже не удивляешься трагическому зевку, случившемуся у Корчного в партии второго круга с Фишером.

№ 499
КОРЧНОЙ – ФИШЕР
Турнир претендентов, Кюрасао 1962, 12-й тур

31.♗c6? Затмение! Надо было включить 31.♕b2+!, сохраняя лишнюю пешку и все шансы на победу: 31...♘e5 32.♘c4 или 31...♔g8 32. ♗c6 ♘:c6 (иначе b4-b5) 33.♖c1 ♘fe5 34.dc и т.д.

31...♘:c6 32.♖c1?? ♕a7!, и черные выиграли фигуру, а с ней и партию. «Да, это было ужасно — так проиграть самоуверенному американцу», — писала советская пресса.

Правда, после этой драмы он еще выиграл, и в хорошем стиле, «дежурную партию» у Филипа. Но затем проиграл Талю (единственный раз за много лет!) и закончил второй круг уже лишь четвертым, отстав на очко от Геллера с Петросяном и на пол-очка от Кереса.

Вспоминает один из тренеров советских гроссмейстеров Юрий Авербах: «После первой половины турнира нашего полку прибыло: прилетели жены участников, что внесло некоторое разнообразие в их размеренную жизнь. Был устроен небольшой перерыв, который все участники провели на еще более маленьком, чем Кюрасао, острове Сен-Мартен. Там они купались, загорали, а через пять дней снова приступили к игре. Начало второй половины ознаменовалось великолепным рывком Кереса — 3 из 3! Но уйти в отрыв ему не удалось: сзади с интервалом в пол-очка следовали Петросян и Геллер».

Похоже, эта пляжная неделя окончательно подкосила Корчного: в начале третьего круга он проиграл и Геллеру, и Петросяну, и Кересу... «То, что произошло с ним на Кюрасао, — это, пожалуй, рекорд.

И не только в его личной шахматной карьере: история шахмат, которая может поведать немало трагических историй, вряд ли помнит случай, чтобы в соревновании такого масштаба один из лидеров турнира потерпел четыре поражения подряд!» (В.Васильев).

Корчной окончательно отпал от борьбы за первое место и в итоге отстал на 4 очка от Петросяна, на 3,5 от Кереса с Геллером и на пол-очка от Фишера. Слабым утешением стала победа над американцем в третьем круге, позволившая выиграть у него миниматч (2,5:1,5). Характерный штрих: победитель турнира, прагматичный Петросян затратил на все свои ходы в 27 партиях в общей сложности 48 часов 40 минут, а непримиримый боец Корчной — 72 часа 10 минут, то есть в полтора раза больше!

У многих после такой неудачи могли опуститься руки, но только не у Корчного. Вернувшись домой, он с удвоенной энергией взялся за устранение своих шахматных недостатков. «На Кюрасао мне не хватало выдержки и техники для реализации преимущества на высшем уровне (хотя техника-то есть!), — писал через пять лет Виктор Львович. — Но там, где было велико сопротивление, появлялась торопливость — может быть, не выдерживали нервы (*да, техника — это нервы, как отмечал еще Алехин. — Г.К.*). К концу партии наступала усталость и как результат — зевки. Пришлось снова засесть за книги, проштудировать партии Рубинштейна и других знатоков эндшпиля. Спустя полгода на чемпионате страны в Ереване я чувствовал себя уже значительно увереннее».

Действительно, в 30-м чемпионате СССР (Ереван, ноябрь—декабрь 1962) он сражался только за первое место, и с успехом: 1. Корчной — 14 из 19 (при старте 11 из 13!); 2—3. Тайманов и Таль — по 13,5; 4. Холмов — 13; 5. Спасский — 12,5; 6. Штейн — 11,5 и т.д. Вскоре этот триумф был дополнен яркой победой в мемориале Капабланки (Гавана 1963): 1. Корчной — 16,5 из 21; 2—4. Геллер, Пахман и Таль — по 16. По свидетельству прессы, знатоки подметили в его игре явные перемены: Корчной демонстрировал более гибкий, более универсальный, чем прежде, стиль.

Раньше он утверждал: «Я первый атаковать не люблю, как не люблю и жертвовать свои фигуры и пешки». Теперь же всё чаще делал ходы, о которых потом писал: «На этот раз, изменив своим правилам, борясь за инициативу, я пожертвовал пешку». Кроме того, он научился искусно использовать даже небольшой позиционный перевес. Но вместе с тем Корчной отчетливо сознавал, что всё еще не достиг того технического совершенства, к которому стремился.

К концу года в его игре наступил временный спад, почти неизбежный при той жесточайшей конкуренции, что царила в советских шахматах. В 31-м чемпионате СССР (1963), который, напомню, был отборочным не к межзональному, а к двухкруговому зональному турниру, Корчной занял 10-е место и был до-

пущен в следующий этап только как «выдающийся гроссмейстер». Но и в зональном «турнире семи» он в итоге разделил лишь 5—6-е места, проиграв на финише Штейну (№ 360) и Спасскому.

И вновь у него не опустились руки! Мне было интересно узнать, что у Корчного, как много лет спустя и у меня, на столе лежала книга «300 партий Алехина», и он нередко обращался за советом к гениальному шахматисту. Вслед за Алехиным он вполне мог бы сказать: «Посредством шахмат я воспитал свой характер». Или: «Шахматы прежде всего учат быть объективным. В шахматах можно сделаться большим мастером, лишь осознав свои ошибки и недостатки».

Еще одну важную алехинскую мысль — «Для того чтобы стать гроссмейстером, необходимо кроме большого таланта иметь обеспеченное материальное будущее и большую работоспособность» — Корчной дополнил словами: «Требуется и беззаветная любовь к шахматам. Прошло время гениальных самородков (Капабланка), обращавших мало внимания на подготовку. Ныне для успеха надо много трудиться».

И он, уже будучи двукратным чемпионом СССР, продолжал работать над шахматами как никто другой (может быть, кроме Фишера). Ему было 33 года — самый расцвет... Позже он горько сетовал на то, что потерял в молодости много времени, что его не выучили правильно играть, жестко бороться за инициативу: «Я понял, что мне надо переучиваться, что моя игра пестрит недостатками, что я зачастую незнаком с азбукой гроссмейстерских шахмат. И добрый десяток лет я этой азбукой старался овладеть. В итоге, когда во всеоружии своих знаний и понимания шахмат,

в возрасте сорока с лишним лет я был готов сразиться с любым за звание чемпиона мира, то уже порядком исчерпал дарованную мне Богом энергию. Поэтому стать чемпионом мира мне так и не удалось...»

ДЕБЮТ НА ВСЕ ВРЕМЕНА

Очередной вершиной Корчного стала убедительная победа в 32-м чемпионате СССР (Киев 1964/65). Два года спустя Виктор Львович напишет: «Помогла разносторонность. Мне кажется, что именно в это время я достиг наилучшего понимания позиции». Уже его старт – 10 из 11! – практически снял вопрос у судьбе золотой медали. Среди поверженных оказались Шамкович, Лейн, Авербах, Холмов, Бронштейн, Таль, Васюков...

Ключевой в борьбе за первое место явилась партия с Талем. Она была отложена в лучшем для Корчного эндшпиле «ладья и конь против ладьи и слона». Вспоминает участник турнира мастер А.Петерсонс: «Так как Таль из-за болезни имел много других «хвостов», партия долгое время не доигрывалась и находилась в центре внимания участников и многочисленных болельщиков. В первые дни бытовало мнение, что белые должны победить. Но тут интересы черных стал защищать сам Тигран Петросян, который предположил, что наиболее вероятный исход – ничья. Находившиеся в Киеве рижане – Таль, Кобленц, Клованс и Петерсонс посвятили немало часов анализу отложенной позиции и тоже пришли

к выводу, что партия должна закончиться вничью».

При доигрывании Корчной форсировал выигрыш качества, но Таль отчаянно сопротивлялся, уповая на крайнюю ограниченность оставшегося материала. Развязка наступила на 68-м ходу.

№ 500
КОРЧНОЙ – ТАЛЬ
32-й чемпионат СССР,
Киев 1964/65, 9-й тур

68...♗h3? Выпуская из клетки белого короля. После 68...♔d3 черные добивались ничьей, например: 69. ♖e8 ♔d4 70.♔e1 ♔d3 71.♖e7 ♗f3= (Петерсонс).

69.♔e2! ♗g4+ 70.♔d2 ♗f5 71.♖f7 ♗g4 72.♖f4+ ♔e5 73.♔e3 ♗e6 74.♖f8 ♗h3 75.♖a8 ♔f5

76.Дa5+ Крg6 77.Крf4 h4 (если
77...Сf1, то 78.Лg5+ Крh6 79.Лd5, затем Лd6+ и Крg5) **78.Лa6+ Крg7 79.
gh,** и на 93-м ходу черные сдались.

Важной была и партия с москов-
ским гроссмейстером Васюковым,
шахматистом яркого атакующего
стиля, играющим только 1.e4. Надо
ли говорить, что в ответ Корчной
избрал свою излюбленную французскую защиту. После ошибки на
12-м ходу он получил трудную позицию, но, по свидетельству прессы, «как обычно, сохранил завид-
ное хладнокровие, неожиданно перехватил инициативу, и ситуация
молниеносно изменилась в его
пользу».

№ 501. Французская защита C19
ВАСЮКОВ – КОРЧНОЙ
32-й чемпионат СССР,
Киев 1964/65, 10-й тур

**1.e4 e6 2.d4 d5 3.Кc3 Сb4 4.e5
c5 5.a3 С:c3+ 6.bc Кe7 7.a4.**
Здесь, как и в варианте с 7.Кf3, практические и творческие результаты
Корчного не хуже, чем при 7.Фg4
(№ 492, 503, 516). Хотя дебют не
всегда складывался в его пользу, он
мастерски поддерживал напряжение борьбы в сложном «француз-
ском» миттельшпиле.

7...Кbc6 8.Кf3 Сd7. Впоследствии, с легкой руки Корчного, почти автоматическим стал ход 8...
Фa5!, вынуждающий 9.Фd2 (№ 511)
или 9.Сd2 (№ 512).

9.Сe2 (Фишер предпочитал 9.
Сd3 – № 477) **9...f6?!** Типовой
подрыв, однако, как показала практика, его лучше осуществлять чуть
позже, когда белый слон (или

ферзь) займет относительно пассивную позицию на d2. Правда, на
9...Фa5 уже возможно 10.0-0!, ибо в
случае 10...Ф:c3?! 11.Сd2 Фb2 12.
Лb1 Фa3 13.Л:b7 белые захватывают инициативу.

В те годы нередко играли 9...Фc7
10.0-0 f6 (вместо старинного 10...b6
11.Сa3 Кa5 Толуш – Ботвинник,
Москва 1943/44) 11.ef gf 12.c4, но
сильнее 12.Сa3! c4 (12...cd?! 13.
К:d4) 13.Фd2 или 13.Лe1 и Сf1, на-
щупывая «дыры» в лагере противника и уповая на мощь слона a3.
Меньше сулит белым 12.dc e5! 13.c4
Сe6 14.cd К:d5 15.Кd2 0-0-0 16.Кe4
К:c3! 17.Кd6+ Л:d6 18.cd К:d1
19.Л:d1 Кd4= (Панченко – Багиров, Челябинск 1972).

10.ef gf 11.dc. Мне кажется,
перспективнее 11.0-0! Фc7 12.Сa3
(см. предыдущее примечание), а
если 11...Фa5, то 12.Сa3 или 12.c4,
и черным трудно создать контригру, компенсирующую ослабленное
положение их короля.

11...Фa5. Хуже 11...Фc7 12.Кd4!
Но заслуживало внимания 11...e5!?
12.Кh4 (12.0-0 Фc7!, как в упомянутой партии Панченко – Багиров)
12...Фa5 13.Сh5+ Крd8, планируя
Крc7, Лag8 и Крb8 с острой игрой.

12.Фd2?! Потеря темпа, ведущая к одному из вариантов с 8...
Фa5. Точнее 12.0-0!, и для черных
опасно как 12...Ф:c5? 13.Фd2 и Сa3!,
так и 12...Ф:c3?! 13.Лb1 0-0-0 (13...
Ф:c5 14.Л:b7) 14.Сb2 Ф:c5 15.С:f6
Лhf8 16.Лb5 Фd6 17.Сh4. А на
12...e5 белые могут бороться за перевес путем 13.c4 Сe6 (13...dc или
13...d4 – 14.Кd2!) 14.cd К:d5 15.Сd2
Ф:c5 16.c4 и т.д.

12...Ф:с5? Теперь чернопольный слон белых обретает страшную силу и положение Корчного становится критическим. С 1965 года черные добивались неплохих результатов, играя 12...0-0-0 или 12...е5.

13.♗а3 Ф:а5 14.0-0.

Очевидно, что рано или поздно последует с3-с4 и черным предстоит мучительная борьба за ничью: у них разбитая пешечная структура, к тому же у белых два слона. Но интересно посмотреть, как Корчной творчески, глубоко проникая в позицию, решает трудные проблемы и мало-помалу, буквально на ровном месте, пусть и не без «помощи» соперника, создает опасную контригру.

14...0-0. Пришлось ограничиться короткой рокировкой: на 14...0-0-0 неприятно 15.♘d4! (с угрозой ♘b5) 15...♘:d4 16.♗:e7 ♘:e2+ 17.Ф:e2 ♖de8 18.♗:f6 ♖hg8 19.♗e5, и контратака по линии «g» запаздывает, а если 14...е5, то 15.♖fb1 0-0-0 16.♖b5 Фс7 17.♖ab1.

15.♖fd1?! Промедление. Мало дает и 15.с4 Ф:d2 16.♘:d2. Зато после 15.♖fb1! «у черных значительные трудности» (Петерсонс), например:

мер: 15...Фс7 16.♘d4! или 15...♗с8 16.♖b5 Фс7 17.с4.

15...♗f7 16.с4. «Я скорее отправился бы в клетку со львом, чем на месте белых допустил бы в этой позиции размен ферзей», — пошутил при последующем анализе Таль и предложил «хотя бы» 16.Фс1. Действительно, при 16...Ф:с3 17.♖d3 Фа5 18.♘h4 или 17.♗b2 Фа5 18.с4 у белых хорошая компенсация за пешку, поэтому лучше 16...е5 17.с4 ♗е6 со сложной игрой.

16...Ф:d2 (хитрее 16...♗с8, но тогда белые могли сохранить ферзей ходом 17.с3) **17.♖:d2 ♖с8** (17...♘а5!?) **18.а5 ♘g6 19.а6! b6 20.♖ad1?** С виду естественный развивающий ход, однако не стоило пускать черного коня на f4. Впрочем, 20.g3 (Петерсонс) отражалось путем 20...dc 21.♖ad1 (21.♗:с4 ♘се5 =) 21...♘b8! и т.д.

И лишь своевременное 20.cd! ed 21.g3 (но не 21.♖:d5?! ♘f4 22.♖d2 ♘:е2+ 23.♖:е2 ♗g4! или 21.с4?! ♘а5!), как и 21.♗d6(b2) или тонкое 21.♖е1, обрекало черных на тяжелую защиту: очень слаба пешка d5, да и любое нападение на пешку а7, прибитую к доске «гвоздем» а6, может оказаться для них смертельным.

20...♘f4 21.♗f1. Уже не так ясно 21.cd ed 22.♗d6 (22.♗f1?! ♗g4!, и ладья на d1 стоит неудачно) 22...♘:е2+ 23.♖:е2 ♖d8 и ♗с8!, вытаскивая «гвоздь» а6.

Тем не менее кажется, что белые по-прежнему сохраняют инициативу (грозит g2-g3 и cd). Во всяком случае, Корчной размышлял здесь почти 50 минут. И, как тогда говорили болельщики, «закорчнил»:

21...e5!? Нестандартная позиционная жертва пешки, тем более неожиданная, что вполне приемлемо было 21...♘a5: при 22.g3 (22.cd ♘:d5=) 22...♘:c4! 23.♗:c4 ♖:c4 24.gf ♖:f4 у черных хорошая компенсация за фигуру (они угрожают забрать еще и пешку a6), а на 22.♗d6 возможно 22...♘:c4 (22...e5!?) 23. ♗:f4 ♘:d2 24.♖:d2 e5 25.♗h6(g3) ♗e6, и ладья с пешкой не слабее слона с конем. Однако Корчной стремится не уравнять игру, а перехватить инициативу!

22.cd ♘a5. Картина сражения резко изменилась. Вместо сдвоенных пешек «c» у белых теперь лишняя проходная пешка d5 — и тем не менее позиция совершенно неясна. Эта пешка закрыла фронт действия ладьям, избавив черных от давления по линии «d». Угрожает ♘c4 (излюбленная стоянка коней Корчного — в частности, и в защите Грюнфельда), и при размене слона на этого коня сильная пешка a6 будет атакована ладьей с a4 или слоном с b5(c8) — и станет слабостью. К тому же могут возникнуть и какие-то угрозы по вертикали «g».

23.g3 (нормальный ход: в любом случае у черных неплохая компенсация за пешку — это «чувствует» и машина) **23...♘h3+.** Возможно было и 23...g4!? Сложное сочетание различных факторов — и стратегических, и тактических — делает позицию белых довольно опасной. Во всяком случае, с практической точки зрения, в преддверии острого обоюдного цейтнота.

24.♔g2 ♘c4 25.♗b4?! Непростой выбор — попытка борьбы за инициативу! «Васюков решился на жертву качества, чтобы не ослаблять белых полей» (Петерсонс). Но, может быть, стоило потерпеть, сыграв 25.♗:c4 ♖:c4 26.♗b2 ♗g4 27. ♖e1!? Впрочем, слабости в позиции белых сулили черным полноправную игру.

25...e4!? Лучше было 25...♘:d2! 26.♖:d2 ♖g7 или 26...h6, обеспечивая ♘g5, с некоторым перевесом черных, но Корчной соблазнился другой, очень интересной идеей.

26.♘d4.

26...♘:f2! (красивый удар: нельзя ни 27.♖:f2? ♘e3+, ни 27.♔:f2? e3+) **27.♖e1!** Васюков нашел сильный ответ, дающий белым достаточную компенсацию за качество.

27...♘:d2. «Возможно, сильнее было 27...e3» (Петерсонс), но после 28.♖:f2 ef 29.♔:f2 ♘e5 30.h3 у белых хорошая игра. Примерное равенство сохраняло 27...♘g4 28.♗:c4 ♖:c4 29.c3 f5.

28.♗:d2 ♘g4 (вряд ли удачнее было несколько неожиданное 28...♘h3 29.♖:e4 ♘g5 30.♖h4 ♖e7 31.♗d3! ♖e5 32.d6 — 32.c4 b5! — 32...♖d5 33.♗b4) **29.♖:e4.** Надо признать, что размен пешки f2 на пешку «e» оказался скорее к выгоде белых. Дальнейшие события происходили в цейтноте.

29...♘e5 30.♗b4 ♖g7 31.h3 (31.c3!? с идеей 31...♖g4 32.♖e1) **31...♗e8 32.c4?!** Обрекая пешку на гибель. Равновесие поддерживало 32.♖f4 ♗g6 33.c3 ♘d3 34.♗:d3 ♗:d3 35.♘c6. Можно было и сразу укрепить слона b4 путем 32.c3 (Петерсонс), например: 32...♗f7 (не лучше 32...♗g6 33.♖e3 или 32...♗d7 33.d6 ♗f7 34.♖f4) 33.♘e6 ♗:e6 34. de ♖e8 35.e7 ♖g:e7 36.♗:e7 ♖:e7, и слабость пешки a7 требует от черных известной аккуратности на пути к ничьей.

32...♗g6 33.♖e1? Вторая ошибка кряду. Сомнительна и рекомендация Петерсонса 33.♖e3 ввиду 33...♘:c4 34.♖c3 ♗e4+ и ♗:d5. Обязательно было 33.♖f4 ♘:c4 34.♔f2, и хотя после 34...♘e5 35.♖:f6 ♖f7 36.♖:f7 ♔:f7 37.♔e3 у белых похуже, они могли надеяться на ничью.

33...♗d3 (теперь черные выигрывают материал, а с ним и партию) **34.♘e6 ♖d7.** Крепкий ход «на

флажках». Быстрее вело к цели эффектное 34...♖:c4! 35.♘:g7 (35.♗:d3 ♘:d3–+) 35...♖c2+ 36.♔h1 (36.♗e2 ♗:e2) 36...♘f3! с угрозой ♖h2# или ♘:e1.

35.♗c3 ♗:c4 36.♗:e5? (у Васюкова уже опустились руки: все же упорнее 36.♗:c4 ♘:c4 37.♘f4) **36...♗d5+ 37.♔g1 fe 38.♖:e5 ♗e6 39.♖:e6 ♖c1 40.♔g2 ♖d2+ 41.♗e2 ♔f7 42.♖e4 ♖c6 43.♔f1,** и тут, убедившись, что контрольные ходы сделаны, белые сдались.

В итоге Виктор Львович с блеском завоевал свою третью золотую медаль: 1. Корчной — 15 из 19 (+11=8); 2. Бронштейн — 13; 3. Таль — 12,5; 4. Штейн — 12 и т.д. А если добавить к этому его безоговорочную победу и в полуфинале — чемпионате Ленинграда: 15 из 17 (+13=4), то получится впечатляющая беспроигрышная серия — 30 из 36!

«Замечательное достижение Корчного в полуфинале кое-кто, очевидно, не рассматривал как нечто выдающееся, однако все любители шахмат единодушно признали: в финале ленинградский гроссмейстер был поистине великолепен. Он опередил ближайшего соперника на целых два очка — добиться подобного интервала в чемпионатах СССР удавалось лишь одному Ботвиннику лет 20 назад», — восторженно писал в рижских «Шахматах» А.Петерсонс.

А в журнале «Шахматы в СССР» ему вторили Б.Баранов и В.Микенас:

«Корчной догнал Кереса по числу завоеванных золотых медалей чемпионата страны. Больше лишь у Ботвинника... В активе Корчного есть и эффектные комбинации, и красивые атаки, и последовательно проведенные в позиционной манере партии, и тонкие эндшпили. Если Петросян долго маневрирует, выжидая момент для решительных действий, а Таль стремится к той же цели, используя тактические средства, то Корчной умело сочетает в своей игре оба эти метода.

Он нередко отказывается от собственных активных планов и дает противнику осуществлять свои замыслы, если видит в них изъяны, чтобы вовремя нанести встречный удар. Может быть, эта деталь и позволила Корчному «разглядеть» некорректность многих атак Таля и добиться в личных встречах с ним подавляющего перевеса.

Дебюты Корчной разыгрывает без претензий, стремясь получить сложную позицию, которая ему по вкусу. И охотно принимает жертвы, хотя иногда его решения внешне и выглядят сомнительными. Но надо иметь в виду, что ленинградец идет на такие позиции лишь в тех случаях, когда его богатая интуиция вкупе с быстрым и глубоким расчетом подсказывает ему, что замыслы противника можно опровергнуть. Словом, Корчной — тонкий психолог, умеющий распознать сильные и слабые стороны соперника и направить борьбу по удобному для себя руслу».

Именно после этого чемпионата страны советские шахматные функционеры впервые обратили внимание на звездный вакуум, возникший в 60-е годы. «Особо следу-

ет остановиться на том обстоятельстве, что среди участников не было молодежи, — писала шахматная пресса. — Ведь это невеселый парадокс, что самым «юным» в турнире был 28-летний экс-чемпион мира Таль. В чем же причина этого тревожного факта? Видимо, в том, что мы плохо работаем с нашей шахматной молодежью, мало требуем от нее, недостаточно занимаемся воспитанием волевых качеств молодых шахматистов».

Подлинная причина отсутствия новых суперзвезд, огромной «черной дыры» от Таля и Спасского до Карпова, выяснилась позднее: по крайней мере два поколения были потеряны для шахмат из-за Второй мировой войны...

Мне кажется, что в СССР «плохо работали» скорее не с молодежью, а с некоторыми известными гроссмейстерами, периодически не выпуская их на зарубежные турниры. Не стал исключением и Корчной — даже при всех своих титулах! Так, в 1963 году его и Кереса пригласили на Кубок Пятигорского в Лос-Анджелес, но туда захотел поехать и чемпион мира Петросян. Тогда организаторы прислали три билета... «И все-таки меня не послали, — вспоминает Корчной. — По моему билету в США отправилась жена Петросяна».

Весной 1965 года трехкратного чемпиона страны пригласили на крупный турнир в югославский Загреб, но вместо этого Спорткомитет предложил ему съездить на небольшой турнир в Венгрию. Конечно, Корчной отказался... Правда, в августе он все-таки побывал в Венгрии и показал абсолютно рекордный результат в мемориале Асталоша — 14,5 из 15! Весомой была и его победа на осеннем международном турнире в Ереване: 1. Корчной — 9,5 из 13; 2—3. Петросян и Штейн — по 8,5.

По окончании командного чемпионата Европы (Гамбург, июнь 1965) ему неожиданно предложили остаться на Западе. Он отказался, ответив, что «шахматисты в СССР — очень привилегированные люди». Но потом, уже после отъезда, сожалел: «Потеряно 11 лет нормальной жизни». Что и говорить, невозможность участвовать в достойных турнирах больно ранит любого крупного шахматиста, находящегося в расцвете сил. Вот в 65-м и Корчной, по собственному признанию, дошел до ручки: «Решил вступить в компартию — как последний шанс облегчить свою участь. Действительно, поначалу помогло».

Большой резонанс имела тогда двойная победа Корчного над Петросяном в традиционном матче Москва — Ленинград (Москва, ноябрь 1965). Отложив в сложном миттельшпиле первую партию, соперники на следующий день принялись за вторую. Тигран Вартанович — редкий случай! — начал игру ходом 1.е4. «Очевидно, готовясь к будущему матчу на первенство мира, он стремится расширить свой дебютный репертуар», — решил Корчной и ответил открытым вариантом испанской партии. После 21-го хода белых возникла острая ситуация.

№ 502
ПЕТРОСЯН – КОРЧНОЙ
Матч Москва – Ленинград, 1965

«Здесь я задумался на полчаса, — пишет Корчной. — Как отразить выпад коня на f5? На 21...g6 следует 22.f4 с почти форсированным 22... h5 23.f5 hg 24.fe ♖:h4. Несколько раз я возвращался мысленно к этой критической позиции. Похоже, что у черных атака, но мне позиция не нравилась своей «иррациональностью», невозможностью определить, в чью же она пользу. И всетаки я сознавал, что при других продолжениях у белых будет преимущество. В мышлении шахматиста большую роль играют психологические мотивы. Он часто руководствуется не объективными оценками, а своими собственными ощущениями, тем, что он может себе позволить. Таль обязательно пошел бы на такое продолжение, а я уклонился, потому что мне был не по вкусу характер возникающей борьбы. После долгих раздумий, колебаний, сомнений я ответил иначе».

21...♕c6 22.f4 (22.♘f5 h5!) **22...d4+ 23.♕g2 ♕:g2+ 24.**

♘:g2 dc со сложным окончанием. Дело кончилось обоюдным цейтнотом, где последним ошибся Петросян. «В партиях со мной нервы частенько подводили великого стратега», — в этой реплике весь характер Корчного!

Партия была отложена в безнадежном для белых ладейном окончании, и при доигрывании они через несколько ходов сдались. В тот же день Корчной выиграл и первую партию. Вспоминает мастер А.Геллер: «Особенное удовольствие получал Виктор от анализа партий. Во время двухкругового матча Москва — Ленинград на сорока досках лидер команды гостей, имевший два прерванных поединка с Петросяном, провел бессонную ночь за разбором нескольких десятков отложенных партий своих земляков, что, впрочем, не помешало ему утром быстренько выиграть парочку партий у чемпиона мира. Вообще во время анализа Корчной обладал способностью мгновенно «врубаться» в позицию и быстро находить сильнейший ответ — это качество роднит его с Алехиным».

Из турнирных выступлений Корчного в 1966 году наиболее памятны победы в Бухаресте (12,5 из 14!), на мемориале Чигорина в Сочи (11,5 из 15) и лучший результат на 1-й запасной доске на олимпиаде в Гаване (10,5 из 13). Как водится, не обошлось без французской защиты — для Виктора Львовича это поистине дебют на все времена! Приводимая партия хорошо иллюстрирует его игровую манеру.

№ 503. Французская защита C18

МИНИЧ — КОРЧНОЙ
Бухарест 1966, 5-й тур

1.e4 e6 2.d4 d5 3.♘c3 ♝b4 4. e5 c5 5.a3 ♝:c3+ 6.bc ♘e7 7. ♕g4 (7.a4 — № 501, 511, 512) **7... ♕c7.** Нестандартная схема с жертвой пешек g7 и h7, безусловно, больше отвечала творческому кредо Корчного, чем 7...♘f5 (№ 492).

Впрочем, через год в матче Югославия — СССР (Будва 1967) он избрал против Минича крепкое 7... 0-0! 8.♘f3 (ныне белые связывают свои надежды с 8.♝d3!?) 8...♘bc6 9.♝d3 f5 10.ef ♜:f6 11.♝g5 (11.♕h5?! h6 12.0-0 c4! 13.♝e2 ♕a5 14.♝d2 ♝d7 15.♖fb1 ♕c7= Мекинг — Корчной, Вейк-ан-Зее 1978) 11...♜f7 12. ♕h5 g6, и партнеры согласились на ничью. Хотя после 13.♕h4 c4 14. ♝e2 ♕a5 15.♝d2 ♘f5 16.♕g5 ♝d7 впереди еще много борьбы (Любоевич — Корчной, Линарес 1985).

8.♕:g7 ♜g8 9.♕:h7 cd. Черные выражают готовность при первой возможности перейти в контратаку. Возникла острейшая позиция, где не совсем уютно чувствуют себя оба короля и размыты границы между защитой и нападением. И тот, кто идет на эти осложнения (неважно, белыми или черными), берет на себя немалый стратегический риск.

10.♔d1. Оригинально-вычурный ход, моду на который ввел Таль в 1-й партии матча с Ботвинником (правда, там было 6...♕c7 7.♕g4 f5 8.♕g3 ♘e7 9.♕:g7 ♜g8 10. ♕:h7 cd 11.♔d1!? — № 275), а затем и Бронштейн. Белые хотят пойти ♘f3 и при случае ♘g5, в отличие от обычного варианта с 10.♘e2 ♘bc6 11.f4 (№ 516).

10...♘bc6! Продолжение 10...♘d7 11.♘f3 сужает выбор черных до 11...♘:e5 (см. следующее примечание), поскольку вряд ли уравнивает 11...♘c5 12.♘g5 или 11...♘f8 12.♕d3 dc (12...♕:c3? 13.♕:d4) 13.♖b1.

11.♘f3 dc. Избегая опасного варианта 11...♘:e5 12.♗f4 ♕:c3 13.♘:e5 ♕:a1+ 14.♗c1 d3!? (неясно и 14...♖f8 15.♗d3 ♗d7 16.♔e2 Таль – Бронштейн, Москва(м, бш) 1967) 15.♕:f7+ ♔d8 16.♕f6! dc+ 17.♔d2 ♕d4+ 18.♗d3 ♔e8? 19.♔e2! ♗d7 20.♗e3 ♕b2 21.♖c1 ♖c8 22.♘:d7+– (Бронштейн – Ульман, Загреб 1965). Лишь через 20 лет была найдена лучшая защита – 18...♕c5! (Б.Штейн – Белявский, Лондон 1985).

12.♘g5!? Попытка усиления. В партии Минич – Ивков (Титоград 1965) было 12.♖b1 ♗d7 13.♗g5 0-0-0 =, а на 12.♗f4 (Куйперс – Падевский, Москва 1963) хорошо 12...♕b6!

12...♖f8. Сравнительно скромный ответ. К неясной, иррациональной игре ведет 12...♕:e5 13.♕:f7+ ♔d7 (но не 13...♔d8? 14.♕:g8+ ♘:g8 15.

♘f7+ и ♘:e5 Минич – Цинн, Галле(зт) 1967) или 12...♘:e5 13.f4 (13. ♗f4 ♕b6!) 13...♖g5!? (играли и 13... f6) 14.fg ♘5g6 и 15...e5!, и мощный пешечный центр вкупе с плачевным положением неприятельского короля дает черным все основания для оптимизма (Адорьян – Портиш, Венгрия(ч) 1966), а также новомодное 12...♘d8!? 13.f4 ♗d7 (Шорт – Неелотпал, Дакка 1999).

Ход в партии позволяет белым защитить пешку e5, вернуться ферзем и забрать пешку c3, причем их конь стоит не на e2, а на g5, что явно перспективнее. Но, с другой стороны, белый король, уйдя на d1, уже не может спрятаться на королевском фланге и у черных имеется план с длинной рокировкой и быстрейшим вскрытием игры в центре.

13.f4 ♗d7 14.♕d3. Мало сулит 14.♗d3 ♕b6 (О'Келли – Питч, Гавана 1965). За доской Корчной считал более неприятным для себя 14.♖b1, на что впоследствии отвечали 14...♘a5 (Петрусяк – Ульман, Галле(зт) 1967).

14...0-0-0 (не 14...♘d8?! или 14...d4?! из-за 15.♘h7) **15.♕:c3 ♔b8.** Пожалуй, лучше было немедленное 15...d4!? 16.♕c5 ♘d5 и f7-f6.

16.♖b1 (16.a4!? Корчной) **16... d4 17.♕c5 ♘d5 18.♘e4?!** «Теперь у черных примерно равные шансы. Следовало играть 18.♗d2» (Корчной). Белые угрожали бы пойти ♔c1, ♗d3 и начать реализовывать лишнюю пешку. А если 18...f6, то 19.♘h7 (с темпом!) 19...♖f7 20.♘:f6 ♘:f6 21.ef ♖:f6 22.g4!? e5 (на 22... ♖:f4? есть кинжальный удар 23. ♗a6!) 23.f5 и т.д.

18...f6 (удачно осуществляя свой план) **19.ef.**

19...e5! (не тратя времени на 19...
②:f6) **20.&d2.** «Единственная защита от угрозы &f5» (Корчной). Ничего не меняло 20.&a6 b6. Позиция белых в центре начинает немного «трещать по швам»: их королю трудно найти надежное убежище.

20...&f5 21.&d3 ef 22.&c1 &a8 23.&e1? Малозаметная, но серьезная неточность — потеря важного темпа: ладья стреляет «в никуда». Обоюдные шансы сохраняло как 23.g4 (Корчной) с идеей 23...&:g4 24.&g1, так и 23.&b5 &h7 (23...②e3? 24.&a5!) 24.&f1 или сразу 23.&f1 b6 24.&c4 ②e3 25.&:e3 de 26.&c3.

23...b6. С намерением ②e3 — терпеть такого коня нельзя, но после размена на e3 у черных появится мощная проходная пешка. Белым приходится решать довольно сложные задачи.

24.&c4. «Именно этот ход Минич считал решающей ошибкой, — пишет Корчной. — Однако после 24.&b5 ②e5 преимущество черных несомненно». И действительно, не приносит облегчения 25.②c5 ②:d3+ 26.②:d3 &:f6, а если 25.&b2, то 25...②e3!

24...②e3 25.&:e3 de 26.&c3 &d7! Естественными, сильными ходами Корчной наращивает инициативу. Заманчивое 26...&fe8 допускало активизацию ладьи — 27.&b4! (хуже 27.②c5 &e5! 28.②a6 &d6) 27...&c8 28.&c4 с идеей 28... &e6 29.&:c6! &:c6 30.&:c6+ &:c6 31.&b5 &d5 32.②c3! &:g2 33.②e2=. Не вполне ясно и 28...b5!? 29.f7! bc 30.fe &:e8 31.&:c4 &b8 (31...&b6 32.②c5!; 31...&c8 32.&c3!) 32.②c3 &d6 33.②b5 &f6 34.&c3, стремясь к размену ферзей.

27.&f1. С виду хитрее 27.g3, и простодушное 27...&c8? наталкивается на 28.②d6! &:d6 29.&:f5=. Но в этом случае уже хорошо 27...&fe8! 28.f7 (не годится 28.gf &:e4 или 28.②g5 &e5! с угрозой &c5, а если 29.&b5, то 29...&:d3 30.&:e5 ②:e5 31.&:e5 &c8+) 28...&:e4 29.&:e4 &:e4 30.gf &:f7 31.&:e3 &f5! с неотразимой атакой на короля.

27...&c8! 28.&b2 (28.&:f4 ②e5 29.&:e5 &:d3 30.&b2 e2−+ Корчной) **28...②d4.** Проще было 28... &d5!, вынуждая 29.&:f4 ②e5 30. &b4 ②:d3+ 31.cd &e5+ (не 31... &e6?! из-за 32.②c3! &g2+ 33.&a1 &:c3 34.&:f8+ &c8 35.&:c8+! &:c8 36.f7 &g7+ 37.d4 &f8 38.&g1! e2 39.&b2=) 32.②c3 &:d3 33.&c1 &:f6 с подавляющим перевесом или 31... &:f6!! (грозит и &fc6, и &e6, и &:d3) 32.②:f6 &c2+! 33.&:c2 &:d3+ 34. &b2 &b1+ 35.&c3 &d3+ 36.&b2 &c2+ 37.&a1 &c1+ 38.&a2 &e6+ с разгромом.

29.♕b4 a5. Тоже очень краси- во и ставит перед белыми едва ли разрешимые проблемы.

30.♕e1? Пассивный ход, ведущий к немедленной катастрофе. Куда большей находчивости требовало от черных 30.♕e7! ♕a4 31.♖bc1 (но не 31.♖:f4 ♖fe8! или 31.f7 ♘b5!), на- пример:

1) 31...♖fe8?! 32.♕d6 ♖c6! (32... ♖:c2+ 33.♖:c2 ♕b3+ 34.♔c1 ♕:d3 35.♕d5+ ♔b8 36.♕d6+ с вечным шахом; неясно и 32...♗:e4 33.f7 ♗:d3 34.fe♕ ♖:e8 35.♕d5+ ♔b8 36. cd или 33...♖:c2+ 34.♗:c2 ♕b5+ 35.♔a1 ♘:c2+ 36.♖:c2 ♕f1+ 37.♔a2 ♕b5 38.fe♕+ ♕:e8 39.♖b2) 33.♕d5 (33.♕:f4? e2!) 33...♗e6 34.♘c3! (34. f7 ♖f8!) 34...♗:d5 35.♘:a4 ♖:f6 (35... f3 36.♘c3 fg 37.f7!) 36.♖:f4! ♖:f4 37.♘:b6+ ♔a7 38.♘:d5 ♖f2 39.♖e1 с шансами на ничью;

2) 31...♘b5! 32.♖:f4 ♖fe8! 33.♕:e8 ♕:a3+ 34.♔b1 ♖:e8 35.♖:f5 ♘d4 или 32.♗:b5 ♕:b5+ 33.♔a1 ♕a4 34.c4 (34.♖:f4 ♖ce8 35.♕d6 ♗:e4 36.f7 ♖c8–+) 34...♖ce8 35.♘c3 ♖c6 36. ♕g7 ♕:c4 с победоносной атакой.

30...♘:c2! (решало и 30...♖:c2+! 31.♗:c2 ♕b5+ 32.♔c1 ♘e2+) **31.**

♗:c2 ♕b5+ 32.♗b3 ♗:e4. Белые сдались.

Разумеется, после 1.e4 e6 2.d4 d5 против Корчного многократно при- меняли не только 3.♘c3 (около двух- сот раз), но и 3.♘d2 (около ста). На это он пробовал и 3...♘c6, и 3...♘f6, но чаще всего играл 3...c5 и получал изолированную пешку d5. В следу- ющей хрестоматийной партии ему удалось убедительно продемонстри- ровать основной козырь черных в таких позициях — активную фигур- ную игру, даже без ферзей.

№ 504. Французская защита C08
МАТАНОВИЧ — КОРЧНОЙ
Вейк-ан-Зее 1968, 2-й тур

1.e4 e6 2.d4 d5 3.♘d2 c5 4.ed ed 5.♘gf3. Более 20 раз встреча- лось у Корчного и 5.♗b5+ ♗d7 — например, в 16-й и 22-й партиях матча с Карповым (Багио 1978).

5...a6. Иногда Корчной отвечал и 5...♘f6 или 5...c4, но в основном — 5...♘c6 6.♗b5 ♗d6 (плюс экспе- риментальное 6...cd 7.♕e2+ ♕e7 или 6...♕e7+) 7.0-0 ♘ge7 8.dc ♗:c5 9.♘b3 ♗d6 (первый матч с Карпо- вым, Москва 1974) или 9...♗b6 — против Ананда (Лондон(бш) 1994) и Мак-Шейна (Рейкьявик 2003). Целая эпоха!

6.dc (Геллер и Таль предпочита- ли 6.♗e2!) **6...♗:c5 7.♘b3 ♗a7! 8.♗d3.** Отметим также 8.♗g5 ♘e7 9.♕e2 ♘bc6 10.0-0-0 0-0 11.♕d2 ♗f5 12.♘fd4 ♘:d4 13.♘:d4 ♗:d4 14.♕:d4 ♖c8 15.♗d3 f6= (Штейн — Корчной, Москва 1967) или 8.♗e2 ♘f6 9.0-0 ♘c6 10.♗g5 0-0 11.c3 ♖e8 12.♘bd4 ♕d6= (Эстевес — Корч- ной, Ленинград(мз) 1973).

8...♕e7+! Так играл еще в 1950 году Ласло Сабо. «Здесь Матанович, как мне кажется, искренне удивился: трудно поверить, что черные, имея изолированную пешку d5, сами предлагают размен ферзей...» (Корчной). Тем более что в предыдущей дуэли тех же соперников (Гавана(ол) 1966) было 8...♘c6 9.0-0 с небольшим перевесом белых.

9.♕e2. Или 9.♗e2 ♘f6 10.0-0 0-0 11.♘fd4 (11.♗g5!? Керес) 11...♘c6 12.♖e1 ♘e4 13.♗e3 ♘e5 14.♘d2 f5= (Чирич – Корчной, Будва 1967).

9...♘c6 10.0-0 ♗g4 11.h3 ♗h5 12.♗f4 ♕:e2 13.♗:e2 ♘f6 14.c3 0-0 15.♖fe1 ♖fe8.

«Разумеется, белые стоят не хуже. Но пешка d5 как бы гипнотизирует Матановича. Ведь в эндшпиле – это слабость, удобная мишень для атаки! И он, полагая, что имеет перевес, ищет пути его реализации. Между тем черные не испытывают никаких затруднений. Их фигуры расположены гармонично и активно, обстреливают важные центральные поля. В такой ситуации пешка d5 не слабость, а сила!» (Корчной).

16.g4?! «А вот и следствие переоценки своих шансов. Матанович хочет перевести белопольного слона на g2, но при этом ослабляет пешки королевского фланга – в дальнейшем именно это обстоятельство приводит белых к поражению», – пишет Корчной и добавляет, что на 16.♗f1, вероятно, сыграл бы 16...♖e4. Хотя проще 16...♗:f3 17.gf d4=.

16...♗g6 17.♗f1 ♖e4 18.♖:e4 ♗:e4 19.♗g2 h5! 20.g5 ♘d7 21.♖d1 ♘f8 22.♗e3 (разменивая сильного слона a7) **22...♗:e3 23. fe ♘e6 24.h4 ♖e8 25.♔f2 ♘e7 26.♗h3 ♗c2 27.♖a1.** Корчной считал это единственной защитой: «на любой другой отход ладьей» – скажем, 27.♖f1!? – «последовало бы 27...♗:b3 28.ab ♘c5». Однако 29.♘e5 давало белым достаточную контригру: 29...♘:b3 30.♔e2! ♘c5 31.♘:f7 или 29...♘f5 30.♗:f5 ♖e5 31.♗c2 ♘e4+ 32.♔g2 ♘f8 33.♖f4 ♔e7 34.♔f3.

27...♘g6 28.♗:e6? Принципиальная ошибка, избавляющая черных от изолированной пешки. Правильно было 28.♘bd4 ♗e4 29. ♖d1, еще удерживая примерное равновесие.

28...fe 29.♔g3 (после 29.♘c5 ♗f5 плохо 30.♘:b7? ♖b8, а если 30.♔g3, то просто 30...♘e7) **29...e5 30.♘bd2?!** Больше шансов на ничью оставляло 30.♘c5.

30...♘e7 31.♖e1 ♘f5+ 32. ♔h3 ♘d6 33.♔g2 ♔f7 34.♘f1 ♔e6 35.♘g3 g6 36.♘d2 ♖f8 37.♖e2 b5 38.♖f2 ♗f5 39.♔f1 ♖c8 40.♔e1 a5 41.a3 b4 42. ab ab 43.♘e2 ♖a8 44.♘b3 ♘e4

45.♖h2 ♖b8 46.cb ♖:b4 47. ♘bc1.

47...♘d6. «Вся эта стадия партии носит технический характер. Положение белых проигранное: они не в состоянии защитить свои пешечные слабости» (Корчной).

48.b3 (48.♘c3 ♘c4) **48...♘e4 49.♘g1 ♘c5 50.♔d1 ♘:b3,** и на

66-м ходу белые сдались. Корчной назвал эту партию лучшей из выигранных им в данном варианте.

Вера в прочность «французских» позиций с изолированной пешкой d5 проходит красной нитью через всю творческую биографию Корчного. В какой-то мере это было следование принципу Бронштейна, сформулированному им еще в матче с Ботвинником (1951): аккуратной игрой «изолятор» можно удержать! Действительно, Корчной не проиграл ни одной «французской» в матчах с Карповым (1974 и 1978). Но объективности ради надо сказать, что порой ему приходилось вести долгую и упорную защиту в довольно подозрительных позициях. В главе о Карпове мы увидим, сколь тонко тот трактовал их за белых (№ 541, 542).

СХЕВЕНИНГЕНСКИЕ ОПЫТЫ

Очередной цикл мирового первенства Корчной начал с зонального, 34-го чемпионата СССР (Тбилиси 1966/67). На сей раз он придерживался рациональной, чисто отборочной турнирной стратегии, ориентируясь на любое из четырех выходящих мест. Но, несмотря на отсутствие поражений, решить эту задачу с ходу ему не удалось: 1. Штейн — 13 из 20; 2. Геллер — 12,5; 3–5. Гиплсис, Корчной и Тайманов — по 12.

Чтобы отсеять «пятого лишнего», пришлось проводить дополнительный двухкруговой матч-турнир трех (Таллин 1967). Это было тяжелое испытание! Тайманов закончил

все четыре встречи вничью, а Корчной с Гиплсисом обменялись ударами, и в итоге все трое набрали по 2 из 4. Пятым оказался Тайманов, имевший худший коэффициент в основном турнире.

Однако всё могло сложиться по-другому, так как Корчной выиграл у Гиплсиса буквально чудом. Мое внимание привлекла и дебютная часть этой драматичной партии.

№ 505. Английское начало А30
КОРЧНОЙ – ГИПЛСИС
Матч-турнир, Таллин 1967
1.c4. Играя белыми, Корчной всегда предпочитал закрытые дебюты и ходил 1.e4, как правило, только в

порядке эксперимента и при целе-направленной подготовке к конкретному сопернику.

1...c5 2.♘f3 ♘f6 3.♘c3 e6 4. g3 b6 5.♗g2 ♗b7 6.0-0 ♗e7 7. d4 cd 8.♕:d4 0-0 9.e4 ♘c6 10. ♕d3.

10...d5. «Обязательно, иначе черные оказались бы в стесненном положении», — писал Виктор Львович по горячим следам, а в 1995 году добавил:

«Десятки нынешних шахматистов готовы поднять меня на смех за эту фразу. Тем не менее 30 лет назад и ранее мастера (которые вряд ли понимали шахматы хуже мастеров современных) представляли себе дело так: «Сторона, стесненная в пространстве, имеет затруднения с маневрированием фигур». Основатели же системы «еж» — полноправной участницы нынешних соревнований — переиначили формулу: «Сторона, захватывающая пространство, имеет проблемы с защитой своих форпостов». В случае «ежа» — с защитой пешек c4 и e4... «Ежа» случалось играть и мне — в случаях, когда позарез нужно было

выиграть черными. Но в принципе и Гипслис, и я — шахматисты классического подхода к стратегии шахмат, ежиное коварство мы не признаём!» (Подробнее о «еже» — в 6-м томе.)

11.e5?! ♘d7! 12.cd ♘b4 13. ♕e4?! ♘:d5, и к 30-му ходу возникло легкофигурное окончание с лишней пешкой и шансами на победу у Гипслиса, но в диком обоюдном цейтноте он не успел сделать контрольный 40-й ход! Корчной по этому поводу заметил: «Мне не нравятся формулы, часто употребляемые комментаторами, — «ответственная партия», «борьба нервов», «обилие ошибок», — но иначе трудно объяснить этот театрализованный парад мелких промахов и досадных упущений, закончившийся самоубийством, виноват — просрочкой времени».

Очень скоро Корчной с блеском доказал закономерность своего выхода в межзональный турнир. В мае 1967 года в честь 50-летия Октябрьской революции состоялись сразу два крупных международных турнира — суперзвездный Московский (1. Штейн) и более скромный Ленинградский. Конечно, Виктор Львович имел полное право играть в Москве, но его «для укрепления состава» обязали играть в Ленинграде. Эффект был впечатляющий: 1. Корчной — 13 из 16 (+10=6); 2. Холмов — 12; 3—4. Барца и Тайманов — по 10,5 и т.д.

«Результат Корчного исключительно высок, но для него это отнюдь не редкость, — писали в рижских «Шахматах» В.Оснос и П.Кондратьев. — Известно, что спортивная форма, от которой зависит так много, не может долго оставаться неизменной. И порою случалось так, что своих наивысших успехов выдающийся ленинградский гросссмейстер добивался, так сказать, «не вовремя». А к самому ответственному моменту, то есть к отборочным соревнованиям ФИДЕ, оказывался «на спаде». Так, в 34-м чемпионате СССР и матч-турнире трех он выступил лишь на «удовлетворительно». Но в Ленинграде Корчной улучшал игру от тура к туру. Хочется надеяться, что эта тенденция окажется устойчивой, и к предстоящему межзональному турниру он придет в хорошей форме... Корчной всегда верен своему своеобразному, неповторимому стилю. Классическим примером его творческого кредо при игре черными (сначала защита, по возможности с материальными приобретениями, затем — контратака) служит партия с Суэтиным».

Рассказ об этой партии требует небольшого вступления. Если вклад Корчного в теорию французской защиты и открытого варианта испанской партии общеизвестен, то о его авторстве важнейших разработок в схевенингенском варианте многие, особенно молодые, шахматисты даже не подозревают. Против Холмова (Москва(зт) 1964) после **1.e4 c5 2.♘f3 e6 3.d4 cd 4.♘:d4 ♘f6 5.♘c3 d6 6.♗e2 ♗e7 7.0-0 0-0 8.♗e3 ♘c6 9.f4** он впервые применил ныне давно уже хрестоматийный план — **9...♗d7 10.♕e1 ♘:d4 11.♗:d4 ♗c6.**

На **12.♕g3** черные сделали ключевой ход **12...g6.** С виду такое ослабление королевского фланга недопустимо, но Корчной установил, что белым трудно его использовать и у черных достаточно времени для организации контригры на ферзевом фланге. К тому же у белых слаба пешка e4 (или, если она двинется вперед, — e5).

Холмов избрал прочно-пассивное 13.♕e3, и после 13...♕a5 14.e5 de 15.fe ♘d7 16.♖ad1 ♗c5 17.♗:c5 ♕:c5 18.♕:c5 ♘:c5 19.♗f3 ♖ac8 20. ♖d4 ♖fd8 21.♖f4 ♗e8 белые получили чуть худший эндшпиль, но изобретательной защитой им удалось спастись. Не дала плодов и предпринятая вскоре попытка 16.♘e4?! ♘:e5 17.♘f6+ ♗:f6 18.♖:f6 ♘d7! 19.♖f2 e5 20.♗c3 ♕b6 21.♕:b6 ab... *0-1* (Парма — Спасский, Белград 1964).

Хорошая игра у черных и при 13.♗f3 b5! 14.a3 a5 15.♖ad1 b4 16.ab ab 17.e5 (ведет лишь к упрощениям) 17...♗:f3 18.♕:f3 bc 19.ef ♗:f6 20.♕:c3 ♗:d4+ 21.♕:d4 ♖a6 22.♖f3 ♕a8 23.b4 ♖c6 24.♖a1?! (24.c3 d5 25.f5 ♖c4 26.♕d2 сохраняло примерно равный тяжелофигурный миттельшпиль: у белых проходная на ферзевом фланге, зато ослаблено укрытие их короля) 24...♛b8 25.c3 ♜fc8 26.h4?! h5 27.♛f6 ♛c7 28.♜a3 d5 29.♚h2 ♜c4 30.b5? (а это уже зевок) 30...♜b8 31.♜f2 ♜:b5... *0-1* (Милич – Корчной, Белград 1964).

Затем появилось **12.♗d3**. Реакция Корчного была столь же рискованной, сколь и оригинальной: 12...a6 (12...♘d7! 13.♛g3 e5=) 13. ♚h1 b5 14.a3 ♛d7?! (14...♘d7!) 15. ♜f3 ♘h5!? 16.♛e3 f5! 17.♜h3?! (17. ♜f1) 17...♘f6 18.ef ef 19.♜e1 ♜ae8 20.♛d2 ♘g4! 21.♗e2 ♗f6, и после «воистину подозрительной игры» черные все-таки получили неплохую позицию и даже шансы на перехват инициативы, а в итоге выиграли на 58-м ходу (Матанович – Корчной, Гамбург 1965).

Вскрыть недостатки их построения могло 16.f5! ♗f6 17.♛f2 (Корчной). Прорыв f4-f5 в подобных структурах позже стал типовым. Один из ярких примеров: Карпов – Хюбнер (Бад-Киссинген 1980).

Мне вспоминаются первые уроки «схевенингена», полученные в Бакинском Дворце пионеров у Олега Приворотского. Он показывал именно эти партии: все росли тогда на творчестве сильнейших советских шахматистов 50–60-х годов. Олег Исаакович учил: «Как доказал Корчной, после 9...♗d7 10. ♛e1 ♘:d4 11.♗:d4 ♗c6 черным нечего опасаться, поэтому белые должны играть 10.♘b3!» Однако встречались и другие способы уклонения – один из них продемонстрировал Суэтин.

№ 506. *Сицилианская защита В83*
СУЭТИН – КОРЧНОЙ
Ленинград 1967, 12-й тур

1.e4 c5 2.♘f3 e6 3.d4 cd 4. ♘:d4 ♘c6 5.♘c3 d6. Это, по мнению Корчного, «наиболее точный порядок ходов за черных, намеревающихся играть «схевенинген»: они избегают таким образом и атаки Кереса 6.g4, и варианта Раузера 6.♗g5».

6.♗e3 ♘f6 7.♗e2 ♗e7 8.f4 0-0 9.♛d2!? (а белые избегают 9. 0-0 ♗d7 – см. выше) **9...♘:d4.** Теперь на 9...♗d7 неприятно 10.♘db5, хотя прирожденный защитник готов отстаивать и эту стесненную позицию: 10...d5 11.e5 ♘e8 12.0-0 g6 13.♘d4 ♗g7 и т.д. (Либерзон – Корчной, СССР(ч) 1970).

В партии Сахаров – Крогиус (СССР(ч) 1964/65), первоисточнике плана с 9.♛d2, было 9...a6 10. 0-0-0 ♛c7 11.g4! с инициативой у белых, что в принципе подтвердила и последующая практика. К концу века популярным стало 10...♘d7 11.g4 ♘:d4. И все же лучшим методом уравнения считается немедленный контрудар в центре 9...e5! (Купрейчик – Каспаров, Кисловодск 1982).

10.♗:d4 ♗d7 11.e5 (иначе 11...♗c6, и коню не придется отступать на e8) **11...de 12.fe ♘e8 13. 0-0.** «Более спокойное продолжение, чем обоюдоострое 13.0-0-0. Отсутствие прямого давления на пешку e5 определяет преимущество белых» (Оснос, Кондратьев). Но стоит черным решить проблему «плохого» коня e8, и это преимущество испарится.

13...♗c6 14.♖ad1 ♕a5! Вместо унылого 14...♘c7 создается угроза ♖d8:d4 и ♗c5.

15.♗f3. Привлекательно выглядит 15.a3 с идеей 15...♖d8 16.♕e3 ♖:d4?! (16...b6 17.♔h1!) 17.♖:d4 ♗c5 18.b4! ♗:d4 19.♕:d4 ♕a3 20.b5 ♗d5 (20...♗d7 21.♘e4 и ♖a1) 21.♘:d5 ed 22.♖a1 ♕e7 23.♖:a7 и т.д. Однако тут верно 15...♗c7!, и в случае 16.b4 (16.♕e3 ♘d5) 16...♕:a3 17.b5 черных выручает 17...♖ad8! 18.♘b1 ♖:d4 19.♕:d4 ♕a5 20.c4 a6!

15...♗:f3. «Существенная неточность. Ходом 15...♖d8 (с угрозой ♖:d4 и ♗c5) черные могли выиграть важный темп для перегруппировки» (Оснос, Кондратьев). Например: 16.♕e3 ♗:f3 17.♖:f3 ♘c7 с быстрым уравнением. Однако Корчной жаждет большего!

16.♖:f3 ♖d8 17.♔h1 (17.♕f2!?) **17...♘c7.** «Теперь на 17...♗c5 уже возможно 18.♖d3» (Оснос, Кондратьев). И после 18...♗:d4 19.♖:d4 ♖:d4 20.♕:d4 ♘c7 21.a4 у белых некоторый перевес, а главное — простая игра.

18.♖g3 ♖d7!? Похоже, что черные сознательно рискуют, вызывая огонь на себя.

Неплохо было 18...f6 19.ef (19.♕h6 ♖f7) 19...♗:f6 20.♖d3 ♗:d4 21.♖:d4 ♖:d4 22.♕:d4 ♕f5=, но белые могли форсировать ничью путем 20.♗:f6 ♖:d2 21.♖:g7+ ♔h8 22.♖f7+ ♔g8 23.♖g7+.

19.♕h6 ♘e8 (увы...) **20.♕e3.** Пешка e5 и слон d4 парализуют позицию черных, и если белый конь успеет перейти с c3 на e4, а пешка с c2 на c3, они останутся совсем без контригры.

20...h5! «Как всегда, Корчной ставит перед партнером наибольшие препятствия» (Оснос, Кондратьев). На редкость парадоксальная защита: в ту эпоху как-то не было принято делать подобные ослабляющие ходы от короля. Но черные хотят наконец-то ввести в бой коня путем g7-g6 и ♘g7-f5, причем у белых не будет типового ограничительного хода g2-g4.

С этой же целью неплохо было 20...g6 — например, 21.♖h3 h5 и ♘g7, однако тогда белые могли бы пригвоздить пешку к h7 ходом 21.♕h6, хотя после 21...f6 (вряд ли приемлемо для черных 21...♘g7?! 22.♖h3 ♘h5 23.♖dd3! ♖:d4 24.♖:d4 ♕:e5 25.♕d2) 22.♖h3 ♖f7 им трудно рассчитывать на реальный перевес.

Дальнейшее течение партии показывает, что выбор Корчного был правильным. Суэтин затратил много времени, но ему так и не удалось создать серьезные угрозы на королевском фланге, ослабленном движением пешки «h», и черные получили достаточную контригру. Правда, им всегда надо было помнить о том, что отсутствие пешки на h7 при ослабленном поле f6, на которое хищно смотрит белый конь, является потенциальным источником проблем, и при малейшей оплошности эти проблемы могут стать неразрешимыми.

21.☖f1 (21.♕e2!? и ☖gd3) **21... ♕b4 22.☖e2 ♕c4 23.c3 g6 24. ☖gf3 ☖g7 25.b3 ♕a6 26.☖g3 h4 27.☖e4 ☖f5 28.♕f4 ♕:a2.** «Только когда конь обосновался на f5, где он прикрывает ближайшие подступы к своему королю, черные решаются на взятие пешки a2» (Оснос, Кондратьев).

29.☖c5. «Заманчивый ход, однако больше ничьей он белым не сулит. К сложной и неясной игре вело 29. g4 hg 30.hg ♔g7 31.g4 ☖h8+ *(31...☖:d4 32.☖h3! – Г.К.)* 32.♔g1 ☖h4» (Оснос, Кондратьев). Но это опровергалось простым 33.☖f2+−. А если 32...☖:d4 33.cd ☖h4, то 34.gf! ☖:f4 35.f6+ ☖:f6 36.ef+ ♔g8 37.☖:f4 ♕:b3 38.☖h4! с едва ли отразимой угрозой ☖f2-h2 и ☖h8#.

Впрочем, вместо 30...♔g7? или, скажем, 30...♕:b3? 31.g4 ☖:d4 (не спасают и другие ходы) 32.♕h6! и ☖f6+ с матом у черных есть хоро-

ший выбор между продолжениями 30...♕e2! и 30...☖:d4 31.cd ♕c2! – в обоих случаях атака белых заходит в тупик.

29...♕e2. Плотный, надежный ход: ферзь возвращается в гущу событий.

Похоже, оборонительный потенциал черных настолько велик, что они могли отразить атаку даже в случае крайне рискованного 29... ♕:b3 30.☖:e7 ☖:e7 31.☖h3 ♔g7, например: 32.☖:h4 ☖d7 33.♕g5 ☖:h4 34.♕f6+ ♔g8 35.♕:h4 ♔g7 или 32. g4! hg 33.hg ☖h8 (33...♕d5 34.g4) 34.☖:h8 ♔:h8 35.g4 ♔g7! 36.gf ef с полной компенсацией за фигуру (вряд ли есть что-нибудь лучше, чем 37.☖f6 ♕:c3 38.☖h5+ ♔g6 39. ☖f6+ с вечным шахом).

30.☖3f2 ♕d3 31.☖f3 (или 31.☖:e7 ☖:e7 32.☖d2 ♕e3=) **31... ♕e2 32.☖3f2 ♕d3** (ничья повторением ходов?) **33.☖d2?!** «Как это часто бывает, атакующая сторона переоценивает свои шансы» (Оснос, Кондратьев). Добавлю: в остром обоюдном цейтноте!

33...♕:d2! 34.☖:d2 ☖:c5 (ладья, слон и пешка – отличная компенсация за ферзя) **35.♘e4 ♗e3 36. ♘f6+?!** «Внезапно оказавшись в положении защищающегося, Суэтин действует крайне неуверенно. Необходимо было 36.♕f3 с угрозой ♘f6+, а если 36...♔g7, то 37.♘d6 с хорошими шансами на ничью» (Оснос, Кондратьев).

36...♔g7 37.♕c4 (плохо 37. ♘:d7? ♗:f4 38.♘:f8 ♗:e5 39.♘d7 ♗:c3–+) **37...♖dd8.** С идеей ♖h8! Пешка «h» выглядела слабостью, а на самом деле оказалась силой, поскольку мешает белым освободить своего короля ходом g2-g3. И поскольку их король находится в постоянной опасности, белым трудно создать эффективную контригру.

38.♘g4 ♗b6 39.♘f2? (роковая ошибка «на флажке», хотя и после 39.♕e2 ♖h8 с угрозой ♘g3+ позиция черных лучше: 40.♘f2 ♖h5 и т.д.) **39...♗:f2 40.♖:f2 ♘e3.** Белые сдались.

Межзональный турнир в Сусе (осень 1967) — одно из интереснейших шахматных событий тех лет, и не только из-за отличного старта и сенсационного бегства с турнира Бобби Фишера. Борьба за шесть путевок в матчи претендентов была невероятно драматичной.

Корчной настроился было на сугубо отборочный лад, чередуя ничьи с редкими победами — над Кавалеком, Бирном, Ларсеном... Но, проиграв в 15-м и 17-м турах Ивкову и Матуловичу, скатился на «плюс два» и, казалось бы, потерял шансы на успех. Однако пять побед кряду, в том числе над Портишем (который шел на 1,5 очка

впереди), помогли ему выправить положение дел и выйти в следующий этап: 1. Ларсен — 15,5 из 21; 2–4. Геллер, Глигорич и Корчной — по 14; 5. Портиш — 13,5; 6–8. Решевский, Горт и Штейн — по 13.

Вскоре он, уже в ранге претендента, одержал первую и, наверное, самую потрясающую из своих четырех побед в Вейк-ан-Зее (январь 1968): 1. Корчной — 12 из 15; 2–4. Горт, Портиш и Таль — по 9; 5. Георгиу — 8,5; 6–7. Матанович и Чирич — по 8 и т.д. Его старту — 8 из 8, затем 10,5 из 11 (на 4 очка впереди ближайших конкурентов) — мог бы позавидовать сам Фишер! Как сообщил московский еженедельник «64», тогда в Вейк-ан-Зее пришло письмо из Белграда от гроссмейстера Трифуновича: «Такой перевес пугает даже меня, старую турнирную лису. Неужели все, кроме Корчного, разучились играть в шахматы?»

А вот что писала европейская пресса: «Раньше мы уже не раз становились свидетелями блестящих побед Корчного. Можно с уверенностью сказать: когда Корчной играет за границей, он всегда бывает первым... Его триумф в Вейк-ан-Зее можно сравнить разве что с достижением Алехина в Сан-Ремо». Помимо прочего это был плод огромного труда: Корчной сделал в турнире 607 ходов — больше, чем любой другой участник (скажем, Георгиу хватило 345).

Мало кого удивила его очередная победа над Талем. Но, по-моему, стоит обратить внимание на самокритичность Виктора Львовича в оценке переломного момента этой партии.

№ 507
КОРЧНОЙ – ТАЛЬ
Вейк-ан-Зее 1968, 8-й тур

19.♘:е6?! fe? «Белые предприняли этот размен, так как не видели путей к усилению своей позиции. Но и размен не должен был дать им особых благ. При 19...♕:е6 белые вряд ли могли рассчитывать на перевес: их слоны не имеют оперативного простора», – писал Корчной в 68-м году, а в 95-м жестко добавил, что «27 лет спустя после окончания партии следует быть более откровенным: в случае 19...♕:е6 положение белых, ввиду ужасной позиции слона b2, близко к проигранному».

20.с4! (этого хода Таль не заметил) **20...♘:с4.** Компьютер предпочитает 20...♖:с5 21.♗:е5 ♖сс8, однако, по мнению Корчного, после 22.♗:b8 ♖:b8 23.♕b3 «у белых очевидное позиционное преимущество». Белопольный слон против коня – любимое сочетание Фишера...

21.♗:f6 gf 22.♗:с4 dc 23.♕g4+ ♔h8 24.♕d4 (24.♕:с4!?) **24...♕d8 25.♕:с4 ♖:с5 26.bc ♕d7?!** (упорнее 26...♕d5 Корчной) **27.♕f4,** и на 59-м ходу черные сдались.

Интересно и примечание Корчного в партии с Чиричем (10-й тур) после **1.d4 d5 2.с4 е6 3.♘с3 ♘f6 4.♗g5 ♗e7 5.e3 0-0 6.♖с1!? h6 7.♗h4 b6 8.♗:f6 ♗:f6 9.cd ed 10.g3:** «Не знаю, встречалась ли эта позиция раньше, но Чирич считает ход 10.g3 и связанный с ним план моим изобретением. Систему с 6.♖с1 я применял потом несколько раз, что оказалось очень сильно против защиты Тартаковера – Макогонова – Бондаревского. К матчу в Мерано (1981) Карпов «со товарищи» вместо 7...b6 подготовил сильный ход 7...dc!» (№ 573).

В том году Корчной наконец-то сделал рывок к Олимпу, победив в матчах претендентов Решевского (5,5:2,5) и Таля (5,5:4,5). Но затем уступил Спасскому (3,5:6,5) и, фактически став третьим шахматистом мира, получил право участвовать без отбора в следующем цикле. Все эти поединки подробно прокомментированы участниками в замечательной книге «Матчи претендентов» (Белград, 1969). После поражения в финале Виктор Львович признал, что соперник играл сильнее, прежде всего в миттельшпиле, – и с присущей ему объективностью пояснил:

«Спасский подбирает к каждому противнику то оружие, которое тому не по душе. Полагаю, что еще в период подготовки к матчу он наметил необходимый вид борьбы, чтобы навязать наиболее неприятную для меня манеру боя. Для этого ему достаточно было просмотреть десяток моих партий с шахматистами выжидательного стиля и почувствовать, как неуверенно я с ними играю. Мне действительно ни разу не удалось по-настоящему пробить оборону Спасского» (см. также начало главы «Штурм Олимпа» в 3-м томе).

За два с половиной года до следующих матчей претендентов Корчной показал целую серию результатов экстракласса: в конце 68-го выиграл супертурнир на Мальорке (+10=6, впереди Спасского, Ларсена и Петросяна); в 69-м — еще три международных турнира, а на Мальорке разделил 3—4-е места; в 70-м отличился в Ровине — Загребе (дележ 2—6-го мест за Фишером) и на 38-м чемпионате СССР в Риге, где очень уверенно завоевал свою четвертую золотую медаль (+12—1=8). А 71-й начал с очередной победы в Вейк-ан-Зее.

Его нынешние оценки собственных комментариев к партиям того периода, как обычно, остры и самокритичны. Например, к поединку с Хюбнером (Вейк-ан-Зее 1971): «Примечания больше похожи на разговор с журналистом, нежели на серьезный труд, но партия — интересная». Или к победе над Спасским (Пальма-де-Мальорка 1968) — тогда после своего 20-го хода он написал: «Хотя положение белых лучше, черные сохраняют равновесие. После 20...d5 21.cd cd

22.e5 реальных шансов на выигрыш мало». Теперь же прямо признал: «Слабый комментарий — от начала и до конца. Первая фраза бессмысленна: как же все-таки — положение белых лучше или на доске равновесие?! А в указанном варианте белые, благодаря слабости пешек ферзевого фланга черных, стоят лучше».

Соперником Корчного по четвертьфинальному матчу претендентов 1971 года стал опытнейший Ефим Геллер (см. главу «Петрович — гроза чемпионов» во 2-м томе). В 1-й партии он применил свою коронную староиндийскую защиту, но против Корчного это был нелучший выбор. Позиция Геллера становилась всё более трудной, он попал в жестокий цейтнот и на 36-м ходу просрочил время.

«Поражение на старте всегда неприятно, так как сразу же попадаешь в положение отыгрывающегося (это отметил и сам Геллер на закрытии матча). Быть может, это обстоятельство в какой-то степени повлияло на тяжелую, связанную с длительными раздумьями, игру Геллера почти во всех остальных партиях матча», — писали помощники ленинградского гроссмейстера В.Оснос и Г.Сосонко.

Но борьбы было еще очень много. В четных партиях Геллер играл только 1.e4, а Корчной применял только сицилианскую защиту: во 2-й и 4-й — вариант дракона (но без успеха), а в 6-й и 8-й ставил «схевенингенские опыты». Напомню, что матч игрался на большинство из десяти партий и после победы в

7-й Корчной вел со счетом 4,5:2,5. Таким образом, 8-я партия была практически последним шансом Геллера спасти матч. Нервное напряжение достигло апогея.

№ 508. Сицилианская защита В85
ГЕЛЛЕР – КОРЧНОЙ
*Матч претендентов,
Москва (м/8) 1971*

1.е4 с5 2.♘f3 d6 3.d4 cd 4. ♘:d4 ♘f6 5.♘c3 a6 (не 5...e6 6.g4, как было в 6-й партии) **6.♗e2 e6 7.0-0 ♗e7 8.f4 0-0 9.♔h1 ♘c6 10.♗e3 ♕c7 11.a4 ♗d7.** Корчной верен своему излюбленному маневру, пусть и с включением хода а7-а6. Сейчас все автоматически делают более точный ход 11...♖e8 – так многократно играл и я, в частности в матчах на первенство мира с Карповым и Анандом (подробности в 7-м томе).

12.♘b3! Этот отход давно уже стал прописной истиной: иначе следует «разгрузка Корчного» ♘:d4 и ♗c6=. Теперь же у белых некоторое преимущество. Но – в это трудно поверить – Геллер затратил здесь уже 1 час 35 минут!

12...b6 13.♗f3. «На фланговую диверсию 13.g4 черные могли ответить контрударом в центре 13...d5!» (Гуфельд). Действительно, после 14.e5 ♘e4 15.♘:e4 de у них хорошая игра: на 16.c3 возможно даже 16...g5!?

13...♖fd8. Старинный план с переводом слона на e8, освобождающим поле d7 для коня. Ныне чаще отводят слона на c8 с дальнейшим ♗b7 и ♘d7, но тогда это было в диковинку.

14.♕e2. Белые задумали традиционный в то время план, связанный с подготовкой е4-е5 и организацией фигурной атаки на королевском фланге. Но энергичнее современный ход 14.g4!, дающий больше шансов поставить под сомнение оборонительную конструкцию черных: 14...♗e8 (теперь при 14...d5 15. e5 нет 15...♘e4, а если 15...♘e8, то 16.♕e2) 15.g5 ♘d7 16.♗g2 и т.д.

14...♗e8 15.♗f2 ♖dc8!? Стратегия выжидания. «Подобные ходы отнимали у Геллера немало времени на их разгадку» (Гуфельд).

16.♗g3 (16.g4!? Гуфельд) **16... ♘d7 17.♖ad1** (17.♘d5 ed 18.ed ♗f6 19.dc ♘c5= Флор) **17...♗f6.** «Этот ход меня удивил, а на 17...♘c5 я также намечал 18.e5» (Геллер). И если 18...d5, то 19.f5! с грозной атакой, например: 19...♘:b3 20.cb ♗c5 21.fe fe 22.♘:d5! ed 23.♗:d5+ ♔h8 24.♕f3.

18.e5! de 19.fe ♗e7. Пешка e5 неприкосновенна: после 19...♘d:e5 (еще хуже 19...♗:e5? 20.♗:c6) 20. ♗:c6 ♗:c6 21.♖fe1! ♕b7 22.♗:e5 ♗:e5 23.♕:e5 ♗:g2+ 24.♔g1 белые должны реализовать лишнюю фигуру.

20.♘d4. Высказывалось мнение, что атакующее положение сохраняло и 20.♗:c6 ♛:c6 21.♘d4, хотя тут черные могли рассчитывать на уравнение, сыграв 21...♛b7! и ♘c5.

20...♘:d4 (20...♘c5 21.b4!? Гуфельд) **21.♖:d4 ♖a7 22.♖g4!** Жаркие споры среди аналитиков разгорелись вокруг варианта 22.♘d5!? ed 23.e6. По мнению Флора, «этим несложным тактическим ударом белые могли вскрыть позицию в свою пользу».

В доказательство приводилось 23...♛c5 24.♖:d5 ♛:c2 (при 24...♛c4 25.ed ♖d7 26.♛:c4 ♖:c4 27. ♖:d7 ♗:d7 28.♗d5 или 25...♗:d7 26.♛:c4 ♖:c4 27.♖fd1 ♗e8 28.♖5d2 ♗g5 29.♖e1! ♖c8 30.♖d5 ♗e7 31.a5 у белых лучший эндшпиль) 25.ef+ ♗:f7 26.♛:e7 ♗:d5 27.♗:d5+ ♔h8 28.♗e5 «с решающей атакой» (Гуфельд), однако, по-моему, после 28...♘f6! 29.♛:a7 ♛e2! 30.♖b1 ♛:e5 31.♛:a6 ♖e8 32.♗f3 ♛:b2! на доске ничья.

Похоже, приемлемо и немедленное 23...♛:c2 24.ef+ ♗:f7 25.♛:e7 ♛c5 26.♕h4 ♘f6! 27.♗f2 ♖ac7 и т.д.

Геллер избрал куда более неприятное для черных продолжение, но тут его ждал очередной сюрприз.

22...h5! Ход, навеянный партией с Суэтиным (№ 506), тем более что здесь у черных нет «плохого» коня e8. «Подобная защита характерна для творческого почерка Корчного вообще, но сейчас это и объективно лучшая возможность, хотя и идущая вразрез с известной аксиомой: не двигайте пешки там, где вы слабее» (Гуфельд).

По мнению Флора, гроссмейстера традиционного классического стиля, «путем 22...♘f8 черные получали вполне надежную позицию, и после 23.h4 завязывалась сложнейшая борьба». Однако здесь, на мой взгляд, точнее оценка Гуфельда (секунданта Геллера): «Во всех вариантах у белых мощная инициатива. Они угрожают усилить давление путем h4-h5».

23.♖e4 g6. «После 23...h4 24. ♗f2 у черных трудная позиция» (Гуфельд). Корчной поставил перед соперником нелегкую психологическую проблему (причем в условиях нехватки времени): теперь атака белых должна быть обязательно сопряжена с жертвами. И Геллер погрузился в мучительные раздумья...

24.h3. Комментаторы дружно осудили этот ход, сопроводив его вопросительным знаком.

«Удивительно, что такой прекрасный тактик, как Геллер, топчется на месте и в итоге проигрывает сражение, упуская отличную возможность нанести удар 24.♗:h5!? gh 25.♖f6!, и найти защиту за черных было бы трудно даже для самого Корчного» (Флор). Трудно, но можно!

Конечно, плохо 25...♗:f6? 26.ef ♘:f6 (вынужденная жертва ферзя: 26...♕c5 27.♖g4+! ♔f8 28.♕d2 или 27...♔h8 28.♖c4!) 27.♗:c7 ♘:e4 28.♗:b6 ♘:c3 29.bc ♖d7 30.♕:h5 f6 (30...♖:c3 31.♕g4+ ♔h7 32.♗d4) 31.♕e2!, и белые должны реализовать две лишние пешки, или 25...♕d8? 26.♕:h5 ♘f8 27.♖h6! ♘g6 (27...f5 28.♖h8+ ♔g7 29.♕h6+ ♔f7 30.♖h4! Гуфельд) 28.♖g4 ♗f6 29.ef ♕:f6 30.♗f2! с неотразимой атакой. Тем не менее у черных была защита — и, кажется, не одна:

1) 25...♕c5 (Корчной) 26.♖h6!? (ход Гуфельда 26.♖g4+ не дает перевеса ввиду 26...hg 27.♕:g4+ ♔h7 28.♘e4! ♘:f6! 29.♘:f6+ ♗:f6 30.ef ♕f8 или 29.ef ♗f8! 30.♕h4+ ♔g8 31.♘:c5 bc=) 26...f5! 27.ef ♗:f6 28.♖:e6 ♕f8! 29.♘d5 ♕:h6 30.♘e7+ ♔e7 31.♖:h6 ♗f8 32.♖e6 ♗f7 с достаточной компенсацией за ферзя;

2) 25...♘f8! Типовой оборонительный маневр, создающий форпост на g6, укрепленный пешкой f7 и слоном e8: 26.♕:h5 ♘g6 27.♖g4 (не лучше 27.♖f3 ♕d8 28.♗e1 f5! 29.ef ♗:f6 или 28...♘f8 29.♖h3 f5!) 27...♗:f6 28.ef ♕d8 29.♗e5 ♕d2! 30.h3 ♖c5! 31.♔h2 ♗c6 с перевесом черных или 26.♖h6 ♘g6 27.♕:h5 ♗f8 28.♖h7 ♗g7 29.♗h4 (ничего не дает

29.♖:g7+ ♔:g7 30.♗h4 f5! 31.ef+ ♔g8) 29...♗:e5 30.♗g3 ♗:g3 31.hg f5!! (тоже типовая защита) 32.♖:c7 ♖a:c7 33.♘d5 (иного нет) 33...fe 34.♘:c7 ♖:c7, и белым надо делать ничью.

Отметим, что кроме идейного 25.♖f6!? (блокада пешки f7!) у белых имелся еще и удар 25.♘d5!? (при 25.♕:h5? f5! 26.♖h6 ♘f8 они у разбитого корыта) 25...ed с весьма любопытными осложнениями:

1) 26.♖g4+?! (26.e6? ♕:c2 или 26...de! 27.♗:c7 ♖a:c7) 26...hg 27.♕:g4+ ♔f8 28.♕h5! ♗g5! 29.e6 (на 29.♕:g5?! есть красивая защита 29...♕c6! 30.♖f6 ♕:c2 31.♕h6+ ♔g8! 32.♕g5+ ♕g6!) 29...♘e5 30.e7+ ♔:e7 31.♕:g5+ ♔d7 32.♗:e5 ♕:c2 33.♗g3! (33.♕g4+? ♔d8 34.♕g5+ ♖e7 35.♗d6 ♕e2–+) 33...♖c6! 34.♗h4 ♔c8 35.♕d8+ ♔b7 36.♕:e8 ♖c7 37.♗g3 ♖a8 38.♕e5 ♖d7, и черные сохраняют лишнее качество и шансы на победу;

2) 26.♕:h5 de! 27.♖g4+ ♔f8 28.♕h5! ♗g5! 29.e6 (29.♕:g5? ♕c6 30.♖f6 ♕:a4 31.h3 ♖c5! или 31.♕h6+ ♔e7 32.♕h4 ♔d8 33.b3 ♕b4! 34.♖:f7+ ♔c7 35.e6+ ♔c6–+) 29...♘e5 30.e7+! ♔g8! 31.♕:g5+ ♘g6 32.♗:c7 ♖c:c7 33.a5! (33.h4 ♖c5!) 33...ba! (теперь 33...♖c5? наталкивается на 34.ab! ♖:g5 35.ba ♗c6 36.a8♕+ ♗:a8 37.e8♕+) 34.h4 ♖:e7 35.h5 ♖e5 36.♖f5 ♖:f5 37.♕:f5 ♖e7! 38.hg e3 39.gf+ ♗:f7, и сильная проходная пешка гарантирует черным ничью: 40.♕a5 (40.♕g4+ ♔f8 41.♕e2 ♗c4!) 40...e2 41.♕e1 ♗g6 42.c4(3) ♗d3=.

Итак, после 24.♗:h5 gh за белых не видно решающего продолжения атаки, однако угроза жертвы слона витает в воздухе еще несколько ходов. Чтобы так рисковать, от играющего черными требуется изрядное мужество — я бы сказал, мужество канатоходца, когда лишь один неверный шаг ведет к падению в пропасть. Но Корчной тонко прочувствовал, что в том нервном состоянии, в котором находится его соперник, особенно тяжело принимать ответственные решения, связанные с материальными жертвами.

24...♗f8. Еще один интересный момент. Геллеру снова было над чем подумать.

25.♗h2. Почему-то никто не отметил 25.♗:h5!? gh 26.♗h4! с угрозой ♗f6 (а если 26...♘c5?, то 27. ♖g4+!!), хотя это ставило перед черными даже более сложные задачи, чем жертва на предыдущем ходу. При 26...f5 27.ef ♗f7 28.♖f3 атака белых выглядит очень опасной. Рассмотрим и ходы ферзем:

1) 26...♕b8 27.♗f6 ♘:f6 28.♖:f6 ♗g7 29.♕:h5 ♖c5 30.♕g5 ♔f8 31.b4! ♗:f6 (31...♖:c3? 32.♖g4) 32.♕:f6 ♖:c3, и хотя после 33.♖h4 ♖g3 34. ♖h8+ ♖g8 35.♕h6+ ♔e7 36.♖:g8 ♖a8 или 33.♔h2! ♖e3! (иначе ♖h4) 34. ♖:e3 ♖d7 у черных слон за две пеш-

ки, их защита трудна (решающее слово может сказать проходная «h»);

2) 26...♕c5! 27.♖f3! ♗h6 (27... ♗g7? 28.♖g3 с угрозой ♖:g7+! и ♕:h5) 28.♖g3+ ♔h7 29.♗g5! ♕f8 30. ♖f4 ♖c5 31.♘e4! (31.♕:h5 f6!) 31... ♖:e5 32.♘f6+ ♘:f6 33.♕:e5 ♘d5 34. ♖h4 f6 35.♕e4+ ♗g6 36.♗:h6 ♕:h6 37.♕:e6, и белые, возвращая материал, сохраняют инициативу.

После отказа Геллера от жертвы фигуры черным удается консолидировать свою позицию и борьба продолжается в размеренном ключе, не выходя за рамки примерного равновесия.

25...♖g7 26.♖e3 ♘c5 27.♕e1. «Почему белые сдают свои позиции? И сейчас 27.♗:h5 gh? 28.♖f6 давало им неотразимую атаку» (Гуфельд). Однако, по-моему, хладнокровное 28...♘d7! 29.♕:h5 ♘f8 и ♘g6 (знакомый маневр!) отражает атаку, поэтому сильнее 28.♖g3!, например: 28...♔f8 29.♖g5! ♕c6 (недостаточно и 29...♘:a4 30.♕:h5) 30. ♖:g7! ♔:g7 31.♕:h5 ♖d7 32.♕g5+ ♔f8 33.♕h6+ ♔g8 34.♖f4 или 33... ♔e7 34.♕f6+ ♔f8 35.♗f4, матуя.

«Правда, у черных был ход 27... ♘:a4, и у белых лишь минимальное преимущество», — добавляет Гуфельд. Но, по оценке компьютера, шансы сторон здесь равны.

27...♗c6 28.♗:c6. «На предыдущем ходу и теперь обязательно было ♗h5, и картина всё еще оставалась неясной» (Флор). Увы, 28. ♗h5?! уже запаздывало: 28...gh 29. ♕h4 ♕d8 (29...♕e7!? с идеей ♘d7-f8-g6) 30.♕:h5 ♕d2! (30...♘:a4!?) 31.♖g3 (31.♖e2 ♕h6—+) 31...♕:c2 32.a5 ♘e4! 33.♖g4 (если 33.♖:g7+

♔:g7 34.♕g4+ ♔f8 35.ab, то 35... ♕f2!!) 33...♘:c3 34.ab ♖b7 35.bc ♕h7! 36.♕g5 ♖:b6 37.♕f6 ♖b7–+.

28...♕:c6 29.♕h4 ♖d7 30. ♖ef3 b5! «Корчной переходит в контратаку. На королевском фланге настало затишье, и бой решается, как это часто бывает в сицилианской защите, на ферзевом фланге в пользу черных» (Флор).

31.ab ab 32.b4?! «Решающая позиционная ошибка» (Гуфельд). Это, наверное, преувеличение, хотя и впрямь надежнее было 32.♗g3 с примерно равной игрой.

32...♘d3! 33.♘e4. По ситуации в матче Геллеру нужны были хоть какие-то осложнения, и «на флажке» он отказывается от пресного 33. ♖:d3 ♖:d3 34.cd ♕:c3 – здесь белые с «плохим» слоном и слабыми пешками могли бы мечтать лишь о ничьей: 35.♕e4 ♖c7 или 35.♕e7 ♕c7! 36.♖:f7?! (36.♕d6 ♗f8) 36...♕:e7 37. ♖:e7 ♖c1+ 38.♔g1 ♗:e5 39.♖:e6 ♗d4 40.♖:g6+ ♔f7 и т.д.

33...♕:c2 34.♘f6+? «Это равносильно капитуляции. Необходимо было 34.♘d6, и у черных был выбор: отдать качество путем 34...

♖c4 или, что сильнее, самим атаковать ходом 34...♖a8 с дальнейшим ♖a2» (Флор).

Второе сомнительно ввиду 35. ♘:f7! ♖a2 36.♕g5 ♘:b4?! 37.♗g1! А вот 34...♖c4! (34...♘:e5 35.♗:e5 ♗:e5 36.♘:c8 ♕:c8=) 35.♘:c4 ♕:c4 36.♕:c4 (36.♕g5 ♖:b4 37.♕e3 ♕c5!) 36...bc 37.♖a1 (не 37.b5? c3) 37... ♘:b4 (37...♘:e5 38.♖:c3!) 38.♖c3 ♘d3 39.♖:c4 ♘:e5 оставляло черным символический перевес.

34...♗:f6 35.ef ♖d5 (легко парируя единственную угрозу ♕g5-h6) **36.♖e3 ♖c4** (36...♖d2!) **37.♕g3?** Последняя гримаса цейтнота. Однако на 37.♖e4 решало как 37...♘f2+ 38.♖:f2 ♖d1+ 39.♔g1 ♕c1 (Флор), так и 37...♕c3! 38.♗g3 ♖c4 или 38. ♕g3 ♖f5 39.♖:f5 ef 40.♖e2 f4–+.

37...h4. Здесь Геллер просрочил время (третий раз в матче!), и Корчной победил со счетом 5,5:2,5.

На редкость упорным, вязким и малозрелищным был полуфинальный матч с Петросяном: девять ничьих при одной победе экс-чемпиона мира. Ставки были, как никогда, высоки: кто из советских корифеев сможет противостоять в финале неудержимому Фишеру? Петросян не смог. Впрочем, едва ли остановил бы тогда американца и Корчной...

В шуточном новогоднем рассказе «Матч веков», опубликованном в «64», великие шахматисты прошлого встречались с нашими современниками, и каждому из них подбирали партнера с похожим стилем. Корчному выпало играть... с Эмануилом Ласкером! Что ж, такое сравнение вполне уместно. Ведь и сам Корчной когда-то писал: «Ласкер в свое время заметил, что при равновесии сил на доске партии редко бывают содержательными и чаще всего заканчиваются вничью. Шахматист, который не любит ничьих (а я отношусь к их числу), должен как-то нарушить равновесие. Либо он что-то жертвует и благодаря этому захватывает инициативу, либо позволяет атаковать сопернику, создавая в его лагере в качестве компенсации какие-либо слабости, рассчитывая впоследствии их использовать. Вот и мне по душе завлекать противни-

ка». Это очень напоминает игровую манеру Ласкера.

О преемственности творчества Корчного говорит и такая мелкая деталь, как его дебютный комментарий в партии с Гиоргадзе (Батуми 1999), где после 1.d4 d5 2.c4 e6 3.♘c3 соперник ответил 3...♗b4: «Я не особенно высоко оцениваю этот ход. Более ста лет назад Ласкер высказал мнение, что коней нужно развивать в первую очередь. Его замечание не потеряло ценности и в наши дни».

ДО И ПОСЛЕ ПОБЕГА

Как раз в те годы началось соперничество Корчного с молодым, быстро прогрессирующим Анатолием Карповым. Они познакомились еще в 1969-м, когда Карпов переехал в Ленинград и его постоянным тренером стал гроссмейстер Семен Фурман, много лет работавший с Корчным.

Первая серьезная партия между ними, в чемпионате СССР-1970, завершилась поражением дебютанта, который, однако, извлек из этого полезный урок: «Анализируя ход поединка, я понял: перед партиями с Корчным не стоит полагаться на дебютные советы Фурмана. Ведь за годы их сотрудничества Корчной изучил Фурмана и почти безошибочно угадывал не только дебют, но и разветвление, по которому пойдет игра. Сколько раз я в этом убеждался! Но врасплох он больше меня не заставал, потому что, выслушав тренера, я поступал по-своему».

А в 1971-м, накануне претендентского боя с Геллером, Виктор Львович сыграл с Карповым тренировочный матч (для Корчного это испытанный способ подготовки: в 70-м его спарринг-партнером был Бронштейн, в 73-м — Хюбнер, в 76-м — Тимман). Пять из шести партий Карпов играл белыми и одну черными. Итог этой яростной домашней схватки — 3:3 (+2—2=2). Отличная школа для 20-летнего гроссмейстера! Впрочем, по мнению Карпова, «и Корчному матч пошел впрок: внеся коррективы в свою подготовку, он разгромил Геллера практически без шансов».

Вскоре соперники обменялись чувствительными ударами: Карпов выиграл за три тура до финиша мемориала Алехина (1971) и в итоге стал одним из победителей турнира, а Корчной — решающую партию в предпоследнем туре Гастингса (1971/72), где они, набрав по 11 из 15, разделили 1—2-е места.

Не только Гастингс, но и весь 1972 год выдался для Корчного довольно трудным. «Не было ни одного соревнования, которое бы я прошел легко, — признался он в интервью. — Я был вынужден буквально «прыгать через себя», чтобы добиться цели. Результаты были приличными, но уступали показанным мной в 1969-м, который я считаю своим лучшим годом» (вероятно, с учетом и декабрьской Мальорки-1968).

Тем не менее к межзональному турниру в Ленинграде (май—июнь 1973) Корчной подошел в прекрасной форме — и стартовал 8 из 9! В том числе он набрал весомые 4 из 5 против соотечественников (из-за принудительной жеребьевки советские участники играли между собой в первых турах). Предполагалось, что главными его конкурентами в борьбе за выход в тройку претендентов будут Ларсен, Таль и Карпов.

Увы, Таль начал с ничьей и трех нулей, а в 6-м туре проиграл белыми и Корчному после скромного 1.♘f3 ♘f6 2.c4 b6 3.g3 c5 4.♗g2 ♗b7 5.0-0 g6 6.b3 ♗g7 7.♗b2 (остряки окрестили это начало «дебютом четырех слонов»). Но Ларсен действительно, горя желанием реабилитироваться за сокрушительное поражение в матче с Фишером (см. главу «Бойня в Денвере» в 4-м томе), сразу же резко рванул вперед и захватил лидерство — 5,5 из 6! В 7-м туре он сыграл вничью, и его настиг Корчной. На следующий день состоялся захватывающий поединок лидеров, оказавший большое влияние на дальнейший ход турнира.

№ 509. *Английское начало А20*
ЛАРСЕН – КОРЧНОЙ
Межзональный турнир,
Ленинград 1973, 8-й тур

1.c4 e5 2.g3 (2.♘c3 допускает схемы с ♗b4, зато теперь черные могут проявить активность в центре) **2...c6 3.♘f3**. Больше сулит 3.d4 (сам Корчной играл так в матче с Бакро... в 1997 году!), но Ларсен разыгрывает дебют в своей излюбленной манере, провоцируя e5-e4. Раньше в подобных нестандартных построениях он чувствовал себя весьма комфортно.

3...e4 4.♘d4 d5 5.cd ♛:d5!? «Пауль Керес предпочитал 5...cd или 5...♘f6 6.♘c3 ♛b6 7.♘b3 cd. Белыми против Кереса мне дважды не удалось получить преимущества. Все же в домашнем анализе я посвятил ходу 5...♛:d5 больше времени» (Корчной).

6.♘b3. Или 6.♘c2 ♘f6 7.♗g2 ♛h5 8.h3 ♛g6 9.♘c3 ♗d6= (Шамкович — Бронштейн, Москва 1970). Сравнивая возникшую позицию с известным вариантом 1.e4 c5 2.c3 ♘f6 3.e5 ♘d5 4.d4 cd 5.♛:d4, где лучшим считается 5...e6, Корчной признаёт более перспективным 6. e3. Но, видимо, и этот ход его не смущал: 6...♘f6 7.♘c3 ♛e5 8.♗g2 ♗c5 9.♘b3 ♗b6 10.f3 (10.d4 ed) 10...ef 11.♛:f3 ♛f5= (Хюбнер — Корчной, Золинген(м/7) 1973).

6...♘f6 (впоследствии испытывали и 6...♗f5!? 7.♗g2 ♛d7=) **7.♗g2.** В случае 7.♘c3 ♛h5 8.d3?! ed 9.♛:d3 ♘a6! у черных отличная игра (Ларсен — Гулько, Гастингс 1988/89).

7...♛h5 (с идеей 8.♘c3 ♗h3!) **8.h3.** Рекомендацию Игоря Зайцева 8.♕c2 Корчной парирует и острым 8...♗h3 9.♗:e4 ♘:e4 10.♕:e4+ ♗e7 11.♘c3 ♘d7 с компенсацией за пешку, и спокойным 8...♗f5 9.♘d4 ♗g6 10.♕b3 b6=.

8...g6 9.♘c3 ♘bd7. Не самый точный ход. Лучше 9...♘a6!, оставляя открытой дорогу слону c8 и при случае угрожая ♘b4.

10.♕c2! «Этот ход ведет к позиции с некоторым перевесом белых. Я больше опасался 10.0-0 ♗d6 11.d3 ed 12.e4», — пишет Корчной. За доской он рассчитывал вариант 12...♘e5! 13.f4 ♕g3 14.fe ♗:e5?! и не видел ответа 14...♕:h3! 15.♕f3 ♕g2+ 16.♕:g2 ♗:g2, который ставил белых на грань поражения: 17.♖:f6 gf 18.ed ♖g8 19.♔f2 h5! или 17.♔:g2 ♗:e5 18.♖f5?! (упорнее 18.♔g5) 18...♘g4!

Замечу также, что вместо 13.f4? плохо и 13.♔h2? h5! 14.f4 h4 15.g4 ♗:g4! с грозной атакой. Похоже, здесь белые должны играть 13.♗f4 0-0 14.♗:e5 ♗:e5 15.♕:d3, мечтая только об уравнении.

10...e3 11.♕:g6 ef+! (при 11...ed+?! 12.♗:d2 hg задачи черных сложнее) **12.♔:f2 hg 13.d4.** «Белые ведут борьбу с открытым забралом. Пешечный центр — сила их позиции, но он потребует и постоянной защиты. Заслуживало внимания скромное 13.d3» (Корчной).

13...♘b6 14.e4 ♗e6. Очевидно, Корчной надеялся, что сумеет надавить на пешки e4 и d4, — ведь ему не раз удавались подобные контратаки в защите Грюнфельда. И этот план в конце концов оправдался, хотя и не без помощи Ларсена.

15.♗f4. Позже в партии Смагин — Наумкин (Москва 1984) встрети-

лось 15.♘c5 0-0-0?! 16.♘:e6 fe, и здесь 17.e5! с идеей ♗e4 давало белым ощутимый перевес. Поэтому верно 15...♗:c5 16.dc ♘c4, и поскольку слон не успел выйти на f4, у черного коня появилась отличная стоянка на e5.

15...♗b4. Сохраняя возможность короткой рокировки. Ход 15...0-0-0!? исключал 16.♘c5? ввиду 16...♖:d4, но допускал кроме спокойного 16.♖ad1 острый прорыв 16.d5!? cd 17.♖ac1 ♔d7 18.♖cd1! ♔c8 19.♘b5 ♖d7 20.♘:a7+ ♔d8 21.♘b5. Может быть, ничего плохого для черных здесь и нет, но, согласитесь, такая беготня короля кажется очень неприятной и рискованной, особенно в столь ответственной партии.

16.♘c5! Не только «выглядит очень сильным», но и является таковым! Впрочем, некоторую инициативу сохраняло и 16.♖ac1 (Оснос) 16...♘h5 (16...0-0-0? 17.d5; 16...♗:b3?! 17.ab 0-0-0 18.d5!) 17.♗e3 ♘c4 18.d5 или 16.♖ad1 0-0-0 (на ход Корчного 16...♖d8 опять же хорошо 17.♘c5!) 17.g4 с идеей 17...♖he8 18.d5!

16...0-0-0! Самое разумное: и развитие, и защита пешки. Хуже

16...♖d8 17.e5! или 16...♗:c5 17.dc ♘bd7 18.♗d6 (Корчной).

17.♘:e6! «Сыграно без колебаний. Завидую людям, шагающим по жизни без тени сомнения в выборе пути!» (Корчной). Хотя в данном случае особого выбора не было: 17.♖ad1 ♖:d4! или 17.a3 ♗:c5 18.dc ♘c4 не могло устроить белых.

17...fe. По мнению Корчного, некоторый перевес уже на стороне черных (!): их козыри — угрозы по открывшейся линии «f» и слабости в лагере противника (в частности, пешка g3). Однако есть явные слабости и у черных — пешки e6, g6 и g7. У белых не только лучшая пешечная структура, но и два слона, причем белопольный может вступить в бой с большим эффектом. Правда, из-за неустроенности короля им надо играть осмотрительно, а Ларсен не справляется с этой задачей.

18.a3?! Никем не отмеченная помарка. Гораздо сильнее было 18.♘e2!, и если 18...♖hf8, то 19.h4 с ясным перевесом: 19...♘h5 20.♗h3 или 19...♘c4 20.b3 ♘d2 21.e5 ♘d5 (21...♘h5 22.♔e3) 22.♖ac1! Лучше 18...♘h5, чтобы в случае 19.♖ad1 бороться за ничью путем 19...♘:f4 (не 19...♖hf8 20.♗f3 или 19...♘c4 20.♗c1 e5 21.b3!) 20.♘:f4 ♖he8 21.h4 ♖:d4!? 22.♖:d4 ♗c5 23.♖hd1 e5 24.♗h3+ ♔b8 25.♘e6 ♗:d4+ 26.♘:d4 ed 27.♖:d4 c5 28.♖d6 ♖:e4 29.♖:g6 ♖e7. Но и здесь шансы белых выше: при игре на двух флангах слон доминирует над конем (Фишер наверняка играл бы этот эндшпиль до голых королей!).

18...♗e7 19.♖ad1 ♖hf8. Неточно 19...♘c4?! 20.♗c1 e5 ввиду 21.d5

♖hf8 22.♔e2 ♘h5 23.♖d3, и позиция белых лучше: черные лишены возможностей для развития инициативы. Теперь же грозит g6-g5. Настал критический момент поединка.

20.♔e2? Малозаметная, но серьезная ошибка — потеря важнейшего темпа. «В случае 20.♗f3 вариант 20...♘c4 21.♗c1 ♖d4 или 21...e5 выигрывал в силе» (Корчной). Энергичнее 21.b3 ♘:a3 22.d5!, и активность слонов компенсирует белым потерю пешки.

Но, безусловно, самым правильным было немедленное 20.h4!, например: 20...♘h5 21.♗h3 ♘:f4 22.gf ♖:f4+ 23.♔g3! (защита пешки h4) 23...♖df8 24.♗:e6+ ♔c7 25.♖d3 — на доске позиция динамического равновесия.

20...♘c4! Мощный промежуточный ход, ставящий перед белыми большие проблемы. Быть может, Ларсен рассчитывал на 20...♘h5 21.♗f3! ♘:f4 22.gf ♖:f4 23.♗g4 с примерно равной игрой: 23...♔d7 24.d5 ♖df8 25.♔d3 и т.д.

21.h4?! «Прекрасный ресурс! Этого хода и связанной с ним идеи ♗h3 с атакой на черного короля я не ожидал» (Корчной). Однако то, что было сильнейшим ход назад, сейчас приносит белым одни неприятности. Впрочем, у них трудный выбор: 21.♗c1?! ♘h5 22.♖d3 c5! (Зайцев) 23.dc (23.d5? ♘e5) 23... ♗:c5 или 23.b3 cd 24.bc dc, атакуя по черным полям. Не хочется отдавать и пешку путем 21.b3 ♘:a3, но объективно это был лучший шанс.

21...♘h5! Красиво и неожиданно. Черные начинают контратаку, прежде всего избавляясь от опасного слона f4. Напрашивалось 21... ♘:b2!? Корчному не нравилось 22. ♖b1 ♗:a3 23.♗h3 ♖:d4 (23...♖fe8 24. d5) 24.♗:e6+ ♘d7 *(? – Г.К.)* 25.♗e5 c5 *(? – Г.К.)* 26.♗:d4 cd 27.♘b5+−, однако черные могли защититься путем 25...♖f2+! 26.♔:f2 ♘d3+ 27. ♔e3 ♘3:e5 и, более того, ходом ранее сохранить явный перевес: 24... ♔d8! 25.♗e5 ♖b4 26.♗d6 ♖e8!

Выбор Корчного свидетельствует об эволюции его стиля: если раньше он предпочел бы «страдать» за пешку, то теперь не упустил случая перехватить инициативу, да еще с помощью жертвы качества.

22.♗h3 ♖:f4! Блестящая реплика!

23.♗:e6+? Резкая смена декораций выбила Ларсена из колеи. «Этот ход сделан из чувства противоречия, прекрасно развитого у множества гроссмейстеров. Так сказать, не позволю тебе, противник, вести меня за собой, по дорожке своего варианта, у меня есть своя дорожка!» (Корчной).

Конечно, необходимо было 23.gf ♘:f4+ 24.♔f3 ♘:h3! (слабее 24...♖f8 25.♔g3!) 25.♖:h3 ♘:b2. Это лучший путь за черных, найденный Корчным только через много лет! Далее возможно:

1) 26.♖d2? ♘c4 27.♖d1 ♗:a3! (рекомендация Корчного 27...e5 неясна из-за 28.d5!, но не 28.de?! ♗:a3) с решающей угрозой ♗b2, а если 28. ♘e2, то уже 28...e5!−+;

2) 26.♖g1! e5! (Корчной советует 26...♘:d4 27.♖:g6 ♗f6 28.e5?! ♗:e5 29.♘e4 ♖d3+ 30.♔g4 ♖:h3 31.♔:h3 ♘d3 32.♖g5 b6−+, однако сильнее 28.♘e2! и h4-h5-h6, например: 28...♘a4 29.♘f4 ♖a3+ 30.♔g4 ♖a4 31.h5! с контригрой), и белым трудно добиться ничьей как в случае 27.de ♘d3 28.♘e2 (28.a4 ♖f8+!) 28...♘:e5+ 29.♔g2 ♗f6 30.♘f4 (30. ♔f2 c5 31.♘f4 ♖d2+!) 30...♖d4 31. ♔h1 ♖:e4 32.♘:g6 c5, так и после 27.d5 ♘d3 28.♖a1 (28.♖:g6? ♖f8+ и ♘f4) 28...♖f8+ 29.♔g3 c5 30.♖hh1 (30.♖a2 c4) 30...♘f4 или 28.dc bc 29.♘e2 ♖f8+ 30.♔g2 (30.♔g3? ♘f2) 30...♖f2+ 31.♔h1 ♖:e2 32.♖:d3 ♖:e4.

Однако здесь от черных потребовалась бы предельная точность и изобретательность, тогда как после хода в партии у них стабильная инициатива при материальном перевесе и белые вынуждены вести совсем бесперспективную оборону.

23...♔c7 24.♗:c4 ♘:g3+ 25. ♔e3 ♖df8!? К техническому эндшпилю с лишней пешкой у черных вело 25...♘:h1 26.♔:f4 ♘f2 27.♖d2 ♗:h4 28.♔f3 ♖f8+ 29.♔g2 ♖f4. Но Корчной сыграл на атаку — и, думаю, для Ларсена это было неприятнее!

Обычно разноцветные слоны помогают спасти партию, но в данном случае, несмотря на ограниченность материала, Корчному удается использовать этот фактор для создания угроз королю.

26.♖hg1. На 26.♖h2 кроме очевидного 26...♗:h4 сильно и 26...g5!? 27.hg (27.h5 g4!) 27...♗:g5 28.♔d3 b5 29.♗e6 ♖f3+ 30.♔c2 ♘f1–+.

26...♗:h4 27.♔d3 (27.♖de1? ♘:e4 28.♘:e4 ♗:e1–+; 27.♖g2 g5 и т.д.) **27...♖f2 28.♖d2 ♗g5!** (минимальными силами черные сплели матовую сеть в центре доски!) **29.♖:f2 ♖:f2.**

30.♘e2. Лучшей защиты нет: 30. ♗f7 (при 30.♗g8(e6) ♖d2+ 31.♔c4 ♗f4 теряется еще одна пешка) 30... ♖f3+ 31.♔c2 (31.♔c4 b5+) 31...♗e3

32.♖g2 ♗:d4 33.♗:g6 ♗e5, и дела белых тоже плачевны.

30...♖f3+ 31.♔c2 ♘:e4 32. ♗d3?! Упорнее 32.♖g4 ♗d6! (по словам Корчного, «черным надо расставить фигуры так, чтобы им ничего не угрожало») 33.♖:g5 (33.♗d3 ♗f6) 33...♘:c4 34.♖:g6 ♗f7, и впереди еще длительная реализация.

32...♖e3 33.♘c3 (33.♖g4? ♖:d3 –+) **33...♘g3 34.d5 ♗f6 35.♘d1.** «Точнее было сразу 35.dc, после чего 35...♔:c6? проигрывало материал ввиду 36.♗b5+» (Корчной). Но и 35...bc 36.♘d1 ♖f3 37.♗:g6 ♘e2 оставляло черным все шансы на успех.

35...♖f3 36.dc ♔:c6 37.♗:g6 ♗d6. Несмотря на отчаянное сопротивление соперника, у черных остается лишняя пешка и лучшая позиция. Их выигрыш — лишь дело времени и техники, а ее Корчному не занимать.

38.♖e1 ♘f5 39.♖e8 ♘d4+ 40. ♔d2 ♗g5+. «Слабо: на f6 слон расположен лучше всего. Но это был контрольный ход» (Корчной). Быстрее вело к цели 40...♖g3!

41.♔e1 ♗h4+ 42.♔d2 ♖g3 43. ♗e4? (зевок, однако и после 43. ♗d3 ♗g5+ 44.♔c3 ♗f6 45.♔d2 ♖g2+ 46.♔e3 ♖g1 47.♔d2 ♘f3+ 48.♔e3 ♖:d1 49.♗e2 ♖b1 50.♗:f3 ♖:b2 две лишние пешки обеспечивали черным победу) **43...♗g5+.** Белые сдались: 44.♔e1 ♖g1+.

В сущности, именно эта партия поставила крест на надеждах Ларсена снова пробиться в претенденты: тяжелая неудача подействовала на него угнетающе. Во второй половине турнира он выглядел совершенно неузнаваемо и, потерпев еще четыре поражения, отпал от борьбы за призовые места.

Корчной же в 9-м туре победил другого опасного конкурента – Роберта Бирна (тот имел 6,5 из 8) и продолжил уверенное движение вперед. Но в 13-м туре неожиданно проиграл Рукавине и был настигнут Карповым, игравшим весь турнир очень ровно и сильно. Так они вместе и финишировали, набрав еще по 3,5 из 4 (!), а в итоге – по 13,5 из 17, на очко впереди Бирна, сыгравшего, несомненно, свой «турнир жизни». Впрочем, и Корчной относит этот межзональный, как и турниры в Вейк-ан-Зее и на Мальорке (1968), к числу своих лучших достижений в жизни.

Фаворитами претендентского цикла 1974 года считались экс-чемпионы мира Спасский и Петросян. Однако Корчной и Карпов опровергли все прогнозы: первый одолел Мекинга (+3–1=9) и досрочно сдавшего матч Петросяна (+3–1=1), второй – Полугаевского и Спасского. Подробности этих двух поединков и финального матча претендентов Карпов – Корчной вы найдете в рассказе о 12-м чемпионе мире.

Именно тогда началась травля Корчного, которая в конечном счете привела его к бегству из СССР. Напомню, что в финале определялся соперник Фишера, и советское руководство решило сделать ставку на Карпова. «Наш матч был воспринят как важная политическая акция всеми организациями Советского Союза, – пишет Корчной. – Акция, которая должна была обеспечить победу молодого претендента

– русского, выходца из рабочей среды, верного и послушного властям. Ему были приданы все лучшие силы, была обеспечена и внешахматная поддержка... Когда матч закончился, следовало выполнить вторую, более легкую часть поставленной политической задачи – наказать меня. Наказать примерно, в острастку другим. За что? За самостоятельность в мышлении и поведении. А конкретно – за то, что я боролся в этом матче, когда всем уже было ясно, что *должно быть*».

Официальным поводом к наказанию стало резкое, раздраженное интервью Корчного, данное по окончании матча Б.Кажичу и опубликованное в югославской газете «Политика». Вот этот крамольный и, как показал ход шахматной истории, действительно далеко не объективный текст (с финальным выводом Виктор Львович и вовсе «не угадал»):

«Думаю, Петросян, которого я победил в полуфинале, сильнее Карпова. И вообще, ни Спасский, ни Полугаевский, у которых Карпов выиграл, не уступают ему по знанию шахмат и таланту. Я считаю, что и себя могу сравнить с этими гроссмейстерами. Я оказал большее сопротивление, чем они... Карпов не располагает богатым шахматным арсеналом и великими шахматными «средствами». Но он является игроком сильнейшей воли, фантастического стремления к победе. Этой своей огромной волей он буквально подавил противников, в том числе и меня... Когда я проиграл матч Спасскому (1968), мне было тяжело. Но я чув-

ствовал его силу и предсказывал ему победу над Петросяном. И Спасский *действительно стал чемпионом мира. А о последнем моем партнере я не могу сказать, что его ожидает блестящее будущее».*

Ответ властей был суровым: приказом Спорткомитета «за неправильное поведение» Корчному на год запретили играть в международных турнирах и на треть понизили гроссмейстерскую стипендию. Против него началась кампания в газете «Советский спорт», где его бывший друг, а теперь злейший враг Петросян выступил с репликой «По поводу одного интервью В.Корчного» и затем появились негодующие письма читателей под заголовком «Неспортивно, гроссмейстер!»

Год опалы, 1975-й, наверняка был самым трудным в профессиональной карьере Корчного. В феврале, «под маркой усиленной подготовки к матчу Карпова с Фишером, ведущих советских гроссмейстеров обязали представить в письменном виде их оценку стиля и силы игры Фишера, а заодно, для сравнения, и Карпова», но Корчной ответил отказом (хватало подобного письма в 1972 году — см. начало главы «Битва богов» в 4-м томе). В марте ему аннулировали приглашение на международный турнир в Таллин... Но вскоре помог Карпов. «Он уже стал, без матча с Фишером, чемпионом мира, а вот как это случилось, кого он обыграл — народ начал как-то забывать: его жертвы, Спасский и Корчной, впали в немилость и, соответственно, в безвестность, — поясняет Корчной.

Карпов предпринял шаги к моему возвращению в строй. Мне было разрешено сыграть в осеннем мемориале Алехина в Москве, а потом и в Гастингсе (1975/76)».

Надо ли говорить, что в Московском супертурнире важнейшей для Корчного была партия с Петросяном. Не могу пройти мимо нескольких его замечательных примечаний, датированных уже 21-м столетием (думаю, Виктор Львович вообще один из лучших комментаторов в истории шахмат).

№ 510. Каталонское начало E07
КОРЧНОЙ – ПЕТРОСЯН
Мемориал Алехина,
Москва 1975, 11-й тур

1.c4 ♘f6 2.♘c3 e6 3.♘f3 d5 4. d4 ♗e7 5.g3 0-0 6.♗g2 ♘bd7 7.♕d3!? «Этот странноватый ход показал мне перед партией Яков Мурей... И хотя он применялся и раньше — в своей базе я нашел партию Кобленц — Боголюбов (1939), но Мурею, конечно, принадлежит заслуга внедрения хода 7.♕d3 (с моей помощью) в современную практику».

7...c6 8.0-0 b6 9.e4 ♗a6 10.b3.

10...♖c8. «Петросян всегда с почтением относился к новшествам. Он никогда не старался опровергнуть новинку за доской, а искал в первую очередь наиболее безопасное продолжение. Позднее было установлено, что путем 10...dc 11.bc e5 12.de ♘g4 черные уравнивают шансы. Также сейчас и на следующем ходу заслуживало внимания b6-b5, вынуждая cd. Но Петросян не предпринимает никаких активных действий».

11.♗f4 ♖e8?! 12.♖fd1 ♘f8 13.a4 ♗b4 14.e5 ♘6d7 15.♗d2 ♘b8 16.♕c2!, и поскольку невыгодно 16...dc 17.bc ♗:c4? 18.♘e4, белые захватили инициативу. На 30-м ходу черные были вынуждены отдать ладью за мощного коня d6. «И в то же время для Петросяна жертва качества была привычным стратегическим приемом, с ее помощью он одержал немало побед!»

Партия дважды откладывалась (к слову сказать, в анализе Корчному помогал земляк и давний приятель Спасский) и игралась в общей сложности три вечера, причем белые побывали в трех цейтнотах! В конце концов утомленный Корчной нашел за доской неожиданный 66-й ход. Петросян тут же ошибся и на 74-м ходу признал свое поражение.

Послесловие Корчного: «Несколько лет спустя Яков Мурей написал мне: «Эту партию мы выиграли втроем – я в дебюте, Вы в середине, Спасский в эндшпиле». Это – правда. Пользуясь случаем, снова приношу благодарность Борису Спасскому за отличный домашний анализ».

Именно той осенью, в ноябре, я впервые встретился с Карповым и Корчным за шахматной доской – в популярном тогда турнире Дворцов пионеров. В каждом туре гроссмейстер-капитан давал сеанс семерке юных соперников, затем его результат складывался с результатом его команды и победителями становились те, кто в итоге набирал наибольшую общую сумму очков. Карпов играл за Челябинск, Корчной – за Ленинград, Смыслов – за Москву, Багиров – за мой родной Баку и т.д.

Бакинская команда была не очень сильной, и мне, 12-летнему кандидату в мастера, зачастую приходилось играть фактически один на один с гроссмейстером, уделявшим главное внимание партии с самым опасным соперником. В 1-м туре я проиграл отличную позицию Смыслову, во 2-м заработал очко в ладейном окончании с Каталымовым, в 3-м сделал ничью с позиции силы с Полугаевским. В 4-м, играя против Карпова, я в итоге вообще остался один – и, увы, не смог устоять, хотя вновь имел отличную позицию. Затем была ничья с Кузьминым. А в последнем, 6-м туре мы играли с Корчным, причем мой соперник вел отчаянную борьбу с Карповым и Смысловым за лучший результат среди гроссмейстеров, а команда Ленинграда боролась с Москвой за первое место в общем зачете.

Сеанс проходил исключительно напряженно: Корчной играл с огромным напором — он, кровь из носа, старался опередить Карпова. Для него это было принципиально — взять хотя бы маленький реванш! Я разыграл староиндийскую защиту и, столкнувшись с системой Земиша, пожертвовал пешку, чтобы получить компенсацию в виде мощного чернопольного слона против коня. В эндшпиле черные захватили инициативу, и Корчному пришлось решать очень сложные задачи. В итоге он устоял, но я вытянул из него все силы, и гроссмейстер потерял «лишнее» очко на других досках. Так лучший результат оказался у Смыслова — 38 из 42, а Карпов с Корчным отстали на пол-очка. Правда, очки, набранные Карповым, имели больший вес: в отличие от конкурентов он играл с обеими сильнейшими командами — московской и ленинградской... Переживания Виктора Львовича были видны невооруженным глазом.

Его прощальным «советским аккордом» стала победа на 1-й доске в командном Кубке СССР (Тбилиси, апрель 1976) — 5 из 7, впереди Карпова (4 из 6), Петросяна, Таля и Смыслова. В ключевом матче «Труд» — ЦСКА на партию черными с Корчным вместо Карпова вышел запасной участник Гиплис — и не сдержал натиск противника. Нечто похожее, как вы наверняка помните, случилось на олимпиаде 1939 года в Буэнос-Айресе: Алехин и Капабланка тоже боролись за лучший результат на 1-й доске и кубинец не вышел на партию со своим главным конкурен-

том, а рассерженный Алехин разгромил запасного участника...

В июле 1976 года шахматный мир облетела сенсационная весть: один из победителей турнира в Амстердаме, четырехкратный чемпион СССР Виктор Корчной попросил политического убежища в Голландии! Решение уехать он, по собственному признанию, принял еще в конце декабря 74-го. И потом многократно подчеркивал чисто профессиональные мотивы своего поступка. Он попросту осознал «необходимость отъезда ради продолжения, спасения своей шахматной жизни, которую решили задушить партийные функционеры в союзе с некоторыми гроссмейстерами».

Но советские власти конечно же расценили побег Корчного как акцию политическую и обрушили на него всю мощь пропагандистской машины: заявление ТАСС, развернутое постановление Шахматной федерации, осуждающее письмо более тридцати советских гроссмейстеров (не подписанное лишь Ботвинником, Бронштейном, Спасским и Гулько), отдельное осуждающее письмо Карпова... Все дружно возмутились «недостойным поведением Корчного» и одобрили вердикт федерации «о лишении его спортивных званий и права представлять на мировой арене советскую шахматную школу».

Между тем Корчной представлял эту школу добрых двадцать лет и делал это более чем достойно: в составе сборной СССР он был победителем пяти командных чемпионатов Европы (+22–3=11) и шести Всемирных олимпиад (+50–3=31). Последний раз за Советский Союз он сыграл, как всегда с блеском, на олимпиаде в Ницце (1974). Из восьми его побед мне особенно нравится «французская дуэль» с восходящей звездой европейских шахмат Яном Тимманом.

№ 511. Французская защита С19
ТИММАН – КОРЧНОЙ
21-я Всемирная олимпиада,
Ницца 1974

1.e4 e6 2.d4 d5 3.♘c3 ♝b4 4.e5 c5 5.a3 ♝:c3+ 6.bc ♘e7 7.a4 (7.♕g4 – № 492, 503, 516) **7... ♕a5!?** Сейчас либо ходом позже, после 7...♘bc6 или 7...♝d7 8.♘f3, – в конце концов этот выпад ферзя «убил» популярную идею 7.a4.

8.♕d2. В партии Фишер – Корчной (Герцег-Нови(блиц) 1970) белые попытались использовать отсутствие коня на f3 путем 8.♝d2 ♘bc6 9.♕g4 (9.♘f3 – № 512), но после 9...0-0 10.♘f3 f6 11.♝d3?! f5! 12.♕g3 c4 13.♝e2 b5 14.0-0 ba ничего не достигли.

8...♘bc6 9.♘f3 ♝d7. Главная линия – гибкий развивающий ход, хотя Виктор Львович пробовал играть и 9...0-0, и 9...f6.

10.♝e2. Сомнительно 10.♝b5?! ♘:e5! (Мнацаканян – Корчной, Ереван 1965), а если 10.♝d3, то 10...f6! (Фишер – Ульман, Стокгольм (мз) 1962; Трингов – Корчной, Скопье(ол) 1972).

10...♜c8. Острее 10...f6 11.ef gf 12.♝a3!? или 12.dc (№ 501) – но, может быть, это в большей мере отвечало бы вкусам Тиммана...

11.♝d3. Это не потеря темпа: при ладье на c8 уже слабее 11...c4 и f7-f6, так как у черных нет длинной рокировки с последующей контригрой в центре и на королевском фланге, а на 11...0-0 неприятно 12.♝a3. Поэтому приходится разменивать ферзей. С той же целью играют и сразу 11.♝a3!? (11.dc ♘g6= Смыслов – Ульман, Мар-дель-Плата 1966) 11...cd 12.cd ♕:d2+ 13.♔:d2 ♘a5 14.♜hb1 или 13...♘f5 14.c3 и ♜hb1.

11...cd 12.cd ♕:d2+ 13.♝:d2 (отнимая у черного коня поля b4 и a5) **13...b6!?** Новинка. Ранее Портиш и Ульман достигали равновесия после 13...♘f5 14.♝:f5 ef.

14.♜a3. Пока поддерживая напряжение. К быстрой разрядке и уравнению ведет 14.a5 ♘:a5 15.♝:a5 ba 16.♜:a5 ♘c6 17.♜a3 ♝e7 (17...a5!?) 18.♔d2 a5 19.♜ha1 ♜b8, и черным нечего опасаться.

14...0-0 15.0-0 (хотелось бы оставить короля в центре, но в случае 15.♔e2 f6! трудно удержать пешку e5 или, после ef, подготовиться к e6-e5) **15...♜c7.** Теперь на 15...f6 есть 16.ef gf 17.♜e1, поэтому черные не спешат с подрывом.

16.♖b1 h6 17.♔f1 ♘f5 18.♗c3 ♖fc8 19.♔e2 f6! Как раз вовремя. Смыслов советовал 19...♘a5, однако после 20.♗:a5 ba 21.c3! белые имели бы шанс постепенно подобраться к сдвоенным пешкам «a». Да и не ради такой пассивной позиции Корчной разыгрывал французскую защиту!

20.g4. Прогоняя коня до размена на f6, иначе он сможет уйти на d6. Этим ходом белые фактически допускают ничью, но и рекомендованное Смысловым 20.ef (20.♗a6 ♖f8!) 20...gf 21.♗:f5 ef 22.♘e1, чтобы при 22...♘a5?! 23.♗:a5 ba 24.♔d2 ♖c4 25.c3 ♗:a4 26.♖:a4 ♗:a4 27.♖a1 ♗b5 28.♖:a5 a6 29.♘d3 ♖e8 30.♘f4 использовать слабость черных пешек, не сулило благ из-за 22...♖e8+ и ♖e4, а также 22...♘e5!? 23.de ♖:c3 или даже 22...♘d8!? 23.♗d2 ♘e6 24.c3 ♖e8 25.♔f1 ♘g5 26.f3 ♗c8!

20...♘fe7!? Характерный момент. Напрашивалось 20...♘c:d4+ 21. ♗:d4 ♘:d4+ 22.♘:d4 fe, например: 23.♘b5 (23.♘b3 e4) 23...♗:b5 24. ♗:b5 (иначе e5-e4) 24...♖:c2+ 25. ♔e1(3) ♖f8 26.♗e2 e4 с хорошей компенсацией за фигуру или 23.

♗a6 ed 24.♗:c8 ♖:c2+ 25.♔d3 ♖:c8 26.♔:d4 ♖c4+ 27.♔e5 ♗:a4 28.♔:e6 ♖:g4 с легкой ничьей. Однако Корчной жаждет только победы и идет на определенный стратегический риск!

21.ef gf 22.h4. При 22.♗a6 ♖e8 угрожало бы e6-e5. Но заслуживало внимания профилактическое 22. ♔d2!? (Смыслов).

22...♖e8!? Снова принципиально отметая упрощающее 22...♘a5 23.♗:a5 ba — хотя после 24.♔e3 ♔f7 у черных прочное положение, таким способом невозможно запутать молодого соперника.

23.g5?! Вряд ли стоило выпускать из клетки черного слона. Невыгодно и 23.h5?! f5!, прицеливаясь к пешке h5. Но 23.♗d2 или 23.♗a6 ♖d8 24.♗d2 позволяло белым бороться за позиционный перевес.

23...h5 (теперь, скорее, можно говорить о динамическом равновесии) **24.gf ♘f5 25.♗:f5 ef 26.♔e3.** Избавившись от потенциальной угрозы e6-e5 и связки коня f3, белые наконец-то могут подумать о прорыве a4-a5.

26...♔f7 27.♖b5?! Промедление, к тому же на этом поле ладья оказывается уязвимой. Надо было сразу играть 27.a5! ba 28.♗:a5, и в случае 28...♘:a5?! 29.♘e5+ ♔:f6 30.♖:a5 ♖:c2 31.♖a6+ или 28...♖d7 29.♘e5+ ♘:e5 30.de ♖:c2 31.♖e1! ♔e6 32.♗d2! белые развивали опасную инициативу. Поэтому лучше 28...♖e8+! 29.♘e5+ ♘:e5 30.de ♖:e5+ 31.♔d4 ♖e4+ 32.♔:d5 ♖d7+ 33.♔c6 ♖e6 — «разноцвет» обеспечивает ничью, несмотря на активность белого короля.

27...Ld7 (с виду пассивный ход, однако он усиливает скрытые угрозы черных) **28.a5.** Лучшего нет: 28.♘e5+? ♘:e5 29.de парируется 29...♖:c3+! 30.♖:c3 d4+, а рекомендация Смыслова 28.♔f4 ♔:f6 29.a5 сомнительна ввиду 29...♖g7! 30.ab ♖g4+ 31.♔e3 ♖e4+ 32.♔d2 ♗:f3 33. ba ♖e2+ 34.♔c1 ♘:a7 35.♖c5 ♘c6 или 30.♘e5 ♘:e5 31.de+ ♔e6 32.♔e3 (32.ab? ♖g4+ 33.♔e3 d4+! 34.♔d3 ♖e4! 35.b7 ♗e2+ 36.♔d2 ♖b8–+) 32...♖g4 33.♔d3 (33.♔d2 d4! 34.♗b2 ♖f4) 33...♖e4 34.♖b4 b5 с явным перевесом черных.

28...♖e8+ 29.♘e5+! (при 29. ♔f4 ♖e4+ 30.♔g3 ♖:f6 Корчной неожиданно создавал страшную атаку: 31.♘e5 ♖g7+ 32.♔h3 ♗e2 33. ♖b1 ba!, и нет 34.♘:c6? из-за 34... ♗f3 с неизбежным матом) **29... ♘:e5 30.de.**

30...d4+! 31.♗:d4 f4+! 32. ♔:f4?! Резкий переход черных в контратаку (коронный прием Корчного!) все-таки выбил Тиммана из колеи.

В цейтноте он начинает «плыть» и упускает шанс максимально осложнить задачу соперника путем 32.

♔d3 ♗g6+ 33.♔c3 ♖c8+ 34.♔b2 ♖:d4 35.ab ab 36.♖a7+ ♔f8 37.e6!

32...♖:d4+ 33.♔e3 ♖:h4 34. ♖d3 (34.ab? ♖h3+ и ♖:a3) **34...a6! 35.♖d7+?!** (хорошие шансы на ничью оставляло 35.♖bd5) **35... ♔f8 36.♖bd5?** А здесь это решающая ошибка. Необходимо было 36. ♖:b6 ♖:e5+ 37.♔d2, уповая на активность ладей и пешку f6.

36...♗f7 (теперь черные должны реализовать лишний материал) **37.f4 ♗:d5 38.♖:d5 ba 39.♖:a5 ♔f7** (39...h5!? 40.♖:a6 ♖h1) **40.♖:a6 ♔g6 41.♔e4** (или 41.♔c6 ♖d8 42. ♔e4 ♖h1) **41...♖c8 42.♖a7.** Белые сдались, не дожидаясь 42...♖c4+ 43.♔d5 ♖h:f4 44.♖g7+ ♔f5.

Как нередко бывает в шахматах, эта дуэль имела интересное продолжение. Вскоре после бегства на Запад Корчной сыграл с Тимманом целый матч на большинство из десяти партий, послуживший ему хорошей разминкой перед претендентским циклом 1977 года. Первые две партии завершились вничью, но в 3-й, в которой Корчной вновь избрал французскую, начались злоключения Тиммана в этом матче.

№ 512. Французская защита С19
ТИММАН – КОРЧНОЙ
Леуварден (м/3) 1976

1.e4 e6 2.d4 d5 3.♘c3 ♗b4 4. e5 c5 5.a3 ♗:c3+ 6.bc ♘e7 7.a4 ♘bc6 8.♘f3 ♕a5! (8...♗d7 – № 501) **9.♗d2** (на сей раз Тимман отказывается от 9.♕d2 – № 511) **9...♗d7 10.♗e2.** Еще одна табия того времени. На 10.♗b5?! (с идеей 10...a6 11.♗e2!) Корчной ввел в практику и 10...c4 (против Черепкова,

Ленинград 1964), и 10...♕c7 (против Р.Бирна, Ницца(ол) 1974).

10...f6! Очередная новинка. Центр белых подрывается сразу после того, как они увели слона с c1, отдалив его от поля a3. Раньше встречалось 10...♕c7 (Кураица — Тимман, Скопье 1976), а чаще всего — 10...c4 с идеей 11.h4 f6 (Фишер — Падевский, Варна(ол) 1962) или 11.0-0 f6 (так играл и Корчной), но здесь черные опасались 11.♘g5!? (первоисточник: Штейн — Ульман, Стокгольм(мз) 1962), например:

1) 11...0-0 12.0-0 f6 13.ef ♖:f6 14.♗g4 h6 15.♘f3 ♘c8? (15...♖af8!) 16.♖e1 ♘b6 17.♕c1 ♖af8 (17...♘:a4? 18.♕a3 b5 19.♕d6 ♕d8 20.♖:e6!) 18.♕a3 ♘d8 19.♘e5! ♕:a4?! (с горя: 19...♖:f2 20.♗f1!!) 20.♕c1 ♕b5 (Тимман — Ульман, Скопье 1976) 21.♖b1! ♕a4 22.♖b4 ♕a5 23.♖:b6+—;

2) 11...h6 12.♘h3 0-0-0 13.♘f4! с некоторой инициативой (Кавалек — Ульман, Манила(мз) 1976), хотя дальнейшая практика показала, что у черных немалые ресурсы защиты.

Теперь белые лишены выпада конем, но, может быть, они могут наказать соперника за ослабление позиции?

11.c4. Самый естественный ответ: белые вскрывают игру, пытаясь использовать силу своих слонов. В случае 11.ef (11.♖b1 ♕c7!) 11...gf 12. 0-0 0-0-0 13.♖e1 c4 на доске неплохая для черных разновидность варианта с 10...c4, и после 14.♕c1 ♖hg8 15.♗f1 ♘g6 16.♕a3 e5 (Трингов — Тимман, Пловдив 1983) или 14.♗f1 ♘g6 (14...♘f5!? 15.♕c1 h5 Ульман) 15.♗h6 ♖hg8 16.♕d2 (Ананд — Архипов, Москва 1987) 16...e5 они успешно решают дебютные проблемы.

11...♕c7 12.cd. Или 12.ef gf 13.cd ♘:d5, и здесь вместо 14.c4 Спасский против Корчного (Белград(м/4) 1977/78) сыграл 14.c3 0-0-0 15.0-0 ♖hg8 16.♖e1, но после 16...e5! 17.c4 ♗h3 18.♗f1 (18.♘g5 ♘c3!) 18...♘b6 19.d5 ♘c4! 20.dc ♕:c6 21.g3 ♗:f1 22.♖:f1 e4 белым пришлось добиваться ничьей. Позже предметом теоретических споров были ходы 16.g3 и 16.♔h1, но не 16.dc e5 17.♔h1?! ♘f4! 18.♗c4?! (18.♗:f4 ♗h3!) 18...♖g2 19.♗:f4 ♖g4 20.♕e2? ♖:f4—+ (Ледерман — Корчной, Беэр-Шева 1978).

12...♘:d5 13.c4 ♘de7 14.ef gf 15.dc. Сравнительно лучший ход. Ничего не дает 15.♗c3 0-0-0 16.d5 (16.0-0 cd и ♗e8) 16...ed 17. ♗:f6 (17.cd ♗e6) 17...♖hf8 или 15.d5 ed 16.cd ♘:d5 17.♕c2 0-0-0 (Слободян — Зуде, Бад-Вёрисхофен 1998).

15...0-0-0. За пешку у черных хорошее положение в центре и перспектива атаки по линии «g». Подобная ситуация, когда белые брали на c5 и пытались добиться перевеса в позициях с лишней (пусть даже строенной) пешкой при вскрытом центре, встречалась еще в матчах Смыслов — Ботвинник, и обычно черным удавалось доказать жизнеспособность своей позиции.

16.♗c3 (16.a5 a6!) **16...e5!** (открывая дорогу слону d7 и захватывая пункт d4) **17.♕d6.** Не желая подвергать себя риску атаки после 17.0-0 ♖hg8, Тимман спешит разменять ферзей. При этом он надеется использовать в эндшпиле преимущество двух слонов и пока еще лишнюю пешку, на отыгрыш которой черным придется потратить некоторое время.

17...♘f5!? Самое последовательное, хотя возможно и 17...♖hg8 18.♕:c7+ (18.♕:f6 ♖g6! 19.♕f7 ♖:g2) 18...♔:c7 19.g3 ♗f5 с острым окончанием.

18.♕:c7+ (конечно, не 18.♕:f6? ♖df8 19.♕g5 ♖hg8 20.♕d2 ♖:g2) **18...♔:c7 19.0-0.** Едва ли можно рассчитывать на успех и после 19.0-0-0 ♘fd4 (если 19...♗e6, то 20.♖he1!) 20.♗:d4 ♘:d4 21.♘:d4 ed 22.♖:d4 ♗:a4.

19...♘fd4 (если 19...♗e6, то просто 20.♖fd1) **20.♘:d4 ♘:d4 21.♗d1.** В «Информаторе» Хартох поставил к этому ходу восклицательный знак, однако надежнее было 21.♗:d4! ed 22.♗d3, блокируя потенциально опасную проходную пешку «d». В этом случае 22...♗c6?! наталкивалось на 23.♖fb1 ♖de8 24.♖b5, а попытка сбить слона-блокера с d3 — 22...♗e8?! отражалась путем 23.f4! ♗g6? 24.f5 ♗f7 25.a5! Лучше 22...♖de8 23.a5 ♗c8, сохраняя динамическое равновесие: плюсы и минусы сторон взаимно уравновешиваются.

21...♔c6! Похоже, что эта реплика повергла молодого голландца в ужас: черный король внезапно ринулся в бой, намереваясь заняться уничтожением белых пешек. Но оснований для паники у Тиммана еще не было.

22.♗:d4?! Первый шаг к пропасти: теперь уже вряд ли стоило создавать черным сильную проходную. На 22.♖b1 или 22.♗b4 неприятно 22...♗f5!, но энергичнее было немедленно подорвать центр противника — 22.f4! ♔c5 23.fe fe 24.♖e1 (Хартох) 24...♔c4 25.♖c1, и активность фигур, особенно двух слонов, давала белым полноправную игру.

В самый ответственный момент, когда надо было принимать важнейшие решения, Ян начинает действовать неуверенно и буквально в два хода проигрывает сражение.

22...ed 23.♗f3+? Пожалуй, это уже решающая ошибка. Слона нельзя было убирать с d1: если уж он не блокирует пешку на поле d3, то по крайней мере следовало держать его на поле превращения. Белые должны были бросить все силы на борьбу с пешкой «d» — 23.♖b1, чтобы в случае 23...d3 24.a5 d2 25.f4

♔:c5 26.♖:b7 ♖he8 27.♖:a7 ♗f5 подтянуть короля путем 28.♔f2 и, видимо, избежать худшего.

23...♔:c5 24.♗:b7 ♗f5! Очень сильная реплика: теперь белые не могут вывести ладью через b1 и у них нет защиты от грозящего марша пешки «d». Их лишняя пешка совершенно не чувствуется – куда важнее активность черного короля.

25.♗f3 (25.♗d5 ♗c2! и d4-d3) **25...♖he8 26.♖a2 ♖b8** (26...d3!?) **27.♖d2 ♖b1.** Неплохо и 27...♖b4, но Корчной выбрал путь реализации перевеса, связанный с разменом пары ладей и слонов.

28.g4 (28.♗e2 ♖eb8) **28...♖ee1 29.♖:e1+ ♖:e1+ 30.♔g2 ♗e4** (технически проще, чем 30...♗g6) **31. ♗:e4 ♖:e4.** Судьбу партии решает поддержанная королем проходная «d»: белый король, отрезанный по линии «e», может лишь наблюдать за ее неумолимым движением в ферзи.

32.♔f3 (идея Хартоха 32.f3 разбивается о 32...♖e3 33.♔f2 ♖a3 и ♖:a4) **32...♖e5 33.h4** (или 33. ♖c2(b2) d3! и ♔d4) **33...♔c4 34. ♖c2+ ♔b3 35.♖c7 d3 36.♖:h7**

♖d5 37.♖b7+ ♔c2 38.♖c7+ ♔b1 39.♖b7+ ♔a1 40.♖b5 ♖d8. Белые сдались.

Корчной выиграл и 4-ю партию, а в итоге досрочно и весь матч – 5,5:2,5. Впечатляет не только счет, но и сам характер борьбы: Виктор Львович играл свежее, напористее, интереснее, и даже такой яркий, изобретательный шахматист, как Тимман, ничего не смог этому противопоставить. Эта уверенная победа над одним из сильнейших молодых гроссмейстеров Запада стала началом наивысшего подъема в карьере Корчного.

Именно в период 1976–80 годов его блистательные практические результаты сочетались с удивительным богатством творческих идей и вклад Корчного в развитие шахматной игры достиг своего исторического максимума. А ведь ему было уже под пятьдесят! Во многом это опровергало прежние представления о предельном возрасте для высших достижений в шахматах.

Как тут не вспомнить сентенцию из упомянутого письма Карпова: «Решение В.Корчного изменить Родине огорчило меня потому, что шаг, сделанный им, ставит под угрозу всю дальнейшую творческую деятельность этого шахматиста». Любопытно, в чем же угроза? Может, в грядущем бойкоте беглеца на всех международных турнирах с участием советских гроссмейстеров? Или, может быть, Карпов имел в виду письмо Советской федерации конгрессу ФИДЕ с предложением исключить Корчного из предстоящих матчей претендентов? Однако конгресс и олимпиада 1976 года проходили в Израиле, бойкотируемом Советским Союзом и другими странами соцлагеря. «В их отсутствие, — пишет Корчной, — письмо Шахматной федерации СССР было зачитано, но за абсурдностью даже не обсуждалось».

Шахматный мир замер в ожидании матчей претендентов, у которых вдруг появилась совершенно другая интрига...

РАЗГРОМ В ЭВИАНЕ

Чтобы дойти до матча на первенство мира, Корчному пришлось преодолевать «тройной заслон» из бывших соотечественников. На его пути стояли такие «глыбы», как Петросян, Полугаевский и Спасский.

О четвертьфинальном матче с Тиграном Петросяном (Чокко, весна 1977) он вспоминает так: «Первое испытание проходило в обстановке глухой враждебности. Шахматные силы были абсолютно равны, но нервы у меня оказались крепче». Качество партий в этом тяжелейшем матче из 12 партий было сравнительно невысоким, хорошие замыслы чередовались с грубыми ошибками. После четырех ничьих Корчной выиграл 5-ю партию, но Петросян тут же отыгрался. Затем снова была ничья. В 8-й партии экс-чемпион мира добился явного позиционного перевеса, но в цейтноте внезапно сыграл 33.e3-e4??, подставив ладью c1 под удар слона g5. Этот непостижимый зевок решил судьбу партии да и, пожалуй, всего матча. Корчной выиграл со счетом 6,5:5,5 (+2−1=9).

Полуфинальный матч с Львом Полугаевским (Эвиан, лето 1977) сложился совсем иначе. Корчной демонстрировал по-настоящему сильную, уверенную, содержательную игру — и в итоге буквально раздавил противника. Свою матчевую стратегию он обозначил уже в 1-й партии: применив очень редкое продолжение, внезапно перешел в эндшпиль, где у него было лишнее качество, но Полугаевский имел компенсацию, более чем достаточную для поддержания равновесия. Однако Корчной, действуя с большой энергией и выдумкой, постепенно реализовал лишнее качество.

Наверное, этот поединок подсказал ему, что сложные, нестандартные позиции эндшпильного типа являются слабым местом соперника и с помощью перехода в подобные окончания можно нейтрализовать его блестящую дебютную подготовку. В таком ключе развивались события и в следующей партии.

№ 513. Новоиндийская защита E19
ПОЛУГАЕВСКИЙ – КОРЧНОЙ
Матч претендентов,
Эвиан (м/2) 1977

1.d4 ♘f6 2.c4 e6 3.♘f3 b6 4.g3 ♝b7 (4...♝a6 — № 579, 580, 587) **5.♝g2 ♝e7 6.0-0** (6.♘c3 ♘e4 7.♝d2 — № 586, 588) **6...0-0 7.♘c3.** К матчу 1980 года Полугаевский подготовил резкое 7.d5!? (№ 324).

7...♘e4 8.♕c2 ♘:c3 9.♕:c3 f5. Другие ходы в этой популярной дебютной табии, тоже не раз применявшиеся Корчным, рассмотрены в примечаниях к партии № 171.

10.b3 ♗f6 11.♗b2 ♘c6. Через три года испытывалось 11...d6 12. ♖ad1 a5!? (вместо обычного 12...♕e7, как играл еще в 1940-м Решевский, а затем и Ботвинник против Таля, Москва(м/21) 1960) 13.♘e1 ♗:g2 14. ♘:g2 ♘c6, и черные удержали равновесие (Полугаевский – Корчной, Буэнос-Айрес(м/2, 4) 1980).

12.♖ad1! Более точный ход, нежели 12.♕d2, на что также отвечали 12...♘e7 13.♘e1 ♗:g2 14.♘:g2 g5!? 15.♖ad1 ♘g6 16.f3 ♕e7 17.e4 fe 18.fe ♗g7 19.♖:f8+ ♖:f8 20.♖f1 ♖:f1+ 21.♔:f1 *1/2* (Пирц – Эйве, Амстердам(ол) 1954).

12...♘e7. Обычная линия, сменившая 12...♕e8 13.♕c2 ♘d8 14.d5 ♗:b2 15.♕:b2 ed 16.cd c5? 17.dc c перевесом белых (Болеславский – Тайманов, Цюрих(тп) 1953). Но в партии Майлс – Корчной (Вейк-ан-Зее 1978) черные избрали 12...♕e7!? и после 13.♕d2 ♘d8 14.d5?! ♗:b2 15.♕:b2 d6 (с идеей e6-e5) 16. de ♘:e6 17.b4 (17.e3 a5=) 17...f4! 18. ♖d2 ♖f6 19.♕c3 ♖af8 20.a3 ♕e8! 21.

♕d3 ♕h5 развили опасную атаку и вскоре выиграли.

13.♘e1 ♗:g2 14.♘:g2 g5!? По стопам Эйве! Традиционно считалось, что в спокойных вариантах новоиндийской защиты у белых есть минимальный плюс, им ничего не грозит и они могут без особого риска играть на выигрыш, постепенно усиливая давление. Но ход черных показывает, что они не намерены терпеливо бороться только за уравнение и хотят захватить инициативу на королевском фланге.

15.♕c2! (подготовка e2-e4) **15... ♘g6 16.e4 f4.** Конечно, 16...fe?! 17.♕:e4 полностью устроило бы белых: тогда g7-g5 оказывалось серьезным ослаблением.

17.e5 ♗g7 18.♕e4. Поддерживая пешечные устои в центре. Кин в «Информаторе», а за ним Матанович и Угринович в ЭШД рекомендовали 18.♗a3 «с небольшим перевесом белых». Однако после 18...♖f7 (или сразу 18...c5 с идеей 19. dc ♕e7!) 19.♕e4 c5 завязывалась обоюдоострая борьба: 20.h4?! gh 21.♘:f4 ♘:f4 22.gf ♕f8 23.♗c1 ♗h6 и ♗:f4 или 20.dc ♘:e5 21.♗b2 ♘c6 22. ♗:g7 ♔:g7 23.gf gf 24.♔h1 bc 25.♘:f4 ♖h8 26.♘d3 ♖f5 27.♖g1 ♕e7 с примерным равновесием.

18...♕e7 19.♖d3 ♖ad8 20.♖e1 d5! (отличный способ создать контригру) **21.ed.** Понятно, не 21.cd ♖:d5, но теперь оживает слон g7.

21...♕:d6 22.♖ed1. В случае 22.♕:e6+? ♖:e6 23.♖:e6 ♘e5! 24. ♖d1 ♔f7 черные пленяли ладью — тактическая подоплека замысла Корчного! Поэтому белые укрепляют ослабевшую пешку d4, надеясь в дальнейшем использовать слабости в лагере противника. Черные же, напротив, рассчитывают на контратаку с помощью продвинутых пешек «g» и «f».

22...♛e7 23.♘e1 ♛f6. Заслуживало внимания 23...g4!? Но Корчной, видимо, уже ход назад наметил ♛f6-f5 с разменом ферзей и последовательно проводит свой план. Соперник надолго задумался...

24.♖1d2. До поры до времени Полугаевский играл вполне логично, но, когда ситуация стала несколько «диковатой», лишенной привычных ориентиров, он начал терять уверенность. Так, сейчас белые могли путем 24.g4! ♘h4 (иначе ♘f3) 25.b4 получить столь желанную несколько лучшую и надежную позицию — хотя, разумеется, предстояла бы еще очень сложная борьба.

24...♛f5! 25.♛:f5? С виду естественный, но ошибочный размен, обрекающий белых на худший эндшпиль. После 25.♖e2 они сохраняли равную игру, а при случае и шансы на перевес, например: 25...♛:e4?! 26.♖:e4 c5 27.♖:e6 cd 28.♔f1 или 25...c5?! 26.♛:f5 ef 27.dc bc

28.♗:g7 ♔:g7 29.♖ed2!, захватывая линию «d». Видимо, лучше 25...♖de8 с идеей 26.♗a3 ♖:e4 27.♖:e4 ♖f5! или 26.♛c6 e5 27.♗a3 (27.♛:c7? e4) 27...♜e7!= (крайне опасно 28.♛:c7?! e4 29.♖d1 ♖f7 с угрозой ♛g4, ♘f5 и e4-e3).

25...ef! Видимо, в наступающем цейтноте Полугаевский недооценил это взятие: соперник добровольно сдваивает пешки! Но Корчной тонко почувствовал динамику возникающей позиции: черным, скорее всего, удастся захватить открытую линию «e» (ввиду неудачного положения белой ладьи на d3), а их пешечный кулак на королевском фланге представляет большую силу.

26.♘g2 g4!? (еще одна неожиданность: напрашивалось 26...fg 27.hg f4, сразу раздваивая пешки) **27.♘:f4.** Заслуживало внимания 27.f3, но при нехватке времени белым могло не понравиться 27...h5 28.♔f2 fg+ 29.hg f4.

27...♘:f4 28.gf ♗h6! 29.♖e2 ♗:f4. Быстро избавившись от сдвоенных пешек, черные получили на «своем» фланге далеко продвинутое пешечное большинство. Чтобы удержать это окончание, белым надо играть очень аккуратно.

30.♖e6? Совершенно выбитый из колеи и мощным напором Корчного, и непредвиденным поворотом событий, Полугаевский допускает, вероятно, уже решающую ошибку. Необходимо было 30.♖d1, продолжая бороться за линию «e» и, стало быть, за ничью.

30...♖fe8 (теперь линия «e» в руках черных) **31.♖f6 ♖e1+ 32.♔g2 ♖f8** (одна черная ладья хозяйничает в лагере противника, другая устраняет его активную ладью) **33. ☖:f8+ ☗:f8.**

34.d5?! Некоторые комментаторы рекомендовали 34.☗a3+, но после 34...☗f7 35.d5 ☖e2 у белых нет ничего лучше, чем переход в проигранный ладейный эндшпиль: 36.d6 cd 37.☗:d6 ☗:d6 38.☖:d6 ☖:a2 39.b4 ☖a4 40.☖d7+ ☗g6 и т.д. Наверное, упорнее 34.☗c3 ☖e2 35.a4(3), но и здесь после 35...h5 им нечего противопоставить комбинированному натиску черных фигур.

34...☗d6 (34...☖e2!?) **35.☗c3 ☖c1! 36.☗d2 ☖c2 37.a4 f4.** Белые пешки на ферзевом фланге «заморожены», а черные на королевском идут в ферзи, попутно помогая создать малыми силами атаку на короля (излюбленный эндшпильный прием Корчного!).

38.h3 f3+ 39.☗f1 h5 40.hg hg 41.☗e1. Записанный ход. Белые сдались без доигрывания, не дожидаясь 41...☗c5 42.☗e3 ☖e2+ 43.☗f1 ☗:e3 44.☖:e3 ☖:e3 45.fe g3 или 42.b4 ☗d6 43.☖d4 g3!

И в 3-й партии, где вскоре после дебюта белые получили техничес-

кий эндшпиль «слон и конь против ладьи с пешкой», Полугаевский не использовал всех своих шансов, а вот Корчной предприимчивой игрой сумел поставить перед ним неразрешимые проблемы. После этой победы счет стал 3:0 и исход матча уже не вызывал сомнений. Но впереди было еще немало событий, интересных с чисто шахматной точки зрения.

Кстати, партии этого матча и даже имя Корчного не публиковались в широкой советской прессе, да и результаты мы узнавали порою с недельным опозданием (в самом деле, мог ли советский шахматист проиграть под ноль какому-то невозвращенцу?!). Помню, мой тренер Александр Никитин, заговорщицки улыбнувшись, предложил мне «посмотреть тройку свежих партий». Он показывал их без комментариев, лишь восхищенно цокая языком после некоторых ходов. А затем спросил: «Как ты думаешь, кто играл?» Несложная дедукция подсказала мне, что речь идет о первых трех партиях матча Корчной – Полугаевский. Но трудно было представить, что все три выиграл один шахматист! Эти победы произвели на меня большое впечатление, прежде всего — неуемной энергией и изобретательностью Корчного, что в глазах 14-летнего кандидата в мастера не вязалось с образом 45-летнего гроссмейстера...

После двойной ничейной передышки Полугаевского ждали новые испытания. В 6-й партии Корчной, имея подавляющий перевес в счете, отважился на совсем уж смелый по тем временам эксперимент.

№ 514. Индийская защита А40
ПОЛУГАЕВСКИЙ – КОРЧНОЙ
Матч претендентов,
Эвиан (м/6) 1977

1.d4 e6 2.c4 b6!? Как считалось, неправильная, «кривая» защита, теория которой была в зачаточном состоянии. В 19-м веке так изредка играли английские и американские шахматисты, в начале 20-го — гипермодернисты Брейер, Рети и Нимцович, а с 1975 года за дело взялся всерьез Тони Майлс. Его примеру последовали Кин, Стин, Спилмен, Пласкетт, Конкуэст, Ходжсон, Кинг, Шорт, Адамс, Садлер... Так что эта система может по праву называться «английской защитой».

Корчной неслучайно воспользовался одной из смелых идей Майлса, блиставшего оригинальным разыгрыванием дебюта (однажды тот сумел одолеть черными самого Карпова после 1.e4 a6?! 2.d4 b5). Это имело очевидный психологический подтекст: отход от известных теоретических путей был особенно неприятен для измученного предыдущими переживаниями соперника.

3.e4. Принципиальный захват центра. Не так агрессивно 3.♘f3 ♝b7 4.g3 ♝b4+ 5.♝d2 (Рубинштейн — Нимцович, Гётеборг 1920) 5...♝:f3! 6.ef ♝:d2+ с хорошей контригрой.

На 3.d5 Майлс отвечал 3...♛h4, но, уступив Карпову после 4.♘c3! ♝b4 5.♝d2 ♘f6 6.e3 (Бугойно 1978), перешел на 3...♘f6. А на 3.a3 он избирал 3...g6 или старинное 3...f5 (Брайен — Грин, Лондон 1856; Уискер — Берд, Лондон(м/3) 1873), веря в ресурсы черных после 4.d5 ♘f6 5.g3 ♝b7. Эту веру разделяют и

Спилмен, и Шорт, и Морозевич, добившийся таким путем ничьих против меня (Франкфурт(бш) 2000) и Карпова (Канны 2002).

3...♝b7. После этого белые на распутье.

4.♛c2. Новый способ защиты пешки. До этой партии и потом ее защищали пешкой, конем или слоном:

1) 4.f3 ♝b4+ (острее 4...f5 5.ef ♘h6!? 6.fe ♘f5! 7.♘e2 ♝d6 Рей — Майлс, Вейк-ан-Зее 1979) 5.♝d2 (5. ♘d2?! f5! с идеей 6.ef ♛h4+) 5... ♝:d2+ (в турнирах 1977 года Бём отстаивал 5...♛h4+) 6.♛:d2 ♘h6!? 7.♘c3 0-0 8.0-0-0 f5 с интересной игрой (Корчной — Спилмен, Нью-Йорк(бш) 1995);

2) 4.♘c3 ♝b4 и далее 5.♝d3 f5! (Мэзон — Тинсли, Лондон 1899; Каплан — Майлс, Сан-Паулу 1977; Адорьян — Спасский, Толука(мз) 1982), 5.d5 ♛e7 (Тартаковер — Рети, Гётеборг 1920), 5.f3 f5!? (наряду с 5... ♛h4+) 6.ef ♘h6 (Панно — Майлс, Буэнос-Айрес 1979) или 5.♛c2 ♛h4 6.♝d3 f5 (Фараго — Майлс, Гастингс 1976/77) — с обоюдоострой борьбой;

3) 4.♝d3! (лучший ответ) 4...♘c6 (Кнотт — Перрэн, Нью-Йорк 1857;

4...♗b4+ 5.♗d2 Боден — Оуэн, Лондон(м/7) 1858) 5.♘e2 ♘b4 6.♘bc3 ♘:d3+ 7.♕:d3, и два слона черных не совсем компенсируют перевес белых в пространстве. Поэтому в моде острое 4...f5!? 5.ef, и так как 5...♗:g2? 6.♕h5+ g6 7.fg ♗g7 8.gh+ ♔f8 (Браун — Майлс, Тилбург 1978) 9.♘h3! слишком опасно для черных, они стали играть 5...♗b4+! 6. ♔f1 ♘f6 — здесь до сих пор не утихли теоретические дуэли.

4...♕h4!? Опять нападая на пешку e4! Но это рискованный ход: ферзь попадает под удары. Надежнее выглядит 4...♗b4+ 5.♗d2 (5. ♗d2 ♕e7) и далее 5...f5 6.ef ♘h6!? (Лалич — Кеньгис, Манила(ол) 1992), 5...♘f6 6.♗d3 c5 7.♘b5! (Рогозенко — Теске, Дрезден 1996) или 5...c5 6.d5 f5! 7.a3 ♗a5 (В.Михалевский — Янг, Санта-Моника 2004). Играли и 4...g6 5.♘c3 ♗g7 6.♗e3 ♘e7 7. 0-0-0 0-0 8.f4 f5 9.e5 d5 (Левитт — Шорт, Калькутта 1998).

Теперь у белых много заманчивых продолжений, но какое из них сулит перевес? Представляю, как нервничал Полугаевский, как долго вглядывался в эту нетеоретическую позицию, обхватив голову руками... Будучи пытливым исследователем, он не любил решать новые дебютные проблемы за доской, да и счет в матче никак не располагал к принятию качественных интуитивных решений.

5.♘d2. Избегая 5.♘c3 ♗b4 6. ♗d3 (6.d5 ♗:c3+! Иванчук — Садлер, Монако(вслепую) 1998) 6...f5 с переходом к упомянутой партии Фараго — Майлс или 6...♗:c3+!? 7. bc f5 — это уже новинка 90-х годов. Тогда

же пробовали и 5.♗d3 f5, 5...♗b4+ или 5...c6, а также 5.d5 f5! 6.ef ed=.

5...♗b4 6.♗d3 f5?! Пожалуй, точнее 6...♗g4, например: 7.♔f1 f5! (Куинн — Спилмен, Дублин(зт) 1993; Левитт — Эльвест, Нью-Йорк 1994) или 7.♘e2 (с идеей 0-0) 7...♕g2 8. ♖g1 ♕:h2 9.♖:g7 ♘c6 с острой игрой.

7.♘f3 ♗:d2+. Потом встречалось и 7...♗g4?! 8.0-0 или 7...♕h5 8. 0-0 ♘f6 9.h3 (спокойная профилактика) 9...0-0?! (лучше 9...♗:d2 10. ♘:d2 ♘c6) 10.e5 g5? 11.ef g4 12.hg fg 13.♘e5 ♖:f6 14.♘e4... *1-0* (Киряков — Шеферд, Порт-Ерин 2000).

8.♔f1? А вот и плоды дебютного эксперимента черных. Ничего не дает 8.♘:d2 ♘f6 9.g3 ♕h3 (9... ♕h5!?) 10.♗f1 ♕h5 11.♗g2 0-0 12. 0-0 ♘c6 13.♕c3 (Киряков — Тратар, Пардубице 1995) 13...e5! с идеей 14.de ♘:e5. Но удивительно, что Полугаевский не сыграл 8.♗:d2 ♕g4 9.♘e5! (не так ясно 9.h3 ♕:g2 10. ♔e2 ♕g6! 11.♖ag1 ♕f7 12.d5 ♘f6) 9... ♕:g2 10.0-0-0 с опасной инициативой за пожертвованный материал.

Поскольку явно плохо теперь 10... ♕:f2? 11.♖hg1 ♕:d4 12.♗c3 ♕e3+ 13.♔b1 или 10...♗:e4? 11.♖hg1 ♗:d3

12.♛:d3 ♛e4 (12...♛:f2 13.♖:g7) 13.
♛g3 g6 14.♘:g6+–, черные защищались путем 10...fe 11.♗e2 ♘f6 (если
11...♘с6 12.♘:с6 ♗:с6, то 13.d5!)
12.♗e3 ♛h3 13.♖dg1 ♘c6! (Роджерс)
14.♘:с6 (но не 14.♖:g7?! ♘d4! или
14.♖g3 ♛f5 15.♖g5?! ♘:d4! Уэбстер
– Адамс, Прествич 1990) 14...♗:с6
15.♖:g7 ♖g8 (15...0-0-0!?) 16.♖:g8+
♘:g8 17.d5 ed 18.cd ♗:d5 19.♛:с7
♘e7, удерживая позицию.

Однако гораздо сильнее 12.♖hg1!,
ибо 12...♛:f2? наталкивается на 13.
♗h6!! с угрозой ♗h5+ и ♛:f2, а в случае 12...♛:h2 13.♗e3! угроза поим-
ки ферзя (♖h1 и ♖dg1) мешает черным успешно закончить развитие:
на 13...♘с6 возможно и сдержанное
14.♛с3, и нетерпеливое 14.♖h1
♘:d4 15.♗:d4 ♛f4+ 16.♚b1 0-0 (16...
♛f5 17.♖hg1) 17.♘:d7! ♘:d7 18.♗:g7!
с атакой. К выгоде белых и 12...♛h3
13.♖:g7 ♘c6 14.♘:с6 ♗:с6 15.d5!

А если сразу 11...♛h3, то 12.♖hg1
также ставит перед черными тяжелые проблемы: 12...d6 13.♖:g7! de 14.
♖:с7 или 12...g6 13.♗g4 ♛h4 14.d5!

После же импульсивного хода в
партии белые не получают серьезной компенсации за ослабленное
положение своего короля.

8...♛h5 9.♗:d2 ♘f6 (еще одно
нападение на пешку e4) **10.ef?!**
(все-таки безопаснее 10.e5 ♘e4)
10...♗:f3! 11.gf. На «смелое» 11.
fe?! могло последовать не только
11...♗b7, но и 11...♘c6! 12.ed+ ♚f7
13.gf (13.♗c3 ♗g4) 13...♘d4 14.♛с3
♛h3+ 15.♚e1 ♛g2 16.♖f1 ♘:f3+ 17.
♚d1 ♖hd8 18.♚c2 ♖:d7 19.♖ad1
♖ad8 с преимуществом черных.

11...♘c6 12.♗c3 0-0. Преждевременное 12...♛:f3 помогало сопер-

нику скоординировать силы – 13.
♖g1 0-0-0 14.♗e2 и т.д. Однако больше шансов на перевес сохраняло
12...0-0-0!, по аналогии с упомянутой партией Куинн – Спилмен (где
было 6...♛g4 7.♗f1 f5 8.♘gf3 ♗:d2
9.♘e5 ♛h4 10.♘f3 ♛h5 11.♗:d2 ♘f6
12.ef ♗:f3 13.gf ♘c6 14.♗c3 0-0-0!).

13.♗e1?! Потеря темпа. Позиция белых оставалась еще не такой
уж плохой, сыграй они 13.♖g1!, готовя выход ладьи и эвакуацию короля.

13...♛h3+! Снова нервирую-
щий ход. Полугаевский рассчитывал
на естественное 13...♛:f3, но тогда
после 14.♖g1 ♛h3+ 15.♖g2 белым не
на что жаловаться: имея очень сильных слонов, они при случае могут
даже перехватить инициативу.

14.♚e2. При 14.♖g1?! ♘h5 15.
♛d2 ♘e7! белым во избежание матовой атаки пришлось бы срочно
разменивать ферзей: 16.♛g5 ♘:f5 17.
♛g4 ♘f4 18.♗e4 (18.♚f1 ♘h6) 18...
♘h4 19.♛:h3 ♘:h3+ 20.♚f1 ♖ad8, и
черные кони сильнее белых слонов.

14...♖ae8 (мобилизация, хотя
некоторый перевес давало 14...
♛h4!? с идеей 15.fe ♘d4+ 16.♗:d4
♛:d4 17.♚f1 de) **15.♗d1?!** Правильно было 15.fe ♖:е6 16.♚d2.

15...e5! (и снова черные не берут на f3!) **16.de ⨯:e5.** Наконец-то позиция определилась. Белые не сумели вовремя разрядить пешечное напряжение, и у них остались строенные пешки, которые начинают падать как перезрелые плоды.

17.♗e2 (не лучше 17.♗:e5 ♖:e5 18.♖:e5 ♕f3+ Кин) **17...⨯:f3! 18. ♕d3 ♖:e2 19.♔:e2** (19.♔:e2? ♕h5 −+) **19...♕g2 20.♖he1 ⨯e1 21. ♔:e1 ♕h2.** Кин ставит к этому ходу вопросительный знак, рекомендуя 21...♕g1+ 22.♔d2 ♕:h2. Теперь нет 23.♖e7? из-за 23...♕:f2+, а в случае 23.♔c2 ♕d6 24.♕:d6 cd у черных лучшее окончание (25.♖e7 h5!). Но после 23.f3! вся борьба еще впереди.

22.♖e7! ♕g1+ (не 22...♕f7 23. ♗:f6=, но интересно 22...♕h6!?) **23. ♔e2 ♕g4+ 24.♔e1 h5 25.♕g3! ♕:g3?!** А это и в самом деле неточность. В иной вариации ладейного эндшпиля — после 25...♖f7! (Кин) 26.♗:f6 gf 27.♕:g4+ (27.♖e4? ♕:g3 28.fg ♔g7 и ♕h6-g5) 27...hg 28.♖e4 ♖g7 у черных было бы куда больше шансов на успех.

26.fg ♖f7 27.♗:f6 gf 28.♖e8+ ♔g7 29.♔f2 ♔h6 30.b4! Получив ладейное окончание без пешки, Полугаевский сопротивляется изо всех сил и создает реальную контригру. Трудно сказать, мог ли Корчной усилить игру черных на протяжении следующей серии цейтнотных ходов (детальный анализ этого эндшпиля не входит в нашу задачу).

30...♔g5 31.♖a8 ♔f5 32.♖:a7 d6 33.a4 ♔e6 34.a5 ba 35.♖:a5. Видимо, хуже 35.ba ♔d7 36.♖a8?! (36.♖b7 ♖f8) 36...♖e7! 37.a6 ♖e5.

35...f5 36.c5! ♖h7. На 36...♖g7 могло последовать 37.♖a7, например: 37...dc 38.♖a6+ ♔d5 39.♖a5 ♔c4 40.♖:c5+ ♔:b4 41.♖:f5 ♖h7 42. ♖f4+ ♔b5 43.♖h4 c5 44.♔e2 c4 45. ♔d2 ♔b4 46.♔c2=.

37.cd cd 38.b5 h4. В случае 38...♖c7 (38...♖b7!?) 39.♖a2 не дает выигрыша ни 39...d5 40.♖a6+ ♔e5 41.♖h6 ♖c2+ 42.♔f3 ♖c3+ 43.♔f2 ♖b3 44.♖:h5 ♔:b5 45.g4, ни 39...♖b7 40.♖b2 d5 41.♔f3 ♔c5 42.♔f4 ♖:b5 43.♖h2 ♖b4+ 44.♔:f5 ♖b5 45.♔e4.

39.gh ♖:h4 40.♖a8 ♖b4 41. ♖b8 ♔d5 42.♔f3? «На флажках» соперники бросили запись партии и, незаметно проскочив контроль на 40-м ходу, продолжали блицевать. В результате белые упустили ничью, которая была уже совсем близка: 42.♖b6! ♔c5 43.♖c6+ (Кин) или 42...♖b3 43.♔e2 f4 44.♔f2 ♔e5 45.♖b8 d5 46.b6 ♔d6 47.♖f8=.

42...♖b3+? (но и черные прошли мимо 42...♔c5! 43.♖f8 f4 44. ♖f5+ d5 45.♔e2 ♖d4−+) **43.♔f4 ♔c5.**

44.♖c8+? Грубейшая ошибка. Необходимо было остановиться, отдышаться и сделать простой ход 44.

♔:f5, ведущий после 44...♖:b5 45. ♖a(d)8 или 45.♗c8+ к ничейному эндшпилю «ладья и пешка против ладьи».

44...♔:b5 45.♔:f5 ♖e3! Успевая отрезать короля белых по линии «е», после чего их дальнейшее сопротивление бесполезно. Наверное, эта ситуация напомнила Корчному окончание его 3-й партии матча с Тимманом, где пешка «d», поддержанная королем, столь же успешно промаршировала в ферзи (№ 506).

46.♔f4 ♖e1 47.♖d8 ♔c5 48. ♖c8+ ♔d4 49.♔f3 d5 50.♔f2 ♖e5 51.♖a8 ♔c3 52.♖a3+ ♔b4 53.♖a1 d4 54.♖c1 d3 55.♖c8 d2 56.♖b8+ ♔c3 57.♖c8+ ♔d3 58. ♖d8+ ♔c2 59.♖c8+ ♔d1. Белые сдались.

Вспоминаю, как Владимир Багиров, тогдашний секундант Полугаевского, по возвращении в Баку показывал партии этого матча в шахматном клубе «Буревестник» и сетовал на «тяжелую матчевую судьбу» своего подопечного. Мне очень интересно было взглянуть как бы со стороны на анализы, рассказы и переживания человека, который варился в гуще событий. К своему удивлению, я узнал, что на самом деле борьба была куда более упорной, чем казалось, — особенно во второй половине матча. Дебютная подготовка Полугаевского была, как обычно, доброкачественной, и ему не раз удавалось ставить перед Корчным довольно серьезные проблемы.

Особенно расстроила Багирова 7-я партия. В ней встретился вариант меранской системы, на подго-

товку которого они с Полугаевским затратили много сил и времени.

№ 515. Славянская защита D47
КОРЧНОЙ – ПОЛУГАЕВСКИЙ
Матч претендентов,
Эвиан (м/7) 1977

1.c4 ♘f6 2.♘c3 e6 3.♘f3 d5 4.d4 c6 5.e3 ♘bd7 6.♗d3 dc 7.♗:c4 b5 8.♗d3 ♗b7 (детище Ларсена — так называемый «улучшенный меран») **9.0-0.** Раньше более популярным было 9.e4 (№ 425–429).

9...b4 10.♘e4 ♗e7 11.♘:f6+ ♘:f6 12.e4 0-0. В 5-й партии встретилось 12...♖c8?! 13.♕a4 a5 14.♖d1 0-0, и черные постепенно достигли уравнения. Но после 13.a3 (Кин) или 13.♕e2 сделать это гораздо труднее: ход ладьей может оказаться потерей темпа.

13.♕c2. Основными в то время считались, да и поныне считаются другие продолжения — 13.♕e2 и 13. e5, например:

1) 13.♕e2 c5 14.dc ♘d7 15.c6! ♗:c6 16.♗e3 (16.♖d1 ♗c5! Крамник — Лотье, Монако(вслепую) 2000) 16... ♗b7 17.♖fc1 ♗d6 (Савон — Ваганян, СССР(ч) 1970; Касымжанов — Ако-

пян, Ереван 2001), 17...♕b8 (Браун — Полугаевский, Манила(мз) 1976) или 17...♕a5, как играл М.Гуревич против Лотье и Пикета (2000), во всех случаях с минимальным перевесом белых;

2) 13.e5 ♘d7 14.♕c2 h6 15.♗h7+ ♔h8 16.♗e4 ♕b6 17.♗e3 c5! 18.dc ♗:c5?! 19.♖ad1! (новинка; 19.♗:b7 ♕:b7 20.♗:c5 ♖fc8=; хуже 19.♗:c5?! ♗:e4 20.♗:b6 ♗:c2 21.♗c7 ♖fc8 22. ♗d6 a5 Полугаевский — Ларсен, Пальма-де-Мальорка(мз) 1970) 19... ♗:e3 20.♖:d7 ♖ac8 21.♖:b7 ♖:c2 22. ♖:b6 ♖:f2 23.♖:f2 ♗:b6 24.♔f1 ♖:f2 25.♔:f2, и две легкие фигуры белых перевесили ладью с пешкой (3-я партия).

Избежать этого эндшпиля можно путем 19...♗:e4 20.♖ad1 ♖ad8, но и тут белые сохраняют некоторое давление: 21.♗g5!? (на 21.♖d6 ♕a5 22.♗:c5 ♘:c5 23.♕c4 есть 23...♖c8) 21...♗:f2+ (плохо 21...hg? 22.♘:g5, а если 21...f6, то 22.♗h4) 22.♖:f2 ♘f6 23.♖:d8 (неясно 23.♕e1 ♖:d1 24. ♕:d1 ♘g4! 25.♗h4 ♖c8 26.♘e1 ♘:f2 27.♗:f2 ♕a5) 23...♘:e4 24.♖:f8+ ♔h7 25.♗h4, получая ладью, слона и коня за ферзя.

Видимо, при подготовке Полугаевский недооценил минусы хода 18...♗:c5?! Иначе бы он нашел простое 18...♘:c5! (новинка 90-х) 19. ♗:b7 ♕:b7 20.♗:c5 ♖fc8 или 19. ♗:c5 ♗:e4 20.♕:e4 ♗:c5 21.♖ac1 ♖ad8 с дальнейшим ♖d5 и ♖fd8=.

Сейчас вместо 14.♕c2 белые играют 14.♗e4 и на 14...♕b8 неожиданно жертвуют пешку – 15.a3!? ba 16.b4 a5?! (16...♗:b4? 17.♗:h7+!) 17.ba ♕:a5 18.♗:a3 ♗:a3 19.♗:h7+! (та же комбинация, но в более

сложной форме) 19...♔:h7 20.♘g5+ ♔g6 21.♕d3+ f5 (21...♔:g5 22.f4+ ♔h6 23.♕h3+ ♔g6 24.f5+ ef 25.♖f3 f6 26.♖f5! ♖h8 27.♕g4+ ♔f7 28.e6+, выигрывая ферзя) 22.♘:e6 с разгромом (Касымжанов — Лесьеж, Стамбул(ол) 2000), однако надежнее 16... f5 (Халифман — Бареев, Дортмунд 2000). Но это уже нюансы рубежа 20—21-го веков...

13...h6 14.♗e3. Новинка, впрочем, не доставляющая черным особых проблем. При 14.e5 ♘d7 возникала позиция из 3-й партии. Не лучше 14.♖d1 ♖c8 (Г.Кузьмин — Багиров, Львов(зт) 1978) или 14.a3 c5! (Ильескас — Ананд, Мадрид 1993).

14...♖c8 15.♖fd1 (потом испытывали и 15.♘d2, и 15.a3, и 15.♖ac1 (d1), но во всех случаях черным не приходилось жаловаться на дебют) **15...c5!** Типовой освобождающий подрыв центра.

16.dc ♘g4 17.♗d4 e5 18.h3 (уже единственный ход: плохо как 18.♗:e5? ♖:c5, так и 18.a3?! ba 19.♖:a3 ed или 19.♕b3 ♖b8!) **18...ed 19.hg ♖:c5 20.♕d2.**

20...a5?! Промедление. Жестче 20...♗c8! (сразу цепляясь к пешке g4), на что Кин привел в «Информаторе» 21.♕f4. Но это сомнительная рекомендация, ибо после 21...♕d7! за белых непросто, если вообще возможно, найти четкий путь к уравнению.

21.♖ac1 (теперь на доске примерное равновесие) **21...♕d7?** А это серьезная ошибка: такой «выигрыш темпа» нападением на пешку g4, связанный с уступкой линии «с», только на руку белым. Лучше 21...♖:с1 22.♖:с1 ♕d7 23.♕f4 ♖с8= (Ненашев — Новиков, СССР(ч) 1991) или неясное 21...♖e8!?

22.♖:с5 ♗:с5 23.g5! (слабая пешка «g» вдруг исполняет роль тарана: после ее размена на пешку «h» черный король будет чувствовать себя неуютно) **23...hg.** При 23...h5?! 24.g6! fg 25.♕g5 или 23...♕e6 24.♖c1! ♗b6 25.♕f4 у белых также опасная инициатива, а после 23...♕g4 24.gh ♖e8 25.hg ♔:g7 26.♖c1 ♗b6 27.♘h2 у черных нет компенсации за пешку.

24.♕:g5 ♕e7. На 24...♗b6 неприятно 25.♘e5. По-видимому, Полугаевский считал, что без особых хлопот отразит угрозы по линии «h». На деле всё оказалось гораздо хуже.

25.♕h5! Конечно, Корчной и не думал менять ферзей — 25.♕:e7 ♗:e7 26.♖c1 в погоне за пешкой d4, так как после 26...♖c8 27.♖:c8+ ♗:c8 28.♘:d4 ♗f6 29.♘c6 ♗d7 30.♘:a5 ♗b2 два слона черных компенсировали бы отсутствие пешки.

25...g6. Допуская ферзя на h6, после чего позиция черных, скорее всего, уже незащитима. Но не решало проблем и 25...♕d6 26.♖e1!,

например: 26...♗b6 (26...a4 27.♖c1! ♗b6 28.♖c4) 27.e5 ♕h6 28.♕:h6 gh 29.e6 или 26...♗b6 27.b3 ♗e7 28.♗c4 с грозной инициативой.

26.♕h6 (как это нередко бывает, прямые угрозы оказываются достаточно эффективными) **26...♕f6.** Нелегкие испытания ждали черных и при 26...♖e8 27.♘g5 ♗f6 28.♗c4! (налаживая идеальное взаимодействие фигур) 28...♖e7 — здесь хорошо как 29.♖d3! ♗e4 (29...♕g7 30.♕h4) 30.♗:f7+ ♕:f7 31.♘:f7 ♗:d3 32.♕g5, так и 29.e5! ♕g7 30.♕h2! (грозит 31.e6) 30...♗:e5 31.♗:f7+ ♔f8 32.♕h6+ ♕g7 33.♕h4 с сильнейшей атакой (33...♗:e5 34.♗:g6).

27.♗c4! d3 (27...♗:e4? 28.♘g5; 27...♖e8 28.♘g5 ♖e7 — см. 26...♖e8) **28.e5 ♕f5.** Не лучше 28...♕g7 29.♕g5! ♗f3 30.gf ♗d4 31.f4 ♗:b2 32.♖:d3 (Кин) 32...♖c8 33.e6! ♗f6 34.ef+ ♔f8 35.♕:a5 или 35.♕b5+—.

29.♖:d3 ♗e4. Быть может, в цейтноте эта позиция казалась Полугаевскому еще не совсем очевидной, но тут последовала очень эффектная концовка.

30.♖d6! (блестящий ход: грозит ♖f6) **30...♕g4.** Ладья неприкосно-

венна: 30...♗:d6 31.♘g5, а если 30...
♛h5, то 31.♛:h5 gh 32.♖d7 ♗:f3 33.gf
♚g7 34.f4 ♚g6 35.♗d3+ ♚h6 36.♚g2.

31.♖f6 ♗f5 32.b3 (закрепляя
слона на c4 и сохраняя решающие
угрозы) **32...♗d4 33.♘:d4.** Самое
простое, хотя возможно и 33.♖d6
♗c5 34.♘g5 ♛h5 35.♗:f7+ ♖:f7 36.
♛:h5 gh 37.♘:f7 ♗:d6 38.♘:d6 ♗b1
39.♘b7+–.

**33...♛:d4 34.♖:g6+! ♗:g6
35.♛:g6+ ♚h8 36.♛h6+ ♚g8
37.e6** (переходя в эндшпиль с двумя лишними пешками) **37...♛e4
38.ef+ ♖:f7 39.♛f6 ♛b1+ 40.
♚h2 ♛h7+ 41.♚g3 ♛d3+ 42.f3
♛:c4 43.♛d8+.** Черные сдались.

Счет стал 6:1 в пользу Корчного
— почти как у Фишера! Но поскольку этот матч игрался на большинство из 16 партий, последовало
«доигрывание». К чести Полугаевского, даже при столь кошмарном
счете он не опустил руки и продолжал сражаться: выиграл 8-ю партию и в дальнейшем не раз получал
перспективные позиции. Но, как го-
рестно разводил руками Багиров,
«ему все время чего-то не хватало:
Корчной был словно заколдован-
ный!» И в конце концов выиграл со
счетом 8,5:4,5 (+5−1=7).

Этот разгром, конечно, был обу-
словлен и психологической неустой-
чивостью Полугаевского: ему всегда

было трудно играть с Корчным.
Многие отрезки партий он проводил очень и очень неплохо, но в решающие моменты борьбы чуть-чуть
не выдерживал напряжения. И этого «чуть-чуть» Корчному хватило
для впечатляющей победы! Броса-
лись в глаза его блестящая форма и
резкий скачок творческого потенциала, невероятный для 45-летне-
го шахматиста. Сам он был краток
в оценке случившегося: «Я оказался заметно сильнее на шахматной
доске, нервы у меня снова оказались
крепче, да и помощь моих секундантов была более действенной»
(речь о Реймонде Кине, Майкле
Стине и Якове Мурее).

Наверное, этот матч послужил
тревожным сигналом для Карпова
и его тренеров: с такой энергией,
напором и выдумкой Корчной еще
никогда не играл! Поражало мно-
гообразие применяемых им творческих методов. Но при этом выя-
вилась тяга Корчного к сложным,
нестандартным окончаниям. Их
виртуозное разыгрывание позволило ему уверенно справиться с таким
знатоком дебютной теории и мастером сложной игры, как Полугаевский. Именно в эндшпиле Корчному удастся поставить серьезней-
шие проблемы и перед Карповым
на финише марафона в Багио...

БЕЛГРАДСКИЙ РЕВАНШ

Особую остроту финальному матчу
претендентов с Борисом Спасским
(Белград, зима 1977/78) придавало
то обстоятельство, что в середине
70-х экс-чемпион мира тоже был в

немилости у властей. Но затем, по
словам Корчного, добился, казалось бы, невозможного: «Чуть ли не
единственный из миллионов наших эмигрантов он получил двой-

ное гражданство и, сохранив советский паспорт, переселился в Париж! Спасский несколько лет боролся за свою политическую самостоятельность, а получил разрешение на выезд «случайно» ровно через месяц после моего бегства из Союза».

Поэтому в глазах госчиновников Спасский, в отличие от Корчного, остался «представителем советской шахматной школы». И они помогали новоявленному парижанину, стараясь обезопасить Карпова от новой встречи с Корчным, а себя — от угрозы новой потери Советским Союзом шахматной короны. Игра «изменника» в матче с Полугаевским вызывала некоторые опасения: хотя в тот момент доминирующее положение Карпова казалось незыблемым, взлет Корчного был уж слишком стремительным и неожиданным. А вдруг через год он прибавит еще и сможет бороться с Карповым на равных? Ведь и на финише матча 1974 года Карпов, несмотря на изначальный игровой перевес, с трудом отбивался от наседавшего противника. Теперь же, когда тот вырвался из тисков Спорткомитета и собрал неплохую команду тренеров, возможно, будет еще труднее...

Не знаю, насколько вся эта околошахматная кухня влияла на игру Спасского, но факт остается фактом: несмотря на присутствие многолетнего тренера Игоря Бондаревского, начало этого изнурительного матча (на большинство из 20 партий) было для экс-чемпиона катастрофическим. В 1-й партии он спасся буквально чудом: в цейтнотной спешке Корчной «на всякий случай» сделал 41-й ход — единственный, упускающий победу!

А вот во 2-й чуда не произошло. Корчной избрал рискованный вариант своей любимой французской защиты — как выяснилось, он был готов играть так не только против соперников, уступающих ему в классе, но и на самом высоком уровне. И Спасский не справился с возникшими сложными проблемами.

№ 516. Французская защита C18
СПАССКИЙ – КОРЧНОЙ
Матч претендентов,
Белград (м/2) 1977

1.e4 e6 2.d4 d5 3.♘c3 ♝b4 4.e5 c5 5.a3 ♝:c3+ 6.bc ♘e7 7.♕g4 (7.a4 – № 501, 511, 512) **7...cd.** Продолжение 7...♛c7 (позже Корчной предпочитал 7...0-0!) 8.♕:g7 ♜g8 9.♕:h7 cd ведет к перестановке ходов, но здесь черным надо считаться с 8.♝d2 (так играл Велимирович) или с давней гамбитной идеей Геллера 8.♝d3!? cd 9.♘e2.

8.♕:g7. Теперь на 8.♝d3 есть 8...♛a5! 9.♘e2 ♝g6 (Таль – Бронштейн, СССР(ч) 1964/65). Зато возможно 8.cd ♛c7 9.♔d1 – в 12-й партии далее было 9...0-0 (9...♘f5 10.♘f3 ♘c6 11.♝d3 ♘ce7 12.♝d2 ♝d7 13.a4! и ♜a3 Спасский – Лутиков, Москва 1960) 10.♘f3 f6 11.♝d3 ♘f5 12.♕h3 ♘c6 13.g4 fe 14.de ♘:e5! с острой, примерно равной игрой.

8...♜g8 9.♕:h7 ♛c7. На экспериментальное 9...♛a5?! могло последовать 10.♘e2 (Тимман – Корчной, Леуварден(м/5) 1976) или 10.♜b1 ♘bc6 (не уравнивает 10...♛:c3+ 11.♝d2 ♛:a3 12.♘f3! или 11...♛c7 12.f4 ♘bc6 13.♘f3 ♝d7 14.♘g5! Александер – Ботвинник, матч Англия – СССР 1946) 11.♘f3 ♗d7 12.♖:b7 ♕:c3+ 13.♔d1 ♘a5 14.♖b4!... *1-0* (Шорт – Тимман, Амстердам 1988).

10.♘e2 (10.♔d1 – № 503) **10... ♘bc6 11.f4 ♗d7.** Тогда этот ход делали автоматически, а позже, не без влияния данной партии, стали играть и 11...dc!? 12.♕d3 d4 13.♘:d4 ♘:d4 14.♕:d4 ♗d7, хотя после 15.♖g1! ♘f5 16.♕f2 белые сохраняют определенный перевес.

12.♕d3 dc (главная табия варианта) **13.♗e3.** Редкий и малоперспективный ответ: белым лучше сначала уничтожить пешку c3. В те годы играли в основном 13.♘:c3 a6 14.♖b1 ♖c8 (или 14...♘a5, но не 14... 0-0-0? 15.♕:a6!) 15.h4! (15.♗d2 ♘a5! Лилиенталь – Левенфиш, Москва 1936) 15...♘f5 (15...♘a7?! 16.♖h3 ♘b5 17.♖b3 ♘f5 18.h5!) 16.♖h3 ♘ce7 17.♗d2 с перевесом (Корчной – Ногейрас, Брюссель 1988). Но точнее 13...♘f5!? 14.♘b5 ♕d8.

Поэтому ныне самым неприятным для черных признано 13.♕:c3!

13...d4!? Опять новинка, причем эта жертва пешки стала типовой! Кроме нее и старинного хода Уль-

мана 13...♘f5 в обиходе также 13... 0-0-0, что в случае 14.♗f2 (14.g3 d4!) 14...d4 ведет к позиции из партии.

14.♗f2. С виду потеря темпа, но Спасский хочет взять на d4 только после длинной рокировки черных, чтобы напасть на пешку a7. В случае 14.♘:d4 ♘:d4 у черных также активная контригра: 15.♗:d4 ♘d5 16.g3 ♗c6 17.♖g1 (17.♗e2 ♘:f4!) 17...0-0-0 или 15.♕:d4 ♘f5 16.♕c5 ♕c6! 17.0-0-0 (17.♖d1? ♕e4!) 17...♕b6! 18.♕:b6 ab 19.♗:b6 ♖:a3 20.♔b1 ♖a4 с отличным эндшпилем.

14...0-0-0 15.♘:d4. Позднее не раз встречалось 15.g3, но здесь помимо надежного 15...♘f5 16.♗g2 ♘ce7 (Бронштейн – Шмидт, Копенгаген 1991) или 15...♘g6 16.♕c4 (16.♗g2 ♘c:e5!) 16...f6! (Рычагов – Дьюрхейс, Аскер 1997) черные могут сыграть «по Талю» – 15...♘:e5!? 16.fe ♗c6 17.♖g1 ♖g4!, забирая еще пешку e5 и получая серьезную компенсацию за фигуру.

15...♘:d4 16.♕:d4 b6. Как и обычно в этом варианте, возникла нестандартная ситуация. О том, что она хороша для черных, говорит даже острый вариант 16...♗c6!? 17. ♕:a7 ♖d2 18.♗b6 ♕b8 (Кин) 19.♕a5 ♖:c2 20.♗c5 ♘d5 21.♗d6 b6 22.♕a6+ ♕b7 23.♕d3 ♖d2. Однако Корчной не видит смысла сразу пускаться в неясные осложнения и сохраняет стабильную позиционную компенсацию за пешку благодаря хронической слабости белого короля.

17.♗h4 (если 17.♕d3 ♗c6 18. ♕:c3, то 18...♘d5 или 18...♖g4) **17... ♗b5 18.♕e4 ♖:f1.** Заслуживало внимания 18...♗c6 и на 19.♕c4 ♔b7 20.♕:c3 – 20...♖g4! с инициативой.

19.☖:f1. Кин осудил этот ход и советовал 19.♕a8+ ♚d7! 20.0-0-0+ ♘d5 21.☖:d5+ ed 22.♕:d5+ ♚c8 23. ♕a8+ с вечным шахом. Но после 20...♚e8! 21.☖:d8+ ♖:d8 22.♕:d8+ ♚:d8 23.☖:f1 ☖:g2 24.☖h1 ♚e8 25. ♗:e7 (иначе ♘f5!) 25...♚:e7 26.h4 ♚f8 на доске ладейный эндшпиль, где белым из-за множества пешечных слабостей предстоит унылая борьба за ничью. Точнее 20.☖d1+!, и так как 20...♚e8? 21.☖:d8+ ♕:d8 22. ♕:d8+ ♚:d8 23.♚:f1 теперь в пользу белых, остается лишь 20...♘d5 21. ☖:d5+ с тем же вечным шахом.

Впрочем, и ход в партии не заслуживает критики: белые пока удерживают равновесие и, более того, надеются постепенно отразить атаку, спрятав короля за пешками королевского фланга, а затем, уже в эндшпиле, с решающим эффектом привести в движение проходную «h». Но, как сказал еще Тарраш, до эндшпиля боги создали миттельшпиль! И Корчной верно оценил, что при ферзях у черных достаточно серьезные угрозы королю.

19...☖d5! 20.♗:e7 (20.♗f6? ♕c6! 21.♕f3 ♘f5) **20...♕:e7 21. ☖f3.**

21...♚b8! «Предлагая полакомиться еще одной пешкой, — пишет гроссмейстер Алексей Кузьмин. — Тяжелофигурные окончания порой называют четвертой стадией партии: это дань многомерности возникающих в них проблем. Перед нами блестящая иллюстрация темы комбинированной атаки в подобных положениях».

22.♚f1?! А это серьезная неточность. Конечно, проигрывало 22. ☖:c3? ♕h4+, но после 22.g3! уже черным пришлось бы искать достойный ответ. Кин рекомендовал 22... ☖d2 23.☖:c3 ☖gd8 с восклицательным знаком и оценкой «=». Но после 24.h4 перевес белых неоспорим (24...☖h2?! 25.☖d1!). По-моему, лучше 22...♕c5! 23.♕e3 (23.♚f1? ☖d2) 23...☖d4 24.♕:c3 ☖c4 25.♕e3 ♕c6 с гарантированной ничьей: 26.♕d3 ☖d4! 27.♕:d4 ♕f3 28.☖d1 ♕h1+ 29. ♚d2 ♕:h2+ 30.♚c1 ♕:g3 и т.д.

22...☖d2! Теперь это вторжение, создающее угрозы и королю, и пешке c2, вынуждает размен одной пары ладей и позволяет черным развить опасную инициативу.

23.☖f2. При 23.g3? ♕c5 (возможно и 23...☖:h2 24.☖:c3 ♕d7! 25. ☖d3 ♕b5) 24.♕b4 (не 24.h4? ☖:g3) 24...♕d5 25.♕d6+ ♕:d6 26.ed ☖:h2 у белых очень тяжелый эндшпиль.

23...☖gd8 24.♕f3 (на 24.☖:d2? сильно и 24...☖:d2, и 24...cd) **24... ☖:f2+ 25.♚:f2 ☖d2+ 26.♚g3.** Король так и не обрел убежища: безнадежно 26.♚f1? ♕c5 27.☖d1 (А.Кузьмин) 27...♕c4+ 28.♚e1 ♕d4 29.☖:d2 ♕:d2+ 30.♚f1 ♕:c2.

26...♕d8! Отличный ход, заставляющий соперника решать новые проблемы. Возможно, Спасский рассчитывал на 26...♖:с2 27. ♖d1! (рекомендация Кина 27.♕d3? плоха из-за 27...♖d2 28.♕:с3 ♕d8! с решающими угрозами ♖d3+ и ♕g8+, например: 29.♕с6 ♕g8+ 30. ♔h3 ♕h7+ 31.♔g3 ♕g6+ 32.♔h3 ♖d8! 33.g4 ♕h7+ 34.♔g3 ♖d3+) 27...♕f8 28.♕с6!, и после 28...♖d2 (а что еще?) 29.♖:d2 cd 30.♕d7 ♕:a3+ 31.♔f2! ♕с5+ 32.♔е2 ♕с4+ 33.♔е3 белые отражали атаку и добивались ничьей.

27.♕е4 (пешка с2!) **27...♕g8+ 28.♔h3 ♕h8+ 29.♔g3 ♕g7+ 30.♔h3 ♖d8** (вызывая еще одно ослабление) **31.g4.** Единственное: на 31.g3? решало внезапное 31... ♕h8+ 32.♔g4 ♖g8+ 33.♔f3 ♕:h2.

31...♖h8+ 32.♔g3 ♕h6 33. ♕g2. Атака по линии «h» вынуждает белых увести ферзя из центра. Пока им не удается консолидировать свои силы — ввести в бой ладью a1 или хотя бы создать ферзем угрозу вечного шаха.

33...♕h4+ 34.♔f3 ♖d8. Кульминация этой очень сложной и напряженной партии. Развязка происходит в обоюдном цейтноте, буквально в течение двух ходов.

35.♕g3? Срочно активизируя ладью путем 35.♖f1! (А.Кузьмин), белые все-таки удерживали позицию, например: 35...♖d2 36.♖f2 ♕d8 37. ♔g3 ♖:с2! 38.♖:с2 ♕d3+ 39.♔h4 ♕h7+ с вечным шахом. Лучшего за черных не видно, и это неудивительно: все белые фигуры в игре!

35...♕е7?! Ответный промах, весьма затрудняющий путь к успеху. Хотя при таком накале борьбы, да еще за считанные минуты, найти сильнейшее продолжение нелегко...

Только 35...♕h7! в полной мере подчеркивало минусы хода 35.♕g3: под боем пешка с2, а после 36.f5 ♖d2 еще и пешка h2. На 37.h4 сильно как 37...♖:с2 38.♖d1 (38.♔е3 ♖d2!) 38...♕h6 с грозной атакой и проходной пешкой при равном материале, так и более сложное 37...ef 38.е6+ ♔b7 39.е7 fg+ 40.♕:g4 f5 41. ♕g5 ♕f7 42.♔g3 ♕е6! (но не 42... ♖е2 43.♖f1! ♕d5 44.♖f2), и ввиду открытого положения короля белые, скорее всего, беззащитны.

36.g5? Роковая ошибка. Пытаясь создать лазейку для короля, Спасский упускает последний шанс решить проблему ладьи a1 — 36.♖е1! (Кин) 36...♕b7+ 37.♔е3 ♖d2 38. ♖е2 ♕d5 39.♕f2. И хотя после 39... ♖d1 черные сохраняли давление (выжить назойливую ладью не удается: 40.♖е1? ♖d4 41.♕f3 ♕с5-+), у белых было еще немало защитительных ресурсов.

36...♖d2 (теперь черные побеждают) **37.♔g4 ♕b7 38.♕:с3** (ликвидируя опасную пешку, неудержимую при 38.♖g1 ♕е4 и ♕:с2) **38... ♖g2+ 39.♔h3 ♖f2! 40.♔g4 ♕е4,**

и ввиду решающих материальных потерь белые сдались.

Эффект от этой победы был столь силен, что в следующих четырех четных партиях, где вновь испытывалась французская защита, Спасский отказывался от 7.♕g4 в пользу позиционной системы с 7.♘f3. И только в 12-й партии, когда соперник лидировал уже с большим отрывом и судьба матча была почти решена, он снова решился на острый выпад ферзем.

Неуверенность Спасского проявилась и в 3-й партии, где вновь, как в 1-й и в 5-й, дискуссия шла в варианте английского начала с 1.c4 c5 2.♘f3 ♘f6 3.♘c3 ♘c6 4.d4 cd 5.♘:d4 e6 6.g3. В чуть худшей позиции он на 27-м ходу вдруг взял ферзем «отравленную» пешку, пропустив сильный удар. Черные понесли материальные потери и вскоре сложили оружие.

Обеспокоенное нежелательным развитием событий, руководство Спорткомитета решило, что корень зла... в отставшем от современной теории Бондаревском. На матче присутствовали два шахматных разведчика чемпиона мира — его основной тренер Семен Фурман и корреспондент «Советского спорта» и «64» Александр Рошаль, который осенью 2005 года впервые поведал мне о том, что случилось в те дни в Белграде:

«Фурман за 11 лет до того перенес тяжелую операцию, и теперь последствия страшной болезни возвращались. Видимо, опасаясь за свое самочувствие, он в какой-то момент не захотел жить в одноместном номере и спросил, не возражаю ли я, если мы поселимся вместе в двухместном. «Какие могут быть вопросы?» — удивился я. И вот как-то, помявшись, Семен Абрамович испуганно сообщил мне, что на него давит спорткомитетское начальство, чтобы он помог Спасскому. «Что мне делать? Меня же съедят, если я откажусь!»

Фурману очень не хотелось помогать кому-то еще против Корчного, с которым они много работали в докарповские времена (впрочем, Корчной до сих пор заявляет, будто Фурман за ним «шпионил» с 1972 года). Я и говорю: «А чего тут бояться? Есть же Карпов!» Но скромняга Фурман стеснялся ему звонить. Тогда Карпову позвонил я: за инструкциями для Фурмана — что он должен сказать начальству. И Семен Абрамович ответил зампреду Спорткомитета, приехавшему в Белград: «Карпов запрещает, потому что я его секундант и если начну помогать Спасскому, то раскрою карповские секреты».

И Фурмана тут же оставили в покое. Но вся эта передряга стоила впечатлительному Сёме многих нервов и нескольких бессонных ночей. Ему сделалось совсем плохо, и я вызвал врача из нашего посольства. Тот сразу же постановил: «Его надо немедленно отправить домой». И Фурмана увезли. Через три месяца его не стало... По моему убеждению, этот стресс явно обострил течение болезни и ускорил его кончину».

...Ценой огромных усилий Спасский попытался переломить ситуацию в матче, но следующие три партии — 4, 5 и 6-я — закончились вничью, а 7-я, на его беду, стала одним из высших творческих достижений в карьере Корчного.

№ 517. Ферзевый гамбит D58
КОРЧНОЙ – СПАССКИЙ
Матч претендентов,
Белград (м/7) 1977

1.c4 e6 (впервые в матче отказываясь от 1...c5) **2.♘c3 d5 3.d4 ♗e7 4.♘f3 ♘f6 5.♗g5 0-0 6.e3 h6 7.♗h4 b6.** Надежная система Тартаковера — Макогонова — Бондаревского, входившая в дебютный репертуар не только 10-го, но и 12-го с 13-м чемпионов мира.

8.♖c1. Этот выжидательный ход, наряду с 8.♗e2 и 8.♕c2, заменил некогда главную линию 8.cd ♘:d5 9.♗:e7 ♕:e7 10.♘:d5 ed с последующим 11...♗e6! и 12...c5= (№ 485).

8...♗b7 9.♗:f6 ♗:f6 10.cd ed 11.b4 (попытка зажима ферзевого фланга черных) **11...c6?!** Энергичнее 11...c5 12.bc bc, например: 13. ♕b3 ♗c6!, 13.♗b5 ♘a6! или 13.dc ♘d7 14.♘b5 ♖c8! Однако Спасский нацелился на подрыв a7-a5, и если b4-b5, то уже c6-c5.

12.♗e2. В 11-й партии Корчной применил оригинальный план — 12.♗d3! ♖e8 13.0-0 ♘d7 14.♕b3 ♘f8 15.♖fd1 ♖c8 16.♗b1 ♘e6 17.a4 (17. a3?!) 17...♗a8 18.♗a2 с идеей b4-b5 или e3-e4, но в дальнейшей борьбе Спасскому удалось переиграть соперника и одержать первую из своих четырех побед в отчаянной матчевой ситуации (см. 3-й том, стр. 348—349).

12...♘d7. Вскоре более точным признали 12...♕d6, например: 13.

♕b3 ♘d7 14.0-0 a5 15.a3 ♖fe8 16. ♖fd1 ♗e7 (или сразу 16...ab 17.ab b5 и ♘b6) 17.♖b1 (Браун — Горт, Рейкьявик 1978) 17...ab! 18.ab ♖a7 и ♖ea8 с удобной игрой у черных.

13.0-0 a5. «Резкий ход. Очевидно, черным не нравилось 13...b5 14. a4 a6 15.a5 ♗e7 16.♖b1 и ♘e1-d3-c5. Спокойное 13...♖e8 14.♕b3 ♘f8 тоже не очень понравилось Спасскому ввиду 15.b5, хотя после 15... c5 (если допустить размен на c6, пешка d5 будет слаба) 16.dc bc 17. ♖fd1 ♗:c3 18.♕:c3 ♘e6 возникает неясное положение, думается, с примерно равными шансами» (Корчной).

14.b5 (14.a3 ab, и у черных линия «a») **14...c5 15.dc!** Белые пробуют, причем довольно необычным образом, использовать слабость поля c6. Стин рекомендовал 15.♖e1 c4 16.♘d2 с идеей ♗f3 и ♘f1-g3-e2-f4. Но черные не обязаны играть c5-c4, лучше 15...♖c8!

15...♘:c5 (попытка 15...♗:c3? 16.♖:c3 bc не проходит из-за промежуточного 16.c6!) **16.♘d4 ♕d6 17.♗g4!?** При шаблонном 17.♗f3 ♖fd8 и ♖ac8 завязывалась сложная борьба, где два слона черных компенсировали бы слабость изолированной пешки d5.

17...♖fd8 18.♖e1 (со здравой идеей ♖e2-d2) **18...♘e6.** Невынужденный отход. Можно было пойти просто 18...g6, поддерживая динамическое равновесие.

«Другой путь к уравнению — 18... ♘e4. Впрочем, ход Спасского активнее: черные берут под контроль силу и гордость позиции белых — поле d4» (Корчной).

19.♗:e6!? (на 19.♘ce2 уже возможно 19...♖ac8) **19...fe 20.♘c6!** «Гвоздь» интересного плана, таящего немало опасностей: два слона черных вскоре исчезнут с доски.

20...♗:c6. Практически верное решение. На 20...♖d7 (20...♖dc8? 21.♘e4) Корчной намечал 21.♘a4 (ход Стина 21.e4 Донев в ChessBase парирует путем 21...♗g5!), но черные могли отдать пешку b6: 21...♖c7! 22.♘:b6 ♗:c6 23.bc ♖a6 24.♘d7 ♖a:c6 25.♘:f6+ gf 26.♖:c6 ♕:c6 с неясной игрой (Донев). Сильнее 26. ♖b1! с небольшим, но стойким перевесом белых: активность черных по линии «с» — фактор временный, а слабость их пешек и открытое положение короля — постоянный! Понятно, что Спасский не захотел идти на такую позицию: ему пришлось бы все время следить за разнообразными угрозами.

21.bc ♗:c3?! На 21...♕b4?! сохраняло инициативу 22.a3! ♕:a3 23. c7 ♖dc8 24.♘b5 (Стин) 24...♕b4 25. ♖b1 ♕e7 26.e4 de 27.♖:e4. Однако черным стоило сразу вырвать занозу путем 21...♕:c6 22.♘e4 ♕b7! (но не 22...♕d7 23.♘:f6+ gf 24.♕d4! ♔g7 25.♕:b6) 23.♘:f6+ gf 24.♕g4+ ♔f7,

добиваясь ничьей: 25.♕h5+ ♔g7 или 25.♕f4 e5, и нет 26.♕:h6? из-за 26...♖h8 с поимкой ферзя.

«Всё это я отлично видел, делая свой 19-й ход», — пишет Корчной и объясняет свой выбор психологическим расчетом: он чувствовал, что соперника не устроит ничья. Тем более что в варианте 25.♕f4 e5 (по-моему, крепче 25...♖ac8! 26. ♕:h6 ♖h8 27.♕f4 ♖:c1 28.♖:c1 ♖c8=) 26.♕f5! за нее еще надо побороться: 26...♔g7 (26...♖g8?! 27.f4! ♖ae8 28.♖c2 и ♖ec1) 27.♕g4+ ♔h8 (27... ♔f7 28.f4!) 28.♕e6 ♖f8 29.♖c6 ♖ae8! 30.♖:b6 ♖:e6 31.♖:b7 ♖c8 и т.д.

22.♖:c3 ♖ac8 23.♕c2. Вновь, как и во 2-й партии, возникло тяжелофигурное окончание, и вновь очень напряженное и необычное! В противовес опасной, далеко продвинутой проходной пешке «с» черные собираются создать свою проходную по линии «d» и рассчитывают, что в конце концов она отвлечет белые фигуры от линии «с» и произойдет взаимное уничтожение этих пешек. Интересно посмотреть, как Корчному удается избежать такого, на первый взгляд, очевидного и неизбежного развития событий.

23...e5? Спасский последовательно проводит свой план, не видя особой опасности в появлении белой пешки на с7. Но ее лучше было заблокировать одним из двух способов:

1) 23...♕c7 24.♕g6 ♖d6 25.♖ec1 e5 (на 25...b5 неприятно 26.♗c5 b4 27.e4!?) или 24.a4 ♖d6 25.♖c1 e5 26.♕d3(b3), и пешка с6 продолжает сковывать действия черных;

2) 23...♖c7 (Корчной) 24.♖b1 ♖b8 25.♖b5 e5 26.♕b3 ♖:c6 27.♖:c6 ♕:c6 28.♖:d5 ♔h8 29.g3 с небольшим, но устойчивым перевесом белых ввиду хронической слабости неприятельских пешек.

24.c7! ♖d7 25.♖c1 d4 26.♖c6 ♕d5. Белая проходная уже на с7, но и черной осталось идти совсем недолго: ход d4-d3 будет сделан с темпом. К тому же у белых пока нет «форточки», и на ее открытие придется потратить еще один темп. Исходя из общих соображений, Спасский наверняка считал, что не должен уступить сопернику в этой гонке. Однако интуитивная оценка Корчного оказалась глубже...

27.♕b1! (конечно, не 27.♖:b6?? ♖d:c7) **27...d3.** «Если 27...b5, то 28. e4! ♕f7 29.♕:b5. Не лучше и 27...de 28.fe b5 29.♖b6, так как проигрывает 29...♖d:c7 30.♖:c7 ♖:c7 31.♖b8+ ♔f7 32.♕f5+» (Корчной).

28.♕:b6 d2?! Трудно отказаться от такого хода — с темпом приблизить пешку к полю превращения! Но это, по-видимому, решающая ошибка: не следовало загораживать 2-й ряд. Необходимо было 28...♕a2!, и если 29.♕b7, то 29...♖f8 (угроза ♕:f2+ позволяет выиграть важнейший темп) 30.h3 ♕:f2+

31.♔h2 d2 32.♖d1 ♕:e3 33.c8♕ ♖:b7 34.♕:b7 ♕f4+ 35.♔g1 ♕e3+ 36. ♔h2 ♕f4+ с вечным шахом (Донев).

Правда, и здесь после 29.h3! белые сохраняли перевес и шансы на успех: 29...♕f7 30.♕a6 ♕:f2+ 31.♔h2 ♕f5 (надо возвращаться) 32.e4! ♕f4+ 33.♔h1 ♖ff8 (плохо и 33... ♖f:c7? 34.♕c4+, и 33...♖c:c7? 34. ♖:c7 d2 35.♖(♕)c8+ и т.д.) 34.♕:d3 ♔h7 35.♕c4, и козырь черных (пешка «d») исчез, а козырь белых (пешка «с») остался. И хотя при ферзях и четырех ладьях черные еще могли бы надеяться на контригру, связанную с движением пешки «a», им предстояла тяжелая борьба за ничью. Еще раз поаплодируем дальновидности Корчного!

29.♖d1 ♕:a2. На 29...♕d3 решает 30.♕b7 ♕e2 (30...♖f8 31.c8♕) 31.♕:c8+ ♔h7 32.♕h8+! (или 32.h3 ♕:d1+ 33.♔h2 Корчной) 32...♔:h8 33.♖:h6+! gh 34.c8♕+ ♔g7 35. ♖d7+ и ♖:d2.

30.h3!! Ключевое звено блистательной комбинации белых. «Очень важный ход! Черные уже не смогут спекулировать на слабости 1-го ряда белых» (Корчной).

Можно предположить, что Спасский смотрел в первую очередь 30. ♕b7?, и плохо 30...♕a1? 31.♖:c8+ ♔h7 32.♕h8+! ♔:h8 33.♖:h6+ gh 34.c8♕+ ♔g7 35.♕:d7+ с разгромом, но черных выручала иная редакция жертвы ладьи: 30...♕a4!! 31.♕:c8+ ♔h7 32.h3! (понятно, не 32.♕g8+? ♔:g8 33.c8♕+ ♔h7 34.♖c2 ♕a1!—+ Стин) 32...♕:c6 (32...♕:d1+? 33. ♔h2+—) 33.♖:d2 ♕c1+ 34.♔h2 ♕:d2 35.♕b8 ♖:c7 36.♕:c7 (Донев) с ничейным ферзевым эндшпилем.

Легко убедиться, что ничего лучшего у белых здесь не было. А после хода в партии и ответа черных вроде бы на доске почти то же самое, но... именно «почти»!

30...♖a4 31.♖:d2! ♖:d2 32. ♕b7! Еще один точный ход, расставляющий все точки над «i». Черные вынуждены вернуться ладьей назад и перейти в ферзево-ладейное окончание, где из-за матовых угроз соперника они неизбежно понесут материальные потери.

Стин рекомендовал 32.♕b8 ♖:b8 33.cb♕+ ♔h7 34.♖c8 — человеку угрозы белых кажутся очень опасными, однако машина не боится преследований короля: 34...♖d1+ 35. ♔h2 ♖:f2 36.♖h8+ ♔g6 37.♕e8+ ♖f7 38.♕c6+ ♔f5. Сразу не видно решающего усиления атаки, но при внимательном изучении выясняется, что черный король переступил грань дозволенного риска, — после 39.♖e8! ♕f6 (иного нет) 40.♕b7 ♕d6 (40...♔g6 41.♖e7) 41.e4+ ♔g6 42.♖e7 белые, хоть и с приключениями, все-таки побеждают: 42...♔h5 43. ♕c8 g5 44.♖g7 ♕e6 45.♕c2+—.

32...♖dd8 33.cd♕+ ♖:d8.

34.♖c7! «Атака продолжается! — пишет Виктор Львович. — "Интересно, насколько же далеко Корчной рассчитал варианты?!" — восклицал-вопрошал со здоровой завистью комментатор этой партии Ларсен». Оказывается, защитить пункт g7 черные могут, только отдав пешку «e», после чего их сопротивление уже скорее пустая формальность.

34...♕a1+ 35.♔h2 e4 36. ♕:e4 ♕f6 (36...a4 37.♖a7 ♕b2 38.f4 или 37...a3 38.♕e6+ ♔h7 39.♕e7) **37.f4 ♕f8 38.♖a7 ♕c5.** «Упорнее было 38...♖e8! 39.♕d4 ♕f6, или 39. ♕d3 ♕c5, или 39.♕f3 ♕f5» (Корчной). Но лучше 39.♕c6! ♔h7 (39... ♖:e3? 40.♖a8) 40.♕c3+—.

39.♕b7 ♕c3 40.♕e7 ♖f8 41. e4! ♕d4 (41...♖:f4? 42.e5) **42.f5 h5** (42...♕c3 43.e5, а на 42...a4 белые намечали 43.♖d7 ♕f6 44.♕:f6 ♖:f6 45.♖a7 ♖b6 46.♖:a4) **43.♖:a5 ♕d2 44.♕e5 ♕g5 45.♖a6 ♖f7 46.♖g6 ♕d8 47.f6 h4 48.fg.** Черные сдались. Классический образец использования силы проходной пешки.

Следующие три поединка проходили в не менее яростной, жесткой, открытой борьбе и доставили море удовольствия многочисленным белградским зрителям.

В 8-й партии после цейтнотных промахов соперника Спасский захватил инициативу в остром окончании, но при доигрывании, уже во втором цейтноте, сначала упустил преимущество, а на 51-м ходу вдруг отдал важнейшую пешку и в итоге потерпел четвертое поражение. Счет стал 6:2 в пользу Корчного. Огромный перевес, достаточно точно отражающий сложившееся в матче соотношение сил.

Представляете: «плюс пять» после семи партий с Полугаевским и «плюс четыре» после восьми партий со Спасским! Советскому спортивному официозу было над чем призадуматься: Корчной становился чрезвычайно опасен. В западной прессе его всё чаще именовали не иначе как Виктор Грозный.

В 9-й партии, где было 1.c4 e6 2.♘c3 f5 3.♘f3 ♘f6 4.b3 b6 5.g3, уже Корчной имел лучший эндшпиль и долго мучил соперника при доигрывании, но Спасский все-таки устоял: ничья на 71-м ходу. Однако 10-я обернулась для Бориса Васильевича очередной драмой: наконец-то добившись явного преимущества против французской защиты, он едва не проиграл в цейтноте, уступил инициативу, а затем буквально рассыпался при доигрывании.

С 11-й партии в матче начали твориться чудеса. В момент, когда всем казалось, что разгром принял необратимые очертания, неожиданно Спасский воспрял духом — и Корчной потерпел четыре поражения подряд! Уникальный случай в

его практике борьбы за корону (не считая турнирного провала в 14—17-м турах на Кюрасао), да и вообще в истории матчей такого уровня. Разрыв в счете сократился до минимума — 7,5:6,5.

Советские любители шахмат недоумевали: что происходит с Корчным? Газеты сообщали о каких-то конфликтах, а скупая заметка в «64» гласила: «После того как Спасский выиграл 11, 12 и 13-ю партии, Корчной ультимативно потребовал провести все оставшиеся партии в закрытом помещении, без зрителей, или перенести матч в другую страну, угрожая в случае отказа прекратить игру... В соответствии с правилами главный арбитр матча Б.Кажич сообщил Корчному, что его требование не может быть выполнено. Чтобы оказать давление на судей и организаторов, Корчной сделал заявление, что он отказывается играть и покидает Белград. Затем он сказал, что хочет созвать пресс-конференцию в Цюрихе, на которой сообщит о своих дальнейших намерениях. Однако спустя несколько часов Корчной заявил, что все же будет продолжать матч. Очередная, 14-я партия состоялась 2 января (поскольку 30 декабря игра была перенесена по вине Корчного, ему засчитан второй тайм-аут) и закончилась новой победой Спасского».

И только годы спустя Корчной поведал в книге «Антишахматы» о том, что творилось тогда вокруг матча: «Мною и моими помощниками было отмечено усиление активности неприятельской стороны. В

Белграде появлялся то один, то другой советский гроссмейстер, на матч прибыл главный начальник над шахматами, зампред Спорткомитета Ивонин, в зале сновали работники советского посольства в Белграде, какие-то люди с чемоданчиками — их советское происхождение было неоспоримо. Какое оружие применялось против меня — было неясно, но всё вокруг, включая поведение Спасского, выглядело загадочно и мрачно. Вторую половину матча Спасский не сидел за доской на сцене. Направляясь к доске, чтобы сделать очередной ход, он шел качаясь, с полузакрытыми глазами, как медиум...»

Что и вызвало протест Корчного. Ему это действовало на нервы — сидеть одному за столиком, не видя соперника, к тому же играющего будто под гипнозом: «Он выглядел как ненормальный. Хотя, конечно, во время матчей на первенство мира происходит много чертовщины...»

Однако Спасский не усматривает в такой манере игры ничего предосудительного: «Эта идея пришла мне в голову еще во время матча с Фишером. Меня тяготило долгое пребывание на виду, я терял концентрацию и с трудом заставлял себя сосредоточиться. То же самое было и в Белграде». По словам экс-чемпиона, первые пять рядов зала занимали «люди Корчного» *(или все-таки Карпова?! — Г.К.)* и их визуальный пресс был столь силен, что его голова отказывалась работать на третьем часу игры. И Спасский потребовал организовать для него на сцене специальный бокс, где он находился и во время хода соперника, и при обдумывании своего хода.

Но именно из-за этого они с Корчным, по выражению последнего, «начали матч приятелями, а закончили его врагами» (через многие годы эти страсти, естественно, улеглись, хотя возникали и другие разногласия). Можно не сомневаться, что для советской стороны матч в Белграде был своего рода испытательным полигоном перед главной битвой со «злодеем»: изучались его повадки, его реакции на внешние раздражители — этот опыт потом пригодился в Багио...

К своему счастью и «к удивлению многих», Корчному удалось выстоять после страшных ударов, выдержать психологические перегрузки и «выйти из смертельного пике». Он сделал пару ничьих, а затем в напряженнейшей борьбе выиграл 17-ю и 18-ю партии и достойно завершил этот «странный» матч — 10,5:7,5 (+7−4=7). На выходе получился симбиоз двух предыдущих матчевых схваток Корчного: и жестокая борьба нервов (как с Петросяном), и демонстрация идейного багажа и жажды борьбы (как с Полугаевским).

Таким образом, спустя девять с лишним лет Корчной взял у Спасского убедительный реванш за поражение в финальном матче претендентов 1968 года. Любопытно, что в этом же цикле, только на четвертьфинальном уровне, состоялся еще один реванш: Портиш «отомстил» за 1968 год Ларсену (правда, в полуфинале он все-таки уступил Спасскому). Причины этих реваншей, пусть с некоторой натяжкой, вполне сравнимы: и Спасский, и Ларсен уже миновали высшие точки своих карьер, в то время как их соперники за счет огромной исследовательской работы еще продолжали движение наверх.

Если в 68-м Спасский был на крутом подъеме, умело ставил наиболее неприятные проблемы и Корчной не выдерживал искусно создаваемого соперником напряжения борьбы, то в 77-м они поменялись ролями. Безусловно, экс-чемпион мира еще сохранял огромную практическую силу, но этого не хватило, чтобы остановить резко прибавившего во всех аспектах игры Корчного, который охотно шел на любые осложнения, готов был играть и миттельшпиль, и эндшпиль, и лучшую, и даже худшую позицию.

Итак, претендентский цикл 1977 года завершился триумфом невозвращенца. Корчной завоевал право сыграть второй матч с Карповым, на сей раз за пределами СССР.

БАГИО ГЛАЗАМИ КОРЧНОГО

После ухода Фишера казалось, что вряд ли кто-нибудь сможет успешно противостоять Карпову в следующем матче на первенство мира: молодой чемпион рос буквально от турнира к турниру. А ведь только матчи равных соперников, когда жестко сталкиваются различные концепции и стили, привлекают всеобщее внимание и становятся вехами в развитии игры... К счастью для шахмат, один из гроссмейстеров старшего поколения — Корчной сумел увеличить свой творческий потенциал и подготовить к дуэли с Карповым немало интересных идей, а главное — сохранить свежесть мысли и боевой дух.

Поэтому матч на филиппинском курорте Багио (июль—октябрь 1978), памятный для широкой публики в основном, увы, политической интригой и непрерывной чередой скандалов, удался на славу с точки зрения шахматного искусства. И мне захотелось рассказать о нем дважды (как это было в 1-м томе с матчем Капабланка — Алехин): сначала с точки зрения проигравшего, а потом в главе о победителе. Причем главный упор сделать на анализ шахматного содержания, а из множества околошахматных событий, подробно освещенных в печати, выделить лишь те, которые оказали, на мой взгляд, существенное влияние на ход спортивной борьбы.

Необычные, кабальные для претендента, правила этого и следующих двух матчей за мировую корону — игра до шести побед без учета ничьих и матч-реванш в случае поражения чемпиона — были приняты с участием Карпова на заседании Центрального комитета ФИДЕ в Каракасе (октябрь 1977). «Якобы под давлением советские согласились, что матч на первенство мира будет не из 24 партий (как прежде), а безлимитным. Зато взамен они обеспечили себе все остальные привилегии!» — пишет Корчной. Его возмущение понятно: матчи-реванши были отменены еще в начале 60-х годов, к тому же играть безлимитный матч и, в случае победы, безлимитный матч-реванш — в самом деле невероятное бремя для претендента, прошедшего и без того тяжелый отбор.

Необычным был и выбор места действия. Багио расположен в 250 километрах от столицы Филиппин Манилы на высоте 1500 метров над уровнем моря. Порой город исчезал в густом тумане: матч проходил в сезон дождей, тайфунов и штормов. Случались и оползни, и перебои с электричеством... А ведь у ФИДЕ были и европейские города-кандидаты! Почему же именно Багио стал местом проведения матча на первенство мира? Ответ на этот вопрос надо искать у его организатора — чрезвычайно деятельного и бесконечно хитрого Флоренсио Кампоманеса, который мечтал провести еще матч Фишер — Карпов и был посредником в их переговорах (см. главу «Отречение» в 4-м томе). В Багио он добился расположения советских официальных лиц и Карпова, всячески содействуя чемпиону, хотя, как организатор матча, должен был соблюдать нейтралитет. Через четыре года Кампо получит в награду решающие голоса стран советского блока при выборах президента ФИДЕ...

Для верного понимания предматчевой обстановки надо помнить, что у Корчного остались в СССР жена и сын, которым было отказано в визе на выезд (позже сына даже арестовали и упекли на два с половиной года в тюрьму «за уклонение от службы в армии»). Весной 78-го он обратился к президенту ФИДЕ Максу Эйве с просьбой помочь с выездом семьи, дабы «обеспечить равные условия в матче с Карповым». Но здесь ФИДЕ была бессильна. Корчной: «Члены моей семьи стали заложниками, которым предстояло расплачиваться за мой побег». Перед вылетом на матч он предпринял еще одну попытку — обнародовал открытое письмо Брежневу с просьбой «продемонстрировать добрую волю» и разрешить его семье покинуть СССР. В Маниле он передал письмо в советское посольство и вновь огласил его текст на своей пресс-конференции. Но это был глас вопиющего в пустыне: семью Корчного выпустили только после матча в Мерано, летом 1982 года.

Штаб претендента состоял из пяти человек, штаб чемпиона — из четырнадцати. «Я был психологически готов к жестокой борьбе, но тем не менее факт прибытия столь крупного отряда поверг меня в состояние депрессии», — признался Корчной. Впрочем, число чисто шахматных помощников было равным: у Корчного — Кин, Стин и Мурей, у Карпова — Балашов, Зайцев и Таль (только с 29-й партии к ним присоединился Васюков). Забегая вперед, отмечу, что команда претендента, хотя и уступала советской в рейтинге, опыте и знаниях, но благодаря безумной энергии Корчного, его способности работать много часов подряд, поддерживала определенный паритет в анализе отложенных позиций (быть может, за исключением пары случаев), а на финише марафона была и вовсе на высоте.

В день открытия матча, 12 июля, глава советской делегации полковник Виктор Батуринский «по поручению чемпиона» публично заявил, что Карпов согласен обмениваться рукопожатием перед игрой (этот пункт правил, предложенный Корчным, содержал и такое условие: «В случае, если один из участников не намерен больше этого делать, он должен заранее сообщить арбитру о своем решении») и не возражает против использования соперником специального кресла, но требует проверить его... путем рентгеновского просвечивания. Что и было сделано — в точности, как с креслом Фишера в Рейкьявике (см. главу «Битва богов» в 4-м томе).

На первом заседании апелляционного жюри обсуждался вопрос, имеет ли право Корчной играть под швейцарским флагом. Глава его делегации Петра Лееверик (впоследствии жена Корчного; в конце Второй мировой войны она была арестована в Вене советскими органами госбезопасности и провела десять лет в сталинских лагерях) представила разрешающее письмо Шахматной федерации Швейцарии, однако Батуринский настаивал на том, что претендент может играть только под флагом с надписью «Stateless» («без гражданства»). И добился своего! Правда, после протеста Корчного нашлось компромиссное решение: на сцене были размещены большие флаги ФИДЕ, Филиппин и СССР, а на игровом столике флагов не было вообще. И все же прав Корчной, когда пишет: «Отныне я был лишен не только и не столько флага, сколько юридического равенства!»

Претендент решил играть в зеркальных очках, и отнюдь не из-за яркого южного солнца. «Цель была проста: лишить Карпова его любимого занятия — стоя у стола, в упор смотреть на противника. Пока на мне были очки, он мог любоваться лишь собственным отражением».

Первые четыре партии матча завершились вничью, причем в 3-й у Корчного была опасная атака, однако он не нашел сильнейшего продолжения и упустил перевес. А в середине 2-й возник еще один повод для конфликта: помощники передали Карпову напиток, по виду напоминающий фруктовый кефир. Корчной подал протест: по правилам ФИДЕ связь игрока со зрительным залом запрещена. Батуринский выступил с ироническим ответом, и с подачи пресс-атташе чемпиона Александра Рошаля советские окрестили этот протест «бурей в стакане кефира». Но во избежание толков о подсказках главный судья Лотар Шмид попросил, чтобы напиток передавался Карпову в одно и то же время.

Этот странный «йогурт», имевший, по словам Карпова, всего два оттенка «в зависимости от количества кислоты в стакане», тоже выводил Корчного из равновесия: «Пришлось наблюдать, как напиток носили под мышкой в течение двух часов, как затем передавали Карпову, как он пулей срывался с места и уничтожал продукт. Я заметил, что после «йогурта» Карпов частенько начинал играть со скоростью пулемета! Не мешало бы взять этот «йогурт» на химический анализ...» Что ж, когда один из участников матча на первенство мира лишен равноправия и находится под непрерывным давлением, любое отклонение от нормы выбивает его из колеи и начинает казаться опасным и подозрительным. В дальнейшем, как мы увидим, психологические атаки советской команды были весьма результативными.

С 4-й партии, когда в Багио уже не было Эйве (представителем ФИДЕ на матче остался Кампоманес!), место неподалеку от сцены занял «удивительный субъект» — впоследствии ставший знаменитым доктор Зухарь. «Он пристально смотрел на меня, всячески стараясь привлечь мое внимание, — пишет Корчной. — Бесспорна была и его связь с Карповым. Он сидел все пять часов неподвижно, на одном месте — его усидчивости мог бы позавидовать робот! — но в моменты, когда очередь хода была за Карповым, он просто каменел. Можно было почувствовать колоссальную работу мысли в этом человеке!» Корчной потребовал его отсадить, Батуринский ответил отказом, и отныне борьба «за» и «против» Зухаря стала основным стержнем околошахматной интриги матча.

Тем временем состоялась 5-я партия — бесспорно, самая интересная из сыгранных на старте и важная для понимания логики матчевой борьбы.

№ 518. Защита Нимцовича Е42
КОРЧНОЙ – КАРПОВ
Матч на первенство мира,
Багио (м/5) 1978

1.c4 ♘f6 2.d4 e6 3.♘c3 ♗b4 4. e3 c5 (в 7-й и 17-й партиях было 4...0-0 5.♗d3 – № 565) **5.♘e2!?** Старинный вариант Рубинштейна, который тогда возродил Корчной, продемонстрировав опасности, подстерегающие черных. Именно из-за реплики 5.♘e2 ход 4...c5 ныне почти вышел из употребления.

5...d5. В 3-й партии было 5...cd 6.ed d5 (6...♘e4 7.a3! Корчной – Тимман, Лас-Пальмас 1981) 7.c5 ♘e4 8.♗d2 (8.g3!? Корчной – Сакаев, С.-Петербург 1997) 8...♘:d2 9. ♕:d2 a5 (другие планы: 9...b6 10.a3 ♗:c3 11.♘:c3 bc 12.dc a5 13.♗b5+ ♗d7 14.0-0 0-0 15.b4 Решевский – Найдорф, Даллас 1957; 9...♘c6 10. a3! Корчной – Спасский, СССР(ч) 1973; 9...♕f6 10.a3! Корчной – Станек, Пула 1997) 10.a3 ♗:c3 11.♘:c3 с небольшим, но стойким перевесом белых, что подтвердила и партия Корчной – Сейраван (Бад-Киссинген 1981).

Альтернатива – 6...0-0 7.a3 ♗e7, и у белых выбор между агрессивным 8.d5 ed 9.cd ♖e8 (9...♘c5 10.b4 ♗b6 11.♘a4 Торре – Карпов, Лондон 1984) 10.d6!? (в начале 80-х я пробовал и 10.g3, и 10.♗e3) 10...♗f8 11. g3 ♖e6 (11...♕b6?! 12.♗g2 ♗:d6 13. ♗e3 Корчной – Майлс, Вейк-ан-Зее 1984) 12.♗f4! (неясно 12.♗g2 ♖:d6 Глигорич – Карпов, Бугойно 1980) 12...♘h5 13.♗e3 (Корчной – Киндерманн, Беэр-Шева 1984) и спокойным 8.g3, как играл Корчной против А.Гринфельда (Беэр-

Шева 1997) и Х.Олафссона (Рейкь-явик 2000), или 8.♘f4!? d5 9.cd ♘:d5 10.♘c:d5 ed 11.♗d3 ♘c6 12.0-0!, и у белых вновь небольшой, но стойкий перевес (Крамник — Леко, Будапешт(бш, м/9) 2001).

6.a3 ♗:c3+ 7.♘:c3 cd 8.ed dc 9.♗:c4 ♘c6 10.♗e3 0-0 11.0-0 b6. Так как белые, имея в компенсацию за «изолятор» преимущество двух слонов, собираются атаковать на королевском фланге, черным необходимо взять под надежный контроль пункт d5.

12.♕d3. Впоследствии было установлено, что более серьезные проблемы ставит перед черными 12. ♕f3! ♗b7 13.♗d3, например:

1) 13...♕d7 (13...♖b8 14.♕g3! Белявский — Андерссон, Бугойно 1984) 14.♕h3 ♘e7 15.♗g5! (менее энергично 15.♖ad1 Садлер — Карпов, Монако(бш) 1998) 15...♘g6 16. ♗:f6 gf, и теперь не 17.d5 ♗:d5 18. ♖ad1 ♖c7! с острой игрой (вместо 18...♖ad8?! 19.♗e4! Ваганян — А. Петросян, Телави 1982), а 17.♖ad1! ♖ad8 18.♖fe1 или 18.♗e4, и позиция черных хуже из-за слабости их пешек и постоянной угрозы d4-d5;

2) 13...♖c8 14.♖ad1 ♖c7 15.♕h3 ♘e7 16.♗g5 ♘g6 17.♕g3 ♖d7 18.d5! (Каспаров — Псахис, Мурсия(м/6) 1990) или 14...h6 15.♕g3 ♔h8 16. ♕h3 ♘g8?! 17.d5! (Корчной — Выжманавин, Москва(бш) 1994) — в обоих случаях прорыв в центре обеспечил белым грозную инициативу.

12...♗b7 13.♖ad1 h6. «Полезный профилактический ход, предупреждающий угрозу ♗g5. Однако он имеет недостаток: ослабляется диагональ b1-h7. На использование этой слабости и направлены дальнейшие устремления белых» (Авербах).

14.f3!? «Относительно новая идея, уже встречавшаяся в партиях английских мастеров: белые готовят переброску слона на h4 или g3» (Авербах). Отметим и 14.♗f4 ♘e7 15.♖fe1 ♘fd5 16.♗g3 ♘g6 17.f3 ♖c8 18.♘:d5 ♗:d5 19.♗a6 ♖a8 20.♖c1 h5 21.♔f2 ♕f6 22.♕e3 ♖fe8 23.♗e5 *1/2* (Корчной — К.Хансен, Биль 1992).

14...♘e7 15.♗f2 ♘fd5. «Сильный пункт d5 обеспечивает черным неплохие перспективы» (Таль). «Заслуживало внимания 15...♕d7, и если 16.♗a2, то 16...♖fc8 17.♗b1 ♘g6 18.h4 ♘d5 с полноправной игрой» (Авербах).

Похоже, Корчной стремился не столько к получению дебютного перевеса, сколько к сложной маневренной борьбе в позиции, несколько выведенной из состояния равновесия. В данном случае конфликт уже как бы запрограммирован: «изолятор» и два слона против мощного форпоста на d5 — что перевесит?

16.♗a2 ♘f4. Авербаху и здесь больше нравится 16...♕d7. «При

16...♘f5 надо было считаться с 17. ♘:d5 ♗:d5 18.♗b1, что все равно рано или поздно вынуждало g7-g6. Чемпион мира не спеша заканчивает развитие и провоцирует соперника на движение пешек королевского фланга, считая, что ослабление позиции белых может когда-нибудь сказаться» (Таль).

17.♕d2 ♘fg6 18.♗b1 ♕d7 19.h4! (единственный способ борьбы за инициативу) **19...♖fd8 20. h5 ♘f8 21.♗h4 f6.** Приходится создать себе слабость на e6, но положение черных остается весьма прочным.

22.♘e4 (грозит ♗:f6) **22...♘d5** (по Талю, «вынужденный и вместе с тем полезный, укрепляющий позицию ход») **23.g4 ♖ac8 24. ♗g3.** Едва ли белые заметно преуспели в атаке, и все же, надвинув пешки на королевском фланге, Корчной создал сопернику некоторые проблемы. И хотя при ферзях оголение белого короля выглядит опасным, два слона подавляют контригру черных, издалека обстреливая их бастионы, а угроза создания батареи ♕d3+♗b1 приковывает коня к полю f8.

24...♗a6 25.♖fe1 ♖c6. «Продолжение намеченного плана. Резкое 25...f5?! полностью оправдывалось при 26.♘d6 f4 *(26...♖c6! – Г.К.)*. Однако в случае 26.♘f2! белый конь переходил на удачную позицию» (Таль).

26.♖c1 ♘e7. Попытка нажать на пешку d4. На 26...♗b7 неплохо 27. ♗c2 (с угрозой ♗a4), и если 27...f5, то 28.♘f2. Однако Таль и Авербах считали более точным 26...♗b5!?

27.♖:c6 ♕:c6 (хуже 27...♘:c6 28.♘d6, ибо на 28...♕c7 есть 29. ♕f4) **28.♗a2 ♕d7 29.♘d6.**

29...♗b7. Таль полагал, что это «решение Карпова расстаться с белопольным слоном является единственно верным, так как 29...♘d5 30.♗:d5 ed 31.♕e3 для черных невыгодно, а на естественное 29...♘c8 находится эффектная комбинация 30.♖:e6! (но не 30.d5? ♘:d6 31.de ♕e7 32.♗:d6 ♖:d6 33.♕:d6 ♕:d6 34. e7+ ♔h7 35.e8♕ ♕g3+) 30...♘:e6 31.♕e3 ♔f8 32.♗:e6 ♕e7 33.♘f5 с опасными угрозами». Точнее – с выигрышем: 33...♕e8 34.♗e1! и ♗b4+.

Авербах указал правильный ответ – 32...♕a4!, но добавил, «что после 33.♘f5! у белых сильнейшая атака». Однако, если продолжить вариант – 33...♕d1+!, то выяснится, что шансы сторон равны: 34.♔h2 ♕c2+ (и нет 35.♔h3? из-за 35...♗f1+ 36. ♔h4 ♕g2), 34.♗e1 ♗d3! (и плохо 35. ♗:c8? ♖e8 36.♗e6 ♗c4) или 34.♕e1 ♖:d4! 35.♘:d4 ♕:d4+ 36.♕f2 ♕d1+ 37.♔g2 ♘e7 38.♗f4 ♗e2=.

Не достигало цели и 30.♘f5 ввиду 30...♔h8, и на 31.♘h4 – 31...♘e7 32.♗f2 ♗b7, а если 31.♘e3(:h6), то

31...♕:d4 32.♕:d4 ♖:d4 с упрощениями и вероятной ничьей. Таким образом, 29...♘c8!? облегчало задачу черных, но Карпову могли не понравиться возникавшие здесь острые варианты: а вдруг атака белых носит решающий характер?!

30.♘:b7 ♕:b7 31.♕e3 ♔h8 (по мнению Авербаха, серьезного внимания заслуживало 31...♘d5 32.♕e4 ♕c6, не уступая линию «с») **32. ♖c1!** Конечно, не 32.♗:e6?! ♘:e6 33.♕:e6 ♕:f3=.

32...♘d5 33.♕e4 ♕d7 (33... ♖c8!?) **34.♗b1 ♕b5.** «Оказавшись в затруднительном положении, Карпов изобретательно ищет контршансы. Пока что он вызывает ослабление ферзевого фланга белых» (Таль).

35.b4. Ловушечное 35.♗d6? парировалось путем 35...♕:b2 (35... ♖:d6?? 36.♕h7+! ♘:h7 37.♖c8+, и мат) 36.♖c6 ♘c3 37.♖:c3 ♕:c3 38. ♗f8 f5 39.gf ♖:d4 или 38...♕:d4+ 39. ♕:d4 ♖:d4 и т.д.

35...♕d7?! «Черные возвращают ферзя на защиту. Велимирович рекомендовал 35...a5, однако на это уже можно ответить 36.♗d6!, и после, например, 36...f5 *(36...♖:d6?? 37. ♕h7+! – Г.К.)* 37.gf ♘f6 38.♕e5 осложнения в пользу белых» (Авербах).

И все же Карпов напрасно не решился сделать активный ход 35... a5!, подрывающий устои противника на ферзевом фланге. Ведь на 36. ♗d6 есть простой ответ 36...♔g8!, и после 37.♗:f8 ♔:f8 плохо 38.♕h7? ввиду 38...♕e2! 39.♕h8+ ♔e7 40. ♕g7+ ♔d6 с переходом в решающую контратаку, а 38.♕:e6 ♘f4 39. ♕c4 ♕g5 40.♗a2(g6) ♘d5 ведет к

сложной игре, где у белых слишком открыт король и у черных всегда найдутся спасительные шахи.

36.♕d3 ♕e7. Теперь на a7-a5 возможно b4-b5, и у белой ладьи появляется новое поле вторжения – c6.

37.♔f2 f5!? «Учитывая приближающийся цейтнот соперника, Карпов резко обостряет борьбу, – поясняет Таль. – Пассивная игра была бы бесперспективной». Действительно, при 37...♕d7 38.b5 у черных трудная позиция: слоны явно сильнее коней, и белые могут все время угрожать выгодным для себя разменом ферзей.

Ходом в партии черные разбивают неприятельскую пешечную цепь и вскрывают игру, получая определенные контршансы, связанные с открытым положением белого короля. Ферзь с конем, а тем более с двумя конями – это грозная сила! Впрочем, появляются свои козыри и у белых – скажем, поле e5 для слона. Но главное – в поисках спасения Карпов круто меняет характер борьбы, что особенно неприятно для находящегося в цейтноте соперника.

38.gf ef 39.♖e1 ♕f6 (перед контрольным ходом – маленькая ловушка!) **40.♗e5.** Как указали многие комментаторы, заманчивое 40.♖e5? f4 41.♖f5 fg+ 42.♔g1 проигрывало из-за 42...♘f4! 43.♕e4 ♖d4 44.♖:f6 ♖d1+.

40...♕h4+ 41.♗g3 ♕f6 42. ♖h1! «Повторив ходы для выигрыша времени, белые продолжают бороться за победу. Нужно признать, что для этого у них достаточно оснований» (Таль).

42...♘h7! Записанный ход. «Партия была отложена в нелегком для Карпова положении. Мне и сейчас трудно понять, как случилось, что ни секунданты, ни корреспонденты-гроссмейстеры, ни я сам не видели записанного хода Карпова. Ход был действительно сильный, и мне пришлось уже за доской потратить минут сорок, чтобы наметить план игры. Вскоре после начала доигрывания я оказался в жестоком цейтноте» (Корчной).

«Как выяснилось впоследствии, штаб Корчного рассматривал в основном 42...♘e6 и 42...♕g5» (Таль). Но 42...♘e6? слабо ввиду 43.♗e5 ♘df4 44.♕:f5+–, а 42...♕g5 43.♗h4 ♕:h5 (43...♘f4 44.♕f1) 44.♕:f5 ♕:f5 45.♗:f5 (Авербах) 45...♖e8 46. ♗g3 вело к тяжелому для черных эндшпилю.

43.♗e5 ♕g5 44.♕:f5 ♕d2+ 45.♔g3 ♘hf6 46.♖g1 ♖e8?! Трудно сказать, насколько глубок и точен был домашний анализ, поскольку 46...♘e3! 47.♕g2 (47.♔h2 ♕f2+) 47...♕:a3 (47...♘e7 48.♕d3!, стремясь к размену ферзей) 48.b5 ♕b4 давало черным куда более обороноспособную позицию, чем в партии.

47.♗e4! Этот ход отнял у Корчного почти всё оставшееся время. На 47.♔h3? Карпов имел в виду 47...♖:e5! 48.de ♘f4+ 49.♔g3 ♘4:h5+ 50.♔h3 ♘f4+ с ничьей.

47...♘e7 (47...♘e3 48.♔g2!) **48. ♕h3 ♖c8.** «Эндшпиль после 48... ♖f8 49.♖g2 ♘:e4+ 50.♔h2! ♘g5 51. ♖:d2 ♘:h3 52.♔:h3 ♖:f3+ 53.♔g4, несмотря на материальное равновесие, невыгоден черным» (Таль). Заслуживает внимания и 49.♔h4!? ♕a2 50.♗:f6 ♖:f6 51.♕g3 ♕g8 52. ♕e5 ♕f8 53.♔h3+–.

«Попытка выиграть пешку – 48... ♕g5+ 49.♔h2 ♕:h5 после 50.♕:h5 ♘:h5 51.♖c1 приводила к тяжелому для черных окончанию. Чемпион мира стремится активизировать еще и ладью» (Авербах). Последующие восемь ходов до контроля оба соперника делали в темпе блица.

49.♔h4 ♖c1 50.♕g3. «Заслуживало внимания 50.♕g2 с разменом ферзей» (Авербах). Это мягко сказано! С помощью 50.♕g2! белые получали выигранный эндшпиль: 50...♕:g2 (по поводу 50...♕g5+? см. примечание к следующему ходу) 51.♖:g2 ♖h1+ (51...♖a1 52.♖c2!) 52. ♖h2 ♘:e4 53.fe (проще, чем 53.♖:h1 ♘f2! 54.♔g3! ♘:h1+ 55.♔g2) 53... ♖e1 54.♔g4 ♖:e4+ 55.♔f3 ♖e1 56.♖g2 ♘f5 57.♔f4 ♖f1+ 58.♔e4 ♔g8 59.♔f7 60.d6 и т.д.

Теперь же размениваются не ферзи, а ладьи, и у черных остается надежда на спасение. Но это еще не последняя гримаса цейтнота...

50...♖:g1. «Попытка выиграть качество – 50...♕g5+? 51.♕:g5 hg+ 52.♖:g5 ♖h1+ 53.♔g3 ♖g1+ 54.♔f4 ♘fd5+ 55.♗:d5 ♘:d5+ 56.♔f5 ♘e7+

вела к проигрышу: 57.♔e6 ♖:g5 58.♔e7 ♖:h5 59.f4, и пешка «d» неудержима» (Таль).

51.♕:g1 ♔g8?! (упорнее 51... ♕a2) **52.♕g3?!** Таль вовсе не комментирует этот момент, а Авербах отмечает лишь, что «на 52.♗:f6 есть ответ 52...♕f4+». Однако после 53. ♔h3 ♕:f6 54.♕g4! у белых большой перевес (54...♕:d4? 55.♗h7+). Кроме того, очень сильно было 52. d5, ибо эта пешка неуязвима: 52... ♘e:d5? 53.♗:d5+ ♕:d5 54.♗:f6.

52...♔f7. «Необходимо было 52...♔f8, хотя и после этого позиция черных оставалась тревожной» (Таль). Так, после 53.♗:f6 gf 54.d5 f5 55.d6 fe 56.de+ ♔e7 57.♕c7+ у белых ферзевое окончание с большими шансами на победу.

53.♗g6+ ♔e6?? Неожиданный зевок мата в несколько ходов. При 53...♘:g6+?! 54.♕:g6+ ♔f8(g8) 55. ♕g3! ♔f7 56.♗:f6 (56.b5 ♕c1!?) 56... gf 57.♕c7+ ♔e6 58.♕c6+ ♔e7 59. ♕d5 у черных трудный ферзевый эндшпиль. Но после 53...♔f8 они сохраняли контршансы ввиду открытого положения белого короля (если 54.♔h3, то 54...♕c1).

54.♕h3+ ♔d5.

55.♗e4+?? «На флажке» Корчной не заметил форсированного мата, позволявшего ему открыть счет в матче: 55.♗f7+ ♔c6 56.♕e6+ ♔b7 57.♕e7+ и т.д.

55...♘:e4 56.fe+ ♔:e4 (миновал второй контроль) **57.♕g4+ ♔d3.** «Здесь Корчной задумался на 40 минут. Активная позиция всех фигур черных позволяет им рассчитывать на ничью» (Таль).

58.♕f3+. По мнению Таля, опаснее было 58.d5, на что спасало «единственное» 58...g5+ 59.hg ♕e1+ 60. ♕g3+ ♕:g3+ 61.♗:g3 ♘g6+ 62.♔h5 ♘f8, нейтрализуя пешку «d» (скажем, 63.♔h6 ♔c4 64.♔g7 ♘d7 65.d6 a5 66.ba ba 67.♔f7 ♔d5 68.♔e7 ♔c6 69.a4 ♘b6 70.♔e6 ♘d7=). Но Авербах указывает второй путь: 58...♕e1+ 59.♕g3+ ♕:g3+ 60.♔:g3 ♘:d5 61. ♗:g7 ♔e4 62.♗:h6 ♘f6 63.♔h4 ♔d3!, «и черные, отдавая коня за пешку h5, сводят игру примерно к тому же эндшпилю, что и в партии».

58...♕e3. Как отметили комментаторы, после 58...♔c4 ничья получалась и при ферзях: 59.♕f7+ ♔d3 60.♕:e7 ♕e1+ с вечным шахом. Возможно и 59...♔d5 60.♗:g7 ♕g5+ или 60.♕:g7 ♕e1+ 61.♕g3 ♕e4+ и т.д.

59.♔g4. Не лучше 59.♕:e3+ ♔:e3, например: 60.♔g4 ♔e4! 61. ♗:g7 ♘f5 62.♗f8 ♘e3+ 63.♔h3 ♘f5= (Авербах) или 60.d5 g5+! 61.♔g4 ♘:d5 62.♗g7 ♔d3 63.♗:h6 ♘f6+ 64. ♔g5 ♘h5 65.♔:h5 ♔c4 66.♗f8 ♔b3, уничтожая белые пешки.

59...♕f3+ 60.♔:f3 g6 61.♗d6 ♘f5?! Карпов спотыкается буквально в шаге от ничьей: 61...gh! 62.♗e7 ♔:d4 и ♔c4-b3=. Теперь белые успевают опустошить неприятельский королевский фланг и сохранить одну из своих пешек на ферзевом.

62.♔f4 ♞h4 (62...♞:d6? 63.hg ♞e8 64.d5+−) **63.♔g4 gh+! ** Все же приходится отдавать коня, ибо при 63...♞f5? 64.hg ♞:d6 65.♔f4 он опять не справлялся с двумя проходными.

64.♔:h4 ♔:d4 65.♗b8. «Иначе ничья достигается совсем просто» (Авербах). «Любопытное окончание, в котором черным надо быть предельно внимательными» (Таль).

65...a5 66.♗d6 ♔c4 67.♔:h5 a4 68.♔:h6 ♔b3! Вынуждая белых отдать хорошую пешку «b» и остаться с плохой пешкой a3. Проигрывало 68...b5? 69.♔g5 ♔b3 70.♔f5 ♔:a3 71.♔e5 ♔b3 72.♔d5 a3 73.♔c5 a2 74.♗e5+−.

69.b5 ♔c4 70.♔g5 ♔:b5. В итоге возник теоретически ничейный эндшпиль с лишним слоном и крайней пешкой, где поле ее превращения не того цвета. Способ достижения ничьей в таких позициях (с пешкой a3 против пешек a4 и b5) детально проанализировал в «Шахматных окончаниях» (1956) гроссмейстер Авербах.

71.♔f5 ♔a6 72.♔e6 ♔a7. «Черный король пока не покидает этот угол. Белым удалось бы добиться успеха, сумей они запатовать его и тем самым вызвать продвижение пешки «b». Но добиться этого они не в силах» (Таль).

73.♔d7 ♔b7 74.♗e7 ♔a7 75.♔c7 ♔a8 76.♗d6 ♔a7 (76...b5? 77.♗c5+−) **77.♔c8 ♔a6.** Но не 77...♔a8? 78.♗b8 b5 79.♔c7, вынуждая 79...b4 80.ab a3 81.b5 a2 82.

b6 и 83.b7#. Этот метод выигрыша, указанный Горвицем (1885), привел и Эйве в своем «Курсе шахматных лекций». Вообще же прием патования короля известен с незапамятных времен.

78.♔b8 b5. Последний ход пешкой. «Учитывая правило пятидесяти ходов, в пресс-бюро вздохнули с облегчением: партия закончится не позднее 128-го хода...» (Таль).

79.♗b4 (отражая угрозу 79...b4 80.♗:b4 ♔b6=) **79...♔b6 80.♔c8.**

80...♔c6! «Только выбираясь королем из угла, черные спасают партию» (Авербах). Плохо 80...♔a6? 81.♔c7 ♔a7 82.♗c5+ ♔a6 83.♔c6 ♔a5 84.♗e3 ♔a6 85.♗b6+−.

81.♔d8 ♔d5. «Известный приговор теории — ничья! — белые тщетно пытаются поколебать на протяжении более сорока ходов. Но при этом черные должны действовать очень осмотрительно: их король все время на бровке опасной зоны» (Таль).

82.♔e7 ♔e5 83.♔f7 ♔d5 84.♔f6 ♔d4 85.♔e6 ♔e4 86.♗f8 ♔d4 87.♔d6 ♔e4 88.♗g7 ♔f4 89.♔e6 ♔f3 90.♔e5 ♔g4 91.♗f6

♔h5. Здесь партия была отложена вторично и доигрывалась уже после следующей, 6-й партии (английское начало, ничья на 23-м ходу). От Карпова еще требовалась некоторая осторожность, и он вместе с тренерами наверняка освежил в памяти классические анализы, доказывающие, что оттеснить черного короля не удается.

92.♔f5 (записанный ход) **92... ♚h6 93.♗d4 ♚h7 94.♔f6 ♚h6 95.♗e3+ ♚h5 96.♔f5 ♚h4 97. ♗d2 ♚g3 98.♗g5 ♚f3 99.♗f4 ♚g2 100.♗d6 ♚f3 101.♗h2 ♚g2 102.♗c7 ♚f3 103.♗d6 ♚e3 104.♔e5 ♚f3 105.♗d5 ♚g4 106. ♔c5 ♚f5 107.♔:b5 ♚e6 108.♔c6.** Разумеется, не 108.♗h2 ♚d7 109. ♔:a4 ♚c6(8) и ♚b7-a8=.

108...♚f6. Подобное окончание (с пешкой а3 против пешки а4) анализировали еще Клинг и Горвиц (1851), Бергер (1921) и советский теоретик Раузер (1928), который вывел правило ничейной зоны для черного короля. И Карпов, следуя этому правилу, достигает ничьей.

109.♗d7 ♚g7 110.♗e7 ♚g8 111.♔e6 ♚g7 112.♗c5 ♚g8 113. ♔f6 ♚h7 114.♔f7 ♚h8 115. ♗d4+ ♚h7 116.♗b2 ♚h6 117. ♔g8 ♚g6 118.♗g7 ♚f5 119.♔f7 ♚g5 120.♗b2 ♚h6 121.♗c1+ ♚h7 122.♗d2 ♚h8 123.♗c3+ ♚h7 124.♗g7. Пат! По свидетельству очевидцев, когда наконец была зафиксирована ничья, Батуринский на глазах у всех расцеловал Кампоманеса!

«Сперва я проверил точность защиты Карпова в трудном для него окончании, — поясняет Корчной,

— а потом, установив, что он хорошо усвоил «домашнее задание», доставил себе удовольствие запатовать чемпиона мира. Во-первых, при этом мне не пришлось обращаться к нему с предложением ничьей. А во-вторых, как ни закономерен пат в шахматной партии, получать его чуть-чуть унизительно. Смешно, но факт! Наверное, после этого случая Карпов счел себя в известной мере оскорбленным».

Так или иначе, перед началом 7-й партии Карпов не привстал для рукопожатия и сделал это «с укоризненной усмешкой» лишь после того, как соперник сел за стол. Корчной: «Через секунду поднялся и я... Сейчас мне ясно, что это была тонко задуманная увертюра к спектаклю перед следующей партией».

А 7-я стала, на его взгляд, первой из множества ненормальных в этом матче. По дебюту претендент добился явного перевеса, выиграл качество (см. примечание к 8-му ходу в партии № 565), но примерно с 27-го хода на игру соперников стал влиять наступающий обоюдный цейтнот. И кое-что еще! «Опасаясь советского психолога, я вел эту партию из укрытия — сидел в основном не на сцене, а в комнате отдыха перед монитором, — пишет Корчной. — Только когда Карпов делал ход, я волей-неволей садился за доску, не желая повторять поведение Спасского в матче со мной. С непривычки — обычно я сижу за доской почти все пять часов — я играл далеко не лучшим образом».

Отложенная позиция казалась уже безнадежной для Корчного, однако он вместе с Муреем нашел не совсем простой путь к ничьей. На следующий день чемпион только взглянул на очевидный записанный ход противника — и тут же предложил ничью. Что вызвало новые подозрения в стане претендента: «Почему Карпов не стал проверять наш домашний анализ? Неужели он знал его до начала доигрывания?!»

Очередной неприятный сюрприз ждал Корчного в 8-й партии. Перед ее началом он, как обычно, протянул руку сопернику, но тот вдруг ответил, что больше не будет обмениваться с ним рукопожатием, «поскольку он ведет себя неприлично». Пораженный Корчной обратился к стоявшему рядом Шмиду: «Вы понимаете, что происходит?» (по правилам Карпов обязан был предупредить судью заранее). Судья растерянно пробормотал, что этого можно было ожидать, — и пустил часы. Корчной был вне себя: «Какое очевидное, вероломное нарушение договора! Заряд попал в цель: я играл, как ребенок».

К тому же последовал и дебютный сюрприз: **1.e4 e5 2.♘f3 ♘c6 3.♗b5 a6 4.♗a4 ♘f6 5.0-0 ♘:e4 6.d4 b5 7.♗b3 d5 8.de ♗e6 9.♘bd2!?** (вместо привычного 9.c3 ♗c5 — № 524, 564) **9...♘c5 10.c3**, и после 40-минутного (!) раздумья Корчной сделал «боковой» ход **10...g6?!** В 10-й партии было 10... d4 11.♘g5!? — замечательная новинка Игоря Зайцева (см. № 266), и черные с трудом добились ничьей. Реплика 10...g6 оказалась для Карпова неожиданной, однако он нашел сильную жертву пешки: **11.♕e2 ♗g7**

12.♘d4! ♘:e5?! 13.f4 ♘c4 14.f5 gf 15.♘:f5, и уже на 28-м ходу черные сдались. «Карпов неплохо провел атаку. В турнире 1-го разряда такая партия была бы оценена довольно высоко» (Корчной).

Однако развить успех чемпиону не удалось. После двух ничьих претендент сравнял счет в 11-й партии, применив редкую схему **1.g3 c5 2.♗g2 ♘c6 3.e4 g6 4.d3 ♗g7 5. f4 d6 6.♘f3 ♘f6 7.0-0 0-0 8.c3** и т.д. На 26-м ходу черные допустили грубый зевок и на 51-м сдались. «Я имел неплохую позицию, но вдруг наступил необъяснимый провал... Да, бывают дни, когда наступает апатия, и тогда всё валится из рук» (Карпов).

Комментарий Корчного: «Может быть, Карпов намекает на то, что его бедняга-психолог, согласившийся отсесть в 7-й ряд, был не в силах помочь чемпиону? Или на кое-что еще из той же области? Дело в том, что к 11-й партии на матч прибыл мой психолог В.Бергинер и никем не узнанный спокойно занял место в 5-м ряду... Соперник больше не повторил своей ошибки. Нарушив словесное джентльменское соглашение, Зухарь со следующей партии снова сел в 4-й ряд. Моего же психолога быстро распознали и, используя громадное численное превосходство в зале, окружили «теплом и заботой». Работать эффективно он уже не мог. Мне стало ясно, что в этой обстановке Бергинер бесполезен, и после 14-й партии он уехал».

В 12-й партии Корчной устоял в несколько худшем эндшпиле. А

13-я, по его мнению, могла стать одной из лучших в матче, но увы... Рассказ об этой драматичной партии и о следующей, 14-й – в главе о Карпове (№ 563, 564). Одержав две победы подряд, чемпион наконец-то уверенно повел в счете – 3:1. Корчной: «Начиная с этого момента советские с помощью Кампоманеса стали вводить полицейскую систему слежки в зале. Входной билет теперь можно было купить только по удостоверению личности. «Подозрительные» оказывались под бдительным оком охраны. Зухарь, дабы его не отвлекали, всегда был окружен своими».

Весь август над Багио витали грозовые тучи: без устали заседало апелляционное жюри — между делегациями враждующих сторон происходил обмен жесткими и пространными заявлениями по поводу отказа от рукопожатия, роли доктора Зухаря (кто он: психолог или парапсихолог?), «антисоветской пропаганды» со стороны фрау Лееверик, ее права представлять Швейцарию и т.д. Атмосфера матча была сверхнакаленной!

Во время 15-й партии Карпов «ввел в бой новый вид оружия»: начал раскачиваться в своем кресле. Корчной: «Удобное кресло: пока партнер обдумывает ход, сидишь себе и качаешься! Я отошел от стола, сел «в позе Спасского» и стал изучать позицию по демонстрационной доске». Когда Шмид сделал Карпову замечание, тот ответил: «Ему мешает это, а мне мешают его зеркальные очки». Минут через пятнадцать качание прекратилось:

позиция обрела ничейный характер... Вничью закончилась и 16-я партия, где впервые в матче встретилась французская защита.

Трагической для Корчного стала 17-я партия. Придя на нее, он подозвал Кампоманеса и потребовал пересадить Зухаря в 7-й ряд. «Но жюри решило...» — возразил было Кампо. «Уберите его в течение десяти минут, или я с ним справлюсь сам!» — заявил Корчной, потрясая кулаками. «Кампоманес засуетился, собрал вокруг себя советских. Пришел Карпов. Увидев, что мое время идет, он ухмыльнулся и ушел к себе в комнату отдыха. Его не касается! Будто не он вышел из себя, когда Шмид попробовал во время 9-й партии удалить Зухаря из зала!»

Вскоре требование претендента было выполнено: Кампоманес вообще очистил от зрителей первые шесть рядов зала, и в итоге Зухарь оказался в 7-м (кстати, в тот день на игре присутствовали еще и три десятка советских туристов). «Не так просто далась мне эта скромная победа, — пишет Корчной. — Я затратил массу энергии и одиннадцать минут драгоценного времени! Можно ли играть серьезную, напряженную партию после сильной нервной встряски? Оказывается, трудно. Карпов был переигран вчистую, но дальше... Дальше я начал допускать грубые ошибки и сперва упустил очевидный выигрыш, а затем, в цейтноте, умудрился получить нелепейший мат в ничейной позиции!» (№ 565).

Счет стал 4:1 в пользу Карпова. Исход матча казался предрешенным. Корчной: «Состояние мое было ужасное. Я взял два последних тайм-аута и вместе с фрау Лееверик уехал в Манилу, чтобы хоть немного отдохнуть и прийти в себя». В Маниле он дал пресс-конференцию, на которой поведал о «сговоре советских с Кампоманесом» и о том, что советская «шахматная» новинка в лице Зухаря была подготовлена еще к матчу с Фишером. И потребовал установить между игроками и зрителями зеркальный экран, заявив: «Кентавра с головой Зухаря и торсом Карпова надо раздвоить, иначе матч невозможен!»

Но Стин с Муреем уговорили его продолжать матч. Кин и Батуринский подписали письменное «джентльменское» соглашение, по которому Корчной отказался от своего требования об установке зеркального экрана и от использования зеркальных очков (они, оказывается, «создавали помехи зрению Карпова»), а Карпов согласился с тем, что «профессор Зухарь будет, начиная с 18-й партии и до окончания матча, размещаться в секторе, отведенном для официальных членов советской шахматной делегации».

Следующие три боевые партии завершились вничью, причем в 20-й (первый опыт защиты Каро-Канн) случилось чудо: Карпов добился абсолютно выигранной позиции, но записал второсортный ход (после получасового раздумья!) и при доигрывании упустил, казалось, верную победу.

Новый виток конфронтации начался еще с 19-й партии. Корчной: «У меня появились добровольные безвозмездные помощники — два йога, американцы Стивен Двайер и Виктория Шеппард. Стоило им войти в зал и усесться в позе лотоса, как что-то случилось с Зухарем. Он закрыл лицо платком, а через некоторое время вышел из зала — насовсем, до конца игры». Накануне 21-й партии вновь собралось жюри. «Кампоманес объявил, что мои йоги — члены организации «Ананда Марга», обвиняемые в покушении на индийского дипломата, но выпущенные под залог за недостатком улик, и как потенциальные преступники они не должны находиться в зале. Этакая советская точка зрения! Во всем мире принята «презумпция невиновности»: пока не собраны доказательства, что человек совершил преступление, с ним нельзя обращаться как с преступником. А тут всё наоборот! Ясно же, что опасных преступников, настоящих террористов не выпустили бы ни за какие деньги».

Тем не менее жюри удалило йогов из зала, а затем и из отеля, где жил Корчной. Он очень разозлился, узнав, что его новых помощников, выпускников Гарвардского университета, а по-восточному — Дада и Диди, заставили дать «подписку о невыезде» с его загородной дачи, где они находились. И конечно же подал очередной протест...

В 21-й партии вновь, как и в 9-й, встретился вариант ферзевого гамбита с 5.♗f4, обязанный своей дальнейшей популярностью именно Корчному. Во всех трех партиях матча в Багио, сыгранных этим вариантом, Карпову пришлось вести

Главным для Виктора Корчного неизменно оставался поиск шахматной истины. Он всегда был беспощаден и к себе, и к противникам

В жизни отношения между Корчным и Петросяном складывались по-разному, но за доской они всегда были непримиримыми соперниками

Со своим секундантом начала 70-х Генной Сосонко

«Разработки Корчного дали толчок к развитию многих дебютов на десятилетия» (Сосонко)

Золотой период карьеры Корчного пришелся на годы между двумя матчами с Полугаевским (1977 и 1980)

Конец 60-х. За анализом Петросян, Корчной, Тайманов и Фурман

На межзональном в Ленинграде (1973). За игрой лидера наблюдают Ларсен и Тайманов — две «жертвы Фишера»

Корчной с Авербахом на даче у Петросяна перед его матчем с Фишером (1971). Увы, дружба двух великих шахматистов вскоре дала трещину...

С «железным Тиграном» Корчной сыграл рекордное число матчей претендентов — четыре (1971, 1974, 1977 и 1980)

Корчной и Таль были одними из лучших блицоров своего времени

В руках у Виктора Львовича самовар — приз победителю традиционного блицтурнира «Вечерки». Рядом Бронштейн и Таль

«Первое время наши отношения складывались вполне сносно» (Карпов)

Два счастливых победителя межзонального турнира в Ленинграде (1973)

На мемориале Алехина в Москве (1971). Уже тогда Корчной увидел в молодом Карпове очень опасного соперника

Финальный матч претендентов Карпов – Корчной (1974) стал де-факто матчем на первенство мира

Уже в первом матче с Анатолием Карповым Корчной защищался от пронзительного взгляда соперника с помощью темных очков

Главный арбитр О`Келли в роли «третейского судьи»

После 18 партий счет был 3:0 (при 15 ничьих) в пользу Карпова...

На финише матча Корчной, выиграв две партии, был близок к тому, чтобы сравнять счет и выйти на матч с Фишером

На 21-й партии, где Корчной одержал свою вторую победу, я впервые в жизни окунулся в удивительную матчевую атмосферу

В холле Колонного зала Таль и мой тренер Александр Никитин, который и привел меня на ту партию

Ленинград, 1975. Турнир Дворцов пионеров. Капитаны команд за анализом после очередного тура

Штаб-квартира **ФИДЕ** в Амстердаме, 15 февраля 1978. За спиной д-ра Эйве список городов-претендентов на проведение матча за мировую корону

«Когда вместо советского гимна вдруг заиграли «Интернационал», зал поднялся. Мы с фрау Лееверик остались сидеть» (Корчной). Справа — посол СССР Михайлов

Багио, 1978. Перед началом 8-й партии
Карпов внезапно отказался от рукопожатия

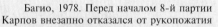

«Цель зеркальных очков была проста: лишить Карпова его любимого занятия — стоя у стола, в упор смотреть на противника» (Корчной)

Флоренсио Кампоманес и Макс Эйве — будущий и действующий президенты ФИДЕ

трудную оборону. В 21-й он попытался решить проблемы с помощью крайне рискованной, зато неожиданной дебютной контратаки, связанной с жертвой материала. Подобный блеф вполне мог пройти в докомпьютерную эпоху, к тому же Карпов прочно владел матчевой инициативой — его соперник, по собственному признанию, был опустошен.

Но претендент провел партию с поразительным хладнокровием и позже назвал ее своим лучшим достижением в матче. Надо сказать, что кроме самого Корчного этот на редкость сложный и увлекательный поединок в разное время анализировали многие известные комментаторы: Таль, Ларсен, Холмов, Филип, Панно, Пахман, Кин, Тимман, Дворецкий...

№ 519. *Ферзевый гамбит D37*
КОРЧНОЙ – КАРПОВ
Матч на первенство мира,
Багио (м/21) 1978

1.c4 ♞f6 2.♞c3 e6 3.♞f3 d5 4. d4 ♝e7 5.♝f4. В отличие от 5.♝g5 этот ход, по словам Корчного, «куда менее изучен и дает простор для творческой фантазии игроков и (особенно!) их тренеров». В 60—70-е годы 5.♝f4 иногда играл Петросян, а также венгерские шахматисты Портиш, Форинтош и Фараго.

5...0-0 6.e3 c5 7.dc ♝:c5 8. ♛c2 ♞c6 9.♖d1. При 9.a3 ♛a5 у белых остается выбор между 10.♖d1, скромным 10.♖c1 и более амбициозными продолжениями 10.♞d2!? или 10.0-0-0!? (см. № 423).

9...♛a5 10.a3.

10...♖e8?! «Еще одна новинка грозной советской команды. Используя некоторый перевес в развитии, черные пытаются создать атаку на застрявшего в центре белого короля. Надо отдать должное Карпову. Ему крайне редко приходит в голову создать что-то новое за шахматной доской. По слухам, ход 10...♖e8 — плод фантазии одного из людей его штаба, гроссмейстера Игоря Зайцева», — не без яда отмечает Корчной.

Главная линия до сих пор — 10... ♝e7 11.♞d2 e5 (когда в 1979 году Карпов, вдохновленный дебютными разработками соперника, применил эту систему белыми против Спасского, тот ответил 11...♝d7?! и не достиг уравнения) 12.♝g5 d4 13. ♞b3, и здесь начинается большая теория, основы которой закладывались именно в Багио:

1) 13...♛d8 14.♝e2 h6 (14...♞g4!? Петросян – Филип, Кюрасао(тп) 1962; Портиш – Спасский, Гавана (ол) 1966) 15.♝:f6 ♝:f6 16.0-0 ♝e6 (16...g6!?) 17.♞c5 ♛e7 18.♞:e6 ♛:e6 19.♞d5 с небольшим перевесом белых (9-я партия).

Позже выяснилось, что сильнее 14...a5! — история этого варианта включает партии Фараго — Геллер (Нови-Сад 1979), Корчной — Хюбнер (Мерано(м/6) 1980/81), Портиш — Белявский (Москва 1981), Корчной — Карпов (Мерано(м/11) 1981), вплоть до сеансовой битвы Альтерман — Каспаров (Тель-Авив 1998);

2) 13...♛b6 (более скучное продолжение, при котором черные испытывают определенные технические трудности) 14.♝:f6 ♝:f6 15.♘d5 ♛d8 16.♝d3 g6 17.ed ♘:d4 18.♘:d4 ed 19.♘:f6+ ♛:f6 20.0-0 ♝e6 21.♖fe1 (21.f4!? Форинтош) 21...♖ac8 22.b3 ♖fd8, и в итоге Карпов добился ничьей (23-я партия).

11.♘d2! (с угрозой b2-b4; слабо 11.b4 ♘:b4 или 11.♘e5 d4!) **11...e5 12.♝g5 ♘d4.** В этом и заключается основная идея черных. «Разрушив свои устои в центре, они обязаны играть в жертвенном стиле. После 12...d4 13.♘b3 ♛b6 14.♘a4 ♝b4+ 15.ab ♛:b4+ 16.♘d2 белые отбивают атаку» (Корчной). Так, не проходит 16...de 17.fe ♘d4 ввиду 18. ed ed+ 19.♔f2+— (Дворецкий).

13.♛b1! Единственно верное решение! Трусливое 13.♛a4 ♛:a4 14.♘:a4 ♘c2+ 15.♔e2 ♘d4+! 16.♔e1 вело лишь к ничьей. «Поскольку Карпов разыграл первые 12 ходов за полминуты, у меня не было желания проверять корректность жертвы, тем более что гроссмейстер в моем возрасте и с моим опытом часто может на глаз определить ее целесообразность. Позиция после 13.ed ed+ 14.♘e2 ♘e4 15.♝h4 ♝f5 мне не понравилась, так что дальше я и смотреть не стал» (Корчной).

Еще лучше 14...♘g4! (с той же угрозой d4-d3 и ♝:f2#) 15.♝h4 d3!

16.♛:d3 ♘e5 17.♛d5 ♝f5, и запатованные фигуры белых не в силах помочь своему королю (18.b4 ♝:b4).

13...♝f5 (13...♝g4? 14.♝:f6 gf 15.♘:d5+—) **14.♝d3 e4?!** Чтобы использовать энергию ладьи e8, хочется вскрыть линию «е». Однако упорнее было 14...♝:d3 15.♛:d3 ♘e4 16.♘c:e4 de 17.♛:e4 ♘b3 18. ♛c2 ♘:d2 19.♖:d2 (19.♛:d2 ♛a4! с контригрой за пешку, но не вариант Таля 19...♛:d2+?! 20.♖:d2 h6 21.♝h4 g5 22.♝g3 f5 из-за 23.♖d5!) 19...f6 20.♝:f6! (на 20.♝h4 приемлемо 20...♝f8(e7) Марин) 20...gf 21. b4 ♛:a3 22.bc ♛a1+ 23.♖d1 ♛a5+ 24.♔e2 или 22...♛:c5 23.0-0 ♖ad8 24.♖fd1, и ввиду ослабленного положения короля у черных несколько худшая позиция.

Перед белыми непростая задача. Ясно одно: при немедленном 15. ♝:f6? ed ладья e8 начинает работать и черные получают прекрасную контригру: 16.♝:d4 ♝:d4 17.♘:d5 b5 и т.д. Значит, надо отступать слоном с d3. Но куда?

15.♝c2!? Вновь замечательный комментарий Корчного: «Меня столько раз упрекали в «пешкоедстве», в стремлении забрать материал любой ценой, какую бы страшную атаку ни пришлось бы за этот материал выдержать! А вот сейчас я воздержался от хода 15.♗f1, который обеспечивал белым материальное преимущество, хотя и не видел прямого его опровержения. Да и домашний анализ после партии показал, что белые отбивали атаку. Но до чего сложные варианты!.. Однако не зря же я играл три месяца с самым практичным чемпионом в истории шахмат! Мог же и я немножко научиться экономить время и энергию. И научился! И за пару минут, не вникая в детали, сделал из общих соображений практичный, карпообразный ход».

Важный психологический нюанс: после парадоксального «стейницевского» 15.♗f1! белые находились бы под атакой, не зная, насколько глубоко все ее варианты проанализированы дома соперником. Рассмотрим два направления:

1) 15...♗:a3?! 16.♗:f6 gf 17.♕c1 ♗b4 18.ed e3 (Корчной) 19.♘f3! или 17.cd ♗b4 18.ed, и у черных нет реальной компенсации за пожертвованную фигуру: если 18...e3 19.♕:f5 ♗:c3 20.bc ♕:c3, то 21.♕g4+! ♔h8 22.fe (Тимман) 22...♖:e3+ 23.♔f2! или 22...♕:e3+ 23.♗e2+−;

2) 15...♘g4 16.cd ♘e5 17.ed! (в варианте Корчного 17.♕c1 ♘d3+ 18. ♗:d3 ed 19.b4 ♕a6 20.bc ♕g6, по-моему, сильно 21.h4! h6 22.♔f1, а за черных — 19...♗:b4!? 20.ab ♕:b4 с острой игрой), и белые сохраняют перевес как при 17...♗:d4 18.♗e3 ♗:e3 19.fe ♕c5 20.♘d:e4 ♕:e3+

21.♗e2 (Тимман) или 18.♗e2 ♘d3+ (18...♗:f2+?! 19.♔f1!) 19.♔f1, так и после 17...♘f3+ 18.gf ef+ 19.♘de4 ♖:e4+ 20.♕:e4! или 19...♗:e4 20. ♕c1 и ♗e3, приступая к реализации лишнего материала.

Тем не менее Корчной быстро сыграл 15.♗c2, трезво оценив, что после этого хода (в отличие от объективно сильнейшего 15.♗f1) белым ничего особенного не грозит и даже если они не получат большого перевеса, сопернику придется переключиться с атаки на изучение худших позиций, где пределом мечтаний черных будет ничья.

15...♘:c2+ 16.♕:c2.

16...♕a6. Трудный выбор. Ларсен предлагал 16...d4, но это слабо из-за 17.♗:f6 dc (17...gf 18.♘b3 d3 19. ♕:d3!, а идея Таля 17...de 18.fe ♗e3 некорректна ввиду 19.♘f1!) 18.♕:c3 ♕b6 (не менять же ферзей?!) 19.g4! ♗:g4 (иначе 20.♗:g7) 20.♖g1, и атакуют уже белые.

Но заслуживало внимания 16... dc 17.♗:f6 gf (Холмов), не опасаясь 18.♘:c4 ввиду 18...♕a6 19.♕a4 (хуже 19.♘d5?! ♖ac8 20.♕c3 ♗e7 или 19.♖d5 ♕:c4 20.♖:f5 ♖ac8 с угрозой

♗:a3) 19...♕e6! 20.0-0 (20.♘a5 ♗f8!?) 20...a6 с хорошей игрой у черных: два слона и разнообразные тактические ресурсы компенсируют ослабление королевского фланга.

Однако Корчной планировал 18. 0-0! с угрозами b2-b4 и ♘d:e4. Действительно, при 18...♗f8 (18...♔g7? 19.b4!) 19.♘d:e4 ♕e5 20.♖d4 ♖ac8 21.♕d2 у белых ясное преимущество. В случае 18...♖a6 19.♘d5 ♖ac8 20.♕:c4 ♕e6 21.♘f4 (Корчной) 21...♕:c4 22.♘:c4 ♖ed8! (Дворецкий) оно не так велико, но лучше 20.f3!, начиная игру на атаку.

«Ходом в партии Карпов жертвует пешку, но предупреждает разрушение своей пешечной цепи на королевском фланге. Возможно, избранное им продолжение объективно слабее, чем 16...dc 17.♗:f6 gf, но не надо забывать, что за три месяца и я кое-чему научил чемпиона — избегать непоправимых пешечных слабостей!» (Корчной). С этой идеей интересно и 16...♗e7 17.♗:f6 ♗:f6 18.♘:d5 ♗e5 (Таль) 19.0-0 ♖ac8, хотя после 20.♕b3 ♖a6 21.f3 ef 22.♘:f3 или 21...♗d7 22.♖c1 мощный конь на d5 мешает черным достигнуть уравнения.

17.♗:f6 ♕:f6 18.♘b3! Быть может, Карпов рассчитывал на 18.♘:d5 ♕g5 (Таль) 19.0-0 ♗d6! (Дворецкий), вызывая g2-g3 и получая полноправную игру за отданную пешку. Но белые сыграли сильнее, выиграв темп нападением на слона c5.

18...♗d6 19.♖:d5 ♖e5. Приходится. Бессмысленно 19...♗e5 20. ♘d4 ♗:d4 21.♖:d4 ♕g5 ввиду 22.0-0! ♗h3 23.f4 ef 24.♖:f3, и не проходит

24...♖:e3 25.♕d2! ♖e1+ 26.♔f2 ♕:g2+ 27.♔:e1 ♖e8+ 28.♖e4+− (Дворецкий).

Корчной приводит 19...♕g6 20. 0-0 ♕h6 (20...♕h3? 21.f4) 21.g3, резюмируя: «Карпов, по-видимому, решил, что использовать это ослабление все равно не удастся, и предпочел разменять централизованные фигуры белых». И впрямь, плохо 21...♗g4? 22.♘:e4 ♗f3 23.♘bd2 ♖:e4 24.♘:f3+− (Холмов), а после 21...♕g6 (21...♗e5 22.f4!) 22.♘d4 ♗h3 23.♖d1 ♗f8 24.♘de2 ♗g4 25. ♖1d4 и ♘f4 белые имеют лишнюю пешку и доминируют в центре — у черных слаба пешка e4, а слоны не находят себе применения.

20.♘d4 ♖c8. Еще один важный момент.

21.♖:e5! «Верный своей тактике, Корчной уклоняется от «ближнего боя». Между тем ходом 21.f4 он мог поставить соперника в трудное положение, так как жертва фигуры — 21...ef? 22.♘:f5 fg 23.♖g1 недостаточна» (Таль). Но в действительности после 21...♖:d5 22.♘:d5 ♕h4+ 23. ♔f2 ♕h5 или 23.g3 ♕h3 дела черных лучше, чем в партии.

По словам Корчного, «белые должны быть внимательны – при 21.♘:f5 ♖:d5 22.♘:d5 ♕:f5 23.♕b3 ♕e5 24.g3 (24.a4!?) 24...b5! 25.♕:b5 ♖b8 26.♕d7 ♕:b2 27.0-0 ♕:a3 они теряли почти всё преимущество». Но 28.♕g4! выигрывало пешку e4. Кроме того, возможно 22.cd! ♕:f5 23.0-0, вынуждая черных страдать без пешки либо при ферзях – 23... ♕e5 24.g3 (и в случае 24...♗:a3 25. ♕b3! ♗:b2? 26.♘a4! ♗c1(a1) 27. ♕:b7 исход борьбы решает проходная «d»), либо без ферзей: 23...♕:d5 24.♖d1 ♕e5 25.g3 ♗f8 26.♕:e4 ♕:e4 27.♘:e4 f5 (27...♖c2 28.♖d8) 28.♘g5 ♗e7 29.♘f3 ♗f6 30.b4 и т.д.

И все же, в связи с примечанием к следующему ходу, продолжение 21.♖:e5! дает белым больше шансов на победу.

21...♕:e5 22.♘:f5?! Сильнее было указанное Дворецким 22.f4! ♕f6 (не лучше 22...♕c5 23.♘a4, а 22...ef? 23.♘:f5 просто некорректно) 23.♘:e4 ♗:e4 (23...♕g6 24. ♘f6+ ♕:f6 25.♕:f5) 24.♕:e4 ♖:c4 25.0-0 с большим перевесом белых.

22...♕:f5 23.0-0. «Психологически объяснимо: я устал играть с королем в центре и решил вернуть пешку, но закончить развитие, рассчитывая в дальнейшем использовать тактические слабости в позиции черных – e4, b7, слона d6 и 8-й ряд», – пишет Корчной, отметая 23. ♕:e4? ♕:e4 24.♘:e4 ♖:c4 25.♘c3 ♗:a3 и предлагая на выбор:

1) «техничное» 23.♕b3 – однако здесь, на мой взгляд, после 23... ♕c5! 24.0-0 ♕:c4 25.♕:b7 ♖b8 26. ♕:a7 ♖:b2 27.♕d7 ♗f8! (не так ясно 27...♗:a3 28.♕e8+ ♗f8 29.♘:e4)

28.♘d5 ♖a2 у черных хорошие шансы на спасение;

2) «сильное» 23.♘:e4, и если 23...b5, то 24.0-0 ♖:c4 (по-моему, плохо 24...♗f8 25.b3! ♗:a3 26.♖a1) 25. ♕d2, «сохраняя здоровую лишнюю пешку». Но, по Дворецкому, после 25...♗c7 26.♘g3 ♕e6 27.♖d1 g6! «активность черных фигур в значительной мере компенсирует их небольшой материальный урон». Хитрее 25.♕d1!? с идеей 25...♗c7 26.♘g3 ♕e6(5) 27.♕f3.

Корчной избрал, может быть, лучшее и уж точно наиболее ядовитое продолжение: сопернику удается отыграть пешку и кажется, что ничья уже неизбежна, но...

23...♖:c4 24.♖d1. Не 24.♕b3?! из-за 24...♖c8.

24...♕e5?! До сих пор, а затем и до 38-го хода Карпов изобретательно выискивал контршансы после авантюрной дебютной новинки. Но этот ход подвергся общему осуждению.

Таль рекомендовал 24...♕e7. Действительно, после 25.♖d4 ♖:d4 26. ed ♕g5! (26...♗f6 27.♘:e4, и нет 27...♗:d4? из-за 28.♘f6+! Холмов) 27.♘:e4 ♕d5 белым непросто реа-

лизовать лишнюю пешку: слабо 28.
♕d3 ♕a2 или 28.♕a4 ♗:a3!, а если
28.♘g3 (Корчной), то 28...g6 (Дворецкий) 29.♕e4?! (лучше 29.♘e2)
29...♕:e4 30.♘:e4 f5 и ♔f7-e6-d5 с
ничьей. Но ходом раньше техничнее 27.g3! с идеей 27...e3 (27...f5?
28.♕b3+ и ♕:b7) 28.f4! ♕g4 29.
♕e4+− (Холмов) или 27...♗f8 28.
♔g2! b6 (28...e3 29.♕c1) 29.h4, с
комфортом выигрывая пешку «e».

Корчной считал лучшей защитой 24...♗f8 25.♖d8 (невыгодно 25.
♖d4?! ♖:d4 26.ed ♕g5 27.♘:e4 ♕d5
28.♕d3 ♕a2 и т.д.) 25...g6 26.♕d1
♔g7 27.h3 «с некоторым перевесом
белых». Увы, не проходит 27.♖d4
♕c8 28.♖:e4 из-за 28...♗:a3! Поэтому, на мой взгляд, точнее 26.♕d2!,
и если 26...♔g7, то 27.♖d4! с выигрышем пешки e4, а при 26...♕e5
27.♖a8 ♔g7 (27...a6? 28.♕d8) 28.
♖:a7 у белых опять-таки лишняя
пешка, хотя после 28...♕d6 29.♕:d6
♗:d6 еще можно бороться за ничью.

25.g3 (теперь грозит ♕b3) **25...
a6 26.♕b3 b5** (26...♖c7 27.♘:e4
или, по вкусу, 27.♕d5) **27.a4!** Неожиданно выясняется, что из-за слабости 8-го ряда и уязвимости ладьи
и слона черные вновь теряют пешку. Им приходится выбирать меньшее из зол.

27...♖b4! (если 27...♖c5, то 28.
ab ab 29.♕a2! ♗f8 30.♖d8 ♕e7 31.
♕a8 f5 32.♖b8 ♕d6 33.♔g2+−) **28.
♕d5 ♕:d5 29.♖:d5 ♗f8 30.ab a5!**
(избегая 30...ab 31.♖:b5) **31.♖d8.**
«Ларсен предлагал здесь 31.b6 ♖:b6
32.♖:a5 ♖:b2 33.♘:e4, считая (*и справедливо. — Г.К.*), что у белых хорошие шансы на победу. Но я верю в
силу проходной пешки!» (Корчной).

31...♖:b2 32.♖a8 f5. На 32...
♖b3 решало 33.♘d5 f5 (33...g6 34.
♖:a5 ♗c5 35.b6! ♗:b6 36.♖a8+ и
♖b8) 34.♖:a5 ♔f7 35.b6 ♗d6 (35...
♔e6 36.♘c7+!) 36.♖a7+ ♔e6 37.
♘c7+ ♗:c7 38.♖:c7! (Корчной) 38...
♖:b6 39.♖:g7+−. Безнадежно и 32...
a4 33.♖:a4 ♖b3 34.♖c4 g6 35.♖c6 ♗g7
36.♖c8+ ♗f8 37.g4! (Дворецкий).

33.♖:a5 ♗b4 34.♖a8+ ♔f7.
Ладья на b2 расположена идеально:
она стопорит проходную пешку «b»
и атакует пункт f2. На первый
взгляд, в этом эндшпиле у черных
больше шансов на ничью, чем у белых на выигрыш. Но претендент
доказывает, что это не так.

35.♘a4. Сгоняя ладью со 2-й
горизонтали и обеспечивая продвижение пешки «b». По словам Корчного, «конь на краю доски стоит
плохо — это знают все, в том числе
и гроссмейстеры, но первоочеред-
ная задача белых — предупредить
нападение на пешку f2 ладьи b2 и
слона e1!»

При 35.♘d5?! белым пришлось
бы считаться и с 35...♗e1 36.♔f1
♖b1! (Дворецкий), и с 35...♗c5 36.
♖b8 g5. Однако, по мнению Дворецкого, очень силен был промежуточный шах — 35.♖a7+!, ибо на
35...♔f6 уже решает 36.♘d5+ ♔g6
37.b6 ♗e1 38.b7, а после 35...♔e6
(g6) ход 36.♘a4! дает гораздо больший эффект.

**35...♖b1+ 36.♔g2 ♗d6 37.
♖a7+ ♔f6 38.b6 ♗b8?!** На 38...h5
(Холмов) выигрывало 39.♘c3 ♖b3
40.♘d5+ ♔e6 41.♘f4+! ♗:f4 42.gf g6
43.b7 и ♔g3-h4-g5 (Тимман).

«Лучше было 38...♖b4, — отмечает Корчной. — В этом случае белые

могли двинуть своего короля на ферзевый фланг — 39.♔f1 или прибегнуть к тактическим операциям, начиная с 39.♘c3». И заканчивая вариантом 39...♖b3 40.♘d5+ ♔e5 41. ♘c7 ♗:c7 42.bc (здесь 42.♖:c7 ♖:b6 43.♖:g7 недостаточно из-за 43...h6) 42...♖c3 43.c8♕ ♖:c8 44.♖:g7 ♖h8 с шансами на ничью (например: 45. f4+ ef+ 46.♔:f3 ♔f6 47.♖a7 h6 48. ♖a6+ ♔g7 и т.д.).

Возможно, Карпов отказался от 38...♖b4 из-за 39.♔f1 — ему не хотелось выпускать на волю белого короля. Однако путь на ферзевый фланг был долгим, и за это время черные могли бы тоже подвести короля и попытаться использовать неудачное положение коня на a4. После же 38...♗b8 их позиция, скорее всего, уже объективно проигранная.

39.♖a8! На ход Панно 39.♖c7!? Дворецкий советует 39...h5!?

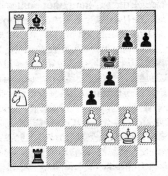

39...♗e5?! Защищаясь от ♘c3-d5, но допуская ♘c5. Упорнее было рекомендованное многими 39...♗d6, например:

1) 40.♖a6 ♔e5! (но не 40...♔e6 41.b7 ♔d7 42.♘b6+ ♔c7 43.♘c4 ♗e7

44.♘a5 ♗d6 45.♖a8 ♔d7 46.♖g8+— Корчной), и теперь не 41.♖a7 ♖b4 42.♘c3 из-за 42...♖:b6! (на ход Корчного 42...♖b3 сильно 43.♖a5+ ♔e6 44.♘b5) 43.♖:g7 ♖b3 44.♘e2 ♖b2 45. ♘d4 ♗c5 46.♖:h7 ♗:d4 47.ed+ ♔:d4 с вероятной ничьей, а сразу 41.♘c3! ♖b3 (если 41...♖b4(2) 42.♖a5+ ♔e6, то 43.♖b5!) 42.♖a5+ ♔e6 43.♘b5 ♗e5 44.b7, планируя, отдав пешку «b», собрать пешечный урожай на королевском фланге: 44...♔d7 45. b8♕ ♗:b8 46.♘d4 ♖b7 47.♖:f5 или 44...♖b2 45.b8♕ ♗:b8 46.♘d4+ ♔e7 47.♘:f5+, и черных губит слабость пешки e4;

2) 40.♘c3 ♖b3 41.♘d5+ ♔e6 (41... ♔e5?! 42.♘c7!) 42.♘c7+ ♔d7 43.♘e8 g6 44.♘:d6 ♔:d6 45.♖b8 ♔c6, и здесь Тимман привел 46.h4, но Дворецкий опроверг это путем 46... ♖:b6 47.♖:b6+ ♔:b6 48.g4 fg 49.♔g3 ♔c5 50.♔f4 ♔d5 51.♔:g4 ♔c4!= и предложил 46.g4! fg 47.♔g3 ♖b5 (47...♖b2 48.b7! h5 49.♖g8 ♔:b7 50. ♖g6 и т.д.) 48.♔:g4 ♔f5 49.♔g3 ♖f3+ 50.♔g2 ♖f7 51.♖c8+ ♔:b6 52.♖e8 с хорошими шансами на победу.

В партии всё оказалось проще: белая пешка быстро попала на b7, где ее защитил конь с c5, и ладья получила возможность пуститься в рейд по тылам противника.

40.♘c5! ♗d6 41.b7 ♔e7 42. ♖g8 ♗e5 (хуже 42...♔f7 43.♖d8 или 42...g6 43.♘a6!) **43.f4!** Записанный ход, включающий в игру короля. Отложенная позиция уже, конечно, технически выигранная для белых, хотя им еще надо обойти ряд подводных рифов, связанных с угрозой пешке b7 (то есть с атакой коня c5 слоном и ладьей с b5). При доигрывании, состоявшемся на следующий день, Карпов оказал отчаянное сопротивление.

43...ef+ 44.♔:f3 ♔f7 45.♖c8. «Согласно домашнему анализу, манёвр 45.♖d8 ♔e7 46.♖d7+ ♔e8 (46...♔f6? 47.♖d5! ♗c7 48.♘a6 ♖:b7 49.♖d7) 47.♖d5 ♗b8 48.♖:f5 выигрывает вторую пешку, но временно. После 48...♗a7! теряется пешка «b». Мне хочется большего!» (Корчной). Однако после 49. ♖e5+! ♔f7 50.♘e6! ♔f6 51.♖a5 ♖:b7 52.♘d8 и ♖a6+ (Дворецкий) чёрным плохо, поэтому верно 48... ♗d6! 49.♘e4 ♗e7 (Таль) с видами на ничью.

С другой стороны, вместо 47.♖d5 сильнее 47.e4!, и на 47...♖b5 решает как 48.ef ♖:c5 49.♖:g7 h6 (по признанию Кина, эта позиция смущала их команду во время анализа) 50. f6! ♔f8 (50...♗d6 51.f7+ ♔f8 52.♖g6 и т.д.) 51.♖e7 ♗d6 52.♖d7 ♗e5 53.♔e4 ♖b5 54.♔f5 ♗c7+ 55.♔g6 ♖:b7 56.♖h7 ♔e8 57.♔:h6 (Дворецкий), так и указанное Тимманом 48.♖d5! fe+ (48...♗b8 49.ef ♗a7 50. f6! gf 51.♘e4 ♖b3+ 52.♔g2! ♔e7 53. ♖h5 или 52...♖b2+ 53.♔h3 ♗b8 54. ♘:f6+) 49.♔:e4 ♗b8 50.♔d3 ♗a7 51. ♔c4 ♖b6 (51...♖b2 52.♘b3) 52.♘e4! ♗b8 53.♖b5 и т.д.

45...♔e7 46.h3! «Этот хитрый ход ускользнул от внимания советских асов» (Корчной). Возможно было и указанное Талем лобовое 46. e4, например:

1) 46...g6?! 47.♘d3 fe+ 48.♔:e4 ♗:g3 (при 48...♗d6 49.♖h8 ♔d7 50.♖:h7+ ♔c6 51.♖g7 у белых просто две лишние пешки) 49.hg ♖:b7 50.♘c5 (малыми силами создавая доминацию) 50...♖b1 51.♔e5 ♖e1+ 52.♘e4, и дальнейшее — дело техники;

2) 46...fe+ 47.♔:e4 ♗d6 48.♔d5 (форсируя переход в теоретический эндшпиль «ладья и две пешки против слона и двух пешек») 48...♗:c5 (48...♗b5? 49.♖e8+!) 49.b8♕ ♖:b8 50.♖:b8 ♗g1 51.h3 ♔f7 (Тимман), и впереди ещё долгая реализация.

Но после домашнего анализа Корчной пришёл к выводу, что может обойтись без демонстрации знания технического окончания (где выигрыш белых отнюдь не прост и ускользает при малейшей погрешности), и сделал ход, который ничего не портит, готовит g3-g4 и даёт сопернику возможность высказаться.

46...h5?! Ослабление. Однако не помогала и более упорная защита, например:

1) 46...g6 47.g4 ♖b5 48.gf gf 49. ♘d3 ♗d6 50.♖h8 (Дворецкий) или 47...fg+ 48.♔:g4! с последующим ♔f3+— (Ларсен);

2) 46...♖b5 47.g4 fg+ 48.hg ♗d6 49.♔e4 h6 (49...g6? 50.g5!) 50.♔d3 ♖b4! 51.e4 ♗e5! (Андерссон) 52. ♖g8!, и у чёрных цугцванг: 52...♖d4+ 53.♔e2! ♗b4 54.♘d3 или 52...♔f7 53.♖d8 ♔e7 54.♖d7+ ♔e8 55.♖d5 ♗f6 56.e5 ♗e7 57.♖d4! ♖b5 58.♖a4! ♗:c5 59.♖a8+ ♔f7 60.b8♕+— (анализ Дворецкого).

47.♖g8! (тонкий манёвр, вынуждающий чёрных пропустить ладью на d8) **47...♔f7 48.♖d8 g5.** Последний практический шанс. Плохо 48...♔e7 49.♖d7+ ♔e8 50. ♖d5, так как пешка на h5 будет уже под ударом.

49.g4! Точная реализация. При 49.♘d3?! (не лучше 49.♘d7?! g4+, ♖b2+ и ♔:g3) 49...g4+! 50.hg? (верно 50.♔g2! ♔e7 51.♖d5 Дворецкий) 50...hg+ 51.♔f2 ♔e7! 52.♘:e5 ♔:d8 53.b8♕+ ♖:b8 54.♘c6+ ♔c7 55. ♘:b8 ♔:b8 56.e4 ♔c7! (Таль) или 52. ♖d5 ♗b8! 53.♖:f5 ♖:b7 54.♔g5 ♖b3! 55.♘f4 ♖b2+ 56.♔e1 ♔f6 57.♖:g4 ♔f5 58.♖g8 ♔e4 получалась ничья.

49...hg+ (49...fg+? 50.hg h4 51. ♘d7 и b8♕+–) **50.hg** ♔e7 (50...♔f7 51.♖c8! fg+ 52.♔:g4 ♗d6 53.e4 ♗f4 54.♔f5 ♖f1 55.♘d7 ♔e7 56.e5+– Холмов) **51.♖g8 fg+ 52.♔:g4 ♔f7** (52...♗d6 53.♘a6) **53.♖c8 ♗d6 54.e4.** В движение пришла еще одна проходная пешка (следствие g3-g4!), и судьба поединка решена.

54...♖g1+ (или 54...♔f6 55.b8♕ ♗:b8 56.♖:b8 ♖:b8 57.♘d7+ ♔e6 58.♘:b8 ♔e5 59.♔f3 g4+ 60.♔e3 g3 61.♘c6+ ♔d6 62.♘d4+–) **55.♔f5 g4 56.e5!** «Поскольку Карпов не сдается, видимо, рассчитывая затянуть партию, я решил закончить ее побыстрее и покрасивее» (Корчной).

56...♖f1+ 57.♔e4 ♖e1+ 58. ♔d5 ♖d1+ (58...♗:e5 59.♘d3) **59. ♘d3! ♖:d3+ 60.♔c4.** Черные сдались, и счет стал 4:2.

В 22-й партии (снова французская) дело шло к ничьей, но в цейтноте претендент допустил серьезную ошибку и потерял пешку. Когда минул контроль, его позиция была совершенно безнадежной. «Но, видимо, в тот день "йогурт" оказался слишком питательным. Карпов продолжал играть как заведенный (хотя мог отложить партию), сделал четыре слабых хода подряд, и в отложенной позиции ничья была уже не за горами», – пишет Корчной. В 23-й партии перевес был уже на его стороне, но Карпову «не без труда удалось отыскать этюдную защиту» и добиться ничьей.

А в 24-й Корчной удачно разыграл открытый вариант «испанки» (см. № 520, примечание к 9-му ходу) и впервые за долгое время получил перевес черными, но Карпов «снова убежал на ничью». Зато чемпион мог выиграть 25-ю партию, но грубо ошибся в традиционном цейтноте противника и был вынужден искать спасения в отложенной позиции... Ничья в 26-й была не такой кровопролитной.

Видя подавленность и разочарование соперника, Корчной из последних сил пытался переломить ход матча, но: «Отчаянная игра на выигрыш может в любой момент обернуться неудачей, и в 27-й партии (по-моему, одной из самых слабых в матче) это наконец случилось». Отмечу важную новинку Корчного в считавшемся безобидным варианте английского начала – **1.c4 e5 2.♘c3 ♘f6 3.♘f3 ♘c6 4.g3 ♗b4 5.♘d5 ♘:d5 6.cd ♘d4 7.♘:d4 ed 8.♕c2!** с лучшей позицией у белых. Но Карпов сумел уравнять шансы, а затем, когда соперник в погоне за миражом перевеса допустил серию неточностей, перехватил инициативу и добился победы.

Счет стал 5:2, и Карпову осталось выиграть всего одну партию. Но тут матч вступил в самую интригующую фазу. «Боги на Олимпе покинули свое дитя и обратили внимание на пасынка... Игра у Карпова не шла, что-то сломалось в прекрасном шахматном дизеле. Почти классический стиль художника не только потерял свой обычный блеск — он просто деформировался под тяжестью того давления, которому его подверг «коллектив»: отточенная техника отупела, компьютерное прогнозирование сменилось зияющими провалами. Массы стали пожирать творца» (из статьи Э.Штейна, будущего пресс-атташе Корчного).

В 28-й партии вновь проходил испытание на прочность открытый вариант «испанки». Возрождение этого варианта в 80—90-е годы во многом связано с именем Корчного, который отстаивал его и в Багио, и через три года в Мерано. И хотя в 14-й и 18-й партиях матча в Мерано белым удалось одержать важнейшие победы (№ 574, 575), идеи Корчного не потеряли актуальности, а некоторые из намеченных им путей являются магистральными и поныне.

№ 520. Испанская партия C82
КАРПОВ – КОРЧНОЙ
Матч на первенство мира,
Багио (м/28) 1978
1.e4 e5 2.♘f3 ♘c6 3.♗b5 a6 4.♗a4 ♘f6 5.0-0 ♘:e4 6.d4 b5

7.♗b3 d5 8.de ♗e6 9.c3 ♘c5. В ту пору сравнительно малоизученная линия. После 14-й партии Корчной временно отказался от 9...♗c5 (№ 524, 564). А в 24-й было 9...♗e7 10.♗c2 ♘c5 11.h3 0-0 12.♖e1 ♕d7 13.♘d4 ♘:d4 14.cd ♘b7 15.♘d2 c5 16.dc ♘:c5 17.♘f3 с небольшим перевесом белых, который, правда, быстро нивелировался.

10.♗c2 ♗g4 11.♖e1 ♗e7 12.♘bd2 ♕d7 13.♘b3. Естественный, но не самый жесткий план, как и 13.h3 ♗h5 14.♘f1 ♖d8 15.♘g3 ♗g6 16.♘d4 0-0!? 17.♗f5 ♘e6 18.♗g4 ♘c:d4 19.cd c5 20.♘f5 ♕a7! 21.♘:e7+ ♕:e7 22.♗e3 cd 23.♗:d4 ♖c8... 0-1 (Хюбнер — Корчной, Тилбург 1986).

Как потом выяснилось, энергичнее 13.♘f1! ♖d8 14.♘e3 ♗h5 15.b4! (после 15.♘f5 0-0 16.♘:e7+ ♕:e7 Корчной в 1987 году победил черными И.Гринфельда, А.Соколова и Марьяновича) 15...♗e6, и здесь играли как 16.♘f5 0-0 17.a4 (Балашов — Портиш, Москва 1981) или 16...d4?! 17.♗e4! (Хьяртарсон — Корчной, Сент-Джон(м/1) 1988), так и 16.g4 ♗g6 17.♘f5 0-0 18.a4 ♖fe8 19.ab ab 20.♗d3 ♖b8 21.♕e2 ♘cd8 22.♖a5! с ощутимым давлением (Халифман — Марин, Стамбул(ол) 2000).

13...♘e6. Хуже 13...♘:b3?! 14.ab или 13...0-0 14.♘:c5 ♗:c5 15.b4 ♗b6 16.♕d3 g6 17.♗h6 ♖fe8 18.a4. «Черные неслучайно воздерживаются от рокировки: за ладьей h8 сохраняется право голоса» (Таль).

14.h3 (14.♕d3 ♗h5! 15.♘fd4 ♗g6= Шмид — Корчной, Лондон 1979) **14...♗h5 15.♗f5** (борьба за центральные поля) **15...♘cd8.** Новинка. Ранее встречалось 15...♖d8?!

16.a4!, а позже успешно применялось 15...♗g6!? (Нанн – Таль, Нествед 1985; Леко – Пикет, Вейк-ан-Зее 2000).

16.♗e3 a5. Типовое продвижение: черные хотят с темпом (a5-a4) захватить пространство на ферзевом фланге. Любопытно и 16...♞b7 с идеей c7-c5 (Сигурьонссон – Стин, Мюнхен 1979). «Карпов был к этому готов и собирался ответить 17.♞bd2 c5 18.♞f1» (Таль).

17.♗c5. Таль объяснил этот здравый ход расслаблением чемпиона после пятой победы в предыдущей партии и желанием избежать обострений. Но есть ли что-нибудь лучше? По Флору, «заметное оживление могло внести 17.a4», однако после 17...ba у белых нет перевеса: 18.♞bd2 ♗g6, 18.♞bd4 c5 или 18.♞c5 ♗:c5 19.♗:c5 g6 20.♗:e6 ♞:e6 21.♗e3 ♗:f3 22.♕:f3 0-0=. Едва ли что-то сулит им и 17.♞c5 ♗:c5 18.♗:c5 ♗g6 19.♗g4 h5 20.♗:e6 ♞:e6 21.♗e3 c5 (Зарницки – Сорокин, Вилья-Гезель 1996).

17...a4 18.♗:e7 ♕:e7 19.♞bd2. А это и впрямь расслабление. «Хотелось бы сыграть конем

поактивнее, но в случае 19.♞bd4 ♞:d4 20.cd ♞e6 черные быстро налаживали контригру против центральной пешки» (Таль). При 21.♕c2 0-0! 22.♗:h7+ ♔h8 23.g4 ♗g6! 24.♗:g6 fg так оно и есть. Но, как показала практика конца века, после 21.g4 ♗g6 22.♖c1 у белых несколько лучшие шансы. Поэтому и на 19.♞bd4! (единственный способ борьбы за перевес) стали играть 19...c6.

19...c6. Итак, белым не удалось взять под плотный контроль пункт c5 и черные решили дебютные проблемы. Более того, они уже могут подумывать о постепенном захвате стратегической инициативы. План Корчного полностью оправдался!

20.b4. Вполне приемлемый ход, хотя, по словам Флора, он отнимает у белых возможность игры на ферзевом фланге и ослабляет поле c4, что будет важно в эндшпиле (угроза d5-d4). «Карпов оценивал свою позицию не слишком оптимистически, – пояснил Таль. – Между тем простое 20.♕c2 позволяло ему вести борьбу без всякого риска».

20...♞g5 (чтобы после размена пары легких фигур остаться с конем против слона) **21.♕e2 g6 22. ♗g4?!** Не хочется ставить вопросительный знак, но объективно это ошибка. «Чемпион, видимо, «поверил» сопернику. Отступление слоном на d3 или c2 сохраняло ему отличную позицию. Пешечный перевес черных на ферзевом фланге статичен – движение любой из пешек автоматически оживит слона» (Таль). И впрямь, при 22.♗d3! ♞de6 23.♕e3 ♗:f3 24.♞:f3 ♞:f3+ 25.♕:f3 (Филип) белые в порядке.

22...♗:g4 23.hg ♘de6 24. ♕e3.

24...h5! Используя положение ладьи на h8. В хорошей позиции, по словам Таля, «черные могут позволить себе резкую игру не только потому, что их спортивное положение восстает против полумер».

25.♘:g5. На 25.♘h2 возможно 25...hg 26.♘:g4 0-0-0 (Таль), и черный король скрывается на ферзевом фланге, а белый ждет неприятностей по линии «h», или просто 25...♕a7, «стремясь к лучшему эндшпилю» (Флор).

25...♕:g5 26.♕:g5 ♘:g5 27. gh. «Быть может, белые в предварительных расчетах надеялись на активное 27.f4?! ♘e6 28.f5, но в этот момент обнаружили, что после 28...♘g7 без материальных либо позиционных уступок им не обойтись» (Таль). Заслуживает внимания и 28...♘f4(g5).

27...♖:h5 28.♘f1 ♖h4 (возникло сложное окончание с несколько лучшими шансами у черных, но, конечно, при аккуратной игре белые должны удержаться) **29.♖ad1 ♔e7.** Подтягивая короля. Не имело смыс-

ла 29...♘e4 ввиду 30.♖d4! (Филип) 30...♖h6(7) 31.♖e3 ♔e7 32.f3.

30.f3 ♘e6 31.♘e3 ♖d8 (на поддержку прорыва d5-d4) **32.♘g4 ♘g5** (32...♘g7!) **33.♘e3?!** «Попытка 33.♔f2?! опровергалась путем 33...♘e4+ 34.fe ♖:g4, и ладейное окончание в пользу черных. Карпов не возражает против повторения ходов, но стоило предпочесть 33.♖d4, чтобы на 33...♘e6 отступить 34. ♖d2» (Таль).

33...♘e6 (33...d4!?) **34.♘g4 ♘g7!** «Повторив ходы для выигрыша времени (Корчной по обыкновению пребывал в цейтноте), черные находят лучший план. Практически любое ладейное окончание к их выгоде» (Таль).

35.♘e3?! (белые напрасно отступают — как отметили все комментаторы, явно лучше было 35. ♔f2) **35...♘f5!** Прекрасный ход, по-видимому, недооцененный Карповым.

36.♘c2?! «Парадоксально, но, несмотря на сдвоение пешек, ладейный эндшпиль выгоден черным. Вариант 36.♘:f5+?! gf 37.♖d4 f4 38.g4 (безнадежно 38.♔f2 ♔e6. — Г.К.) 38...♖dh8 39.♖:f4 ♖h1+ 40.♔f2 ♖8h2+ 41.♔g3 ♖:e1 42.♔:h2 ♖:e5 четко это показывает. Белым и сейчас стоило сыграть 36.♘g4!? Карпов играет на цейтнот соперника, но тот находит единственный и достаточно действенный ресурс» (Таль).

36...♘c4 («Как тут не вспомнить ход 20.b4?», — вздыхает Флор) **37. ♖d3 d4!** Все-таки прорываясь в центре. Думаю, Карпов недооценил и этот ход, поскольку он связан с временной жертвой пешки.

38.g4 ♘g7 39.♘:d4 (39.e6? ♘:e6 40.♘:d4 ♔f6 Таль) **39...♘e6 40.♖ed1.** Если 40.a3, то 40...♘f4!, например: 41.♖de3 ♘d5 42.♖d3 ♘:c3 43.♖ee3 ♖d:d4 с весомыми шансами на победу.

40...♘:d4 41.cd (еще хуже 41. ♖:d4 ♖d:d4 42.cd ♖:b4) **41...♖:b4 42.♔f2.** Здесь партия была отложена. Белые избавились от слабости на c3, но теперь крайне опасно для них движение черных пешек на ферзевом фланге.

42...c5!? Записанный ход. «На протяжении всего матча претендент избегал слишком обязывающих продолжений. На сей раз его к этому вынуждают обстоятельства. Казалось бы, элементарно выигрывало 42...♖b2+ 43.♖1d2 (43.♖3d2? ♖:d4) 43...♖:d2+ 44.♖:d2 ♘e6 45.♔e3 c5, но после 46.f4! ♖:d4 47.♖:d4 cd+ 48.♔e4! *(но не 48.♔:d4? b4 49.♔c4 b3! 50.ab ab 51.♔:b3 ♔d5! — Г.К.)* пешечное окончание оказывается ничейным ввиду 48...b4 49.f5+», — утверждал Таль в еженедельнике «64», а за ним и Филип в «Информаторе».

А Флор в журнале «Шахматы в СССР» и вовсе похоронил претен-

дента, сообщив, что «в случае 46.dc *(? — Г.К.)* 46...♖:d2 47.♔:d2 ♔e5 *(?? — Г.К.)* 48.♔c3 ♔d5 49.♔b4 ♔c6 50.g5! выигрывают белые». Однако 47...♔d5! 48.f4 b4! дает прямо противоположный результат: 49.♔d3 ♔:c5 50.f5 (50.♔d2 ♔d4) 50...g5! 51.e6 fe 52.f6 ♔d6 53.♔c4 b3 54.ab a3! или 49.g5 ♔:c5 50.f5 gf 51.e6 ♔d6 52.ef ♔e7 53.g6 f4–+.

Это наводит на мысль, что на 46. f4 сильнее немедленное 46...b4!, ибо 47.dc? ♖:d2 48.♔:d2 плохо из-за 48...♔d5! (см. выше). Труден для белых и ладейный эндшпиль после 47.♔e4 f5+! 48.ef ♔:f6 49.d5 b3 50.ab ab 51.♖b2 ♖b8, например: 52.♔d3 ♖b4 53.♔c3 (53.f5 g5) 53...♖:f4 54. ♖:b3 ♔e5 или 52.g5+ ♔e7 53.♔e5 ♔d7! 54.f5 (54.♖b1 ♖e8+! 55.♔f6 c4) 54...gf 55.g6 ♖e8+ 56.♔:f5 c4 57.g7 ♔d6 58.♔f6 ♖g8–+.

Учитывая огромную усталость после острого цейтнота и пяти часов напряженной игры (а также двух с половиной месяцев матчевой нервотрепки), точно рассчитать за доской все варианты было невозможно. И Корчной предпочел другой ход, тоже ставящий перед белыми неприятные проблемы. Это решение далось ему нелегко, после долгих мучительных колебаний. Еще бы: находясь в шаге от поражения в матче, позволить противнику создать в центре подвижную пару пешек! Уже записав ход, он дважды доставал свой бланк из приготовленного к запечатыванию конверта. В итоге на следующие 14 ходов при доигрывании у него осталось всего 22 минуты. Однако и этого хватило для победы...

43.d5. Плохо 43.dc ♖:d3 44.♖:d3 ♖b2+ 45.♔e3 ♖:a2, и у черных легко выигранный ладейный эндшпиль: 46.c6 ♖c2 47.♖d5 ♖:c6 48.♖:b5 ♖a6 49.♖b2 a3 50.♖a2 g5–+. «Бесперспективно для белых 43.♔e3 c4» (Таль). Поэтому Карпов пытается создать контратаку — даже ценой жертвы пешки.

«Отправляясь на доигрывание, я был уверен, что Карпов аккуратной игрой может спастись. Но в моем цейтноте он, безостановочно играя в темпе блиц, дважды упустил верную ничью», — писал Корчной в книге «Антишахматы». Однако при тщательном анализе ни Карпову в Багио, ни мне более четверти века спустя найти за белых «верную ничью» не удалось!

43...♖b2+ 44.♔g3. Вероятно, 44.♖3d2 не нравилось Карпову из-за 44...a3! 45.♔e3 b4 46.f4 c4, и черные пешки гораздо опаснее белых: 47.f5 gf 48.gf ♖:d2 49.♖:d2 b3 50.f6+ ♔e8 (контригра в центре оказалась явно неэффективной) 51.♔d4 b2 52.♖d1 c3 53.♔:c3 ♖:d5–+. Впрочем, и в партии контригра белых запаздывает.

44...♖:a2 (жестче всего, хотя неплохо и 44...g5, не позволяя противнику создать подвижную пешечную цепь) **45.♖e3.** «Именно на эту возможность рассчитывали белые, жертвуя пешку. Сейчас вскрывается линия для ладьи. Похоже, что последний ход белых был неожиданностью для Корчного — из оставшихся 20 минут он продумал десять» (Таль).

45...b4 46.e6 ♖a3 47.♖e2. Пожалуй, лучшим шансом было

47.♖:a3!? ba 48.ef (Филип), но и здесь после 48...♖b8! корабль белых шел ко дну: 49.♔f4 a2, 49.♖a1(d3) ♖b3 или 49.d6+ ♔:f7 и т.д.

47...fe 48.♖:e6+ ♔f7.

49.♖de1. «Устали оба. После 49.g5 белые сохраняли возможность развить инициативу. Быть может, черные могли отразить натиск, но как бы то ни было, им для этого понадобилось бы полностью мобилизоваться» (Таль).

«Если Таль упрекает Карпова за упущенную возможность 49.g5, то возникает вопрос: неужели в анализе отложенной партии позиция после 48...♔f7 не стояла на доске тренеров в рабочем кабинете?!» — удивляется Флор и предлагает 49...♖d7, «после чего метод выигрыша черных сходен с продолжением в партии». И не так уж сложен: если, к примеру, 50.♖c6, то 50...b3! 51.♖:c5 b2–+.

49...♖d7! Нейтрализуя угрозы белых. Упускало победу 49...♖:d5? 50.♖e7+ ♔f8 (50...♔f6? 51.♖1e6+ ♔g5 52.♖g7+– Филип) 51.♖e8+ ♔g7 52.♖1e7+ ♔h6 53.♖f7! ♖ad3 54.♔h4! g5+ 55.♔g3 ♖d6 56.♖h8+ ♔g6 57.

♖hh7=. Теперь же черные пешки ферзевого фланга неудержимы.

50.♖b6 (или 50.g5 ♖d3) **50... ♖d3 51.♖ee6 ♖3:d5 52.♖:g6 a3 53.♖bf6+ ♔e7 54.♖e6+ ♔f8 55. ♖ef6+ ♔e7 56.♖e6+ ♔d8 57.♖a6 ♖b7 58.♖g8+ ♔c7 59.♖g7+ ♖d7 60.♖g5 b3 61.♖:c5+ ♔b8.** Белые сдались. Счет стал 5:3.

Единственный в Багио проигрыш чемпиона белым цветом. «Корчной играл эту партию с большим подъемом», — отметил Таль, а Батуринский признал: «Поражение Карпова в 28-й партии было в какой-то степени закономерным, она лучшая из сыгранных Корчным в матче». Как будто не было 21-й...

По словам Карпова, ему удалось хорошо настроиться на следующую партию, «однако непредвиденные обстоятельства сбили боевой настрой и заставили слишком долго «перегореть» в ожидании очередного поединка». За час до начала игры организаторы объявили технический тайм-аут (из-за проблем с электричеством), а через два дня свой последний тайм-аут взял Корчной, «который вроде бы перегрелся на солнце, купаясь в океане», и затем приходил в норму с помощью йогов. Они, вот уже месяц не выходя с дачи, «самоотверженно трудились, укрепляя его физическое состояние и боевой дух». Корчной был очень доволен йогами: «С их появлением Зухарь стал увядать буквально на глазах!»

В итоге 29-я партия игралась после недельного перерыва. Ее начало было не совсем обычным: **1.c4 ♘f6 2.♘c3 e6 3.e4!?** (раньше Корчной ходил только 3.d4 или 3.♘f3) **3...c5 4.e5 ♘g8 5.d4 cd 6. ♕:d4 ♘c6 7.♕e4 d6 8.♘f3 de 9. ♘:e5 ♘f6** (не допуская размен слона: 9...♗d7 10.♘:d7 ♕:d7 11.♗g5 Геллер — Филип, Гётеборг(мз) 1955) **10.♘:c6 ♕b6 11.♕f3 bc,** и слабость пешки «c» обрекла черных на долгую малоприятную защиту в чуть худшей позиции. «Снова мне удалось найти вариант, о котором у чемпиона мира — никакого представления! Больше часа он потратил на первые девять ходов, но так и не нашел пути к уравнению, — отмечает Корчной. — При доигрывании он, опять в моем цейтноте, сбивается с правильного курса и проигрывает».

№ 521
КОРЧНОЙ – КАРПОВ
Матч на первенство мира,
Багио (м/29) 1978

47...♗d6?! Через шесть ходов после начала доигрывания, уже уравняв шансы, Карпов начинает допускать неточности. Во-первых, «при 47... ♖h7! 48.♘d3 ♗d6 черным не на что жаловаться: 49.♗c3 ♘f6 50.♗e5 ♘e4

51.♗:d6 ♖:d6 52.♘e5+ ♔g7!» (Таль),
а во-вторых, неплохо было и 47...
♗f6 или 47...♖d6.

48.♗c3 ♘d7? Таль и Филип об-
ходят этот ход молчанием, хотя
именно после него черным становится туго. Недостаточно и 48...♖b6
49.♔f3!, но можно было обороняться путем 48...♗c7! с идеей ♖d6.

49.gf+ ef 50.g4! ♘b6. Невыгодно 50...♗e5 (50...fg? 51.♘e4) 51.
♖:d7 ♗:c3 52.gf+ ♔:f5 53.♖d5+ ♔f4
54.♘d3+ (Таль и Филип советуют
54.♘h3+, но тут не вполне ясно
54...♔g4 55.♘:g5 ♗d4 56.♘e4 a5)
54...♔g4 55.♘:c5 и т.д.

51.♔f3 ♗e7 (51...♗c7 52.♖e1!)
52.♗a5?! Цейтнотная помарка.
Очень сильно было 52.♘d3!

52...♖f6! 53.♔g2 fg. На 53...
♘c8 (Филип) возможно 54.♖d7, и
если 54...fg, то 55.♖c7 ♖f8 56.♘:g4 с
хорошими шансами на победу.

54.♘:g4 ♖e6 55.♔f3 ♗f6
(55...♘c8 56.♖d5!?) **56.♘:f6! ♖:f6+
57.♔g4 ♘c8?!** «Другой защитой
было 57...♘:c4 58.bc ♖f4+ 59.♔g3
♖:c4, но черным пока необязательно идти на риск» (Таль). Тем более
что после 60.♖d2 ♖a4 61.♔b6 c4 62.
♔f3 c3 63.♖g2 или 62...g4+ 63.♔e3
они, скорее всего, проигрывали. Но
стоило включить 57...♖f4+! и только на 58.♔g3 ответить 58...♘c8.

58.♗d8?! (точнее 58.♗c7! ♘e7
59.♗d6 с явным перевесом) **58...
♖f4+ 59.♔g3 ♖f5** (59...♖d4? 60.
♖:d4 cd 61.♔g4 ♘d6 62.♗:g5+−) **60.
a4 ♔f7?** «Быть может, решающая
ошибка», — считает Таль и рекомендует 60...♖e5 (на это, правда,
хорошо 61.♔g4 ♖e4+ 62.♔f3 ♖f4+
63.♔e3) или 60...♖f7, что «еще ос-

тавляло возможности сопротивления: 61.♖d5 ♖f5 62.♖d7 ♖f7 63.♖:f7
♔:f7 64.♗:g5 ♔e6 с последующим
♘b6-d7».

61.♖d3?! Более неприятным для
черных выглядит 61.♗c7 или 61.
♖e1!

61...♖e5? Плохо и 61...♘e7? 62.
♖d6!, но «имело смысл 61...♔g6»
(Таль), на что белые могли сыграть
62.♖d7 или 62.a5 ♖e5 63.♔f3.

**62.♔g4 ♔g6 63.a5! ♖e4+ 64.
♔f3 ♖f4+** (или 64...♖h4 65.♖d5 и т.д.)
65.♔e3 ♖h4 (65...♖f5 66.♔e4 g4
67.♗h4+−) **66.♖d5 ♖h3+ 67.♔d2
♖:b3 68.♖:c5 ♖b8 69.♖c6+ ♔f5
70.♖:a6 g4 71.♖f6+ ♔e4 72.♗c7
♖b2+ 73.♔c3 ♖b7 74.♗h2 ♖h7
75.♗b8 ♖b7 76.♗g3 ♖b1 77.♖f4+
♔e3 78.♖f8 ♘e7 79.a6.** Черные
сдались. Счет стал уже 5:4!

В 30-й партии Карпов сыграл 1.
c4 и после затяжной маневренной
борьбы возникло равное ладейное
окончание. Партия была отложена,
но не доигрывалась: соперники, через посредника-судью, согласились
на ничью. Корчной: «Ох, что творилось в те дни в советском лагере!
Высокие официальные лица — Иво-

нин (государственный шеф советских шахмат), космонавт Севастьянов (шеф, так сказать, общественный — председатель федерации) уже давно в Багио, ждут не дождутся заключительного банкета. А банкета всё нет!..»

И вот настал день памятной, многострадальной 31-й партии. Ее начало не предвещало большой игры. После **1.c4** Карпов не стал допускать повторения 29-й и впервые ответил **1...e6 2.♘c3 d5**, а Корчной в свою очередь впервые за всю историю встреч с молодым соперником применил спокойный карлсбадский вариант: **3.d4 ♘f6 4.cd ed 5.♗g5 ♗e7 6.e3 0-0 7. ♗d3 ♘bd7 8.♘f3 ♖e8 9.♕c2 c6 10.0-0 ♘f8 11.♗:f6 ♗:f6 12.b4 ♗g4 13.♘d2 ♖c8 14.♗f5 ♗:f5 15.♕:f5 ♕d7 16.♕:d7 ♘:d7 17. a4 ♗e7 18.♖fb1 ♘f6 19.a5!?** (по словам Таля, именно «этот спорный ход в конечном счете принес белым успех») **19...a5 20.♘a4** и т.д.

Да, Корчной отказался от традиционной атаки пешечного меньшинства b2-b4-b5, справедливо полагая, что черные парируют ее путем c6-c5. Вместо этого он избрал редкий, нестандартный план — зафиксировал пешки ферзевого фланга, получив мощный форпост c5 для коня и возможность готовить прорыв в центре e3-e4. Аналогичный план встретился в партии Андерссон — Каспаров (Белград(м/2) 1985), однако там на доске оставались ферзи и e3-e4 привело к обоюдоострой игре. А вот в эндшпиле белый король может прийти на d3, тогда как черный не имеет столь же

удачной стоянки в центре — в конечном счете этот фактор окажется чуть ли не решающим!

Корчной психологически верно рассчитал, что неспешное маневрирование с нависающей стратегической угрозой e3-e4 будет наиболее неприятно для соперника. Конечно, Карпову хотелось как-то вскрыть игру, добиться большей ясности, но ему приходилось выжидать... Корчной провел e3-e4 только после контроля, уже на 41-м ходу! И Карпов, имевший огромный запас времени, не захотел откладывать партию в неопределенном положении и решил попытать счастья: «Я ответил буквально через несколько секунд. Он сделал 42-й ход, я тут же — ответный...» В итоге произошли размены, и к моменту откладывания возникло трудное для черных ладейное окончание.

№ 522
КОРЧНОЙ — КАРПОВ
Матч на первенство мира,
Багио (м/31) 1978

47.f5! «Дуэт пешек c5 и f5 крайне ограничивает подвижность черного короля. Здесь партия была отложена. Карпов, взяв на себя время, записал ход. Анализ показал, что позиция черных очень опасна. При доигрывании (уже не в первый раз) случилось непредвиденное. Поначалу претендент прошел мимо ряда сильнейших продолжений, но в тот момент, когда ничья была уже не за горами, чемпион допустил серьезный промах» (Таль).

47...gf 48.gf. Теперь черным все время надо считаться с возможными прорывами a5-a6 и d4-d5. Однако достаточен ли перевес белых для победы? В своей очень интересной и содержательной книге «Практические ладейные окончания» (2002) Корчной посвятил анализу этого исключительно сложного эндшпиля 16 страниц! И в итоге пришел к выводу, что черные все-таки могли защититься. Но я рискну утверждать, что их *позиция уже проигранная* (хотя, как знать, не будет ли позже оспорен и этот вердикт?).

На мой взгляд, в тех вроде бы ничейных линиях, которые приводит Корчной, белые могут тонкой и неожиданной игрой добиться решающего преимущества. Для начала важно понять, и Корчной хорошо объясняет это в своей книге, за счет чего белые вообще играют на выигрыш. В первую очередь — за счет разницы в положении королей: белый может резко активизироваться (как после жертвы пешки d4-d5 и Фd4, так и при переводе на b4 с дальнейшим d4-d5 или a5-a6 и Фа5), а черный стеснен пешками f5 и c5, и первый же шах по 7-му ряду заставит его уйти на 8-й. Совокупность

этих позиционных факторов позволяет белым идти на материальные жертвы, так как в некоторых вариантах для победы хватает даже одной проходной пешки: ввиду удаленности короля черным приходится отдавать за нее ладью и их контригра обычно запаздывает...

А теперь посмотрим, как развивались события в этом поистине историческом окончании.

48...Rg8. «Пассивно было 48...Ra8 — после 49.Ra2 белые переводили короля на b4, угрожая прорывами d4-d5 и a5-a6» (Таль). Могло последовать 49.Фe7 50.Фc3 Фd7 51.Фb4 Фc7 52.d5 cd (при 52...Фe8? 53.d6+ у белых решающий позиционный перевес, и Корчной убедительно доводит анализ до оценки «+−») 53.Ф:b5 с такими основными вариантами:

1) 53...d4 54.Re2 Rd8 55.Re7+ Фc8 56.Фb6 d3 57.Rc7+ Фb8 58.R:b7+ Фc8 59.Rc7+ Фb8 60.a6 d2 61.Rb7+ Фa8 62.c6 или 54...Rg8 55.Re7+ Фc8 56.Фb6 (активность короля!) 56...d3 57.c6! bc 58.a6 Фb8 59.Rd7 c5 60.Ф:c5 (при всех пешечных разменах у белых остается важней-

шая пешка f5 и их король просто идет за добычей на королевский фланг) 60...♖g1 61.♖:d3 ♖c1+ 62. ♔b6 ♖b1+ 63.♔c6 ♖a1 64.♔d7 ♖:a6 65.♔e7 ♔c7 66.♖d7+ ♔c8 67.♖d6 +– (Корчной);

2) 53...♖e8! (это куда интереснее) 54.♖g2! (указанное Корчным 54.a6 ba+ 55.♖:a6, в расчете на 55... ♖e3? 56.♖c6+, не выигрывает из-за 55...♖b8+! 56.♖b6 ♖b7!, и если 57.♔a6, то 57...♖b8 58.♖:f6 d4 с легкой ничьей: 59.♖d6 d3 60.♖:d3 ♔c6) 54...♖e3 (хуже 54...♖d8? 55. ♖g6 ♖d7 56.♖:f6 d4 57.♔e6 d3 58. ♖e1 d2 59.♖d1 ♖d4 60.f6 и т.д.) 55. ♖g7+ ♔b8 (на 55...♔c8 следует 56. a6! ba+ 57.♔c6 ♔b8 58.♔d6 d4 59. c6 ♖c3 60.♖b7+ ♔c8 61.♖f7 ♔b8 62.♖:f6 d3 63.♔d7+–) 56.a6! (только так!) 56...ba+, и у белых два заманчивых продолжения:

а) 57.♔c6!? (быть может, сильнейшее) 57...d4 58.♖g6 ♖:h3 59. ♖:f6 a5 60.♔d7, и пешка «d» задерживается ладьей с d6, после чего решает комбинированное движение пешек «c» и «f»;

б) 57.♔:a6 ♖:h3 (57...♖b3 58.♖f7) 58.♔b6 ♖b3+ 59.♔c6 d4 60.♖f7 ♖a3 (60...d3 61.♖:f6 d2 62.♖d6 ♖f3 63. ♖:d2 ♖:f5 64.♔b6 ♔c8 65.♖a2+–) 61.♖f8+ ♔a7 62.♔d7 ♖a5 63.c6 ♖d5+ (63...d3 64.c7 d2 65.♖a8+ ♔b6 66. ♖b8+ ♔a7 67.♖b7+ ♔a6 68.♖b1 и c8♕+–) 64.♔e6 ♔c5 65.♔:f6 ♖:c6+ 66.♔e5 ♖c1 67.♔:d4, и хотя черным ценой огромных усилий удалось ликвидировать пешку «c», им не хватает буквально одного темпа, чтобы нейтрализовать пешку «f»: 67...♖f1 68.f6 h5 69.♔e5 h4 70.♖h8 ♖e1+ 71.♔f5 ♖f1+ 72.♔e6 ♖e1+ 73.

♔d7 ♖f1 74.♔e7 ♖e1+ 75.♔f8 ♖h1 76.f7 h3 77.♔e7+–.

Вернемся, однако, к не менее увлекательной позиции в партии.

49.♔c3?! По словам Корчного, он сделал этот третьесортный ход из психологических соображений: можно было предположить, что при домашнем анализе команда Карпова не уделила ему достаточного внимания.

Прорыв 49.d5? был преждевремен ввиду 49...♖d8! 50.d6 ♖e8, и пешечный эндшпиль ничейный, а иначе черная ладья выходит на e5, атакуя пешки c5 и f5. Но, как отметили все комментаторы, напрашивались два «более опасных для черных» хода – 49.♖a2 и 49.♔e6:

1) 49.♖a2 (с идеей a5-a6, разменивая пешку b7 и нападая на пешку c6) 49...♖g3+ 50.♔e4 ♖:h3 51.a6 (на 51.d5 годится и ход Корчного 51...b4, и 51...♖h4+ 52.♔f3 ♖d4! 53. dc bc 54.a6 ♖d8=) 51...ba 52.♖:a6 ♖h4+ 53.♔d3 ♖h3+ 54.♔d2, и теперь плохо 54...b4? 55.♖:c6 b3 56. ♖d6! или 54...h5? 55.♖:c6 h4 56. ♖c7+! (это жестче, чем план Корчного 56.♖b6 ♖f3 57.♖:b5 h3 58.c6 h2

59.Лb7+ Крe8 60.Лh7 Крd8 61.Л:h2
Л:f5 62.Крd3 и т.д.) 56...Крe8 57.c6 с
решающим прорывом (57...Лf3 58.
Лf7 Крd8 59.Л:f6 h3 60.d5 h2 61.d6
+—), но выручает 54...Лh2+! 55.Крc3
Лh3+ 56.Крb4 Лd3 57.Л:c6 Л:d4+
(контригра черных поспевает как
раз вовремя: им удается активизировать короля) 58.Крb5 Лd5 59.
Лc7+ Крe8 60.Крb6 Л:f5 61.Лb7 Лf2
62.c6 Лb2+ 63.Крa7 Лc2 64.c7 Крd7!
65.Крb8 Крe6 66.Лb5 f5 (отдавая одну
из пешек, черные прорываются королем на королевский фланг) 67.
c8Ф+ Л:c8+ 68.Крc8 f4 69.Крc7 f3
70.Крc6 f2 71.Лb1 Крf5 72.Лf1 h5 73.
Л:f2+ Крg4 74.Крd5 Крg3=.

На основании этого варианта
Корчной сделал справедливый вывод о недостаточности хода 49.Лa2
и приступил к анализу следующего
энергичного продолжения, которое
также, без сомнения, тщательно
изучалось и в штабе Карпова;

2) 49.Лe6! Тот же план создания
связанных проходных, но без потери времени на взятие пешки a6:
после a5-a6 и ba белые сразу берут
на c6, и этот темп, на мой взгляд,
оказывается решающим:

а) 49...Лa8 50.Лd6! Крe7 51.d5 Л:a5
(плохо 51...cd 52.Лb6 Л:a5 53.Л:b7+
Крd8 54.Крd4) 52.Лe6+! Крd7 53.Л:f6
b4 54.Крc4 b3! (острейшая позиция!)
55.Лf7+ Крc8 56.Крb3 cd (Корчной
подробно разбирает и 56...Л:c5 57.
d6+—) 57.f6 Лa1 (57...Лb5+ 58.Крc3
Л:c5+ 59.Крd4 Лc1 60.Лe7 Крd8 61.
Крd5 b5 62.Крe6+—) 58.Лe7! (хуже
58.Крc3 Лf1 59.Крd4 Лf5 60.h4 h5
61.Лh7 Л:f6 62.Крe5 Лg6 и b7-b6=)
58...Крd8 59.Крc3 Лf1 60.Л:b7 Л:f6
61.Крd4 Лf3.

По мнению Корчного, это ничья:
62.Крd5 Лh3 63.Крc6 Крc8! Однако у
белых есть страшной силы ход 62.
h4!!, вынуждающий черную ладью
занять неудачную позицию: на 62...
Лf5 решает 63.c6! Крc8 64.Лh7 h5
65.Крc5 d4+ 66.Крb6, а на 62...Лh3 —
63.Крe5! (сохраняя пешку d5: она
закрывает короля от шахов) 63...d4
64.Крd6 Крc8 65.Лh7 Лc3 66.c6 Крb8
67.Крd7 d3 68.Л:h6 и Лd6, тормозя
пешку «d» и надвигая свои пешки;
или 62...Лf4+ 63.Крe5! Лg4 64.Крd6
Лg6+ 65.Крd5 Лg4 66.h5 Лg1 (погоня за пешкой h5 допускает убий-
ственное Крd6) 67.Лh7+—;

б) 49...Лg3+ (приходится) 50.
Крe4! (50.Крd2?! Лa3 51.d5 Л:a5 52.dc
bc 53.Л:c6 Лa4 54.Лb6 Лf4=) 50...
Л:h3 51.a6! (на 51.d5 Лh4+ 52.Крd3
спасает 52...Лa4 и Л:a5) 51...Лh4+
52.Крe3 Лh3+ 53.Крf4 ba 54.Лc6, и у
черных есть выбор:

б1) 54...Лh4+ 55.Крe3 a5 56.Лb6
b4 57.Лb5! (именно так, а не 57.
Лb7+ Крe8 58.c6 Крd8 59.Крd3, ибо
здесь вместо рассматриваемого
Корчным 59...a4? 60.d5! Лh1 61.
Крc4+— есть ответ 59...b3! с неясной
игрой) 57...b3 58.Л:a5, уничтожая
одну из черных пешек, после чего
другая уже неопасна, и пара белых
пешек быстро решает исход сраже-

ния: 58...♔e7 59.♖b5 ♖h2 60.♔e4 b2 61.♔d5+–;

б2) 54...a5 55.♔e4 ♖c3 (55...a4 56.♖b6!; 55...b4 56.♖a6!) 56.♔d5. Еще одна острейшая позиция с проходными пешками у обеих сторон. Решающее превосходство белых в том, что их пешки поддержаны королем и всегда можно создать угрозы неприятельскому королю. Если 56...h5, то 57.♖c7+ ♔g8 58. ♔e6! h4 59.♔:f6 h3 60.♖g7+, например: 60...♔h8 61.♖g4! ♔h7 62.d5! ♖:c5 63.d6 ♖d5 (Корчной) 64.♖h4+ ♔g8 65.♔e6 ♖d3 66.d7 h2 (66... ♖e3+ 67.♔d5 ♖d3+ 68.♖d4) 67. ♖:h2 ♖e3+ 68.♔f6 ♖d3 69.♖g2+ ♔f8 70.♖g7 ♖d6+ 71.♔e5 ♖d1 72. ♖h7 или 60...♔f8 61.d5! ♖:c5 62.♖a7 (белые отдали пешку «c», но им хватает пешек «d» и «f») 62...♖c8 (62...♔e8 63.♔e6) 63.♖h7 ♔g8 64. ♖:h3 ♖d8 (Корчной) 65.♖d3 ♔f8 66.d6 ♔e8 67.♔e6, и черные пешки ферзевого фланга даже не успели прийти в движение.

Сильнее 56...b4 с идеей 57.♖a6? h5 58.♖:a5 b3 (отвлекая внимание белых с помощью пешек «a» и «b») 59.♖a7+ ♔f8! 60.♔e6 h4 61.♔:f6 (61.♖f7+ ♔g8 62.♔:f6 h3) 61...♔e8 62.d5 h3 63.c6 ♔d8 64.♔e6 b2!= (Корчной).

Однако здесь к выигрышу ведет коварный промежуточный шах 57. ♖c7+! На 57...♔g8 уже хорошо 58. ♖a7 h5 59.♖:a5 b3 60.♖a1!+–, а если 57...♔f8, то после 58.♔e6 (но не 58.♖a7? b3 59.♖:a5 h5 и т.д.) 58...a4 (или 58...b3 59.d5 и ♔:f6) 59.d5 a3 60.♔:f6 возникает та самая ситуация, когда мощь проходных пешек сочетается с матовыми угрозами.

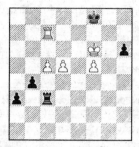

Спасения нет: 60...♔g8 61.♖g7+ ♔h8 62.♖a7 или 60...♔e8 61.♖a7 b3 62.♖:a3 b2 63.♖a8+ ♔d7 64.♖b8 ♖:c5 65.♖:b2 ♖:d5 66.♖b7+, и хотя черные разменяли свои пешки «a» и «b» на белые «c» и «d», дело кончается безнадежным для них эндшпилем с пешкой «f» против пешки «h».

Итак, анализ вариантов с 49.♔e6! доказывает, что отложенная позиция была все-таки выигранной для белых. Прийти к этому выводу мне помогла не только машина, но и в первую очередь интуиция. Внимательно ознакомившись с глубоким исследованием Корчного, я проникся устойчивым ощущением, что позиционный перевес белых в этом оригинальном эндшпиле должен быть достаточным для победы. И дальнейшие поиски это подтвердили...

А вот сделанный в партии ход 49.♔c3?! объективно упускает выигрыш, хотя и ставит хитроумную ловушку.

49...♖e8?! «Поскольку пешечный эндшпиль ничейный, ладья занимает важную открытую линию. При 49...♖g3+? 50.♔b4 ♖:h3 черных ждала расплата за «пешкоедство»: 51.d5 cd 52.c6 bc 53.a6, и пешку «a» не удержать» (Таль). Однако после 53...♖h4+ 54.♔c5 ♖a4 (Кан) 55.♔b6 b4 56.a7 c5 57.♔b7 c4 58.♖e6 ♖:a7+ 59.♔:a7 c3 60.♖c6 d4 проигрывают не черные, а белые! Вместо 52.c6? верно 52.♖e6! ♖f3 53.♖b6 ♖:f5 54. ♖:b7+ ♔e6 55.a6 ♖f1 56.a7 ♖a1 57. c6+−. Но ходом раньше и черные могут сыграть сильнее: 51...♖h4+! 52. ♔b3 ♖h3+ 53.♔b2 cd (Кан), добиваясь ничьей: 54.c6 bc 55.a6 ♖h4 56. ♔b3 c5 57.♖a2 ♖h3+ или 54.♖e6 b4! 55.♖b6 ♖a3 56.♖:b7+ ♔e8 57.c6 ♔d8 58.♖f7 ♖:a5 59.♖:f6 ♔c7=.

Так где же путь к выигрышу белых? Его указывает Корчной: 51. a6! ba 52.d5! Торжество основной идеи! У черных есть два ответа:

1) 52...cd 53.c6 ♖h4+ 54.♔c5 ♖c4+ 55.♔:d5 a5 (55...♖c1 56.♔d6 +− Корчной) 56.♔d6! (план Корчного 56.♖b2 ♖c1 57.♖:b5 недостаточен из-за 57...♔e7!) 56...b4 57.♖e7+ ♔f8 58.♖a7 b3 59.c7, и белые побеждают, используя силу проходной «c» и сохранившейся пешки f5. Не помогает и 53...♖g3 54.c7 ♖g4+ 55.♔c5 ♖c4+ 56.♔d6 d4 57.♔d7 d3 58.♖d2 ♖d4+ 59.♔c6 ♖c4+ 60.♔b7+−;

2) 52...♖h4+ 53.♔a5 cd 54.♖c2 d4! (Корчной отвергает 54...♔e7 из-за 55.c6 ♔d8 56.♔b6 ♔c8 57.♖g2+−, и ладья с решающим эффектом вторгается по линии «g») 55.c6 d3, и теперь не 56.c7? dc 57.c8♕ ♖c4 58. ♕e6+ ♔f8 59.♕:f6+ ♔e8 60.♕e6+ ♔d8! 61.♕d6+ ♔c8 62.♕:a6+ ♔c7 63.♕b6+ ♔c8 64.♕e6+ ♔d8 с ничьей (Корчной), а только 56.♖d2! ♖c4 57.♔b6, добиваясь победы: 57...b4 (57...♔e7 58.♖:d3) 58.♖:d3 a5 59.c7 a4 60.♖d7+ ♔e8 61.♖d6 (грозит ♖c6) 61...♖:c7 62.♔:c7 a3 63.♖a6 h5 64. ♔d6 (король спокойно возвращается и забирает пешки — как раз темп

в темп!) 64...h4 65.♔c5 h3 66.♔:b4 h2 67.♖e6+ ♔f7 68.♖e1+−.

Для полноты картины отмечу, что не спасает и 50...♖d3 (вместо 50...♖:h3) 51.a6! ♖:d4+ 52.♔a5 ♖a4+ 53.♔b6 или 51...ba 52.♔a5 ♖:d4 53.♔:a6 b4 54.♔b6 b3 55.♔:c6 ♖b4 (55...♖c4 56.♔d6 ♖d4+ 57.♔c7 ♖c4 58.c6 ♖c2 59.♖e3 b2 60.♖b3 ♔e7 61.h4 h5 62.♖b7! ♔e8 63.♔d6+− Корчной) 56.♖b2 h5 57.♔c7 h4 58.c6 ♔e7 59.♔c8 ♔d6 60.c7 ♖c4 61.♖d2+ ♔c6 62.♔d8 ♔b7 63.♖d7, и занавес опускается.

Таким образом, 49...♖g3+? действительно проигрывало. Зато к ничьей вело довольно очевидное (хотя что можно считать очевидным при доигрывании 31-й партии изнурительного матча?!) продолжение 49... ♖g5! (атакуя куда более важную, чем h3, пешку f5) 50.♖e6 ♖:f5 51.a6 ba 52.♖:c6 a5!

Позиция черных гораздо лучше, нежели во многих рассмотренных ранее вариантах, потому что в отсутствие пешки f5 они могут активизировать короля. Объективно шансы сторон уже примерно равны:

1) 53.♔d3, и теперь возможно 53...♖f3+ 54.♔e4 ♖:h3 55.♖c7+ ♔g6 56.d5 f5+! (Корчной) 57.♔d4 ♖h4+

58.♔d3 a4 59.d6 a3 60.d7 a2 61.♖c6+! (61.d8♕? ♖h3+!) 61...♔h5 62.♖a6 ♖a4 63.d8♕ ♖:a6 64.♕e8+ ♔g4 65. ♕e2+ ♔g5 с ничьей, однако хитрее 53...a4!? 54.♔e4? (верно 54.♖b6) 54...♖f1 55.♖a6 f5+!, и на выигрыш играют уже черные: 56.♔e5 f4 57. ♖a7+ ♔g6 58.♖a5 f3! (но не указанное Корчным 58...♔g5 59.c6 или 58...b4 59.♖:a4 b3 60.♖b4=) 59.♔f4 f2 60.♔f3 b4 61.♖:a4 b3 62.♖b4 ♖h1 63.♔:f2 b2–+;

2) 53.♖a6 ♖f3+ 54.♔d2 b4 55.♖:a5 ♔e6= (Корчной) или 54...a4, и белые должны жертвовать пешку: 55. d5 ♖f5 56.♖a7+ ♔g6 57.♔c3 ♖:d5 58.♔b4, но этого хватает лишь для ничьей — 58...♖d3 и т.д.

Ход Карпова 49...♖e8 тоже не проигрывающий, однако он всетаки оставляет черным более сложные проблемы.

50.♖d2. Таль рекомендовал 50. ♖a2. И впрямь, после 50...♖e3+ 51. ♔d2! (51.♔b4 ♖d3!= Корчной) 51... ♖:h3 52.a6 ba 53.♖:a6 возникала позиция из варианта с 49.♖a2, где черным пришлось бы продемонстрировать единственный путь к ничьей. Но стоит напомнить, что Корчной сознательно избегал этой линии, наверняка детально проанализированной командой противника. Быть может, к такому повороту событий и стремился Карпов, играя 49...♖e8. И Корчной, верный своей психологической стратегии, старается окончательно сбить его с домашнего анализа.

50...♖e4. «Вполне надежный путь к ничьей. Прорыв 51.d5 не опасен для черных. Единственный план игры на победу — прорваться коро-

лем на ферзевый фланг. Ближайшие несколько ходов форсированны» (Таль).

51.♔b4 (и снова Корчной избегает 51.♔a2) **51...♔e8! 52.a6.** «Последняя попытка, неожиданно приносящая успех» (Кан).

52...ba 53.♔a5 ♔d7 54.♔b6! b4 55.d5 (долгожданный прорыв, требующий от черных определенной точности в защите) **55...cd 56.♖:d5+ ♔c8 57.♖d3.** Разумеется, не 57.c6? b3!

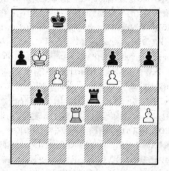

57...a5? Уже по истечении второго контроля (на 56-м ходу) Карпов допускает роковую ошибку, делая инстинктивный ход: ему хочется поскорее активизировать свои проходные пешки. Но для их надвижения у черных нет времени! Необходимо было комбинировать атаку с защитой: по словам Таля, «все трудности черных оставались позади, стоило им пойти 57...♖c4! 58.c6 (58.♖g3 ♖c3 или даже 58...♔d7) 58...♖c3».

Действительно, в этом случае черная ладья удачно поддерживала бы движение своей пешки «b» и тормозила движение неприятельской пешки «с». К ничьей ведет как 59.♖d6 b3 60.♖:f6 ♔d8 61.♖d6+ ♔e7 (Корчной), так и 59.♖d2 b3 60.♖g2 ♔d8 61.♔b7 a5 62.♖d2+ ♔e7 63.c7 a4 64.c8♕ ♖:c8 65.♔:c8 a3 66.♖d7+, и сила черных пешек заставляет белых форсировать вечный шах.

Комментируя промах Карпова, старейший советский мастер Илья Кан писал: «Это ладейное окончание войдет в историю загадок борьбы за мировое первенство». По-моему, это художественное преувеличение: шахматная история знает и не такие «загадки» — страшный зевок Чигорина в 23-й партии матча со Стейницем (№ 26), затмения Бронштейна при доигрывании 6-й и 23-й партий матча с Ботвинником (№ 209, 214) и т.д.

58.♖g3 (и вдруг оказалось, что ничьей уже нет!) **58...b3.** По мнению Таля, «после 58...♖c4 черные сохраняли шансы на спасение». Другие комментаторы тоже рекомендовали этот «более упорный» ход. Но и здесь у белых был четкий путь к победе: 59.c6 ♔d8 60.c7+ ♔e7 61.♖e3+ ♔d6 62.♖d3+ ♔e5 63.♖d8, и на 63...b3 64.c8♕ ♖:c8 65.♖:c8 a4 66.♖c5+ ♔d4 67.♖b5 ♔c4 решает обходной маневр 68.♔a5 a3 69. ♖b4+! ♔c3 70.♔a4 a2 71.♖:b3+ ♔c2 72.♖a3 ♔b2 73.♔b4 с переходом в выигранный пешечный эндшпиль.

59.♔c6! «С темпом уводя короля, белые выигрывают важнейшую пешку» (Таль). Карпов сделал еще дюжину дежурных и в конце уже вовсе необязательных ходов.

59...♔b8 (59...♖d4 60.♖:b3 a4 61.♖g3) **60.♖:b3+ ♔a7 61.♖b7+ ♔a6 62.♖b6+ ♔a7 63.♔b5 a4**

64.♖:f6 ♖f4 65.♖:h6 a3 66.♖a6+ ♔b8 67.♖:a3 ♖:f5 68.♖g3 ♖f6 69.♖g8+ ♔c7 70.♖g7+ ♔c8 71. ♖h7. Черные сдались. Счет сравнялся — 5:5, и судьба матча повисла на волоске.

«Феноменальное «пять — пять» стало не только спортивным равновесием, но и идеологическим: оказалось, что невозвращенец, лишенный семьи и родины, зачастую окруженный целым стадом «носорогов», — в условиях свободы может творить невозможное» (Э.Штейн).

Как же Корчному удалось совершить это чудо? Почему Карпов почти трижды кряду — уникальный рекорд в его славной карьере — не смог удержать худшее окончание? Конечно, проще всего сослаться на усталость чемпиона. Однако такое объяснение, на мой взгляд, умаляет подвиг Корчного, который, будучи на 20 лет старше соперника, неутомимо ставил перед ним всё новые и новые проблемы. Его фантастический напор и изобретательность даже в безнадежной матчевой ситуации, разумеется, тоже влияли на состояние Карпова и провоцировали его на новые ошибки. Важно отметить, что речь не о грубых промахах и зевках, а о постепенном ухудшении позиции: Корчной потихоньку переигрывал своего великого соперника! Думаю, эти его победы гораздо более весомы, чем победы в сложных окончаниях над Полугаевским и даже Спасским в матчах 1977 года.

А вот мнение самого Корчного: «Что же случилось во второй половине матча? Карпов, имея колоссальный психологический, спортивный, шахматный, наконец политический перевес, – не только не сумел его использовать, но вообще растерял всё по дороге. Единственная уступка, на которую согласилась советская сторона, – убрать своего психолога из пределов моей видимости, – дорого обошлась чемпиону. Карпов утратил свои лучшие качества, и прежде всего – тонкость психологической оценки позиции! Это как бы знание того представления о позиции, которое имеет противник. Способность понять ход его мыслей – это очень много! Это значит – минимум наполовину сократить анализ возможных ответов противника, а попросту говоря, предвидеть, что он будет делать. Этим качеством Карпов владеет более, чем кто-либо другой, – и его-то он и утратил! Насколько мощным он выглядел в этом плане в 13-й и в первой половине 17-й партии, настолько же беспомощным – в 29-й и 31-й! Налицо была и полная потеря уверенности в себе».

Объективности ради надо заметить, что Корчной выиграл эти три партии вовсе не из-за отсутствия Зухаря в первых рядах зала. Он сражался как лев! Через шесть с лишним лет его героический пример вдохновлял меня в еще более безнадежной ситуации, сложившейся после 27-й партии моего первого матча с Карповым (1984/85). И события на финише матча в Багио стали в какой-то мере прообразом той драмы, которая разыгралась в последней трети московского матча и особенно в заключительные

его дни. Впрочем, об этом – в 7-м томе...

Теперь, после 31-й партии, матч выигрывал тот, кто одержит первую победу. Карпов взял тайм-аут и, чтобы как-то развеяться и снять стресс, уехал с Севастьяновым в Манилу, где отчаянно поболел за «наших» в финальном матче чемпионата мира по баскетболу СССР – Югославия. А тем временем в Багио другие «наши» перешли в решительное наступление на йогов – в тот момент у советской стороны всё было под контролем.

Шмид уехал еще после 27-й партии (у него были неотложные дела в Германии), и в жюри его заменил новый главный судья – Филип из «братской» Чехословакии. Эйве, прибывший к концу матча, увы, тоже уехал – как раз после 31-й партии. «Карпову надо было дождаться отъезда Эйве, единственной фигуры, которой немножко стыдились советские, – пишет Корчной. – Президент покидал Багио в самые горячие дни матча, чтобы навести порядок... в Шахматной федерации Венесуэлы. Видимо, это было поважнее, чем вопрос, кто станет чемпионом мира. Правда, перед отъездом Эйве в беседе с Кином и фрау Лееверик заявил, что если советские снова будут преследовать йогов, он разрешает мне остановить матч».

Атака началась 14 октября с пресс-конференции Кампоманеса, который сообщил, что «преступники» Двайер и Шеппард вновь посещают отель, где живет претендент, и пользуются официальным транспортом матча, и потребовал от Корчного «соблюдения норм приличия и уважения к организаторам». В ответ тот пригласил к себе журналистов и проделал под руководством Дада и Диди серию упражнений по системе йогов.

Через день, накануне 32-й партии, советская делегация обратилась в жюри с письменным требованием удалить с матча «преступников-террористов». Примечательный фрагмент: «Организатор матча г-н Ф.Кампоманес неоднократно официально требовал прекращения этой связи и в своем меморандуме от 13 сентября *(после 21-й партии. — Г.К.)* предупреждал о возможности прекращения матча в целях обеспечения личной и общественной безопасности. Однако связь членов делегации претендента с преступными элементами продолжается».

Как видим, еще в 1978 году Кампоманес и команда Карпова допускали *возможность прекращения матча*. Когда счет стал 5:5, поползли слухи о том, что советская делегация, озабоченная состоянием здоровья чемпиона, будто бы предложила ФИДЕ прекратить матч — при этом Карпов, конечно, сохранял титул. И якобы Эйве, который за два года до этого и сам предлагал подобный регламент (см. стр. 342), в какой-то момент даже сказал Кину, что при равном счете матч следовало бы прекратить. Подобный сюжет мог быть реализован, к примеру, в случае ничьей в 32-й партии. Вполне возможно, что эта идея была подсказана д-ру Эйве. Во всяком случае, шесть с половиной лет спустя она была воплощена в жизнь с формальной подачи Севастьянова другим президентом ФИДЕ — Кампоманесом, когда тот прекратил наш первый матч с Карповым в сходной ситуации и под тем же предлогом...

В день 32-й партии, 17 октября, состоялось решающее заседание жюри, и Кин, к тому времени ставший главой делегации претендента, «поартачившись для виду, согласился удалить йогов из Багио». И в два часа дня на глазах у ничего не подозревавшего Корчного — «вся полнота власти и информации находилась тогда у Кина» — они покинули его дачу.

По словам Корчного, когда он пришел на игру, зал напоминал арену полицейских маневров: здание было переполнено одетыми в штатское и в форму стражами порядка. Перед партией он случайно увидел «на лицах советских затаенное торжество, злорадство». А дальше... «Началась партия. В первом ряду партера сидели руководители советских шахмат, а в 4-м разместился... наш старый знакомый — Зухарь!» Примерно без четверти восемь Стин послал телеграмму протеста д-ру Эйве. Но было уже поздно... Претендент играл неудачно и отложил партию в безнадежной позиции (№ 566).

Наутро Кин «по собственной инициативе» позвонил Филипу и сообщил о сдаче Корчного! А тот в свою очередь послал Филипу письмо: «Я не буду доигрывать 32-ю партию. Но я не собираюсь и подписывать бланк, ибо партия игралась в совершенно незаконных условиях...» Корчной обратился с протестом в ФИДЕ и не явился на закрытие матча: «Это тоже был мой протест против поведения советских и Кампоманеса. В матче, превращенном в побоище, где при пособничестве жюри были выброшены все понятия о честной игре, где бессовестно нарушались правила и соглашения, — в таком соревновании и церемония закрытия превращается в место казни бесправного».

Это тяжелое поражение, в сущности, означало крах надежд Корч-

ного стать когда-нибудь чемпионом мира. Тем удивительнее, что сразу же после матча, в то время как молодой чемпион отправился «на заслуженный отдых» (такое бывает и в наши дни), 47-летний претендент нашел в себе силы возглавить команду Швейцарии на олимпиаде в Буэнос-Айресе и показал лучший результат на 1-й доске: +7=4. После всех филиппинских испытаний это выглядело невероятным! И по итогам 1978 года Корчной был заслуженно удостоен единственного в своей жизни, и потому особенно дорогого, шахматного «Оскара».

ПОСЛЕДНЯЯ БИТВА ЗА ТРОН

Жестокий бойкот со стороны советской федерации вынудил Корчного пропустить минимум два крупнейших турнира 1979 года — в Монреале (1—2. Карпов и Таль) и Тилбурге (1. Карпов). Но его выступления в других соревнованиях были вполне на уровне вице-чемпиона мира: дележ 1—2-го мест с Любоевичем в Сан-Паулу и Буэнос-Айресе (сумма: +15=11), выигрыш четверного матч-турнира в ЮАР и открытого чемпионата Швейцарии — 12 из 13, с отрывом в 4,5 очка от второго призера.

Зимой, готовясь к очередному претендентскому циклу, он сыграл в Линаресе (2—4-е места) и Вейк-ан-Зее (3-е), благо там не было представителей СССР. Набранная форма помогла ему уверенно преодолеть первый трудный барьер — четвертьфинальный матч с Петросяном (Фельден, март 1980). Игра шла на большинство из 10 партий,

и Корчной, выиграв 5-ю и 9-ю при семи ничьих, одержал досрочную победу со счетом 5,5:3,5. А уже через месяц разделил 1—3-е места с Андерссоном и Майлсом на турнире в Лондоне.

Следующим испытанием, как и три года назад, был полуфинальный матч с Полугаевским (Буэнос-Айрес, лето 1980), на сей раз «всего» из 12 партий. Новая дуэль складывалась для Корчного очень тяжело: он никак не мог выиграть белыми! Полугаевский, будучи на подъеме (в четвертьфинале он одолел Таля), сопротивлялся гораздо упорнее, чем в Эвиане. Проиграв почти равный ладейный эндшпиль в 4-й партии, он победил в 6-й; проиграв 8-ю, отыгрался с помощью блистательной новинки в 12-й (№ 324) и вновь сравнял счет — 6:6.

По регламенту после этого предусматривались две дополнительные партии, а в случае 1:1 — еще две, и при равном счете победителем матча становился тот, кто выиграл больше партий черными (то есть Корчной).

Итак, начался классический тайбрейк из двух партий. В 13-й Корчной опять не сумел использовать белый цвет, более того — в тревожном эндшпиле «конь против слона» записал уже единственный спасающий ход! Многие, включая главного судью Найдорфа, считали отложенную позицию безнадежной для белых, но при доигрывании Корчной четко форсировал ничью.

Возникла весьма интригующая ситуация, так как Полугаевского устраивала только победа — в 14-й или, при ничьей, в одной из следующих двух дополнительных партий. Любители шахмат гадали: удастся ли советскому гроссмейстеру повторить чудо, совершенное им в 12-й партии? О том, что случилось дальше, красочно рассказал пресс-атташе Корчного Эмануил Штейн: «И вот в воскресенье, в 4 часа, решающая 14-я партия. У нас опять черные — что играть? Корчной с тренерами, гроссмейстерами Стином и Сейраваном, готовился к партии всю ночь, шлифуя острый вариант английского начала, где черные дают шах конем с d3 и белые лишаются рокировки. Вариант был рискованный, но Корчной надеялся на эффект неожиданности: если соперник сыграет по старинке, то мы «порадуем» его усилением, найденным Майклом Стином... А в те же дни в Италии проходил матч Хюбнер — Пор-

тиш и в качестве корреспондента аргентинской газеты «Кларин» там пребывал Бент Ларсен. И вот выхожу я утром за газетами, раскрываю «Кларин» и... застываю пораженный: весь вариант — там! Весь! Оказывается, накануне его разыграли Хюбнер с Портишем — правда, та партия закончилась вничью. Но Ларсен! Ларсен, прекрасно знавший эту схему, показал, как могли усилить игру черные, но еще раньше — белые! Вот так сюрприз!

Прихожу в номер — они, конечно, сидят, готовятся. Показываю газету — страшный переполох! Не знаем, что делать, отчаяние просто. Мы с Виктором отправились на прогулку, и в какой-то момент я сказал: «Выход один: надо идти ва-банк. Серов (*руководитель советской делегации. — Г.К.*) вряд ли читает на испанском, да и покупать газеты за валюту он не будет, а из посольства до завтра не пришлют — воскресенье все-таки!» Виктор задумался... Наконец начинается партия — и Корчной играет тот самый вариант! Там позиция кризисная где-то на 14—15-м ходах: или — или. Вижу, как Виктор убегает со сцены и мечется в своей клетке — комнате отдыха. Ждет! Затаился, как зверь в засаде... Ну конечно же Полугаевский не знал о газете — и через 10 минут всё было, по сути, кончено! А спустя пару дней Ларсен написал в «Кларин» статью под заголовком "Беда тому, кто не читает Ларсена!"».

Такая удивительная история могла произойти, разумеется, лишь в докомпьютерную, доинтернетную эпоху: Полугаевского погубила черепашья скорость распространения информации... Разберем эту драматичную партию, первые 14 ходов которой совпали с 5-й партией «параллельного» матча претендентов Хюбнер — Портиш.

№ 523. *Английское начало А34*
ПОЛУГАЕВСКИЙ – КОРЧНОЙ
Матч претендентов,
Буэнос-Айрес (м/14) 1980

1.♘f3 ♞f6 2.c4 c5. В предыдущих четных партиях матча Корчной играл только 2...b6 и дело сводилось к новоиндийской защите (№ 324).

3.♘c3 d5 4.cd ♞:d5 5.e4 (популярный тогда ход) **5...♞b4 6. ♗c4 ♞d3+.** В нашумевшей партии Полугаевский — Таль (Рига(мз) 1979) было 6...♗e6 7.♗:e6 ♞d3+ 8. ♔f1 fe 9.♞g5 ♛b6!? 10.♛e2? c4 с отличной игрой у черных (№ 293), но уже в 1980 году нашли сильный ответ 10.♛f3!

7.♔e2 ♞f4+. Размен 7...♞:c1+ 8.♖:c1 оценивался в пользу белых еще со времен партий Такача против Шпильмана (Вена 1928) и Рубинштейна (Рогашска-Слатина 1929), а также Ботвинника против Каспаряна (1938).

8.♔f1 ♞e6. Этот перевод коня тоже считался недостаточным — из-за следующей жертвы пешки. Однако Портиш и сразу за ним Корчной со Стином разработали за черных новый план развития.

9.b4!? На спокойное 9.♞e5 (Авербах — Бондаревский, Москва 1946) черные с наибольшим успехом отвечали 9...g6.

9...cb. Вскоре с легкой руки Тони Майлса на сцену вышла интересная жертва пешки — 9...g6!? 10.bc ♗g7 11.♗:e6 ♗:e6 12.d4 ♞c6 13.♗e3 с острой, неясной игрой (Сейраван — Майлс, Лондон 1982; Каспаров — Широв, Пестово(сеанс) 1986; Вальехо — Леко, Линарес 2003). Теория еще так и не дала окончательной оценки этому варианту. Его зачастую избегают и черные, и белые: слишком рискованное предприятие!

10.♞d5. В то время главное продолжение. «Белые захватывают пространство, выводят слона c1 на прекрасную диагональ и получают, казалось бы, очень хорошие перспективы. Но Портиш смог преодолеть этот оптический обман и переоценить возникающие позиции» (Макарычев).

Впоследствии более сильным признали 10.♞e2! ♞c7 (теперь уже плохо 10...g6? из-за 11.♗b2 ♗g7 12. ♗:e6! ♗:b2 13.♗:f7+) 11.d4 e6 12.h4 с отличной компенсацией за пешку (Хюбнер — Тукмаков, Вейк-ан-Зее 1984; Каспаров — Грюнберг, Гамбург(сеанс) 1985).

10...g6! Эта находка почти перевернула оценку позиции! Черные решают проблему развития королевского фланга, и в возникающих «грюнфельдовских» построениях уже белые должны играть аккуратно, ибо преобладание в центре не компенсирует минусов положения короля на f1.

11.♗b2 (не лучше 11.a3 ♗g7 12. ♖b1 ♞c6=) **11...♗g7 12.♗:g7 ♞:g7 13.♞:b4 0-0.** Но не сразу 13...♗g4? ввиду 14.♗:f7+ ♔:f7 15. ♞e5+ или 15.♞g5+.

14.d4? Странно, что и Хюбнеру, и Полугаевскому изменило чувство опасности. Ход в партии выглядит естественным, но позволяет сопернику немедленно атаковать центр белых. И хотя это еще не окончательная катастрофа, куда осмотрительнее было рекомендованное Ларсеном и другими комментаторами 14.h3=.

14...♗g4. «Здесь Полугаевский задумался на 30 минут и впервые «не угадал» хода, сделанного Хюбнером. Действительно, играть белыми очень непросто: по сути они имеют «Грюнфельд» с плохим королем и уже связанным конем f3» (Макарычев).

15.♗e2?! Хюбнер избрал 15. ♕d2, и после 15...♗:f3 16.gf ♘c6 (16...a5!?) 17.♘:c6 bc Портиш получил удобную игру — на 18.♔g2 возможно 18...e5! 19.♖hd1 ed 20.♕:d4 ♕h4. В партии последовало 18.f4?! e6 19.♕e3 ♕f6 20.♗e2 ♖fd8 21.♖d1 ♖ab8 22.a3 ♖b2 23.♔g2 ♖db8 24. ♖he1 ♖8b3 25.♖d3 (25.♕c1 ♕h4) 25...♗:d3 26.♕:d3 (или 26.♗:d3 ♘h5 27.f5 ♕h4) 26...♕:f4, и черные должны были победить. Но Хюбнеру чудом удалось спастись (и в

итоге, после серии ничьих, выиграть матч — 6,5:4,5).

По мнению гроссмейстера Макарычева, «стоило сыграть 15.d5 и начать отвод сил (слона на e2, коня b4 по маршруту c2-e3 или d3-e5), по возможности избегая потерь». Но и здесь после 15...♘d7 у черных отличная игра: на 16.♗e2 сильно 16...f5!

15...♕d6! 16.♕d2 ♘e6 17. ♗:e6 (белые уже вынуждены отдать слона за коня) **17...♕:e6 18.♔e3?!** «В этом маневре есть своя логика: угрожает ♘e5. Несмотря ни на что, белые борются за инициативу!» (Макарычев). И все же это ошибка, усугубляющая трудности белых. Конечно, Полугаевский понимал, что идти королем в центр плохо, но ему хотелось избавиться от связки. Неожиданная новинка черных, очевидно, лишила его душевного равновесия (не секрет, что в подобных ситуациях он обычно действовал не лучшим образом).

Заслуживало внимания 18.♕d3 идеей развить ладью h1 и отойти ♔f1. В этом случае резкое 18...f5 19. e5 a5 (Свешников) опровергалось компьютерным ударом 20.♕b3 ♕:b3 21.ab со спасительной связкой по линии «а». И хотя после 18.. ♖d8 или 18...♘d7 ввиду неустроенности белого короля и экстравагантного положения коня на b4 черные сохраняли ощутимое преимущество, позиция белых оставалась еще обороноспособной.

18...f5! Самое энергичное, хотя и при 18...♘d7 19.♘g5 (Макарычев 19.♘d5 ♗:f3 и 20...f5!) 19...♕d6! 20.f3 (20.h3 ♘b6!) 20...f6 21.♘:h7

♔:h7 22.fg ♘b6 у черных довольно опасная инициатива.

19.♕d3. «После 19.♘e5? черные получали решающую атаку путем 19...♘d7 20.f3 ♘:e5 21.de fe 22.fg ♖ad8 23.♕b2 ♕b6+ *(с дальнейшим 24.♔:e4 ♖f2 25.♕b3+ ♔g7. — Г.К.).* Незавидна позиция белых и в случае 19.e5? f4+ 20.♔e2 ♘c6» (Макарычев). Еще лучше 20...♗:f3+ 21. ♔:f3 a5 22.♘c2 ♕d5+ или 21.gf ♕c4+ 22.♔e1 a5 23.♘c2 ♘c6–+.

19...fe! 20.♕:e4 ♕:e4+ 21. ♔:e4 ♘d7. «Игра перешла в тяжелое для белых окончание. К тому же у Полугаевского оставалось всего 10 минут на 19 ходов» (Макарычев).

22.♖hc1?! У белых уже опустились руки. Шансы на спасение сохраняла только активизация злосчастного коня — 22.♘d5, чтобы в случае 22...♗:f3+ 23.gf ♘f6+ 24.♘:f6+ ♖:f6 25.♖hc1 ♖e6+ 26.♔f4 ♖d8 27.♖c7 ♖d4+ 28.♔g3 ♖b4 вторгнуться ладьями на 7-й ряд: 29.♖d1! ♔f7 30. ♖dd7 ♖e2 31.a3 ♖b1 32.♔g2 ♖bb2 33.♔g3 и т.д. Однако 22...e6! оставляло черным явный перевес как после 23.♘c7 ♖ac8 24.♖a(h)c1 ♖f5! или 23.♘f4(c3) ♗:f3+ 24.gf ♖f5!, так

и при 23.♘e3 ♘f6+, ибо недостаточно и 24.♔d3 ♗:f3 25.gf ♘d5!, и 24. ♔f4 ♗:f3 25.gf ♖ad8, и 24.♔e5 ♖ad8 и т.д.

22...♖f5! «Очень неприятный ход, готовящий и перевод ♘d7-f6-d5, и сдвоение ладей по линии "f"» (Макарычев). Несмотря на отсутствие ферзей, позиция не утратила признаков миттельшпиля: на доске еще хватает фигур, и возможности черных создавать угрозы белому королю далеко не исчерпаны, не говоря уже об атаке слабых белых пешек.

23.♖c7?! «Ладья идет под «вилку». Вероятно, меньшим из зол было 23.♘d3, сохраняя некоторые практические шансы» (Макарычев). А вот 23.♘d5 наталкивалось на сильное возражение 23...♘f6+! 24. ♘:f6+ ef 25.♖e1 (25.d5 ♖e8+ 26.♔d4 ♖d8) 25...♗:f3+ 26.gf ♖e8+ 27.♔d3 ♖:e1 28.♖:e1 ♗:f3+ 29.♔c4 ♖f2.

23...♘f6+ 24.♔d3 (24.♔e3 a5 25.♘d3 ♗:f3 26.gf ♘d5+ и т.д.) **24...a5 25.♘c2 ♘d5 26.♖:b7 ♘f4+ 27.♔e4 ♘:g2 28.♘e5 ♖f4+ 29.♔d5 ♗f5! 30.♖c7.** «От угрозы ♗e4 или ♗:c2 нет защиты, так как 30.♖b2 ♖:f2 31.♖c1 ♖c8 и ♘f4+ вело к мату. Белые проигрывают фигуру» (Макарычев).

30...♖d8+ 31.♔c5 ♗:c2 32. ♘c6 ♖e8 33.♘:e7+ ♔f8 34.♘c6 ♖f5+ 35.♘e5 ♘f4 36.♖:h7 ♔g8 37.♖d7 ♘d3+ 38.♔b6 ♘:e5 39. de ♖e:e5 40.♖c1 ♖f6+ 41.♔a7 ♖:f2. Белые сдались, и Корчной выиграл матч.

Но, по всей видимости, у него уже миновал пик формы и наметился определенный кризис. Вероятно, сказывался и возраст — все-таки запас энергии не безграничен, и дефицит выступлений в сильнейших турнирах — чтобы поддерживать должный уровень, надо постоянно играть с равными по классу! Если первый матч Корчного с Полугаевским ознаменовал его небывалый творческий взлет (безусловно, связанный с переездом на Запад: он раскрепостился, стал свободным человеком), то второй возвестил о наступающем окончании золотого периода его карьеры.

Очень непросто складывался для Корчного и финальный матч претендентов с выдающимся немецким гроссмейстером Робертом Хюбнером (Мерано, зима 1980/81), одним из редких в истории игроков мирового масштаба, преуспевших не только в шахматах, — видным ученым-филологом, автором многочисленных научных работ (не говоря уже о шахматных статьях и комментариях).

Многие шахматисты старшего поколения помнят замечательный финишный рывок молодого Хюбнера в межзональном турнире на Мальорке (1970), его уверенную, зрелую игру в матче с Петросяном (1971) и неожиданную сдачу матча после шести ничьих и проигрыша удачно складывавшейся 7-й партии; другое трагическое поражение от Петросяна — на финише межзонального в Биле (1976), которое лишило его места в матчах претендентов. Зато в следующем цикле д-р Хюбнер достиг вершины своей спортивной карьеры: разделил 1–3-е места с Петросяном и

Портишем в межзональном турнире (Рио-де-Жанейро 1979), затем выиграл матчи у Адорьяна и Портиша, прекрасно начал финальный поединок с Виктором Грозным...

Еще в конце 1973 года они встречались в тренировочном матче из восьми партий, не без труда выигранном Корчным (4,5:3,5). Теперь же Хюбнеру было 32 года, он находился в самом расцвете творческих сил, играл уверенно, цепко — и после шести партий вел в счете: +2–1=3. В 7-й партии — французская с 3.♘d2 — он получил явно лучший эндшпиль с парой мощных слонов. Корчной изобретательно защищался, и при доигрывании ему в остром цейтноте удалось уравнять шансы. Ничья была уже неизбежной, однако на 63-м ходу Хюбнер внезапно зевнул шах конем и потерял ладью! ·

Почуяв «запах крови», Корчной в жестко-технической манере выиграл 8-ю партию и впервые в матче вышел вперед — 4,5:3,5. Наступил психологический перелом. Следующая партия была отложена в примерно равном окончании, а затем состоялась 10-я партия, которая также была отложена, но с явным перевесом у Корчного.

На следующий день информационные агентства разнесли по всему миру сенсационную весть о том, что Хюбнер отказался от доигрывания и сдал матч! А ведь игра шла на большинство из 16 партий и вероятный счет 6:4 был бы отнюдь не катастрофическим. Но, видимо, после трагического зевка ладьи Хюбнер утратил веру в успех... Так или иначе, несмотря на все трудности, Корчной выиграл второй претендентский цикл подряд — раньше такое удавалось только Смыслову и Спасскому. А стать еще и финалистом двух других циклов (1968 и 1974) — такого вообще не удавалось никому!

Там же в Мерано состоялся и очередной матч на первенство мира Карпов — Корчной (октябрь—ноябрь 1981). Он должен был стартовать раньше, однако новый президент ФИДЕ гроссмейстер Фридрик Олафссон отложил матч на месяц, «желая обеспечить обоим соперникам равные условия», то есть все-таки добиться разрешения на выезд семьи Корчного из СССР. Из этого ничего не вышло, зато через год при выборах президента ФИДЕ на конгрессе в Люцерне страны советского блока отказали в поддержке Олафссону, отдав предпочтение Кампоманесу...

Советский официоз изо всех сил старался помочь Карпову выполнить напутствие, прозвучавшее из уст самого Брежнева: «Взял корону, так держи!» Этот матч сопровождался беспримерной ура-патриотической кампанией. Карпов получил лучших тренеров и всевозможную помощь, какую только мог оказать ему государственный аппарат. Об атмосфере подозрительности, окружавшей битву в Мерано, можно судить уже по тому факту, что советская делегация — включая и Карпова — побывала там за несколько недель до начала матча, чтобы проверить питьевую воду, климатические условия, уровень шума и радиации (об этом поведал прессе председатель оргкомитета).

Публику поразили десять огромных контейнеров, привезенных на матч командой Карпова. Эти снимки появились в итальянских газетах под броскими заголовками типа «Секретное оружие русских?» Но Батуринский объяснил, что учтен опыт более чем трехмесячного пребывания в Багио: «Кто знает, сколько продлится нынешний матч? Нужно запастись многим. Картотека, шахматные книги, теоретические материалы, итоги многодневной подготовительной работы... Можно считать эту часть грузов секретным оружием. Нужны также медикаменты, продукты, спортивный инвентарь. Так она и набралась, добрая тонна груза».

Матч получился не таким упорным, как в Багио. Корчному, хотя он весь год поддерживал тонус выступлениями в неэлитных турнирах, уже не хватало энергии, чтобы противостоять всесторонне вооруженному молодому сопернику. Играли вновь до шести побед, и старт оказался обескураживающим для претендента — три поражения в четырех партиях! Виной тому была даже не дебютная суперподготовка Карпова, а откровенно неудачная игра Корчного, который не столько позволял себя переигрывать, сколько переигрывал себя сам. Как выяснилось, у него с самого начала подскочило давление, стали болеть и слезиться глаза — такого с ним никогда не бывало.

Годы спустя Виктор Львович вспоминал: «В Мерано Карпов «со товарищи» (а было тех товарищей 43 человека, а в конце матча до 70) заставили меня испытать кошмарное время». Он убежден, что против него использовались новейшие достижения советской разведки: «Нет сомнений, что в первом ряду сидели люди Карпова и с помощью приборов изучали мое состояние — пульс и прочее. К тому же меня облучали — или в зале, или на даче, где я остановился». Его пресс-атташе Эмануил Штейн тоже считал, что «в Мерано было что-то жуткое», и рассказывал в интервью, как застал в своем номере троих незнакомцев, рывшихся в его бумагах, и один из них чем-то прыснул из баллончика ему в глаза, после чего он потерял сознание и потом имел большие проблемы с давлением и зрением...

Да, полицейский контроль и активность спецслужб были характерной чертой нескольких поединков на первенство мира, начиная с матча Спасский — Фишер. Однако мне ничего неизвестно о таинственных приборах и облучении кого-либо из участников. Поэтому я могу лишь подтвердить слова Корчного о том, что во время таких матчей происходит много всякой чертовщины. И не в последнюю очередь потому, что нервная система игрока испытывает ни с чем не сравнимые перегрузки.

Как бы то ни было, Корчной нашел в себе силы продолжить сражение, хотя в тот момент было непонятно, за счет чего он мог бы переломить столь ужасное для него течение матча. В 5-й партии он более 30 ходов безуспешно пытался выиграть ладейный эндшпиль «четыре пешки против трех на одном фланге». В те дни я играл в Тилбурге и, помню, громко удивлялся:

«Зачем тратить столько времени? Это же битая ничья!» Но Петросян и Спасский, не сговариваясь, объяснили мне смысл тактики Корчного: на следующий день после такого доигрывания очень тяжело играть белыми на выигрыш...

И 6-я партия напомнила миру о прежнем Корчном! Если во 2-й после 1.e4 e5 2.♘f3 он ответил скромным 2...♘c6 3.♗b5 ♘f6, а в 4-й — и вовсе 2...♘f6, то теперь, когда отступать было уже некуда, решил возобновить начатую в Багио теоретическую дуэль в своем излюбленном открытом варианте «испанки». Можно считать, что именно с этой партии и начался настоящий матч — с напряженной, бескомпромиссной борьбой и принципиальными дебютными дуэлями.

№ 524. Испанская партия C82
КАРПОВ — КОРЧНОЙ
Матч на первенство мира,
Мерано (м/6) 1981

1.e4 e5 2.♘f3 ♘c6 3.♗b5 a6 4. ♗a4 ♘f6 5.0-0 ♘:e4 6.d4 b5 7. ♗b3 d5 8.de ♗e6 9.c3. Эта партия оказала столь сильное влияние на развитие дебютной теории, что после нее белые, начиная с Карпова, всё чаще стали предпочитать 9. ♘bd2 (№ 574, 575).

9...♗c5 10.♘bd2 0-0 11.♗c2 ♗f5 12.♘b3 ♗g6! Вместо 12...♗g4 (№ 564) Корчной взял на вооружение вариант, изучавшийся еще в 1955 году Геллером и его секундантом Бондаревским при подготовке к матчу за звание чемпиона СССР со Смысловым. Впоследствии так играли Савон, Юсупов и сам Геллер.

13.🐎fd4. Если 13.а4, то 13... ♝b6 14.ab ab 15.♖:a8 ♛:a8= (Тукмаков — Савон, СССР(ч) 1969) или 14.🐎bd4 🐎:d4 15.🐎:d4 ♛d7! 16.♝e3 🐎c5 17.a5 ♝a7 18.f4 ♝:c2 19.🐎:c2 f6 20.ef ♖:f6= (ван дер Виль — Корчной, Вейк-ан-Зее 1983).

13...♝:d4 14.cd. Мало обещает 14.🐎:d4 ♛d7!, и после 15.🐎:c6 ♛:c6 16.♝e3 ♖fe8 плохо и 17.f4? 🐎:c3! (Корчной — Карл, Швейцария(ч) 1982), и 17.f3? 🐎:c3! (Спилмен — Тимман, Лондон(м/6) 1989). Или 15.f4 🐎:d4 16.cd f6 17.♝e3, и теперь не 17...fe?! (Леко — Корчной, Леон 1994) из-за 18.de, а 17...♖ad8= (Клованс – Дорфман, Москва 1981).

14...a5 15.♝e3 (хуже 15.f3 a4! или 15.♝d3 ♛b8 16.♝f4 ♛b6!) **15... a4!** Раньше эта позиция оценивалась в пользу белых ввиду 15...🐎b4?! 16.♝b1 a4 17.🐎d2! a3 18.♛c1! с угрозой ba (Карпов — Савон, Москва 1971).

16.🐎c1. При 16.🐎d2 a3 уже плохо 17.♛c1? ab, и теряется пешка d4. Верная линия – 17.♖b1 ab 18.🐎:e4 ♝:e4 19.♖:b2 ♛d7 (А.Иванов — Юсупов, Фрунзе 1979) 20.♝d3! ♝:d3 21.♛:d3 с давлением на пешку «b» и по линии «c». Здесь Корчной черными устоял против Хюбнера (Чикаго 1982; Люцерн(ол) 1982) и Лоброна (Париж 1984), а Карпов белыми одолел Юсупова (СССР(ч) 1983).

Однако с конца 80-х на 16.🐎d2 стали играть 16...f6!, например: 17. ♖c1 fe 18.🐎:e4 de 19.d5 🐎e7 20.♝c5 ♖f7= (Иванчук — Грищук, Ретимнон 2003).

16...a3. Полезное включение – и для миттельшпиля, и для эндш-

пиля, где слабость пешки a2 особенно чувствительна. Немедленное 16...f6 ведет после 17.f3 (17.🐎d3!?) 17...fe! 18.fe (18.de? d4! Войткевич — Сидеиф-заде, СССР 1981) 18... ♖:f1+ 19.♛:f1 к очень острой игре.

17.b3. В случае 17.♖b1 выигрывает в силе 17...f6 18.f3 fe! 19.fe ♖:f1+ 20.♛:f1 ed (Унцикер — Корчной, Беэр-Шева 1984), а попытка 17.ba ♖:a3 18.♝b3 🐎c3 19.♛d2 b4 20.🐎d3 парируется путем 20...♝:d3 21. ♛:d3 ♛a8!= (Нанн — Марин, Салоники(ол) 1988).

17...f6! Корчной пришел к этому поединку не с пустыми руками. В партиях Романишин — Юсупов и Цешковский — Геллер (СССР(ч) 1980/81) было 17...🐎b4 18.♝b1 c5, и во второй из них после 19.dc! 🐎c6 20.🐎e2 ♛e8 21.f4 белые добились явного перевеса. На сей раз черные подрывают центр с другой стороны, не спеша занимать конем поле b4.

18.ef. «Возможно, этот ход связан с каким-то просчетом: теперь черные получают хорошую игру в центре и на королевском фланге» (Геллер). Невыгодно и 18.f3 fe! 19.fe (19.de? d4!) 19...♖:f1+ 20.♛:f1 ed.

Но незадолго до матча в партии Асеев — Дорфман (Саратов 1981) встретилось 18.♘d3!? fe 19.♘:e5 ♘:e5 20.♗:e4 de 21.de ♖e8 22.♖c1 ♖:e5 23.♕:d8+ ♖:d8 24.♖:c7 ♖ed5 с несколько худшим окончанием у черных. Другая защита — 21...♕:d1 22.♖f:d1 ♖fd8 23.h3 (сильнее 23. ♖dc1!? Ведберг) 23...♗f7 24.♖:d8+ ♖:d8 25.♖c1 ♖c8= (Иванчук — Тимман, Новгород 1995).

18...♕:f6 19.♘e2 ♘b4! (неплохо и 19...♕e7 20.♖c1 ♘b4 21.♗b1 ♖ae8 22.♘c3 ♖:c3 23.♖:c3 ♗:b1 24. ♕:b1 c6 Спилмен — Тимман, Лондон(м/4) 1989) **20.♗b1 ♕e7.** Крепкий профилактический ход: черные тормозят f2-f3 и защищают коня b4. Преждевременно 20...c5?! ввиду 21. f3 ♘g5 (Нанн; 21...♘d6 22.♗:g6 и dc) 22.♕d2! ♘e6 23.♗:g6 ♕:g6 24.dc.

Геллер полагал, что «гораздо активнее» было 20...♖ae8 (Либерзон — Стин, Беэр-Шева 1982) 21.♕c1 c5, и если 22.♕:a3?, то 22...♘d2! Однако после 22.f3! шансы белых по крайней мере не хуже: 22...♘d6 23.♗g5 ♕f7 24.♕:c5 и ♕:b4 или 22...♕e7 23.♖e1 ♘f6 24.♘f4 ♗:b1 25.♖:b1.

21.♕e1. По горячим следам Разуваев рекомендовал 21.♖e1!? с идеей f2-f3, но в партии Шорт — Тимман (Ереван(ол) 1996) на это последовало 21...♘:f2! 22.♗:f2 ♗:b1 23.♖:b1 ♖:f2! 24.♔:f2 ♖f8+ 25.♘f4!? (избегая ничьей после 25.♔g1 ♕e3+ 26.♔h1 ♘d3 27.♖f1 ♖:f1+ 28.♕:f1 ♘f2+ 29.♔g1 ♘h3++) 25...♖:f4+ 26. ♔g1 ♖e4 27.♕d2 ♘d3! 28.♖f1 ♖:d4 29.♖f3 ♘f4! 30.♕f2 g5 31.♖e3 ♖e4, и во многом благодаря сильной пешке a3 у черных достаточная компенсация за качество.

21...♖fe8 (21...♖ae8!? Геллер) **22.♘f4** (белые должны играть осторожно: плохо и 22.f3? ♘f6 23.♗d2 ♘d3, и 22.♕c1? ♘:f2! 23.♔:f2 ♗:b1 с угрозой ♘d3+) **22...♗f7.**

23.♕c1?! Хюбнер ставит к этому «труднообъяснимому» ходу вопросительный знак и рекомендует 23. f3. Действительно, после 23...♘c3 24.♗d2! (хуже 24.♕:c3 ♕:e3+ 25. ♕:e3 ♖:e3 26.♔f2 ♖ae8) 24...♕f6 25. ♕f2 ♘c6 (25...♘:b1 26.♗:b4) 26. ♗:c3 ♕:f4 27.♗d3 шансы сторон примерно равны.

Геллер, Нанн и Суэтин предлагали «надежное» 23.♘d3 (избавляясь от коня b4), хотя, на мой взгляд, после 23...♘c6! шансы черных несколько выше. С точки зрения игры на удержание равновесия, возможно было 23.♗:e4 de 24.♕e2 и ♖c1.

Ход 23.♕c1 более амбициозный: белые угрожают после ♖e1 и f2-f3 взять под контроль пункт c5 и надавить по линии «c». Но ответ черных нарушает эти планы. Позже Карпов признал, что при подготовке и во время самой партии недооценил опасности, таящиеся в позиции белых.

23...c5! Кардинальное решение проблемы! Черные жертвуют пешку, зато избавляются от слабости на c7, закрывают линию «c» и получают проходную пешку «d» – как много плюсов за небольшой материальный урон!

24.dc. Иначе c5-c4. А если 24. ♗:e4?! ♕:e4 25.♕:c5, то 25...♘c2 с сильной контригрой – Таль и Геллер привели вариант 26.♖ac1 ♖ac8! 27.♕:b5 ♘:e3 28.♖:c8 ♖:c8 29.fe ♕:e3+ 30.♔h1 ♖c1. Труден для белых и эндшпиль после 28...♘:f1!? 29.♖:e8+ ♕:e8 30.♕:d5+ ♕:d5 31. ♘:d5 ♘d2, опять-таки из-за «ахиллесовой пяты» на a2.

24...♕f6. «Теперь спор идет за пункт d4» (Хюбнер). При этом белым не так уж просто скоординировать действия своих фигур.

25.♗:e4. На хитроумное 25. ♕d1!? с идеей 25...♕:a1! 26.♗d4 ♕:b1 27.♕:b1 ♘d2 28.♕f5 ♘:f1 29. ♕g5 ♗g6 30.♘:g6+– (Нанн) или 25...♘c3?! 26.♗d4! ♘:d1 27.♖:f6 gf 28.♖:d1 могло последовать простое 25...♖ad8! с достаточной контригрой.

25...♖:e4. Угрожает как ♖:f4 и ♘d3, так и d5-d4.

26.♘e2?! «По словам Таля, чемпион мира вначале планировал 26. ♕d2, чтобы нападением на коня b4 приковать к месту пешку d5, но затем ему не понравился выпад 26... ♕b2. Хотя после 27.♖fd1 у черных нет ничего существенного, а лишь компенсация за пешку» (Геллер).

Причем после 27...♖ae8! компенсация более чем достаточная: невыгодно 28.f3 ♖:e3 29.♕:b4 g5 30. ♘h3 ♖e2 31.♕g4 h6 или 28.♕:b2 ab 29.♖ab1 g5 30.♘e2 ♗h5 31.♖:b2 ♗:e2 32.♖:e2 d4, а если 28.g3, то 28...♘c6! 29.♕:b2 (на 29.♘e2 хорошо и 29... b4, и 29...♘e5) 29...ab 30.♖ab1 d4 31.♗d2 g5 32.f3 ♖4e7 33.♘h3 ♘e5 (или 33...h6 34.♖:b2 ♗d5) 34.♘:g5 ♗d5 и т.д. Во всех этих вариантах белые вынуждены отбиваться от наседающего противника.

26...d4 27.♘g3 ♖ee8 28.♕d2 ♘c6 (28...de? 29.fe ♕h4 30.♖f4, отыгрывая фигуру) **29.♗g5 ♕e5 30.♖ac1.** Белые не отдают свой единственный козырь – лишнюю пешку c5. Геллер назвал альтернативой 30.♖fe1 ♕:c5 31.♘e4, «возвращая пешку и активизируя свои силы», однако после 31...♕d5 32.f3 ♗g6 перевес на стороне черных.

30...d3. «Поддерживая инициативу: теперь при случае грозит ♕b2 или ♘d4!» (Суэтин). К тому же черные не прочь захватить линию «e».

31.♖fd1. Казалось бы, лучше было 31.♖fe1 ♕b2 (31...♕d5 32.♗f4) 32.♘f5, но после 32...♖:e1+ 33.♖:e1 ♖e8 34.♖:e8+ ♕:e8 35.f3 ♗g6 36.♘d6 ♘d4! слабость ферзевого фланга доставляла белым массу хлопот.

31...♗g6 32.♗e3 ♖e6 (с намерением ♖ae8) **33.♗f4 ♕f6** (33...♕b2

34.h4!?) **34.♖e1 ♖ae8 35.♖:e6
♖:e6 36.♖b1?** В трудной позиции
белые предупреждают вторжение
ферзя на b2. «На 36.♖d1 сильно 36…
♘d4 с идеей ♘e(c)2» (Геллер). Или
36…h5!? — это хорошо и на 36.♗e3.

Вероятно, последним шансом
было 36.♖e1, чтобы в случае 36…
♖:e1+?! 37.♕:e1 ♕:f4 38.♕e6+ ♔f8
39.♕:c6 использовать открытое положение черного короля, например: 39…♕d4 40.♕c8+ ♔e7 41.
♕b7+! ♔f6 42.♕c6+, и ничего не
дает 42…♔g5 ввиду 43.♕f3! d2?!
44.h4+! ♔:h4 45.♘f5+ ♗:f5 46.♕:f5
d1♕+ 47.♔h2 (грозит 48.g3#) 47…
♕:f2 48.♕:f2+ ♔g5 49.♕g3+ с лучшим ферзевым эндшпилем у белых.

36…h5! Поскольку Карпов за-
щитился на ферзевом фланге, Корчной начинает атаку на королевском, угрожая с темпом пойти h5-
h4-h3 и резко ослабить в лагере противника белые поля — прежде всего
поле f3. Неплохо было и 36…♘d4!?

37.h3. «Обязательный ход» (Геллер). В случае 37.♗g5 ♕d4 38.♗e3
♕e5 39.b4 h4 40.♘f1 h3 положение
белых и впрямь критическое, но и
сейчас им не позавидуешь.

37…h4. Начинает сказываться
обычный для Корчного цейтнот.
После 37…♘d4! 38.♗e3 (38.♗g5
♘e2+! 39.♘:e2 ♖:e2–) 38…h4! (это
сильнее рекомендации Хюбнера
38…♘c2) 39.♘f1 ♘e2+ 40.♔h1 ♗e4!
41.♘h2 ♕e5 черные получали решающую атаку.

38.♗g5 ♕d4 39.♗e3. Карпов
отчаянно сопротивляется, пытаясь
сбить противника с толку и как-то
консолидировать свою позицию. И
это ему почти удается!

39…♕d5? Большой перевес сохраняло 39…♕e5! 40.♘f1 ♕d5 (Нанн),
например: 41.f3 ♘d4! или 41.♖e1
♗e4, и если 42.f3, то 42…♗:f3! 43.gf
♘e5 44.♘h2 ♖g6+ 45.♔f2 ♖g3 46.
♕d1 ♖:h3 47.♖h1 g5, и белые беззa-
щитны.

40.♘f1? Ответный промах. «В
цейтноте соперника белые чисто
механически делают давно намеченный ход» (Геллер). В то время
как 40.♘e2! с угрозой «вилки» ♘f4
спасало от разгрома и даже, по мнению ряда комментаторов, давало
им шансы на победу. Хотя, на мой
взгляд, после 40…♕f5! 41.♘f4 ♖e8
42.♖d1 ♖d8 у черных оставалась неплохая компенсация за пешку: 43.
♘:g6 ♕:g6 44.♕c1 (44.♗f4 ♖d5)
44…♕h5 и т.д.

40…♗e4 (успевая сделать последний контрольный ход, дающий
неотразимую атаку) **41.♗f4.** Оказывается, на 41.f3 решает 41…♗:f3!
42.gf ♕e5 43.♔h1 ♖g6 или 43.♘h2
♘:f3+ 44.♘:f3 ♕:f3 (Нанн) 45.♕:d3
♕g3+ 46.♔f1 ♖:e3 47.♕d5+ ♔f8!

41…♕:g2. Записанный ход. Белые сдались без доигрывания ввиду
42.♘e3 ♕f3 43.♘:g2 (43.♕:d3 ♗:h3)
43…♖e2–+.

Счет стал 3:1, и ситуация в матче несколько осложнилась: Карпов временно «потерял» белый цвет. В 8-й и 10-й партиях он играл 1.e4 e5 2.♘f3 ♘c6 3.♗c4, в 12-й — 1.c4, но все они, как и 7-я с 11-й, закончились вничью. В те дни по приказу Спорткомитета на олимпийской тренировочной базе в подмосковном Новогорске была срочно собрана группа гроссмейстеров, день и ночь занимавшихся анализом актуальных дебютных схем, в том числе и открытого варианта «испанки».

В 9-й партии чемпион применил неожиданную и сильную новинку в ферзевом гамбите и четко использовал неуверенную игру противника (№ 573). При счете 4:1, конечно, мало кто верил в возможность повторения Багио: ведь Карпову оставалось выиграть всего две партии, а сил у него было еще предостаточно (правда, порой случаются чудеса: в первом матче со мной он после девяти партий вел даже со счетом 4:0!).

Однако в 13-й партии для всей огромной советской команды прозвучал тревожный звонок: Корчной в очень неплохом стиле одержал свою вторую победу в матче.

№ 525. Ферзевый гамбит D31
КОРЧНОЙ – КАРПОВ
Матч на первенство мира,
Мерано (м/13) 1981

1.c4 e6 2.♘c3 d5 3.d4 ♗e7 4. cd. До этого в матче встречалось только 4.♘f3 ♘f6, и с 1-й по 9-ю партию Корчной не получал реального перевеса после 5.♗g5 h6 6.♗h4 0-0, а в 11-й ничего не добился в ва-

рианте, доставившем Карпову много неприятных минут в Багио, — 5.♗f4 0-0 6.e3 c5 (см. № 519).

4...ed 5.♗f4 c6. В партии Тимман — Карпов (Бугойно 1978) после 5...♘f6 6.e3 0-0 7.♕c2 c6 8.♗d3 ♖e8 9.♘f3 ♘bd7 10.0-0-0 ♘f8 11.h3 белым, получив выгодную редакцию «карлсбада», удалось опередить соперника с атакой на короля.

6.e3 ♗f5. Крепче, но и пассивнее 6...♗d6 7.♗:d6 (едва ли сильнее 7.♗g3 Ботвинник — Кураица, Белград 1969) 7...♕:d6 8.♗d3 с минимальным плюсом у белых (Глигорич — Портиш, Пальма-де-Мальорка 1967).

7.g4!? По стопам Ботвинника, который с успехом играл так еще в матче с Петросяном (1963). Интересно, что в возникшей сложной позиции Корчному тоже удалось полностью переиграть грозного соперника.

7...♗e6 (7...♗g6 8.h4!) **8.h3.** О более остром продолжении 8.h4 ♘d7 (8...♗:h4?! 9.♕b3!) 9.h5 ♕b6 (Ботвинник — Спасский, Лейден 1970) уже рассказано во 2-м томе (см. № 219), а 9...♘h6!? (Каспаров — Карпов, Москва(м/21) 1985) будет подробно разобрано в 7-м.

8...♘f6. Неясно, что может быть плохого в спокойном развитии коня, но при этом черные часто испытывали затруднения и многие партии заканчивались для них плачевно. В пользу белых оценивается и 8...♗d6 9.♘ge2 ♗e7 10.♕b3 (Корчной — Спасский, Киев(м/2) 1968). Поэтому ныне предпочитают сразу завязывать контригру на королевском фланге: 8...♘d7 9.♗d3 g5!

10.♗g3 h5 11.f3 (11.gh ♘gf6) 11...♕b6
12.♖b1 c5 13.♔f1 hg 14.fg ♘h6 15.♔g2
f5 16.♕f3 fg 17.hg ♘f6= (Рустемов —
Вальехо, Дос-Эрманас 2003) или
11...♘gf6 12.♖h2 ♘b6 и ♗d6 с хорошей игрой у черных (Краш — Бру-
сон, Буэнос-Айрес 2003).

9.♗d3 c5 10.♘f3 0-0 11.♔f1!
(тот редкий случай, когда уместнее
искусственная рокировка) **11...
♘c6 12.♔g2 ♖c8.** Не совсем уравнивает 12...cd 13.♘:d4 ♘:d4 (или
13...♗d6 14.♗:d6 ♕:d6 15.♘ce2 ♖fe8
16.♖c1 ♗d7 17.♗b1! Геллер — Спасский, Москва 1967) 14.ed, как было
в 14-й партии матча Ботвинник —
Петросян (№ 219).

13.♖c1. Несколько преждевременно 13.dc ♗:c5 (Бронштейн —
Куйперс, Амстердам 1968), так как
у черных возникает угроза d5-d4.

13...♖e8? Трудно поверить, что
столь естественный ход может быть
плохим. Корчной, Кин и ряд других комментаторов рекомендовали
13...a6. Действительно, в этом случае уже неэффективно 14.dc ♗:c5
15.♘b5 ♘b4! или 15.a3 d4=. Карпов
решил поддержать напряжение,
поставив перед Корчным сравни-

тельно новую задачу, но тот справляется с ней безукоризненно.

14.dc! ♗:c5 15.♘b5. Белые с
темпом оккупируют пункт d4 и получают устойчивый перевес за счет
контроля над центром, превосход-
ства в пространстве и большей активности фигур — в первую очередь
слонов, контролирующих ключе-
вые диагонали.

Казалось бы, такая позиция с
«изолятором» должна устраивать
черных, поскольку у белых слишком раскрыт король. Но здесь пешка на g4 не столько слабость, сколько форпост, ограничивающий подвижность неприятельских фигур и
создающий угрозу g4-g5. Кроме
того, у белых опасные угрозы и на
ферзевом фланге, где их фигуры также гораздо лучше готовы к сражению.
И, как ни странно, черным приходится решать сложные и малоприят-
ные проблемы: у них нет даже намека на реальную контригру.

15...♗f8 (15...♕b6? 16.♗c7+—, а
на 15...♕e7 неплохо 16.♘g5) **16.
♘fd4!** «Видимо, Карпов ожидал 16.
♘bd4; во всяком случае, над ответ-
ным ходом он продумал 38 минут»
(Кин). Теперь ему надо все время
считаться с разменом ♘:e6, который избавит черных от «изолято-
ра», зато создаст им новые слабости и усилит угрозу g4-g5 с последующим ♕h5 и страшной атакой на
короля.

16...♘:d4. Ошибочно 16...♕d7?
17.♘:e6 ♖:e6 18.♗f5 или 17...fe 18.
g5. «По словам чемпиона, он отказался от намеченного заранее 16...
♕b6 из-за 17.♕b3 ♘a5 18.♕a4 ♗d7
19.♗f5 с выгодным для белых раз-

меном слонов» (Геллер). Хотя после 19...♗:f5 20.♘:f5 ♖c4 21.♖:c4 ♘:c4 22.b3 ♘b2 23.♕d4 ♕:b5 24.♕:b2 эти выгоды невелики. А Таль и Геллер парировали 17.♕b3 путем 17...♘:d4 18.♘:d4 (18.ed ♖c4!) 18...♕:b3, полагая, что после 19.♘:b3 у белых лишь минимальный перевес.

Впрочем, на 16...♕b6 Корчной планировал как раз 17.♘:e6!, что и на мой взгляд обещало явно больше: 17...♖:e6 18.♘d4 ♖ee8 19.♕b3!, и белые слоны доминируют — черных ждет очень трудный эндшпиль, или 17...fe 18.g5 ♘d7 (на 18...♘e4 сильно 19.♘c3! ♘:c3? 20.♗:h7+ или 19...♖cd8 20.♕g4) 19.♕h5 g6 20.♗:g6 hg 21.♕:g6+ ♚h8 (21...♚g7?! 22.♘d6! и т.д.) 22.♘c7 ♖e7 23.♘:e6 ♕b4 (хуже 23...♕:b2 24.♗d6! ♖h7 25.♖c2) 24.♘d4 (ход Корчного; 24.♖hd1!?) с грозной атакой.

Не лучше и 16...♕a5, например: 17.a3 ♘:d4 18.♘:d4 ♖:c1 19.♕:c1 ♖c8 20.♕b1 ♗d7 21.♖c1, и черные обречены на пассивную защиту, или опять энергичное 17.♘:e6!? fe 18.g5 ♘d7?! (на 18...♘e4 хорошо и 19.♗:e4 de 20.♕b3, и 19.♘c3) 19.♕h5! g6 20.♗:g6 hg 21.♕:g6+ ♚h8 22.♘d6! (если 22.♘c7 ♖e7 23.♘:e6, то 23...♖ce8!) 22...♗:d6 23.♗:d6 d4 (не лучше 23...♕d8 24.♖hd1 или 23...♕a4 24.b4) 24.♕h6+ ♚g8 25.g6 ♕d5+ 26.f3 ♘f6 27.♖c5! ♕:a2 (27...♕:d6 28.♖h5) 28.♖h5 ♕:b2+ 29.♚g3 ♘:h5+ 30.♕:h5 ♖c7! 31.♗:c7 ♖e7 32.♗d6 ♖g7 33.♗f8!!+−.

17.♖:c8 ♕:c8. На 17...♗:c8 тоже хорошо 18.ed и далее 18...♕a5 19.a3 с идеями ♗c7 и b2-b4 (Корчной), 18...♕b6 19.♕b3, 18...♘e4 19.♕c2 или 18...a6 19.♘c7 ♖e7 20.♕c2 с

неприятным давлением, которое трудно нейтрализовать: слабо 20...♖d7?! 21.♖c1 ♗d6 22.♘e6 fe 23.♗:d6 ♖:d6 24.♕:c8 (Корчной), а если 20...h5, то 21.f3. Во всех вариантах очевидна разница в активности белых и черных фигур.

18.ed! Может быть, Карпов рассчитывал на «традиционное» 18.♘:d4.

18...♕d7. На 18...a6 Корчной указал 19.♘d6, получая преимущество двух слонов, но неплохо и 19.♘c7 ♖e7 20.♕c2. Если 18...♕d8, то 19.♕b3, а в окончании после 18...♖e7 19.♘:a7 ♕a8 20.♘b5 ♕:a2 21.♕a1! ♕b3 22.♕a3 ♕:a3 23.ba черных также ждали нелегкие испытания.

19.♘c7 (многие отметили заманчивую альтернативу 19.♘:a7!? ♖a8 20.♘b5 ♕:a2 21.♕b3 и на отход ладьи — ♘c7 или ♖c1) **19...♖c8.** Если 19...♕d8 с идеей 20.♘:e6 ♕:e6, то после 20.♖e1! и ♘:e6 все равно появлялась слабая пешка на e6.

20.♘:e6 fe (20...♕:e6? 21.♗f5) **21.♖e1 a6?** По общему мнению, серьезная потеря времени, хотя черным уже дорог хороший совет: на 21...♗d6 (Корчной) проще всего

22.♕f3, а если 21...♕f7 в надежде на 22.g5?! ♘h5 и ♘f4+ с контригрой по черным полям (Таль, Геллер), то 22.♕e2!

Карпов явно недооценил последствия размена на e6 и слишком поздно почувствовал опасность своего положения. Он мыслил общими категориями позиций с «изолятором» (у черных хуже, но защитимо), тогда как Корчной использовал конкретные особенности данного положения. Проблемы, стоявшие перед черными, оказались куда более серьезными, чем на первый взгляд, вдобавок они нарастали как снежный ком...

22.g5 (белые начинают решающую атаку) **22...♘e4.** При пассивном 22...♘e8 23.♕g4 ♗c6 24.h4 (Корчной) черные гибнут от удушья. «Поэтому Карпов обостряет борьбу, и его расчет оправдывается» (Геллер).

23.♕g4! В случае 23.♗:e4 de 24.♖:e4 ♕d5 (Кин) борьба несколько оживлялась, хотя после 25.♕e2! белые все же сохраняли перевес (25...♕:a2 26.♖:e6). Зато теперь, как ни странно, за черных не видно удовлетворительной защиты.

23...♗b4 24.♖e2 ♖f8 (24...♖e8? 25.f3 ♘d6 26.a3 ♗a5 27.♗:d6 ♕:d6 28.♗:h7+!) **25.f3!** Это еще эффективнее, чем 25.♗:e4 de 26.♗g3 и ♕:e4 (Корчной).

25...♕f7. Отчаянная попытка контригры по линии «f». На 25...♘d6 решало 26.a3 ♗a5 27.♗:d6 ♕:d6 28.♕h5! g6 29.♗:g6 hg 30.♕:g6+ ♔h8 31.♕h6+ ♔g8 32.♖:e6.

26.♗e5! ♘d2. Принципиальный момент.

27.a3. Геллер снабдил этот ход вопросительным знаком (!) и вслед за Талем указал, что 27.f4 давало белым решающее преимущество. Но их вариант 27...♘e4 28.♖:e4?! de 29.♗c4 ♖e8 30.f5 не убеждает из-за 30...e3! с острой игрой. Похоже, лучше прозаическое 28.a3 ♗e7 29.♗:e4 de 30.♖:e4. Не до конца ясно и 27...♘c4 28.g6 ♕d7 29.gh+ ♔h8, хотя, конечно, у белых большой перевес. Однако 27.a3, как мы увидим, выигрывает форсированно!

27...♘f3 28.g6? Импульсивный ход, упускающий победу! Еще хуже 28.ab? ♘e1+ 29.♖:e1 ♕f2+ 30. ♔h1 ♕:e1+ 31.♕g1 ♕d2. «Но остроумная попытка черных оказалась бы недостаточной, сыграй белые 28. ♗g3! с угрозами ab и ♖f2» (Таль). Теперь плохо 28...♗e7 29.♖f2 или 28... ♗e1 29.♖:e1 ♘:e1+ 30.♗:e1, а на 28... ♘h4+!? есть два достойных ответа:

1) 29.♔h2 ♘f3+ 30.♔h1 ♗d2 (не годится и 30...♗e7 31.♖f2 или 30... ♘h4 31.♗:h7+! ♔:h7 32.♕:h4+ ♔g8 33.♖f2 Корчной) 31.g6 (выглядит проще, чем 31.♖f2) 31...hg 32.♖f2 ♗e3 33.♖f1 ♗:d4 34.♗d6+–;

2) 29.♕:h4 ♕f3+ 30.♔h2 ♕:d3 31.♕g4! ♗e7 (не 31...♗d2 32.♕:e6+

♔h8 33.♗d6 ♖g8 34.♖f2! с угрозой ♕:g8) 32.♕:e6+ ♖f7 33.♖f2 ♕g6 34.♕:d5 ♔f8 35.♖:f7+ ♕:f7 36.♕:b7 ♗:g5 37.♗d6+ ♔e8 38.♕c8+ ♗d8 39.♕c6+ ♕d7 40.♕:a6, и выигрыш белых — лишь вопрос времени.

28...hg. Это спасает черных. Впрочем, и после никем не отмеченного 28.♘e1+!? 29.♔h2 ♕e7! (29...♘f3+? 30.♔h1 hg 31.♗:g6+−) 30.gh+ ♔h8 разменивался один из белых слонов и позиция оставалась неясной: 31.♗g6 ♘f3+ 32.♔h1 ♘:e5 33.de ♗c5 и т.д.

29.♗g3. Нет 29.♗:g6? из-за 29...♘h4+ или сначала 29...♕:g6. Слабо и 29.ab?! ♘e1+ 30.♖:e1 ♕f2+ 31.♔h1 ♕:e1+ и т.д.

29...♗e7?? Роковая ошибка. При 29...♘e1+? 30.♖:e1 ♗:e1 31.♗:e1 два слона решали исход борьбы в пользу белых. Однако, как указали все комментаторы, после 29...♘h4+! 30.♔h2 ♘f3+ 31.♔h1 парадоксальное возвращение 31...♘h4!! форсировало ничью: плохо и 32.♖f2? ♘f5, и 32.♖c2? ♕f3+!, и 32.♗:h4? ♕f1+!, а на 32.♕:h4 (32.♔h2 ♘f3+) возможно как 32...♕f3+ 33.♕g2 ♕:d3 34.ab ♖f1+ 35.♖g1 (35.♔h2 ♕d1)

35...♕f3+ 36.♔h2 ♕e2+ 37.♖g2 ♕d1= (Корчной), так и 32...♗e7!? 33.♕g4 ♕f3+, отыгрывая фигуру с уравнением.

30.♖f2. Теперь черные несут большие материальные потери, и вскоре претендент получает технически выигранный эндшпиль.

30...♘e1+ 31.♔h1 ♕:f2 (31...♘f3? 32.♗:g6 ♕f6 33.♕h5) **32.♗:f2 ♘:d3 33.♕:e6+ ♖f7 34.♗g3 ♘:b2 35.♕:d5 ♗f6.** Чуть упорнее 35...b5 (Корчной), но и здесь после 36. ♕a8+ и ♕:a6 черным не спастись.

36.♗d6. «Угроза ♕e6 и ♕e8+ вынуждает обе черные пешки «g» сделать шаг вперед, и создание в дальнейшем известной ничейной крепости оказывается невозможным» (Геллер).

36...g5 37.♕b3 (форсируя выигрыш коня; решало и 37.♕e4 g6 38.♕:g6+ ♗g7 39.♗e5 Корчной) **37...♗:d4 38.♕e6 g6 39.♕e8+ ♔g7 40.♗e5+ ♗:e5 41.♕:e5+ ♔h7 42.♕:b2.** Записанный ход. Не приступая к доигрыванию, черные сдались.

Счет стал 4:2, и советское руководство, решив, что борьба в матче обостряется, объявило всеобщую мобилизацию. Даже меня, 18-летнего, вызвали к председателю КГБ Азербайджана и передали требование Москвы: необходимо «выдать на-гора» новые идеи за белых в открытом варианте испанской партии! С той же целью в Баку звонил начальник Управления шахмат Спорткомитета гроссмейстер Крогиус. Мне было заявлено, что это мой патриотический долг: «изменника» надо разбить любой ценой.

Не имея желания работать на Карпова, я ответил, что особой нужды в подобной помощи не вижу: поражение Корчного и так предрешено. Но мне настойчиво предложили «подумать».

Помню, я советовался с Ботвинником, и он сказал, что Карпову можно и нужно было бы помочь, но только если бы он не вел в счете. На мое счастье, пока я «думал», чемпиону успели помочь другие и, пробив открытый вариант в двух партиях, 14-й и 18-й (№ 574, 575), он уверенно выиграл матч — 6:2. Тем не менее, как я потом узнал, Карпов звонил Крогиусу и интересовался,

не присылал ли что-нибудь из Баку Каспаров: видно, ему хотелось узнать, чем дышит потенциальный соперник...

Корчной покидал поле битвы с тяжелым сердцем. «Я пережил Москву, пережил Багио, но Мерано пережить не смог. Потому и дал себе слово: больше не играть с Карповым матчей, — скажет он десять лет спустя. — Не желая больше никогда терпеть того, что выпало мне в Мерано, я из профессионала постепенно перестроился в любителя. Сейчас у меня нет честолюбивых амбиций. Я хочу играть в интересные шахматы, и мне это удается».

ПРОЩАНИЕ С МЕЧТОЙ

В 1982-м Корчной сыграл в пяти турнирах и три из них выиграл, однако из-за советского бойкота вновь был вынужден пропустить важнейшие соревнования года: Гастингс, Вейк-ан-Зее, Мар-дель-Плата, Сараево, Дортмунд, Лондон, Бугойно, Турин, Тилбург...

Осенью Виктор Львович возглавил команду Швейцарии на олимпиаде в Люцерне, и в 10-м туре я впервые встретился с ним один на один. Вообще-то у меня была тогда 2-я доска, а на 1-й выступал Карпов. Но чемпион мира дипломатично уклонился от встречи с непримиримым противником: он должен был играть черными и, видимо, не считал нужным рисковать. К тому же это был удобный случай «подставить» меня под Корчного и посмотреть, что из этого получится.

Получилась острейшая схватка в модерн-Бенони: я играл крайне рискованно, но в конце концов, после бурных осложнений и взаимных цейтнотных ошибок, победил — эта дуэль будет прокомментирована заново в планируемой книге моих избранных партий.

Кстати, перед началом игры, презрев официальный запрет, я сделал движение навстречу сопернику, чтобы обменяться традиционным рукопожатием. Но Корчной воздержался — как я сначала подумал, памятуя о горьком опыте Багио и Мерано, где речь о рукопожатии уже не заходила. Однако потом выяснилось, что в Люцерне три известных шахматных невозвращенца — Виктор Корчной (Швейцария), Лев Альбурт (США) и Игорь Иванов (Канада) — договорились между собой не подавать мне руку перед партией, чтобы не ставить меня в неудобное положение! На предыдущей олимпиаде (Мальта 1980) Карпов проигнорировал протянутую руку Альбурта, и этот снимок обошел всю западную прессу...

Закончил тот год Корчной небольшим тренировочным матчем с Тимманом — 3:3 (+1−1=4). А в начале 83-го, накануне матчей претендентов, сыграл еще в Вейк-ан-Зее, где был чрезвычайно бескомпромиссен, но показал худший результат за многие годы (+5−6=2). Тем не менее четвертьфинальный матч с Портишем (Бад-Киссинген, весна 1983) он провел как в старые добрые времена.

Старт напоминал разгром Полугаевского в Эвиане (1977). В 1-й партии Корчной избрал редкий вариант английского начала, и хотя черные добились хорошей игры (см. № 368), Портиш затратил почти все время на обдумывание и в цейтноте не смог удержать примерно равный ладейный эндшпиль. Во 2-й он получил типичное, выгодное для белых, «антигрюнфельдовское» окончание, но неточным 36-м ходом растерял все шансы на победу. Вероятно, груз совершенных ошибок довлел над Портишем в 3-й партии, которая стала кульминацией матча.

№ 526. Английское начало А33
КОРЧНОЙ – ПОРТИШ
Матч претендентов,
Бад-Киссинген (м/3) 1983
1.c4 c5 2.♘f3 ♘c6 3.♘c3 ♘f6 4.d4 cd 5.♘:d4 e6. Эта известная дебютная табия встречалась в

практике Корчного около полусотни раз.

6.♘db5. Начинал Виктор Львович с 6.♗g5. Затем применял 6.g3, в том числе в матче со Спасским (1977/78), а в 1988 году так сыграл против него Карпов. Пробовал он и 6.♗f4 d5 (6...♗b4 7.♘db5) 7.cd ♘:d5 8.♘:c6 bc 9.♗d2, но в итоге отдал приоритет ходу 6.a3 и выиграл с его помощью по две важные партии в матчах с Саксом (Вейк-ан-Зее 1991) и Пономаревым (Донецк 2001).

Действительно, 6.a3!? позволяет сохранить на доске максимум фигур и избежать длинных форсированных линий. Я тоже однажды с успехом применил этот ход — против ван Вели (Москва 2004).

6...d5! В матче претендентов Корчной — Полугаевский (1980) испытывалось 6...♗b4 7.♗f4 0-0 с дальнейшим 8.♗c7 ♕e7 9.♗d6 ♗:d6 10.♕:d6 (1-я и 5-я партии) или 8.♗d6 ♗:d6 9.♘:d6 (7, 9 и 13-я). Захватывая пункт d6, белые получают небольшой, но стойкий перевес, что подтвердили победы Корчного над Андерссоном (Йоханнесбург 1981) и И.Гринфельдом (Люцерн(ол) 1982).

7.♗f4! В случае 7.cd ♘:d5 8.♘:d5 (8.e4 ♘:c3 9.♕:d8+ ♔:d8 10.♘:c3 ♗c5=) 8...ed 9.♕:d5 ♗b4+ 10.♗d2 ♗e6 11.♕:d8+ ♖:d8 или 10...♕e7 (Шуба — Портиш, Салоники(ол) 1984; Любоевич — Топалов, Монако(вслепую) 1999) у черных отличная компенсация за пешку.

7...e5 8.cd ef 9.dc bc 10. ♕:d8+ ♔:d8. Популярный в то время вариант.

«Над изучением этой позиции я провел немало дней и ночей, — пишет Корчной. — Занимаясь один или с различными помощниками (Стином, Велимировичем, Гутманом), я потратил не менее 80 часов, стараясь опровергнуть мнение теории, что шансы сторон примерно равны. На первый взгляд, дела черных плохи: их король в центре, пешки ферзевого фланга слабы. Но, оказывается, у белых проблемы с развитием королевского фланга, в то время как черные имеют возможность беспрепятственно развивать свои силы, создавая одновременно угрозы на ферзевом фланге и в центре. При беглом взгляде на позицию прежде всего приходит в голову 11.0-0-0+, однако после 11...♗d7 очень неприятна угроза ♘f6-g4. Так что, согласно теории, единственным осмысленным ходом за белых является 11.♖d1+. Но 80 часов домашней работы не убедили меня в силе этого теоретического хода! Продумав за доской 20 минут, я сыграл по-новому».

11.♘d4!? Для Портиша, который свято чтит теоретические каноны, это был неприятный сюрприз!

Белые круто меняют направление борьбы: конь, который обычно стремился на d6, теперь атакует пешку c6, а ладья, задержавшись на a1, готова поддержать атаку с поля c1.

Решение Корчного интересно и с психологической точки зрения: известно, что Портиш зачастую терялся при резком изменении ситуации на доске. Это вообще беда большинства шахматистов, уделяющих много времени изучению дебюта: они прекрасно ориентируются в «своих» схемах — и начинают «плыть» в незнакомых позициях. Корчной тонко чувствовал моменты, когда можно с выгодой отойти от теории — так, чтобы даже объективно не очень сильная новинка имела максимальный психологический эффект. Умение варьировать характер борьбы с учетом индивидуальных особенностей соперника, вдвойне ценное в матчах, всегда было его сильной стороной.

Кстати, в этом же матче Корчной вернулся в привычное русло: 11.♖d1+ ♗d7 12.♘d6, и вместо пассивного 12...♔e7?! 13.g3! (Полугаевский — Глигорич, Бугойно 1982) или рискованного 12...♖b8?! 13.♘:f7+ (Андерссон — Тимман, там же) в 5-й партии последовало 12...♔c7 13.♘:f7 ♖g8 14.♘e5 (14.g3 ♖b8! Андерссон — Таль, Мальмё(м/2) 1983) 14...♖b8 с неплохой игрой за пешку, а в 7-й — 12...♗:d6 13.♖:d6 ♖b8! 14.b3 (14.♖d2 ♖e8 15.g3 f3= Карпов — Полугаевский, Лондон 1984; Х.Олафссон — Портиш, Нью-Йорк 1984) 14...♖b4 15.g3 ♔e7 16.♖d2 c5= (16...h5!? Кир.Георгиев — Топалов, Сараево 2000).

11...♗c7. Вроде бы естественный ход, но аналитики сочли опасным положение короля на линии «с» (из-за ресурса ♖c1), и с тех пор черные стали играть 11...♗d7, как Тимман и Полугаевский против Андерссона (Тилбург 1983), или 11...♗b7, как Де Фирмиан и Карпов против Салова (Амстердам 1996; Дос-Эрманас 1997).

Таким образом, вариант с 6...d5! в целом успешно прошел испытание на прочность. Но блестящая «психологическая» победа Корчного осталась одной из жемчужин в истории шахматной игры...

12.g3 ♗c5?! Это усиливает тактические угрозы белых по линии «с». Безопаснее 12...♗b4 «с идеей ♗:c3, чтобы эту линию закрыть» (Корчной), а если 13.♖c1, то 13...♗d8!

Но еще лучше было 12...♖b8!, и поскольку играть 13.0-0-0 или 13.♘b3 белым не с руки, Корчной рекомендовал «острое продолжение 13.♗g2 ♖:b2 14.♖c1 и 0-0 с компенсацией за пешку». Однако, на мой взгляд, после 14...fg 15.hg (15. ♘cb5+? ♚b6) 15...c5 16.♘a4 (16. ♘db5+? ♚b8) 16...♖:a2 17.♘:c5 ♗:c5 18.♖:c5+ ♚d6 19.♖c6+ ♚e7 или 19.♖g5 ♖g8 20.♖h4 h6 компенсация явно недостаточна.

13.♖c1! (возможно, Портиш рассчитывал на 13.♘b3 ♗b4=) **13...fg.** Избавляясь от угрозы gf, но открывая дорогу ладье h1. Корчной рассматривает две другие возможности:

1) 13...♘g4 «с угрозой перехватить инициативу путем ♘:f2». Правда, на 14.♗g2 надо играть 14...♖b8!, поскольку 14...♘:f2? не проходит из-за 15.♘cb5+! Но Корчной планиро-

вал гамбитное 14.b4!? ♗:b4 15. ♗g2 и 0-0 с несколько лучшими шансами у белых;

2) 13...♖b8 (беря под контроль поле b5 и угрожая ♗:d4) 14.♘b3 ♖:b3!? 15.ab ♘g4.

За доской белые собирались играть 16.♘d5+ ♚d6 17.♖:c5 ♚:c5 18.♘:f4 ♗b4 19.♘d3+ ♚:b3 20.♘d2! ♖d8 21. ♚c1 «с некоторым преимуществом», хотя это, скорее всего, ничья.

Позднее, уже при домашнем анализе, Корчной «обнаружил неожиданный промежуточный ход 17... fg!! с угрозой путем ♘:f2 и gh забрать другую ладью» и пришел к выводу, что «заготовленный за доской вариант не годится». И впрямь, слабо 18.hg?! ♚:c5. Но лучше сохранить лишнее качество путем 18.♖a5!, и черным предстоит борьба за ничью как после 18...gf+ 19.♚d2 cd 20.♗g2 ♗e6 21.h3, так и при 18...♘:f2 19. ♗g2 ♘:h1 20.♘e3 ♘f2 21.hg ♘g4 22. ♘c4+ ♚e6 23.♗:c6 a6 или 20... ♗e6 21.♗:h1 gh.

Другой путь — 16.♗g2 ♗:f2+ 17. ♚f1, и «у черных нет удобного отступления слоном с f2 ввиду шаха конем на b5 или d5, а белые хотят пойти ♘d1, удерживая некоторое (впрочем, вряд ли решающее) материальное преимущество» (Корчной). Хотя, по-моему, после 17...fg 18.hg ♗d7! (но не 18...♗:g3 19.♗:c6! с идеей 19...♘:c6 20.♘e4+ и ♘:g3) трудно говорить о каком-либо преимуществе белых.

14.hg ♗a6? Портиш не выдерживает нагрузки! А ведь ему оставалось сыграть лишь 14...♖b8, чтобы после 15.♘b3 (ничего не дает 15. ♘d5+ ♔d6 16.♘:f6 ♗:d4 17.♘e4+ ♔c7) 15...♖b4 16.♗g2 ♗d7, по словам Корчного, «обезопасить себя от тактических угроз и наладить долговременную оборону».

Суммируя впечатления об 11—14-м ходах черных (критический отрезок партии), можно констатировать, что они упустили несколько и более надежных продолжений, и более острых, использующих динамические особенности позиции — таких, как наличие пешки на f4 и возможность атаковать пешки f2 и b2. Однако по-настоящему серьезной критики заслуживает, пожалуй, только «беспечный», по определению Корчного, 14-й ход, после которого позиция черных рассыпается буквально как карточный домик.

15.♘:c6! «Этот неожиданный ход выигрывает партию. А фактически не только эту партию, но и целый матч! Воистину, от этого удара Портиш так и не смог оправиться и проиграл матч со счетом 3:6!» (Корчной).

15...♗b7 (или 15...♘:c6 16.♘a4 с неотразимой атакой, в которой решающую роль играет подключение ладьи h1) **16.♘a4!** Все равно так! «Конечно, не 16.♗g2? ♗:c6 17. ♗:c6 ♗:f2+, и черные отыгрывают пешку» (Корчной), хотя и здесь после 18.♔:f2 ♘g4+ 19.♔g2 ♔:c6 20. ♖h5! белые сохраняли инициативу.

16...♗:f2+. «Если 16...♗:c6 17. ♖c5 ♔d6, то 18.♖:c6+ ♔:c6 19.♗g2+ ♔d6 20.♗:a8 ♖:a8 21.♖h4, и выигрыш белых не должен представлять большой трудности» (Корчной).

17.♔:f2 ♘e4+. Безнадежно и 17...♗:c6 18.♗g2 ♘g4+ 19.♔g1 ♘e5 20.♖h5! (используя всё пространство шахматной доски) 20...♔d6 21.♖d1+ ♔c7 22.♖:e5 ♗:a4 23.♖d4 ♖ae8 24.♖a5 (Корчной) или еще быстрее — 23.♖e7+ ♔b6 24.♖b7+ ♔a6 25.♖d6+.

18.♔g1. Довольно просто выигрывало 18.♔e3 ♗:c6 19.♗g2 (помимо 19.♖:c6+ ♔:c6 20.♔:e4) 19...♗:c6 (19...♖ae8 20.♖:c6+) 20.♖hf1 ♖hf8 (20...g6 21.♗:e4 fe 22.♖f6) 21.♖:c6+ ♔:c6 22.♖:f5 ♖:f5 23.♗:e4+ ♖d5 24. ♘c3 — красивая геометрия! Впрочем, отступление на g1 ничего не портит.

18...♗:c6. Черные временно восстановили материальное равновесие, но после следующего очевидного хода новые потери для них неизбежны.

19.♗g2 ♖ae8 (если 19...f5, то 20.g4 g6 21.gf gf 22.♖h6, выигрывая слона) **20.♖h4! f5 21.g4!** Четкие геометрические мотивы. Как и во многих других партиях зрелого и позднего периода, Корчной проявляет отличное видение доски.

21...f4. Или 21...♔d6 22.♖:c6+ ♔:c6 23.gf ♔b5 24.♗:e4 ♔a4 25. ♗c6+ ♔a5 26.♗:e8 ♖:e8 27.♖:h7+– (Корчной).

22.♖:c6+! Выигрывая две фигуры за ладью. Хорошо было и 22.g5 ♖hf8 23.♖:h7! (но не вариант Корчного 23.♖:c6+? ♔:c6 24.♘c3 f3! 25. ♗:f3 ♖:f3 26.ef ♘:g5=) 23...♔d6 24. ♖:g7 ♗:a4 25.♖c4+–.

22...♔:c6 23.♘c3 ♔c5 24.♗:e4 ♔d4 25.♗f3. У белых решающий материальный перевес, и борьба быстро приходит к логическому завершению.

25...♖b8 (25...♔e3 26.♖h5!) **26. ♘a4 ♖b4 27.♖h5! ♖d8** (27...♖:a4? 28.♖d5+, матуя или забирая ладью) **28.b3** (28.♘c5!?) **28...h6 29.♔f2 ♖d6 30.♖f5 g5 31.♖f7!** (с угрозой ♖e7-e4+) **31...♔e5 32.♖:a7 ♖d2 33.♘c5 ♖bd4 34.♖a6 ♖d6 35.♖a5!** Черные сдались.

В 4-й партии Портиш изо всех сил пытался отыграться, на 33-м ходу пожертвовал качество, но в остром обоюдном цейтноте Корчной перехватил инициативу и сразу после контроля создал неотразимую атаку на короля. Счет стал 3,5:0,5! Исход матча на большинство из 10 партий был предрешен.

В полуфинале Корчному выпало играть со мной. При подготовке я быстро выяснил, что соперник по-прежнему остается на острие шахматной мысли, отслеживая основные пути развития дебютной теории и генерируя новые оригинальные идеи или существенно уточняя старые. Это показал и наш матч.

Первоначально он должен был пройти поздним летом в Пасадене. Об интриге, которая привела к его срыву из-за моей неявки, и о тех удивительных событиях, благодаря которым матч все-таки состоялся, я расскажу в 7-м томе (ибо это больше касается моей борьбы с Карповым). Всё могло быть иначе, не прими тогда Корчной благородного решения играть полуфинальный матч, а воспользуйся своим формальным правом на выход в финал. Однако он на деле доказал, что его критика «бумажного» чемпионства была не пустым звуком.

В сентябре Виктор Львович приехал в югославский Никшич, где я в те дни успешно заканчивал супертурнир. Переговоры о матче, санкционированные Москвой, поначалу велись через посредников и шли очень трудно. Но сдвинулись с мертвой точки, когда наконец Корчному было обещано выполнить его главное и законное требование — о прекращении бойкота со стороны советских шахматистов. Насколько мне известно, активную роль в этих переговорах сыграли два журналиста: с одной стороны — Александр Рошаль, с другой — югослав Брана Црнчевич.

Налаживанию наших личных взаимоотношений помог блицтурнир в Герцег-Нови, организованный сразу после Никшича. Я выиграл это двухкруговое состязание девяти гроссмейстеров (13,5 из 16), дважды победив Корчного, занявшего 2-е место (10,5). Возможно, ему импонировало то, что я играю с ним в одном турнире, несмотря на незавершенность переговоров. Для него этот блиц был первым прорывом семилетней блокады! Нам удалось несколько раз откровенно побеседовать о будущем матче, которого мы оба с нетерпением ждали.

И вскоре наш матч на большинство из 12 партий стал реальностью (Лондон, ноябрь–декабрь 1983). Атмосфера вокруг него оказалась гораздо более спокойной, чем ожидалось. Отношения с Корчным у меня были нормальные. Я сознавал, что, несмотря на огромную разницу в возрасте (32 года), это очень опасный противник, владеющий множеством шахматных приемов. Я знал, что не должен позволять ему диктовать игру в простых и технических позициях, и при подготовке особое внимание уделил изучению практических окончаний. В матче это окупилось с лихвой!

Однако 1-ю партию я с треском проиграл — она, видимо уже навсег-

да, так и осталась моим единственным поражением от Корчного.

№ 527. Новоиндийская защита E12
КАСПАРОВ — КОРЧНОЙ
Матч претендентов,
Лондон (м/1) 1983
1.d4 ♘f6 2.c4 e6 3.♘f3 b6 (в те годы Корчной чаще отвечал 3...♗b4+) **4.♘c3 ♗b7 5.a3.** Этого хода можно было ожидать: я играл так регулярно и весьма успешно. А в практике моего партнера возникшая позиция встречалась всего два-три раза.

5...d5 6.cd ♘:d5 7.e3. О более динамичном продолжении 7.♕c2 рассказано в примечаниях к партии Петросян — Смыслов (№ 311). Добавлю 7...♘:c3 8.bc ♗e7 9.e4 0-0 10. ♗d3 c5 11.0-0 ♕c7 12.♕e2 ♘d7 13. ♗b2 ♖ac8 14.♘d2 ♖fd8 15.♖fd1 ♘f6 с примерным равновесием (Каспаров — Крамник, Линарес 2004).

7...g6! Сюрприз! Обычная линия того времени — 7...♗e7 8.♗b5+ c6 9.♗d3 (№ 311, 342). Новый ход 7...g6 был уже известен (так играли Шорт и Адорьян), но я до этого им серьезно не занимался. Да и пятиминутка Таль — Корчной (Герцег-Нови 1983), где было 7...♘:c3 8.bc g6, была оставлена мной без должного внимания.

Ответ моего опытнейшего соперника круто меняет рисунок позиции: возникает своего рода защита Грюнфельда, которая была на вооружении у Корчного еще задолго до моего рождения (см. № 491). Теперь белым трудно создать комбинированную атаку в центре и на королевском фланге (как раз это у меня получалось очень хорошо!), и им надо искать другие пути. Корчной тонко прочувствовал, что я занервничаю — тем более в первой партии матча — и у меня собьется прицел. Более того: эффект неожиданности оказался сногсшибательным!

8.♗b5+. В партии Полугаевский — Корчной (Лондон(м/1) 1984) было 8.h4!? ♗g7 9.h5 c5?! 10. ♗b5+ ♗c6 11.♗d3 ♘d7 12.e4 ♘:c3 13.bc ♕c7 14.♗g5! с явным преимуществом белых, однако надежнее 9...♘d7.

Еще одна линия — 8.♘:d5 ed (не так солидно 8...♕:d5 9.♕c2 Тимман — Шорт, Лондон 1982; Крамник — Корчной, Монако(вслепую) 1994) 9.♗b5+ c6 10.♗d3 ♗g7 11.e4 de 12. ♗:e4 ♗a6 13.♗g5 f6!? 14.♗e3 0-0 15. ♕b3+ ♔h8 16.0-0-0 f5 с неясной игрой (Аталик — Корчной, Манила (ол) 1992) или 11.b4 0-0 12.♗d2 ♘d7 13.♖b1 ♖e8 14.0-0 ♘f6= (Каспаров — Крамник, интернет-блиц 2001).

8...c6 9.♗d3. С первой попытки я сыграл по аналогии с вариантом 7...♗e7, а со второй, против Тиммана (Амстердам 1991) — уже 9. ♗a4 ♗g7 10.e4!? (вместо обычного

10.0-0 0-0 11.e4 ♘:c3 12.bc c5 13.♗g5 ♕d6= Купрейчик — Макарычев, Киев 1984; Раджабов — Карпов, Москва(бш) 2002) 10...♘:c3 11.bc, и после 11...♗a6!? 12.h4 ♕c7 13.e5 ♘d7 14. ♗f4 h6 15.♕c1 0-0-0 16.♕e3 c5 17. ♘d2 ♔b8 завязалась острая борьба, которая в итоге привела к ничьей.

9...♗g7 10.e4. Не дает перевеса 10.0-0 0-0 11.♘:d5 cd (Тарджан — Адорьян, Вршац 1983). С середины 90-х белые, чтобы провести e3-e4 без размена на c3, стали играть 10.♘e2?! (на это сильно 10...c5!) или 10.♘a4. Но вряд ли таким способом можно поколебать устои черных, что доказывали на практике Карпов, Шорт, Грищук, Крамник...

10...♘:c3 11.bc c5! Новый, более энергичный ход, чем 11...0-0 (Фтачник — Адорьян, Баня-Лука 1983). Фианкеттированные слоны черных с большой силой обстреливают центр противника — отличная редакция «Грюнфельда»!

12.♗g5. Вывести фигуру с темпом приятно, но надежнее 12.♗b5+ ♗c6 13.♗:c6+ ♘:c6 14.♗e3 (Фтачник) или 12.♗e3 0-0 13.0-0.

12...♕d6! Черные не хотят снимать удар с пункта d4, справедливо полагая, что выигрыш еще одного темпа не принесет белым выгод.

13.e5 (рано или поздно без e4-e5 не обойтись) **13...♕d7.** Возможно было и 13...♕d5, однако Корчной провоцировал меня на следующий ответ.

14.dc? «Этот ход трудно понять» (Корчной). И впрямь, стоит ли добровольно разрушать свой пешечный центр, когда после простого 14.0-0 0-0 15.♕e2 cd 16.cd ♘c6 17.♕e3 или

17.♗e4 белым не грозят никакие опасности? Но я уже думал о скорейшей разрядке и, как тогда со мной нередко случалось, переоценил динамические факторы позиции...

14...0-0! (но не 14...bc 15.♗b5! ♗c6 16.a4, и проблемы могут быть только у черных) **15.cb ab 16.0-0 ♕c7.** Немедленно беря на прицел пешки c3 и e5 и подготавливая выход коня. При поспешном 16...♘c6? 17.♗e4 ♕c7 18.♗f6! ♗:f6 19.ef ♕f4 20.♕b1 (20.♕d7!? Дворецкий) белые захватывали инициативу.

«За пешку черные получили давление на слабости белых и удачное развитие фигур. Ясно, что белым не удержать материальный перевес. Но смогут ли они нарушить гармоничное развитие черных?» (Корчной).

17.♗b5!? Белые резко меняют характер борьбы: сразу же отдавая важную пешку e5, они пытаются использовать активность своих фигур и сиюминутную отсталость черных в развитии.

Издалека я планировал 17.♖e1 с примерным 17...♘c6 18.♗e4 ♖a5 19. ♗f6 или 17...♕:c3 18.♗e7 ♖e8 19.

♗b4, но при ближайшем рассмотрении обнаружил за черных интересную жертву качества — 17...♘d7! 18.♗e7 (слишком уныло 18.♗f4 ♖fd8) 18...♗:f3! (не так ясно 18... ♘:e5 19.♗:f8 ♘:f3+ 20.gf ♖:f8 21. ♗e4) 19.gf (19.♕:f3?! ♘:e5 20.♖:e5 ♗:e5 21.♗:f8 ♖:f8 с выигрышем пешки) 19...♗:e5 20.♗:f8 ♗:h2+ 21. ♔g2 ♖:f8, и белым предстоит крайне неприятная защита.

К этому моменту я израсходовал уже более двух часов, а у Корчного первые 15 ходов отняли всего лишь четыре (!) минуты. Правда, на свой следующий ход он потратил уже около 50 минут...

17...♗:e5! Этот ответ, использующий незащищенность слонов b5 и g5, ставит перед белыми наибольшие проблемы. К явной их выгоде 17...♗:f3?! 18.♗:f3 ♖a5 19.a4 ♗:e5 20.g3 ♕:c3 21.♕:c3 ♗:c3 22. ♖ad1 (Корчной) или 22.♖ac1! (Дворецкий). Рассмотрим и спокойное развитие:

1) 17...♘c6 18.♕d6 ♗:e5 19.♕:c7 ♗:c7 20.♖fd1, и перевес черных носит лишь символический характер, или 18.♗f6!? ♗:e5 19.♘:e5 ♗:f6 20. ♘d7 (Корчной) 20...♗:c3 21.♘:f8 (Дворецкий указывает и неясное 21.♖c1) 21...♗:a1 22.♘:e6=;

2) 17...♘a6 18.♗f6 ♗:f6 19.ef ♕:c3 20.♕d4 ♕:d4 21.♘:d4 ♘c7 22.♖fb1= (Корчной) или 18.a4 ♗:f3 19.♕:f3 ♗:e5 20.g3 ♕:c3 21.♕:c3 ♗:c3 22. ♖ac1 с полной компенсацией за отданную пешку.

18.♗h6 (конечно, не 18.♘:e5? ♕:e5 19.♗h6 ♕:b5 20.♕d4 e5–+) **18...♗g7?!** Получив устойчиво лучшую пешечную структуру, Корчной хочет избежать всяких неясностей и решить исход борьбы с помощью упрощений и чисто технических средств (как потом выяснилось, это был краеугольный камень его матчевой стратегии).

Напрашивалось 18...♖d8!, однако это допускало жертву ферзя — 19. ♘:e5?! ♖:d1 20.♖a:d1, и если 20...f6?, то 21.♘d7! ♘:d7 22.♖:d7 ♛c5 23. ♖g7+! ♔h8 24.♖:b7 ♛:b5 25.♗g7+ ♔g8 26.♗:f6 с достаточной контригрой. И все же после 20...♘c6 21.♘g4 ♘e5! 22.♘f6+ ♔h8 (Дворецкий) или 20...♗c6!? черные могли отразить угрозы и постепенно реализовать свой материальный перевес.

Вероятно, белым оставалось лишь терпеливое 19.♛e2, например: 19... ♗:f3 20.♛:f3 ♖a5 21.a4 ♗:h2+ 22. ♔h1 ♖d5 23.g4! ♗e5 24.♖ad1 с хорошей компенсацией за пешку или 19...♗g7 20.♗:g7 ♔:g7 21.♛e3 ♗:f3 22.♛:f3 ♘a6 23.♗:a6! ♖:a6 24.♖fb1 с худшей, но защитимой позицией.

19.♗:g7 ♔:g7. После размена чернопольных слонов у белых появляется возможность создать контригру по ослабленным черным полям.

20.♛d4+ ♔g8. В случае 20...f6?! 21.♘g5 ♛e7 (21...♖c8? 22.♖ae1 e5 23.♖:e5!+− Корчной) 22.♖ae1 e5 23. f4 черные защищались путем 23... ♘c6 24.♛:b6 fg (Дворецкий) или 23...♘a6!? 24.♘f3 (недостаточно 24. fe fg 25.e6+ ♔h6) 24...e4 и т.д. Но после 22.♘h3! (этот ход рекомендует и Дворецкий) белые, угрожая ♛:b6, сохраняли некоторый перевес.

Так или иначе, дальнейшее ослабление укрытия короля было Корчному совсем не по душе.

21.♘g5? Выбор неверного маршрута для коня полностью оправдывает отказ черных от осложнений три хода назад.

Только централизация путем 21. ♘e5!, связанная с жертвой фигуры, давала атаку, достаточную по крайней мере для ничьей: 21...♖d8! (хуже 21...f6? 22.♘c4 или 21...♖a5 22.c4 ♘c6 23.♗:c6 ♖:c6 24.f4 Корчной) 22.♛h4! ♖d5 23.♘g4 ♛:b5! 24. ♖ad1! (этой сильной реплики я, к сожалению, не заметил, а после 24. ♘f6+? ♔f8 плохо и 25.♘:h7+ ♔g7, и 25.♛:h7 ♘d7!, и 25.♛h6+ ♔e7 26. ♘g8+ ♔d7 27.♖ad1+ ♗c6! Дворецкий) 24...♖d5! (24...♘c6? 25.♖d7!; 24...♗d5? 25.c4! ♛:c4 26.♖c1+ Корчной; 24...g5 25.♘f6+) 25.c4! и далее:

1) 25...♖:d1 26.♘f6+! ♔f8 27.♖:d1 (к ничьей ведет и 27.♛h6+ ♔e7 28.♘g8+ ♔e8 или 28...♔d7 29.♖:d1+ ♔c6 30.♛e3 ♖a5 Дворецкий) 27...h5 28.♛g5 ♖a5 29.♛h6+ ♔e7, и «ничего, кроме вечного шаха, за белых найти не удается» (Корчной);

2) 25...♖d6 26.♘f6+ ♔f8 27.♛f4 (27.♛h6+ ♔e7 28.♛h4 ♔f8= Дворецкий) 27...♘c6 28.♛h6+ ♔e7 29. ♘g8+ ♔e8 30.♘f6+ с вечным шахом.

Упустив эту возможность, белые полностью передают инициативу в руки противника.

21...h6 22.♘e4 ♗:e4 (с разменом грозного коня исчезают все мои надежды на атаку) **23.♕:e4 ♘a6!** Просто и хорошо. После 23...♘d7 белых выручал двойной удар 24.♗:d7 ♕:d7 25.♕e3, а сейчас им предстоит выбор меньшего из двух зол.

24.♕e3?! Опять слабый ход. Перспективы у черного коня явно выше, чем у белого слона, и после 24.♗:a6! ♖:a6 25.♕e3 «перевес черных был бы лишь теоретическим» (Корчной). За доской мне не нравилось 25...♖fa8! (25...♔g7 26.♖fb1) 26.♕:h6?! ♖:a3 27.♖:a3 ♖:a3 28.h4 ♕:c3 29.h5 ♖a1 30.hg ♖:f1+ 31.♔:f1 ♕d3+ 32.♔g1 ♕b1+ 33.♔h2 ♕:g6, и у черных, скорее всего, выигранное ферзевое окончание. А если 26.♖fb1 (26.♖ab1!?) 26...♖:a3 27.♖:a3 ♖:a3 28.g3 (Дворецкий), то 28...b5!, удачно избегая эндшпиля «четыре пешки против трех». Но пассивное 25. ♕b4 ♖c8 26.♖fc1 оставляло белым хорошие шансы на ничью.

24...♕c5! Еще одна неприятность. Я рассчитывал на 24...h5 25.♗:a6 ♖:a6 26.♖fb1 ♖fa8 27.♖b3. Теперь же белым играть гораздо труднее, поскольку черные, сохраняя коня, получают дополнительные возможности борьбы за перевес. В такой ситуации легко поскользнуться, особенно будучи огорченным неудачными итогами дебюта.

25.♕:c5. Увы, приходится: плохо как 25.♕e2 ♘c7, так и 25.♗:a6 ♕:e3 26.fe ♖:a6 — из-за появления третьей слабости (пешка e3) у белых очень трудный ладейный эндшпиль.

25...♘:c5 26.♖fb1 ♖fd8 27. ♗f1?! Зачем же так далеко? Заслуживало внимания 27.a4 или 27.♗c6 ♖ac8 28.♗f3 (28.♖:b6? ♖d6 29.♗b7 ♖:b6 30.♗:c8 ♖c6–+) 28...♖d6, и теперь не 29.a4 ♘d7 30.♖b3 ♖c5 «с последующим переводом черного короля в центр и на ферзевый фланг» (Корчной), а 29.♖b4!? ♘d3 30.♖d4 ♖:d4 31.cd с шансами на ничью, хотя после 31...♔f8 (Дворецкий) проблемы белых еще не кончались.

27...♖d6 28.♖b4 ♔f8 29.a4. Испытывая недостаток времени, нелегко было решиться на игру без пешки после 29.♖ab1 ♖:a3 30.♖:b6 ♖:b6 31.♖:b6 ♖:c3. Но в принципе, как уже упоминалось, размен пешек ферзевого фланга и переход в окончание с тремя пешками против четырех на королевском — важный ничейный ресурс белых.

29...♖a5. Ликвидируя угрозу a4-a5 и фиксируя слабость на a4. Заслуживало внимания и 29...♔e7 с идеей 30.♗b5 ♖ad8, а «в случае 30. ♖ab1 ♖:a4 (30...♘:a4? 31.♖a1) 31. ♖:b6 ♖:b6 32.♖:b6 ♘e4 белым предстояла долгая и неприятная оборона» (Дворецкий).

30.g3?! Продолжение цейтнотной горячки. Лучше было 30.♗b5, и после 30...♘:a4?! 31.♗:a4 b5 32.♖:b5 ♖:a4 33.♖bb1 ♖c4 34.♖a3 ♖d3 35.♖c1 или 30...♔e7 31.♔f1 белые могли рассчитывать на ничью.

30...♔e7 31.♔g2 f5! (обеспечивая поле e4 для коня) **32.♗b5.** «Плохо 32.f3 ♖d2+ 33.♔g1 ♘d7 34.♗b5 ♘e5, и черные фигуры развивают большую активность, но хладнокровное 32.♖a2!? ♘e4 33.♖c4 *(по Дворецкому, чуть точнее 33.♖c2. – Г.К.)* заставляло черных искать более тонкие пути для усиления позиции» (Корчной). Так, опрометчиво 33...b5?! из-за 34.♖:e4! fe 35.♗:b5 (Дворецкий), однако 33...e5 сохраняло стабильный перевес.

32...♖d2?! Поспешность... дающая превосходный эффект! Активные действия следовало начинать лишь после 32...♔d8 и ♔c7. Кроме того, у черных был хороший план, связанный с надвижением пешек королевского фланга: 32...g5 и т.д.

33.♖d4? В сильном цейтноте белые просматривают потерю пешки. Плохо и 33.♗c6? ♘d3 34.♖:b6 ♖:f2! (34...♖:f2+ 35.♔g1 ♖c2 36.♖b5 и т.д.)

35.♖b5 (35.♔g1 ♘h3+ 36.♔h1 ♖e5!) 35...♖a6 36.♖b7+ ♔f6 37.♗b5 ♘g4+ 38.♔g1 ♖ad6! или 36.♗b7 ♖ad6 37.a5 ♖6d3! 38.a6 (не помогает 38.♖b4 ♖:c3 или 38.♔g1 ♘h3+ 39.♔h1 ♖:c3 40.♗g2 ♖cc2) 38...♖d1+ 39.♔f1 ♖e3!, и две ладьи с конем пленяют белого короля.

Реальные шансы на спасение давало лишь 33.♖ab1! (используя минус предыдущего хода черных – ослабление пешки b6) 33...♘e4 34.♖1b2 ♖:b2 35.♖:b2 ♘:c3 (35...♔d6 36.♗d3=) 36.♗c6 ♘:a4 (не лучше 36...♔d6 37.♖:b6 ♔c7(5) 38.♖b3 или 36...♖a6 37.♖b3 ♘d5 38.♗b7 ♖:a4 39.♗:d5 ed 40.♖:b6) 37.♗:a4 ♖:a4 38.♖:b6 (Дворецкий), и наиболее вероятным исходом ладейного окончания «четыре на три» является ничья.

33...♖:d4 34.cd ♘:a4! Несложный тактический удар, переводящий игру в легко выигранный ладейный эндшпиль.

35.♖:a4 (еще хуже 35.♗:a4 b5 или 35.♗c6 ♘c3 36.♖e1 ♖a2–+) **35...♖:b5 36.♖a7+ ♔d6!** Чересчур осторожное 36...♔f6?! оставляло белым какие-то шансы: 37.h4! ♖d5 38.♖b7 b5 39.♔f3.

37.♖h7?! Корчной приводит два других продолжения, которые «потребовали бы от черных большей изобретательности для достижения победы»:

1) 37.♔f3 ♖b3+ 38.♔e2 b5 39.h4 h5 40.♖g7 ♔d5 41.♖:g6 b4 42.♖h6 ♖b2+ 43.♔e3 b3 44.♖h8 (44.♖:h5 ♖e2+!) 44...♖c2! 45.♖b8 ♔c4, и пешка «b» при поддержке короля решает исход борьбы: 46.♖c8+ ♔b4 47.♖b8+ ♔c3 48.♖c8+ ♔b2 49.♖b8 ♖c4

50.♔f4 ♖:d4+ 51.♔g5 ♔c3 52.♔:h5 b2 53.♖:b2 ♔:b2 54.♔g5 ♖g4+ 55. ♔f6 f4 56.♔:e6 ♖g3!;

2) 37.h4 h5 38.♔f3 (38.♔g7?! ♖d5 39.♖:g6 b5 40.♔f3 ♖:d4 41.♖h6 b4 и т.д.) 38...e5! 39.♖g7 (при 39.de+ ♖:e5 белый король отрезан и пешка «b» проходит в ферзи) 39...ed 40.♖:g6+ ♔d5! 41.♖g5 ♔c4 42.♖:h5 ♖c5! (куда сложнее 42...d3 43.♖h6!) 43.♖h8 b5 44.h5 b4 45.h6 b3 46.♖b8 ♖c7 или 46.h7 ♖c7—+.

37...h5 38.♖g7?! (по Корчному, вновь упорнее было 38.♔f3) **38...♖d5 39.♖:g6 b5 40.♔f3 b4.** «Вопрос стиля: 40...♖:d4 также выигрывало без хлопот» (Корчной).

41.♔e3 (41.♔g8 ♖b5) **41...b3 42. ♔d2** (42.♔d3? ♖b5) **42...♖:d4+ 43. ♔c3 b2! 44.♔:b2 ♖d2+ 45.♔c3 ♖:f2 46.h4.** Уже можно было опустить занавес, но по инерции я продолжал сопротивление. На 46.h3 проще всего 46...h4 47.g4 (47.gh ♖f3+ и ♖:h3) 47...♔e5 48.♖g5 (48.gf ♖:f5 —+) 48...♖f3+ 49.♔d2 ♔f4 50.♖h5 fg (Корчной) или 50.♖g8 ♖:h3 51.gf ♔:f5, избегая проблемного ладейного окончания с пешками «f» и «h».

46...f4! 47.♖g5 (47.♖h6 fg 48. ♖:h5 ♖f5! или 47.g4 hg 48.♖:g4 e5) **47...♖f3+ 48.♔d4 ♖:g3 49.♖:h5 ♖e3! 50.♖h6 ♔e7 51.h5 e5+ 52.♔d5 f3.** Белые сдались.

Тяжелое поражение! Однако четыре ничьи подряд привели меня в норму, и в 6-й партии наступил перелом. Она была отложена в неясной, но, вероятно, ничейной позиции. При доигрывании Корчной, пытаясь обострить игру, избрал нелучшее продолжение, и на 57-м ходу возник прозаический ладейный эн-дшпиль, в котором от белых для достижения ничьей требовалась определенная точность. Корчному нужно было отдать ладью за проходную пешку в выгодной редакции, но он допустил перестановку ходов, зевнул промежуточный шах, и его позиция стала безнадежной.

В итоге я выиграл со счетом 7:4 (+4—1=6). В послематчевом интервью Корчной признался: «После 6-й партии я потерял веру в мою технику и моих секундантов. Счет стал равным, но психологически матч был проигран. Мое доматчевое представление о Каспарове как об игроке одного нокаутирующего удара было ошибочным. Каспаров очень техничен для своих лет. Он идет на риск только тогда, когда уверен в оправданности этого шага».

Некоторые западные комментаторы предлагали мне выразить Корчному благодарность за то, что он ускорил мое шахматное созревание и способствовал постижению тонкостей позиционной игры. Действительно, пользу от этого матча трудно переоценить.

Так на исходе 1983 года «вечный» претендент, в сущности, распрощался с мечтой стать чемпионом мира. В турнире претендентов следующего цикла (Монпелье 1985) он уже далеко отстал от призеров, хотя продолжал побеждать или делить первые места в турнирах: в 84-м это были Вейк-ан-Зее, Беэр-Шева, Сараево и выигрыш у Полугаевского на 3-й доске во втором матче СССР — Остальной мир, в 85-м — Тилбург, Люцерн (1-я доска в командном чемпионате мира) и Брюссель...

АНТИСТАРОИНДИЕЦ

Даже в поздний период карьеры Корчной, играя до 150 партий в год, продолжал перестраивать и гармонизировать свой стиль. Как он сам пишет: «Мои партии с Панно (1985), Арнасоном (1987), Пинтером (1988) — предмет моей гордости, доказательство победы характера над вредными привычками». В самом деле, Корчной стал еще изощреннее бороться за инициативу белыми, что в сочетании с высочайшей техникой игры давало отличные результаты.

Весьма характерно его предисловие к партии с Сейраваном (Лугано 1986): «Ботвинник советовал мастерам и гроссмейстерам продумать свой дебютный репертуар так, чтобы не пришлось сражаться против собственных дебютных схем. Ботвинник, правда, играл не больше 50 партий в год, и ему сравнительно легко было следовать собственному совету. В конце 20-го века шахматная жизнь стала гораздо более интенсивной. Выросло много гроссмейстеров высокого класса, которых во времена Ботвинника были единицы. Появились шахматисты, которые, выучив досконально какой-то дебют, охотно играли его за оба цвета... Я долгое время старался следовать совету Ботвинника. Но однажды осмелел. Случилось это так. Во время одного турнира я стал готовиться к партии со Спасским черными. Я внимательно проанализировал, как он разыгрывает закрытый вариант сицилианской. Его трактовка этой позиции произвела на меня впечатление. В попытках опровергнуть его стратегию я не преуспел — ту партию я с трудом свел вничью. Но, набравшись знаний, сам решил попробовать сыграть «по Спасскому». Поскольку 1.e4 я играю редко, то решил применить его идеи против любителей хода 1.c4. Правда, у черных на темп меньше, но меня это не смущало. Я последовательно обыграл черными Сейравана, Шубу, Карлссона. А теперь, имея такой опыт со стороны черных, решил сыграть эту позицию белыми!»

Последовало **1.c4 e5 2.g3 ♘c6 3.♗g2 g6 4.♘c3 ♗g7 5.d3 d6 6.♖b1 f5 7.b4 ♘f6 8.b5 ♘e7 9. ♕b3!? h6 10.e3 0-0 11.♘ge2 ♔h7 12.a4 ♖b8 13.♗a3 ♗c6 14.0-0 g5 15.d4!**, и белые, захватив инициативу, в конечном счете одержали эффектную победу. Таким образом, за четыре месяца Корчной одолел Сейравана в этой схеме и черными (Монпелье(тп) 1985), и белыми (Лугано 1986).

В предыдущих главах вы могли ознакомиться с дебютным репертуаром Корчного за черных. Любопытно, что среди его разнообразных ответов на 1.d4 почти никогда не встречалась староиндийская защита — вроде бы идеальное оружие для шахматиста контратакующего стиля. Очевидно, как истовый «грюнфельдист», он не любил запирать слона g7. Наоборот, всю жизнь с удовольствием играл против «староиндийки» белыми — чуть ли не все системы: и с развитием слона на g2, и Земиша, и классическую с ♘f3 и ♗e2.

Планы Корчного были всегда глубоко продуманными. Особенно велик его вклад в переоценку варианта Тайманова с 10.♗e3, похороненного в 1953 году и возрожденного в 1987-м. Из поколения в поколение передавался стереотип, в плену которого пребывал и Фишер: «Атака черных на королевском фланге проанализирована практически до форсированного мата!» Однако благодаря Корчному все взглянули на потенциал этих позиций по-другому. Оказалось, что белые не так уж беззащитны на королевском фланге и располагают интересными возможностями наступления на ферзевом.

Первая партия на эту тему, сыгранная на межзональном в Загребе (1987), прозвучала как гром среди ясного неба. В ней ярко выразилось извечное стремление Корчного к поиску неожиданных, оригинальных путей. Недаром она была признана важнейшей теоретической партией 44-го тома «Информатора».

№ 528. Староиндийская защита E99
КОРЧНОЙ – ХУЛАК
Межзональный турнир,
Загреб 1987, 10-й тур

1.♘f3 ♘f6 2.c4 g6 3.♘c3 ♗g7 4. e4 0-0 5.♗e2 d6 6.d4 e5 7.0-0 ♘c6 (7...♘bd7 – № 536) **8.d5 ♘e7 9.♘e1.** Раньше Корчной успешно играл и 9.♘d2 (против Геллера, Москва(м/1) 1971), и 9.♗d2 (против Бирна, Ленинград(мз) 1973). А однажды испытал экстравагантное 9.а4, пытаясь свести дело к выгодной редакции своего любимого плана с ♗e3, но после 9...а5! 10.♘e1 ♘d7 11.♗e3 f5 12.f3 ♘c5 13.♘d3 b6 14.b4

♘:d3 15.♕:d3 ab 16.♘b5 ♔h8 черные, воздержавшись от f5-f4, получили хорошую позицию (Корчной – Каспаров, Барселона 1989).

9...♘d7. Тормозя типовой прорыв с4-с5. Альтернатива – 9...♘e8 (№ 529, 530), но не 9...с5?! 10.f4! (Корчной – Чокылтя, Ницца 1974).

10.♗e3. Этот ход долгое время считался менее удачным, чем 10. ♘d3 (№ 446). «Перегруппировка, начатая белыми, выглядит несколько медлительной, но что делать — такой вариант я выбрал себе много лет назад и посвятил ему сотни часов домашней работы» (Корчной).

10...f5 11.f3 f4. Реже играли 11...♖f7 (Корчной – Спасов, Марибор 1995) или 11...h6 12.♘d3 b6 13.b4 g5 14.♖c1 (неясно 14.с5 ♘f6 15.cd cd 16.b5 ♘g6 17.♘b4 ♘f4 Корчной – Юртаев, Манила(ол) 1992) 14...♘f6 15.♘f2 f4 16.♗d2 h5 17.♖h1!? (прелюдия к остроумному плану) 17... ♘g6 18.с5 ♖f7 19.cd cd 20.♖g1! ♗h6 21.g3!... 1-0 (Корчной – Спраггетт, Манила(ол) 1992).

12.♗f2 g5. Главная табия варианта с 10.♗e3, идущая от исторических партий 1953 года Элисказес – Глигорич и Тайманов – Найдорф.

Предстоят взаимные фланговые штурмы, причем атака черных с виду опаснее: у них на мушке белый король! И упомянутые поединки закончились крахом белых. Но у Корчного своя концепция, отражающая присущий ему оптимизм: «Черные двигают пешки от короля, оставляя его совсем без прикрытия. Если противник не дрогнет и атака будет отбита, начнется матование голого короля черных. Так и случилось во множестве моих партий, игранных этим вариантом».

13.♘b5!? На редкость парадоксальный ход в позиции, изученной, казалось бы, вдоль и поперек. Однако он связан со здравой стратегической идеей: путем ♘a7:c8 уничтожить грозного слона и резко снизить эффект прорыва g5-g4.

Вскоре за черных была найдена приемлемая защита, и тогда Виктор Львович ввел в практику 13.a4!? (о прежних ходах 13.♘d3 и 13.b4 — см. 411), например:

1) 13...h5 14.♘b5 ♘f6?! 15.♘:a7 ♗d7 16.♘b5 g4 (Корчной — Хеллерс, Стокгольм 1987), и здесь Корчной рекомендовал 17.g3!? и ♔g2, или 14.a5!, как было у него с Форстером (Швейцария 1994) и Се Цзюнь (Прага 1995);

2) 13...♘g6 14.a5! (при 14.♘d3 ♘f6 15.c5 h5 16.h3 ♖f7 17.c6 наступление белых тормозится ходом 17...a5! Корчной — Каспаров, Амстердам 1991) 14...♖f7 (14...a6 15.♘d3 ♘f6 16. c5 h5 17.cd cd 18.♘a4... *1-0* Корчной — Гельфанд, Тилбург 1992; 14...♔h8 15.♘d3 ♖g8?! 16.c5 ♗f8 17.c6! bc 18.♘b4! ♘e7 19.♘:c6 ♘:c6 20.dc с явным перевесом, Корчной — Широв,

Хорген 1994) 15.b4 ♘f6 16.c5, как Корчной одолел Нанна (Амстердам 1990) и Ю.Полгар (Памплона 1990), или даже 15.c5!? ♘:c5 16.♗:c5 dc 17.♗c4 ♔h8 18.a6... *1-0* (Корчной — П.Попович, Брно 1992);

3) 13...a5!? 14.♘d3 b6 15.b4 ab (15...h5?! 16.ba ♖:a5 17.♘b5 ♘f6 18. ♗e1 ♖a6 19.a5... *1-0* Корчной — ван дер Виль, Брюссель(блиц) 1987) 16.♘:b4 ♘f6 17.♖a3 ♗d7 с обоюдными шансами (Юсупов — Каспаров, Ереван(ол) 1996).

А с 1996 года, сочтя атакующий ресурс хода 13.a4 исчерпанным, Корчной перешел к не менее сложному продолжению 13.♖c1.

13...a6?! Позже черные применяли как гамбитное 13...♘f6!? 14. ♘:a7 ♗d7 (Бенджамин — Нанн, Гастингс 1987/88), так и надежное 13...b6! 14.b4 (14.a4 a6 15.♘c3 a5!) 14...a6 15.♘c3 (15.♘a3?! h5 Хузман — Смирин, Свердловск 1987) 15... ♘g6, 15...♘f6 16.c5 ♖b8 или 15...h5 (Корчной — Е Цзянчуань, Нови-Сад(ол) 1990), и в целом им удалось обезвредить выпад 13.♘b5.

14.♘a7! (конечно!) **14...♖:a7?!** Столкнувшись с невероятным новаторским замыслом соперника, Хулак пытается его опровергнуть — поймать слона. Но у белых всё предусмотрено! Видимо, лучше было 14...♘f6 (Корчной) 15.♘:c8 ♖:c8 16. c5 g4, хотя без слона c8 черным трудно рассчитывать на реальную атаку.

15.♗:a7 b6 16.b4! Только так! Неточно 16.c5 dc! 17.♕a4 ♗b7!? 18. ♗:a6 ♗:a6 19.♕:a6 ♕a8 20.a4 (20. ♕b5 ♖d8) 20...♘c8 (20...♘b8? 21. ♕c4) 21.a5 (Корчной) из-за 21... ♘b8! 22.♕c4 ♘d6 и ♕:a7.

Теперь же оказывается, что слон на a7 хотя и отрезан, но еще жив. И белые, используя это обстоятельство, успевают разрушить ферзевый фланг противника. Мы с тренерами смотрели эту позицию еще в 1988 году, когда я регулярно играл староиндийскую защиту, и пришли к выводу, что так черными играть нельзя.

16...♗b7. С угрозой ♕a8 или ♘c8. Не проходит 16...c5? из-за 17. dc ♘:c6 18.♕d5+. А в случае 16...♘f6 17.c5 g4 18.♖c1 или 16...♘g6 17.♘d3 ♘f6 18.c5 у белых опережающая атака.

17.c5! Сильнейший ход. Встречалось 17.♕a4 ♘c8 18.c5 dc 19.♗:a6 ♗:a6 20.♕:a6, однако после 17...c5! преимущество белых испаряется.

17...dc. Важный психологический нюанс: игра начинает разворачиваться на ферзевом фланге, и черным приходится забыть об атаке на короля. Плохо 17...bc? 18.bc (18. ♕a4!?) 18...♕a8 (18...dc 19.♖c1 или 19.♖b1 ♕a8 20.d6!) 19.♗b6! cb 20. c6+– (Корчной).

18.♖c1! (разумеется, не 18.bc? ♘:c5 19.♖c1 ♕d6 с угрозой ♖a8) **18...♘c8.** На 18...cb сильнее всего

19.d6!; например: 19...♘c6 20.♗:a6 ♗:a6 21.♖:c6 (Корчной) 21...cd 22. ♖:d6 ♖f7 23.♗:b6! или 19...cd 20. ♕:d6 ♖f6 21.♕c7 ♕c8 22.♘d3 ♖c6 (22...a5 23.♘f2) 23.♖:c6 ♘:c6 24. ♕:c8+ (24.♗:b6!?) 24...♗:c8 25.♖c1 ♘:a7 (25...♗b7 26.♘:b4!) 26.♖c7 с решающим вторжением (Кароли — Купрейчик, Львов 1988).

19.bc ♗a8 (при 19...♘:c5 20. ♖:c5! bc 21.♗:c5 ♕d6 22.♕b3(a4) и ♘d3 у белых явный позиционный перевес) **20.c6.** Напрочь выключая из игры слона a8. Заслуживало внимания и 20.♗:b6!? cb 21.c6 ♘c5 22. ♘d3 ♘:d3 23.♕:d3 b5 24.♕a3 ♕b6+ 25.♕c5, лишая черных контригры и обрекая их на трудную оборону.

20...♘f6 21.♗:b6 ♘:b6 22. ♗:a6 g4?! Шаблонная попытка атаки, ведущая лишь к новому ослаблению. Куда больше шансов оставляло 22...♕b8! (22...♕d6 23.♘d3 и ♘c5) 23.♔h1 ♕a7 24.♕e2 (Корчной) 24...♘h5!? Правда, с помощью энергичного 25.d6! белые продолжали борьбу за победу: 25...♖f6?! 26.d7 ♘:d7 27.g4! ♕g3+ 28.hg ♗:c6 29.gf ef 30.♗b5 или 25...cd 26.c7 ♗b7 (26...♘c8 27.♕d3 ♕b6 28.♕b3+ ♕:b3 29. ab ♘f6 30.♘d3) 27.♗:b7 ♕:b7 28. ♕d3 ♘c8 29.♕c4+ ♔h8 30.♘d3 и т.д.

23.♘d3 (конь устремляется по маршруту c5-e6) **23...g3?!** Упорнее было 23...h5 или 23...♕b8 (Корчной), хотя это вряд ли изменило бы исход партии.

24.h3 (убивая всякую контригру) **24...♘e8.** Немедленное 24... ♕b8 добавляло возможность 25.d6. Черные устанавливают блок на d6, но теперь в движение приходит пешка «a».

25.♘c5 ♕b8 26.a4 ♘d6 27.a5 ♘bc8 28.♔h1 ♕a7 29.♕c2 ♘e7 30.♖b1 ♘g6 (или 30...♖b8 31. ♖:b8+ ♕:b8 32.♗b7) **31.♖fc1 ♗f6 32.♗f1 ♗:c6.** Приходится: давление белых на ферзевом фланге уже совершенно нестерпимо. Нельзя 32...♗:a5 ввиду 33.♖a1 ♕b4 34.♖cb1 ♕d4 35.♘e6.

33.dc ♕:a5 34.♖a1 ♕b4 35. ♘e6. Черные сдались.

Поразительно, что и в 56 лет он сумел выиграть межзональный турнир: 1. Корчной – 11 из 16; 2–3. Эльвест и Сейраван – по 10; позади остались Николич, Торре, Полугаевский, Майлс... А в начале того же 1987 года Корчной разделил с Шортом 1–2-е места в Вейк-ан-Зее, став сорекордсменом по числу побед (четыре!) в этом престижном традиционном турнире.

Весьма удачны были и его дальнейшие попытки «опровержения» староиндийской защиты: после партии с Хулаком он одержал немало ярких побед в варианте с 13.a4!? Здесь единственной его осечкой за восемь лет явилась партия со мной в Амстердаме (1991). Через год мы опять схлестнулись в «староиндийке» на командном чемпионате Европы в Дебрецене, и я едва унес ноги. А вскоре Корчной попытался усилить игру белых в партии с Шировым.

№ 529. Староиндийская защита E98
КОРЧНОЙ – ШИРОВ
Буэнос-Айрес 1993, 5-й тур
1.c4 ♘f6 2.♘c3 g6 3.e4 d6 4.d4 ♗g7 5.♗e2 0-0 6.♘f3 e5 7.0-0 ♘c6 8.d5 ♘e7 9.♘e1 ♘e8. Этот ход, примененный мной в партиях с Шировым (Манила(ол) 1992) и Корчным (Дебрецен 1992), считался более слабым, чем 9...♘d7 (№ 528). Может, так оно и есть, но 9... ♘e8 тоже имеет право на существование. Конь защищает поле c7 от вторжения белых фигур, что уменьшает эффективность стандартного плана с 10.♘d3 и c4-c5. Правда, у белых есть иные пути.

10.♗e3. Конечно, Корчной не удовлетворяется сравнительно безопасным – но и безобидным! – продолжением 10.♘d3 f5 11.f4 (Петросян – Таль, Блед 1961).

10...f5 11.f3 f4. Другая идея – 11...c5 (№ 530). Отмечу и 11...♔h8 12.a4 (12.c5!?) 12...♘g8 13.c5 ♗h6 14.♗f2 ♘gf6 15.a5 ♘h5 16.g3 (Корчной – Ю.Полгар, Прага 1995) или 16.♘d3! (Гельфанд – Ю.Полгар, Дос-Эрманас 1996) со сложной, несколько лучшей для белых игрой.

12.♗f2 h5. Корчной удивлялся, почему я рекомендую этот ход, а не 12...g5, на что он играл 13.c5 ♘g6 14.a4 ♖f7?! 15.♘d3 ♗f8 16.a5 ♖g7 17.a6!? (против ван Вели, Антверпен 1997). Однако, по-моему, актуальнее 13.g4!, на корню пресекая контратаку черных. В иной ситуации, конечно, бывает выгоднее обойтись без h7-h5, сохранив поле h5 для коня.

13.c5 g5 14.a4. В упомянутой партии Широв – Каспаров было 14.cd cd 15.a4 ♘g6 (15...♖f6!?) 16.♘b5 a6 17.♘a3 ♘f6 18.♘c4 g4 19.♕b3 g3 20.hg (лучше 20.♗b6 ♕e7 21.♔h1!, но не 21.♕b4? ♘:d5! 22.ed ♕h4 23.h3 ♗:h3! и т.д.) 20...fg 21.♗:g3 h4 22.♗h2 ♘h5 (22...♗h6!?) 23.♕b6 ♕g5 и ...♘g3! с хорошей игрой у черных.

Позже и Виктор Львович перешел на 14.cd cd (14...♘:d6 15.♘d3 Корчной – Реланж, Канны 1996) 15.♔h1!? ♘g6 16.♖c1 ♗d7 (16...♗h6 17.♘b5! a6 18.♘a7 ♗d7 19.♕b3 и т.д.) 17.a4 ♗h6 с обоюдоострой борьбой (Корчной – Ю.Полгар, Вена 1996).

Еще один его план – 14.♖c1 dc 15.♗:c5 ♖f6 16.♕b3 ♔h7 17.♘d3 ♘g6 18.♘b5! a6 19.♘a7 ♖:a7?! (по стопам Хулака!) 20.♗:a7 b6 21.♖c2 (21.♗b4!? Хузман) 21...♗d7 22.♖fc1 ♘c8 23.♗b8 ♘cd6 24.♗:c7 ♘:c7 25.♖:c7 ♘b5 26.♖b7, и вряд ли у черных есть достаточная компенсация за качество и пешку (Корчной – Г.Эрнандес, Мерида(м/1) 1996).

14...♘g6 (14...♖f6!? и ♖g6 Корчной – Ю.Полгар, Монако(вслепую) 1994) **15.a5 ♗h6!?** Расчищая линию «g». Кроме того, после g5-g4(-g3) этот «плохой» слон может найти себе работу – скажем, ♗g5-h4 и т.д.

При вялом 15...♖f7?! 16.cd cd еще неприятнее 17.♘b5! a6 18.♘c3 ♘f6 19.♘a4 (О'Келли – Гицеску, Сандефьорд 1975), из-за чего и был за-

раскован весь вариант с 9...♘e8. Недостаточно и 15...dc 16.♗:c5 ♘d6 17.♘d3 ♖f7 18.a6 b6 19.♗:d6!... 1-0 (Корчной – Немет, Швейцария 1994).

16.♘b5!? Новинка. В Дебрецене Корчной избрал против меня 16.b4 ♔h7 17.cd (17.a6!?) 17...cd 18.♘b5, и в сложной борьбе после 18...g4 (на 18...a6 19.♘a3 ♘f6 сильно 20.♖c1!) 19.fg hg 20.♗:g4 ♗:g4 21.♕:g4 ♘f6 22.♕f3 (22.♕f5!? ♘:d5 23.♕e6) 22...♕d7! 23.♘:a7! ♘g4 24.b5! ♘:f2 (24...♘e3? 25.b6!) 25.♕:f2 f3! 26.♘:f3 ♕g4 27.b6 ♕:e4 28.♖fe1 ♕:d5 29.♕c2 ♖ae8 черные испытывали серьезные проблемы, но добились ничьей на 44-м ходу.

16...a6 (вынужденно: не отдавать же пешку a7?!) **17.♘a3 ♔h8.** С намерением ♖g8. Не лучше 17...♖f7 18.♘c4 ♖g7 (18...dc 19.♘d3!) 19.♖a3 и т.д.

18.♘c4 (если 18.cd в расчете на 18...cd 19.♘c4, то 18...♘:d6! с неясной игрой) **18...♖g8 19.♖a3 ♘f6.** «До сих пор Широв не очень много работал головой – он повторял игру Каспарова. Сейчас он допускает ошибку, преждевременно активизируя своего коня. Правильно было 19...♘f8 или 19...dc 20.♗:c5 ♘d6 — вот почему впоследствии я стал меняться на d6 заранее!» (Корчной).

Но, по-моему, 19...♘f8 слишком пассивно, так как после 20.cd cd (20...♘:d6? 21.♘:e5) черным сложно создать угрозы на королевском фланге. А на 19...dc!? заслуживает внимания 20.♘d3!? ♘d6 21.♘:c5, и черные в поисках контршансов должны играть крайне изобретательно: 21...g4 22.♘:d6 cd 23.♘e6 ♗:e6 24.de g3 25.♗b6 gh+ 26.♔h1 ♕e7 27.♖d3 ♘h4 28.♖f2 ♖ac8! 29.♗f1 ♗f8 30.♖c2 ♖:c2 31.♕:c2 ♕:e6 32. ♗f2 ♗e7 и т.д.

20.cd cd 21.♘b6?! Корчной ставит к этому ходу вопросительный знак, сетуя: «Трудно быть первопроходчиком!» Действительно, после рекомендованного им и Шировым 21.♕b3 g4 (21...♕e7 22.♕b4!) 22.♕b6 белые сохраняли перевес, однако насколько он велик — еще вопрос: 22...♕:b6 23.♘:b6 ♖b8 24. ♔h1 ♗g5 25.♖c3 ♗h4 26.♘d3 gf 27. gf ♗h3 28.♖g1 ♖g7.

21...♖b8 22.♖c3. Если 22.♕c2 g4 23.♖c3 (23.fg hg Широв), то 23... g3! 24.hg fg 25.♗:g3 h4 26.♗h(f)2 ♘h5 с отличной игрой за пешку. Может быть, стоило сразу разменять опасного слона — 22.♘:c8, хотя после 22...♖:c8 23.♔h1 g4 24.♗b6 ♕d7 шансы черных не хуже.

22...g4! 23.fg. «Сыграно после длительного раздумья. Черные угрожали ходом g4-g3, а при случае и взятием на f3» (Корчной). Например: 23.♔h1 (Широв) 23...g3 24.♗g1 gh 25.♗f2! h4! и ♘h5 с вторжением коня на g3.

23...♘:e4! На 23...hg было намечено 24.♘:c8 ♖:c8 25.♗:g4 ♖:c3 26. bc, и поскольку плохо 26...♘:g4? 27. ♕:g4 ♕:a5 28.♕h3!, «белопольный слон обретает большую силу»: 26... ♘:e4 27.♗b6 ♕f6 28.♗e6 или 26... ♕:a5 27.♗e6 ♖g7 28.♕d3 ♖c7 29.c4.

Корчной считал не опасным для себя и 23...♗:g4 — таким способом черные избегали размена слона на коня и, пользуясь своим превосходством в силах на королевском фланге, могли попытаться создать давление по линии «g» и на слабую пешку e4. Но после 24.h3 у белых действительно неплохая позиция.

24.♖:c8 ♖:c8 25.♘:c8 ♕:c8. Широв мог уничтожить одного из грозных слонов соперника — 25... ♘:f2 26.♖:f2 ♕:c8. Корчной рассматривает здесь 27.g5 ♗:g5 28. ♗h5 (28.♗:a6 f3!) 28...♕c5 29.♗:g6 ♖:g6 30.♕c2 ♕:c2 31.♖:c2 ♖g8 с несколько лучшим эндшпилем у черных: «их пешечная цепочка выглядит многообещающе».

Видимо, лучше 27.gh — по мнению Корчного, после 27...♘h4 или 27...♘e7 «позиция черных слишком активна», однако, на мой взгляд, как при 27...♘h4 28.♘f3 ♘f5 29.♕b1

♘e3 30.♘h4 ♖g7 31.♘g6+ ♔g8 32.h3 ♖c7 33.♕e4, так и в случае 27...♘e7 28.♗f3 или 28.♘c2 им нелегко пробить блокаду по белым полям и борьба носит неясный характер.

26.♗b6! «Еще один трудный ход. Белые должны беречь своих слонов – они пригодятся» (Корчной).

26...♘e7! (избегая опасной активизации белопольного слона в случае 26...hg?! 27.♗:g4 или 26...h4?! 27.♗d3 ♘f6(g5) 28.♗f5) **27.gh ♘f6 28.b3!** «Это неуклюжий стиль Корчного в его лучшем виде» (Ларсен). Слабо 28.♗f3 ♕f5! с угрозой e5-e4 (Кнаак), а если 29.♕c2, то 29...♕:c2 (29...e4? 30.♗d4) 30.♘:c2 ♘e:d5.

28...♘e:d5 29.♗c4 ♕c6 30. ♖f2. «Положение нестандартное. Центральные пешки не следует недооценивать – в любом окончании у черных будет перевес. Бент Ларсен, которому очень понравилась эта партия, оценил положение как выигранное для белых. По-видимому, он просто выдал желаемое за действительное» (Корчной).

30...♖c8? Принципиальная ошибка в сложнейшей позиции. Хладнокровное 30...♖f8! (Широв) по-

зволяло черным как минимум удержать равновесие: 31.♗:d5 ♘:d5 32. ♖c2 (плохо 32.♕g4?! ♘:b6 33.ab d5 или указанное Корчным 32.♖d2?! ♘e3 33.♗:e3 fe 34.♖:d6 e2 35.♖:h6+ ♕:h6 36.♕:e2 ♕f4) 32...♕b5 33.♘f3 (не 33.♕g4? ♘e3 или 33.♕d3?! ♕:d3 34.♘:d3 e4) 33...♕:b3 (33...♖e8!? 34.♘h4!) 34.♖d2 ♕:d1+ 35.♖:d1 ♘:b6 36.♖:d6 ♗g7 37.ab (37.♖:b6? e4) с ничейным окончанием.

Далее Корчной приводит 37...a5 38.♖d7 ♖b8 39.h6 ♗:h6 40.♘:e5= или 37...e4 38.♘g5 e3 39.♔f1 ♖c8, и здесь «простейший путь к ничьей – 40.♖d8+ ♖:d8 41.♘f7+». Но после 41...♔h7! 42.♘:d8 ♗d4 и ♗:b6 неясно, успеют ли белые нейтрализовать две проходные пешки черных – «a» и «e». По-моему, проще 40.g3 f3 41.♘:f3 ♖c2 42.♔g1 или 40.♖d7 ♖c1+ 41.♔e2 ♖c2+ 42.♔f3 ♖f2+ 43.♔e4 ♗f6 44.♘f7+ ♔g8 45.♘h6+ ♔h8 46.♘f7+ с вечным шахом.

31.♗:d5 ♘:d5 (не лучше 31... ♕:d5 32.♖d2) **32.♖c2 ♘c3 33. ♕g4!** На доске материальное равенство, но белые внезапно переходят в атаку, и черные гибнут из-за роковой связки коня.

33...♗f8. На 33...♕e8 выигрывало 34.♕h3 ♕c6 35.♕e6 или 35.♘f3 ♘h4. Корчной считал лучшей защитой 33...♖g8 34.♕e6 ♗f8 (34...♗g7? 35.h6), однако после 35.h6! ♕e4 36. ♔f1 белые также побеждали.

34.♘d3 ♕e8 35.♕b4! (с решающей угрозой ♘d5) **35...d5 36. ♘:d5 ♗c5+ 37.♗:c5 ♖:c5** (37... ♘:d5 38.♗f8!) **38.h6 ♕f8 39.♖:c3.** Черные сдались. Сложная, динамичная, типично «староиндийская» борьба, в которой молодой талант не устоял под натиском 63-летнего ветерана.

В том же году, выступая в командном чемпионате Голландии, Корчной усилил игру белых и в другом разветвлении этого острого варианта «староиндийки». В партии с Нейбуром ему удалось осуществить такую же разрушающую жертву фигуры с целью создания пешечной лавины, как когда-то Талю (№ 281) и Спасскому (№ 374).

№ 530. Староиндийская защита E98
КОРЧНОЙ – НЕЙБУР
Голландия 1993

1.d4 ♞f6 2.c4 g6 3.♞c3 ♝g7 4. e4 d6 5.♝e2 0-0 6.♞f3 e5 7.0-0 ♞c6 8.d5 ♞e7 9.♞e1 ♞e8 (всё-таки основательнее 9...♞d7 – № 528) **10.♝e3 f5 11.f3.**

11...c5?! Вместо обычного 11...f4 12.♝f2 g5 13.c5 (№ 529) черные хотят сначала обезопасить себя на ферзевом фланге и лишь затем приступить к контратаке на королевском. Однако и практика, и мой собственный опыт показывают, что этот ход обычно бывает недостаточен: черные теряют время, а пол-

ностью запереть фланг им все равно не удается.

12.♞d3! Незадолго до этого в Вейк-ан-Зее (1993) Корчной избрал против Нейбура 12.dc bc 13.♛d2 (13.c5?! d5) 13...♝e6 14.♖d1 ♛c7 15. f4, и после 15...ef 16.♝:f4 fe 17.♞:e4 (17.c5? ♞d5) 17...♛b6+ 18.♝e3 ♖:f1+ 19.♔:f1 ♛:b2 20.♛:b2 ♝:b2 21.♞:d6 черные могли уравнять шансы путем 21...♝e5! Но Нейбур ошибся, угодил в цейтнот и в конце концов проиграл.

Ход конем сильнее: белые исподволь готовят жертву фигуры на c5, пользуясь удаленностью черных коней от защиты этого пункта.

12...f4 13.♝f2 h5?! Корчной страшно критикует ход пешкой «h», считая его причиной разгрома черных, и добавляет: «Да вот беда — этот ход в схожем положении рекомендован чемпионом мира Каспаровым!»

Однако я рекомендовал h7-h5 в ином положении (см. примечание к 12-му ходу в партии № 529). В подобных сложных, обоюдоострых схемах надо тонко чувствовать все различия. Здесь я бы предпочел 13... g5 — черным дорог каждый темп, а 14.g4 для них уже неопасно, так как они успели «подморозить» ферзевый фланг. Да и белым, если они нацелились на жертву фигуры, ходить g2-g4 не с руки. Могло последовать 14.b4 b6 15.a4 a5 16.bc bc 17.♖b1 ♞g6, и в вариантах с 18.♞:c5 у черных вместо ненужного h7-h5 сделан куда более полезный ход ♞g6.

Из таких нюансов и складывается разница в понимании той или иной позиции. Нейбур считал, что построил крепость, однако на поверку это оказывается иллюзией.

14.b4 (необходимо вскрыть линию «b») **14...b6 15.a4 a5 16.bc bc.** «При 16...dc у черных образуются две пешечные слабости — b6 и e5, зато они получают хорошее поле d6 для коня. Правда, на развитие данной партии ход dc мог не повлиять» (Корчной).

17.Цb1 g5. Переходя в контрнаступление, казалось бы, в прочной позиции. Но Корчной обращает внимание на то, что из первых 17 ходов черные сделали 11 пешками и привели в движение все свои восемь пешек! Тогда как все их фигуры скучились на 7-м и 8-м рядах...

18.♘:c5! «Этот ход был неожиданным для моего противника, впрочем, как и многие другие мои ходы в этой партии, — с удовлетворением отмечает Корчной. — Солидный перевес давало и неспешное 18.♕b3». И если 18...♘g6, то 19.♕b6. Но жертва коня гораздо эффективнее!

18...dc 19.♗:c5 ♘g6?! По мнению Корчного, «правильно было 19...Цf6, защищая поле b6 и намереваясь поставить ладью на g6, а

слона — на f8. После 20.♕b3 ♗f8 21.♗f2 g4 22.c5 ♔h7 23.d6 у белых прекрасная компенсация за пожертвованную фигуру, но борьба еще предстоит серьезная».

Однако сильнее 21.♗b6!, вынуждая 21...♕:b6 (иначе 22.c5!) 22.♕:b6 ♕:b6+ 23.Ц:b6, и после 23...♘f5 (23...♘:d5?! 24.♘:d5+−) 24.Цg6+ ♘fg7 25.Ц:g5 у белых ладья с тремя пешками за две легкие фигуры и все шансы на победу. Что же делать? На 20...♘g6 или 20...♘d6 тоже следует 21.♗b6 и c4-c5, а на 20...♘c7 — 21.d6! Остается 20...Цaa6, но и тогда после 21.♗f2 g4 22.c5 черным несладко. Впрочем, после хода в партии они гибнут еще быстрее.

20.♗b6! (белым не нужно качество: главное — привести в движение пешечную лавину) **20... ♕f6 21.c5 g4 22.d6!** (не отвлекаясь на 22.fg) **22...gf** (22...♗e6 23. d7) **23.gf.** Жертва качества, демонстрирующая мощь белых пешек! Хорошо было и простое 23.♗:f3!? Цf7 24.♕d5.

23...Цh3 24.♔h1! ♗:f1 25. ♗:f1 ♕e6?! Чуть упорнее 25...♘:d6, соединяя ладьи. Правда, позиция черных оставалась проигранной как при 26.♕:d6 ♕:d6 27.cd ♗f6 28. ♘d5 ♗d8 29.♘c7 Цb8 30.♗b5 и ♗:a5, так и после 26.cd! — проходная пешка слишком сильна.

26.d7 ♘f6 (безнадежно и 26... ♘d6 27.♕:d6 ♕:d6 28.cd, и «относительно лучшее» 26...♗f6 27.♕d5 ♕:d5 28.♘:d5 Корчной) **27.d8♕ Цf:d8 28.♗:d8 ♘d7 29.♗g5 Цc8.** Или 29...♘:c5 30.♘d5 Цa7 31.Цb6 ♕f7 (31...♕e8 32.♗b5) 32.♗c4 ♔h8 33.♕g1 с решающими угрозами.

30.♕d5 ♘gf8. После 30...♕:d5 31.ed ♖:c5 32.♘e4 (Корчной) или 30...♘:c5 31.♖b6! ♕:d5 32.ed ♘f8 (32...♔f7 33.♗h3) 33.♖c6 ♖:c6 34.dc проходная неудержима.

31.♗e7 ♘:c5? (зевок фигуры, но плохо и 31...♔h8 32.♗:f8 ♘:f8 33. ♖b5) **32.♗h3 ♕:d5 33.♘:d5.** Черные сдались: 33...♖c6 34.♖c1.

Тем не менее Корчной считает староиндийскую защиту «довольно гибким дебютом», не одобряя в классической системе лишь 7... ♘c6: «Удивительно, что множество крупных шахматистов выбирают этот наименее гибкий ход, ведущий к темповой игре и взаимным атакам на противоположных флангах.

К спокойной стратегической борьбе ведет 7...♘bd7, 7...♘a6 или 7...ed».

Что ж, мы еще увидим, к каким последствиям может привести «спокойное» 7...♘bd7 (№ 536). Как показала полувековая практика, ход 7...♘c6 не так уж «негибок», и категоричная оценка Корчного отражает скорее его природный максимализм. Кстати, известный апологет староиндийской защиты Эдуард Гуфельд, наоборот, безапелляционно утверждал, что в трех основных ее системах (с 3.g3, с 5.f3 и с 5.♘f3, ♗e2 и 0-0) черные должны выводить ферзевого коня только на c6, ибо это единственный способ получения достаточной контригры!

СТРОГИЙ ЭКЗАМЕНАТОР

На протяжении долгого шахматного пути Корчному, по его собственным словам, довелось бороться за доской с представителями как минимум шести поколений. Причем против молодежи он всегда играл с каким-то особым задором, в очень интересной творческой манере. И даже гроссмейстерам, входившим в мировую десятку, далеко не всегда удавалось найти эффективное противоядие от его глубоких и нестандартных идей.

Его коньком по-прежнему оставались неожиданные и энергичные продолжения, резко меняющие ситуацию на доске. Соперники зачастую просто не успевали сориентироваться, хотя принято считать, что молодой мозг должен быстрее реагировать на любые перемены. Корчной же и в преклонные годы не

утратил свежести восприятия. Внезапные смены декораций его не пугают — он сам к ним стремится! Рваный шахматный темп и поныне его стихия! Плюс, как уже отмечалось, исключительно высокая техника и позиционное понимание. Поэтому его партии с молодыми шахматистами, учитывая их силу и потенциал, особенно важны и поучительны.

Начну с памятного для меня двухкругового турнира восьми гроссмейстеров в Тилбурге (1989). Его старейшим участником был 58-летний Виктор Корчной, а самым юным — 20-летний украинский гроссмейстер Василий Иванчук, имевший тогда уже третий рейтинг в мире. Огромный талант Иванчука был очевиден: Ботвинник даже предсказывал ему победу в Тилбурге, несмотря на участие чемпиона мира! Поначалу Василий оправдывал авансы: на старте он, как и мы с Корчным, набрал 3 из 4, при этом добившись черными ничьей с Виктором Львовичем. В 5-м туре мне удалось переиграть Иванчука — но выиграл свою партию и Корчной! Все же, одержав пять побед подряд, я оторвался от конкурента, и во втором круге борьба шла уже лишь за 2-е место.

Иванчук после поражения от меня отчаянно, но безуспешно пытался улучшить свое турнирное положение. И второй поединок с Корчным был для него чуть ли не последним шансом попасть в призовую тройку.

Надо сказать, что Василия всегда отличал серьезный подход к постановке партии: он мог сыграть что угодно, но старался выбирать дебюты специально «под соперника». Однако тут коса нашла на камень!

№ 531. Каталонское начало E04
ИВАНЧУК – КОРЧНОЙ
Тилбург 1989, 9-й тур

1.d4 ♘f6 2.c4 e6 3.g3. Не главное оружие Иванчука. Возможно, он избрал «каталон» под влиянием партий матча Каспаров — Корчной (1983), где черные в этом начале уступили со счетом 0,5:2,5. Если Василий рассчитывал, что у соперника остался неприятный осадок, то эта игра в психологию не оправдалась.

3...d5 4.♗g2 dc 5.♘f3 (при спокойном 5.♕a4+ ♘bd7 белые отыгрывают пешку, но обычно теряют дебютную инициативу) **5... ♘c6!?** Редкий в то время вариант — зато после этой партии он набрал обороты! Весьма популярно было 5...a6, а в матче со мной Корчной пробовал и 5...c5, и 5...♗d7, и 5... ♘bd7.

6.♕a4 (6.0-0 a6 или 6...♖b8 Кир. Георгиев — Корчной, Биль 1992) **6...♗b4+ 7.♗d2 ♘d5** (7...♗d6!? 8.0-0 0-0 9.♕:c4 e5 Карпов — Крамник, Вейк-ан-Зее 1998) **8.♗:b4.** Реже играют 8.♕b5, чтобы после 8... 0-0 вернуть пешку — 9.♕:c4, а при 8...♗:d2+ 9.♘b:d2 c3 10.bc ♘:c3 11.♕d3 ♘d5 12.0-0 0-0 с дальнейшим e2-e4 получить за нее неплохую компенсацию.

8...♘:b4 9.a3. «Теория считает, что осторожнее 9.0-0 ♖b8 10.♘c3 a6 11.♘e5, но некоторые шахматисты, и в том числе Иванчук, не ищут в шахматах безопасных путей» (Корчной).

9...b5! 10.♕:b5. В случае 10. ♕d1 ♘d5 у черных вполне надежная позиция при лишней пешке: 11.e4 (11.a4 b4) 11...♘b6 12.♘c3 a6 13.0-0 0-0 14.♕d2 ♗b7 15.♖ad1 ♕e7 16.h4 ♖ad8 (Карпов — Крамник, Монако(вслепую) 1999).

10...♘c2+ 11.♔d2. После новомодного 11.♔f1 ♗d7! 12.♖a2 ♘6:d4 13.♕c5 ♕e7 или 13...♘f5!? (Карпов — ван Вели, Дубай(м/1, бш) 2002) белым тоже трудно рассчитывать на перевес.

11...♘:a1 (с середины 90-х годов встречается и 11...♗d7!? 12.♔c2 ♘:d4+ 13.♘:d4 ♗b5 14.♘:b5 ♖b8 с ферзем за три фигуры и очень сложной игрой) **12.♕:c6+ ♗d7 13. ♕:c4.**

13...c5! Прекрасная новинка, открывающая целое направление в теории «каталона».

В давней партии Айзенштадт — Тайманов (Ленинград 1949) было 13...♖b8 14.b4 c5 15.♘c3 cd 16.♘e4 ♗b5 17.♕a2 d3! с инициативой у черных (18.♖:a1 ♖c8!), однако Тайманов указал 15.♕c3! cb 16.ab a5 17.♕:a1 ab 18.♖c1, и два коня белых весомее ладьи, даже несмотря на сильную проходную пешку «b». С тех пор вариант с 5...♘c6 был сдан в архив.

Корчной интересно объяснил происхождение хода 13...c5: «Одним из лучших знатоков каталонского начала за белых был в 70—80-е годы гроссмейстер Генна Сосонко. Однажды я заметил, что он стремится получить эту позицию черными. Что-то он придумал! Но что? Его партнеры уходили в сторону от критической позиции. Я посидел дома несколько часов над этим вариантом и нашел усиление игры за черных».

14.♕a2. По сути, единственный ответ. Плохо как 14.♘c3? ♕b6! (этот ход, указанный Корчным в «Информаторе», агрессивнее, чем 14...cd 15.

♘:d4 ♖c8 16.♕d3 e5), так и 14.♘e5? ♖c8 15.d5 ♖b8!

14...♕a5+ 15.b4? В незнакомой и вдруг обострившейся ситуации белые допускают серьезную ошибку. Видимо, новинка соперника повергла Иванчука в состояние шока.

По горячим следам Корчной рекомендовал 15.♘c3 cd 16.♘:d4 ♖d8 17.♖:a1! (17.e3 e5 18.b4 ♖a6 или мое предложение — 18...♕b6 19.♘d5 ♗e6!) 17...e5 18.b4 ♕b6 19.♘c2, и это стало главной линией всего варианта. После 19...♕:f2 возможно 20.♘e3 ♗e6+ 21.♘cd5 0-0 22.♕c4 ♗:d5 23.♗:d5 ♕:h2... 1/2 (Бареев — Адамс, Дортмунд 2000) или 20.♗d5 0-0 21.♕c4 ♗e6 22.♘e3 ♕h2 23.♕h4 ♕:h4 24.gh f5 25.♔c2 (25.♔e1!?) 25...♔f7 26.♖d1 f4 27.♘c4 1/2 (Каспаров — Адамс, Вейк-ан-Зее 2001).

Я играл с Адамсом в последнем туре, на очко опережая Ананда и Крамника. Коллеги улыбались: разве можно так разыгрывать дебют, когда нужна ничья? Но я чувствовал, что у белых некоторый перевес, и хотел поиграть эту сложную позицию. А потом понял, что допустил неточность, и предложил ничью... Ровно через год на той же сцене вместо 26.♖d1 последовало 26.♖g1! ♖d7 (26...g6!? Фтачник) 27.♗:e6+ ♔:e6 28.♘a4 ♔f6 29.♘c5 ♖d4? 30.♘:f5!... 1-0 (Касымжанов — ван Вели, Вейк-ан-Зее 2002). Конечно, необходимо было 29...♖c8, сохраняя немалые ресурсы обороны.

15...cb 16.♕:a1 ♖c8 17.♘e5 (17.♖c1?! ♖:c1 18.♔:c1 0-0 с угрозой ♖c8+ и т.д.) **17...♗b5.**

18.♔e3. Трудный выбор в неважной позиции. «Аналитики после партии утверждали, что упорнее было 18.a4, всё еще с шансами на спасение. Позднейшая практика не подтвердила это мнение» (Корчной).

Действительно, после 18...0-0 белый король все равно в ужасном положении: на 19.♘d3 сильно и 19...♗:d3 20.♔:d3 e5!, и предварительное 19...b3+!, а если 19.♕b2 (Корчной), то 19...♕:a4 20.♗e4 ♖fd8 с атакой. Или 19.♗e4 f6! 20.♘d3 (20.♘f3 b3+ и т.д.) 20...f5 21.♗f3 b3+ 22.♘c3 ♗:d3 и ♕b4... *0-1* (Кайданов — Гольдин, Филадельфия 1998).

18...♖c2 (решающее вторжение) **19.♗f3 0-0 20.a4 f6 21.♘d3 ♗c4.** Создавая угрозу ♖a2. С точки зрения компьютера, проще выигрывает 21...♗:d3 22.♔:d3 ♕c7 23.♗e3 ♕c4 24.♖d1 ♖a2, но у человека свой путь.

22.♘d2 ♕g5+?! Сразу заканчивало 22...♗:d3 23.ed (23.♔:d3 ♖c3+ 24.♔e4 ♕f5#) 23...♕g5+ (Корчной) 24.♔e4 f5+ 25.♔e5 f4+ 26.♔:e6 ♖e8+ 27.♔d7 ♕d8#. Впрочем, черные не упускают победу.

23.♘f4 e5 (23...♖c3+!? Корчной) **24.♘:c4 ef+ 25.gf ♕f5! 26.**

♘d6 (не лучше 26.♕b1 ♖e8+ или 26.♗e4 ♖c3+ и т.д.) **26...♕e6+.** Белые сдались: 27.♗e4 (иначе ♕b3+) 27...♖c3+ и ♕:d6.

Благодаря этой победе Виктор Львович прочно закрепился на 2-м месте — и не уступил его до конца турнира: 1. Каспаров — 12 из 14; 2. Корчной — 8,5; 3—4. Сакс — 7; 4—5. Иванчук и Любоевич — по 6,5.

Межзональный турнир очередного цикла, впервые проходивший по швейцарской системе (Манила, лето 1990), ознаменовал решительный выход на арену поколения 20-летних, хотя в число претендентов пробились и опытные бойцы: 1—2. Гельфанд и Иванчук — по 9 из 13; 3—4. Ананд и Шорт — по 8,5; 5—11. Сакс, Корчной, Хюбнер, Николич, Юдасин, Долматов и Дреев — по 8. Вместе с Тимманом, Спилменом и Юсуповым (финалистом и полуфиналистами прошлого цикла) они образовали семь матчевых пар, а затем к семи победителям присоединился Карпов (участник матча на первенство мира-1990).

Весенней разминкой перед межзональным Корчному послужили два четверных гроссмейстерских турнира — трехкруговой в Беэр-Шеве и двухкруговой в Роттердаме. В обоих он занял 1-е место и, как затем и в Маниле, прошел всю дистанцию без поражений. Забавно, что следующая красивая партия с 26-летним израильским гроссмейстером Алоном Гринфельдом, сыгранная на старте Беэр-Шевы, оказалась... вообще единственной результативной в турнире!

№ 532. *Английское начало А30*
КОРЧНОЙ – А.ГРИНФЕЛЬД
Беэр-Шева 1990, 1-й тур

1.c4 ♘f6 2.♘c3 c5 3.♘f3 e6 4. g3 b6 5.♗g2 ♗b7 6.0-0 ♗e7. После 6...a6 7.b3 d6 Корчной также проводил d2-d4 и на cd отвечал либо ♕:d4 – против С.Гарсия (Москва 1975), либо ♘:d4 – против Хьяртарсона (Рейкьявик 1988) и Иванчука (Тилбург 1989).

7.b3. Чтобы затем, после d2-d4 и cd, при случае взять на d4 конем. На прямолинейное 7.d4 cd 8.♕:d4 против Корчного в старину не раз играли 8...♘c6 или 8...0-0 и ♘c6 (№ 505), а в эпоху «ежа» – 8...d6 с дальнейшим ♘bd7.

7...d6. Хорошо 7...d5 8.cd ♘:d5 =. Но, по меткому наблюдению Корчного, любителям системы «еж» не нужна равная игра.

8.d4. Медлительнее было бы 8. ♗b2 0-0 9.e3 a6 10.d4 cd 11.♘:d4 (Корчной – Портиш, Бад-Киссинген(м/9) 1983).

8...cd 9.♕:d4. При 9.♘:d4 ♗:g2 10.♔:g2 ♕c7 11.e4 a6 12.♗b2 ♕b7 13.♖e1 0-0 у черных поменьше проблем (Корчной – Полугаевский, Биль 1986).

О подобных «ежовых» позициях Корчной уже писал (см. № 505). В предисловии же к этой партии он добавляет: «В чем-то любители «ежа» правы. Они убеждены, что главное в шахматах — не материал, не пространство, а координация и активность фигур, и этой координации можно добиться даже на ограниченном пространстве. И такая игра вошла в моду. Если раньше уступать центр считалось крайне нежелательным, то теперь десятки шахматистов буквально с первых ходов сдают центр и начинают строить укрепления по 6-му ряду. Думаю, читатель поймет, почему мне, воспитанному в ортодоксальном понимании шахмат, очень дорога приводимая партия».

9...♘bd7?! Не самый точный порядок ходов, как и 9...a6?! 10. ♗a3! (мешая ♘bd7) 10...0-0 11.♖fd1 с давлением у белых (Корчной — А.Гринфельд, Беэр-Шева 1988). Сейчас уже все знают, что верно 9...0-0!, например: 10.♗b2 (если 10. ♗a3, то 10...♘a6!) 10...a6 11.♖fd1 ♘bd7 12.♕d2 ♕c7 13.♘d4 ♗:g2 14. ♔:g2 ♕b7+ 15.f3 ♘e5!... *1/2* (Корчной — Полугаевский, Буэнос-Айрес(м/11) 1980).

10.♘b5! Новинка Корчного, впервые примененная им в 6-й партии матча претендентов с Хьяртарсоном (Сент-Джон 1988). Атакуя пешку d6, он вносит некоторую дисгармонию в боевые порядки противника.

10...♘c5. На 10...♘e4? белые намечали 11.♕:g7 ♗f6 12.♕h6 ♗:a1 13.♘g5! с грозной атакой. Однако при 10...d5!? 11.cd ♗:d5 12.♕f4 0-0

13.♗b2 a6 14.♘c3 у них был бы сравнительно небольшой перевес.

11.♖d1 ♘fe4?! Малоудачная заготовка Гринфельда. Он уже играл так против Андерссона (Салоники(ол) 1988) и потерпел поражение, а теперь, видимо, нашел какое-то усиление.

Уже необходимо было 11...d5, по образцу упомянутой партии-первоисточника Корчной − Хьяртарсон, блестяще выигранной ветераном: 12.cd ed (не совсем уравнивает и 12...♘:d5 13.e4 или 12...♗:d5 13.♕f4) 13.♗h3!? 0-0 14.♗b2 a6 15.♘c3 ♖e8 16.♖ac1 ♘e6? 17.♗:e6! fe 18.♘a4 b5 19.♘c5 ♗c8 20.♘e5 с полным зажимом. Молодой исландский гроссмейстер явно недооценил глубину стратегического замысла соперника.

12.♕g7! Очередная блистательная новинка! Белые отдают ладью и затем начинают атаку конями в духе Морфи и Чигорина.

В партии Андерссон − Гринфельд было 12.b4 ♗f6 13.♕e3 ♗:a1 14.bc bc 15.♘g5! ♗d4 16.♘:d4 (еще лучше 16.♕f4! ♕:g5 17.♘:d6+) 16...cd 17.♖:d4 ♘c5 18.♗:b7 ♘:b7 19.♘:f7 ♔:f7 20.♕f3+ ♔g8 21.♕:b7 ♖b8 22.♕e4... *1-0*. Видимо, на сей раз Гринфельд собирался проверить 12...a6 или 14...0-0, но Корчной его опередил, продемонстрировав собственное, весьма впечатляющее толкование варианта.

12...♗f6 13.♕h6 ♗:a1 14. ♘g5! Головоломная позиция, играть которую в первый раз трудно и белыми (все-таки они без ладьи), и особенно черными: можно запутаться в поисках лучшей защиты!

14...♗e5? С виду естественный, но ошибочный ход.

Корчной, ссылаясь на обстоятельный анализ гроссмейстера Матиаса Вальса, указывает «единственную возможность спастись от быстрого разгрома − 14...♕f6! и далее: 15.♘:e4 ♘:e4 16.♗:e4 ♕:h6 17.♗:h6 ♗:e4 18.♘:d6+ ♔e7 19.♘:e4 ♗e5 (19...♗f6? 20.♗c1!) 20.f4 ♗b2 21.♖b1 ♗d4+ 22.♔g2 ♖hg8 (22...f6 23.e3! ♗:e3 24.♗g7) 23.♗g5+ f6 24.♗h4 ♖g6 25.♔f3 a5 (25...h5 26.b4!, и от угрозы e2-e3 нет защиты) 26.g4 − у белых позиционное преимущество».

Быть может, еще лучше сразу 25.b4!? ♖c8 26.♔f3 (с идеей 26...♖:c4? 27.e3) − у белых две пешки за качество и явный перевес ввиду неудачного положения черного слона. Поэтому надо обороняться путем 20...♗f6 (С.Кузнецов − Майоров, по переписке 1994) или 21...♗f6!? 22.♔f2 ♖hg8 с хорошими шансами на ничью.

15.b4!? Странно, что в книге «Мои 55 побед белыми» (2004) Корчной вообще не комментирует этот ход (как и Фтачник в Chess-Base), хотя еще в 1990 году он указал в «Информаторе» более простой путь к победе – 15.♘:e4! ♗:e4 (или 15...♘:e4 16.♗:e4 ♗:e4 17.f4 и т.д.) 16.♗g5! f6 17.f4 fg 18.fe с неотразимой атакой. Добавлю 16... ♕d7 17.f4! (или 17.b4 ♗:g2 18.bc Щекачев – Керстен, Бад-Цвестен 2003) 17...a6 18.fe ab 19.♖:d6 ♕c7 (19...♗:g2 20.♕f6!) 20.♗:e4 ♘:e4 21.♖:e6+!

В партии Петурссон – Акессон (Стокгольм 1991) встретилось заманчивое продолжение 15.f4?! ♗f6? 16.♘:e4 ♗:e4 17.b4 ♗:g2 18.bc, и позиция черных развалилась. Однако после 15...♕f6! 16.♕:f6 ♖:f6 17.♘:e4 ♗:e4 18.♘:d6+ ♔e7 19.♘:e4 ♖ad8 на доске примерно равный эндшпиль.

15...♕f6. Относительно лучший шанс. Слабее 15...♘c3 (как доказали аналитики, не годятся и другие ответы) 16.♘:c3! (не так ясно 16. bc ♕f6!) 16...♗:g2 17.bc ♗:c3 (17... ♕f6 18.♕:f6 и ♘b5!) 18.♔:g2 ♕f6 19.♕:f6 ♗:f6 20.♘e4 с очевидным преимуществом белых (Цесарский – А.Гринфельд, Израиль 1997), но еще эффективнее 19.♕h5! dc 20. ♘e4 ♘g6 21.♕f3+–.

16.♕:f6 ♘:f6 (на 16...♗:f6 последовало бы 17.bc ♗g5 18.♗:g5 0-0 19.cd с выигранным эндшпилем) **17.f4!** По Корчному, возможно было и 17.bc ♗:g2 18.f4, однако здесь после 18...♗d4+! 19.♖(♘):d4 dc черные спасались.

17...♗:g2 (17...♗a1? 18.♘:d6+! ♔e7 19.bc ♗:g2 20.♗a3! bc 21.♔:g2 +–) **18.fe.** «Картинная позиция. У черных по-прежнему лишняя ладья, но висят три фигуры плюс ♘c7+!» (Корчной).

18...de (плохо 18...♗c6? из-за 19. ♘:d6+ ♔f8 20.ef) **19.bc ♗c6 20. ♘c7+ ♔f8?!** «Проигрывающий ход, – пишет Корчной. – Упорнее было 20...♗e7 21.♗a3! b5! 22.♘:a8 b4 23.♗:b4 ♖:a8 24.♘f3 ♗d7 25.♖:d7+ ♔:d7 26.♘:e5+ ♔c7 27.♗a5+ ♔b7 28.♘:f7. У белых хорошие шансы на выигрыш, но борьба еще не закончена». А на мой взгляд, после 28... ♗e8 29.♘e5 ♖c8 эндшпиль еще совсем неясен: почему черные должны проигрывать с лишним качеством?!

Поэтому я бы предпочел 23.♗b2! ♖:a8 (23...♗:a8 24.♗:e5 ♖c8 25.♖f1 +–) 24.♖f1! (избегая 24.♗:e5 ♘e4) 24...♖g8 (24...♘e4 25.♖:f7+ ♔e8 26.♖c7 ♘:g5 27.♖:c6 ♔d7 28.♖a6+–) 25.♗:e5 ♖g6 (25...♘e4 26.♘:f7) 26. ♗d6+ ♔e8 27.♘f3 с лишней пешкой и технически выигранным эндшпилем.

Вместо 21...b5 любопытно 21... ♘e4!? 22.♘:e4 ♗:e4, но и тут после 23.c6+! ♔f6 24.♘:a8 ♖:a8 25.c7 ♖c8 26.♗d6 ♗f5 27.c5! b5 (27...bc 28. ♖c1) 28.♖f1 ♔g6 29.♗:e5 f6 30.♗d6 черным не позавидуешь.

Итак, на самом деле проигрывающим был уже ход 14...♗e5.

21.♘:a8 ♗:a8 22.♗b2?! По инерции продолжая играть на атаку. «Энергичнее было предложенное комментаторами 22.cb ab 23. ♖d8+ ♔g7 24.♖:h8 ♔:h8 25.♘:f7+ и ♘:e5. Я опасался, что на 22.cb черные пойдут 22...♔g7. Но вряд ли можно было удержать позицию без двух пешек, одна из которых уже на 7-м ряду!» (Корчной). То есть 23.ba ♖c8 24.♗e3 с легким выигрышем.

22...♖g8 (не лучше 22...♔g7 23.♗:e5 ♔g6 24.♖f1) **23.♗:e5 ♔e7.** Если 23...♘e8, то 24.♘:h7+ ♔e7 25. ♗d6+ ♔d7 26.♗f4+. У черных появились некоторые практические шансы на спасение, но белые не упускают выигрыша.

24.♖f1 ♘d7 (или 24...♖g6 25.cb ab 26.♗:f6+ ♖:f6 27.♖:f6 ♔:f6 28. ♘:h7+ ♔f5 29.h4) **25.♘:f7 bc.** Надеясь на разноцветных слонов. Корчной ставит к этому ходу вопросительный знак, рекомендуя 25...♘:c5 26.♗d6+ ♔d7 27.♗:c5 bc, но после 26.♘h6! ♖g6 27.♖f7+ белые также побеждали.

26.♗d6+ ♔e8 27.♗c7 ♔e7 (27...♖f8(g7) 28.♘d6+, проникая конем на c8) **28.♖f4 ♗c6** (28...♖g7 29.♘d6 a6 30.♘e4) **29.♗f2 ♖g7.** На 29...♗a4!? неплохо 30.♗d6+ ♔e8 31.h4. Белые четко реализуют свой перевес.

30.♘e5! ♗:e5 31.♗:e5 ♖g6 (31...♖f7 32.♗d6+) **32.♖h4 h6 33. ♗f4 ♗b7 34.♔e3 ♗a6 35.♗:h6 e5** (35...♗:c4 36.♖:c4 ♖:h6 37.♖:c5 ♖:h2 38.♖a5 Корчной) **36.♔d3 ♖d6+ 37.♔c3.** Черные сдались: 37...♖d4 38.♗e3 и т.д.

Очень яркая партия! В докомпьютерную эпоху Корчной нашел и разработал рискованную гамбитную идею, кардинально изменившую характер сражения. Его соперником был гроссмейстер, уделяющий много внимания дебюту и слывущий отличным аналитиком, но в данном случае он уже на самой ранней стадии пал жертвой буйной фантазии Корчного...

В 1991 году Корчной выиграл на тай-брейке матч претендентов у Сакса (3:3; 2,5:1,5), но в четвертьфинале уступил Тимману (2,5:4,5). В очередном межзональном турнире (Биль 1993) он сражался изо всех сил: стартовал 2 из 2, шесть туров шел в лидирующей группе, на два поражения ответил парой побед и, лишь проиграв в предпоследнем туре Ананду (грубый цейтнотный зевок в равном окончании), распрощался с надеждой в 11-й раз (!!) войти в число претендентов на корону.

Незадолго до этого Корчной сыграл тренировочный матч из восьми партий с 25-летним голландским гроссмейстером Йеруном Пикетом и победил с разгромным счетом 6:2 (+4=4). В 3-й партии Пикет получил черными хороший урок в защите Тарраша.

№ 533. Ферзевый гамбит D34
КОРЧНОЙ – ПИКЕТ
Матч, Ниймеген (м/3) 1993
1.d4 d5 2.c4 e6 3.♘f3 c5 4. cd ed 5.g3 ♘c6 6.♗g2 ♘f6 7. 0-0 ♗e7 8.♘c3 0-0 9.♗g5 ♗e6 (основательнее 9...cd – № 372) **10. dc ♗:c5 11.♖c1.** Черные надеялись устоять в худшем эндшпиле после 11.♗:f6!? (11.♘a4 – № 193) 11...♕:f6 12.♘:d5 ♕:b2 13.♘c7 ♖ad8 14.♕c1

♕:c1 15.♖a:c1 и ♘:e6 (Рубинштейн — Шлехтер, Вена 1908; Петросян — Спасский, Москва(м/16) 1969), но у Корчного иной план.

11...♗b6?! Лучше 11...♗e7 12. ♘d4, и теперь 12...♘:d4?! 13.♕:d4 ведет к старинной табии, известной по партиям Рубинштейн — Сальве (Лодзь 1908) и Маршалл — Рубинштейн (Лодзь 1908; Карлсбад 1911), а 12...h6 — к более современным позициям, например: 13.♗e3 ♕d7 14. ♕a4 ♗h3 с приемлемой игрой (Корчной — Нанн, Гастингс 1975/76).

12.b3! Очень сильный, глубокий ход Рубинштейна, создающий угрозу ♗:f6 и ♘:d5.

12...d4?! К небольшому, но стойкому перевесу белых ведет 12...♖e8 13.e3! (Рубинштейн — Ласкер, Берлин 1918). А ход в партии допускает порчу пешек, и черным еще труднее добиться уравнения.

13.♘e4 ♕e7 (освобождая поле d8 для ладьи) **14.♘h4!?** Опять новинка, причем в редком варианте! До этого играли 14.♘:f6+ или 14.♘fd2.

14...♔h8 15.♗:f6 gf 16.♕d2 ♘e5 (16...f5? 17.♕h6! fe 18.♗:e4 f5 19.♘g6+) **17.♕h6 ♘g6 18.♕h5!,**

и после упорной и небезошибочной борьбы белые довели партию до победы. В конце Пикет, как и многие другие молодые соперники Корчного, не выдержал напряжения!

Мне кажется, после этой матчевой катастрофы у Пикета сложился «комплекс Корчного»: с тех пор Йерун играл с ним, как правило, очень тяжело и неудачно. Так, в 2000 году в Вейк-ан-Зее голландец демонстрировал неплохую форму — одолел Тиммана и Шорта, сделал ничьи со мной, Крамником и Анандом, но в последнем туре не смог устоять под натиском Корчного, который был в минусе и стремился хоть немного поправить свои дела.

В конце 1993 года в Гронингене состоялся отборочный турнир мирового чемпионата только что образованной Профессиональной шахматной ассоциации (ПША), по силе даже превосходивший межзональный. В 11 турах Корчному удалось выиграть всего одну партию, зато какую! И, кстати, опять у молодого гроссмейстера.

№ 534. Английское начало A29
СЕРПЕР — КОРЧНОЙ
Гронинген 1993, 9-й тур

1.c4 ♘f6 2.♘c3 e5 3.♘f3 ♘c6 4. g3 d5 5.cd ♘:d5 6.♗g2 ♘b6 7. 0-0 ♗e7 8.♖b1 g5!? Вместо обычного 8...0-0 9.b4! (пример: Каспаров — Тимман, Вейк-ан-Зее 2001). После этой партии дерзкий выпад 8...g5 стал довольно популярным, хотя при точной игре белых ничего хорошего черные, по-моему, добиться не могут. Другое дело, когда вы сталкиваетесь с подобным ходом впервые...

«В стремлении провести этот эксперимент я был вдохновлен занимательной, но теперь почти забытой партией Смыслов — Корчной (Москва 1960): 1.e4 c5 2.❦f3 d6 3.d4 cd 4.❦:d4 ❦f6 5.❦c3 g6 6.♗e2 ♗g7 7. ❦b3 ❦c6 8.g4 b6 (8...d5!?) 9.f4 ♗b7 10.♗f3 0-0 11.h4 a5 12.a4 ❦b4 13.h5 d5 14.e5 ❦:g4 15.❦d4 ❦h6 16.hg fg 17.❦e6 ♕d7 18.❦:f8 ♖:f8 19.❦b5 d4 20.♗:b7 ♕:b7 21.0-0 ❦f5 22.❦:d4 ❦:d4 23.♕:d4 ♕c8 24.♕e4 ❦:c2 с ничьей на 37-м ходу» (Корчной).

9.d3. На 9.d4 хорошо 9...ed 10. ❦b5 ♗f5 11.♖a1 ♗e4= (Клаесен — М.Гуревич, Антверпен 1994). Интереснее гамбитное 9.b4!? g4 10.❦e1 ❦:b4 11.❦c2 ❦c6!? 12.♗:c6+! bc 13. d4 с острой игрой (Гулько — Бенджамин, США(ч) 1997; Халифман — Лутц, Нью-Дели 2000).

9...h5. Новинка. Недостаточно 9...g4 10.❦e1 h5 11.❦c2 h4 12.b4, как было в первоисточнике Ходжсон — Бареев (Белград 1993). Впрочем, Корчной об этой партии не знал и не считал 9...h5 усилением: «Надо попробовать играть по Смыслову: 9...f5 и затем ♗f6».

10.a3 h4 11.b4 hg 12.hg a6 13.b5 ❦d4?! (сюрприз, сбивающий белых с толку) **14.ba?** Правильно было 14.❦:e5 ♕d6 15.f4! (ход, незамеченный Серпером) 15...❦f5 (но не 15...♕c5 16.e3 или 15...gf 16.❦:f7! ♔:f7 17.♗:f4 ♕c5 18.e3 ❦f5 19.❦e4 ♕:a3 20.g4) 16.❦e4 ♕d4+ 17.♖f2 gf, и после 18.♗:f4 ❦d5 «позиция черных довольно активна, но все же неясно, имеют ли они достаточную компенсацию за пешку» (Корчной).

Еще сильнее 18.♗b2! ♕a4 (18... ♕d8 19.♖:f4+−) 19.♕c1! fg 20.♖f4, и черный ферзь неожиданно попадает в капкан. Таким образом, смелая атака Корчного была не вполне корректной, однако его соперник запутался в осложнениях.

14...♖:a6 15.❦:d4? И вновь стоило предпочесть 15.❦:e5 — теперь 15...♕d6 16.f4! ❦f5 плохо из-за 17. ❦b5, поэтому черные планировали 15...♗:a3 «с приблизительно равной игрой».

15...ed 16.❦b5?! Просматривая ответ черных. «Здесь мы оказываемся свидетелями чего-то странного, того, что я назвал бы «феноменом молодого Таля», — пишет Корчной о 14—16-м ходах белых. Играя партию со всей энергией, производя впечатление абсолютной уверенности в своих действиях, шахматист может иногда убедить своего противника, что все его трюки кристально чисты и совершенно неопровержимы. Я знал Таля очень хорошо, он гордился своими гипнотическими способностями. А что касается меня, то я не имел понятия, что происходило *за пределами* доски, пока Серпер не стал после партии показывать мне варианты» (Корчной).

16...♘a4! (с угрозой c7-c6) **17.e3 c6 18.♘:d4 ♘c3 19.♕c2 ♘:b1 20.♕:b1 ♕d6 21.♕b3?** Упорнее было 21.e4! ♕h6 22.♖e1 (Корчной).

21...♕h6 22.♖e1 c5 23.♘f3 ♗h3 24.♕:b7 ♗:g2 25.♕c8+ ♗d8 26.♔:g2 ♖e6! 27.♘g1 (если 27.♔f1, то 27...♕h3+ 28.♔e2 ♖:e3+!) **27...♕h1+ 28.♔f1 ♖f6**, и черные одержали эффектную победу.

Столь творческий подход Корчного к решению сложных проблем, его исконно «кривой» стиль игры были труднопереносимы и для многих других молодых шахматистов. Когда мы встретились с ним на супертурнире в швейцарском Хоргене (1994), он на моих глазах изрядно озадачил черными Бориса Гельфанда — хорошего теоретика, одного из ведущих гроссмейстеров мира, сыгравшего не один матч претендентов.

№ 535. Защита Нимцовича E59
ГЕЛЬФАНД – КОРЧНОЙ
Хорген 1994, 4-й тур
1.d4 ♘f6 2.c4 e6 3.♘c3 (гораздо чаще Борис играет 3.♘f3) **3...♗b4 4.e3 c5 5.♗d3 d5 6.♘f3 0-0 7. 0-0 ♘c6 8.a3 ♗:c3 9.bc dc 10. ♗:c4 ♕c7 11.♗a2 e5 12.h3.**

12...b6!? (вместо традиционного 12...e4 — новинка с идеей e5-e4 и ♗a6-d3; ныне в моде 12...♗f5) **13. ♕c2?!** Гельфанд избрал нелучший ответ. К примерно равной игре ведет 13.♖e1 e4 14.♘d2 (Кнаак — Корчной, Баден-Баден 1995).

Но главным продолжением стало 13.d5 e4 (или 13...♖d8 14.e4) 14.dc (если 14.♘h(d)2, то 14...♘e5=) 14...ef 15.♕:f3 с некоторым перевесом белых. Здесь играли 15...♕e5 или 15...♗a6, а затем появилось 15...♗e6!? 16.♗:e6 fe 17.c4 ♖ac8 18.♗b2 ♕c6 (Якович — Тивяков, Элиста 1997) или сначала 18...♘e8 (Цифрони — Иордакеску, Панормо 2001, и в любом случае черным надо еще побороться за уравнение.

Гельфанд не захотел сразу разгружать позицию, однако его ход позволил сопернику блестяще реализовать свой план. В ту пору я имел довольно смутное представление об этом варианте и, урывками наблюдая за партией, очень удивился, когда через несколько ходов увидел черного слона уже на d3. Пару дней спустя, беседуя с Борисом, мы восхищенно говорили о том, насколько масштабны замыслы Корчного...

13...e4 14.♘g5 ♗a6 15.♖d1 (недостаточно 15.♘:e4 ♘:e4 16. ♕:e4 ♗:f1 17.♔:f1 ♖ae8 и т.д.) **15... ♖ae8!** Но не сразу 15...♗d3 — после 16.♖:d3 ed 17.♕:d3 «у белых, благодаря сильному пешечному центру и просыпающимся от спячки слонам, были бы отличные шансы захватить инициативу» (Корчной).

16.f3 (16.d5?! ♘a5) **16...♗d3 17.♕f2** (теперь 17.♖:d3?! ed 18.♕:d3 ♘a5 уже в пользу черных: ход f2-f3 ослабил укрытие белого короля и отнял поле f3 у коня g5) **17...h6.** Заслуживало внимания и 17...♘a5 (Корчной) или 17...с4.

18.fe (при 18.♘:e4 ♗:e4 19.fe ♘:e4 20.♕c2! ♕d6! черные, сдерживая слонов, также сохраняли перевес) **18...hg 19.♖:d3 ♘:e4 20.♕f3 ♘a5** (с угрозой c5-c4) **21.c4.**

21...b5! (энергичная игра!) **22.cb c4 23.♖d1 ♘b3 24.♗:b3 cb**

25.♖b1! Единственная защита от юркой проходной: плохо как 25. ♗d2 ♘:d2 26.♖:d2 ♕c3 и ♖:e3 (Корчной), так и 25.a4 ♕c2!

25...♘c3 26.♖:b3 ♘:d1 27. ♕:d1. Отдав качество за две пешки, белые почти уравняли шансы, но... попали в страшный цейтнот и после грубой ошибки на 36-м ходу все-таки были вынуждены сложить оружие.

Вслед за этим тяжелым поражением Гельфанд проиграл еще мне и Юсупову. А Корчной в следующем туре выиграл у Лотье, и мы с ним возглавили турнирную гонку, набрав по 4 из 5. Затем Виктор Львович сбавил темп и пропустил на пол-очка вперед Широва и Юсупова.

Однако на самом финише, играя черными с 15-летним Петером Леко, тогда только выходившим на мировую арену, он отчаянно бился за победу, позволявшую ему зацепиться за дележ 2-го места (надо ли говорить, что была разыграна французская защита). Петер весь турнир играл очень осторожно, и Корчной, помнится, даже вопрошал: «Интересно, как Леко будет играть в 50 лет, если он *так* играет в 15?» Но в этой партии юному венгру пришлось вступить в открытый бой, и после больших осложнений в диком взаимном цейтноте дело кончилось ничьей.

НА РУБЕЖЕ ВЕКОВ

В конце 1994 года Корчной выступил за команду Швейцарии на олимпиаде в Москве. Это был его третий визит на родину после бегства в далеком 76-м. Еще летом 90-го президент СССР Горбачев восстановил в советском гражданстве многих опальных деятелей культуры, в том числе и Корчного. Разумеется, Виктор Львович был доволен таким решением, заявив: «Я вижу в этом признание моего вклада в развитие шахмат в СССР». Тем не менее он отверг советское предложение, так как ждал получения швейцарского гражданства. И лишь получив его, прилетел весной 92-го в родной Ленинград, к тому времени уже переименованный в Санкт-Петербург. А весной 94-го посетил и Москву, где сыграл в турнире ПША «Кремлевские звезды» (первый этап «Интел Гран-при» по быстрым шахматам — затем Корчной играл и в Нью-Йорке, и в Лондоне, и в Париже).

С тех пор он охотно участвовал в шахматных соревнованиях, проходивших на территории бывшего СССР. Пожалуй, самым интересным из них был гроссмейстерский турнир в Петербурге (апрель 1997), собравший чуть ли не весь цвет ленинградских шахмат второй половины 20-го века, за исключением разве что Спасского и Тайманова. Впервые встретились на одной сцене шесть эмигрантов (Корчной, Сосонко, Цейтлин, Салов, Юдасин, Комаров) и шесть «коренных» петербуржцев (Халифман, Свидлер, Сакаев, Епишин, Асеев, С.Иванов).

В фаворитах турнира числился 20-летний двукратный чемпион России Петр Свидлер, и по праву: вскоре он завоевал третий титул чемпиона страны, разделил со мной и Крамником победу в Тилбурге (1997) и вошел в мировую шахматную элиту. Но в этот раз Петр

выступил явно ниже своих возможностей, и виной тому, видимо, следующая великолепная партия, перед которой оба соперника имели по 3 очка из 6 и сохраняли надежды на удачный финиш. Разница в возрасте между ними составляла более 45 лет!

№ 536. *Староиндийская защита* Е94
КОРЧНОЙ – СВИДЛЕР
С.-Петербург 1997, 7-й тур
1.d4 ♘f6 2.c4 g6 3.♘c3 ♗g7 4.e4 0-0 5.♗e2 d6 6.♘f3 e5 7.0-0 ♘bd7. Более модный ход — 7... ♘c6 (№ 528–530), но Свидлер любил играть по старинке, нередко переигрывая соперников в возникающих сложных, пусть даже несколько худших для черных, позициях.

«Похвально, что молодой шахматист изучает дебютный репертуар старых мастеров: уровень их информированности невозможно было сравнить с современным, но понимали игру они не хуже нынешних гроссмейстеров» (Корчной).

8.♗e3 ♕e7 (8...♖e8 9.d5!) **9.♕c2 ♘g4** (9...ed!?) **10.♗g5 f6 11.♗d2 c6 12.d5!** В сыгранной парой месяцев раньше партии Шандорфф — Свидлер (Торсхавн 1997) после 12. h3 ♘h6 13.♖ad1 f5 14.♗g5 ♕e8 15.de de 16.ef gf 17.♖fe1 e4 18.♘h2 ♕g6 19.♗f4 ♘f7 20.♘f1 ♘c5 черные добились полноправной игры и в итоге одержали победу.

12...f5. На 12...c5?! белые планировали 13.♘b5 с идеей 13...♘b6 14.b4! a6 15.bc или 13...♘b8 14.♘e1, сохраняя инициативу.

13.♘g5! Неожиданная новинка! В давней партии Корчной – Местел (Беэр-Шева 1984) было 13.ef!? gf 14.♘g5 ♘df6 15.f3 ♘h6 16.♗d3 ♗d7 17.♖ae1 с некоторым перевесом белых – после 17...♔h8 18.♔h1 ♘fg8?! 19.f4! e4? 20.♘c:e4! fe 21.♗:e4 они получили отличную компенсацию за фигуру и выиграли на 43-м ходу. И вновь замечательный комментарий Корчного:

«Злые языки утверждали: Свидлеру не повезло – он готовился к этому поединку, имея в виду усиление партии с Местелом. Но я забыл ту партию и сыграл по-другому, и даже сильнее. По этому поводу могу сказать следующее. Хорошо было Эмануилу Ласкеру помнить свои партии, а я за эти 13 лет сыграл их вдвое больше, чем доктор (философии) Ласкер за всю свою шахматную карьеру! А во-вторых, учитывая, сколько поединков я провел в жизни, не было бы это скучно – повторять одно и то же по нескольку раз, даже ради практического успеха? Для меня, с моим характером, это было бы довольно нудно. И еще кое-что: не считаю себя эдаким классиком, в произведениях которого запрещено менять даже запятую. С удовольствием поправляю себя сам, стараясь достигнуть совершенства в своей игре. Поэтому, за редким исключением, я играю дебют каждой партии, как будто это положение случилось впервые в жизни».

13...♘df6?! Как ни странно, это почти решающая ошибка! Недостаточно и 13...♘c5?! 14.b4 ♘:e4 (14... ♘a6 15.a3 или, по Халифману, 15.dc bc 16.b5 с захватом пункта d5) 15. ♘g:e4 fe 16.dc bc 17.♕:e4, и «пешка c6 должна потеряться» (Корчной). Поэтому комментаторы рекомендовали не очень красивый ход 13... ♘b6, который, хотя и не уравнивал шансы, все-таки позволял черным упорно обороняться.

14.f3 ♘h6.

15.c5! (временно жертвуя пешку, белые используют дисгармонию в расположении неприятельских фигур) **15...cd.** Как указывает Корчной, большие трудности у черных и при 15...dc 16.dc bc 17.♘a4 или 16...b6 17.♘d5 и т.д.

16.♘:d5! Это гораздо сильнее, чем 16.ed (Хузман) 16...dc 17.♗c4 ♔h8 – здесь черные еще как-то держатся, тогда как в партии белые очень быстро создают сильнейшее давление (правда, для этого им надо продемонстрировать недюжинную выдумку).

16...♘:d5 17.♗c4! (решающий выход слона на боевую диагональ) **17...f4** (неприемлемо 17...dc 18. ♗:d5+ ♔h8 19.♖ac1 fe 20.♘:e4) **18. ♗:d5+ ♔h8 19.h4!** Еще один энергичный ход — единственный, поддерживающий пламя инициативы!

19...dc 20.♖ac1 ♘g8 21.♕:c5 h6 22.♕:e7. До сих пор шла форсированная игра. Здесь заслуживало внимания 22.♗b4!? ♕:c5+ (едва ли годится 22...♕e8 23.♕c7 hg 24. hg) 23.♗:c5 hg 24.hg ♖d8 25.♔f2 ♘f6 26.gf ♗:f6 27.♖h1+ ♔g7 28.♖h2 g5! (28...♗d7 29.♖ch1 ♖h8 30.♖:h8 ♖:h8 31.♖:h8 и ♗b7+−) 29.g4! (29.♖ch1 ♗f5!) 29...♖g6 30.b4 с преимуществом белых. Однако Корчной задумал блистательную комбинацию!

22...♘:e7 23.♘f7+! ♔g8. Наверное, после этого хода Свидлер считал, что теперь худшее для него позади. Слабее 23...♔h7 24.♗b4, например:

1) 24...♘:d5 25.♗:f8 ♘e3 26.♖c7 ♗:f8 27.♖fc1 ♔g8 28.♘:e5 ♗e6 29. ♘:g6 ♗d6 30.♖:b7 (Корчной) 30... ♖b8 31.♘e7+ ♔f8 32.♖:b8+ ♗:b8 33.♘c6 ♗d6 34.e5 ♗c7 35.♘d4 ♗c4 36.♖:c4! ♘:c4 37.♘e6+ и ♘:c7 с легким выигрышем;

2) 24...♖e8 25.♘d6 ♘:d5 26.♘:e8 ♘:b4 27.♖c7 ♔g8 28.♖:g7+ ♔f8 29. ♘c7 или 25...♖d8 26.♗:b7 ♖b8 27. ♘:c8 ♘:c8 28.♗a5 (Корчной), также побеждая.

Но тут последовал громоподобный тихий ход.

24.♗b3!! По признанию Корчного, ему было нелегко удержаться от 24.♘:h6++ ♔h7 25.♘g4. Но в этом случае после 25...♘:d5 (не сразу 25... ♖d8 26.♗a5!) 26.ed ♖d8 27.♖c7 ♔g8! 28.♗c3 ♖:d5 29.♖e1 ♖:g4 30.fg b5 черные получали шансы на ничью.

24...♖:f7 25.♖c7 ♗f6. Ничего не меняло 25...♗f8 26.♗b4 ♔g7 27. ♖fc1 (Корчной) или 25...♔f8 (Хузман) 26.♗b4 ♗f6 27.♖d1! a5 28.♖d8+ ♔g7 29.♗a3(d6)+−.

26.♗b4 ♔g7 27.♖fc1. Редкая конструкция в гроссмейстерской практике. Такое сложно рассчитать издалека: а вдруг черные раскручиваются?! Тогда у них будет перевес! Но нет, интуиция и расчет не обманули Корчного: спасения уже не найти. Хотя даже «всевидящая» машина этого долго не понимает...

27...a5 28.♗a3! (28.♗d6? ♖a6) **28...b5 29.♗c5** (не 29.♗:f7? b4 30.♗d5 ♖b8) **29...♖a6 30.♗:f7 ♔:f7 31.h5!** Финальный удар. Черные сдались, избавив себя от напрасных мучений после 31...gh 32. ♖:e7 ♗:e7 33.♖1c6 и ♖:h6+−.

Глубокая, неочевидная комбинация — недаром Спасский, почетный гость турнира, присудил Корчному приз за самую красивую партию. А Свидлер, остановив часы, пожал сопернику руку и сказал: «Жаль, что я не ношу шляпу, – я бы снял ее перед вами!» По свидетельству Халифмана, после этого поражения Петр был в шоке и потом удивлялся: «Ну надо же: в 84-м Корчной играл очень хорошо, сейчас он играет еще лучше, что же будет в 2010-м?!»

Да, и в 66 лет Виктор Львович играл с поистине молодецким задором! В 9-м туре он красиво победил Сакаева, применив новинку в своей излюбленной со времен Багио схеме (1.d4 ♘f6 2.c4 e6 3.♘c3 ♗b4 4.e3 c5 5.♘e2 cd 6.ed d5 7.c5 ♘e4 8.g3!?), а в 10-м одолел черными Епишина и в итоге, набрав 7 из 11, разделил с Халифманом и Саловым победу в турнире. «Должен признаться, – заявил Корчной, – что поддержка зала, к тому же всегда заполненного, вдохновляла меня, и я, может быть, впервые в жизни ощутил невидимую энергию от зрителей».

Дуэль с Епишиным имела своеобразное продолжение: через месяц на командном чемпионате Европы тем же способом был обыгран и Александр Белявский (ныне единственный, кроме Корчного, четырехкратный чемпион СССР). Мое внимание привлекли и дебютный план, и примечания победителя.

№ 537. Прин. ферзевый гамбит D20
БЕЛЯВСКИЙ – КОРЧНОЙ
Пула 1997

1.d4 d5 2.c4 dc. «Принятый ферзевый гамбит: возможно, опять влияние чемпионов мира?» – так комментировал Корчной в 1965 году ход своего соперника Петерсонса (имея в виду влияние Петросяна, успешно игравшего этот дебют в матче с Ботвинником), а в 1995-м счел нужным добавить: «Чемпионы мира, бесспорно, влияют на шахматную моду. Сравните игру в турнирах 70-х годов, начала 80-х с нынешней! Заслуга Каспарова...»

3.e4 ♘f6. «Вообще я убежден, что сильнейший ответ – 3...e5: черные наносят удар по центру, не забывая при этом развивать фигуры. Но далеко не всегда, особенно в дебюте, делают сильнейшие ходы, а выбирают то, что «интересно». Вот и меня заинтересовала возникающая вскоре дебютная позиция. Может быть, потому, что она напомнила мне игранную мною когда-то защиту Алехина» (Корчной).

4.e5 ♘d5 5.♗:c4 ♘b6 6.♗b3 (по Корчному, лучше 6.♗d3) **6... ♘c6 7.♘e2 ♗f5 8.♘bc3 e6 9.a3 ♕d7 10.0-0 0-0-0!?** Это острее, чем 10...♗e7 (Гранда – Корчной, Вейкан-Зее 1997).

11.♗e3 f6 (более поздний эксперимент – 11...h5 12.♕c1 f6 13.♖d1 ♕f7 14.ef gf ван Вели – Корчной, Вейк-ан-Зее 2000) **12.ef gf.**

«В момент, когда игралась наша партия, теория этой позиции была еще недостаточно развита. Впрочем, Белявский не очень нуждается в теоретических рекомендациях. Есть шахматисты — потребители теории, и таких подавляющее большинство, а есть создатели теории. Белявский из их числа. Без ложной скромности отношу и себя к творцам шахматной теории. Естественно, у пионеров, прокладывающих новые пути, не всегда всё получается гладко. На радость потребителям...» (Корчной).

13.♘а4. Новинка. Епишин «сгорел» после 13.♖е1 ♘а5 14.♗f4? е5! 15.♗е3 (15.de?!) ♛с6) 15...h5 16.♖с1? (16.de!) 16...♘bc4 17.♗:с4 ♘:с4 18.♛b3 (18.de!?) 18...♘:е3 19.fe ♗е6! 20.♛b5 ♗h6 21.♛:d7+ ♖:d7 22.♔f2 h4 23.♘е4 ♗d5! и т.д.

Известен был и сравнительно лучший ход 13.♘g3, на что черные отступали 13...♗g6, но в партии Пикет — Корчной (Батуми 1999) они, не желая тратить темп, ответили 13...♘:d4 и после 14.♗:d4 ♛:d4 15.♘b5 ♛:d1 16.♖f:d1 ♗с5 17.♘:f5 ef удержали чуть худший эндшпиль.

13...h5 14.♖с1 h4 15.♘с5 ♗:с5 16.♖:с5 ♔b8 с удобной игрой у черных. К 30-му ходу они напрочь переиграли соперника и вскоре добились заслуженной победы.

В сентябре 97-го Корчной встретился в матче из шести партий с восходящей звездой французских шахмат, 14-летним Этьеном Бакро и победил со счетом 4:2. За год до этого Бакро разгромил Смыслова (5:1), однако не следует забывать, что Василий Васильевич, будучи старше

Корчного ровно на десять лет, к тому времени уже перешел на «ветеранский режим». Корчной же словно забыл о возрасте и продолжал успешно сражаться с лучшими гроссмейстерами всех поколений, игнорируя чемпионаты мира среди ветеранов.

Правда, он с удовольствием играл в показательных матчах и матч-турнирах наподобие «Ветераны против сильнейших шахматисток мира» или «Ветераны против юных дарований». Так, в феврале 98-го Корчной, Спасский, Глигорич и Тайманов сыграли в два круга с Бакро, Пономаревым, Натафом и Шакедом. В восьми партиях Корчной одержал больше всех побед (четыре!), набрал, как и Спасский, «плюс два», и ветераны вырвали общую победу — 16,5:15,5.

А в марте 99-го Виктор Львович снова приехал в Петербург и «окончательно выяснил отношения» со Спасским, победив его в темпоматче из десяти партий — 6:4 (+4–2=4).

На рубеже веков он выступил в трех чемпионатах мира ФИДЕ по нокаут-системе (1997, 1999 и 2001): во втором круге Гронингена в яростной борьбе проиграл на тай-брейке Шорту; в Лас-Вегасе одолел на тай-брейке Долматова, но затем уступил Крамнику; в Москве, опять-таки на тай-брейке, потерпел поражение от Псахиса (кстати, двукратного чемпиона СССР). Уровень подготовки Корчного хорошо иллюстрирует 1-я партия миниматча с Сергеем Долматовым, начатая ходом **1.с4.** Вот его комментарий:

«Готовясь к матчу, я обнаружил, что Долматов полагается главным образом на голландскую защиту, на два ее разветвления — «каменную стену» или ленинградскую систему, очень активные, но не модные и уж точно не на сто процентов здоровые схемы. Довольно странный выбор, в котором я угадываю своеобразный психологический подход. У большинства гроссмейстеров сложилось пренебрежительное отношение к сомнительным дебютам. Может быть, подсознательно существует желание поскорее наказать нахала: «Как он посмел играть со мной такой дебют?!» А между тем дебют этот досконально проанализирован в домашней лаборатории. Играющего белыми гроссмейстера ожидает разочарование — шаблонными методами этот так называемый сомнительный дебют не пробить. Эта психологическая подоплека была мне ясна, поэтому готовился я серьезно. Все же мне не удалось найти ясное преимущество в «стонволе» после 1.d4. И я предпочел начать партию ходом 1.c4, чтобы при случае применить построение с белой пешкой на d3».

В партии было **1...f5 2.♘f3 ♘f6 3.g3 d6!** (3...e6 4.♗g2 ♗e7 5.0-0 0-0 6.♘c3 d5 7.cd ed 8.e3 ♔h8 9.b3 ♘c6 10.♗b2 ♗e6 11.♘e2 ♘g8 12.d3 ♕d7 13.a3 ♗d6 14.♕c2 ♖ae8 15.b4... *1-0* Каспаров — Шорт, Париж(бш) 1990) **4.d4! g6 5.♗g2 ♗g7 6.0-0 0-0 7.♘c3,** и белые вышли на основную позицию ленинградской системы, избежав «каменной стены»!

Более того, после **7...c6** Корчной преподнес сопернику специально подготовленный к матчу сюр-

приз — **8.♕b3!?** (потом на тай-брейке он играл даже 7.♕b3) **8... ♔h8 9.♖d1 ♘a6 10.♕a3! ♕e8 11.b4 ♘c7 12.♗b2 e5?** Стандартный ответ... ошибочный в данном конкретном случае!

13.de de 14.♕a5! ♘a6 15.b5 b6 16.♕a3 ♘c5 17.bc e4 18.♘d4 ♕f7 19.♖ac1 ♗e6 20.♘cb5 a6 21.♘d6 ♕c7? (зевок в тяжелой позиции) **22.♘b7!,** и черные сдались. Образцовая дебютно-психологическая победа.

И еще одно характерное замечание из предисловия к этой партии: «Трудно найти на Земле место, где шахматами интересуются меньше, чем в Лас-Вегасе, — там достаточно развлечений и без шахмат! Тем не менее именно там было назначено и состоялось крупное шахматное соревнование, которое влиятельные чиновники ФИДЕ даже назвали чемпионатом мира». Типичный Корчной!

Поразительно, что и в 70 лет он не снизил игровой активности и география его выступлений осталась такой же широкой, как и прежде: олимпиады в Стамбуле (2000),

Бледе (2002) и Кальвии (2004), традиционные Вейк-ан-Зее (2000) и Биль (2001–03), мемориал Штейна во Львове (2000) и мемориал Найдорфа в Буэнос-Айресе (2001), где, кстати, во французской защите была повержена Юдит Полгар...

Заметным событием в шахматной жизни стал матч Корчного с 17-летним Русланом Пономаревым, будущим чемпионом мира по версии ФИДЕ (Донецк, январь 2001). Разница в возрасте между соперниками составила уже почти 53 года!

Поединок из восьми партий был очень упорным и закончился со счетом 4:4 (+2–2=4). Две свои победы Корчной одержал белыми в проверенной схеме английского начала: **1.c4 c5 2.♘f3 ♞f6 3.♘c3 ♞c6 4.d4 cd 5.♘:d4 e6 6.a3!?** (6.♘db5 – № 526) **6...♝e7 7.e4 0-0 8.♘f3.**

Во 2-й партии после **8...d6** получился «еж» (кстати, против «ежа» любил играть не только Корчной, но и Карпов: они все время изыскивали какие-то новые идеи): **9. ♝e2 b6 10.0-0 ♝b7 11.♝f4 ♜c8** (11...♞e5!?) **12.♜e1 a6 13.♝f1 ♛c7**

14.b4 ♜fd8 (активнее 14...♞e5 15. ♘d2 ♚h8, затем ♜g8 и g7-g5 или ♘fd7 и g7-g5, а-ля Фишер!) **15.♜c1 ♞e5 16.♘d2 ♛b8 17.h3 ♝c6 18.♛e2 ♞g6 19.♝g3 ♛b7 20. ♘b3 h6 21.♜b1! ♝f8 22.f3 ♜e8 23.♝f2 ♛b8 24.♛e3 ♞d7 25. ♜ed1 ♝b7? 26.♘a4!**, и на 117-м (!) ходу черные сдались.

В последней, 8-й партии Пономарев сыграл посильнее: **8...♛c7! 9.♝g5 b6 10.♝d3 h6 11.♝h4 ♞h5 12.♝:e7 ♞:e7 13.0-0 ♝a6 14.♜c1 ♞f4 15.♘b5!?** (стремясь создать нестандартную позицию; нечто подобное получилось у меня в партии с Крамником, Тилбург 1997) **15...♝:b5 16.cb ♛d6 17. ♝b1 ♛:d1 18.♜c:d1 d5 19.e5 g5 20.♜fe1**, и после затяжной, небезошибочной борьбы белые все-таки одержали победу на 66-м ходу и сравняли счет в матче.

Эти партии интересны прежде всего тем, *как* Корчной переигрывал Пономарева: создавая неясные, полные жизни позиции, ветеран изматывал юного соперника в длительной игре, с цейтнотами и взаимными промахами, — и в итоге утомленный Руслан, не выдерживая напряжения, ошибался последним! Матч с Корчным стал для Пономарева примерно такой же великолепной школой, что и матч 1961 года с Решевским — для 18-летнего Фишера. Юный украинский гроссмейстер постиг логику матчевой борьбы и сделал резкий рывок вперед. Во многом благодаря этому бесценному опыту он через год сумел выиграть московский чемпионат мира ФИДЕ, одолев в миниматчах Морозевича, Бареева и Свидлера, а в финале — Иванчука (4,5:2,5).

Блеснул после матча и его соперник, выиграв летом 2001-го очень сильный двухкруговой турнир в Биле: 1. Корчной — 6 из 10; 2. Свидлер — 5,5; 3. Гельфанд — 5; 4—6. Грищук, Лотье и Пеллетье — по 4,5. Что и говорить, отличный подарок к собственному 70-летнему юбилею (отмеченному еще весной темпотурнирами в Петербурге и Цюрихе). В ноябре 2002-го он добавил к этому дележ 1-го места в опен-турнире на Кюрасао, посвященном 40-летию знаменитого и столь драматичного для Корчного турнира претендентов (см. главу «Драма на Кюрасао»).

Между прочим, Карпов любит подсчитывать количество первых мест, занятых или разделенных им в различных турнирах, включая командные и даже самые незначительные. Здесь он, далеко перевалив за сотню, считает себя абсолютным рекордсменом — и, кажется, так оно и есть (хотя картина была бы иной, если бы речь шла только о супертурнирах). Однако возьмись за столь же скрупулезный подсчет Корчной — как знать, не догонит ли он своего исторического соперника?

В феврале 2003-го он уже в Рейкьявике, где с успехом играет в турнире 15-й категории: 1. Широв — 7 из 9; 2—3. Корчной и Мачейя — по 6; 4—5. Мак-Шейн и И.Соколов — по 5,5; 6. Адамс — 5 и т.д. Подняться столь высоко ему помогла финишная победа над «старым соперником», уже 20-летним Бакро. Эту партию я включил в книгу с одобрения самого Виктора Львовича.

№ 538. Славянская защита D23
КОРЧНОЙ — БАКРО
Рейкьявик 2003, 9-й тур

1.c4 ♞f6 2.♞f3 c6 3.d4 d5 4. ♛c2 (избегая основных схем славянской защиты, где соперник ориентируется весьма уверенно) **4...dc 5.♛:c4 ♝f5.** Альтернатива — 5... ♝g4 6.♞bd2 ♞bd7 7.g3 (Корчной — Бареев, Энген-ле-Бен 2003).

6.g3. Другая попытка, предпринятая полгода спустя, уже не увенчалась успехом: 6.e3 ♞bd7 7. ♞bd2!? (7.♝d3 ♝:d3 8.♛:d3 e5= Корчной — Годена, Швейцария 1999) 7...♛c7 8.♛b3 h6 9.♞c4 e6 10. ♝d3 ♝:d3 11.♛:d3 c5, и черные добились ничьей (Корчной — Бакро, Биль 2003).

6...e6 7.♝g2 ♞bd7 8.♞c3. Через три месяца в командном чемпионате России (Тольятти 2003) Корчной испытал против Мотылева 8.0-0 ♝e7 9.♛b3 ♛b6 10.♞bd2 0-0 11.♞c4, но после 11...♛a6!? 12. ♝f4 ♛b6 13.♞fe5 (новинка — впрочем, не меняющая оценку позиции) 13...♜fd8 14.♜fd1 ♝e4 черные удержали равновесие.

8...♝e7 9.♛b3. Редкий ход, создающий хотя бы некоторые проблемы нападением на пешку b7. Позиция после 9.0-0 0-0 уже встречалась в практике юного француза, и он был готов как к вялому 10.e3 (Меднис — Бакро, Канны(м/4) 1996), так и к спорному 10.♞h4 ♞b6 11. ♛b3 ♛:d4 (Роджерс — Бакро, Батуми(бш) 2001).

9...♛b6 (9...♞b6 отвлекло бы коня от ключевого пункта e5) **10. ♞d2 ♝g6.** Столкнувшись с малознакомым планом, Бакро делает осторожный профилактический ход. Хотя простое 10...0-0 давало черным нормальную игру: 11.e4 ♗g6 12.♘c4 ♕:b3 13.ab ♗b4 14.f3 c5 или 11.♘c4 ♕:b3 12.ab ♗b4 13.♗f4 a5 *1/2* (Гольдин — Дреев, Новосибирск 1989).

11.♘c4 ♕:b3. Заслуживало внимания 11...♕a6!? Меняя ферзей, черные попадают на территорию противника: разыгрывание сложных окончаний с видами на инициативу издавна было «коньком» Корчного!

12.ab ♘d5 13.0-0 f5?! Бакро делает ход из статических, позиционных соображений, укрепляя коня на d5 и планируя контригру против сдвоенных пешек «b». Но Корчной, как мы сейчас увидим, учитывает и динамические факторы позиции, превращая свои слабости в силу! Явно плохо 13...♘7b6? 14.♘:d5 ♘:d5 15.♗:d5 cd 16.♘b6! Однако после 13...0-0 (Хузман) у черных были все шансы на уравнение, например: 14.♘a5 ♖fb8 15.e4 ♘b4 16. ♗f4 e5! 17.de (17.♗:e5 ♘:e5 18.de ♘d3) 17...♘c5 18.♘c4 ♘:b3 19.♖ad1 ♘c5 и т.д.

14.♘a5 0-0-0. Кажется, всё логично...

15.♗:d5! Неприятный сюрприз: белые вдруг начинают атаку на короля! Еще Гуфельд говорил, что за доской психологически трудно рассматривать варианты с разменом слона на коня, и угроза такого размена зачастую недооценивается. В данном случае Корчной использует конкретные особенности позиции — «дыры» вокруг черного короля. Белым важно сохранить коня c3, чтобы грозить ходом ♘b5.

15...ed (15...cd? 16.♗f4) **16.♗f4** (с угрозой ♘:d5) **16...♘b8?!** Пассивный ответ с надеждой сбить первую волну атаки и устоять в эндшпиле. Опасно выглядело 16...♘b6 (16...♗f7? 17.♘:c6! bc 18.♖:a7 ♖de8 19.♖fa1+−) 17.♖fc1 ♗d6?! 18.♗:d6 ♖:d6 19.♘b5 ♗e6 20.♘:a7+ ♔b8 21. ♘5:c6+ bc 22.♘:c6+ (Хузман) с тремя пешками за фигуру при непрекращающейся атаке или 17...♖d7?! 18.♘b5 ♔d8 19.♘:a7 ♗e8 20.b4 с лишней пешкой и грозной инициативой (20...♗:b4? 21.♘5:c6!).

Обороняться можно было только путем 17...a6! Ничего не дает теперь 18.b4 ♗:b4 19.♘:c6 bc 20.♘a2 ♗f8 21.♖:c6+ ♔b7 22.♖c7+ ♔b8 23.♘c3 ♗d6 24.♖c6 (Хузман) ввиду 24...♘c8! Сильнее сначала 18.♗e5!, и если 18...hg8, то уже 19.b4! ♗:b4 20.♘:c6! bc 21.♘a2 ♗a5 (не 21...♗f8? 22.♖:c6+ ♔b7 23.♖c7+ ♔b8 24. ♖g7+ или 21...♗d2? 22.♖:c6+ ♔b7 23.♖c7+ ♔a8 24.♘b4 с разгромом) 22.♖:c6+ ♔d7 23.♖d6+ ♔e7 24.♖:d8 ♖:d8 25.b4, отыгрывая фигуру с явным перевесом. Не лучше и 19... ♗g5 20.f4 ♗f6 21.b5 ab 22.♘:b5 ♖d7 23.♘a7+ ♔d8 24.♘5:c6+! bc 25.♖:c6 ♖b7 26.♖a6+−.

Поэтому вместо 18...♖hg8 сильнее 18...♗g5!? 19.f4 (19.e3 ♘d7) 19...♗f6, и хотя после 20.b4 белые сохраняют инициативу, у черных есть возможности сопротивления.

17.♖fc1 ♗d6 (необходимо срочно нейтрализовать страшного белого слона) **18.♘:d5 ♗:f4 19.♘:f4 ♖:d4.**

20.♘c4! (Корчной демонстрирует тактическую изощренность) **20... ♗f7.** Бакро решает отдать пешку. Нельзя 20...a6? 21.♘e6! с угрозой ♘:d4 или ♘b6#!, а если 20...♘a6, то 21.e3 ♖dd8 22.♘:g6 hg 23.♘e5 (сверхмощный конь!) 23...♖d2 24. ♘:c6! (Хузман). Материальное равенство сохраняло 20...b5!? 21.♘e6 ♖d7 22.♘e5 ♖d6, однако после 23. ♘c5 ♖e8 24.f4 ♖e7 25.♖d1 у белых подавляющий перевес.

21.♖:a7. Итак, позиция определилась: у белых лишняя пешка при активной позиции, и черным предстоит тяжелая борьба за ничью. Наладить игру против слабых пешек b2 и b3 им так и не удается.

21...♗:c4 (на 21...♖e8 хорошо 22.e3 ♖dd8 23.h4 Хузман) **22.♖:c4!** (точнее, чем 22.bc ♖d2) **22...♖d1+**

23.♔g2 ♖e3. Только на руку белым 23...g5 24.♘e6 ♖e8 (24...h6 25.♘c5) 25.♘:g5 ♖:e2 26.♘:h7 и ♖f4+–.

24.♖c2 (24.h4!? Хузман) **24... ♔c7?!** Упорнее было 24...♘a6, сразу вынуждая размен ладей – 25. ♖a8+ ♔d7 26.♖:e8 ♔:e8, и после 27. ♘d3 на доске несколько более выгодная для черных редакция окончания, чем возникшая к 30-му ходу в партии.

25.♖a5 g6 26.♘d5+! ♔c8 (или 26...♔d6 27.♘c3! ♖d4 28.♖a4 ♖:a4 29.ba) **27.♘e3 ♖d4 28.♖a4 ♖ed8 29.♖:d4 ♖:d4 30.♘c4 ♖d1?** Отказ от перехода в коневой эндшпиль окончательно губит черных. Хотя и в случае 30...♘a6 31.♖d2 ♖:d2 32. ♘:d2 ♘b4 33.♔f3 ♔d7 34.♔f4 (Хузман) белые постепенно выигрывали.

31.♖d2 ♖b1 32.b4 (решая проблему сдвоенных пешек) **32...b5.** При 32...♘c7 33.b5 cb 34.♘a3 или 32...♘a6 33.b5 cb 34.♘d6+ ♔c7 35. ♘:b5+ ♔c6 36.♘c3+ (Хузман) у черных исчезали последние намеки на контригру.

33.♘e5. У белых помимо лишней пешки еще и тотальная доминация. Гибель черных пешек королевского фланга и марш в ферзи белой пешки «h» практически неминуемы.

33...♔c7 34.h4 ♔b6 (или 34... ♘a6 35.♖d7+ ♔b6 36.♘d3) **35.♔f3 ♘a6 36.♘d7+ ♔c7 37.♘f8 ♖:b4 38.♘:h7 ♘d5 39.♘f8 ♘b6 40. ♘:g6 ♘c4 41.♖c2 ♘:b2 42.♘e5 b4 43.♖:c6+ ♔b7 44.h5.** Черные сдались.

В мае 2003-го состоялся занимательный интернет-матч – веяние времени! – между командой Петер-

бурга (Халифман, Свидлер, Корчной, Сакаев) и парижским NAO, ведущим клубом Европы (Крамник, Раджабов, Фрессине, Карякин). Три партии завершились вничью, но Корчной выиграл у Фрессине и принес победу своему родному городу.

График его выступлений в 2003—05 годах оставался почти таким же напряженным, как и раньше. Новый, 2005 год Корчной встретил на турнире в норвежском Драммене, где победил 14-летнего Магнуса Карлсена — на тот момент самого юного гроссмейстера в истории шахмат. Разница в возрасте между ними составила 59 лет! Больше (62) было только у Смыслова, когда он играл с Бакро.

Феноменален и разрыв в датах рождения соперников, с которыми довелось играть серьезные партии Корчному: от Левенфиша (1889) до Карлсена (1990), то есть 101 год! Больше (102) опять только у Смыслова: от Дуз-Хотимирского (1881) до Бакро (1983). Однако Корчной в «смысловском возрасте» показывает более высокие результаты и пока явно не собирается останавливаться на достигнутом. Так, на мемориале Геллера (Одесса, июль 2005) он сразился в быстрые шахматы с 12-летним украинцем Станиславом Богдановичем...

В чем же секрет уникального шахматного долголетия Корчного? Если продлению карьеры Смыслова помогли его врожденное чувство гармонии и невероятная интуиция, то Корчному еще в советские времена приписывали качества, будто бы свойственные Ботвиннику: мол, для успеха ему надо было обязательно выработать в себе неприязнь к противнику, вступить в конфликт, выбивающий того из колеи и поднимающий собственный боевой дух. Однако жизнь показала, как это далеко от истины. Да, у Корчного сложный характер (а у кого он простой?). Всем известны его желчные, ядовитые реплики, как правило, бьющие точно в цель. Конечно, за минувшие полвека ему не раз случалось испытывать сильную неприязнь, но вряд ли она может быть лейтмотивом столь долгой блистательной карьеры.

Мне кажется, помимо огромного таланта дело еще в беззаветной любви к шахматам и высочайшем профессионализме Корчного. Он всю жизнь неутомимо переучивался, работал над улучшением своего стиля. Спасский резонно считает Корчного «необыкновенным тружеником» и говорит с улыбкой: «Когда он жил в СССР, я называл его героем социалистического труда, а когда он перебрался на Запад — присвоил ему звание героя капиталистического труда!»

Ключ к пониманию феномена Корчного можно найти в его комментариях к собственным партиям. Какая беспощадность к себе, какие жесткие, объективные оценки! Именно этот, выработанный с юности, острокритический подход к шахматным проблемам позволяет Корчному сохранять ясность мысли и продолжать совершенствование. В сочетании с крепким здоровьем это и есть база для шахматного долголетия.

Закончить главу о Викторе Корчном мне хочется замечательными словами его бывшего секунданта и земляка Генны Сосонко:

«Как-то я советовал ему не применять найденную в результате долгого анализа новинку в турнире, казавшемся мне не очень значительным, а приберечь ее для более важного. «Для другого турнира что-нибудь новое придумается, — отвечал Виктор. — Я не дорожу новинками».

Как правило, дебютные находки Корчного — это не просто ход или маневр, усиливающий вариант или опровергающий общепринятую оценку. В большинстве случаев речь идет о целом комплексе идей, новой концепции в той или иной защите или системе. И хотя его имени нет в теории дебютов, разработки Корчного дали толчок к развитию многих из них на десятилетия. Его трактовка позиций французской защиты, когда наличие изолированной пешки с лихвой окупается богатой фигурной игрой, варианта Тартаковера в ферзевом гамбите, открытого варианта «испанки», считавшегося не вполне удовлетворительным после матч-турнира 1948 года и возрожденного Корчным на самом высоком уровне, вплоть до матчей на первенство мира, заставила пересмотреть оценку многих дебютных построений. Он придумал и ввел в практику парадоксальный выпад конем на четвертом ходу, положивший начало целому разветвлению в английском начале (1.c4 e5 2.♘c3 ♘f6 3.♘f3 ♘c6 4.g3 ♘d4!?). Вариант защиты Грюнфельда, считающийся сегодня основным в этом дебюте и доставляющий черным массу неприятностей (1.d4 ♘f6 2.c4 g6 3.♘c3 d5 4.cd ♘:d5 5.e4 ♘:c3 6.bc ♗g7 7.♘f3), впервые по-настоящему начал применять Корчной. Многие варианты староиндийской защиты — дебюта, который он считает очень трудным за черных, а в глубине души даже сомнительным, немыслимы в современной теории без имени Корчного».

АНАТОЛИЙ
ДВЕНАДЦАТЫЙ

ИГРОК ОТ БОГА

На рубеже 60–70-х годов, когда в СССР росла обеспокоенность отсутствием новых звезд мирового масштаба, на шахматной сцене наконец появился удивительный молодой талант – Анатолий Евгеньевич Карпов (р. 23.05.1951). Глубокий, вкрадчивый стиль, тонкое позиционное чутье, необычайная устойчивость, практичность и гибкость стремительно вознесли его к самой вершине шахматного Олимпа. Похоже, в 1975-м Фишер был первым, кто хорошо разглядел все эти качества Карпова, и понял, что такой соперник может оказаться ему не по зубам.

Его игру всегда отличал исключительно высокий коэффициент полезного действия. В отличие от Корчного или меня, Карпов не был исследователем дебютов и не работал над шахматами так много, однако он очень умело отбирал и впитывал новые идеи, а затем блестяще использовал их на практике. Сколько очков, особенно белыми, было набрано им буквально на ровном месте! Умение схватывать на лету тенденции развития шахматной игры, отличавшее когда-то и Ласкера, помогало Карпову находить свое место в изменяющихся условиях конца 20-го века.

Славную шахматную карьеру 12-го чемпиона мира можно условно разделить на четыре периода – четыре фазы творчества, представляющие наибольший интерес с точки зрения его вклада в шахматы:

1. 1968–75. Время быстрого творческого роста и формирования стиля, когда закладывались основы классического понимания шахмат. Здесь очень велика роль постоянного тренера Карпова – гроссмейстера Семена Фурмана. Пик этого важнейшего периода – полуфинальный матч претендентов со Спасским (1974).

2. 1975–85. Время чемпионства Карпова. Замедление творческого роста: видимо, «давит» несыгранный матч с Фишером. Поначалу Карпов в основном пожинает плоды предыдущей большой работы, и этого вполне хватает, чтобы утихли разговоры о «бумажном чемпионе». Очень трудный матч с Корчным (1978) заставляет Карпова искать резервы усиления своей игры. И в начале 80-х он выходит на новый уровень. Пик этого периода – наш первый матч (1984/85). Тяжелейшее испытание в его карьере: он не выигрывает этот матч, ведя в счете 5:0, – и проигрывает второй матч (1985).

3. 1986–90. Время «второго дыхания». Демонстрируя феноменальную волю, Карпов находит в себе силы играть матч-реванш (1986) и совершает решительную перестройку дебютного репертуара – отказ от любимого хода 1.e4 и т.д. Думаю, это был лучший наш матч и один из лучших матчей в шахматной истории. Проиграв, Карпов тем не менее делает новый рывок: блестяще выигрывает суперфинальный матч претендентов у Андрея Соколова (пик этого периода!) и едва не выигрывает наш четвертый

матч (1987). Даже проигрыш решающей 24-й партии не выбивает его из седла: он делит со мной победу в чемпионате СССР (1988), отлично играет в супертурнирах Кубка мира (1988/89), выигрывает очередной цикл претендентов и очень упорно сражается в нашем пятом матче (1990).

4. 1991–98. Теряя надежду вернуть корону, он испытывает надлом и разочарование: трудный матч претендентов с Анандом (1991), поражение от Шорта (1992). Но после моего выхода из ФИДЕ у Карпова начинается новый взлет. Он выигрывает матч у Тиммана и становится чемпионом мира по версии ФИДЕ (1993), играет свой «турнир жизни» (Линарес 1994) и уверенно побеждает в матче Гату Камского (1996) — пик этого периода! А его окончание — еще один матч с Анандом (1998), «лебединая песня» Карпова в многолетней борьбе за первенство мира.

В соответствии с этими периодами и построен рассказ о творческом пути последнего из моих великих предшественников.

«СЕРЬЕЗНЫЙ МАЛЬЧИК!»

Карпов родился и вырос в семье заводского мастера, в небольшом уральском городе Златоусте, неподалеку от Челябинска. Жили бедно — как миллионы рабочих семей послевоенного времени. К шахматам Толя приобщился в четыре года, наблюдая за игрой отца, который затем познакомил сына с правилами, но в отличие от родителей Капабланки и Решевского не проигрывал ему первых же партий, а выиграл все до одной (все же советская шахматная школа!). «Я готов был удариться в слезы, — вспоминает Карпов в книге «Девятая вертикаль», написанной в соавторстве с Александром Рошалем. — И расплакался бы, если б не слова отца: «Без проигрышей нет и выигрышей, а станешь реветь — вообще не буду с тобой больше играть». Быть может, именно тогда бессознательно, интуитивно начал я постигать важнейшую премудрость шахмат: угроза страшнее исполнения...»

В семь лет он пришел в шахматную секцию Дворца спорта металлургического завода и в первом же турнире выполнил норму 3-го разряда, а через два года увлеченных баталий ему покорился и 1-й разряд. В ту пору кумиром мальчишек был молодой Таль и шахматы переживали очередной всплеск популярности. Первыми шахматными учебниками Толи были книги В.Панова «Курс дебютов» и «Капабланка». Изучив избранные партии великого кубинца, он резко прибавил в силе и понимании игры. К тому же его взял под опеку известный челябинский тренер и педагог Леонид Гратвол (вырастивший будущих гроссмейстеров Тимощенко, Свешникова и Панченко). В 10 лет Карпов уже чемпион города среди взрослых и участник взрослого чемпионата области. В 12, будучи самым юным в стране кандидатом в мастера, едет в Москву, на сессию только что созданной школы Ботвинника.

Поначалу игра щуплого уральского паренька не произвела на Ботвинника особого впечатления. Карпов: «Его замечания по поводу моего совершенно бездарного разыгрывания дебютов возымели действие: я стал читать шахматную литературу». Фаворитом школы того периода считался Юрий Балашов — будущий гроссмейстер, друг и помощник Карпова. Но когда Ботвинник, будучи проездом в Златоусте, познакомился с родителями Толи и побывал у них в гостях, он вынес вердикт: «Хорошая семья и серьезный мальчик!» И во второй половине 60-х уже предсказывал ему большое будущее.

Вскоре семья Карпова обосновалась в Туле, куда его отца перевели на должность главного инженера завода. Соревнований с мастерской нормой в те годы было неизмеримо меньше, чем в наши дни. Толя использовал свой шанс с первой попытки — в турнире «Мастера против кандидатов» (Ленинград, лето 1966), где ему секундировал тульский мастер Анатолий Мацукевич. Перевыполнив норму на два очка (+5=10), Карпов одержал памятные победы над опытными Чистяковым и Равинским, а кроме того, познакомился с Игорем Зайцевым — выдающимся аналитиком, вместе с которым он потом прошел семь матчей на первенство мира (а тем летом сыграл с ним забавную ничейную миниатюру — см. № 430, примечание к 6-му ходу белых).

Его первый в жизни зарубежный турнир — в чехословацком Тршинеце (1966/67): 1. Карпов — 11 из 13

(+9=4); 2—3. Купка и Купрейчик — по 9,5; 4. Смейкал — 9. При этом 15-летний мастер обыграл главных конкурентов — 20-летнего Яна Смейкала и 17-летнего Виктора Купрейчика.

Следующий Новый год он опять встретил за границей — в голландском Гронингене, где проходил Кубок Нимейера (1967/68), фактически юношеский чемпионат Европы. Знаменательно, что первый ход Карпова сделал почетный гость д-р Эйве: по велению юноши экс-чемпион мира сыграл e2-e4. Борьба шла в два этапа: полуфинал (7 туров по швейцарской системе) и финальный турнир восьми (по круговой). Полуфинальную часть Толя провел с завидным прагматизмом: после двух стартовых побед сделал пять ничьих и, разделив 2—6-е места, оказался в финале (попутно выиграв блицтурнир, состоявшийся в единственный выходной день: 13,5 из 16). Здесь его конкурентами были Ян Тимман и Андраш Адорьян. Карпов стартовал 2,5 из 3, но Тимман набрал на пол-очка больше! Победа над голландцем в 4-м туре предрешила исход турнира. Советский шахматист выиграл затем еще одну партию и занял первое место — 5,5 из 7 (+4=3).

Ботвинник с удовлетворением отметил легкость этой победы и дал Карпову точную характеристику: «Умный спортсмен, он всегда знает, когда надо играть на выигрыш, когда надо сделать быструю ничью. В шахматных кругах на Западе его даже критиковали за ряд коротких ничьих в гронингенском турнире.

Само по себе это, конечно, не очень хорошо, но заслуживает удивления и признания, что 16-летний мастер умело применял спортивную тактику, свойственную лишь зрелым гроссмейстерам».

Летом 1968 года Толя заканчивает с золотой медалью среднюю школу и поступает на механико-математический факультет Московского университета. И тут же легко выигрывает чемпионат МГУ — 10 из 13 (+7=6). Приехав той осенью на тренировочный сбор команды Вооруженных Сил перед командным Кубком СССР, он знакомится с тренером армейских шахматистов, ленинградским гроссмейстером Семеном Фурманом. Это была поистине историческая встреча!

Фурман потом вспоминал: «Карпов был привлечен в команду для игры на 1-й юношеской доске. Это был худощавый бледнолицый юноша, на вид несколько флегматичный. Казалось даже, что он с трудом переставляет шахматные фигуры. Неужели такой способен на высокие спортивные достижения?» Рошаль приводит тут шутку Гуфельда, тоже впервые увидавшего Толю: «Этот мальчик никогда не будет гроссмейстером — он слишком легкий». Но Фурмана это не смутило: «Да, природа не одарила Карпова богатырским сложением — зато наградила его редким шахматным дарованием и силой духа. И еще трудолюбием и скромностью. Когда я начал заниматься с Карповым, то сразу понял, что он очень способный шахматист с большими перспективами».

Это показал уже командный Кубок СССР (Рига, декабрь 1968), где юный мастер набрал 10 из 11 (+9=2). С тех пор он непрерывно усиливается во всех стадиях игры, особенно в дебюте. У Фурмана, крупнейшего знатока теории, был такой девиз: «Соперников надо окружать новинками, как на охоте лис красными флажками». И они с Карповым окружали! Для удобства работы Толя через год переехал в Ленинград и перевелся на экономический факультет ЛГУ. Шахматы стали делом его жизни.

Вскоре он уверенно выигрывает шестикруговой отборочный матч-турнир трех лучших юных шахматистов страны (Ленинград, весна 1969), а затем и юношеский чемпионат мира (Стокгольм, август 1969). Трудности у него лишь в полуфинале (чуть не проигрывает Хугу и Торре), в финале же он неудержим. Особенно важным был поединок 3-го тура с сильным шведом Ульфом Андерссоном — Толя буквально задушил соперника в своей любимой испанской партии. Итог: 1. Карпов — 10 из 11 (+9=2); 2—3. Адорьян и Урзике — по 7; 4. Каплан — 6,5; 5. Андерссон — 6. Первая, и блестящая, победа советского шахматиста на юношеских чемпионатах мира после успеха Спасского в 1955 году!

Достигнув к 18 годам очень высокого уровня игры и став международным мастером, Карпов не сыграл еще ни одной серьезной партии с гроссмейстером — парадокс той эпохи, когда турниры с гроссмейстерской нормой были редкостью. При иных темпах жизни он, быть может, уже претендовал бы на участие в «Матче века» (Белград, весна 1970).

В начале 70-х Анатолий постепенно наверстывает упущенное. Первый шаг — безоговорочная победа в чемпионате РСФСР (Куйбышев, май—июнь 1970), имевшем статус полуфинала чемпионата страны: 1. Карпов — 12,5 из 17 (+8=9); 2. Крогиус — 11; 3—4. Антошин и Дементьев — по 10,5; за ними А.Зайцев, Рашковский, Цешковский и т.д.

Затем он летит вместе с Леонидом Штейном в далекую Венесуэлу, где наконец-то играет в представительном международном турнире (Каракас, лето 1970). Со старта Карпов единоличный лидер — 6 из 7! И, по собственному признанию, уже мысленно примеривает заветные «гроссмейстерские погоны»... Как вдруг получает ноль от Ивкова (отказавшись от предложенной ничьей), едва не проигрывает Панно и уступает Кавалеку. «Вот оно, опасное ощущение близости цели!» Однако, собравшись, он все-таки выполняет норму гроссмейстера: 1. Кавалек — 13 из 17; 2—3. Ивков и Штейн — по 12; 4—6. Бенко, Карпов и Панно — по 11,5.

Дебютируя в 38-м чемпионате СССР (Рига, ноябрь—декабрь 1970), он сразу же входит в число ведущих шахматистов страны: 1. Корчной — 16 из 21; 2. Тукмаков — 14,5; 3. Штейн — 14; 4. Балашов — 12,5; 5—7. Гиплис, Карпов и Савон — по 12. Но от Анатолия ждали большего. Его критикуют за слишком осторожную игру — 14 ничьих!

Таль считает, что юноша «еще слишком уважителен к старшим партнерам, не успел избавиться от робости перед ними». Фурман отвечает за своего ученика: «В его положении сейчас трудно экспериментировать. Он обязан показать хороший результат, обеспечивать себе спортивный успех. Вот и приходится сдерживать эмоции, творческие порывы, играть суховато».

В следующем году Карпов в связке с Фурманом продолжает неуклонное восхождение к вершинам шахматного мастерства. За выигрышем полуфинала чемпионата страны (+9=8) следует достойное выступление в очень сильном по составу 39-м чемпионате СССР (Ленинград, сентябрь—октябрь 1971): 1. Савон — 15 из 21; 2—3. Смыслов и Таль — по 13,5; 4. Карпов — 13 (+7—2=12). Однако он недоволен своей игрой, жалуется на невезение: зевки в партиях с Ваганяном и Смысловым (№ 265), упущенный подавляющий перевес с Савоном (в его цейтноте!) и т.д. «Никто не «подарил» мне в том турнире ни пол-очка, я же раздарил их во множестве».

Несмотря на усталость (он играл всю вторую половину года), Анатолий не упускает случая испытать себя в редком супертурнире 18 гроссмейстеров — мемориале Алехина (Москва, ноябрь—декабрь 1971). «На жеребьевке Карпов никак не мог открутить голову сувенирной матрешке, в которой прятался его порядковый номер, и какой-то шутник из зрителей воскликнул: «Силенок маловато... Как же он выдержит такой турнир!» В первые дни алехинского мемориала было слишком много коротких и бесцветных ничьих, но ближе к концу борьба приняла более острый характер. Пришлось менять тактику и нашему «юному рационалисту», как порой уже называли Карпова. К тому времени у него было девять ничьих и только одна победа — над венгром Лендьелом» (Рошаль).

В 8-м туре он сыграл вничью с чемпионом мира Спасским, в 9-м — с Талем, в 10-м — с Петросяном. «И тут я решил: пан или пропал! — вспоминает Карпов. — Стоять на месте больше нельзя — противники впереди очень трудные. А в очередном туре как-никак играю белыми. И партия эта, в которой я победил Властимила Горта, удавшаяся и в спортивном, и в творческом отношении, стала для меня переломной в турнире». Горт был тогда одним из сильнейших шахматистов мира (в «Матче века» он одолел на 4-й доске Полугаевского), опережал Карпова в рейтинг-листе, а к моменту их встречи имел тоже «плюс один».

№ 539. Сицилианская защита B81
КАРПОВ – ГОРТ
Мемориал Алехина,
Москва 1971, 11-й тур
1.e4 c5 2.♘f3 d6 3.d4 cd 4.♘:d4 ♘f6 5.♘c3 e6 6.g4!? Карпов выиграл атакой Кереса ряд красивых и поучительных партий (приводимых в этой книге), однако с начала 80-х у него здесь случались и осечки, и ничьи, как в 1-й партии нашего первого матча (1984/85), где черные не имели дебютных проблем.

6...♘c6 (6...h6 — № 572, 578) **7. g5 ♘d7 8.♗e3 a6.** С идеей ♛c7 или ♘:d4 и b7-b5. Позднее этот пока необязательный ход стали откладывать «на потом», играя 8... ♗e7 9.h4 0-0, на что белые также избирают 10.♛d2, 10.♛e2 или самое энергичное 10.♛h5 (Сакс — Полугаевский, Ханинге 1989).

9.f4. Годы спустя Карпов писал, что теперь предпочел бы 9.♖g1. Я пробовал атаковать таким способом, но после 9...♗e7 10.h4 0-0 11. h5?! ♘de5 12.♘:c6 ♘:c6 13.f4 b5 14. ♛f3 ♗b7 15.♗d3 ♘b4! по дебюту ничего не достиг (Каспаров — Полугаевский, Москва 1979).

Лучше 10.♛h5 0-0 11.0-0-0 ♖e8 12.♖g3 (12.f4!?), как в партиях Р. Бирн — Спасский (Бугойно 1978) и ван Римсдейк — Найдорф (Сан-Паулу 1978). Или сразу 9.h4 и на 9...♗e7 (9...♛c7) — 10.♛h5, 10.♛d2 или, по Карпову, 10.♛e2 (№ 560).

9...♗e7. «Наверное, на 9...h6 мой соперник опасался хода, который я и собирался сделать, — 10. ♘:e6. Тогда могли бы возникнуть необозримые осложнения: 10...fe 11.♛h5+ ♔e7 12.♗h3 (*испытанное на практике 12.♗c4 или 12.e5 также же парируется ходом 12...♛e8! — Г.К.*) 12...♛e8 13.♛h4 с труднооценимыми последствиями. Как раз к этому и вынуждала меня турнирная ситуация» (Карпов). После 13... ♔d8! и ♛c7 белым пришлось бы еще доказывать, что их атака стоит пожертвованной фигуры.

10.♖g1 ♘:d4 (10...0-0!?) **11. ♛:d4 e5 12.♛d2 ef 13.♗:f4 ♘e5 14.♗e2 ♗e6.** Нехорошо 14...♛a5 15.♘d5 (Карпов) 15...♛:d2+ 16.

♗:d2 ♖b8 (16...♗d8 17.♗b4!) 17.0-0-0, и черные попадают под типовой зажим.

15.♘d5!? «Немедленно! Иначе ферзь соперника выскочит на активную позицию: 15.0-0-0 ♕a5!» (Карпов). Правда, после 16.♔b1! ♖c8 (16...0-0? 17.♘d5) 17.♘d5 ♕:d2 18.♖:d2 у белых также лучшие перспективы.

15...♗:d5 16.ed. «Как правило, блокадное поле стараются занять фигурой», — пишет Карпов, признавая, что 16.♕:d5 «тоже оставляло белым перевес, поскольку пункт d6 все время требовал бы защиты» (например, 16...♕b6 17.0-0-0 0-0 18.♖gf1 и т.д.), и поясняет свой выбор: «Но тогда ведь и моя пешка e4 в некоторых случаях нуждалась бы в опеке, что могло стеснить белопольного слона. Теперь же этот слон свободен в своих действиях, тем более что с доски уже ушел его черный оппонент».

16...♘g6 (16...0-0 17.0-0-0 обрекало черных на пассивную оборону) **17.♗e3 h6!** Оригинальный ход, резко обостряющий ситуацию, — «рискованный для обеих сторон»!

Ценой пешки черные задерживают неприятельского короля в центре и тормозят мобилизацию белой армии. Впрочем, пока центр закрыт, не видно, как добираться до белого короля, а у черных проблем с мобилизацией не меньше.

18.gh ♗h4+ 19.♔d1 gh 20. ♗:h6 ♘f6?! Изобретательной игрой черные почти уравняли шансы, но соблазнительная идея перевода слона на e5 становится причиной новых затруднений. На этом поле лучше бы стоять коню, который теперь остается не у дел. Слон же, находясь на h4, мешал бы ладье занять поле e1, и белым пришлось бы тратить время на эвакуацию короля в безопасное место.

Поэтому правильно было 20...♕e7! с намерением 0-0-0, например: 21.♗g7 (выпад 21.♗g4 парируется ходом 21...♘e5!) 21...♖h7 22. ♗d4 ♗f6 (сейчас это вполне уместно, ибо черные строят активную оборону, где будет полезной даже ладья h7) 23.♗:f6 ♕:f6 24.♔c1 0-0-0 = или 23.♖e1 ♗e5! 24.♗g4 ♖:h2 25. ♕:h2 ♗:h2 26.♖:e7+ ♔:e7 27.♔d2 ♗f4+ с ничейным окончанием.

21.c3 ♗e5?! Снова лучше было 21...♕e7! с той же идеей 22.♗g4 ♘e5!, и если 23.♔c2 (не дает выгод 23.h3 ♘c4! или 23.♖e1 ♗h4 24.♖e2 ♖g8), то 23...♘:h6! 24.♕:h6 ♘g4 25. ♖:g4 ♕e2+ 26.♔b3 ♕b5+ 27.♖b4 (27.♔a3 ♕c5+) 27...♕:d5+ 28.♔a4 a5! с опасной контратакой. Можно пойти 22.♗h5 (чтобы на 22...♘e5 уже спокойно ответить 23.♔c2), однако тут черные жертвуют вторую пешку — 22...0-0-0! 23.♗:g6 fg 24. ♖:g6, и после 24...♖dg8 25.♖:g8 ♖:g8

26.♔c2 ♕e4+ 27.♕d3 ♖g2+ 28.♔d2 ♕a4+! 29.b3 ♕h4 белым трудно реализовать материальный перевес.

22.♖g4! «Многоплановый ход!» (Дворецкий). Пешка h2 Карпова пока не волнует — важнее не дать активизироваться черному ферзю. При 22.♔c2?! ♕h4! 23.♗e3 ♕e4+! 24.♗d3 ♕a4+ 25.b3 ♕a5 в лагере белых появлялись болевые точки, защищая которые, они теряли перевес.

«После 22.♗g5 ♕b6 23.♗e3 ♕c7 мои достижения были бы совсем невелики», — полагает Карпов. Но энергичнее 23.♔c2! (23.♖g2!? Дворецкий) 23...♖:h2 24.♖h1 ♕f2 25.♖:h2 ♕:h2 26.♖f1 с опасным давлением. Это выглядит не хуже продолжения в партии, однако ведет к более определившейся позиции, где черным, с практической точки зрения, проще защищаться (26... ♔f8, ♖e8 и т.д.).

22...♕f6! «Относительно лучшим было 22...♗:h2, восстанавливая материальное равновесие» (Карпов). Но после 23.♔c2 у черных тяжелая позиция: «к потере фигуры ведет 23...♘e5? 24.♖g2 (24...♕h4 25.

♖:h2 ♕:h2 26.♗b5+), на 23...♕d7 сильно 24.♖f1» (Дворецкий) или 24.♖e4+! ♘e5 (24...♗e5 25.♗g4 f5 26.♕g5! ♘e7 27.♖h5+ ♔d8 28.♖:e5! de 29.d6 с разгромом) 25.♖h1 ♕f5 26.♗d3 с грозной атакой, а если 23... ♗e5, то 24.♖f1 ♕d7 25.♖e4 и т.д.

23.h4! «Черные надеялись на 23.♔c2? ♘e7! 24.♗e3 ♖:h2 или 24. ♗g5 ♕f5+. Но сейчас нет ни 23... 0-0-0, ни 23...♘:h4 из-за 24.♗g5» (Дворецкий).

23...♕f5! Ферзь все-таки вырвался на простор, и оказалось, что атакующие фигуры противника сами требуют защиты. Белый ферзь буквально разрывается на части: ему надо оберегать и пешку d5, и слона h6. Нельзя удаляться и от короля, который застрял в центре и мешает войти в игру последнему резерву — ладье a1, что сразу бы переломило ход борьбы.

Сюжет этой партии довольно необычен: длительное время на сцене действуют отдельные солисты, а основные силы обеих сторон только наблюдают за происходящим. Но почему же черные проиграли эту странную битву? Да просто в решающий момент, испытывая острую нехватку времени, они вдруг забыли мобилизовать своих «зрителей»...

24.♖b4! «Прекрасное место для ладьи!» (Карпов). Казалось бы, сильно и 24.♖a4, тоже мешая длинной рокировке (24...0-0-0? 25.♗g4) и в случае 24...♕d7 25.♖b4! выигрывая важный темп для ♔c2. Однако после 24...♘e7! 25.♗e3 ♖g8 26.♗b5+ (26.♔c1 ♖g3!) 26...♔f8 27.♗h6+ ♗g7 ситуация осложнялась.

24...♗f6? Теряя контроль над полем f4 — белые тут же используют его в качестве перевалочного пункта и консолидируют свою позицию. У черных не было равенства при любом раскладе, но после 24... ♖g8 25.♗d3 (25.♖:b7? ♘f4; неясно 25.♕g5!? ♘e7 26.♕:f5 ♘:f5 27.♗g5 f6) 25...♕h3! 26.♔c2 ♘:h4 или 24... ♘e7 25.♗g5 h6 26.♗e3 ♗g3 27.h5 ♘:d5 они хотя бы отыгрывали пешку и сохраняли практические контршансы.

25.h5 (прогоняя коня и заодно делая более защищенной свою проходную пешку) **25...♘e7** (25... ♘e5? 26.♖f4) **26.♖f4!** Настырная ладья! На 26.♕f4?! (чтобы ценой пешки d5 быстро активизировать фигуры) могло последовать 26... ♖:h6! 27.♕:h6 ♘:d5 28.♖g4 (28.♖:b7 ♕e4!) 28...0-0-0 29.♕d2 ♖e8 с опасной инициативой за качество.

26...♕e5. Наступил кульминационный момент сражения.

27.♖f3? Ладья проявляет чудеса маневренности, создавая или, наоборот, отражая одну угрозу за другой. Однако она по-прежнему трудится в одиночестве, а недоразвитость ферзевого фланга требует от белых предельной точности! На миг оставляя без защиты пешку h5, они упускают преимущество.

Между тем — факт, не отмеченный комментаторами! — у ладьи имелись более удачные отступления: 27.♖f1, 27.♖f2 или даже экстравагантное 27.♖a4. Скажем, после 27.♖f1 не решает проблем 27...♖:h6 28.♕:h6 ♘f5 ввиду 29.♖:f5 ♕:f5 30. ♕e3+ ♔f8 31.♕f3, и черные остаются без пешки. А в случае 27... 0-0-0 28.♗f4! (но не 28.♔c2 ♖:h6! 29.♗g4+ ♔b8 30.♕:h6 ♕e4+ с ничьей) 28...♖:d5 29.♕:d5 ♘:d5 30. ♗d2 или 28...♕e4 29.c4 ♖hg8 30. ♕d3! ♕:d3+ (30...♕g2 31.♔c2) 31. ♗:d3 ♗:b2 32.♖b1 у них тяжелый эндшпиль.

27...♘:d5?! Карпов никак не комментирует этот цейтнотный ход. Его критическая оценка могла бы разрушить миф о цельности партии, гласящий, что победитель не дал сопернику ни единого шанса на спасение. Котов писал, что угроза 28.♗f4 «заставила» черных пойти по опасному пути. Но сделай Горт длинную рокировку, у белых возникли бы проблемы и с пешкой d5, и с королем, закрывающим дорогу ладье a1, и с перегруженным ферзем.

«После 27...0-0-0! исход поединка оставался бы неясным. Ошибочно 28.♔c2? ♖:h6. На 28.♖d3 следует 28...♖dg8! 29.♗f4 (*29.♗e3 ♘f5. — Г.К.*) 29...♘f5 с неприятной угрозой ♖g2. Неубедительно 28.♗e3 ♘:d5 29.♗d4 ♕e6. А в случае 28.♗f4 не видно, как поставить под сомнение простое 28...♕:h5!» (Дворецкий).

Более того, после 29.c4 ♛g6 30.♖f1
♛g7 31.♔c1 ♘g6 32.♗e3 ♖de8 у черных комфортная игра.

28.♖d3! ♖:h6 (28...♘e7? 29.♗f4
♛f5(e4) 30.♖:d6) **29.♖:d5** (разумеется, не 29.♛:h6? ♗g5 30.♛h7
♘e3+ Карпов) **29...♛e4.** При 29...
♛e6 у белых был выбор между атакой при материальном равенстве —
30.♔c2, наконец-то вводя в бой ладью a1, и прозаическим эндшпилем с лишней пешкой — 30.♖:d6
♛:d6 31.♛:d6 ♖d8 32.♛:d8+ ♗:d8
33.♔c2 и т.д.

30.♖d3! Блестящий практический
шанс (грозит ♖e3), приносящий
мгновенную удачу. Завидная работоспособность ладьи, фактически в
одиночку обыгравшей всю вражескую армию! На 30.♛:h6 ♛:d5+ 31.
♔c2 черные могли защищаться путем 31...♗e5 32.♛e3 (32.♛g5?! ♛e4+
33.♗d3 ♛a4+ 34.b3 ♛a5=) 32...
0-0-0 или даже 31...♛f5+ 32.♗d3
♛f2+ 33.♛d2 (33.♔b3 ♛b6+) 33...
♛:d2+ 34.♔:d2 ♘e7, и эндшпиль с
«разноцветом» сулит ничью.

30...♛h1+? Цейтнотная катастрофа. Необходимо было 30...
♛h7, например: 31.♗g4 (31.♖:d6?

♗g5!, ничего не дает и 31.♗f3 ♗g5!
или 31.♛e3+ ♗e5) 31...♗g5! 32.
♛e2+ ♔f8 33.♔c2 ♖e8 или 31.♔c2
0-0-0 32.♖f1 ♖e8 33.♗g4+ ♔b8 с
шансами на успешную оборону.

**31.♔c2 ♛:a1 32.♛:h6 ♗e5
33.♛g5!** Препятствуя длинной рокировке, угрожая ♛g8+ и открывая
дорогу пешке «h». В этой безнадежной позиции (если 33...♖d8, то 34.
♔b3 или 34.a3) черные просрочи-
ли время. Партия была признана
лучшей в турнире.

Затем, после ничьей с Тукмаковым, 20-летний гроссмейстер одержал еще две хладнокровные победы. В поединке с Бронштейном он
применил против варианта Найдорфа в сицилианской защите свой
излюбленный план с 6.♗e2. Бронштейн попытался усилить игру черных по сравнению с партией Геллер — Фишер (см. № 246, примечание к 7-му ходу), но безуспешно. На
23-м ходу белые выиграли пешку,
и в этот момент, по словам Рошаля, в
шуме пресс-бюро все расслышали
тихий и медленный голос Фурмана: «Когда у Толи лишний материя-
ал, он выигрывает. Тут у меня к нему претензий нет». На следующий
день Карпов в хорошем стиле победил черными Корчного. А после
ничьих со Штейном и Смысловым
обыграл в последнем туре Савона —
и, догнав Леонида Штейна, разделил с ним 1—2-е места!

Ботвинник по этому поводу сказал в телефонном разговоре Котову:
«Запомните этот день, 18 декабря
1971 года. В нашей стране появилась
новая шахматная звезда первой величины!» А со страниц «64» высоко

оценил игру Карпова и Петросян: «Мне нравятся его очки, его подход к шахматам, нравится его спортивный характер, его расчетливость. Понравилось, как он на финише турнира включил дополнительную скорость, подсчитав, очевидно, заранее, что имеет благодаря молодости больше сил, нежели старшие, и рывком обошел многих, словно мы стояли на месте. Думаю, на сегодня именно Карпов является нашей главной надеждой — может быть, именно он в ближайшие годы станет самым труднопреодолимым препятствием на пути западных шахматистов к мировой короне».

Президент ФИДЕ Эйве тоже назвал Карпова вероятным будущим шахматным королем. Сам же Анатолий, когда в интервью ему задали вопрос, будет ли он чемпионом мира, сказал с подкупающей прямотой: «Наверное, буду. Только не в ближайшее четырехлетие. Слишком многого я еще не умею».

Не прошло и пары недель, как Карпов отправился на традиционный турнир в Гастингс (1971/72) и стартовал там 7 из 8! Затем, сделав черными ничью с Глигоричем, выиграл еще одну партию и... почувствовал, что его силы на исходе: «Говоря откровенно, я просто выдохся». После поражения в 14-м туре от Корчного он «ценой невероятных усилий» одолел в решающей партии Мэркленда — и настиг своего единственного конкурента: 1–2. Карпов и Корчной — по 11 из 15; 3–4. Бирн и Мекинг — по 9,5; 5–6. Глигорич и Найдорф — по 8,5; 7–8. Андерссон и Унцикер — по 8.

Следующее его выступление, в командном чемпионате СССР (Москва, март 1972), памятно превосходными позиционными победами белыми над Смысловым и Таймановым, а черными — над Штейном. В этой партии Анатолий продемонстрировал свою, позже ставшую знаменитой, изумительную стойкость и находчивость в защите, четко отразив прямую атаку грозного соперника. Подобная изворотливость отличала Карпова с самого детства, когда он еще не знал теории дебютов и часто попадал в трудные позиции.

Той же весной в Москве состоялся грандиозный двухкруговой блицтурнир сильнейших советских шахматистов. Выиграв во втором круге 12 партий кряду (у Холмова, Таля, Штейна, Бронштейна, Полугаевского, Тайманова, Балашова и т.д.), Карпов в итоге разделил 1–2-е места с одесситом Тукмаковым. «Утомительное соревнование надолго отбило у Карпова вкус к блицу, но он не забывал своей, как почему-то считал, неудачи. Когда ему довелось побывать в Одессе, нашел случай встретиться с Тукмаковым в блицматче. При счете 0:13 соперник поднял руки вверх...» (Рошаль).

Вскоре Анатолий возглавил советскую команду на своей второй студенческой олимпиаде (Грац, август 1972). Годом раньше в Пуэрто-Рико он играл на 3-й доске (+7=1), а теперь проявил себя и достойным лидером (+5=4). Вспоминает тренер молодежной сборной СССР Анатолий Быховский:

«Те олимпиады по-настоящему открыли для меня Карпова. В Пуэрто-Рико неизгладимое впечатление произвели легкость и изящество его игры. Обычно он первым заканчивал свои встречи, тратя на обдумывание не более часа. Его противники после поражений выглядели какими-то растерянными: казалось, они совсем не понимали замыслов и ходов юного гроссмейстера. На мой взгляд, у Карпова столь самобытный игровой стиль, что даже затруднительно назвать его шахматного предшественника, а это всегда признак подлинного таланта... В Граце он встретился с Робертом Хюбнером. Мы всегда трудно играли с командой ФРГ, а тут еще Хюбнер опережал Карпова в борьбе за лучший результат на 1-й доске. Тот самый Хюбнер, которого лишь с минимальным перевесом победил в претендентском матче Петросян (и тот Хюбнер, который вскоре опять блестяще выступил на Всемирной олимпиаде в Скопье). Встреча была принципиальной во всех отношениях: она должна была как бы определить расстановку сил на несколько лет вперед и показать, как же выглядит Карпов в сравнении с ведущим западным гроссмейстером. Анатолий доказал, что понимает позицию и тоньше, и глубже!»

Такое «знакомство» с зарубежными звездами нового поколения было типичным для Карпова: до Хюбнера он, напомню, обыграл и Тиммана (1967/68), и Андерссона (1969), и «шахматного Пеле» — будущего двукратного победителя межзональных турниров бразильца Энрике Мекинга (Гастингс 1971/72).

Блеснул он и на своей первой Всемирной олимпиаде (Скопье, осень 1972), победив на 1-й запасной доске (+12−1=2). Таль: «Это был настоящий «бенефис» Анатолия. Только в Скопье я понял, что Карпов действительно способен на наивысшие достижения. Он и раньше показывал отличные результаты, но в творческом отношении его игра меня не впечатляла. Теперь я чисто по-шахматному восхищаюсь партиями Карпова. Таких партий он сыграл на олимпиаде один чуть ли не больше, чем все остальные члены команды вместе взятые. И потом никак не мог выбрать, какая же из его партий наилучшая».

По решению ФИДЕ Карпов, как чемпион мира среди юношей, был допущен в межзональный турнир 1973 года без отбора. Это избавило его от необходимости играть в зональном, 40-м чемпионате СССР, и он вместе с Петросяном и Кересом отправился на супертурнир в Сан-Антонио (ноябрь—декабрь 1972), устроенный на волне шахматного бума, царившего в США после победы Фишера в матче со Спасским. Там молодой гроссмейстер, конкурируя поначалу с Ларсеном и Кересом, вновь стартовал 7 из 8!

№ 540. Испанская партия C94
КАРПОВ — ГЛИГОРИЧ
Сан-Антонио 1972, 8-й тур
1.e4 e5 2.♘f3 ♘c6 3.♗b5 a6 4.♗a4 ♘f6 5.0-0 ♗e7 6.♖e1 b5 7.♗b3 d6 8.c3 0-0 9.h3 ♘b8 (9...♘a5 — см. № 555) **10.d3.** К теоретическим

спорам вокруг 10.d4, длящимся до сих пор, Карпов будет готов через год, а пока против крупного знатока системы Брейера он избирает более сдержанное, но не менее ядовитое построение, где медленное движение пешки «d» компенсируется угрозой ее появления на d4 в наиболее выгодный для белых момент.

10...♘bd7 11.♘bd2 ♗b7 12. ♘f1 ♘c5 13.♗c2 ♖e8 14.♘g3 ♗f8 15.b4. Сгоняя коня с сильной позиции, но и создавая сопернику зацепку для контригры на ферзевом фланге. В случае 15.♘h2 черные успевают провести контрудар 15...d5! (15...♘e6 16.d4 ed 17.cd c5!= Шмид – Спасский, Сан-Хуан 1969) 16.♕f3 h6 17.♘f5 a5 18.♘g4 ♘:g4 19.hg a4 20.♗e3 ♘e6 21.♕g3 de 22.de ♕f6 23.♖ad1 ♖ad8 24.♕f3 ♘g5 25.♕e2 ♗c6 с небольшим перевесом (Васюков – Карпов, Ленинград 1971).

15...♘cd7 16.d4. Таль не раз играл 16.♗b3, провоцируя обоюдоострые осложнения: 16...d5!? 17. ♗g5 a5 18.a3 de 19.♘:e4 h6 20.♘:f6+ ♘:f6 21.♘:e5 ♖:e5! 22.♖:e5 hg 23. ♖:b5 ♗d5. Однако надежнее 16...a5 17.a3 ab 18.cb h6 19.d4 (19.♘f5 d5! Таль – Спасский, Тбилиси(м/11) 1965) 19...c5 20.bc dc 21.de ♘:e5 22. ♘:e5 ♖:e5 23.♗b2 ♖e8 24.♕f3 c4 25. ♗c2 (Таль – Смейкал, Таллин 1971), и переброска ферзя 25...♕d2! 26. ♖ac1 ♕g5 уравнивает шансы.

16...h6. Проще уравнивает разгрузочная операция 16...a5!? 17. ♗d2 (17.a3 ab 18.cb c5= Васюков – Авербах, Москва 1964) 17...ab! 18.cb ed 19.♘:d4 d5= (Таль – Тимман, Никшич 1983), что и вывело из обихода систему с 10.d3.

17.♗d2 (профилактическая защита пешки b4 от нападок слона f8) **17...♘b6.** «Крепкий позиционный ход в стиле Глигорича. Контрудар в центре – 17...d5 мог направить партию в русло тактических осложнений, которые отнюдь не безопасны для черных» (Карпов).

18.♗d3. Продолжение полезной профилактики: слон на d3 препятствует контригре, связанной с ходом a6-a5. Поэтому черные начинают готовить подрыв c7-c5.

18...♖c8. Через полгода в партии Карпов – Спасский (Москва 1973) встретилось 18...g6 19.♕c2 ♘fd7 20. ♖ad1 ♗g7 (неплохо и 20...c5!? 21.bc dc 22.♘:e5 ♘:e5 23.de ♖:e5 24.♗f4 ♖e6) 21.de! de 22.c4! bc 23.♗:c4 ♕e7? (верно 23...♘:c4 24.♕:c4 ♖e6! 25.♗e3 ♖d6= Карпов) 24.♗b3! c5 25.a4! (оказывается, белые не обязаны бить на c5, а могут усилить позицию, отдав качество) 25...c4 26. ♗a2 ♗c6 27.a5 ♗a4 28.♕c1 ♘c8 29. ♗:h6 ♗:d1 30.♖:d1 ♘d6? (Карпов советует 30...♘f8 31.♗:c4 ♘d6 32. ♗g5 ♗f6) 31.♗:g7 ♔:g7 32.♕g5!! (решающее вторжение; 32.♕d2? ♘f6 33.♕:d6? плохо из-за 33...♖ad8!)

32...f6 33.♕g4 ♔h7 34.♘h4!, и ввиду 34...♘f8 35.♘:g6! ♘:g6 36.♖:d6! ♕:d6 37.♕h5+ ♔g8 38.♘f5! черные сдались.

19.♕c2 ♕d7? «Начало неудачного маневра. Черный ферзь направляется на c6, собираясь встать впереди своей пешки. Но зачем тогда было тратить время на 18...♖c8?» (Карпов).

Критическая позиция возникала после 19...ed 20.cd c5 21.bc (21. d5!? ♘fd7!) 21...dc 22.d5. Карпов расценивал ее как более благоприятную для белых: «Во всяком случае, ни Глигорич, ни Спасский на эту позицию не пошли». Как бы то ни было, оправдать ход 18...♖c8 черные могли только таким способом, играя далее 22...c4 23.♗f1 b4 или 23...c3.

20.♖ad1 ♕c6 21.♗e3 ♘a4 22. ♖c1 (грозит c3-c4) **22...♘b6 23. ♕b1.** Опять профилактика, хотя на сей раз «лучше было немедленное 23.♘d2 с дальнейшим ♘b3 (и при случае ♘a5), не опасаясь 23...d5 ввиду 24.de ♖:e5 25.♗d4 de 26.♘d:e4» (Карпов). Промедление всего в один ход позволяет черным предупредить неприятный маневр коня.

23...♕d7 24.♘d2 c5! 25.bc dc 26.d5. Из-за уязвимости коня b6 черные не успевают продвинуть пешку на c4, и белые создают в центре неприступный бастион, стесняющий силы противника.

26...♘a4 27.c4! b4 28.♖f1! ♕c7 29.f4 ♘d7 30.♕c2 ♘c3. Черные готовы отдать пешку — лишь бы вынудить размен белого слона на этого коня, чтобы затем попытаться соорудить оборонительный вал по черным полям.

31.f5! ♘f6 32.♘e2! «Пожалуй, надежнее выглядит приобретение пешки путем 32.♘f3 и 33.♗d2, но во время партии мне казалось, что тогда Глигорич успеет сдержать мой штурм на королевском фланге, организовав чернопольную блокаду (♗e7 и ♘h7). Поэтому я решил не терять времени» (Карпов).

32...♘:e2+ 33.♗:e2 ♗d6 34. g4! ♔f8! Путем 34...♕d8 35.h4 ♘h7 36.♘f3 ♗e7 блокаду уже не организовать: 37.♔g2 ♗:h4 38.♘:h4 ♕:h4 39.♖h1 ♕f6 40.♖h5 ♕d6 41.♖ch1 ♔f8 42.♖:h6! gh 43.♖:h6, сокрушая оборону. Поэтому черный король бежит из опасной зоны.

35.h4 ♗e7 36.g5 hg 37.hg ♘d7 38.♗g4. «Первый натиск позволил белым добиться ощутимого перевеса в пространстве. Для развития успеха требуется подтянуть резервы» (Карпов).

38...♖g8 39.♔f2 ♖h8 40.♖h1 ♖cg8 41.♕d1. Еще сильнее было 41.a3! a5 42.♕a4 (с угрозой ♘b3) 42...♘b6 43.♕b5! (ферзь в гуще врагов чувствует себя в безопасности, и бастионы черных быстро рушатся) 43...♖:h1 44.♖:h1 ♖a8 45.f6+! (Карпов) 45...gf 46.♖h6! или 44...♗c8

45.♕:a5 ♗d7 46.f6+ gf 47.♗:d7 ♘:d7 48.♕:c7 ♗:c7 49.ab cb 50.gf+ ♘:f6 51.♔f3 ♘g4 52.♗a7 ♔d7 53.c5+–.

41...♔d8. Вряд ли избавляло черных от серьезных затруднений и продвижение 41...f6, которое Карпов считал необходимым. А 41...♕a5 42.♕b3 ♗c8 не мешало белым с выгодой вскрыть ферзевый фланг: 43.♔g3 ♔d8 44.♖hf1! ♔c7 45.♖a1!

42.♕g1! На первый взгляд непонятный маневр ферзя. «Такие ходы находить очень сложно!» — пишет Карпов и весьма доходчиво объясняет мотивы своего решения:

«У белых очевидный пространственный перевес. Чтобы увеличить позиционные выгоды, им необходимо найти четкий план перегруппировки фигур. Вот основные мысли по поводу позиции: 1) у черных единственная явная слабость — пешка c5; нападение на нее должно быть организовано быстро — это позволит сковать маневренность фигур противника; 2) лучшее место для короля — на f3, здесь он не попадает под шахи, лишний раз защищает слона g4, открывает диагональ g1-a7 для батареи ♗+♕ и 2-ю горизонталь для маневра ладей; 3) белые должны бороться за овладение линией «h» и развитие инициативы на королевском фланге; в выгодный момент они могут перенести всю тяжесть борьбы на противоположный фланг, используя большую подвижность своих сил. Всем этим условиям соответствует последний ход белых».

42...♘b6 43.♖h2 ♕e7? Черные еще не чувствуют опасности своему ферзевому флангу и пытаются бороться за контроль над линией «h» (44.♕h1 ♕d8), вместо того чтобы отнять у белого коня возможность перебраться через b3 на a5 — 43...a5! и a5-a4.

44.♘b3 (теперь, когда конь парализует ферзевый фланг черных, ресурсы сопротивления быстро тают) **44...♗c7 45.♔f3! ♘d7 46. a3! ba 47.♖a2!** Намеченная перегруппировка сил осуществлена, и выясняется, что черный король, сбежав на ферзевый фланг, попал из огня да в полымя.

47...♖h4 48.♖:a3.

48...♖gh8. Остроумная тактика — 48...♘f6 49.gf gf не помогает: 50.♖a5!

♖g:g4 51.♕:g4 ♖:g4 52.♔:g4 ♕d8 53.♘:c5 ♗:c5 54.♖:c5+ ♔d7 55.♖b1 ♗a8 56.♗d2, и белый король легко скрывается от шахов (56...♕g8+ 57. ♔f3 ♕h8 58.♖a5 ♕h3+ 59.♔e2 ♕g4+ 60.♔d3 и т.д.).

49.♖b1 ♖b8. Угроза ♘b3-a5 заставляет ладью вернуться обратно, что означает крах последних надежд.

50.♕e1! ♖:g4 51.♔:g4 ♗c8 52.♕a5+. Черные сдались: на 52... ♖b6 решает 53.♘:c5 ♗:c5 54.♖:b6!

Затем, однако, Анатолий явно устал: совершив просчет в хорошей позиции, проиграл Портишу; в 13-м туре, еще будучи единоличным лидером, не смог одолеть Каплана, а на финише пощадил Мекинга, хотя тот перед партией «заметно волновался» и глядел на него «затравленным зверьком». Все же итог получился неплохим: 1–3. Карпов, Петросян и Портиш — по 10,5 из 15; 4. Глигорич — 10; 5. Керес — 9,5; 6–7. Горт и Саттлз — по 9; 8–9. Ларсен и Мекинг — по 8,5.

В день заключительного тура Карпов впервые увиделся с Фише-ром. Организаторы упросили чемпиона мира посетить турнир и, узнав о его задержке, даже перенесли на 15 минут начало игры. «Теперь Фишер опаздывает не только на свои партии, но и на чужие», — заметил по этому поводу Петросян. «Сидим, ждем. Появился Фишер вместе с Эйве, затем Фишер поднялся на сцену, поздоровался с каждым участником. Вот и все мои впечатления», — пишет Карпов в «Девятой вертикали», но в книге «Сестра моя Каисса» (1990) уточняет: «Он появился в последний день, что было не слишком удачно. Победители — и я в их числе — мирно делили между собой очки, и Фишер, посидев среди зрителей не более четверти часа, понял ситуацию и исчез».

Возможно, уже тогда, к концу 72-го, не только Ботвинник, Петросян и Таль, но и сам Фишер, внимательно наблюдавший за игрой Карпова, предчувствовал, что скоро в борьбу за шахматную корону вмешается очень «серьезный мальчик»!

«ЭТО НЕ МОЙ ЦИКЛ»?

Готовясь к своему первому и, как потом оказалось, единственному межзональному турниру, Карпов выступил весной 73-го в Будапеште (+4=11; 2-е место за Геллером) и в необычном матч-турнире трех сборных команд СССР, где победил на 1-й доске Спасского и Тайманова (+2=2).

В тот год ФИДЕ, учитывая рост числа сильных шахматистов, впервые разбила межзональный этап на два отдельных турнира, и отныне для выхода в претенденты требовалось попадать уже не в шестерку, а в тройку победителей. Разбивка производилась по рейтингу и привела к очевидному перекосу: в бразильском Петрополисе играл лишь один из шести претендентов прошлого цикла — Геллер, а в Ленинграде (июнь 1973) их было пятеро: Корчной, Ларсен, Хюбнер, Тайманов, Ульман. Да еще грозный Таль, только что выигравший пять турниров подряд, и не знающий неудач молодой Карпов! И всего-то три места?! Впрочем, как мудро заметил Таль, если задача попасть в первую тройку представляется слишком трудной, то какой смысл претендовать на титул чемпиона мира?

Карпов поставил перед собой дерзкую задачу выиграть межзональный турнир (что сулило относительно более слабого соперника в первом матче претендентов) или в крайнем случае занять выходящее место. Многие годы спустя, когда были сняты запреты, он поведал в печати, что готовился к этому турниру вместе с Корчным:

«И вот однажды к нам нагрянули знакомые, был хороший, веселый вечер, и кто-то предложил: давайте загадаем, кто будет играть в финальном матче претендентов, а когда финальная пара определится — откроем записки. Помню, я написал: Спасский — Петросян. Я был уверен, что именно они — сильнейшие из претендентов... Себя я не вписал, потому что действительно считал: это не мой цикл. Во-первых, я почти не имел опыта борьбы на таком уровне; во-вторых, считал, что основные соперники пока объективно сильнее меня.

Конечно, об этих записках все тотчас забыли; я — тоже. Но когда определилась финальная пара — я и Корчной, ко мне пришел наш приятель, хранивший записки, и показал их все. Только в одной значилось: Корчной — Карпов, и написано это было знакомой мне рукой Корчного...»

Завидная прозорливость, но для начала обоим «К» надо было преодолеть межзональный барьер! Карпову в этом турнире секундировал не только Фурман, но и москвич Юрий Разуваев, с которым он, как и с Балашовым, был знаком со времен школы Ботвинника. Еще после студенческой олимпиады в Пуэрто-Рико (1971) Анатолий попросил своих товарищей по команде помогать ему с Фурманом в предстоящем отборочном цикле мирового первенства. Надо сказать, что два Юрия Сергеевича — Балашов и Разуваев, ныне известные гроссмейстеры и тренеры, были одними из самых эрудированных шахматистов молодого поколения. Так зарождался тренерский штаб будущего чемпиона мира...

«На старте в игре Карпова, может быть, не было того блеска, который отличал игру Корчного, — писал главный судья ленинградского межзонального турнира Александр Котов. — Его победы шли не сериями, а единички перемежались с половинками. Под его ударами не падали великаны, хотя поверженных было предостаточно. Карпов играл немного осторожно, не шел на риск, порой уклонялся от неясных осложнений. Что ж, такая игра — верный способ добиться успеха в отборочных соревнованиях. Когда же волею судьбы на доске возникали осложнения, Карпов умел разобраться в них с точностью кибернетической машины. Тут он не останавливался перед жертвами, его не страшили никакие обострения».

В первых шести турах он выиграл черными у Эстевеса, Тукмакова и Куэллара (с трудом отразив в цейтноте яростную атаку противника), при ничьих с Хюбнером (в жесткой, увлекательной борьбе), Корчным и Таймановым. Группа лидеров в этот момент выглядела так: Ларсен — 5,5; Бирн и Корчной — по 5; Карпов — 4,5; Кузьмин — 4. Пора было включать белый цвет — опаснейшее оружие Карпова на протяжении всей карьеры!

№ 541. Французская защита C09
КАРПОВ – Г.КУЗЬМИН
Межзональный турнир,
Ленинград 1973, 7-й тур

1.e4 e6 (дабы не мучиться в «испанке», Геннадий Кузьмин ответил редкой для себя защитой) **2.d4 d5 3.♘d2**. В ту пору этот спокойный ход Тарраша – Геллера приносил Карпову почти стопроцентный успех. Но матчи с Корчным (1974 и 1978) показали, что белым выиграть позицию с изолированной пешкой совсем не просто, и с 1982 года Анатолий стал применять и 3.♘c3.

3...c5. Раньше Кузьмин играл 3...de. На сей раз он решил усилить игру черных по сравнению с партиями Карпова с Крогиусом (Куйбышев 1970) и Ваганяном (Будапешт 1973). Но тут ему не повезло — это была «территория противника»: Карпов с Фурманом занимались разгадкой секретов варианта с 3.♘d2 еще с начала 70-х годов.

4.ed ed 5.♘gf3 (в Багио Карпов перешел на 5.♗b5+) **5...♘c6** (5...a6 — № 504) **6.♗b5 ♗d6 7.dc ♗:c5 8.0-0 ♘ge7 9.♘b3**.

9...♗d6. Этот ход, потом применявшийся Корчным, тогда был сравнительно малоизучен. В упомянутых партиях встретилось обычное 9...♗b6 10.♖e1 0-0, и Крогиус не устоял после 11.♗e3 ♗g4 12.♗:b6 ♕:b6 (12...ab!?) 13.♗:c6 ♘:c6 14.♕:d5 ♘b4 15.♕e4 ♗:f3 16.gf, а Ваганян столкнулся с 11.♗g5! (используя ослабление защиты коня e7) 11...h6 12.♗h4 g5 (оголение короля; лучше 12...♖e8!? 13.h3 a6 14.♗d3 ♗e6) 13.♗g3 ♘f5 14.♕d2 ♘:g3 15.hg ♕f6 16.c3 ♗f5! (по Карпову, «отличная жертва пешки», хотя годится и 16...a6 17.♗f1 ♖d8 18.♘fd4 ♗d7 19.♗e2 g4) 17.♕:d5 ♖ad8 18.♕c4 ♗d3 19.♕a4 ♗:b5 20.♕:b5 g4 21.♘fd4 ♖:d4 22.cd a6 23.♕h5 ♗:d4 24.♕:g4+ ♔g7 25.♕f3! (очень тонкое решение играть миттельшпиль и искать способ атаки на короля) 25...♗:b2 26.♖ad1 b6 27.♕b7 ♖:d1 28.♖:d1 ♕g4 29.♖b1 ♖d8 30.♕:a6 ♖d1+ 31.♖:d1 ♕:d1+ 32.♕f1 ♕c2 33.♕b5 ♗a3 34.♕d5!? (не возражая против размена пешек ферзевого фланга) 34...♗f8 35.♕d2 ♕e4 36.♔h2 ♗c5 37.♘c1 ♔g7 38.♘d3 ♕d4 39.♕e2 ♗d6? (39...♕c4 Карпов) 40.♔h3! ♕d5 41.♘f4 ♗:f4

42.gf, и белые выиграли это ферзевое окончание.

10.♗g5! В московском матче с Корчным (1974) неоднократно испытывалось 10.c3 ♗g4 11.♘bd4 0-0, и лишь в 18-й партии Карпов вернулся к энергичному ходу слоном.

10...0-0 11.♗h4. С идеей ♗g3: белые отдают два темпа за размен чернопольных слонов. Через полтора года в упомянутой партии с Корчным была найдена оптимальная расстановка сил — 11.♖e1! (затрудняя выход ферзя на b6) 11...♕c7 12.c3 ♗g4 13.h3 ♗h5 14.♖e2! h6 15.♗:e7! ♘:e7 16.♘fd4, и после 16...♗:e2 17.♕:e2 a6 18.♕f3 ♖ad8 возникла стандартная позиция, где у белых небольшой, но устойчивый перевес, а у черных — возможность сделать ничью после кропотливой защиты.

11...♕c7?! Упуская шанс получить полноправную игру. Этот ход свидетельствует о недостаточном знании тонкостей подобных позиций: ферзю лучше стоять на b6! В анализе после партии рассматривалось 11...♗g4 12.♗g3 ♗:g3 13.hg ♕b6! 14.♗d3 и т.д. План соперника понравился Кузьмину, и в поединке 13-го тура с Ульманом он усилил игру белых путем 12.♗e2! — так полгода спустя сыграл и сам Карпов (№ 542).

Но уже практика следующего года показала, что лучше сразу 11...♕b6!, и у черных нет дебютных проблем, например: 12.♗d3 a5 13.a4 ♘f5! 14.♗:f5 ♗:f5 15.♗g3 ♗:g3 16.hg ♗e4= (Балашов — Гулько, Москва 1974).

12.♗g3 ♗:g3 13.hg ♗g4. В позициях с изолированной пешкой d5 черным полезно разменять это-

го слона — хотя бы для того, чтобы он не превратился в «большую пешку», стоящую на e6.

14.♖e1 ♖ad8 15.c3 ♕b6 (наконец ферзь встал куда нужно) **16.♗d3.**

16...♘g6. Не создавая слабостей в своем лагере, но и не мешая сопернику усиливать позицию. Типовой маневр 16...♗h5 (и если 17.♕c2, то 17...♗g6) также сохранял надежду точной и терпеливой защитой постепенно притушить небольшую инициативу белых.

«На 16...d4, конечно, последовало бы 17.c4», — пишет Карпов. Но тогда после 17...♘g6 белые могли растерять весь перевес! Думаю, что на самом деле последовало бы 17.♗:h7+! ♔h8 18.♗d3 dc 19.bc, и у черных нет компенсации за пешку (на 19...♘f5?! сильно 20.♕d2! с идеей 20...♘:g3 21.♕f4 или 20...♗:f3 21.gf ♘:g3 22.♔g2!).

17.♕c2 ♗:f3 18.gf ♖d6? На вид активно и последовательно: защитив коня, обеспечить пробег пешки h7 до h4. Однако если заглянуть дальше, то вся эта операция — простая потеря времени.

В подобных структурах надо при первом удобном случае избавляться от изолированной пешки, и сейчас был как раз такой момент — 18... d4!, ибо 19.с4?! невыгодно из-за 19...♘се5! Карпов рассматривает 19.f4 dc 20.bc «с интересной позицией, в которой белые пешки ограничивают действия черных коней на обоих флангах». Однако, на мой взгляд, после 20...♖fe8 21.♗e4 ♘f8 22.♗e3 и ♖ae1 перевес белых сравнительно невелик.

19.f4 ♖fd8. «Изолятор» хорошо защищать косвенным образом — увеличивая активность фигур и располагая ладьи на соседних вертикалях. Здесь же обе ладьи уперлись в пешку d5, на которую пока никто и не нападает! Увы, продвижение 19... d4?! уже запаздывало из-за 20.с4, и после 20...♘b4 21.♕d2 ♘:d3 22.♕:d3 ♕d8 23.♖e4 терялась пешка «d».

20.а3! Этот тихий ход по своему эффекту подобен громовому удару: черные окончательно теряют надежду на d5-d4 и остаются без контригры. Тогда как «план белых ясен: конь переходит на f3, а затем, смотря по обстоятельствам, идут вперед

пешка «f» и пешки ферзевого фланга» (Карпов).

20...h5?! Шансы черных — в игре по центру и на ферзевом фланге, но уж никак не на королевском. Впрочем, и в случае 20...а5 21.♘d2 и ♘f3 они были бы далеки от уравнения.

21.♔g2 h4 22.♖e2! Карпов в своей стихии! Прямолинейное 22.♖h1 после 22...hg 23.fg ♖e8! вынуждало белых заняться нейтрализацией вторжения по линии «e». Неплохо выглядит 22.♘d2 с идеей 22... h3+ 23.♔g1! и ♘f3. Но решение Карпова гораздо эффективнее. Поняв, что соперник в плену иллюзий, он не торопится и прежде всего не дает ему проявить хоть какую-то активность. Кроме того, он берет под контроль линию «e», по которой и будет нанесен решающий удар. Интересно, что вторжение по линии «h» так и осталось угрозой (однако с ней черные должны были считаться!).

22...♘f8 23.♘d2 ♖h6 24.♘f3 hg 25.fg ♘d7. Не облегчало участи черных 25...d4 26.c4, например: 26...♘d7 27.b4!, 26...a5 27.♖ae1, 26...♕c5 27.f5! или 26...♕a5 27.c5! и ♖ae1.

26.♖ae1. Стороны завершили намеченные перестроения. И оказалось, что давление белых по линии «e» реально, а обладание линией «h» черным ничего не обещает, ибо ладью поддержать некому. Не найдя времени для активизации на ферзевом фланге, черные обрекли на бездействие своего ферзя. Их фигуры разбросаны сейчас в беспорядке на трех линиях, а силы белых готовы к атаке королевской крепости. Вот так и сказывается разница в позиционном понимании даже среди гроссмейстеров.

26...♔f8. Другие ходы не лучше.

27.g4! Когда появлялись четкие цели, Карпов уже в юности умел от мышления образами и схемами быстро переходить к конкретному расчету. Некоторые его решения могут показаться неожиданными (как, например, размен ферзей в самом конце), но всё это просчитано с исключительной точностью.

27...♕c7. Черным не на чем строить контригру, и их положение безнадежно: 27...♘c5 (27...g6?! 28. g5 и ♗:g6!) 28.♗f5! ♕b3 (28...♕c7 29.g5 ♖h8 30.♔g3, как в партии) 29. ♕:b3 ♘:b3 30.♗d7! f6 31.♖e8+ ♖:e8 32.♖:e8+ ♔f7 33.g5 или 30...g6 31. ♖e8+ ♖:e8 32.♖:e8+ ♔g7 33.♗:c6 bc 34.♖e7+–.

28.g5 ♖h8 29.♔g3! ♘c5 30. ♗f5 g6 31.b4! ♘e4+. После 31...gf (31...♘d7 32.♗:g6!) 32.bc черному королю не выбраться из клетки: 32...d4 33.♖h2! ♖g8 34.♕:f5 с угрозами ♖h7 и ♕f6, не лучше и ходы ферзем – 32...♕a5 33.♖e3! и ♕:f5,

32...♕c8 33.♖h2 ♖g8 34.♖h7! или 32...♕d7 33.♖h2 ♖g8 34.♖h6!

32.♗:e4 de 33.♕:e4 ♔g7 34. b5 ♘a5 35.♕e7! ♕:e7. В случае 35...♕:c3 (робко надеясь на 36. ♖e5?? ♕h3+!) решало 36.♖e3! ♕b2 37.♖b1! ♕:b1 38.♕f6+ ♔g8 39. ♕:d8+ и ♕:a5 с лишней фигурой или 36...♕c8 37.♖e6! ♔g8 38.♖:g6+! fg 39.♖e6 с разгромом.

36.♖:e7 ♖d3 37.♖c7 ♘b3 38. ♔g4 ♖f8 39.♖ee7. С неизбежным вторжением коня на e5. Черные сдались. Образец плановой стратегии, построенной на учете действительно значимых особенностей позиции.

На следующий день Карпову выпало трудное испытание — «испанская пытка» в партии с Талем, который жаждал отыграться за свой крайне неудачный старт (экс-чемпион мира был нездоров, но категорически отвергал все предложения врачей выбыть из турнира). Отложенная позиция — две ладьи с проходной пешкой «а» против ладьи, слона и коня плюс по три пешки на королевском фланге — выглядела опасной для черных, но при доигрывании им удалось спастись. Анатолий тут же указал за белых сильнейший ход, найденный им во сне (!), который, правда, тоже был недостаточен для победы. После этой партии американский мастер Цукерман, секундант Бирна и друг Фишера, заявил: «Если уж Карпов спасает такие позиции, то выиграть у него вообще невозможно!» А главный конкурент Корчной, по словам Карпова, «бездоказательно упрекнул Таля в том, что экс-чемпион мира сам не захотел, видите ли, выигрывать лучшую отложенную позицию...»

Затем Карпов разгромил Кинтероса (один из пяти призов «за самые лучшие партии») и, набрав 7 из 9, вышел на второе место. На очко больше было у Корчного, только что одолевшего Ларсена (№ 509) и Бирна. Но стоило ему оступиться в 12-м туре — и Карпов, победив в нелегкой борьбе Ульмана, настиг лидера! В 13-м туре молодой гроссмейстер выиграл очередную «испанскую дуэль» у Глигорича, но победил и Корчной. В 14-м Корчной сделал ничью с разыгравшимся Смейкалом, а Карпов взял верх над Рукавиной и впервые стал единоличным лидером — 11 из 14! «Движение по турам Корчного и Карпова напоминает велосипедную гонку на треке, когда два гонщика всю дистанцию идут впереди и в то же время меняются местами, по очереди передавая друг другу лидерство» (Котов).

В 15-м туре ничью делает уже Карпов — и лидеров опять двое! За два тура до финиша борьба за место в заветной тройке обостряется до предела: у Карпова с Корчным — по 11,5 очка, у Бирна — 11, у Смейкала — 10,5. В 16-м туре Корчной и Бирн выигрывают свои партии, а Карпов сражается черными со Смейкалом, который в середине турнира поразил публику серией из семи побед. Волнующий, нервный поединок! У Смейкала опасная инициатива, но он тратит слишком много времени на обдумывание и в сильном цейтноте сначала упускает перевес, а на

39-м ходу зевает пешку. При доигрывании Карпов технично использует еще один промах огорченного соперника и выигрывает запоминающийся эндшпиль с ферзями и разноцветными слонами.

Вопрос о тройке решен: Карпов, Корчной и отстающий на пол-очка Бирн (крупнейший триумф 45-летнего американского гроссмейстера!). Но кто займет первое место? В заключительном туре Бирн делает белыми 13-ходовую ничью с Ульманом, и теперь всё в руках двух «К». Оба играют белыми: Карпов — с филиппинцем Торре, Корчной — с Хюбнером.

Перед партией Анатолию передали предложение конкурента завершить обе встречи вничью и «по справедливости» разделить первое место. «Я, конечно же, отказался от этого «варианта Корчного», чем немало его разозлил, — вспоминает Карпов. — Предложение было мне неприятно: у нас подобные «фокусы» решительно осуждаются. Выиграл я у Торре быстро и ушел с ним анализировать, позже пришел Корчной и громко (для всех) и зло (для меня) проговорил: «Ну вот, заставили меня выигрывать у Хюбнера». Теперь я понимаю: мы бы стали с ним врагами значительно раньше, если бы он ту последнюю партию в межзональном не выиграл».

Итоги захватывающей ленинградской гонки были таковы: 1–2. Карпов и Корчной — по 13,5 из 17; 3. Бирн — 12,5; 4. Смейкал — 11; 5–6. Ларсен и Хюбнер — по 10; 7. Кузьмин — 9,5; 8–10. Глигорич, Тайманов и Таль — по 8,5. Кстати, Карпов все-таки выполнил намеченную программу-максимум: осенью на жеребьевке матчей претендентов ему досталось условное первое место, благодаря чему он избежал встречи в четвертьфинале со Спасским или Петросяном и получил в соперники Полугаевского. Но не жаловался на судьбу и Корчной, которому выпало играть с Мекингом, победителем межзонального турнира в Бразилии.

Забавно, что Мекинг тем летом заявил: «Только я и Карпов можем отнять у Фишера титул чемпиона мира!» Узнав об этом, Карпов подумал: «А в самом деле, неплохо было бы встретиться с Мекингом в финальном матче претендентов... Но это было маловероятно. Я считал, что мы оба еще достаточно сырые шахматисты, чтобы пробиться в финальный матч. Все мои крупные международные турниры пока что можно пересчитать по пальцам. Это, конечно, очень мало, чтобы реально претендовать на звание чемпиона мира. Надежды вернее возлагать на будущий трехлетний цикл. Поэтому-то я и сказал журналистам: "Это не мой цикл"».

Корчной тоже дал тогда, как обычно, очень интересный с профессиональной точки зрения прогноз ближайших событий на шахматном Олимпе:

«Выиграть состязание претендентов мне вряд ли удастся. Среди моих соперников есть «неудобные» шахматисты. Я вообще считаю, что обыгранное Фишером поколение уже не может с ним успешно бороться. Эта задача по плечу молодежи. Справится ли с ней Карпов? Не знаю. Последние выступления Карпова показали, что как турнирный боец он, видимо, не уступает Фишеру... Карпов растет от турнира к турниру. В одном из своих выступлений я сказал, что в этом цикле никто не сможет выиграть у Фишера. У Карпова для этого еще недостаточно опыта и знаний. Может быть, он поверил мне и потому заявил, что это «не его цикл»? Но в межзональном турнире он боролся за самое высокое место и играл более зрело, чем раньше. Карпов становится большим турнирным бойцом, не останавливающимся при необходимости перед риском, способным драться за победу в каждом поединке. При этом он весьма практичен, не допускает грубых ошибок. Игра его напоминает теперь игру Спасского в лучшие годы — собранность в каждой встрече, ровность во всех стадиях партии, отсутствие явных оплошностей».

Буквально через неделю после турнира Корчной и Карпов уже играют за команду СССР в командном чемпионате Европы (Бат, июль), где Анатолий показывает лучший результат на 4-й доске (+4=2). Следующее испытание — сильнейший за многие годы 41-й чемпионат СССР (Москва, октябрь): 1. Спасский — 11,5 из 17; 2—6. Карпов, Корчной, Кузьмин, Петросян и Полугаевский — по 10,5; за ними Геллер, Керес, Тайманов, Таль, Тукмаков, Смыслов и т.д.

«Впервые я нацеливался на титул чемпиона страны: право на такую цель мне давали стабильно высокие результаты, — рассказывает Карпов. — Но взять первое место мне помешала прежде всего определенная раздвоенность. С одной стороны, хотелось выиграть первенство, с другой — нельзя было полностью «раскрываться», потому что впереди маячил четвертьфинальный претендентский матч с Полугаевским. Необходимо было экономить силы и дебюты».

Мнение Таля: «Карпов сделал этот турнир своего рода полигоном. Молодого гроссмейстера частенько упрекали в недостаточно широком дебютном репертуаре (подобные претензии высказывались и по адресу Фишера в 1970—71 годах). Мне кажется, в ряде партий чемпионата ленинградец сознательно шел на малознакомые схемы, стремясь освоить их, что называется, на ходу, и настроил себя именно в этом направлении, стараясь не отвлекаться от заданной программы».

И еще одно важное наблюдение Карпова: «Спасский же вовсю крутил педали. Он выкладывался полностью, не приберегая для матчей претендентов какие-то теоретические откровения, щедро демонстрировал свои планы в ряде систем, сознавая: перед матчами претендентов ему надо почувствовать свою силу. Но, думаю, победа Спасского в чемпионате не была столь уж убедительной и многообещающей для него. Экс-чемпион мира стоял проигранно со мной, форсированно мог проиграть Корчному, имел тяжелую позицию против Кузьмина... Проиграй он любому из нас, и выигравший уже делил бы с ним

первое место». На редкость трезвая оценка игры будущего опасного соперника, триумф которого в чемпионате страны вызвал всеобщее восхищение!

Последним этапом подготовки к матчу с Полугаевским стал турнир в Мадриде (ноябрь—декабрь 1973), где Анатолий играл вместе с Фурманом. Карпов: «К этому моему вояжу Ботвинник отнесся отрицательно. Он считал: чем лучше выступлю я в Мадриде, тем хуже пойдут мои дела в претендентских матчах. У меня было иное мнение. И я не ошибся».

Молодой претендент стартовал 2,5 из 3 (победы над Помаром и Андерссоном), но затем сделал серию ничьих: «Я играл, как говорят, на технику, не особенно выкладываясь». За четыре тура до финиша единолично лидировал Ульман — 8,5 из 11, за ним шли Карпов, Фурман, Тукмаков и Горт — по 7,5. Надо ли говорить, какое спортивное значение имел в этой ситуации поединок с опытным немецким гроссмейстером.

№ 542. Французская защита C09
КАРПОВ — УЛЬМАН
Мадрид 1973, 12-й тур

1.e4 e6 (конечно: Ульман — один из крупнейших знатоков французской защиты) **2.d4 d5 3.♘d2 c5 4.ed ed.** По нынешним меркам, в этом варианте белым трудно играть на победу. И даже Карпов, при всем своем изумительном искусстве накопления мелких плюсов и трансформации их в более весомое преимущество, вряд ли добился бы таких успехов без «помощи» соперников. Но ошибки эти, как и в приводимой партии, бывали столь незаметны, что их удавалось найти лишь после скрупулезного анализа...

5.♘gf3 ♘c6 6.♗b5 ♗d6 7.dc ♗:c5 8.0-0 ♘ge7 9.♘b3 ♗d6 10.♗g5 0-0 11.♗h4. Время 11.♖e1! (Карпов — Корчной, Москва(м/18) 1974) еще не пришло.

11...♗g4 (как уже говорилось, лучше 11...♕b6!, но не 11...♕c7?! — № 541) **12.♗e2!** Отличная идея Геннадия Кузьмина.

12...♗h5. Попытка усилить игру черных по сравнению с партией Кузьмин — Ульман (Ленинград(мз) 1973), где было 12...♕b6 13.♗:e7! (неприятный сюрприз: черные думали над ответом час двадцать минут!) 13...♗:e7 (при 13...♗:e7 14.♕:d5 непросто найти достойную компенсацию за пешку) 14.♕d4 ♕:d4 15.♘f:d4 ♗d7 (не лучше и 15...♗:e2 16.♘:e2) 16.♖ad1 ♖fd8 17.♖fe1 ♔f8 18.c3 a5?! 19.a3 a4 20.♘a1! ♘c8 21.♘ac2 ♘b6 22.♘e3 ♗f4 23.♘dc2 ♗e6 24.♖d4! ♗:e3 25.♘:e3 ♘c4 26.♖ed1! ♖dc8 27.♘:d5 ♗:d5 28.♖:d5 ♘:b2 29.♖b1 ♘c4 30.♖:b7 ♘a5 (30...

♘:a3? 31.♖dd7) 31.♖bb5, и белые реализовали лишнюю пешку.

Но Карпов парирует и новый ход Ульмана. В конце концов именно эти неудачи побудили черных искать иные пути в ответ на 11.♗h4.

13.♖e1 ♕b6 14.♘fd4. «Освободив коня e7 от связки, черные собирались направить его на охоту за слоном h4, ввиду чего необходимо контролировать пункт f5» (Карпов).

14...♗g6 (чтобы установить контроль над центральными полями) **15.c3 ♖fe8 16.♗f1 ♗e4.** Освобождая поле g6 для маневра ♘g6-e5. Переход в эндшпиль путем 16...♘:d4 17.♕:d4 ♘f5 18.♕:b6 ab 19.♖:e8+ ♖:e8 не давал полного уравнения ввиду 20.♗b5! ♖a8 (20...♖e5?! 21.♗d8) 21.♗g3! (не 21.♗g5 h6 22.♗d2 ♗e5=) 21...♗:g3 (или 21...♘:g3 22.hg) 22.hg ♘d6 23.♘d4, и ввиду слабости пешек позиция черных несколько хуже.

17.♗g3 ♗:g3 18.hg a5?! «Вероятно, Ульман недооценил грядущие опасности, иначе он ограничился бы 18...♖ad8» (Карпов), например: 19.a4 ♘:d4 20.♘:d4 a6.

19.a4! Поле b5 становится важным опорным пунктом для белых фигур, и Карпов на редкость эффективно использует этот форпост.

19...♘:d4 20.♘:d4! (единственная возможность игры на перевес) **20...♘c6.** Нельзя 20...♕:b2? из-за 21.♘b5 с двумя неприятными угрозами — ♘c7 и ♗e2! Черные вынуждены допустить активизацию коня b3, и вся их стратегия, построенная на сдерживающей роли ферзя b6, оказывается обесцененной.

21.♗b5 ♖ed8.

22.g4! Цель этого продвижения становится ясной не сразу. Белые не помышляют об атаке — они готовятся к эндшпилю!

«Мне такие ходы доставляют наибольшее удовлетворение: белым удается заглянуть в будущее. А в ближайшем будущем произойдет переход в тяжелофигурный эндшпиль с белопольными слонами. Подвижность черного слона ограничена собственной пешкой d5, теперь же и моя пешка g4 будет его стеснять. Могут возразить: но вы же ставите пешку на поле цвета своего слона! Да, это так, но мой слон работает по другим диагоналям» (Карпов).

22...♘:d4? Суждение Карпова, имеющее методологическую ценность, могло получить весомые контраргументы, если бы черные не стали торопиться с разменами, а последовали его же рекомендации: «Техничнее было все-таки предварительное 22...♖ac8».

Похоже, таким способом можно было удержать относительное равновесие: 23.♘f5 (23.f3 ♗g6) 23...♗:f5 24.gf d4! 25.♕g4 ♘a7 26.♗f1 ♕f6 или 23.♖c1 ♘:d4 24.♕:d4 ♕:d4 25.cd ♔f8 с хорошими шансами на ничью.

23.♕:d4! ♕:d4 24.cd ♖ac8 25.f3 ♗g6 26.♖e7! b6. По Карпову, «видимо, пора уже было решаться на активные действия — 26...♖c2». Однако после 27.♖ae1! (не сразу 27.♖:b7 ♖:b2 28.♖a7 ♖d2 29. ♖:a5 ♖:d4 30.♖a7 ♖b4 с вероятной ничьей) 27...h6 28.♖:b7! ♖:b2 29. ♖ee7 черных ждала нелегкая защита: 29...♖c8!? (29...♖d2 30.♗e8!, а на 29...♖b4 сильно 30.f4) 30.♔h2! ♖cc2 31.♔g3 ♖:g2+ 32.♔f4 ♔h7 33.♖bd7 и ♖:d5, сохраняя перевес.

27.♖ae1 h6 28.♖b7. Белые угрожают ворваться второй ладьей на 7-й ряд и начать охоту на короля.

28...♖d6? Практически выключая ладью из игры — и Карпову этого хватает для победы. Он не боится вторжения другой черной ладьи: в одиночку или даже с помощью слона она может лишь немного пошаховать, забрать пару пешек, в то время как дружный тандем белых ладей сплетает матовую сеть.

«Здесь же на 28...♖c2 очень неприятно 29.♖e2 ♖:e2 30.♗:e2 ♖d6 31.♗b5 с последующим выдвижением короля в центр, что позволяло белым достичь доминации при ограниченном материале» (Карпов). Но мне кажется, что этот вариант оставлял черным реальные шансы на спасение: 31...♔f8 32.♔f2 ♗c2 33. ♖c7 ♗h7 34.♔e3 g5!, закрывая королю дорогу в центр. Не видно, как белым пробивать эту крепость.

Добавлю, что после единственного хода 28...♖c2! черные сохраняли ресурсы обороны и при 29.♖:b6 ♖:b2 30.♖a6 ♖d2 31.♖:a5 ♖:d4 или 29.♖ee7 ♖:b2 30.♗e8 ♖d6! 31.f4 ♗e4 32.♗:f7+ ♔h7 (например: 33.♗h5 ♖c6! 34.♖:g7+ ♔h8 35.♖gc7 ♖:c7 36. ♖:c7 ♖:g2+ 37.♔f1 ♖a2 38.♖c6 ♖:a4 39.♖:h6+ ♔g7 40.♖:b6 ♖:d4 и т.д.).

29.♖ee7 h5. Уже запаздывало 29...♖c2 ввиду 30.♖b8+ ♔h7 31.♖ee8 ♖c1+ 32.♔h2 ♗b1 33.f4 ♗e4? 34.f5 g6 35.f6! g5 36.♖g8! ♖:f6 37.♖h8+ ♔g7 38.♖bg8#. «Избежать этих «красот» можно было лишь путем 33... ♔g6, что вынуждало бы и меня действовать более прозаически» (Карпов). То есть 34.♖e7! (с угрозой ♖bb7 или ♖f8) 34...♖f6 35.♔g3 ♖d1 (35... h5 36.gh+ ♔:h5 37.♖e5+ и ♖:d5) 36.f5+ ♔g5 37.♖g8 g6 38.♖:f7! ♖:d4 39.♗e2, и дни черных сочтены.

30.gh ♗:h5 31.g4! ♗g6 32.f4 ♖c1+ 33.♔f2 ♖c2+ 34.♔e3 ♗e4 (плохо и 34...♖e6+ 35.♖:e6 fe 36. ♖:b6) **35.♖:f7 ♗g6 36.g5.** Одна черная ладья бесполезно мечется во вражеском лагере, другая по-прежнему вне игры... Дальнейшее ясно.

36...♔h7 37.♖fe7 ♖:b2 38. ♗e8! ♖b3+ 39.♔e2 ♖b2+ 40. ♔e1! ♖d6 (40...♖b1+ 41.♔d2 ♖b2+ 42.♔c3 ♖c2+ 43.♔b3 Карпов) **41. ♖:g7+ ♔h8 42.♖ge7.** Или 42.♖gf7 ♔g8 43.f5. Черные сдались: от мата спасало только безнадежное 42...

♖b1+ 43.♔f2 ♖b2+ 44.♔g3 ♖g2+ 45.♔h3 ♖e2 46.♗b5! ♗f5+ 47.♔g3 ♖:e7 48.♖:e7 и т.д.

Отличный финиш – 3,5 из 4, в том числе победа черными в последнем туре, позволил 22-летнему советскому гроссмейстеру впервые единолично выиграть крупный международный турнир: 1. Карпов – 11 из 15; 2. Тукмаков – 10,5; 3. Фурман – 10; 4–5. Горт и Ульман – по 9,5; 6–7. Андерссон и Портиш – по 9. На торжественном закрытии он вместе с первым призом получил и свой первый шахматный «Оскар». Не правда ли, симптоматично? До этого «Оскаром» владели только Спасский (1968, 1969) и Фишер (1970, 1971 и 1972).

Разумеется, Фишер продолжал с неослабевающим вниманием следить за восхождением новой звезды, изучая стиль и повадки потенциального соперника. Весьма красноречиво свидетельство Таля, летом 1973 года дававшего вместе с Карповым сеансы одновременной игры на Всемирном фестивале молодежи и студентов в Берлине:

«После одного из сеансов организаторы обратили наше внимание на моложавую женщину, которая все время проводила у столика Карпова с фотоаппаратом в руках. Выяснилось, что это мать Роберта Фишера. Выполняя просьбу сына, она сделала несколько снимков. Чемпион мира хотел получше узнать Карпова, так как считал, что именно он будет соперником в матче на первенство мира в 1975 году. Мне, признаться, тогда поверить в это было непросто, но Фишер оказался прозорливей...»

ДУЭЛЬ ДЕБЮТАНТОВ

Первый соперник Карпова в матчах претендентов 39-летний Лев Полугаевский, двукратный чемпион СССР и победитель многих международных турниров, тоже был дебютантом соревнований столь высокого ранга. Правда, в отличие от Карпова, у него имелся некоторый матчевый опыт: два матча за звание чемпиона страны (с А.Зайцевым и Петросяном) и схватка с Гортом в «Матче века». И всетаки, по словам Таля, большинство специалистов предсказывали победу более молодому участнику, но... после очень упорной борьбы.

Сам Полугаевский оценивал свои шансы довольно скромно, но готовился что есть сил: «Я был не слишком доволен «выпавшим» мне партнером. Хотя он говорил, что это еще «не его цикл», но изумительные успехи Карпова и огромный, с каждым днем набирающий силу, талант свидетельствовали: в шахматном мире он — явление необычное! Может быть, поэтому я и отнесся к матчу излишне серьезно. Не оставив себе практически ни дня для отдыха, отдал все время дебютной подготовке. (Позднее старался избегать этой ошибки.) Я знал, что Карпов никогда не уклоняется от теоретического боя, поскольку верит себе, своим анализам, своему умению за доской решать самые неожиданные проблемы. И — решил преподнести ему сюрприз: черными играть только «свои» сицилианские схемы, а белыми — вместо коронного 1.c4 перейти на 1.d4

и вести сражение в главном варианте защиты Нимцовича, прочно входившей в репертуар Карпова».

Любопытный штрих: «Полугаевский, готовясь к матчу с Карповым и просмотрев около 250 его партий, нашел немало общего у Карпова с Фишером. Оба они в дебюте играют «в прямые шахматы». Какой смысл вкладывал Полугаевский в это свое определение? И Фишер, и Карпов готовы вступить в принципиальный теоретический спор, ибо верят в правильность своей дебютной линии — они применяют обычно только тщательно продуманные и отшлифованные продолжения в заранее отработанных системах. В то же время техника Фишера и Карпова исключительно высока, и трудно найти в ней изъяны, хотя играют они, пожалуй, быстрее всех сильнейших гроссмейстеров» (Рошаль).

У Карпова также имелась своя матчевая стратегия: «По мнению Фурмана, к матчу с Полугаевским у меня уже были достаточно глубокие, хотя, может, и не слишком обширные знания в дебютах. Наш «план кампании» вкратце выглядел так: Полугаевский любит позиции счетного характера — не давать ему их получать. Узость дебютного репертуара соперника облегчала задачу».

Как итог, в этом матче — единственном из всех четвертьфиналов — дискуссия велась только в двух вариантах: популярной системы Найдорфа в «сицилианке» (6.♗e2 e5 7.♘b3 ♗e7 8.0-0 ♗e6 9.f4 ♕c7 10.a4 ♘bd7 11.♔h1) и защиты Нимцовича (4.e3

0-0 5.♗d3 c5 6.♘f3 d5 7.0-0 dc 8.♗:c4 ♘c6 9.a3 ♗a5). И хотя возникали известные миттельшпильные позиции, тяжкие раздумья соперников, порой приводившие к сомнительным решениям, начинались уже в дебюте. Что ж, дело было в докомпьютерную эпоху, когда домашний анализ раннего миттельшпиля, за редкими исключениями, носил в основном иллюстративный характер. Тем не менее эта «битва тяжеловесов» позволила по-новому взглянуть на ряд типовых позиций сицилианской защиты и явилась ценным вкладом в ее теорию.

В начале матча (Москва, январь—февраль 1974) шла трудная, равная борьба: первые три партии закончились вничью. По новым правилам ФИДЕ, принятым под влиянием Фишера, теперь играли до определенного числа побед; в четвертьфинале — до трех (но не более 16 партий).

Ботвинник: «Сначала Карпов не понял, в чем состоят слабости партнера. Но он использует одну из самых сильных сторон своей натуры — программу самообучения и перестраивается. Суть в том, что Полугаевский силен, когда он знает, что ему надо делать. Когда же план игры неясен и борьба затягивается, он играет слабее. После 4-й партии Карпов обретает уверенность».

№ 543. Сицилианская защита B92
КАРПОВ – ПОЛУГАЕВСКИЙ
Матч претендентов,
Москва (м/4) 1974
1.e4 c5 2.♘f3 d6 3.d4 cd 4. ♘:d4 ♘f6 5.♘c3 a6 6.♗e2. Из-любленный ход Карпова: «Это спокойное продолжение представляется мне одним из самых солидных возражений на систему Найдорфа. Оно требует от черных принятия за доской, как правило, самостоятельных позиционных решений. Тогда как в острых вариантах стороны долго действуют по чужим рецептам, и даже искушенному шахматисту бывает нелегко разобраться, когда кончается домашний анализ».

6...e5. В моих матчах с Карповым (1984/85, 1985) и Анандом (1995) предметом спора была только гибкая схевенингенская система, возникающая после 6...e6 (об этом — в 7-м томе).

7.♘b3 ♗e7 8.0-0 ♗e6. Несколько точнее сначала 8...0-0, и если 9.♗e3, то уже 9...♗e6!, но не 9...♕c7?! (Геллер – Фишер, Кюрасао(тп) 1962, 2-й тур). В примечаниях к этой знаменитой партии рассказано и о тонкостях всего варианта (см. № 246).

9.f4 ♕c7 10.a4. Против меня позднее применяли и 10.f5 ♗c4 11. ♗g5 (Олль, Москва(ол) 1994), и 10. ♘d5 (Ананд, Линарес 2000), и самое агрессивное 10.g4!? (Е Цзянчуань, Батуми(бш) 2001).

10...♘bd7 11.♔h1!? Новый ход Геллера. Как и во 2-й партии, белые отказываются от обычного 11.f5 ♗c4 и некогда главного, но потерявшего актуальность продолжения 12.♗e3 0-0 13.a5 b5! 14.ab ♘:b6 (№ 452), а также от неудавшейся попытки 12. a5 0-0 13.♗g5 ♖fc8 14.♗:c4 ♕:c4= (Карпов – Георгиу, Москва 1971).

11...0-0. Конечно, не 11...♖c8?! 12.f5 ♗c4 13.a5 0-0 14.♗:c4 ♕:c4 15.

♖a4! ♛c6 16.♗e3 с зажимом (Геллер — Ивков, Хилверсюм 1973), ибо при 16...b5? 17.ab под боем пешка a6.

12.♗e3. Тогда и не приходил в голову смелый выпад 12.g4!? — кажется, он впервые встретился в партии Корсунский — Каспаров (Баку 1976).

Кроме того, еще не поздно было сыграть 12.f5 ♗c4 и теперь либо 13. a5 с идеей 13...b5 14.ab ♘:b6 15.♗g5 — хотя на это неплохо 15...d5!? или, еще раньше, 13...b5!? 14.♘:b5 ab 15.♗g5 b4 16.♗d3 ♘c5 (Ивков — Мекинг, Петрополис(мз) 1973), либо 13.♗g5 ♖fc8 14.a5 h6, получая с перестановкой ходов позицию из партии Олль — Каспаров (подробнее — см. № 452, примечание к 12-му ходу).

12...ef 13.♖:f4.

13...♘e5!? Новинка. Во 2-й партии было 13...♖fe8 14.♘d4 (спорно 14.a5 ♗:b3 15.cb d5! 16.ed ♗c5! Трингов — Браун, Ницца(ол) 1974) 14...♘e5 15.♘f5 ♘g6 16.♖f1 ♗f8 17.♛d4 (рекомендовали и 17.♗d4, но после 17...♘e5 черные в порядке), и, по общему мнению, белые добились позиционного перевеса.

Однако Полугаевский, Ботвинник и другие комментаторы упустили из виду типовой контрудар 17...d5!, дававший черным хорошую игру: 18.♘:d5 (хуже 18.♘h6+ gh 19.♛:f6 ♗g7 или 19.♖:f6 de) 18...♘:d5 19.ed ♗f5 20.♖:f5 ♛e7 21.♖f3 ♘h4 22.♖h3 ♘f5 23.♛d3 g6 или 18.ed ♗:f5 19.♖:f5 ♖d6! 20.♗g5 ♗e5 21.♛c4 ♛b6 и т.д.

14.♘d4. Точнее 14.a5! (№ 545, 546), но не 14.♘d5 ♗:d5 15.ed ♘fd7 16.♖b4 ♖fe8 17.a5 ♗f6= (Хулак — Портиш, Индонезия 1983).

14...♖ad8! Замысел, связанный с оригинальной расстановкой сил. Вполне годится и стандартное 14...♖ac8, например: 15.♘f5 ♗:f5 16.ef d5! 17.♘:d5 ♘:d5 18.♛:d5 ♖fd8 19.♛e4 ♖e8 с достаточной контригрой (Р.Бирн — Портиш, Лас-Пальмас 1976).

15.♛g1?! Первое относительно долгое раздумье (10 минут) рождает не самую лучшую реакцию на новинку — Карпов сам не раз говорил о необходимости тщательно выбирать место для ферзя, а здесь добровольно ставит его в угол.

Мало обещает и 15.♘f5 ♗:f5 16. ♖:f5 ♛c8! 17.♛f1 ♛e6 18.♖d1 ♖c8 19.♗d4 ♗d8! (Адорьян — Портиш, Венгрия(ч) 1975). Целесообразнее было рекомендованное многими 15.a5 (с той же угрозой ♘:e6 и ♗b6), хотя после 15...♖d7 16.♘f5 ♗d8 17. ♘d5 ♘:d5 18.ed ♗:f5 19.♖:f5 (Ботвинник) 19...♖e8 о перевесе белых нет и речи.

15...♖d7 16.♖d1 ♖e8 17.♘f5?! (безопаснее было 17.♘:e6 fe 18.♗b6 ♛c6 19.♛e3 ♗d8=) **17...♗d8!** Это и есть расстановка, придуманная

Полугаевским: у него всё защищено, и белым не на что напасть!

18.♘d4. После 25-минутного раздумья Карпов признаёт бесполезность своего предыдущего хода. На 18.♗d4 последовало бы освобождающее 18...d5! 19.ed ♘:d5 20.♘:d5 ♗:d5 с инициативой у черных.

18...♘g6?! Упуская отличный шанс подчеркнуть неуверенную игру белых в дебюте – 18...♗с4! (Полугаевский), и после d6-d5 выясняется, что к вскрытию центра чёрные подготовлены гораздо лучше.

19.♖ff1 ♘e5 (сыграно после почти 20-минутных колебаний) **20.♗f4!?** Карпов тут же использует нерешительность партнера, открывая дорогу ферзю. Полугаевский советовал профилактическое 20.h3!? (отнимая у черных поле g4), но и здесь после 20...♕с8 или 20...♗с4 шансы сторон взаимны.

20...♕с5. Предлагая сопернику перейти в примерно равное окончание. К более сложной игре вело 20...♕а5 (Полугаевский) или 20...♗с4!?

21.♘:e6 ♕:g1+ 22.♖:g1 ♖:e6 23.♗f3. Прочно защищая слабость

на e4, даже ценой превращения слона в «большую пешку»! На 23.♖gf1!? у черных был выбор между спокойным 23...h6 и немедленной атакой пешки e4 путем 23...♘g6 (но не сразу 23...♗а5?! из-за 24.♘d5! ♘:e4? 25.b4! ♗d8 26.♗:e5 и ♗g4) 24.♗g3 ♗а5 (грозит ♗:c3) 25.♘d5 ♖:e4 26.♗d3 ♘:d5! 27.♗:e4 ♘e3, добиваясь ничьей.

23...♘eg4 24.♖gf1 ♗b6 25.♖d2 ♗e3 (удобное равенство обеспечивало и 25...♗а5!?) **26.♗:e3?** Игра с огнем! Карпов не хочет разменивать своего «тупого» слона, словно предвидя, что тот еще сможет отличиться! После 26.♗:g4 ♘:g4 27.♗:e3 ♘:e3 28.♖f3 ♘c4 29.♖d4! ♘e5 (не 29...♘:b2? 30.♘d5, и черный конь в западне) на доске устанавливался полный штиль и можно было заключать мир.

По свидетельству очевидцев, в пресс-центре многие специалисты недоумевали, почему Карпов после вяло разыгранного дебюта избегает возможностей форсировать ничью, и только хорошо знавший его Балашов невозмутимо заметил: «А зачем ему ничья? Он уже давно играет на выигрыш». Очевидно, гроссмейстер оценивал в данном случае не позицию (она теперь явно перспективнее для черных), а психологический настрой соперников.

26...♘:e3 27.♖b1 ♔f8. Быстро сделанный очевидный ход. Заслуживало внимания и более резкое 27...g5!? (Полугаевский).

28.♔g1 ♖c7 29.♔f2. Рекомендация Полугаевского 29.♖e2 ♘c4 30.♘d1 недостаточна из-за 30...d5 (Ботвинник) 31.ed ♖:e2 32.♗:e2

②:d5 или, что еще неприятнее, 30...
g5! 31.②f2 h5.

29...②c4 30.♖d3 g5! Наконец-
то решаясь проявить активность.
«Многие полагали, что большие
шансы на выигрыш черным давал
маневр ♖e5-c5. Видимо, все же после 30...♖e5 31.b3! ②a3 32.♖b2! ♖ec5
33.②e2 белые могли бы сделать ничью» (Ботвинник). То есть 33...②:c2
34.♖:d6 ♔e7 35.♖d1 и т.д.

31.h3 h5 32.②d5. Здесь Полугаевский находился уже в цейтноте
и пребывал в таком душевном состоянии, что умудрился, не подставив ни одной фигуры или пешки,
проиграть эту прекрасную позицию
за восемь ходов!

32...②:d5. Начало перелома. Черные мечтают построить крепость,
и не помышляя о победе. Сильнее
было 32...♖c5! (неплохо и 32...
♖c6!?), что, по Ботвиннику, «сохраняло некоторый перевес», а по-моему, давало шансы и на большее: 33.
②:f6?! ♖:f6 34.♔g3 (34.♔e2? ②e5)
34...h4+ 35.♔f2 ②b6! с выигрышем
пешки (Полугаевский) или 33.b4
♖c8 34.♔g1! (34.♖c3? g4-+) 34...
②e5 35.♖c3 ♖:c3 36.②:c3 ♖e8! 37.

♗e2 ♖c8 38.♖b3 ②c6!? (видимо, не
единственный путь) 39.♗d3 ②d4
40.♖a3 ②d7, и белых ждет неприятная защита.

33.♖:d5! ②e5? Первый шаг к
пропасти. После 33...f6! у черных
еще оставалось преимущество: 34.
♖:g5 (34.♔g1 ②e5) 34...②d2 35.♖e1
♖:c2 36.♔g3 h4+! 37.♔g4 ♖:b2 или
34.♔f5 ♖:f5 35.ef ②d2 36.♖d1 (36.
♖c1 ②:f3 37.♔:f3 ♖c4!) 36...②:f3
37.♔:f3 ♖:c2 38.♖:d6 ♖:b2, и белые
должны добиваться ничьей в ладейном эндшпиле без пешки (39.f6
♔e8 40.♖d5 ♖b6 41.♖:g5 ♖:f6+ 42.
♔e4 ♖g6 43.♖:h5 ♖:g2 и т.д.).

34.c3 h4. Еще одна крошечная
уступка. Удачнее 34...♖f6 (Полугаевский) 35.♔e3 g4 36.♗e2 ♔e7=.

35.♖bd1 ♔e7 36.♖1d4! Белые
максимально усиливают позицию
своих фигур, но пока еще рано говорить о каком-либо их преимуществе.

36...f6?! Запирая собственную
ладью e6, которой, конечно же, следовало оставить свободу маневра.
По мнению Ботвинника, после 36...
b6 37.♖b4 ♖c6 38.♗e2 a5! 39.♖b3
♔d8 у черных не было бы затруднений. Неплохо и 36...♖f6 (но не рекомендация Полугаевского 36...♖g6
из-за 37.♗e2!), а лучше всего было
36...♖c5! – здесь проблемы могли
быть только у белых: 37.♗e2 ♖:d5
38.♖:d5 ②d7! 39.♖:g5 ②c5, и после
40.♔g4 ②:e4+ 41.♔f3 ②d2+ 42.♔f2
②e4+ получалась ничья.

37.a5! (важное звено еще совсем
неочевидного плана Карпова) **37...
♖c6.** Ударом по воздуху было 37...
②c4?! ввиду 38.♗e2! (38...②:b2? 39.
♖b4).

38.♗e2! «Белые игнорируют возможность 38.♖b4, вызывая отступление 38...♖c7, и готовят наступление пешек ферзевого фланга» (Ботвинник).

38...♚d8. Еще один цейтнотный ход «рукой». Полугаевский, на свою беду, ведет короля на c7 для защиты пешек d6 и b7: освобождая ладью e6, он запирает другую ладью! «Путем 38...♘g6 39.♖b4 ♖c7 с дальнейшим ♖e5 черные препятствовали плану противника и консолидировали свою позицию» (Ботвинник). Приемлемо было и 38...b5!? 39.ab ♖:b6 40.b4 ♖c6, например: 41.c4 ♖c7! 42.b5 a5 или 41.♖a5 ♖:c3 42.♖:a6 c2 43.♖a7+ ♚d8 44.b5 ♘d7 45.♚e3 f5=.

39.c4 ♚c7? Роковой промах «на флажке». «Истощенный бесконечным пересчитыванием вариантов (хотя известно, что уверенности это не прибавляет), подавленный моей невозмутимостью, Полугаевский в цейтноте не только растерял всё добытое до того огромное преимущество, но и скомпрометировал позицию» (Карпов).

Путем 39...b6! (Полугаевский) 40.b4 ba 41.♖:a5 ♚c7 черные благо-

получно выходили из цейтнота, сохраняя все шансы на ничью. И даже «беспринципное» 39...♚e7 40.b4 ♖c7 41.b5 ♖c8! еще позволяло им держаться на плаву.

40.b4! ♘g6. Мгновенный ответ — последний контрольный ход! Увы, 40...b6 явно запаздывало из-за 41.b5 ab 42.cb ♖c2 43.a6 и ♖d2! Но и теперь белые создают проходную пешку и побеждают.

41.b5. «Домашний анализ отложенной позиции не принес черным ничего утешительного» (Ботвинник). На следующий день Карпов пришел на доигрывание, по словам Рошаля, «усталый и невыспавшийся, не успев за ночным анализом ни поспать, ни перекусить...» Что и говорить, знакомая картина!

41...ab (совсем плохо 41...♖c5? 42.b6+ ♚c6 43.♗d1 или 43.♗h5+–) **42.cb ♖c2 43.b6+ ♚d7.** Если 43...♚c6, то 44.♚e3 (Полугаевский), например: 44...♖:e4+ 45.♖:e4 ♚:d5 46.a6! или 44...♖c5 45.♖:c5+ dc 46.♖d8 ♘f4 47.♖c8+ ♚d7 48.♖c7+ ♚d6 49.♗g4, и занавес опускается.

44.♖d2! Ход страшной силы. Теперь главным солистом становится незаметный прежде «тупой» слон, которого Карпов уберег от размена!

Впрочем, и вариант 44.♔e3 ♘f4 45.♗b5+! ♔e7 46.a6 ♘:g2+ 47.♔f3 ♘e1+, который Полугаевский считал ничейным, после 48.♔g4! тоже приносил белым успех: 48...♖c8 49. ♖c4! ♖:c4 50.ab или 48...♔f7! 49. ♔h5! (но не 49.ab?? ♔g6! 50.♖d2 ♖:e4 #) 49...♖c8 50.♖:d6+—.

44...♖:d2 45.♖:d2 ♖e5. На 45...♖:e4 46.♗b5+ ♔c8 все указывали 47.♖c2+ ♔b8 48.a6 ba 49.♗:a6 ♖e8 50.b7 ♘e7 51.♖e2! с выигрышем коня, хотя проще 47.♖:d6.

46.a6! ♔c6 (или 46...ba 47.♗:a6 ♘e7 48.♖b2 ♘c6 49.♗b5! Полугаевский) **47.♖b2 ♘f4** (47...♖a5 48.♗c4 и ♗d5+) **48.a7 ♖a5 49.♗c4!**, и ввиду неизбежного ♖a2 черные сдались.

«Это был еще не конец — только трещина. Сломался же Полугаевский лишь на следующей партии, — вспоминает Карпов. — Играть с ним его варианты — все равно, что идти по минному полю. Но именно так я построил этот матч: когда проигрываешь на своем поле — боль сильнее. Правда, риск был огромен, но я не боялся риска».

В 5-й партии Полугаевский применил очередную новинку и быстро добился выигранной позиции. Но Карпов держался с вызывающей уверенностью, чем буквально околдовал соперника: «Полугаевский поверил в мое спокойствие... Должен сказать, что в матчах вообще — где-то с 3-й или 4-й партии — начинаешь уже как бы ощущать своего противника, его настроение и его, быть может, даже желания. Иногда угадываешь мысли, по крайней мере

направление, в котором работают эти мысли. Вероятно, и Полугаевский почувствовал, что мне уже ничего не страшно, что я уже внутренне засчитал себе ноль и потому абсолютно спокоен. Но ему-то, ему то еще надо добиваться победы, и ко мне — не правда ли, забавно звучит в такой ситуации? — вроде бы перешло психологическое преимущество. И это его убило!»

№ 544. Защита Нимцовича E56
ПОЛУГАЕВСКИЙ — КАРПОВ
Матч претендентов,
Москва (м/5) 1974

1.d4 ♘f6 2.c4 e6 3.♘c3 ♗b4 4.e3 0-0 5.♗d3 c5 6.♘f3 d5 7.0-0 dc 8.♗:c4 ♘c6 9.a3 ♗a5. Редкий план (по сравнению с 9...♗:c3 10.bc ♕c7), ранее уже применявшийся Карповым, а еще до этого — самим Полугаевским и Ларсеном. Черные хотят сохранить слона или разменять его в более благоприятной обстановке.

10.♗a2. К тому времени уже вышел из моды основной ход 60-х 10.♕d3. В 1-й партии было 10.♗d3 cd 11.ed ♗b6 12.♗e3 ♘d5, и здесь белые применили домашнюю заготовку, высоко оцененную Ботвинником: 13.♗g5!? (вместо 13.♘:d5 ed 14.h3 ♘e7 15.♗g5 f6 16.♗d2 ♗f5= Глигорич — Карпов, Гастингс 1971/ 72) 13...f6 14.♗e3! ♘ce7 15.♕c2 ♘:e3 16.fe g6 17.♗c4 (17.♘a4!?) 17... ♘f5 18.♖fe1 ♗g7 19.♖ad1 с перевесом. Но затем Полугаевский нашел за черных какое-то уточнение и стал играть 10.♗a2.

10...a6?! Карпов повторяет свою недавнюю партию с Таймановым, действуя по принципу «от добра добра не ищут». Но смысловая нагрузка этого хода неясна: ♘b5 — не угроза, а потеря времени на подготовку b7-b5 выглядит слишком большой роскошью.

В 7-й партии было 10...♗b6 11.dc ♗:c5 12.b4 ♗d6 13.♗b2 ♕e7 14.♕c2 ♗d7 15.♖fd1?! ♘e5! 16.♘g5 ♖ac8 17.f4 ♘g6=, но ходом 15.♘e4! (Полугаевский) белые могли сохранить перевес. Другие известные попытки уравнения — 10...cd 11.ed ♗b6 12.♗e3 ♘d5 (Тайманов — Парма, Тбилиси 1973) или 10...♕e7 11.♕c2 cd 12.ed ♖d8 (Доннер — Унцикер, Бад-Айблинг 1974).

11.♗b1! Новинка! Слабее 11. ♘e2 cd 12.♘e:d4 ♘:d4 13.♘:d4 ♗c7 14.♗d2 ♗d6 15.♖c1 ♗d7 16.♗b1 ♖c8 = (Тайманов — Карпов, СССР(ч) 1973) или 11.♘a4 cd 12.ed h6! 13.♗f4 ♗c7 14.♗:c7 ♕:c7 15.♕e2 ♖d8 16.♖fd1 ♗d7 17.♖ac1 ♗e8= (3-я партия).

Комментарий Полугаевского 1981 года: «Когда в 3-й партии черные легко получили равную игру, я задумался: а стоит ли вновь и вновь идти на один и тот же вариант? Стоит ли «терять» белый цвет ради теоретического спора? Но все же чувствовалось — истина где-то рядом! И вдруг количество перешло в качество — многие часы анализа позволили нащупать правильный порядок ходов и нанести серьезный удар по системе, которую избирал в матче Карпов и которую постоянно играл... я сам. Ходом в партии можно гордиться. Вопреки, казалось бы, незыблемым законам шахмат белые в дебюте трижды ходят слоном и (неразвитые!) получают едва ли не выигранную позицию».

11...♗b6. Всего семь минут, затраченных Карповым на обдумывание, говорят о его сугубо практическом подходе к решению неожиданных дебютных проблем. На 11...b5?! неприятно простое 12.dc, но заслуживало внимания 11...♕e7.

Через 16 лет Карпов объяснил психологическую подоплеку своих 11-го и 12-го ходов: «Я опять попал на домашнюю заготовку, да такую великолепную, что, когда соперник сделал этот ход, я мгновенно понял: это конец, партию мне не спасти. Даже не успев взволноваться, не успев пережить эту ситуацию, я сразу оказался по ту сторону черты. А коли так — стоит ли переживать? Ведь это уже случилось и ничего не изменишь; как говорится — слезами горю не поможешь. И я настроился на философский лад. Сдаваться, разумеется, мне и в голову не пришло. Я игрок, и пока у меня есть хоть один шанс, я борюсь. Пусть, думаю, покажет, как он это делает».

Удивительно, что даже многие годы спустя оба соперника считали позицию белых после 11.♗b1 почти выигранной! Хотя и без компьютера, опираясь только на здравый смысл и несложный анализ, можно установить, что ресурсы обороны черных еще весьма велики.

12.♕c2. «Прямолинейно и очень сильно!» (Полугаевский). Неплохо и 12.dc ♗:c5 13.b4 и ♗b2 (как в 7-й партии — см. примечание к 10-му ходу черных) с небольшим, но порой очень длительным перевесом белых, характерным для подобных симметричных структур.

12...g6? Гибельное ослабление большой диагонали. «Не решает проблем защиты, но что делать?» — пишет Полугаевский, приводя 12... cd 13.ed ♘d4 *(? — Г.К.)* 14.♘:d4 ♕:d4 15.♗e3 ♕d6 16.♗g5 ♖d8 (Ботвинник) 17.♗:f6! с грозной атакой (на 17...gf силен «промежуток» 18.♖d1!).

Но соперники переоценили достоинства позиции белых — после 13...h6! черные могли успешно обороняться, например: 14.♖d1 (14. ♗e3 ♘e7 или даже 14...♘:d4!?) 14... ♕c7 (14...♘e7!?) 15.♘e4 (15.d5 ♘e5!) 15...♘:e4 16.♕:e4 f5 17.♕c2 (17.♕h4 ♕e7) 17...♗d7 и т.д.

13.dc ♗:c5 14.b4 ♗e7 (в пользу белых и 14...♗d6 15.♖d1 ♕e7 16. ♗b2) **15.♗b2 e5.** «Быть может, лучший практический шанс (15...b6? 16.♘e4). У черных нет удобных полей для белопольного слона и для ферзя» (Полугаевский).

16.♖d1 ♕e8. На 16...♕c7 Ботвинник и Полугаевский рекомендовали 17.♗a2 ♗g4 18.♘d5 ♘:d5 19.♗:d5 ♖ac8 20.♕e4 «с сильнейшим давлением» и «решающим перевесом белых», вероятно, имея в виду 20...♗f5 21.♕c4 ♕b6 22.♕b3. Может быть, еще лучше 20.h3! ♗:f3 (20...♗f5? 21.e4) 21.♗:f3 с явным

преимуществом. А кроме того — 17.e4!? и ♘d5!

17.b5. «Возможен был и позиционный путь — 17.h3, ♗a2 и т.д. Но я был уверен, что позиция созрела для более активных действий» (Полугаевский).

17...ab 18.♘:b5 ♗f5 19.♕e2.

19...♗:b1. Отдавая качество без какой-либо компенсации. Увы, плохо как 19...♕b8 20.♗:f5 gf 21. ♘h4 ♕c8 22.♕f3, так и 19...e4 20. ♘h4 ♖d8 21.♖:d8 ♕:d8 22.♘:f5 gf 23. ♗a2 с сильной атакой или 20...♗g4 21.f3 ef 22.gf ♗h5 23.♘c7 ♕c8 24. ♘:a8 ♕h3 25.♕f2! (с идеей ♕g3; достаточно и 25.♘b6 ♕:h4 26.♘d5 Ботвинник, Полугаевский) 25... ♗g4 26.♕g3 ♕:h4 27.♕:h4 ♗:h4 28.fg ♗:g4 29.♖c1! ♗g5 (29...♖a3 30.♖c4 h5 31.h3) 30.♘c7 ♗:e3+ 31. ♔f1 ♗:c1 32.♗:c1 с решающим материальным перевесом.

20.♘c7 ♕b8 21.♘:a8 ♗f5 (еще хуже 21...e4? 22.♖a:b1 ef 23.♕:f3, и под боем конь f6) **22.♘b6 e4.** В отчаянном положении Карпов стремится максимально обострить игру, даже ценой новых уступок. Он открывает диагональ белому слону,

Сравняв счет на финише матча в Багио (1978), Виктор Корчной едва не стал чемпионом мира

Филиппинский марафон оказался для Карпова невероятно тяжелым испытанием

Босс советской делегации полковник Батуринский в отличном настроении: после 17-й партии счет стал 4:1 в пользу Карпова

25 июля 1978. В честь второй годовщины бегства из СССР администрация отеля, где жил Корчной, преподнесла ему огромный «шахматный» торт

Праздничный торт
по случаю очередной
победы чемпиона:
пресс-атташе Рошаль,
Карпов, полковник
Эдмондсон и д-р Зухарь

Вторая половина матча.
Йоги Дада и Диди учат
Корчного своему искусству

Мерано, 1981. «Легких матчей на первенство мира не бывает» (Карпов)

«Я пережил Москву, пережил Багио, но Мерано пережить не смог. Потому и дал себе слово тогда — никогда больше не играть с Карповым матч» (Корчной)

«Это были лучшие годы Корчного, но я рос быстрее, чем он креп» (Карпов)

В Мерано «второго Багио» не получилось — Карпов выиграл со счетом 6:2

С.-Петербург, 1997.
«В 84-м Корчной играл очень хорошо, сейчас он играет еще лучше, что же будет в 2010-м?!»
(Свидлер)

В 1999 году Корчной «окончательно выяснил отношения» со Спасским, победив его в темпоматче со счетом 6:4

Глубокий, вкрадчивый стиль, тонкое позиционное чутье, необычайная
устойчивость, практичность и гибкость стремительно вознесли
Анатолия Карпова к самой вершине шахматного Олимпа

«Сенсацией юношеского первенства РСФСР явился блестящий результат 10-летнего Толи Карпова из уральского города Златоуста — 6 очков из 8» (журнал «Советский Союз», 1961)

Встреча с гроссмейстером Семеном Фурманом стала для Карпова поистине судьбоносной

«Когда я начал заниматься с Карповым, то сразу понял, что он очень способный шахматист с большими перспективами» (Фурман)

Интервью Александру Рошалю после своей первой олимпиады (1972). Слева — Кубок Гамильтона-Рассела

После успеха Анатолия на мемориале Алехина (1971) Ботвинник сказал: «Запомните этот день — в нашей стране появилась новая шахматная звезда первой величины»

Мадрид, 1973. Поединок с одной из шахматных надежд Запада — шведом Ульфом Андерссоном

KARPOV ANDERSSON

Москва, 1974. Четвертьфинальный матч претендентов
Карпов – Полугаевский. 3:0!

Именно с победы в полуфинальном матче над Спасским (1974),
а не с апреля 1975 года началась эпоха Анатолия Карпова

Со своим многолетним другом и помощником Юрием Балашовым
Карпов познакомился еще на школе Ботвинника (1963)

Ефим Геллер и Игорь Зайцев щедро делились с 12-м чемпионом мира
своими дебютными находками

Март 1975. На олимпийской базе в Новогорске Петросян и Таль готовят Карпова к несостоявшемуся матчу с Фишером

Юрий Разуваев прошел с Анатолием весь претендентский цикл 1974 года

Москва, 24 апреля 1975.
Президент ФИДЕ
Макс Эйве увенчал
нового чемпиона
лавровым венком

С одним из своих девяти
шахматных «Оскаров»

дает фигурам соперника опорный пункт в центре — всё это ради ослабления пешечного прикрытия вражеского короля. Еще совсем не ясно, как это ослабление будет использовано, но какая-то зацепка для создания контригры уже есть!

23.♘d4 ♘:d4 24.♗:d4 ♗g4 25.f3 (без этого не обойтись) **25... ef 26.gf ♗e6.** По мнению Полугаевского, «быть может, стоило отступить 26...♗h5 и держать на прицеле пешку f3», однако это допускало 27.♗:f6 ♗:f6 28.♘d7+–.

27.♖ac1 (еще сильнее сразу 27. ♕b2! Ботвинник) **27...♖d8 28. ♕b2! ♘e8.** Интересен рассказ Таля, появившегося в эту минуту в зале: «Первое, что бросилось в глаза (позиции я еще не видел): Карпов спокойными шагами меряет сцену от одного конца до другого. Его соперник сидит, обхватив голову руками, и просто физически ощутимо было, как ему тяжело. «Вроде бы всё ясно, — подумал я, — дела Полугаевского плохи». Но демонстрационная доска показывала совсем не то! У белых чистое лишнее качество — о таких позициях принято говорить: остальное — дело техники. Кто знает, возможно, уверенность Карпова, его привычка сохранять спокойствие в самых отчаянных ситуациях передались партнеру и вызвали у Полугаевского повышенную нервозность».

Зрители видели, что Анатолий даже слегка улыбается. «Честно признаюсь: это не было продуманным спектаклем, как-то само так получилось, — сказал он годы спустя. — И именно естественная безмятежность моего поведения сразила Полугаевского. Он же видит, что на доске мне крышка, но если при этом я так спокоен и так легко играю! Значит, я вижу что-то такое, чего не видит он... На него было жалко смотреть. Снова и снова он пересчитывал варианты — и не мог понять, как я спасаюсь. Еще бы! — ведь он искал то, чего не было...»

29.♗e5 ♗d6. Выскочить ферзем из угла пока не удается: на 29...♕a7 решало и «холодное» 30.a4 ♕a5 31. ♕b5, и «горячее» 30.♕b5!? ♘g7 31. ♖:d8+ ♗:d8 32.♗d4 (и если 32... ♕:a3, то 33.♖a1).

30.♗:d6 (очень сильно было парализующее 30.♕d4!, и вновь плохо 30...♕a7, на сей раз из-за 31.♗:d6 ♖:d6 32.♘c8) **30...♖:d6.**

31.♕b4?! Как справедливо отметил Ботвинник, не один путь вел здесь к победе. В первую очередь все указывали 31.♕b5 (отбирая у черного ферзя важное поле g5) 31... ♕d8 32.♖:d6 ♘:d6 33.♖d1 ♕c7 34. ♕e5 или 31.♖:d6 ♕:d6 32.a4 — по Ботвиннику, «пешку «a» необходимо сохранить», но еще лучше 32. ♕d4!, так как плохо 32...♕:a3 ввиду 33.♖a1 ♕b3 34.♖a8+–.

31...♕d8! Черный ферзь неожиданно активизируется, и белым, по сути дела, надо выигрывать партию заново. Учитывая досаду от допущенной оплошности и усталость, накопившуюся к пятому часу игры, перестроиться на такую работу совсем не просто.

32.♖:d6 ♘:d6 33.♖d1 ♕g5+ 34.♔f2 ♘f5 35.♕f4 ♕f6 36.♘a4. «В цейтноте белые делают первый правильный шаг по намеченному пути, а ошибаются потом» (Полугаевский). При 36.♘d7? ♕b2+ 37. ♔g1 ♗:d7 38.♖:d7 ♕e2! черные легко добивались ничьей.

Альтернативой было 36.♘c4 ♗:c4 37.♕:c4, и если 37...♕e5, то 38.♕f4 ♕b2+ 39.♔e1 ♕:a3 40.e4, практически вынуждая 40...♕c3+ 41.♕d2 ♕:f3 42.ef ♕h1+ 43.♔e2 ♕:h2+ 44. ♔d3 ♕h3+ 45.♔c4 ♕:f5 46.♕d8+ ♔g7 47.♕d4+, и белые должны выиграть. Ботвинник, Таль и Полугаевский указывали 37...♕b2+ 38. ♕e2 ♕:a3, считая эту позицию ничейной. Однако, на мой взгляд, белые в состоянии постепенно реализовать лишнее качество: 39.♕d3 ♕c5 40.♔e2 и далее e3-e4 или 39... ♕b2+ 40.♖d2 ♕e5 41.f4 и т.д.

36...♗b3! 37.♖d2? «Шансы на успех давал указанный Фурманом ход 37.♖e1. Белые защищали таким образом важный пункт e3 и могли надеяться на постепенную реализацию материального перевеса» (Полугаевский). Еще техничнее было 37.♖d3!, и после 37...♗:a4 (37...♗c2 38.♖d2) 38.♕:a4 ♕b2+ 39.♔g1 ♕c1+ 40.♕d1 или 39...h5 40.♕b3 задача белых заметно упрощалась.

37...g5! «Карпов хладнокровно и искусно выискивает все мыслимые шансы для контригры. Белые же явно потеряли душевное равновесие» (Полугаевский).

38.♕b8+. «После 38.♕e4 ♗:a4 39.♕:a4 ♕e5 активность ферзя черных возрастала, и они выигрывали пешку» (Ботвинник).

38...♔g7 39.♘b2. Перед самым контролем ситуация резко обострилась. «Активное» 39.♘c5?! слабо из-за 39...♕c3! 40.♘:b3 ♕e3+ 41.♔f1 ♕:f3+ 42.♔g1 ♕:b3 (42...♕e3+!?) 43.♕e5+ ♔g6, и белые добиваются лишь ничьей.

39...♗d5! При 39...♕e7 40.♖e2 инициатива могла испариться.

40.♘d3?! Контрольным ходом белые упускают остатки былого перевеса. В своих комментариях Полугаевский рекомендует 40.♘d1 с идеей 40...♘h4 (Ботвинник) 41.f4!, и черные проигрывают (41...♗c6 42. ♕d8), и указывает 40...♘:e3! – единственный ход, ведущий к ничьей, который Карпову пришлось бы найти за доской!

При этом он добавляет: «Не годилось, конечно, 40.f4 из-за 40...

②d6!» Но это острое продолжение было тоже опасным для черных и вынуждало их продемонстрировать точный домашний анализ! После 41.♖:d5 ♕:b2+ 42.♔g3 ②e4+ 43.♔f3 ②d2+ 44.♔g4! надо играть только 44...h5+! 45.♔:h5 ②e4!, например: 46.fg ♕e2+ 47.♔h4 ♕f2+ 48.♔g4 ♕g2+ 49.♔f5 ♕:g5+! 50.♔:e4 ♕g2+ с бесконечной погоней за королем или 46.♖:g5+ ②:g5 47.fg (47.♔:g5 ♕g2+ 48.♔f5 ♕g6+ и т.д.) 47... ♕e2+ 48.♔h4 ♕:e3 49.♕g3 ♕e4+ 50.♕g4 ♕e1+ 51.♔h5 ♕e8 52.♕d4+ f6+ 53.♔g4 ♕e2+, спасая ферзевый эндшпиль без пешки.

40...②d6! 41.②f4! Записанный ход — единственная защита, форсирующая ничью. Доигрывание было недолгим.

41...gf 42.♖:d5 ♕b2+ (не лучше 42...fe+ 43.♔:e3 ♕e6+ 44.♔d4) **43.♔f1! fe 44.♖g5+!** Ничья ввиду 44...♔h6 45.♕:d6+ ♔:g5 46. ♕e7+, забирая пешку e3.

«Ничья, равная катастрофе: Полугаевский понял, что он не сможет у меня выиграть никакой позиции», — резюмирует Карпов. «По сути, именно эта партия оказалась последней в матче, — вторит ему Таль. — Дальше игра шла в одни ворота. Карпов находился на большом подъеме, а Полугаевский не смог прийти в себя после потрясений в 4-й и 5-й партиях». В них он не реализовал свое превосходство в дебютной подготовке, так как уступал сопернику в дальнейшей борьбе...

На 6-ю партию Полугаевский вышел в расстроенных чувствах. Ему не давала покоя мысль о невезении и несправедливости судьбы: вместо

верных полутора очков — только половинка, вместо лидерства в матче — роль догоняющего. В этот момент — всего-то пять сыгранных партий! — ему, как и многим другим специалистам, еще трудно было до конца осознать, с какой огромной силой он столкнулся.

№ 545. Сицилианская защита B92
КАРПОВ — ПОЛУГАЕВСКИЙ
Матч претендентов,
Москва (м/6) 1974

1.e4 c5 2.②f3 d6 3.d4 cd 4.②:d4 ②f6 5.②c3 a6 6.♗e2 e5 7.②b3 ♗e7 8.0-0 ♗e6 9.f4 ♕c7 10.a4 ②bd7 11.♔h1!? 0-0 12.♗e3 ef 13.♖:f4 ②e5 14.a5! Важное усиление (в 4-й партии было 14.②d4 — № 543). Белые сразу фиксируют неприятельский ферзевый фланг и освобождают поле a4, через которое может войти в игру ладья a1.

14...②fd7 (потом играли только 14...♖ac8 или 14...♖fe8 — № 546) **15.♖f1 ♗f6?!** Недооценивая роль форпоста белых на d5, расположенного на чужой территории и потому требующего особого контроля. Надежнее 15...♖ac8 или 15...♖fe8, не опасаясь маневра ②d4-f5.

16.♘d5! ♗:d5 17.♕:d5! Внезапное обострение борьбы — интуитивная жертва двух пешек! Поясняя это неординарное решение в комментариях 1978 года, Карпов раскрывает особенности своего стиля:

«Иногда меня упрекают в сухости, рациональности, расчетливости. Да, я практичен, и моя игра во многом основана на технике. Я стараюсь играть в «правильные» шахматы и никогда не рискую так, как, скажем, Ларсен. Белыми, как и все, стремлюсь к преимуществу с первых же ходов, ну а черными пытаюсь сначала уравнять позицию. Но из нескольких возможных решений я выбираю отнюдь не самое простое, а самое целесообразное. Если имеется несколько равноценных продолжений, то выбор во многом зависит от моих соперников. Например, с Талем я предпочитаю идти на простые позиции, не соответствующие его творческим вкусам, а с Петросяном пытаюсь затеять игру посложнее. Но если я вижу единственно правильный путь, то, кто бы против меня ни играл, я иду только по этому пути. Впрочем, я чувствую, что в последнее время мой стиль претерпевает некоторые изменения.

Вернемся к партии. Жертва двух пешек, которую я предложил Полугаевскому, прежде мне бы, наверное, не пришла в голову. Все думали, что это домашняя заготовка. Но, «видит бог», это чистая импровизация за доской. Мне и сейчас кажется «страшным» мое решение. Но при спокойном 17.ed ♘c4

18.♗:c4 ♕:c4 о дебютном преимуществе белым остается только мечтать».

17...♕:c2! Принимая вызов! Полугаевский раздумывал здесь больше часа: а вдруг у белых есть заготовленный дома форсированный выигрыш?! По мнению Карпова, «в случае отказа принять жертву черные оказывались под тяжелым позиционным прессом». По-моему, при 17...♘c6 18.c3 ♗e5 у них всего лишь несколько худшая позиция, но — что гораздо важнее — Полугаевский, скорее всего, не верил, что сможет ее защитить против Карпова!

18.♘d4 ♕:b2 (опасно 18...♕c5?! 19.♘f5!) **19.♖ab1 ♕c3 20.♘f5 ♕c2!** Лучшая защита. При 20...♘c5 21.♗d4 ♕c2 22.♘:d6 ♕:e2 23.♗:e5 ♘d7 (23...♗:e5? 24.♘:f7!) 24.♗g3 доминация белых распространялась почти на всю доску.

21.♖be1?! Этот ход отнял у Карпова 20 минут, но... «Неточность: теперь у черных находится защита. После 21.♖fe1 белые получали большой перевес». Да, расстановка ладей — одна из коварнейших дебютно-миттельшпильных проблем! И в данном случае имело смысл оставить ладью на линии «b», сохраняя угрозу ее вторжения на b7. Однако большой ли у белых перевес после 21.䓟fe1 — еще вопрос:

1) 21...䓟fd8 22.⌂:d6 ⌂b8!? (прямого опровержения этого маневра не видно) 23.䓟:b7 ⌂bc6 24.⌂b6 ⌂e7 25.⌂:d8 䓟:d8 26.䓟:e7 ⌂:e7 27.♛:e5 ♛d2 28.䓟b1 ⌂g6! 29.♛h5 (29.♛d5 䓟:d6 30.♛:d2 䓟:d2 31.⌂:a6 䓟a2=) 29...♛:d6 30.䓟d1 ♛f6 31.䓟:d8+ ♛:d8 32.♛d5 ♛b8 33.g3 ⌂e7 с шансами на ничью;

2) 21...⌂c5 22.⌂:d6 ⌂cd3 23.⌂:d3 ⌂:d3 24.䓟ed1, и здесь Карпов смотрит лишь 24...♛f2+? 25.⌂:f2 ♛:f2 26.e5+− или 24...♛e5 25.⌂:b7 (на мой взгляд, сильнее 25.⌂d4 или 25.䓟:b7 䓟ab8 26.䓟b6!), хотя возможно и 24...⌂b2!? с хорошими шансами устоять после 25.䓟dc1 ♛d3 26.♛:d3 ⌂:d3 27.䓟d1 ⌂e5 или 25.䓟f1 ♛d3 26.♛:d3 ⌂:d3 27.䓟:b7 䓟fb8! и т.д.

21...⌂c5?! Напрашивающийся ход, но... теперь черные балансируют над пропастью! Странно, что Карпов его никак не комментирует: ведь Ботвинник еще в 1975 году указал, что «черные могли немедленно мобилизовать ферзевую ладью путем 21...ad8! и в случае 22.⌂:d6 *(22. ♛:b7?! ⌂c5! — Г.К.)* 22...⌂b8 консолидировать позицию своих фигур». После 23.♛c5 ♛a4! это и впрямь открывало им ясный путь к уравнению:

1) 24.䓟a1 ♛b3 25.䓟fb1 (25.䓟ab1 ♛a2) 25...⌂bd7! (вынуждая размен ферзей) 26.䓟:b3 ⌂:c5 27.⌂:c5 ⌂d7! 28.⌂b6 (или 28.⌂:f7 ⌂:c5 с равен-

ством) 28...⌂:a1 29.♛:d8 ⌂c5 30.䓟b6 䓟:d8 31.⌂:b7 ⌂:b7 32.䓟:b7 ⌂c3, и ничья;

2) 24.⌂:b7 ⌂d3 25.⌂:d3 ♛:d3 26.䓟:f6 (или 26.♛f5 ♛d7 27.⌂c5 ⌂:c5 28.⌂:c5 䓟e8 29.e5 䓟d5 и т.д.) 26...gf (годится и 26...⌂d7 27.⌂c6 䓟e3!) 27.⌂h6 䓟e8 28.♛f5 ♛d1 29.♛f1 ♛:e1 30.♛:e1 䓟:e4 31.♛c1 (31.♛g1? 䓟ed4) 31...䓟c4! с эффектной ничьей.

22.⌂:d6 ⌂cd3 23.⌂:d3 ⌂:d3. «Единственный ход! После 23...♛:d3? 24.⌂d4 с угрозой 䓟d1 позиция черных становилась критической» (Ботвинник). Например: 24...⌂g4 25.䓟d1 ♛e2 26.e5! с классической катастрофой на пункте f7.

24.䓟d1 ⌂b4 25.♛:b7?! Карпов спешит побыстрее отыграть материал, хотя 25.♛h5! (на ход Ботвинника 25.♛f5 неплохо 25...⌂c6) «создавало угрозу 26.䓟:f6 gf 27.♛g4+ ♛h8 28.⌂h6, отразить которую было бы непросто — 25...g6 26.♛c5».

Конечно, после 26...♛:c5 27.⌂:c5 защита черных трудна, однако похоже, что у них есть спасительная перестройка — 27...⌂c3! 28.⌂:b7 䓟fe8 29.⌂f3 ⌂a2 30.⌂d6 䓟e5 с шансами на уравнение или 28.䓟f3 ⌂a2 29.䓟b1 (29.䓟df1 ⌂b4! 30.⌂:b7 ⌂:c5 31.⌂:c5 䓟a7 32.e5 䓟c8=) 29...⌂e5! 30.g4 (на 30.䓟:b7 форсирует ничью 30...䓟fd8) 30...⌂c3 31.䓟:b7 (31.䓟bf1!?) 31...䓟fb8! 32.䓟f:f7 (не лучше 32.䓟e7 䓟b1+ 33.♛g2 䓟b2+) 32...䓟:b7 33.䓟:b7 ⌂:d6 34.⌂:d6 ⌂:e4 35.⌂e5 ⌂f2+ 36.♛g2 ⌂:g4 37.䓟g7+ ♛f8 38.䓟:h7 䓟d8, все-таки добиваясь ничьей.

25...䓟ab8 26.♛a7.

26...♕c6? Полугаевский не выдерживает напряжения борьбы и допускает решающую ошибку. «Определенную контригру давало черным 26...♕e2, хотя и здесь после 27.♗b6 преимущество на стороне белых» (Карпов). Спорное утверждение: 27...♘d3! 28.♘f5 ♘f4 29.♘e3 ♗e5, и преимущества не видно.

Гораздо неприятнее для черных 27.♖de1!? На это Ботвинник рекомендовал 27...♕h5 *(? – Г.К.)* 28.♖f5 ♕g4 «с защитимой позицией», однако здесь сильно 29.е5! А еще лучше 28.♖:f6! gf 29.♘f5 с неотразимой атакой: 29...♖b5 30.♗h6! или 29...♖fe8 30.♕c7! и т.д.

Куда же отступать ферзем? На 27...♕g4?! возможно и спокойное 28.h3 ♕e6 29.♖d1, и острое 28.♖:f6!? gf 29.♘f5 ♕e4 30.♘e7+ ♔h8 31.♗d2 с инициативой у белых. Опасно 27...♕a2? из-за той же тематической жертвы 28.♖:f6! gf 29.♘f5, и у черных вряд ли есть удовлетворительная защита: плохо 29...♘d3 30.♕:a6 ♖b1 из-за 31.♘e7+ ♔g7 32.♗h6+!! с разгромом; если 29...♘c6, то 30.♕:a6 ♕:a5 31.♕f1! с решающими угрозами, а на 29...♕:a5 имеется тихий ход убийст-

венной силы 30.♖f1!! (30...♘c6 31.♕d7 и т.д.).

Похоже, равные шансы сохраняло только 27...♕b2! (защита от ♖:f6!), например: 28.♘c4 (ничего не дает 28.♖b1 ♕e2 или 28.♖f2 ♕e5 29.♗f4 ♕d4) 28...♕a2 29.е5 ♘c2!, и черные в порядке.

27.♗f4! Типичный карповский ход, лишающий партнера даже намека на контригру: «Угроза e4-e5 сковывает действия черных, а конь на b4 находится вне игры». Решало и острое 27.♖:f6! gf 28.♗h6 с угрозой ♕e3, например: 28...♕c2 (28...♘d3 29.♗:f8) 29.♖c1 ♕d3? 30.♕d7! ♕e2 31.♕h3 или 29...♕e2 30.♕d4 ♘d3 31.♕:f6 ♕b2 32.♗g5+ ♔h8 33.♕g3! и т.д. В пресс-центре эту жертву качества горячо отстаивал Фурман, но, увидев ход Анатолия, он сказал: «И так тоже хорошо».

27...♖a8 28.♕f2 ♖ad8 (если 28...♕c3, то 29.♕e2!) **29.♕g3!** «Угроза сильнее ее исполнения! Парадоксально, но часто именно так и бывает. Белые не торопятся с продвижением e4-e5 и наращивают давление» (Карпов).

29...♕c3. «У черных нет удовлетворительной защиты: Карпову удалось реализовать свой наиболее эффективный прием ведения шахматного боя – доминацию. При материальном равенстве белые фигуры занимают прочные позиции и владеют важнейшими полями доски. Фигуры же черных являются лишь удобным объектом для атаки. Белым остается только сконцентрировать свои силы для нанесения решающего удара на королевском фланге» (Ботвинник).

30.♘f3 ♕c2 31.♖df1 ♗d4 32. ♗h6 (несложная, но эффектная концовка; выигрывало и 32.♘f5 ♕:e4 33.♗d6) **32...♘c6.**

33.♘f5. Продолжение 33.♘:f7 ♕c4 вовсе не «осложняло игру», как пишет Карпов, а было вторым путём к победе: после 34.♗:g7! чёрным во избежание красивого мата пришлось бы расстаться сначала с ферзём — 34...♕:f1+ 35.♖:f1 ♗:g7 36. ♕b3!, затем с ладьёй — 36...♖:f7 (36... ♘d4 37.♘h6++ ♔h8 38.♕g8+! и ♘f7#) 37.♕:f7+ ♔h8, а после 38. ♕c7! — и с конём!

33...♕b2. Или 33...♘e5 34.♗:g7! ♗:g3 35.♖:g3 (Карпов) 35...h5 36. ♗f6+ ♔h7 37.♖g7+ ♔h8 38.♖:f7+ ♔g8 39.♘h6# (Ботвинник).

34.♗c1! ♕b5 35.♘h6+ ♔h8 36.♘:f7+ (ко всем бедам, чёрным надо ещё и отдавать материал) **36... ♖:f7 37.♖:f7 ♗f6 38.♕f2 ♔g8 39.♖:f6 gf 40.♕:f6.** Чёрные сдались. Лучшая партия матча.

Счёт стал 2:0 при четырёх ничьих. Карпову оставалось одержать всего одну победу. И, пожалуй, он мог сделать это уже в 7-й партии. Полугаевский играл очень нервно: сна-

чала упустил полученный было дебютный перевес, затем вдруг бросился в необоснованную атаку на королевском фланге, что привело лишь к созданию слабостей в собственном лагере. На 25-м ходу Карпов мог с выгодой вскрыть игру в центре и добиться заметного преимущества... Но, по словам Таля, «похоже, он решил не отступать от намеченной программы, в которой оптимальным результатом «чёрных» партий была ничья».

Матч завершила 8-я партия. В сущности это было уже добивание тяжелораненого Льва...

№ 546. Сицилианская защита В92
КАРПОВ — ПОЛУГАЕВСКИЙ
Матч претендентов,
Москва (м/8) 1974

1.e4 c5 2.♘f3 d6 3.d4 cd 4. ♘:d4 ♘f6 5.♘c3 a6 6.♗e2 e5 7. ♘b3 ♗e7 8.0-0 ♗e6 9.f4 ♕c7 10.a4 ♘bd7 11.♔h1 0-0 12. ♗e3 ef 13.♖:f4 ♘e5 14.a5! (14. ♘d4 — № 543) **14...♖fe8.** Ещё один плод текущего ремонта (14...♘fd7 — № 545).

Потом перешли к стандартному сицилианскому ходу 14...♖ac8, подготавливая ♘fd7 (теперь это неопасно, ибо нет выпада ♘d5) и препятствуя ♖a1-a4-d4, например: 15.♖a4 (15.♗b6 ♕d7 16.♖a4? ♖:c3) 15... ♘fd7! (с угрозой ♗g5) 16.♖f1 ♘c4 17. ♗:c4 ♗:c4 18.♖f2 ♗f6 19.♗d4 ♖fe8= (Карпов — Браун, Манила 1976). Лучше 15.♘d4, но и здесь после 15... ♘fd7 белым трудно добиться осязаемого перевеса: 16.♖f1 ♖fe8 17.♘f5 ♗f8 18.♕e1 ♔h8 19.♕g3 g6 (Таль — К.Григорян, СССР(ч) 1974), 16.♕e1

♖fe8 17.♕g3 ♘g6 18.♖ff1 ♗f6 (Цешковский — Балашов, Вильнюс(зт) 1975) или 16.♕d2 ♖fe8 17.♘f5 ♗f8 18.♖f2 ♔h8 и g7-g6 (Матанович — Полугаевский, Москва 1977).

15.♗b6 (15.♘d4!? Цешковский — Полугаевский, Сочи 1974) **15... ♕d7** (возможно и 15...♕c8 с идеей ♘fd7) **16.♖a4 ♖ac8!** Хороший ход, однако сделанный после 45-минутного раздумья, что говорит о неуверенности Полугаевского. Неуклюжее 16...♘c6 (Ботвинник, Карпов) черным ни к чему.

17.♖d4. Маневр, который по горячим следам сочли опасным для черных. Но так ли это на самом деле?

17...♕c6. Комментируя партию в «Информаторе», Полугаевский предложил здесь 17...♖:c3! 18.bc ♕c6! «с неясной игрой». Карпов возражает: «Однако в пользу белых говорит уже одно то обстоятельство, что черные должны идти на спорную жертву качества, стремясь получить взамен неясную позиционную компенсацию».

Использование чистой логики при оценке позиции, конечно, небесполезно. Но при учете конкретных факторов можно заметить, что у черных как раз очень ясная компенсация за качество: их бастионы в центре сильны, а белые пешки разбиты и являются объектами атаки. Грозит ♕:c3, и надо играть 19.♕e1 (19.c4 ♘fd7!), но после 19... d5! 20.♖d1 (20.♕g3 ♘g6) 20...♘:e3 черным нечего опасаться, например: 21.c4 ♘:c4 22.♘d4 ♕c8 23. ♘:e6 fe 24.♗d3 ♘:b6 25.♗:e4 de 26. ab e3=.

18.♖d2. Карпов доволен своей позицией: «Итак, белые перестроились и хотят осуществить традиционный для этого варианта перевод ♘b3-d4-f5. В распоряжении же соперника не видно активного плана» (обычно связанного с ♘fd7). Но никакой беды еще нет!

18...♗:b3. «Спеша уничтожить перспективного коня. На 18...♘g6 последовало бы 19.♘d4» (Карпов). Полугаевский тоже оценивал этот вариант в пользу белых. Однако трудно сказать, насколько опасна их инициатива в действительности: 19...♕d7 20.♖f1 ♘e5, и на 21. ♘f5 кроме 21...♗:f5 заслуживает внимания типовая жертва 21... ♖:c3!? 22.bc ♘:e4.

Уже можно сделать вывод, что весь план белых с переводом ладьи (a1-a4-d4-d2) и коня (b3-d4-f5) не так страшен, как об этом когда-то писали комментаторы и авторы теоретических статей. К тому же размен 18...♗:b3, хотя и не был обязателен, еще ничего не портит.

19.cb ♘fd7 (разумеется, не 19...♘g6 20.♖f1 ♘:e4? ввиду 21.♘:e4 ♕:e4 22.♗f3 ♕b4 23.♗:b7) **20. ♗g1.**

20...♗g5? Грубая ошибка, ведущая к проигрышу партии и матча. В сыгранной вскоре партии Сафаров — Е.Владимиров (1975) было 20...♕c7! 21.♘d5 (21.b4?! ♗g5) 21...♕:a5 22.♘:e7+ ♖:e7 23.♖:d6 ♕c7, и мощный форпост на e5 обеспечил черным хорошую позицию.

Карпов вновь возражает: «Однако, по всей вероятности, игру белых можно усилить: 21.♖d5 ♘f6 22.♗b6 ♕c6 23.♖:f6! gf 24.♗g4 с грозной инициативой за качество». Увы, этот вариант с «дырой»: вместо 22...♕c6? очень сильно 22...♘:d5! 23.♗:c7 ♘:f4 24.♗b6 ♘:e2 25.♕:e2 ♗f6 с превосходной компенсацией за ферзя.

Отдавая ферзя в другой редакции, Полугаевский сталкивается с непреодолимыми затруднениями.

21.♖:d6 ♗f4. В случае 21...♕:d6 (21...♕c7 22.♖f5) 22.♕:d6 ♗f4 23.♕b4 ♖b8 24.♘d5 белый ферзь тоже куда проворнее черных ладей и на повестке дня марш-бросок b3-b4-b5.

22.♖:c6 ♖:c6 23.b4! (приступая к реализации пешечного большинства на ферзевом фланге) **23...♘f6?!** «Лучше 23...♖cc8, устанавливая взаимодействие тяжелых фигур» (Карпов). Но и здесь после 24.b5 чер-

ным не спастись: 24...ab 25.g3! ♗g5 (h6) 26.♗:b5 с угрозой ♕d5.

«Надо было связать ладьи путем 23...♖ee6, контролируя важное поле d6» (Ботвинник). И впрямь, 24.b5 ab (24...♖ed6? 25.♕f1!; 24...♖c7 25.♗b6!; 24...♖c8 25.♕d5!) 25.♗:b5 ♖cd6 26.♘d5 ♗g5 выглядит несколько упорнее.

24.b5 ♖ce6 25.ba ba 26.g3 ♗g5 27.h4 ♗h6 28.♗b6! «Пешечная слабость на a6 чревата роковыми последствиями» (Карпов). Выигрывало и «острое» 28.g4 g5 29.♗e3, но это не нравилось Ботвиннику и... это не карповский метод добивания!

28...♘ed7. «Отступление централизованного коня увеличивает активность королевского слона белых. Последней возможностью сопротивления было 28...♘fd7» (Ботвинник). Но тогда возрастала активность белого коня — 29.♘d5! ♖c6(8) 30.♔g2 ♖c1 31.♕a4 и т.д.

29.♗c4 ♖e5 (или 29...♖c6 30.♗:a6 ♘:b6 31.♗b5+–) **30.♕b3! ♖b8 31.♗:f7+ ♔h8 32.♕c4! ♗d2 33.♗c7 ♖c5.**

34.♕:c5! ♘:c5 35.♗:b8 ♗c3 36. bc ♘f:e4 37.c4. В итоге у белых всего только лишняя пешка в энд-шпиле — и никаких шансов на спасение у соперника!

37...♘d7 38.♗c7 g6 39.♗e6 ♘ec5 40.♗:d7 ♘:d7 41.♗d6. Черные сдались.

После матча Карпов великодушно признал, что счет 3:0 не отражает реального соотношения чисто шахматной силы соперников — это скорее зеркало психологического состояния Полугаевского. Тут невольно вспоминается заявление Фишера после матча с Таймановым: «Результат слишком завышен... Борьба была значительно тяжелее... Легче быть джентльменом, когда победишь...» Но, безусловно, можно согласиться с Талем: «В спортивном, психологическом плане Карпов оказался на голову выше соперника».

Этот факт подтвердил и сам Полугаевский: «Сейчас, оглядываясь назад, отчетливо вижу свои промахи, допущенные при подготовке к матчу. Уделив много времени чисто шахматной работе, я не сконцентрировал должным образом свое внимание на необходимости правильно подготовиться психологически».

Однако было и еще «кое-что», о чем хорошо написал гроссмейстер Алексей Суэтин: «Я не хочу сказать, что ни психологическое состояние Полугаевского, ни его дебютный репертуар никак не влияли на исход матча. Влияли, конечно. Но основная причина столь тяжелого поражения — в игре победителя. У Карпова изумительная техника, находящаяся на службе у здорового практицизма. Он играет легко, быстро, точно оценивает позицию, причем создается впечатление, что аналитические весы Карпова куда более чувствительны, чем у его соперников. Многократно отмечалось, что у Карпова маловато опыта. Это справедливо. Но заметьте, как быстро гроссмейстер набирает этот опыт. Студент Карпов, играя, все время учится. И учителя, капитулируя, ставят ему высший балл».

У многих очевидцев того недолгого матча осталось ощущение, что на их глазах произошло маленькое чудо (то ли еще будет после полуфинала!). «Но что самое поразительное — эта неудача Полугаевского ничуть не отразилась на его отношении ко мне, — вспоминает Карпов. — Напротив: чем хуже складывались его дела, тем он становился по отношению ко мне предупредительней и доброжелательней. Ни с кем и больше никогда я так подробно и откровенно не обсуждал только что сыгранную партию, как с ним. Эти анализы очень сблизили нас. Один из парадоксальных итогов матча: он подарил мне дружбу Полугаевского. Если бы так заканчивались все матчи!»

ПРЫЖОК В НЕВЕДОМОЕ

Следующий поединок Карпова — полуфинальный матч со Спасским (Ленинград, весна 1974) заслуживает максимально подробного освещения: это было одно из самых ярких шахматных событий тех лет, вполне сравнимое с матчем за мировую корону. Стремительно набирающему мощь молодому дарованию противостоял 37-летний экс-чемпион мира, только что с блеском выигравший чемпионат СССР и четвертьфинальный матч у Бирна. Играли до четырех побед, но с лимитом в 20 партий.

В другом полуфинале сошлись Петросян и Корчной, поэтому Карпова сравнивали тогда с молодым д'Артаньяном, присоединившимся к трем мушкетерам. Рошаль: «Но фаворитом перед полуфинальным матчем все же считался Спасский. Многим казалось, что в четвертьфинале не столько Карпов победил Полугаевского, сколько тот проиграл как-то сам по себе. Лишь Ботвинник усмехнулся: «Точно так же «непонятно» он обыграет и Спасского». Да осторожный Петросян предрек борьбу «не менее интересную, чем поединок любого из участников с Фишером». Ну а подавляющее большинство прогнозов предвещало победу Спасскому».

Не стал исключением и приехавший на открытие матча президент ФИДЕ Эйве. На пресс-конференции он подтвердил, что отдает некоторое предпочтение Спасскому: «Теперь он вновь обрел былую спортивную форму» (по этому поводу Ботвинник заметил, что президенту ФИДЕ «играть в прогнозы» совсем не к лицу). Правда, Эйве тут же добавил: «Однако в развитии молодых талантливых шахматистов случаются качественные скачки. Трудно угадать, сделает ли теперь такой скачок Карпов. Если сделает, то я не исключу возможность выигрыша им и звания чемпиона мира».

А что думал о предстоящем матче сам Карпов? «Я даже не загадывал, как он сложится. Если с Полугаевским я мог себя соразмерить, то Спасский был таким грузом, которого я еще не поднимал, – скажет он годы спустя. – Ни до, ни после этого матча я никогда столько над шахматами не работал. Вырабатывалась общая концепция; вырабатывалась психологическая стратегия; выискивались слабые места в броне и фехтовальном искусстве соперника – и вырабатывались приемы, чтобы именно здесь обыграть, именно сюда нанести сильнейший удар. Я старался забыть о своем пиетете к Спасскому, старался не думать о его грандиозности. Я говорил себе: перед тобою задача очень трудная, но необыкновенная... Большим подспорьем были материалы матча Спасского с Фишером. И шахматные, и психологические».

Действительно, матч Спасский – Фишер (1972) подчеркнул необходимость серьезного изучения дебюта. Но Фишер отошел от шахмат, и эхо Рейкьявика постепенно затихло. Об острейших дебютных дуэлях того матча стали забывать, подготовка опять свелась к изучению теоретических обзоров в журналах «Шахматы в СССР» и «Шахматный бюллетень» и просмотру партий в «Информаторе». Дебютные линии, используемые Спасским против столь же «эрудированных» соперников, по-прежнему позволяли ему получать сложные миттельшпильные позиции, в которых главную роль играли импровизация и интуиция.

Но это был короткий период затишья перед коренным пересмотром методов изучения дебюта. Матч Спасский — Карпов явился тем эпохальным событием, после которого всем стало ясно огромное значение дебютной оснащенности. Спасский готовился к матчу по старинке, и этот метод оказался несостоятельным, быстро оставив его практически «без дебюта». Карпов и его тренеры, наоборот, два с лишним месяца шлифовали дебютные системы, изучая не столько варианты, сколько концептуальные основы дебютных линий, их миттельшпильные, а то и эндшпильные позиции. Карпов работал по 10—12 часов в сутки! Спасский не представлял себе силы соперника, с которым ему выпало бороться...

На сей раз Карпову помогали Фурман и Разуваев (не было Балашова: к нему обратился за помощью Спасский, не знавший, что тот в другой команде, и Юрий решил соблюсти нейтралитет). Были подготовлены два основных сюрприза: черными — защита Каро-Канн, белыми — частичный переход на 1.d4, то есть подача с обеих рук. Итог? «Спасский так толком и не смог за весь матч приспособиться ко мне; дебют я ставил очень для него неудобно. Ему, как и раньше Полугаевскому, не удавалось получать свои любимые позиции» (Карпов).

Начало матча вроде бы подтверждало прогнозы. Из-за сильной простуды Анатолий был вынужден взять тайм-аут уже перед 1-й партией. «Через день они сели за доску: уверенный в себе, бронзовый от загара горного курорта, рослый и

стройный мужчина — и бледный, не оправившийся еще от недомогания и оттого чуть ссутулившийся, худенький юноша», — зарисовал с натуры Рошаль, а когда на его глазах Карпов проиграл белыми в сицилианской защите (№ 380), подметил любопытную деталь: «Уходя после безнадежного доигрывания домой, расстроенный Фурман не забыл, однако, напомнить Карпову, что Фишер тоже проиграл Спасскому 1-ю партию, но это не помешало ему выиграть матч».

Этим путем пошел и Карпов, тонко прочувствовав состояние соперника: «Победа в 1-й партии сослужила Спасскому такую же плохую службу, как и победа в 1-й партии над Фишером. Он решил, что между нами всё ясно, совершенно успокоился и расслабился».

Во 2-й партии Анатолий в ответ на 1.e4 впервые в жизни применил защиту Каро-Канн! И благодушно настроенный соперник решил отложить дебютный спор, предложив ничью уже на 17-м ходу. Ботвинник: «И у Спасского, и у «специалистов» не было сомнений в исходе борьбы. Это решение симптоматично: нынешний Спасский хочет побеждать «малой кровью», он не приспособлен к перегрузкам, он щадит себя».

Очень важной для дальнейшего течения матча стала 3-я партия.

№ 547. Староиндийская защита E91
КАРПОВ — СПАССКИЙ
Матч претендентов,
Ленинград (м/3) 1974
1.d4!? Все ждали 1.e4 и усиления игры белых в сицилианской защи-

те, но Спасский получил новый сюрприз: так Карпов начинал партию лишь несколько раз в жизни! Понимая, что молодой соперник готов к основным линиям его дебютного репертуара, экс-чемпион мира должен был за доской выбирать между тем, что он уже применял, и чем-то новеньким, но знакомым только в общих чертах.

Представляю, что передумал Спасский в эти минуты. Он никогда не стремился быть дебютным эрудитом, считая себя королем миттельшпиля. Его многолетний тренер Игорь Бондаревский «не переоценивал» роль дебютных знаний, считая, что главное – иметь перед игрой чистую голову, а о дебюте достаточно иметь общее представление и, в идеале, знать несколько тонкостей.

1...♘f6 2.c4 g6. Сюрпризом на сюрприз. Не желая проверять, что подготовила команда Карпова в защите Нимцовича или в новоиндийской, Спасский стал вспоминать свои староиндийские партии, стараясь найти полузабытую расстановку и идеи, которые можно было бы использовать.

3.♘c3 ♗g7 4.e4 d6 5.♘f3 0-0 6.♗e2 c5. Спасский опасается дебютных заготовок в главных линиях и вместо 6...e5 отвечает редким вариантом староиндийской защиты. Однако это вряд ли удачное решение. Оно позволило Карпову трактовать позиции, возникающие в новом для него дебюте, исходя из общих соображений, которыми руководствуются в подобных ситуациях.

7.0-0 ♗g4 8.d5. Выбор Карпова предугадать было нетрудно. Изучая творчество Полугаевского, он, конечно, обратил внимание, как прекрасно тот разыгрывал подобные позиции белыми, и взял его метод на вооружение. Кроме того, Карпов любил закрывать центр ходом d4-d5 в испанской партии, и этот опыт пригодился в «староиндийке».

8...♘bd7 9.♗g5 a6 10.a4 ♕c7 11.♕d2. Предлагавшийся Ботвинником размен слонов – 11.♘d2 ♗:e2 12.♕:e2 обещает немного после 12...h6 13.♗f4 ♕a5. Карпов вызывает другой размен, рассчитывая, что его белопольный слон рано или поздно обретет свободу.

11...♖ae8 12.h3 ♗:f3 13.♗:f3 e6 14.b3?! Попытка немедленно вскрыть игру – 14.de fe 15.♖ad1 парировалась путем 15...♘e5! 16.♗e2 ♘f7=. И Карпов решает ждать, занимаясь пока накоплением мелких плюсов. Но вместо хода 14.b3, лишающего коня опоры, лучше 14.a5 (захватывая пространство и, главное, ограничивая черного ферзя) 14...♔h8 15.♖a2 ed 16.cd c4 17.♖a4 ♘e5 18.♗e2.

14...♔h8! (начало стандартной перегруппировки) **15.♗e3.** Слону на g5 делать пока нечего, и белые отводят его на позицию, которая вскоре окажется неприятной для соперника. Ботвинник советовал 15.♖ac1, однако неясно, чем похвастаться белым после 15...♕b6 16.♕f4 ♘g8.

15...♘g8 16.♗e2. И второй слон начинает смотреть в сторону ферзевого фланга, на всякий случай освобождая дорогу пешке f2.

16...e5!? Неожиданное, но вполне логичное решение: черные рассчитывают на эффект подрыва f7-f5 и размен чернопольных слонов. Другим способом борьбы за равноправие было вскрытие центра — 16...♕a5 17.♖ac1 ed. Симметричное 18.ed давало черным после 18...f5 контршансы: 19.g3 ♖e7 20.♖fe1 ♖fe8 или 19.♗d3 ♕b4 (19...f4? 20.♘e4!) 20.♗f4 ♘e5. Сложнее их проблемы при 18.cd, хотя выбор еще есть:

1) 18...♗:c3 19.♖:c3 ♖e4 20.♕b2 ♘gf6 21.♗f3 ♖e7. Эта прямолинейная попытка удержать стойку связана с жертвой качества за определенную компенсацию: 22.♗g5 ♖e5 23.♗f4 ♔g8 24.♗:e5 ♘:e5 25.♖b1 ♕b4 или 22.♗g4 ♔g8 23.♗:d7 ♘:d5 24.♗d2 ♖:d7 25.♖f3 ♕d8 26.♗h6 f5 27.♖d1 ♘f6 28.♗:f8 ♕:f8;

2) 18...♘gf6 19.♖fe1 ♕b4, бросаясь в осложнения, которые после массового истребления фигур могут закончиться прозаическим эндшпилем: 20.♗f4 (20.f3 ♘h5, и у черных неплохая вариация модерн-Бенони) 20...♘:e4 (20...♘e5 21.♕c2! — вариация модерн-Бенони, более приятная уже для белых) 21.♘:e4 ♖:e4 22.♕:b4 cb 23.♗:d5

♖fe8 24.f3! ♖:e2! 25.♖:e2 ♖:e2 26.♖c8+ ♗f8 27.♗:f8 ♘:f8 28.♖:f8+ ♔g7 29.♖b8 a5! (но не 29...♖e7? 30.♔f2 ♘d7 31.♔e3 ♖:d5 32.♖:b7 a5 33.♖b5 ♖d1 34.♖:a5 ♖b1 35.♔d4 ♖:b3 36.♔c4 ♖b2 37.♖b5 ♖:g2 38.a5+−) 30.♖:b7 ♖e3 31.♖b5 ♖:b3 32.♖:a5 ♖a3 33.d6 ♖d3. Здесь шансы на ничью вполне реальны, например: 34.♖b5 ♖:d6 35.♖:b4 ♖d2 или 34.♖a6 b3 35.♖b6 ♔f6 36.a5 ♔e6 37.a6 ♖:d6 38.a7 ♖:b6 39.a8♕ b2 40.♕a2 ♔f6 41.♕b1 h5 — с таким ферзем белым не выиграть.

17.g4. Стратегически весьма ответственный ход. Карпов старается ограничить контригру соперника, полагая, что ослабление королевского фланга несущественно, поскольку фигуры черных занимают оборонительные позиции. Действительно, продвижение g2-g4 является важнейшей частью плана белых, но для максимального эффекта требуется выбрать самый подходящий момент.

Снова, как и на 14-м ходу, целесообразнее было 17.a5 f5! 18.f3, и на 18...♕d8! (18...♘gf6 19.g4!) сильна профилактика 19.♔h2!, с тем чтобы на 19...♕h4 иметь ход 20.g3 (и далее 20...♕e7 21.g4! ♕h4 22.♕e1! ♕:e1 23.♖a:e1 ♗h6 24.♗:h6 ♘:h6 25. ef gf 26.♗d1 ♖e7 27.♗c2 ♔g7 28.♖g1), а на 19...♘gf6 самое время играть на ограничение — 20.g4!, не давая активизироваться ферзю. Продвижение 19...f4 здесь неэффективно, так как без белопольного слона черным не создать серьезных угроз неприятельскому королю, в то время как наступление белых на другом фланге развернется без помех.

17...♛d8?! Спасский действует по своему плану, однако сильнее было сразу 17...f5!, что после 18.f3 (на 18.gf gf 19.ef хорошо 19...e4! 20. f3 ef 21.♖:f3 – 21.♗:f3? ♖:e3! – 21... ♛a5 22.♗c1 ♘e7 с сильной контригрой) 18...♛d8 19.♔g2 могло привести к «мёртвой ничьей»: 19...f4! 20. ♗f2 a5! 21.h4 h6 22.♘b5 ♘b8.

18.♔g2 ♛h4. Предпоследнее звено намеченной расстановки: блокируется пешка h3, а на 19.♔g5 последует 19...♗h6! При короле на g2 успешная ходом раньше попытка наглухо закрыть позицию – 18...f5 (в расчёте на 19.f3 f4! 20.♗f2 a5!) на сей раз вела к перевесу белых: 19.gf! gf 20.ef e4! 21.f3! ef+ 22.♗:f3 ♘gf6 23.a5 ♘e5 24.♔g5 ♘f7 25.♗f4.

19.f3. Переломный момент в партии, который долгое время оставался нераскрытым.

19...♗h6? Можно только догадываться, почему Спасский дрогнул в разгар сражения. Может, он считал, что при ферзях чёрным не стоит опасаться дальнейшего движения пешки g4?

Вряд ли терпимо было 19...f6 20.♗f2 ♗h6 21.♛d3 ♛g5 22.h4! ♛d2

23.♖fd1 ♛:d3 24.♗:d3. Однако программное 19...f5! сохраняло напряжение борьбы: при 20.a5 ♗h6! 21. ♗:h6 (21.g5? f4!; 21.ef gf 22.♗d3 e4!) 21...♘:h6 22.♛e1 ♛d8! у чёрных активная контригра, а 20.♛e1 ♛:e1 21. ♖a:e1 не сулило того ошеломительного эффекта, что в партии, ибо за этим следовал размен чернопольных слонов – 21...♗h6! 22.♗:h6 ♘:h6. Пассивность слона e2, казалось бы, не даёт белым шансов на успех: 23.a5 fg 24.hg (24.fg g5 25. ♘d1 ♖:f1 26.♖:f1 ♖f8) 24...♘f7! 25. ♖b1 ♖c8 26.b4 cb 27.♖:b4 ♘c5 28. ♖fb1 ♖c7 29.♘a4 ♘:a4 30.♖:a4 ♖e8 31.♖ab4 ♖ee7 32.♖b6 ♔g7, и дело идёт к ничьей. Но 23.ef! gf 24.a5 приоткрывало позицию на королевском фланге и оставляло Карпову реальные шансы на перевес.

20.g5! ♗g7 21.♗f2 ♛f4 22. ♗e3 ♛h4 23.♛e1! Неожиданно и очень эффективно. После размена ферзей угрозы королю белых исчезают, и у них внезапно образуется превосходство в силах на ферзевом фланге, куда чёрные, зажатые на двух линиях, не могут быстро перебросить резервы. Об угрозе размена чернопольных слонов теперь можно забыть, клин g5 мешает нормальному передвижению вражеских фигур, и за то время, что чёрные потратят на размен этой вредной пешки, белые с решающим эффектом вскроют вертикаль «b».

23...♛:e1 24.♖f:e1 h6. Или 24...f6 25.h4. Чёрные не успевают закрыть ферзевой фланг (24...a5? 25.♘b5), и им остаётся лишь ждать неминуемого прорыва своей обороны.

25.h4 hg (при 25...f6 26.♖h1 у белых также подавляющая позиция) **26.hg ♘e7.** Всего на один шахматный миг черные запаздывают с ходом а6-а5...

27.a5! В сущности, после этого борьба закончена. Отчаянное сопротивление Спасского ничего изменить уже не может.

27...f6 28.♖eb1 fg 29.b4! (пешка g5 никуда не убежит) **29... ♘f5!?** Понимая, что при нормальном развитии событий шансов спастись нет (29...g4 30.bc! ♘:c5 31. ♗:c5 dc 32.♖:b7+–), Спасский жертвует коня, чтобы резко изменить характер борьбы.

30.♗:g5! Видя, что 30.ef e4! 31.♗d2 ef+ 32.♗:f3 gf обостряет борьбу и позволяет сопернику получить какие-то шансы, Карпов принимает еще одно психологически тонкое решение. Он позволяет черному коню закрепиться в центре доски, где тот оказывается в почетной ссылке, никак не влияя на ход борьбы. В результате у соперника по-прежнему нет надежд на контригру... На колебания: что брать? – Карпов потратил всего четыре минуты!

Интересно, что для компьютерных программ ходы 30.ef и 30.♗:g5 примерно равноценны. Но взятие фигуры должно быстрее привести к цели, и доказательством служит продолжение приведенного варианта: 33.♗h5 ♖c8 34.b5 g4 35.♖h1 ♔g8 36.♗g6 ♗d4 37.♗h7+ ♔g7 38. ♗h5 f4 39.♖g5+! с выигрышем.

30...♘d4 (на 30...♗h6 крайне неприятно 31.ef! ♗:g5 32.♘e4) **31. bc ♘:c5 32.♖b6!** Начало решающего вторжения. На прицеле пешка d6, но и ее не торопится брать Карпов, методично усиливая позиции фигур.

32...♗f6 33.♖h1+! Наиболее четкий путь. В случае 33.♖:d6 Ботвинник видел последний шанс на спасение в ходе 33...♔g7, хотя речь может идти только о продлении мучений: 34.♖:f6 ♖:f6 35.♗:f6+ ♔:f6 36.♗d1 ♘d3 37.♖b1 ♗e7 38.♘e2 g5 39.♖b6+ ♔g7 40.♘:d4 ed 41.♗a4!+–.

33...♔g7 34.♗h6+ ♔g8 35. ♗:f8 ♖:f8 36.♖:d6 ♔g7 37.♗d1! Дремлющий пока белый слон помогает разменять одного из коней. Его звездный час наступит через 10 ходов!

37...♗e7 (на 37...♗d8 убедительно 38.♘a4 ♗c7 39.♘:c5 ♗:c5 40.♘:b7 ♗b4 41.c5+–) **38.♖b6 ♗d8 39.♖b1 ♖f7 40.♘a4 ♘d3 41.♘b6 g5 42.♘c8!** Изящное решение. Теперь на 42...g4 сильно 43.♘d6 gf+ 44.♔f1, и красивый конь в центре не в силах помочь черным.

42...♘c5 43.♘d6 ♖d7 44.♘f5+ ♘:f5 45.ef e4. Записанный ход. Почему Спасский пришел на доигрывание – последняя загадка этого великолепного сражения.

46.fe ♘:e4 47.♗a4 ♖e7 48. ♖be1! ♘c5 49.♖:e7+ ♖:e7 50. ♗c2 ♗d8 51.♖a1 ♔f6 52.d6! ♔d7 53.♖b1 ♔e5 54.♖d1 ♔f4 55.♖e1. Черные сдались. Они были наказаны за нерешительность в проведении в целом добротного стратегического плана.

Счет стал 1:1, и Карпов воспрянул духом. В 4-й партии Спасский снова не получил перевеса против защиты Каро-Канн и смирился с чуть худшим для белых окончанием — ничья на 43-м ходу.

В каждом матче бывают кульминационные партии, когда соперники сходятся лицом к лицу, показывая всё свое умение. Здесь одной из таких стала 5-я партия. На этот раз Спасский не побоялся дать принципиальный бой на главном направлении — в дебютной схеме, к которой противник, несомненно, готовился больше всего.

№ 548. Защита Нимцовича E59
КАРПОВ – СПАССКИЙ
Матч претендентов,
Ленинград (м/5) 1974

1.d4 (опять!) **1...♘f6 2.c4 e6 3.♘c3 ♗b4 4.♘f3** (4.a3 — № 493; 4.e3 — № 518, 562) **4...c5 5.e3 d5 6.♗d3 0-0 7.0-0 ♘c6** (7...dc — № 544) **8.a3 ♗:c3 9.bc dc 10.♗:c4 ♕c7.** Возникла одна из дебютных табий, умение разыгрывать которую определяло класс шахматиста тех времен. По богатству содержания она сродни классическим схемам «испанки» или ферзевого гамбита. Конфликтность ситуации определяется проблемным соотношением «два слона против слона и коня»,

каждая из сторон имеет свои плюсы (большая пешечная масса белых в центре взамен свободного развития черных фигур и лишенной изъянов пешечной структуры), что делает исход борьбы зависящим только от мастерства соперников. В наши дни на тонкостях борьбы двух слонов против слона и коня держатся оценки многих дебютных вариантов.

11.♗d3. Самое модное тогда продолжение. Ботвинник считал более содержательным 11.♗e2, но это — дело вкуса. После 11...e5 12.♕c2 ♖d8 13.♗b2 ♗g4! 14.de ♘:e5 15.c4 образцом игры черных является партия Халифман — Крамник (Линарес 2000), вобравшая в себя наиболее характерные приемы миттельшпильной борьбы: 15...♘:f3+ 16.gf ♗h3 17.♖fd1 ♖c6! 18.♕c3 ♘e8 19. ♔h1 ♗e6 20.♖g1 f6! 21.♖g3 ♖d7 22. ♖ag1 ♖ad8 23.♗c1 ♗f5! 24.e4 ♗g6 25.h4 ♘c7 с отличной игрой.

Нередко играют и 11.♗a2, как было, скажем, в партии Гельфанд — Корчной (№ 535). А в последнее время популярно 11.♗b2 e5 12.h3, и при 12...e4 13.♘d2 ♘a5 14.♗a2 ♗f5

15.c4! ♖fe8 16.d5 ♘d7 17.f4! ef 18.♕f3 ♗g6 19.h4! белые захватывают инициативу (Крамник – Тивяков, Вейк-ан-Зее 2001), поэтому лучше 12...♗f5 13.♕e2 ♖ad8, поддерживая напряжение в центре.

11...e5 12.♕c2 ♖e8. В 20-й партии матча Петросян – Спасский (Москва 1966) черные потеряли темп – 12...♗g4 13.♘:e5 ♘:e5 14.de ♕:e5 15.f3 ♗d7, и после 16.a4 белые захватили инициативу.

13.♘:e5. Острый вариант 13.e4 ed 14.cd ♗g4! (Бронштейн – Эйве, Цюрих(тп) 1953) лишь доказывает прочность редутов черных и может привести к красивой ничьей вечным шахом: 15.♕:c5 ♗:f3 16.gf ♕d7! 17.♗e3 ♘:e4 18.♗:e4 ♖:e4 19.fe ♕g4+.

Другая линия – 15.e5 ♗:f3 16.ef ♘:d4 17.♗:h7+ ♔h8 18.fg+ ♔:g7 19.♗b2 ♖ad8 20.gf (когда-то считалось, что 20.♖fc1 ведет к ничьей – 20...♖:h8 21.♕:c5+ ♖:c5 22.♖:c5 ♔:h7 23.♗:d4 ♖hg8, но после 20...♖e5! 21.♗:d4 ♖:d4 22.gf ♖g5+ 23.♔f1 ♕:h2 угроза ♖g2 вынуждает белых согласиться на проигранный эндшпиль: 24.♔e2 ♕:h7) 20...♖:h8 21.♔h1 принесла белым успех в партии И.Соколов – Каспаров (Вейк-ан-Зее 1999), но лишь из-за 21...♖:h7?

Видимо, моей серии из семи рядовых побед в том турнире суждено было прерваться... А ведь четверть века назад этот вариант анализировала сборная школьников Азербайджана, и мне был известен лучший рецепт: 21...♔f8!! 22.♕e4?! f5! 23.♕h4 ♖:h7 24.♕f6+ ♔e8 25.♖fe1+ ♔d7 26.♖e5 ♔c8 27.♗:d4 cd 28.

♕:f5+ ♔b8. В финальной позиции белым несладко, и мой товарищ по команде Р.Тавадян выиграл таким образом партию на Всесоюзной спартакиаде школьников (1974). Он-то хорошо помнил «как надо», а вот меня память подвела! После 21...♔f8 белым надо думать о ничьей, и она еще достижима: 22.♗:d4 ♖:d4 23.♖fc1 ♕h4 (23...b6 24.♔g2) 24.♕:c5+ и т.д.

13...♘:e5 14.de ♕:e5 15.f3 ♗e6 16.e4 ♖ad8. Другой путь к равенству Спасский показал потом в матче с Портишем (Женева(м/4) 1977): 16...c4 17.♗e2 ♕c5+ 18.♔h1 ♘d7 19.♗f4 b5.

17.♗e2. Идти вперед – 17.f4?! ♕c7 18.e5 время еще не пришло: после 18...c4 19.♗e2 ♕c5+ 20.♔h1 ♗g4! 21.♗:g4 ♘:g4 22.♖b1 b6 23.h3 ♘h6 положение черных явно лучше.

17...b6 18.a4. Белым надо в первую очередь активизировать чернопольного слона, у которого нет оппонента, однако сделать это непросто: 18.♗e3 ♘d5!, а на 18.c4 черные могут выбирать между обоюдоострым 18...♕d4+ 19.♔h1 ♕:a1 20.♗b2 ♕:f1+ 21.♗:f1 ♘d7 22.a4 ♘b8 и более солидным 18...♘h5 19.♗b2 ♕g5 20.♔h1 ♘f4 21.♗f1 h5 22.♔h1 h4.

18...♗d7 19.♖d1 ♗c6 20.♖:d8 ♖:d8 21.♗e3 h6! (конечно, не 21...♘d5? 22.♕d2! ♕:c3 23.♖d1!) **22.♗f2 ♘h5.** Белые сохранили двух слонов, но активизировать их не удалось, и потому ни о каком преимуществе нет и речи. Позиция черных крепка, а белые пешечные островки на ферзевом фланге могут стать источником забот. Карпов, не имея опыта разыгрывания подобных позиций, продолжает проводить в жизнь план, с виду сулящий перевес...

23.g3. С этого момента в решениях Карпова видна некоторая поверхностность, в результате чего понемногу увеличиваются активные возможности соперника, хотя динамическое равновесие пока не нарушается. Простое равенство сохраняло 23.♖d1 ♖:d1+ 24.♗:d1 (Котов) или 23.♗f1 ♘f4 24.♗g3 g5 (Ботвинник).

23...g5! Неожиданный и блестящий ответ. Выясняется, что угроза f3-f4 — фантом, а ослабление пешечной пары f3-e4 — реальность.

24.♗b5. Белым уже надо уделять некоторое внимание обороне. Так, 24.♖d1 ♖:d1+ 25.♕:d1 передавало инициативу черным: 25...g4! 26.♕d8+ ♔g7 27.♕h4 gf 28.♗:f3 ♘f6 29.♗e3 h5, а вот избавление от слабой пешки — 24.a5 g4 25.ab ab сохраняло паритет.

24...♗b7! 25.♖d1. Опять белые не препятствуют подготовке подрыва g5-g4. Тот же размен ладей после

предварительного 25.a5 g4 просто фиксировал ничью: 26.♖d1 ♖:d1+ 27.♕:d1 gf 28.ab ab 29.♕d8+ ♔g7 30.♕:b6 ♕:c3 31.♕:c5 ♕:c5 32.♗:c5 ♗:e4.

25...♖:d1+ 26.♕:d1 ♘f6! Вновь прекрасное решение. Если допустить g5-g4, то может рухнуть пешка e4, и тогда обнажится большая белая диагональ, на которой будет хозяйничать слон b7. И Карпов дрогнул...

27.g4. Желание радикально пресечь угрозу слишком рискованно, в то время как ход 27.a5 еще препятствовал подрыву (27...g4? 28.a6!) и позволял без проблем удержать равенство: 27...♔g7 28.a6 ♗c8 29.♕d8 ♗e6 30.♕d3 g4 31.♗c6 gf 32.♕:f3 или 27...ba 28.♕d8+ ♔g7 29.♕:a5 ♘:e4.

27...♕:c3 28.♗g3? А это — серьезная ошибка, ставящая белых под угрозу проигрыша. Неосторожное 28.♕d8+ ♔g7 29.♕c7? плохо из-за 29...♕:f3! 30.♕:b7 ♘:g4 31.♗g3 ♘e3 (Таль). И лишь оттеснив ферзя от пешки f3 — 28.♗e1!, белые удерживали равновесие: 28...♕b2 29.♗g3 ♔g7 30.♕d6.

28...♔g7! 29.♗e2. Размен ферзей 29.♕d3 ♕:d3 30.♗:d3 ликвидировал угрозы пешке f3, но 30...♗c6! заставляло белых либо пойти на новый, невыгодный размен — 31.♗b5 ♗:b5 32.ab, и после 32...♘d7 у них неприятный эндшпиль (например, 33.♔f2 ♔f6 34.f4 ♘f8! 35.♔e3 ♘e6 36.fg+ hg 37.♗b8 ♘f8! 38.e5 ♔e6 39.♗:a7 ♘d7 40.♔e4 f6!–+), либо позволить черным образовать две связанные проходные пешки после 31.a5 ♘d7!

29...♗с6? Ключевой момент партии, а возможно, и всего матча! Превосходно проведя сложный миттельшпиль и получив реальные шансы на победу, Спасский допускает грубую ошибку – одноходовый просмотр.

К большому, видимо решающему, перевесу вело 29...h5! Созданную защитную конструкцию белым не сохранить, ибо на 30.h3? следует 30...♘е4! с разгромом, а спасительная контратака 30.♕d6 здесь ни от чего не спасает: 30...hg 31.♗е5 ♕е1+ 32.♗f1 ♕е3+ 33.♔h1 ♕:f3+ 34.♗g2 ♕f2 35.♕:f6+ ♔:f6 36.♗:f6+ ♔:f6 37.е5+ ♔:е5 38.♗:b7 с4–+ (Таль). Остается только переход в эндшпиль – 30.♗е1 ♕b2 31.gh! (совсем плохо 31.h3 hg 32.hg ♗с6 или 31.h4 hg 32.hg ♘h5! 33.♕d6 ♕с1 34.♔f1 gf 35.♗:f3 ♘f4 36.♕f6+ ♔g8 37.♕d8+ ♔h7) 31...♘:h5 32.♕d8 ♘f6 33.♕d2 ♕:d2 34.♗:d2, и белым трудно избежать поражения: 34...♗с6 35.а5 ♔g6 36.♗d3 ♘d7 37.♗с3 f6–+.

30.♕d6! Этот выпад, создающий страшную угрозу 31.♗е5, Спасский явно зевнул. Приходится срочно менять ферзей, теряя всякие шансы на успех.

30...♕d4+ 31.♕:d4 cd 32.а5! ba! После 32...♘d7 33.ab ab 34.♗f2 ничью в борьбе с проснувшимися слонами сделать непросто. А вот при черной пешке, достигшей поля а4, равенство очевидно.

33.♗е5 ♔g6 34.♗:d4 ♘е8 35.♗:а7 h5 36.gh+ ♔:h5 37.♔f2 ♔g6 38.♗d3 ♘g7 39.♗b6 а4 40.♗с5 ♘е6 41.♗d6 ♔h5! Ничья.

Тоже важная партия! Конечно, этот упущенный шанс вызвал у Спасского досаду и разочарование. И все же, будучи в ту пору самым опытным матчевым бойцом в мире, он сумел собраться и вышел на следующий поединок еще преисполненный радужных надежд. Это была еще одна важная, ключевая партия. На 23-м ходу Карпов преподнес сопернику очередной сюрприз...

«Даже когда я сравнял счет, Спасский еще не понял происходящего и продолжал пребывать в состоянии олимпийской уверенности в собственном превосходстве и общем успехе, – отмечает Карпов. – Только 6-я партия его разбудила. Я это понял по нему: это был уже другой Спасский – тяжелораненый, растерянный, не понимающий, что происходит».

№ 549. Защита Каро-Канн B18
СПАССКИЙ – КАРПОВ
Матч претендентов,
Ленинград (м/6) 1974

1.е4 с6 (конечно!) **2.d4 d5 3.♘с3 de 4.♘:е4 ♗f5 5.♘g3 ♗g6 6.♘f3** (6.h4! – № 551) **6...♘d7 7.♗d3 е6 8.0-0 ♘gf6 9.с4 ♗d6**

10.b3 0-0 11.♗b2 ♕c7. Или 11...c5 12.♗:g6 hg 13.♖e1 ♕c7 14.dc ♗:c5 15.♕c2 ♖fd8 16.♘e4 ♘:e4 17. ♕:e4 *1/2* (2-я партия).

12.♗:g6 hg 13.♕e2 ♖fe8 14.♘e4 ♘:e4 15.♕:e4. Дебютный ремонт Спасского явно затянулся, и уже третью «белую» партию он вынужден играть скучную роль по чужому сценарию. Заставить соперника играть то, что он не любит, — большое достижение в матчевой борьбе.

Возникший миттельшпиль не сулит больших приключений. Обе стороны не имеют ни слабостей, ни трудностей в развертывании сил. Никаких конфликтов пока не предвидится, и неспешное маневрирование вполне логично.

15...♗e7. Черные продолжают стратегию выжидания, подчеркивая прочность своей позиции. Они даже отказываются от логичного освобождающего хода 15...e5. Теперь на 16.c5 хорошо указанное Ботвинником 16...♗e7! 17.♘:e5 ♘:e5 18.de ♗:c5, а при 16.♖ae1! ♘f6 17.♕h4 можно согласиться с мнением Карпова о некоторой инициативе белых, хотя после 17...e4 18. ♘g5 ♗f4 19.♕e2 e3! 20.fe (20.f3 b5! 21.g3 ♗:g5 22.♕:g5 bc 23.bc ♕b6 24.♗c3 ♕a6=) 20...♖:e3 21.♖ef2 ♗:g5 22.♕:g5 ♖e7! она постепенно угасает: 23.♕h4 ♖ae8 24.♖:f6 gf 25. d5 g5 26.♕f2 cd 27.♗:f6 ♖e6 28.cd ♖d6 29.♗:g5 ♖:d5.

16.♖ad1 ♖ad8 17.♖fe1 ♕a5! Эту активизацию можно было осуществить и после 17...♗f6 18.♗c1 (теперь на 18...e5 сильна реплика Ботвинника 19.♗b2!): 18...♕a5 19. a4 ♕f5=.

18.a3 ♕f5 19.♕e2. После размена ферзей у белых нет шансов на перевес, но теперь выясняется, что перевод черного ферзя был звеном стройного плана активизации.

19...g5! 20.h3. Спасский сделал этот ход очень быстро, отложив прорыв d4-d5 до лучших времен. И действительно, после 20.d5 ed белым не обещает выгод ни 21. ♘d4 ♕h7 (или 21...♕e4! Ботвинник) 22.cd cd 23.♕b5 ♗d6!, ни 21. cd g4! (Карпов) 22.♘d4 ♕:d5 23. ♕:g4 ♘f6.

20...g4 21.hg ♕:g4 22.d5?! На первый взгляд своевременное продвижение, ибо после двойного размена пешек белым будет выгодно отдать ферзя за две ладьи.

Оценка Карпова была очень глубокой: «Позиция белых чуть свободнее благодаря паре c4-d4, а вскрытие центра лишает их этого, пожалуй единственного, плюса. Лучше было 22.♖d3 ♗f6 23.♖e3». Думаю все-таки, что и здесь после 23...♕h5 можно говорить о равенстве.

22...cd 23.cd.

23...e5!! Один из лучших ходов в матче. На меня он, помню, произвел огромное впечатление. Его силу Спасский явно недооценил, возможно, надеясь на 23...♝d6? 24.de ♜:e6 25.♛:e6! fe 26.♜:d6.

Конечно, жертва пешки — мнимая: 24.♘:e5?! ♛:e2 25.♜:e2 ♝d6 26. ♜de1 ♘:e5 27.♝:e5 ♝a3, но черные оставляют сопернику грозную на вид проходную в центре. Увы, только на вид: она будет надежно блокирована конем, а в эндшпиле станет ощутимой слабостью. Этот прием «обтекания» проходной пешки d6 в защите Грюнфельда я использовал в севильском матче против Карпова (1987), но для середины 70-х годов такая трактовка была откровением.

24.d6!? После 24.♛b5 путь к равенству совсем прост: 24...♝c5! 25. ♘:e5 ♘:e5 26.♝:e5 ♝:f2+! 27.♔:f2 ♜:e5 28.♜:e5 ♛f4+ 29.♔g1 ♛:e5.

24...♝f6 25.♘d2?! Вновь Спасский уступает сопернику в оценке позиции — такое в матчевой борьбе действует угнетающе, лишает уверенности. Он переоценивает силу пешки d6 и отказывается от равного миттельшпиля после 25.♛b5, где его проходная сковывала бы силы

черных, например: 25...e4 26.♘h2 ♛e6 27.♝:f6 ♘:f6 28.♛:b7 ♜d7 29. ♛b4 ♘d5 30.♛c5 ♜:d6. В эндшпиле же она превращается в балласт! Но чтобы это доказать, от черных требуется ювелирная точность.

25...♛:e2 26.♜:e2 ♜c8! 27. ♘e4. Опять спорное решение: белые гонят слона на d8, где он готов к борьбе на два фланга. Лучше было закрыть линию «c» путем 27.♘c4! ♝g5 28.a4 и удерживать равенство после 28...f6 29.g3 ♔f7 30.♔g2.

27...♝d8 28.g4 f6 29.♔g2 ♔f7 30.♜c1?! Карпов ставит к этому ходу восклицательный знак: контроль над линией «c»! Но Таль возражает: «Не стоило менять пару ладей: хотя теперь белые захватывают линию «c», для ладьи там нет полей вторжения. Следовало подумать о немедленном 30.a4. При четырех ладьях черному королю было опасно приближаться к пешке d6 из-за угрозы f2-f4».

30...♝b6 31.♜ec2 ♜:c2 32. ♜:c2 ♔e6 33.a4. Белые решают подключить к защите пешки d6 слона. Движение другой пешки обещало меньше: 33.b4 a5 34.ba ♝:a5 35. ♔g3 b5 или 33...♔d5 34.♔f3 g6 35. ♜d2+ ♔d4 36.♘g3 ♜c8.

33...a5! (это отнюдь не профилактика, а начало глубокого плана игры на выигрыш) **34.♖a3 ♖b8!** Оказывается, Карпов готовит прорыв b7-b5, помешать которому трудно. Так, на 35.♘c3?! ладья с выгодой займет открытую линию – 35...♖c8.

35.♖c4! Ладья хочет помочь коню перескочить по маршруту e4-c3-b5. Более достойной работы на линии «c» у нее по-прежнему нет.

35...♗d4! 36.f4! На прямолинейное 36.♘c3 к преимуществу вело 36...♘b6 37.♖c7 ♗:c3 38.♖:c3 ♘d5 39.♖c5 b6 40.♖c2 b5.

36...g6. Приходится соглашаться на размен пары пешек, ибо в случае 36...b5 37.ab ♖:b5 белые успевают провести еще более выгодную для них разменную операцию: 38. f5+ ♔d5 39.♘c3+! ♗:c3 40.♖:c3, получая отличные виды на ничью.

37.♘g3?! После логичного 37.fe ♗:e5 38.♖c7 черным было не так просто доказать реальность своего перевеса. На 38...b5 следовало 39. ♖a7 b4 40.♗c1 ♖c8 41.♗e3 ♖c2+ 42. ♔f1! ♖b2 43.♘c5+ ♘:c5 44.♗:c5 с большими шансами на ничью: 44... ♖:b3 45.♔e2! ♖b2 46.♔d3! или 44...

♗:d6 45.♖a6 ♖d2 46.♔e1 ♖d5 47. ♗b6 ♗g3 48.♗f2 ♖d6 49.♖:a5.

На более тонкое 38...b6! 39.g5! f5 40.♘d2 использование компьютера как управляемого спарринг-партнера может привести к забавной ничьей: 40...b5 41.♘f3 b4 42.♖:d7 ba 43. ♖e7+ ♔:d6 44.♖:e5 a2 45.♖e1 ♖:b3 46.♖a1 ♖b2+ 47.♔g3 ♔c5 48.♘e5 ♔b4 49.♘:g6 ♔b3 50.♘f4 ♖b1 51.♖:a2 ♔:a2 52.g6 ♔a3 53.g7 ♖b8 54.♘e6 ♖g8 55.♔f4 ♔:a4 56.♔:f5 ♔b4 57.♔f6 ♔c4 58.♘f4 a4 59.♘e2 ♔d3 60.♘c1+ ♔c2 61.♘a2 ♔b2 62.♘b4 a3 63.♔f7 ♖b8 64.g8♕ ♖:g8 65.♔:g8 ♔b3 66. ♘d3 ♔c3 67.♘c1 ♔c2 68.♘a2 ♔b3 69. ♘c1+ ♔b2 70.♘d3+. Однако 40... ♗f4! 41.♘f3 ♗e3 все-таки оставляет черным шансы на успех.

37...ef! Снова Карпов выжимает максимум из ситуации. В случае естественного 37...b5 38.f5+ gf 39. gf+ ♔d5 белые добивались ничьей: 40.♖c7 b4 41.♗:b4 ♖:b4 42.♖:d7 ♖:b3 43.♘h5! e4 44.♖e7 (Спасский) или 40...ba!? 41.ba ♖b3 42.♖:d7 ♖:a3 43.♘h5 e4 44.♖e7 ♖a2+ 45.♔h3 ♔:d6 46.♖:e4 ♔d5 47.♖e6.

38.♖:d4 fg 39.♔:g3 ♖c8 (линия «c» в руках черных, и это сразу осложнило защиту) **40.♖d3.**

40...g5! Силу этого последнего перед контролем хода Спасский, думаю, недооценил. Черные обеспечивают прочное положение коня на e5 и готовятся сыграть b7-b5. Хотя на доске осталось совсем мало материала, белым защищаться непросто.

41.♗b2 b6 42.♗d4. Споры экспертов вокруг отложенной позиции вызвал ход 42.♖c3. Рекомендация Карпова 42...♖h8 вряд ли что-то дает черным. Остается размен ладей — 42...♖:c3+ 43.♗:c3. Теперь эндшпиль после 43...♘c5 44.♔f3 ♘:b3 45.d7 ♔:d7 46.♗:f6 ♘c5 47. ♗:g5 ♘a4 48.♔e4 Ботвинник справедливо оценил как ничейный, поскольку конь не сможет помочь королю в продвижении пешек, например: 48...♔c6 49.♔d4 ♘c5 50.♗e3 b5 51.g5 ♘e6 52.♔c3 ♔d5 53.g6.

Также ничейным Ботвинник (как и все последующие комментаторы) счел окончание, возникающее после 43...♔:d6 44.b4.

Слов нет, его вариант изящен и убедителен: 44...ab 45.♗:b4+ ♔d5 46.a5 b5 47.a6 ♔c6 48.♗a5! ♘c5! 49.♔f3 ♘:a6 50.♗c3 b4 51.♗:f6 b3 52.♔e2 ♘c5 53.♔d1 ♘e4 54.♗d8 ♔d7 55. ♗a5, но вот беда — он содержит

ошибку уже на первом ходу! В позиции на диаграмме никто не заметил красивого удара 44...b5!!, позволяющего создать опасную проходную.

После 45.ab метод выигрыша прост: 45...a4! 46.b6 a3 47.b5 a2 48.♔f3 ♘e5+ 49.♔g3 (49.♔e4 ♘:g4 50.♔f5 ♘e3+) 49...♔d7 50.♗b2 ♔c8 51. ♗a1 ♔b7 52.♗d4 ♘d3 53.♗:f6 ♔:b6 54.♔f3 ♘c5 55.♗b2 ♔:b5 56.♔e3 ♔c4 57.♔d2 ♘b3+ 58.♔e3 ♔d5–+.

Сложнее добывается победа при более удаленной белой пешке — 45.ba ba:

1) на 46.a6 ♔c7 47.♔f3 проще всего выигрывает 47...♘e5+ 48.♔e4 ♘:g4 49.♔f5 ♘h6+!, например: 50. ♔:f6 g4 51.♗d4 a3 52.♔g5 a2 53.♔f4 ♔c6 54.a7 ♔b7 55.♗a1 ♔:a7 56.♔g3 ♔b6 или 50.♔g6 g4 51.♔:h6 g3 52. ♔h5 g2 53.♗d4 a3 54.♔g4 a2–+;

2) увлекательный бег двух черных пешек в ферзи можно наблюдать в случае 46.♔f3 ♘e5+! 47.♔e4 ♘:g4 с последующим 48.a6 ♔c6 49.♔f5 ♘h6+! 50.♔:f6 g4 51.♔g5 a3! 52.♗d4 g3 53.♔f4 g2 54.♔f3 ♘f5 или немного более сложным 48.♔f5 ♘e3+ 49.♔e4 ♘d5 50.♗b2 ♔e6! 51.a6 f5+ 52.♔f3 ♘c7 53.a7 ♔d5 54.♗c1 (54. ♗f6 g4 55.♔f4 a3 55.♔:f5 g3 56.♗e5 a2!) 54...f4! 55.♗b2 ♘a8! 56.♗a3 ♔e4! 57.♔g4 ♘e4! 58.♗c5 f3 59.♔g3 60.♔f2 ♔d5 61.♗e7 ♔c4 62.♔g3 ♔b3–+;

3) наиболее сложен путь к выигрышу, если белые путем 46.♗b4+ ♔c6 47.♔f3 попробуют не пустить пешку на a3. Теперь погоня за пешкой a5 упускает победу: 47...♔b5? 48.♗e7! ♔:a5 (или 48...♘e5+ 49. ♔g3 ♘f7 50.♔f3! ♔:a5 51.♔e4 ♘h6 52.♗:f6 a3 53.♗:g5 ♘:g4 54.♗c1 a2

55.♗b2) 49.♔e4 ♔b5 50.♔d5 ♘e5
51.♗:f6 ♘:g4 52.♗:g5 a3 53.♗c1 a2
54.♗b2 ♔b4 55.♔d4 ♔b3 56.♗a1
♔c2 57.♔c4 ♘f2 58.♔b4 ♔b1 59.♗d4
♘d3+ 60.♔b3 с ничьей.

Решает проблему неожиданный
перевод коня: 47...♘e5+! 48.♔g3
♘c4! 49.♗e7 (к тем же позициям
приводит 49.♗c3 a3 50.♗:f6 a2 51.a6
♔b6 и т.д.) 49...a3 50.a6 a2 51.♗:f6
♔b6 52.♔f3 ♔:a6 53.♔e2 (53.♔e4
♔a5 54.♔f5 ♔a4 55.♔:g5 ♔b3 56.
♗a1 ♔c2 57.♔f4 ♔b1 58.g5 ♔:a1 59.
g6 ♘e5! 60.g7 ♘g6+ 61.♔g5 ♘e7 62.
♔f6 ♘g8+ 63.♔f7 ♔b2 64.♔:g8 a1♕
–+) 53...♔b5!

Отступление 54.♔d1 дает черным
легкий выигрыш: 54...♘e3+ 55.♔c1
♘:g4 56.♗g7 ♘f2 57.♔b2 g4 58.♔:a2
(приходится, так как, увы, нельзя
58.♗e5) 58...g3! 59.♗e5 g2 60.♗h2
♔c4 61.♔b2 ♔d3! 62.♔c1 ♔e2 63.
♔c2 ♔f1 64.♔d2 ♘g4–+.

А вот в случае 54.♔d3 надо найти этюдный отскок 54...♘a3!!, пре-
пятствующий королю проскочить
к пешке a2. Тогда ни 55.♔d2 ♔c4
56.♔c1 ♔b3 57.♗g7 ♘c4 58.♗f6
♘e3, ни отчаянное 55.♔e4 ♔c4 56.
♔f5 ♔d3 57.♔:g5 ♘c4 58.♔h6 ♔c2
59.♗a1 ♔b1 не спасает белых от поражения.

42...♖c6 43.♗c3 ♖c5? Все комментаторы полагали, что взятие
пешки 43...♖:d6 44.♖:d6+ ♔:d6 давало белым после 45.b4 большие
шансы на ничью. Вероятно, к такому же мнению пришли оба соперника в домашнем анализе. Однако
после 45...b5! возникает позиция,
уже рассмотренная выше. Так серьезная аналитическая погрешность
могла перечеркнуть результаты предыдущей ювелирной игры черных.

**44.♔g2 ♖c8 45.♔g3 ♘e5!
46.♗:e5 fe.** Видимо, считая возникающий эндшпиль «слон против
коня» ничейным, Карпов сделал
ставку на ладейное окончание – и
не ошибся, что доказывает следующая ошибка, «домашнее» происхо-
хождение которой тоже вполне вероятно.

47.b4? Неочевидный, но губящий
партию промах. Стремясь свести к
минимуму оставшийся материал,
белые дарят сопернику важнейший
темп. Проигрывало, как указал
Спасский, и 47.♔f3 ♖d8 48.b4 (или
48.♔e4 ♖:d6 49.♖:d6+ ♔:d6 50.♔f5
♔d5 51.♔:g5 e4 52.♔f4 ♔d4 53.g5 e3
54.g6 e2 55.g7 e1♕ 56.g8♕ ♕f1+

57.♔g4 ♕g1+) 48...ab! 49.♖b3 ♖f8+!
50.♔e3 ♖f4! 51.♖d3 ♖:g4 52.d7 ♖g3+.
Лишь этюдное 47.♔f2! ♖d8 48.
♖f3!, похоже, спасало белых. Спасский обрывает свой анализ на позиции после 48...♖:d6 49.♖f5 ♖d3
50.♖:g5 ♖:b3 51.♖g6+ ♔d5 52.g5
оценкой «с контригрой за пешку и
шансами на ничью». В самом деле,
52...♖b4 53.♔e3 ♖:a4 54.♖:b6 ♖e4+
55.♔f3 ♖f4+ 56.♔e3 a4 57.g6 ♖g4
58.♖a6 ведет к ясной ничьей.

47...e4! 48.♖d4. Спасения уже
нет. Плохо и 48.♖b3 ♔:d6 49.ba ba
50.♔f2 ♔d5 51.♔e3 ♖c5 52.♖a3
(52.♖b7 ♖c3+ 53.♔e2 ♖e5 54.♖b5+
♔f4 55.♖:a5 ♖c2+) 52...♔e5 53.♖b3
♖d5 54.♖c3 ♖d3+!, и 48.♖d1 ♖d8
49.ba ba 50.♖e1! ♔e5! 51.♖f1, что,
согласно анализу Спасского, давало несложный технический выигрыш как после 51...♖:d6! 52.♖f5+
♔d4, так и при 51...e3! 52.♖f5+ ♔e4,
например: 53.♖:g5 ♖:d6 54.♖g8 ♖d1
55.♖e8+ ♔d3 56.♖d8+ ♔c2 57.♖c8+
♔d2 58.♖d8+ ♔e1 59.♖a8 e2 60.♖:a5
♖d3+! 61.♔f4 ♔f2 62.♖e5 ♖f3+
63.♔g5 ♖e3–+.

**48...♔e5 49.♖d1 ab 50.♖b1
♖c3+ 51.♔f2 ♖d3 52.d7 ♖:d7
53.♖:b4 ♖d6 54.♔e3 ♖d3+ 55.
♔e2 ♖a3 56.♖:b6 ♖:a4.** Белые сдались. Весьма тонкая, хотя и небезошибочная игра.

Карпов повел в счете — 2:1. Безусловно, ошибки экс-чемпиона в
5-й и особенно 6-й партиях подорвали его веру в успех и приблизили окончательную развязку.

«Упустив ничью при доигрывании 6-й партии, расстроенный
Спасский был полностью переигран в 7-й, — пишет Рошаль. — Но то

ли близость желанной развязки
повлияла на Карпова, то ли всетаки сказалась его молодость: он в
один момент принял импульсивное
решение, и в отложенной позиции
у него уже не оказалось выигрыша».

№ 550. Голландская защита А85
КАРПОВ – СПАССКИЙ
Матч претендентов,
Ленинград (м/7) 1974
**1.d4 d5 2.c4 e6 3.♘c3 c6 4.e3
f5.** В поисках схемы, незнакомой
сопернику, Спасский остановил
свой выбор на стратегически рискованном построении «каменная
стена», прежде не встречавшемся в
его партиях. И вновь его выбор оказался малоудачным. Спасский нивелировал свое преимущество в
опыте разыгрывания типовых миттельшпильных позиций, а Карпов
мог трактовать стандартную для
этого варианта позицию, используя общие соображения.

5.f4. «Карпов остается верен
своей манере игры – прежде всего
ограничить возможности партнера» (Ботвинник).

**5...♘f6 6.♘f3 ♗e7 7.♗e2 0-0
8.0-0 ♘e4.** Ботвинник считал прыжок коня в центр поспешным и советовал сразу переводить слона по
маршруту c8-d7-e8-h5(g6): 8...♗d7
9.♘e5 ♗e8. Спустя почти 20 лет
Карпов вновь сыграл эту систему,
и черные уравняли шансы, решив
проблему развития слона другим путем: 8...b6 9.♕c2 ♗b7 10.cd cd 11.
♗d2 ♘c6 12.a3 ♘e4 13.♖fc1 ♖c8 14.
♕d1 ♕d7 15.♗e1 ♖c7 16.♖c2 ♘:c3 17.
♖:c3 ♖fc8 18.♖ac1 ♗d6 19.♕a4 ♘b8
(Карпов – Иванчук, Тилбург 1993).

9.♕c2 ♘d7 10.b3 ♘:c3. Вместо этого тоже поспешного размена, лишь ограничивающего возможности черных, стоило сыграть 10...♘df6.

11.♕:c3 ♘f6 12.♘e5! ♗d7. Этот с виду естественный ход позволяет белым подготовить выгодный для них размен чернопольных слонов. Переводить слона через e8 на h5 следовало после профилактики — 12... ♗d6 13.a4 ♕e7!

13.a4! ♘e4?! (Ботвинник осудил этот плод получасовых раздумий, считая, что заслуживало предпочтения оживление игры в центре путем 13...c5) **14.♕d3!**

14...♗f6? Решая отдать слона за грозного коня, но после этого белый слон станет полновластным хозяином черных диагоналей! Вариант 14...♗e8 15.♗a3 ♗:a3 16.♖:a3 a5 17.♗f3 также вел к малоперспективной ситуации, где у белых помимо перевеса в пространстве была бы возможность атаковать слоном центральный форпост соперника, в то время как черные должны смириться с «вечным» конем на e5.

Поэтому уже необходимо было 14...c5, завязывая игру в центре и оживляя пассивного слона d7. После 15.cd ed 16.dc ♘:c5 17.♕:d5+ ♗e6 18.♕:d8 ♖f:d8 19.♗c4 ♗:c4 20.bc ♖ac8 у черных была бы компенсация за пешку, а в случае 16.♗a3 ♗e6 17.dc ♘:c5 18.♕d1 ♘e4 19.♗:e7 ♕:e7 20.♕d4 ♖fc8 белые имели очевидный позиционный перевес, но позиция черных была вполне защитима.

15.♗a3 ♖e8. Надежду на создание контригры сулила операция в центре: 15...dc 16.bc?! c5 17.♗f3 ♗:e5 18.fe ♗c6, но 16.♘:c4! c5 17.♖ad1 сразу гасило активность черных.

16.♗h5! g6. «Теперь белопольный слон черных сильно ограничен в действиях, а пешка g6 после неизбежного вскрытия линии «h» станет хорошим объектом для нападения» (Ботвинник). К тому же ослаблены еще два черных поля — f6 и h6.

17.♗f3 ♗:e5. «Ведет к проигранной позиции» (Ботвинник). Но предложение мастера Черепкова оживить спящего слона — 17...b5 не решало проблем после ¼ладнокровного 18.♗:e4! de 19.♕e2.

18.de! h5. Предупреждая g2-g4, но Карпов своевременным разменом подчеркивает недостатки этого продвижения.

19.♗:e4! fe (при 19...de? белые получали линию «d») **20.♕d2 ♔f7 21.a5 ♖h8 22.♗d6! ♖h7 23.♕b4.** Карпов последовательно проводит стратегию сдерживания. Сейчас он лишает фигуры черных подвижности, заставляя их прозябать на двух последних горизонталях.

23...♗c8 24.♖a2 ♔g8 25.h3 a6 26.g3. Становится ясным план белых: они хотят поставить ферзевую ладью на g2, перевести короля на ферзевый фланг, после чего взорвать укрытие неприятельского короля ходами g3-g4 и f4-f5.

26...♗d7! Спасский пытается отвлечь соперника от проведения плана, и Карпов — возможно, зря — решает взять пешку, которая только мешала черным наладить взаимодействие фигур.

27.♕:b7 ♗e8 28.♕b4 ♖аа7! 29.♖g2. Еще сильнее было 29.♕b6! ♕a8 30.♕d4 ♖ab7 31.b4 — фигуры черных занимают трагикомичные позиции, а белые грозят взорвать еще и ферзевый фланг ходом b4-b5.

29...♖ab7 30.♕с3 ♖bf7 (перебрасывая на королевский фланг мощное подкрепление) **31.♗с5 g5!** «Последний шанс: ведь через несколько ходов партия должна быть отложена, и сопротивление после домашнего анализа стало бы безнадежным» (Ботвинник).

32.♗b6? «Сейчас, чуть ли не единственный раз за весь матч, — пишет Ботвинник, — соперник Спасского показывает, что ему всего 23 года — возраст юный для соревнований такого накала. Сознание того, что позиция выиграна, помешало Карпову спокойно оценить ситуацию» — и он, расслабившись, переставил ходы в намеченном плане. Самым надежным и сильным путем был своевременный размен 32.cd!, заставляя черных вскрыть линию «с»: 32...cd (32...ed? 33.e6!) 33.♗b6 ♕b8 34.♖c1 с лишней пешкой и огромным позиционным перевесом.

32...♕d7 33.cd ed! Ферзь, будучи согнан на d7, сделал возможным это взятие, и белым неожиданно приходится думать о безопасности своего короля.

34.g4 hg 35.hg. Таль высказал предположение, что Карпов шел на эту позицию, считая и ее выигранной из-за неотвратимого f4-f5.

35...gf! Вскрытие игры — единственный шанс черных. Степень риска не играет роли — хуже, чем есть, у них не будет.

36.ef ♖h4 37.f5 ♖fh7. Впервые в партии у черных появилась возможность создать какие-то угрозы, и Карпов, поняв свою оплошность, занервничал, погрузившись в раздумья на 15 минут. Принятое им решение было отнюдь не оптимальным и скорее свидетельствовало о некоторой растерянности.

38.e6? Трудно осуждать ход, сделанный в цейтноте. Вроде бы всё верно: да, черный ферзь получает перспективу рейда в лагерь белых, но Карпов наметил маневр, направленный на обеспечение безопасности короля. Однако замысел оказался с изъяном.

Между тем в нервной обстановке, вдруг возникшей на доске, смелый вывод короля из опасной зоны — 38.♔f2! — давал белым большие шансы на победу. После 38...♖h3 к чрезвычайно запутанным ситуациям приводит 39.♗e3 ♛e7 40.♔e1 c5! 41.♕:c5 ♕:e5 42.♗d4 ♛c7! 43.♕b6 ♖c1+ 44.♔d2 ♕c7. Остается только 39.♖g3 ♖h2+ 40.♔e3! (именно сюда, под свист пуль! Осторожное 40.♔e1? даже проигрывало: 40...c5! 41.♗:c5 ♛b5 42.♖f2 ♖h1+ 43.♔d2 ♖7h2 44. ♔c2 ♛f1! 45.♕d2 ♛b1+ 46.♔c3 ♖c1+ 47.♔b4 ♖c4+ 48.♔a3 ♛a1+ 49. ♕a2 ♛c1+ 50.♕b2 ♖a4+!) 40...♖7h3 41.♔f4!! Удивительно, но это поле оказывается самым удобным убежищем для короля. Добраться до него здесь совсем не просто — во всяком случае, в анализе мне это не удалось. А ведь белые пешки готовы прийти в движение...

38...♛d6 39.♕g3. Компьютер оптимистично оценивает позицию после 39.♗e3!? ♖h2 40.♕d2, считая (именно «считая»), что шансы на победу у белых всё еще есть. Однако утверждать это мне нелегко даже после проделанного анализа, которому, кстати, позиция поддается с трудом из-за обилия возможностей обеих сторон.

39...♖h1+ 40.♔f2 ♛b4! (неожиданно оказывается, что этот маневр спасает черных) **41.♕e3.** Секретный ход Карпова встретил возражения на доске — соперники согласились на ничью, не приступая к доигрыванию.

Действительно, в этой острой позиции никто не может рисковать, и анализ показывает неизбежность ничейного исхода. Концовка прекрасного шахматного триллера могла быть такой: 41...♖1h3 42.♖g3 ♖h2+ 43.♖g2 ♖2h3 44.♕g5+.

Последний тест перед тем, как признать ничью. Очень заманчиво выглядит 44...♖g7?, тем более что в случае напрашивающегося 45.♕d8? черные даже выигрывают коварным ударом 45...c5! — оказывается, белые фигуры не в силах спасти своего короля: 46.♕:d5 e3+! 47.♔g1 e2! 48. ♖:e2 ♗c6!! 49.♕:c6 ♛d4+ 50.♖ff2 ♛d1+. Зато после 45.♕c1! выясняется, что черные напрасно увели ладью на g7. Главная угроза — 46.f6 (например, 45...d4 46.f6!), и эффективного способа ее отражения не видно. В варианте 45...♖c3 46.♕d2 ♛f3+ 47.♔g1! (47.♔e1 ♖c3!) 47...♕:d2 48. ♖:d2 ♖:g4+ 49.♖g2 белые потеряли пешку, но неизбежное f5-f6 будет стоить черных слона. После же 44... ♔h8! белые, не наступая вторично на те же грабли (45.♖d1!? c5!, и выигрывают черные!), дают вечный шах — 45.♕f6+ ♔g8 46.♕g5+.

Это была прелюдия к последнему переломному моменту в матче: судьба подарила Спасскому чудесное спасение и шанс наконец-то пробить железобетонный Каро-Канн. На 8-ю партию он вышел с боевым настроем, но его молодой соперник не утратил своего обычного хладнокровия и вновь проявил себя блестящим защитником.

№ 551. Защита Каро-Канн B19
СПАССКИЙ – КАРПОВ
Матч претендентов,
Ленинград (м/8) 1974

1.e4 c6 2.d4 d5 3.♘c3 de 4. ♘:e4 ♗f5 5.♘g3 ♗g6 6.h4! (6.♘f3 — № 549) **6...h6 7.h5 ♗h7 8. ♘f3 ♘d7 9.♗d3 ♗:d3 10.♕:d3 ♘gf6.** Тогда было принято играть 10...♕c7 (препятствуя ♗f4) и затем 0-0-0 (ибо 0-0 считалось очень опасным), а 10...♘gf6 или 10...e6 не являлось отказом от «обязательной программы»: на 11.♗f4 черные отвечали 11...♕a5+ 12.♗d2 (при 12.c3 у белых проблемы с рокировкой: ферзь a5 держит на прицеле пешки a2 и h5) 12...♕c7, возвращаясь в обычную колею.

В 4-й партии после 10...e6 Спасский использовал свежую идею — 11.b3 ♘gf6 12.♗b2. Реакция Карпова была жесткой — 12...♕a5+! 13.♗c3 (13.c3 ♗a3) 13...♗b4 14.♗:b4 ♕:b4+ 15.♕d2 ♕:d2+ 16.♔:d2 c5=.

11.♗d2. На сей раз Спасский, очевидно не желавший дискуссии в главных тогда разветвлениях Каро-Канна, приготовил еще одну редкость. А что касается 11.♗f4, то на 11...♕a5+ в конце 70-х годов мастер Витолиньш нашел любопытный план 12.c3 e6 13.a4!? и 14.b4 (снимая удар с пешки h5) с последующим 0-0. Получалось не слишком убедительно, но в 80-е и это стало неактуально. С легкой руки Ларсена черные взяли на вооружение более динамичные схемы с разносторонними рокировками — 11...e6!? 12. 0-0-0 ♗e7 и все-таки 0-0. В наши дни это доминирующая линия.

11...♕c7.

12.c4. Обычный путь — 12.0-0-0 e6 13.♕e2 и ♘e5 (по первоисточнику: Спасский — Петросян, Москва(м/ 13) 1966) или 13.♘e4 — этот ход считается сильнейшим и поныне (№ 291). Начиная активные действия до рокировки, Спасский хочет что-то на этом выгадать. Но что?

12...e6 13.♕e2. В партии Спасский — Портиш (Мехико(м/9) 1980) белые вернулись к банальному 13. 0-0-0, и после 13...0-0-0 14.♗c3 c5 15.♔b1 cd 16.♘:d4 a6 возникла позиция, которая, хоть и с пешкой на h4, встретилась у тех же партнеров еще в Будапеште в 1961 году!

13...♗d6! На 13...0-0-0 черные могли опасаться 14.c5 и пешечного наступления белых на ферзевом фланге. Это встретилось вскоре в партии Карпов — Горт (Любляна 1975), но Горт остроумно создал контригру: 14...♖g8! 15.b4 g6 16.♖b1 gh 17.♔f1 ♖g4 18.♖b3 ♔b8 19.♘:h5 ♘:h5 20.♖:h5 ♘f6 21.♖e5 ♗g7 22.b5 ♘d5 и т.д. А Спасский, возможно, имел в виду 14.♘e5. Так или иначе, ход 13...♗d6! по-прежнему признается лучшим.

14.♘f5 ♗f4. В партии Карпов — Помар (Ницца(ол) 1974) было 14... 0-0-0?! 15.♘:d6+ ♕:d6 16.♗a5! ♖de8 17.♘e5!, и черные попали под пресс. Тот факт, что Анатолий стал играть этот вариант белыми, говорит о его высокой оценке идеи Спасского! Очевидно, он не был доволен и позицией черных, возникшей в рассматриваемой партии. Но об этом ниже.

А здесь надо сказать, что самым интересным из направлений, в русле которых развивался вариант, оказалось 14...0-0! 15.♘:d6 ♕:d6.

Благодаря короткой (а не длинной) рокировке черные получают мощный ресурс для борьбы за инициативу: b7-b5! Впервые эта идея была опробована в 1975 году ленинградскими мастерами: 16.0-0-0 b5! 17.cb cb 18.♔b1 b4 19.♘e5 ♘d5, и шансы черных на ферзевом фланге серьезны. Дважды играл так черными и я (по совету своего тренера Александра Шакарова). Мои партнеры избегали длинной рокировки, но все равно уступали инициативу: 16.♖h4 b5! 17.♔f1 bc 18.♕:c4 ♕d5 19.♕e2 ♕b5 20.b3 a5 (Ланка — Каспаров, Рига 1977) или 16.♗c3 b5! 17.cb cb 18.♕:b5 ♘d5 19.♘e5 ♘:e5 (19...♘7f6!?) 20.de ♘:c3 21.bc ♕c7 (Капенгут — Каспаров, Даугавпилс 1978).

Поэтому лучше все-таки 16.0-0-0 и на 16...b5 — 17.g4! В партии Мнацаканян — Багиров (Кировакан 1978) после 17...bc (подлежит анализу, сейчас неактуальному, и 17...♘g4!? 18.♖hg1 f5) 18.g5 hg 19.h6 g6 20.h7+ ♘:h7 21.♘:g5 ♘:g5 22.♗:g5 f6? 23.♕e4 белые получили сильнейшую атаку, но 22...c3! привело бы, скорее всего, к ничьей: 23.♕e5!? cb+ 24.♔b1 ♕:e5! 25.de f6 26.♖:d7 fg 27.♖hh7.

15.♗:f4 ♕:f4 16.♘e3.

16...♕c7?! «Опасно было 16...0-0-0 17.c5 с угрозой ♘c4-d6+. Поэтому правильное решение заключалось в подрыве 16...с5!, и если 17.♘d5 ♘:d5 18.cd, то 18...0-0 19.de ♖fe8» (Ботвинник). Например: 20. 0-0 ♖:e6 21.♕b5 ♕c7... *1/2* (Таль — Портиш, Бугойно 1978).

Да и ту операцию, что замыслил Карпов, можно было начать сразу: 16...b5!? 17.cb (или 17.d5 cd 18.♘:d5 ♘:d5 19.ed 0-0 20.de ♖ae8) 17...cb 18.♕:b5 0-0 с достаточной контригрой.

После потери всего одного темпа Карпову долгое время не будет хватать для равенства как раз этого «чуть-чуть». И тем не менее защитные ресурсы позиции окажутся достаточными, чтобы выдержать мощную атаку.

17.0-0-0 b5. Белый король (в отличие от черного) уже ушел из центра, и проявлять активность стало опасно: 17...с5? 18.♘d5! ♘:d5 19. cd cd+ 20.♔b1 e5 21.♘:d4 0-0 22. ♘f5+– (Ботвинник).

18.cb! На заманчивое 18.c5 опять есть выбор между 18...♖d8 19. ♔b1 0-0 20.g4 ♘e4 и 18...0-0-0 19. ♔b1 ♔b7 20.♘c2 ♘d5 с примерно равными шансами.

Спасский намечает грандиозный план наступления, справедливо полагая, что черному королю, кроме как на королевском фланге, скрыться негде.

18...cb+ 19.♔b1 0-0 20.g4! *Вскрытие линии «g» — основное звено в атаке белых.* Вариант 20. ♕:b5?! ♖ab8 означал отказ от активности и переход к защите. После 21.♕e2 у черных богатый выбор перспективных продолжений: 21... ♖b4 22.♖c1 ♕b7 23.♖c2 ♖b8 или даже простое 21...♖:b2+ 22.♕:b2 ♖b8. Лучше 21.♕d3 ♕b7 22.♖d2, но и здесь черным не на что жаловаться: 22...♖fc8 23.♖c2 ♖:c2 24.♕:c2 ♖c8 25.♕d3 (25.♕e2 ♘:h5!) 25...♘e4.

20...♘e4 21.♖hg1. Обычное для подобных конструкций 21. ♖dg1?! позволяло сопернику замедлить темп атаки ходом 21...♕f4! (нет 22.g5?? из-за 22...♕:f3!). Котов рекомендовал вычурное 21.♘g2, но отступление вряд ли может усилить атаку: 21...♘df6 22.♘e5 ♖ac8 23. ♖he1 ♖fd8 24.f3 ♘d6.

Не приносило желанного эффекта немедленное вскрытие линий — 21.g5 hg (неочевидны последствия и 21...♘:g5 22.♘:g5 hg 23.♖dg1 f6) 22.♖hg1 f6 23.d5 ♘dc5 24.♘d4 ♖ae8 25.♘:b5 ♕f4 с обоюдоострой игрой.

21...♘g5! (препятствуя вскрытию линии «g»; на 21...♕f4? сильно 22.g5! ♘:g5 23.♘:g5 hg 24.♖g4 ♕f6 25.♕:b5) **22.♘:g5 hg.**

23.d5! Белых опять не интересует пешка b5 — только атака! «Мог ли думать Спасский, что его партнер сумеет защитить свою разбитую позицию?» — пишет Ботвинник, считая необходимым 23.♕:b5.

Того же мнения и Дворецкий: «У белых недостаточно ресурсов для прямой атаки на короля (отчасти вследствие не совсем удачного расположения коня на e3). Бороться за перевес они могут, лишь временно уступив инициативу — приняв жертву пешки, за которую противник получит определенную, но все же недостаточную компенсацию: 23.♕:b5 ♖ab8 24.♕d3! (но не рекомендованный Ботвинником ход 24.♕e2? из-за 24...♖:b2+! 25.♕:b2 ♖b8) с идеей ♖d2, ♖c1».

Все же после 24...♘b6! 25.♖d2 (25.♖c1 ♕f4) 25...♖fc8!? черные могли надеяться на хорошую контригру.

23...a6! Поразительное хладнокровие! На 23...♕e5 24.de ♕:e6 белые могли без риска полакомиться пешкой: 25.♕:b5 ♘e5 26.♕d5. Чтобы под огнем тратить время на защиту второстепенной пешки, надо даже при прекрасном чувстве позиции иметь еще и большое мужество.

24.h6?! Последовательно, но малоэффективно! Правильная стратегия заключалась в игре по центру: 24.de fe 25.♘c2! ♕e5!

После естественного 26.♕d2 смелое 26...♘c5! (26...♘f6?! 27.f3!) 27.

♖ge1 ♕f4 позволяло и защитить пешку e6, и активизировать фигуры.

Белым, оказывается, следовало в первую очередь ориентироваться на разбитую пешечную структуру соперника и угрожать переходом в благоприятный эндшпиль, что достигалось путем 26.♖ge1! У черных было бы два пути, но в обоих случаях им пришлось бы решать трудные проблемы:

1) 26...♖ad8 27.♘b4 ♕:e2 28.♖:e2 ♘f6 29.♖:d8 ♖:d8 30.♘a6 (30.f3 ♖d6!) 30...♘g4 31.♘c7;

2) 26...♕:e2 27.♖:e2 ♘c5 28.♘e1! ♖ad8 29.♖:d8 ♖:d8, и черных ждет неприятная защита как в коневом эндшпиле — 30.♖e5 ♖d5 31.♖:d5 ed 32.♔c2 ♔f7 33.b4 ♘e6 34.♘d3 ♔f6 35.♔d2, так и в ладейном — 30.♘f3 ♖d5 31.♘e5 ♔f8 32.b4 ♘d3 33.♘:d3 ♖:d3 34.♖:e6 ♖d4 35.a3 ♖:g4 36. ♖:a6 ♖g1+ 37.♔c2 ♖f1 38.♖g6 ♖:f2+ 39.♔d3.

Выбор Спасского, основанный на интуиции и лозунге «Вперед, Казимирыч!», на самом деле — пример неравноценного пешечного размена, который избавляет черных от одной из слабых пешек и лишает белых очень важной для эндшпиля пешки h5. Увы, это стало ясно лишь после того, как никакие мозговые штурмы не смогли доказать силу их атаки. А Спасский принимал решение под тиканье часов...

24...gh! Другая схема защиты — 24...g6 25.de fe осуждалась Талем на основании варианта 26.♘f5!? ♖ae8? 27.h7+! ♔:h7 28.♖:d7+! ♕:d7 29. ♖h1+ ♔g8 30.♕e5, однако черные отбивали натиск, активизируя ферзя: 26...♕e5! 27.♕d2 ef 28.♖ge1 ♕f6

29.♕:d7 ♖ad8 30.♕b7 ♖:d1+ 31.♖:d1 ♖f7 или 27.♕c2 ef 28.♖:d7 ♖ac8 29. ♕d2 fg. И все-таки белые сохраняли перевес после менее эффектного 26.♖c1! ♕b7 (или 26...♕f4 27. ♖gd1) 27.♘f1 ♔h7 28.♘g3.

Карпов надеется, что за то время, которое белые потратят на завоевание пешки h6, ему удастся укрепиться.

25.♖h1. Кажется, что черным несдобровать.

25...♘f6! Этот сильный ход оказался неожиданным для Спасского, и он обдумывал свой ответ почти полчаса, оставив на 14 ходов всего 18 минут.

Естественной реакцией выглядит 25...♔g7?, на что наверняка последовало бы оглушающее 26.f4!! На 26...gf Таль указывает такой выигрывающий вариант: 27.♕h2 ♖h8 28.♘g2 e5 29.♘h4 ♘f6 30.♘f5+ ♔g6 31.♖c1 ♕d8 32.♖c6+−, однако если не ослаблять позицию ради удержания пешки f4, то после 28...♖ac8! ясного пути к победе не видно.

И все же атака неотразима, но для этого надо действовать очень

энергично и точно! Так, немедленное и «очевидное» 27.g5 в расчете на 27...h5? 28.de fe 29.♘g4!! с разгромом (29...♕c6 30.♖:d7+! ♕:d7 31.♕e5+ ♔f7 32.g6+ ♔e7 33.♕g7+ ♔e8 34.♘f6+ ♖:f6 35.♕:f6 d5 36. ♕f7+ ♔d8 37.♖g1) парируется единственным ответом 27...♕e5!, и атака белых постепенно затухает: 28. ♕h5 (28.♕h2 h5) 28...♘e4+ 29.♘c2 ♕g6 30.gh+ ♔h7 31.♕e2 ♘f6.

Этой спасительной возможности черных лишает предварительный размен 27.de! fe (27...fe опровергается простым 28.♕:e3), и теперь очень силен удар 28.g5!, например: 28...fe 29.♕h5 e2 30. ♕:e2, и черные, несмотря на лишнюю фигуру, беззащитны (30... ♘e5 31.♖:h6 ♖ad8 32.♖dh1 ♖h8 33. ♕h2 ♕b8 34.♖h7+ ♖:h7 35.♕:h7+ ♔f8 36.♖f1+ ♔e8 37.g6), или 28... ♘e5 29.♕h5! ♘f7 30.♘g4 ♖ad8 31. gh+ ♔h8 32.♕g6 ♘e5 33.♕g7+ ♕:g7 34.hg+ ♔:g7 35.♘:e5 с решающим перевесом.

26.♖:h6. Ход 26.d6!? был заманчив, но в цейтноте слишком рискован. К тому же воспоминания о страданиях в 6-й партии из-за подобной пешки были, видимо, еще слишком свежи. Лучшая линия — 26...♕c6 27.f3 ♔g7 28.♕h2 ♖h8 с динамическим равновесием: 29. ♖d3! (29.♕e5? ♕:f3!) 29...♖ac8 30. ♖c3 ♕a8 31.♖c7 b4 32.♕e2 a5 33. ♖hc1 ♖:c7 34.dc ♖c8 35.♕d3 ♕b7 36.♕d8 ♘e8 37.♕d4+ ♔g8 38.♕d8 ♔f8, и тут изящный трюк 39.♘d5! после 39...♔g7 40.♘e7 ♖:c7 41.♖:c7 ♘:c7 42.♕d4+ ♔f8 43.♘c8! приводит к созданию не менее изящной ничейной конструкции.

26...♔g7 27.♖hh1 ♖ad8 28. de fe (или 28...♖:d1 29.♘:d1. ♕c6! 30.♖e1 ♕:e6 31.♘e3 ♖e8=) **29.♘c2.** Другой попыткой достичь перевеса было 29.♖c1 ♕f4 30.f3, и при 30... ♖d7 31.♘c6 у черных возникали серьезные трудности: 31...♖fd8 32. ♖:e6 ♖d2 33.♘f5+ ♔g8 34.♖e7. Однако более активное 30...♖h8! сохраняло равновесие: 31.♖:h8 ♖:h8 32. ♘c2 ♔f7 33.♖e1 ♖e8 34.a3 или 31. ♖he1 ♖d7 32.♘c6 ♖h2.

29...♕f4 (проще 29...♕c4!=) **30.f3.** Не так безобидно обоюдоострое 30.♕:e6!? В случае 30...♖:d1+ 31.♖:d1 ♕:g4 32.♕d6! белые владеют инициативой, поэтому черным пришлось бы действовать смелее: 30...♕e4! 31.♕b3 ♖:d1+ (при 31... ♖h8 32.f3 ♖:h1 33.♖:h1 ♕d3 34.♕:d3 ♖:d3 35.♖f1 ♘d5 36.♔c1 ♔f6 активность черных в эндшпиле без пешки может оказаться недостаточной: 37.♘e1 ♖d4 38.♖f2 ♔e5 39.♖d2 и т.д.) 32.♖:d1 ♘:g4! 33.♖d7+ (33.♖e1 ♕c4) 33...♔g6 34.♖d6+ ♔f6 35.♕g8+ ♔h5!, и у белых нет ресурсов для атаки.

30...♔f7.

31.a3. Последний шанс заключался в хитром 31.♘e1!? ♖:d1+ 32.♕:d1.

Таль считал, что после 32...e5 пешка разменивалась и с ней исчезала главная проблема черных. Но если продолжить вариант — 33.♘d3 ♕d4 34.♕c2! ♖e8 (34...e4 35.fe ♕:e4 36. ♖e1!) 35.♘c5 e4 36.fe ♘:e4 37.♕b3 ♔g6 38.♕h3, то инициатива белых кажется опасной. Отличную защитную конструкцию указал Спасский: 32...♕e7! 33.♘d3 ♕d4 34.♕d2 (34.♕c2 ♘d5!) 34...♖d8 35.♖d1 ♖d5!, и черные, укрепившись в центре, стоят не хуже.

31...e5 32.♘b4 e4! 33.fe ♖:d1+ 34.♖:d1 ♖e8! (теперь конфликт полностью исчерпан) **35. ♘:a6 ♕:e4+ 36.♕:e4 ♖:e4 37. ♘c7 b4 38.ab ♖:b4 39.♖f1 ♖f4.** Ничья. Настоящая битва титанов!

Эта ничья основательно надломила экс-чемпиона. Таль: «Матч был практически закончен в 8-й партии, когда Спасский не смог ее выиграть. Лично я ни на секунду не сомневался, что после атаки белых, начатой ходом 24.h6, партия скоро эффектно закончится. Но после хода 25...♘f6 (Карпов его сделал достаточно быстро) выигрыша не нашлось! Это удар еще больший, чем иной проигрыш. Когда такие позиции не выигрываются, начинаешь терять уверенность. В голову лезет всякая чертовщина типа: а можно ли вообще у него выиграть?»

В 9-й партии уже порядком измотанного Спасского ждал «сюрприз наоборот» — внезапный возврат к 1.e4! И здесь опять дала о себе знать его неважная предматчевая подготовка: в сицилианской защите у Бориса Васильевича за душой не оказалось хотя бы одной надежной и хорошо проработанной схемы, соответствующей его активному стилю игры.

Карпов: «Когда я сыграл 1.е4, Спасский вдруг судорожно двумя руками начал с совершенно отрешенным видом снова, по второму разу, поправлять и без того аккуратно стоящие фигуры. Занервничал... Скорее всего, и этот удар последовал с неожиданной стороны. Дело в том, что в отличие от Фишера, который менял дебюты после относительных неудач, я, наоборот, отказывался от схем, которые приносили успех. Так, в 11-й партии сыграл уже 1.d4. Спасскому, вероятно, было довольно тяжело готовиться к встречам со мной».

№ 552. Сицилианская защита В83
КАРПОВ – СПАССКИЙ
Матч претендентов,
Ленинград (м/9) 1974

1.е4 с5 2.♘f3 е6 3.d4 cd 4. ♘:d4 ♘f6 5.♘c3 d6 6.♗e2 ♗e7 7.0-0 0-0 8.f4 ♘c6 9.♗e3 ♗d7. Видимо, Спасский пребывал в некоторой растерянности и на всякий случай решил отказаться от 9...е5 10.♘b3 а5 11.а4 ♘b4 (1-я партия). Ему не хотелось проверять качество работы бригады Карпова. Однако в итоге всё свелось к схемам с е6-е5, но в менее выгодной для черных редакции...

10.♘b3 а5?! Стратегически сомнительный ход. Спасский все же стремится к построению, которое разбиралось им с Бондаревским. Однако вряд ли то был детальный анализ приверженцев теории «чистой головы», что и доказывает дальнейшее течение партии. Обычное 10...а6 или 10...♕с7 направляло борьбу в русло классического схевенингена.

11.а4 ♘b4 12.♗f3 ♗с6. На 12...е5 сильнейшим считается 13. ♔h1, еще со времен партий Геллера: 13...♖с8 14.♖f2 ♖с4 15.fe de 16. ♖d2 ♕с7 17.♕g1! с перевесом (Геллер – Решевский, Пальма-де-Мальорка(мз) 1970) или 13...♗с6 14.fe de 15.♕е2 ♕с7 16.♕f2 ♘d7 17.♖ad1 ♔h8 (Геллер – Полугаевский, Порторож 1973) 18.♖d2 ♖ad8 19.♕g3.

Спасский не торопится с освобождением, но соперник внимателен к его приготовлениям, понимая, что продвижение е6-е5 – единственный шанс черных.

13.♘d4! В отличие от 1-й партии конь получает возможность вернуться в центр, после чего у черных нет никакой компенсации за вечную стоянку для фигур противника на поле b5. Кроме того, после е6-е5 конь может прыгнуть на f5, и Спасский идет на ослабление своей пешечной структуры.

13...g6. Подготовка продвижения е6-е5. Пассивная стойка 13...

♕b8 14.♕e2 ♖e8 15.♖ad1 ♔h8 (Клованс – Васюков, Рига 1968) Спасского не устраивает.

14.♖f2! e5. Угроза ♖d2 не давала черным времени на более тща-
тельную подготовку этого продвижения.

15.♘:c6 bc. При 15...♘:c6?! 16.
f5! черные оставались в тяжелой позиции без каких-либо стратегических козырей.

16.fe de 17.♕f1! Возникший
миттельшпиль выглядит для белых
весьма привлекательно, но еще
ничто не предвещает молниеносно-
го разгрома.

17...♕c8?! Только вызывает полезный для белых ход пешки и сти-
мулирует активизацию слона f3.
Ботвинник советовал 17...♘d7! 18.
♕c4 ♘b6 19.♕b3 ♗g5 20.♗c5 (20.
♘d1 ♖b8) 20...♗e7, успевая наладить оборону, или 18.♖d1!? ♕c7, и
позиция черных более устойчива,
чем в партии.

18.h3! ♘d7. Вероятно, Спасский планировал 18...♕e6, но вовремя заметил, что после 19.♖c1! белые осуществляют крайне неприятную перегруппировку: 19...♖a(f)
d8 20.♗e2 ♖d4 21.b3! и ♗c4 (Карпов, Ботвинник).

19.♗g4 h5? Серьезное ослабление убежища короля. По мнению
Карпова и Ботвинника, наибольшие шансы на защиту давало 19...
♕c7, чтобы в случае 20.♖d1 ♖ad8
21.♔h1 ♔g7 22.♘b1 f5! 23.ef ♘d5 за-
вязать осложнения. Но и здесь после 20.♗:d7! ♕:d7 21.♕c4 перевес
белых очевиден.

**20.♗:d7 ♕:d7 21.♕c4 ♗h4
22.♖d2 ♕e7.**

23.♖f1. Карпов с Ботвинником
считали это сильнейшим, а другое
развитие атаки – 23.♗c5 ♕g5 24.
♖d7 отвергали из-за жертвы качества 24...♘:c2 25.♗:f8 ♖:f8. Действительно, при 26.♖b1 ♗g3! (к худ-
шему эндшпилю ведет 26...♕:g2+
27.♔:g2 ♘e3+ 28.♔f3 ♘:c4 29.b3) у
черных отличная компенсация: 27.
♕:c6 наталкивается на 27...♘e1! с
угрозой ♗h2+.

Однако вместо 24.♖d7 гораздо
сильнее 24.♖ad1 ♖fd8 25.♖:d8+
♖:d8 26.♖f1!, что после 26...♖d7 27.
♗:b4 ab 28.♕:c6! ♕e3+ 29.♔h2 ставило черных в безвыходное положение: 29...♗g3+ 30.♔h1 ♖a7 31.
♘d5 ♕e2 32.♕b5! или 29...♖d8 30.
♘d5 ♕e2 31.♖f3+–.

Карпов, скорее интуитивно, выбрал план дальнейшего усиления
позиции, более соответствующий
стилю его игры.

23...♖fd8 24.♘b1! Этот красивый «ход назад» вызвал заметное
оживление в пресс-центре и зрительном зале. Конь переводится на
лучшее поле в самый удобный момент.

24...♕b7. Размен ферзей не-
поправимо портил пешки и вел к

технически проигранному эндшпилю: 24...♕e6 25.♕:e6 fe 26.♘a3.

25.♔h2! ♔g7 26.c3 (огромен перевес белых и при 26.♖:d8!? ♖:d8 27.♘d2) **26...♘a6.** Приходится уходить на край доски. Лихой кавалерийский рейд — 26...♖:d2 27.♘:d2 ♘c2 28.♗c5 ♘e1 не спасает: 29.♖:e1 ♗:e1 30.♘f3 ♖:b2 31.♘:e1 ♕d2 32.♘f3 ♕f4+ 33.♔h1 ♖d8 34.♗g1 или, что еще техничнее, 29.♘b3 ♘d3 30.♕:d3 ♕:b3 31.♕d6 ♕e6 32.♕:e6 fe 33.♖d1 ♖d8 34.♖:d8 ♗:d8 35.b4 с выигранным эндшпилем.

27.♖e2! «Следуя старому принципу Стейница — не менять фигуры в более свободной позиции. Теперь уже грозит 28.g3 и ♖ef2» (Ботвинник). Временная уступка линии «d» неопасна — белым важнее сохранить ладью для атаки по линии «f» и попутно освободить для коня поле d2.

27...♖f8? Так безразлично относиться к линии «d» не стоило. Упорнее было 27...♖d6 28.♘d2 ♖e8, выстраивая оборонительные рубежи в случае 29.♕a2 ♗d8 30.♘c4 ♖d7 31.♖ef2 f6. Теперь прямой навал 32.♗g5 ♘c5 33.♗:f6+ ♗:f6 34.♖:f6 хотя

и ведет к выигрышу материала, но дает черным контригру — 34...♘e4 35.♘:a5 ♕c7 36.♖e6 ♖de7 37.♖:e7+ ♖:e7 38.b4 c5, зато 32.b3! оставляет черных под нестерпимым позиционным прессом. Возможно, еще сильнее 29.♘f3 ♗d8 30.b4 ab 31.cb f6 32.♖d2! ♖:d2 33.♗:d2 ♗e7 34.♘g5! ♗:b4 35.♗:b4 fg 36.♗d6, подчеркивая жалкую участь черного коня.

Недостаточно и 27...♖d7 28.♘d2 ♘c7 — комбинированный натиск приносит белым решающий перевес: 29.♘f3 ♗f6 30.♗g5 ♗:g5 31.♘:g5 f6 32.♖ef2 ♖f8 33.♕c5! h4 (33...♕a8 34.h4!, и черные в цугцванге: 34...♕a6 35.♖:f6! ♖:f6 36.♖:f6 ♔:f6 37.♕f8+) 34.♘h7! (при 34.♕:a5 ♖a8 35.♕c5 fg 36.♕:e5+ ♔g8 37.♕:g5 ♖g7 38.♕:h4 c5! еще можно на что-то надеяться) 34...♘e6 35.♕c4 ♔:h7 36.♕:e6 ♖e7 37.♕d6 ♘c7 38.♕:c7 ♖:c7 39.♖:f6 с выигранным окончанием.

28.♘d2 ♗d8. Совсем безропотно. Некоторых усилий от белых потребовало бы как 28...♗e7 29.♘b3! ♕c7 30.♖ef2 f6 31.♖d2, и если 31...♖fd8 32.♖:d8 ♗:d8, то 33.♘:a5! ♕:a5 34.♕:c6 ♖b8 35.♖d1! ♗e7 36.♖d7 ♖e8 37.♖a7, так и 28...♖ae8 29.♘b3 ♗d8 30.♖ef2 f6 31.♖d2 f5 32.♖fd1 ♘b8 33.♘c5 ♕f7 34.♕:f7 ♔:f7 35.♘b7 ♗c7 36.♗c5+−.

29.♘f3 f6 30.♖d2! ♗e7 31. ♕e6! (решающее вторжение) **31... ♖ad8** (на 31...♘b8 проще всего 32.♖fd1 с неизбежным ♖d7!) **32. ♖:d8 ♗:d8 33.♖d1 ♘b8 34.♗c5 ♖h8 35.♖:d8!** Изящный заключительный укол: 35...♖:d8 36.♗e7! Черные сдались.

Таль: «Окончание 9-й партии производит совершенно неизгладимое впечатление. Меня в общем-то удивить довольно трудно. Но Толя сделал это, затратив на десяток прекрасных заключительных ходов минут этак пять». Счет стал уже 3:1. Карпову осталось одержать всего одну победу.

В 10-й партии Спасский приготовился было вновь штурмовать бастионы Каро-Канна, но Карпов на 1.e4 впервые в матче ответил 1...e5, не убоявшись разыграть систему Брейера в испанской партии – любимую защиту соперника. Это был вызов! Вскоре белые закрыли позицию ходом d4-d5 и получили длительную инициативу. Ботвинник: «Редкий случай, когда Карпов был вынужден бороться против своего же метода доминации».

№ 553
СПАССКИЙ – КАРПОВ
Матч претендентов,
Ленинград (м/10) 1974

32.♗a7! (этот прием затем использовал и сам Карпов – см. № 555) **32...♖bb7?!** (надежнее выглядит

32...♖a8, и если 33.♗f2(b6), то 33... ♖:a2 34.♕:a2 ♖b7 и ♗f6!) **33.♕e1 ♕d8 34.♕f2 ♖c8?!** Точнее сразу 34...♗f6.

35.♖a6 ♗f6 36.♗b6 ♕e7 37. ♖a7 ♖cb8. «Обходя хорошо замаскированную ловушку: после 37... ♗h4? 38.♖:b7! ♗:f2+ 39.♔:f2 ♕h4+ 40.♔g1 у черных вряд ли защитимая позиция» (Ботвинник). Однако здесь неясно 40...♗h3 или 40... ♘f6 (этот ход следует и на 40.♔f1). Поэтому гораздо сильнее 39.♗:f2! ♕c7 40.♖b8 ♖c8 (40...♕g5 41.♔h2) 41.♖:c8 ♗:c8 42.♗:b5, и у черных действительно тяжелая позиция: 42...♘f6 43.♖a7 или 42...♘c7 43.c4!

38.♖:b7 ♖:b7 39.♔f1 (неплохо и 39.♔h1!? ♗h4 40.♕g1) **39... ♗h4 40.♕g1 ♔g7 41.♖a7?** В случае 41.♖a8! Карпову еще предстояла непростая борьба за ничью: 41... ♘c7?! 42.♗:c7 ♖:c7 43.♕b6 ♖c5 44. ♖a7 или 41...♕g5 42.♗a5 ♕h5 43. ♘c1 ♗:h3 44.♔e2! ♕g5! (44...♗d7 45.♖a7) 45.♖e8 ♗:g2 46.♔d2! ♗:f3 47.♕:g5 ♗:g5 48.♗b4 и т.д.

Спасский рассказывал мне, что именно в этот момент, перед откладыванием партии, он вдруг почувствовал, что у него больше нет сил бороться за победу, что он морально истощен. И, потеряв веру в успех, он прекратил борьбу...

41...♖:a7 42.♗:a7 ♕d8 43. ♕b6 ♕c7! 44.♕:c7 ♘:c7 с ничьей на 61-м ходу.

Таль: «Последнюю, 11-ю партию я попросту не берусь комментировать. Она точная копия 21-й партии матча Спасского с Фишером в Рейкьявике. Там Борис провел все заключительные встречи с какой-то выжимкой, с надрывом. Старался, старался, старался... Не получилось! Нет, он не махнул рукой на результат — это его рука сама махнула. Случилось это подсознательно: он из тех шахматистов, которые сознательно не сдаются...

Состояние Спасского мне знакомо: это же было со мной в 21-й партии матча-реванша с Ботвинником. Когда я садился за доску, то считал, что, даст бог, я выиграю... Не получилось! И у Спасского не получилось ни против Фишера, ни против Карпова».

№ 554. Ферзевый гамбит D58
КАРПОВ – СПАССКИЙ
Матч претендентов,
Ленинград (м/11) 1974

1.d4 ♘f6 2.c4 e6 3.♘f3 d5. Типичная для матчей психологическая дуэль: белые не поддержали желание черных играть защиту Нимцовича, а те в ответ не захотели переходить на новоиндийские рельсы. **4.♘c3 ♗e7 5.♗g5 h6 6.♗h4 0-0 7.e3** (7.♖c1 – № 563, 573) **7...b6** (от Спасского нетрудно было ждать популярной системы, носящей имя его многолетнего тренера Бондаревского) **8.♗e2.** Ход Корчного, применявшего и 8.♖c1 (№ 517). Фишер играл здесь 8.cd (№ 485). **8...♗b7 9.♗:f6!?** Важная часть плана, направленного на ограничение подвижности вражеских фигур, в первую очередь слонов, и оставляющего черным мало шансов на контригру. **9...♗:f6 10.cd! ed 11.0-0.** Я предпочитал 11.b4, и обычно после 11...c5 12.bc bc 13.♖b1 ♗c6 14.0-0

♘d7 или 11...c6 12.0-0 ♘d7 с перестановкой ходов дело сводилось к варианту 11.0-0 ♘d7 12.b4.

11...♕d6?! Первый спорный момент. Практика, отфильтровав с той поры множество партий, оставила в качестве перспективных несколько других планов, связанных с продвижением с7-c5:

1) 11...♕e7 12.♕b3! ♖d8 13.♖ad1. Это требует некоторой точности в защите. Пассивно 13...c6?! 14.♖fe1 ♗c8 (в пользу белых и 14...♘d7 15. ♗f1 ♘f8 16.e4 de 17.♘:e4 ♘e6 18.♗c4 ♖e8 19.♘e5 ♖ad8 20.f4 Белявский – Георгадзе, СССР(ч) 1979) 15.♕c2! c5?! 16.e4! de 17.♘:e4!, и черные в трудном положении (Карпов – Белявский, Реджо-Эмилия 1991).

Энергичнее 13...c5! (этот ход оказался лучше своей изначальной репутации) 14.dc ♗:c3 15.♕:c3 (при 15.c6 ♘:c6 16.♕:c3 ♖ac8 за изолированную пешку у черных хорошее развитие) 15...bc (забота о висячих пешках тоже не слишком обременительна) 16.♖c1 ♘d7 17.♖c2 ♖dc8 (не 17...♖ab8?! 18.b3 ♕e6 19.♖d1 ♕b6 20.♘e1 Корчной – Геллер, Москва(м/5) 1971) 18.♕a3 a5 19.

♜fc1 ♛f6 20.♗b5 ♗c6 21.♗:c6 ♜:c6 22.♛d3 ♜d6= (Вейнгольд — Таль, Таллин 1983). Позднее Тимман дважды — против Юсупова (Роттердам 1989) и Иванчука (Хилверсюм 1991) — пытался обработать висячие пешки черных с помощью 16.♜d2 ♘d7 17.♜c1 a5 18.♛a3, но доказать преимущество белых ему не удалось;

2) 11...♘d7. Также благоприятное для черных продолжение. В 3-м томе (стр. 351) мы уже говорили о 12.♛b3 c6 (Тимман — Спасский, Бугойно 1982; Хилверсюм 1983). Другая критическая позиция — 12.b4 c5 13.bc bc 14.♜b1 ♗c6 — возникала семь раз (!) только в моих матчах с Карповым (1984–87), и в 7-м томе мы к ней вернемся;

3) 11...c5 (при двух слонах возможна и немедленная активность) 12.dc, и тут есть два пути: 12...♗:c3 13.bc bc 14.♜b1 ♛c7 (слабее 14... ♛e7?! Каспаров — Торре, Москва 1981; после 15.♛a4! ♘c6 16.♛a3 черным пришлось бы трудно) 15.♘e5, и белые сохраняют давление (Крамник — Халифман, Линарес 2000), или 12...bc!? (эта попытка реабилитации 11...c5 может оказаться удачной) 13.♛b3 ♗c6 14.♜ad1 ♘d7!? 15.♘:d5 ♜b8 и т.д.

12.♜c1! a6. Приходится терять время на необязательный сейчас ход, чтобы защитить поле b5. Хуже у черных при 12...c6 13.e4! и совсем плохо при запоздалом 12...c5? 13.dc bc 14.♘e4!

13.a3 ♘d7. Ботвинник заметил, что «получилась позиция, аналогичная известному варианту защиты Грюнфельда»: 2...g6 3.♘c3 d5 4. ♘f3 ♗g7 5.♗g5 ♘e4 6.cd ♘:g5 7.♘:g5

e6 8.♘f3 ed 9.e3 0-0 10.♗e2 c6 11.0-0 ♛e7 12.a3 ♗e6 13.♜c1 ♘d7 и далее 14.♘e1 ♘b6 15.♘d3 ♜ad8 16.♘c5 ♗c8 17.b4 ♘c4 18.♘b1 b6 (18...♜d6!?) 19.♘b3 ♗a6 20.♜e1 ♜fe8 21.♘1d2! b5 22.♜a1 ♗c8 23.♗f1 ♜d6 24.♘c5 (Ласкер — Ботвинник, Ноттингем 1936).

На мой взгляд, сходство пока довольно условное: фигуры и пешки белых расположены в точности, как у Ласкера, а вот черные уже ослабили пешечную структуру на ферзевом фланге. Хотя впоследствии, в типовых миттельшпильных позициях, это сходство может и проявиться.

14.b4. Белые начинают играть на зажим ферзевого фланга, и об активности с ходом c7–c5 черным приходится забыть. Но они могут попытаться использовать ослабление поля c4.

14...b5. Ботвинник одобряет это обязывающее продвижение (он и сам играл так против Ласкера). Таль, наоборот, считает его «нервным решением» — первопричиной трудностей черных и предлагает 14...♗e7 15.♗d3 ♛e6! 16.♛c2 ♗d6 и далее 17.♗f5 ♛e7 18.e4 de 19.♗:e4 ♗:e4 20.♘:e4 ♗f4 21.♜cd1 ♘f6 с примерным равновесием.

15.♘e1?! «Удивительно, что и Карпов маневрирует по Ласкеру. Впрочем, по мнению Карпова, сильнее было 15.♘d2 и ♘b3, препятствуя подрыву a6-a5. В этом случае положение черных было бы более пассивным» (Ботвинник).

15...c6! Таль предлагал не закрывать слона – 15...♘b6 16.♘d3 ♘c4 17.♘c5 ♗c6, но укрепление пешки b5 тоже имеет смысл.

16.♘d3 ♘b6?! Только немедленное 16...a5! позволяло использовать неточность белых (15.♘e1) при проведении стратегически правильного плана. Черная ладья освобождалась от обязанности защищать пешку, и после a5-a4 и ♘d7-b6-c4 слабостью могла стать уже пешка a3.

17.a4! Отличная реплика, вынуждающая черных постоянно думать о защите пешки a6.

17...♗d8?! Этот ход, который Таль считал единственной возможностью получить хоть какую-то контригру, справедливо осудили Ботвинник и Карпов. Первый предложил взамен 17...♘c4 18.♘c5 ♖ab8 (далее возможно 19.♗d3 ♗d8 20.a5 ♗c7 21.g3 ♕e7 22.♕c2 ♗d6 23.♘e2 ♖be8), второй – 17...♖ad8 18.♘c5 ♗c8 («при ладье на d8 и слоне на f6 можно было не слишком опасаться прорыва в центре»). Но, скорее всего, удачнее 17...♖ae8 18.♘c5 ♗c8 19.♖a1 (19.♗g4 ♕c7) 19...♘d7. Везде у белых было «немного лучше», но пока ничего реального.

С неэффективной перестройки, затеянной Спасским, и начинается постепенное уменьшение защитных ресурсов черных, хотя, как это часто случалось при анализе партий, имевших исключительное значение для хода шахматной истории, на оценку дальнейших событий повлиял итоговый результат.

18.♘c5 ♗c8 19.a5! ♗c7 20. g3 ♘c4. Черные осуществили намеченное, но дорога к равенству легче не стала, особенно после своевременного вскрытия центра соперником. Что касается гордости черных – коня c4, то можно вспомнить комментарий Ботвинника к упомянутой партии с Ласкером: «Я понял, что доктор обвел меня вокруг пальца. Конь на c4 стоит красиво, но что дальше?» Чтобы активизировать слонов, черным пришлось надвигать пешки «f» и «g», серьезно ослабляя укрытие собственного короля. Правда, Ласкер так и не смог выбрать удобный момент для вскрытия центра, и партия закончилась вничью.

21.e4! ♗h3. «Возможно, это решающая ошибка» (Таль). Такая оценка скорее подошла бы к ходу 17...♗d8, начавшему маневр, целью которого было как раз обеспечение поля h3 для другого слона.

Таль рекомендует 21...de 22. ♘3:e4 ♕g6. Безусловно, 23.♗:c4 bc 24.♖:c4 ♗h3 25.♖e1 ♖fe8 позволяло черным активизироваться. А вот хладнокровное 23.♖e1! ♗h8 (23... ♗h3 столь же безрадостно, как и в партии) 24.♘d2! сохраняло преимущество белых.

22.♖e1! Другой перспективный план усиления — 22.e5 ♕e7 23.♖e1, но Карпов последователен в своем намерении вскрыть центр, пока силы черных слабо скоординированы.

22...de. Удержать позиции в центре невозможно. Ботвинник считал более упорным 22...♖fe8. На это белые могли перейти к игре на зажим — 23.e5 ♕g6 24.♗d3 ♗f5 25. ♘e2 ♗:d3 26.♘f4 или продолжить давление на центр — 23.♗f3.

23.♘3:e4 ♕g6. Выбор у армии, теряющей согласованность действий, невелик. «Осторожное» (по Ботвиннику) 23...♕d8 не приносило облегчения ввиду 24.♕b3! (интересно и 24.♗:c4 bc 25.♕c2! с идеей 25...♗:d4 26.♖cd1 ♕e5 27.♘:a6!), и за черных не видно приемлемых продолжений: 24...♕:d4 25.g4! f5 26.♖cd1! ♕e5 27.♘d6!+−.

24.♗h5! Карпов продолжает усиливать позицию, не давая сопернику даже подобия контригры после 24.♗:c4 bc 25.♕e2 ♗f4 26.♖a1 ♖fe8 27.♕e4 ♗h8.

24...♗h7. Активное 24...♕f5 в надежде переломить ход поединка в осложнениях после 25.♖c3! ♕d5 26.g4! f5 27.♖:h3 fe приводило в итоге к плохому эндшпилю: 28.♗g6 ♘d6 29.♖h5 ♕a2 (при 29...♕c4 30. ♕d2! ♖f6 31.♖c1 ферзь гибнет) 30. ♕e2! ♕:e2 31.♖:e2.

25.♕f3. К выгоде белых и 25. ♘d2!? ♘:d2 26.♕:d2 ♕f5 27.♕d1! ♖fd8 28.♗e7 g6 29.♗f3 ♗d6 30.♖e1 — хроническая слабость ферзевого фланга обрекает черных на долгие мучения.

25...f5? Окончательно выводя из игры свою сильнейшую фигуру, Спасский фактически подписывает капитуляцию. Увлекательные события развертывались в случае 25... ♗f5 26.♘c3 ♖fc8. Теперь не так ясно 27.♕:c6 ♗f4 28.♗:f7+ ♔h8, но прорыв 27.d5! вызывал тактические осложнения, ведущие к триумфу белых: 27...♘e5 28.♕d1 ♖d8 29.♕d4 f6 30.♘b7! ♖db8 31.dc ♘d3 32.♘d5 ♗e5 33.♘e7+ ♔h8 34.♘d6! ♗:d6 35. ♕:d6 ♖d8 36.♕:d8+! ♖:d8 37.c7 ♖f8 38.♗g6! ♗:g6 39.c8♕ ♗e8 40.♘f5 ♘:e1 41.♖:e1 ♕g8 42.♕:a6 ♕d5 43. ♕d6 и т.д.

Ботвинник и Карпов считают последней возможностью 25...♗f5, например: 26.♕:f5 (26.♖c3 ♕d5!) 26...♗:f5 27.♗f3 ♖fc8 (27...♖fd8? 28. ♘c3! ♖:d4 29.♗:c6 ♖a7 30.♗:b5!) 28.♗e2! ♘d6 29.♗d3 «с перевесом белых» (Карпов). Действительно, при 29...♘:e4 30.♗:e4 ♗:e4 31.♘:e4 f5? 32.♘c5 ♗d6 33.♖e6 у белых выигранная позиция, однако 29... ♗h7! еще ставит некоторые проблемы. К тому же явно сильнее 31... ♗b8 с шансами на спасение: 32.♔g2 (32.d5 f5!) 32...♗a7 33.♘d6 ♖d8 34. ♖:c6 ♗:d4 35.♖e7 ♗c3! – исход борьбы совсем не ясен. Поэтому лучше 29.♘d2! ♗d8 30.♘f3! ♗c7 31.♘e5 с сильнейшим нажимом или сразу 27.♗e2!? ♘d6 28.♗d3 ♘:e4 29.♗:e4 ♗:e4 30.♘:e4 f5 31.♘c5 ♗d6 32.♖e6 ♗:c5 33.dc ♖ac8 34.♖d1 с отличными перспективами в ладейном эндшпиле. Поэтому после 27.♗e2 (или 27.♗f3 ♖fc8 28.♗e2) черным имеет смысл подумать о жертве пешки: 27...♖fe8 28.♗:c4 bc 29.♖:c4 ♗d6! 30.f3 h5! 31.♔f2 ♗f8, уповая на спасительную силу двух слонов.

26.♘c3 g6 27.♕:c6! gh 28. ♘d5! (борьба закончена) **28...f4 29.♖e7! ♕f5.** На 29...fg с робкой надеждой на 30.♖:h7?? gf+ 31.♔h1 f1♕+ 32.♖:f1 ♖:f1# проще всего выигрывало 30.♘f6+! ♖:f6 31.♖:a8+ ♖f8 32.♕:f8+ ♔:f8 33.♖:h7.

30.♖:c7 ♖ae8 31.♕:h6 ♖f7 32.♖:f7. Страшный удар 32.♘d7! заставлял черных отдать почти даром наиболее ценные фигуры.

32...♔:f7 33.♕:f4 ♖e2 34. ♕c7+ ♔f8 35.♘f4. Черные сдались, и Карпов выиграл матч со счетом 4:1 (при шести ничьих).

Эта партия, как и весь матч, показала полную несостоятельность теории «чистой головы», исповедуемой Спасским и его секундантом. Выяснилось со всей очевидностью: чтобы добиваться устойчивых успехов на высшем уровне, недостаточно иметь только общие представ-

ления о применяемых дебютных схемах и пару-тройку идей. Без обширных и точных знаний получить желанные миттельшпильные позиции невозможно и приходится довольствоваться теми, в которые завлекает вас соперник, отнюдь не желающий, чтобы ваша «чистая голова» имела большой простор для творчества.

После этого поражения Спасский, увы, не нашел в себе сил перестроиться для серьезной систематической работы, и его результаты начали неуклонно, год от года, снижаться. А Карпов навсегда стал для него трудным соперником: общий счет их партий с классическим контролем +13–1=20 в пользу 12-го чемпиона мира.

Карпов: «Из всех матчей, когда-либо сыгранных мною, этот был самый шахматный, самый импровизационный, самый игровой. Много лет спустя Спасский мне скажет: «Я не могу играть с вами, потому что не понимаю вашей игры, не понимаю хода вашей мысли...» Но чтобы это понять и признать, ему мало было проиграть этот матч; ему потребовались годы раздумий, годы наблюдений за моей игрой. К счастью, этот матч не испортил наших отношений. И дальнейший постепенный уход из шахматной элиты этого великолепного бойца я не беру на свой счет, на свою совесть — сломал его все-таки не я, а Фишер. И какой была бы наша борьба, если прежде меня не было бы Фишера, остается только гадать».

И еще два высказывания заинтересованных лиц — чемпионов мира.

Таль: «Победа Карпова над Спасским произвела на меня еще большее впечатление, чем выигрыш Корчного у Петросяна. Меня прежде всего интересовал вопрос, как перенесет первое поражение Карпов, не привыкший получать нули, не имеющий иммунитета к проигрышам... И вот 2-я партия, потом 3-я: сначала защита Каро-Канн, затем 1.d4. Это уже, знаете ли, речь не мальчика, но мужа. Вспоминаю свой матч 1965 года со Спасским. Меня уговаривали где-то после 5-й партии: «Бросай ты свое e2-e4. Меняй пластинку. Отвлеки его». Но я тогда уже «завелся». А сегодняшний Карпов хотя и помоложе того Таля, да не завелся! Дебютный репертуар Карпова поставлен, будто голос у очень хорошего певца. И он бережет его, не раскрывая заранее. Многие его начала по всем контурам напоминают постановку дебюта Фурмана. Тут молодой шахматист верит своему наставнику совершенно беспрекословно. И верит не зря. Фурман исключительно тонко чувствует дебют и вообще по пониманию игры шахматист огромный».

Ботвинник: «Матч со Спасским — своего рода прыжок в неведомое: раньше таких успехов у Карпова не было. Когда он навязал своему противнику жесткую, бескомпромиссную борьбу, Спасский потерпел четыре поражения в девяти партиях. После одиннадцати встреч счет был 7:4 — такой же, как и в матче в Рейкьявике. Карпов играл блестяще. Трудно сказать, где проявил он большее мастерство — в атаке или защите. Счет вариантов сочетался с искусством позиционной борьбы. Карпов понимал, что превзойти Спасского можно лишь тогда, когда всё отдаешь шахматам... Этот матч прояснил положение дел на шахматном Олимпе. По крайней мере, для тех, кто хотел понимать».

Да, это был поистине исторический матч — точка пересечения двух ярких звезд: восходящей и медленно идущей на спад, как когда-то матч Кереса с Эйве (см. 2-й том). Это был, в сущности, последний реальный шанс Спасского побороться за возвращение титула чемпиона мира! Три года спустя его финальный матч претендентов с Корчным выглядел уже скорее агонией великого игрока (см. главу «Белградский реванш»), а против Карпова, особенно поначалу, Спасский был еще полон сил и амбиций, почти как в лучшие свои времена.

Кстати, меня удивляет, почему многие эксперты прочили победу Спасскому. Видимо, тогда еще не обращали должного внимания на рейтинги — объективные показатели силы шахматистов. Вот как выглядел квартет претендентов на 1 июля 1973 года: Карпов — 2660, Спасский — 2655, Корчной — 2650, Петросян — 2640. То есть можно было говорить о приблизительном равенстве сил. Затем Спасский прибавил в чемпионате СССР и матче с Бирном, а Карпов — в мадридском турнире и матче с Полугаевским. Следующий обсчет рейтингов ФИДЕ произвела на 1 мая 1974 года, уже с учетом полуфинальных матчей претендентов: Карпов —

2700 (!), Корчной – 2670, Спасский – 2650, Петросян – 2640.

Эти цифры — не пустой звук. В течение ряда лет Карпов показывал стабильно высокие результаты, а главное — демонстрировал стабиль-

но высокое качество игры. И достиг своей первой творческой вершины в матче со Спасским. Именно с этого поединка, а не с апреля 1975 года начинается эпоха Анатолия Карпова.

КОРОНАЦИЯ

Итак, оставался финальный матч с Корчным. «Когда меня спрашивали, как я расцениваю свои шансы, я неизменно отвечал: игра покажет, — а сам уже подумывал о Фишере. И что этот цикл — не мой, от меня уже никто не слышал», — вспоминает Карпов. Верил в него и Ботвинник. «Не волнуйтесь, — отвечал он на вопросы любителей шахмат, — не для того Карпов выигрывал у Полугаевского и Спасского, чтобы проиграть Корчному».

Но сначала, уже через месяц после полуфинальных матчей, состоялась Всемирная олимпиада (Ницца, июнь 1974), приуроченная к празднованию 50-летия ФИДЕ. Организаторы создали прекрасные условия для игры, надеясь, что «турнир наций» станет первым выступлением Фишера в ранге чемпиона мира. Интригу подогревало то, что команду СССР впервые возглавлял Карпов — новый претендент на корону, мечтавший сразиться с чемпионом. Их поединок ожидался с огромным интересом. Но, увы, Фишер не приехал...

Великолепная советская шестерка — Карпов, Корчной, Спасский, Петросян, запасные Таль и Кузьмин — прошла всю дистанцию олимпиады без единого поражения и показала один из лучших результатов в истории: 1. СССР – 46 из 60; 2. Югославия – 37,5; 3. США – 36,5.

Особенно хорошо играл Карпов, который, как в свое время и Таль, всего за два года взлетел из запасных на 1-ю доску. К пяти победам подряд в полуфинале он добавил шестую на старте финального турнира — над Гортом, а затем, после ничейной передышки, расправился и над Унцикером.

№ 555. Испанская партия C98
КАРПОВ – УНЦИКЕР
*XXI Всемирная олимпиада,
Ницца 1974*
1.e4 e5 2.♘f3 ♘c6 3.♗b5 a6 4.♗a4 ♘f6 5.0-0 ♗e7 6.♖e1 b5 7.♗b3 d6 8.c3 0-0 9.h3 ♘a5 (9...♘b8 – № 540, 559, 591) **10.♗c2 c5 11.d4 ♕c7 12.♘bd2 ♘c6.** Старинный вариант системы Чигорина, популярность которого резко упала после этой партии. Черные стали предпочитать 12...cd 13. cd ♘c6! (это получше, чем 13...♗b7 – № 436).

13.d5! Сильнейшее возражение (Решевский и Фишер играли 13.dc — см. № 401). Пешка d5 надолго обеспечивает белым пространственный перевес и связанную с этим свободу маневра фигур.

13...♘d8. По Рубинштейну. При 13...♞a5 14.b3! у коня остается только поле b7. Здесь образцом игры белых можно считать партию Геллер — Мекинг (Пальма-де-Ма-льорка(мз) 1970): 14...♝d7 15.♘f1 ♞b7 16.♘g3! (эластичнее, чем 16.с4 Карпов — Андерссон, Стокгольм 1969) 16...с4 17.b4 ♖fc8 18.♘f5 ♝f8 19.♘h2 a5 20.♝e3 ab 21.cb ♝:f5 22.ef с3 23.♘g4 ♝e7 24.♘:f6+ ♝:f6 25. ♖e4! ♕d7 26.♕f3 с преимуществом.

14.a4 (ладьи черных разъедине-ны, и такой подрыв должен быть им неприятен) **14...♖b8 15.ab.** Моду на старый ход 13.d5 вернула партия Штейн — Ивков (Амстердам(мз) 1964), где после 15.с4 ♝d7?! 16.ab ab 17.cb ♝:b5 18.♝a4 ♖a8 19.♖e3 ♞b7 20.♖ea3 белые захватили ли-нию «а». Надежнее 15...b4, затем ♞e8, g7-g6 и f7-f6 (Боголюбов — Ру-бинштейн, Баден-Баден и Брес-лавль 1925).

15...ab. Как играть белым?

16.b4! Современный типовой при-ем в подобных позициях. Белые не отказываются от наступления на королевском фланге, но, открывая второй фронт, хотят создать для не-го более выгодные условия. Впро-чем, при неудачной реакции про-тивника они могут добиться мно-го и на ферзевом фланге, используя линию «а» и слабость пешки b5 (см. примечание к 16-му ходу черных).

На прямолинейное 16.♘f1 еще великий Акиба продемонстрировал план обороны, сразу же ставший эталонным: 16...♞e8 17.g4 g6 18.♘g3 ♞g7 19.♔h1 f6 20.♖g1 ♘f7 21.♝e3 ♝d7 22.♕e2 ♖a8 (22...♘g5!?) 23. ♘d2 ♔h8 24.b3 ♕b7 25.♝d3 ♖a6! (Бернштейн — Рубинштейн, Остен-де 1907) или 22.♕f1 ♖a8 23.♕g2 ♖:a1 24.♖:a1 ♕b7 25.♔h2 ♖a8 26.♕f1 ♖a6! 27.♘d2 ♕a8 (Томас — Рубинштейн, Баден-Баден 1925). Или 16.с4 b4 17.♘f1 ♞e8 18.g4 g6 19.♝h6 ♞g7 20.♘e3 f6 21.♔g2 ♘f7= (Боголюбов — Рубинштейн, Берлин 1926).

16...♞b7. Беспомощность это-го коня представляет для черных немалую проблему. Хотелось бы, подражая Рубинштейну, сыграть 16...♞e8 с идеей 17.♘f1 g6 18.g4 ♞g7 19.♘g3 f6 и ♘f7, но тут надо счи-таться с 17.bc!, и как 17...dc 18.с4 b4 19.♘b3, так и 17...♕:c5 18.♖e3 ♞b7 19.♝a3 связано с новыми неудоб-ствами: объектом атаки становится в первом случае пешка с5, а во вто-ром — пешка b5.

Чаще всего встречалось 16...с4, но и у этого хода есть очевидный ми-нус: белые получают дополнитель-ный ресурс f2-f4, и при e5:f4 не то-лько черные приобретают пункт е5, но и белые — важное поле d4 для коня. После 17.♘f1 ♞e8 18.♘3h2 неуместна активность 18...f5? 19.ef (пункт е4 — важный элемент пози-ционного перевеса белых) 19...♝:f5

20.♗:f5 ♖:f5 21.♗e3 ♖f8 22.♘f3 ♘f6 23.♘g3 ♘f7 24.♖a7! ♖b7 25.♖a5 (Геллер — Смыслов, Пальма-де-Мальорка(мз) 1970). Сдержаннее 18...f6, но и здесь после 19.f4 ♘f7 20.♘f3 g6 21.f5 ♘g7 22.g4 черные испытывают затруднения (Карпов — Спасский, Москва 1973).

17.♘f1 ♗d7 18.♗e3. Менее перспективно 18.♗d2 ♖a8 19.♘e3 ♖fc8 20.♔h2 ♖:a1 21.♕:a1 ♕d8! 22. ♕a7 ♖a8! 23.♕:b7 ♖b8 24.♕a7 *1/2* (Спасский — Корчной, Киев(м/1) 1968).

18...♖a8 19.♕d2 ♖fc8? Черные выбирают неправильную расстановку тяжелых фигур и из-за этого проигрывают борьбу за линию «a». Верный путь указал сам Карпов: 19...♖fb8 20.♗d3 ♕c8!, после чего черные разменивали одну пару ладей и увеличивали шансы на успешную оборону.

20.♗d3 g6 21.♘g3 ♗f8 (борьба за линию «a» вела к потере пешки: 21...♕d8? 22.♖:a8 ♖:a8 23.bc ♘:c5 24.♗:c5 dc 25.♘:e5) **22.♖a2! c4.** Вторжение ферзя после 22...♖:a2 23.♕:a2 cb 24.cb ♕c3 лишь обнажило другую слабость в лагере черных — пешку b5: 25.♕b1 ♕a3 26.♖c1 ♖c1+ 27.♗:c1 ♕a4 28.♗e3 ♕e7 29.♘e2.

23.♗b1. Цель этого хода, мешающего быстрой концентрации белых фигур по линии «a», вовсе не избыточная защита пешки e4. Карпов не хочет давать сопернику ни малейших контршансов и потому радикально препятствует продвижению f7-f5.

23...♕d8. «И после 23...♘d8 24.♖e2 спора за линию «a» не получалось. К тому же черные обязаны

были бы считаться и с 24.♖:a8 ♖:a8 25.♗h6» (Карпов).

24.♗a7! Этот оригинальный маневр стал известным техническим приемом борьбы за открытую линию после 10-й партии матча Спасский — Карпов (№ 553). Тогда Карпову удалось устоять, и теперь он сам проверяет его эффективность. Белые временно закупоривают линию «a», под прикрытием слона концентрируют на ней тяжелые фигуры и в удобный момент, отступив слоном, вторгаются в лагерь противника. Во многом из-за неудачной позиции коня b7 черным трудно организовать противодействие этому очевидному намерению.

Кстати, в схожей ситуации (правда, в другом классическом дебюте — ферзевом гамбите) я применил маневр ♗d3-h7 для захвата линии «h» (Каспаров — Карпов, Москва (м/21) 1985).

24...♘e8 25.♗c2 ♘c7 26. ♖ea1 ♕e7 27.♗b1 ♗e8. «Черные, как могли, подготовились к игре на ферзевом фланге, соединив свои силы. Но белые, используя пространственный перевес и бóльшую маневренность своих фигур, начинают действия на другом фланге» (Карпов).

28.♘e2 ♘d8 29.♘h2 ♗g7 30. f4! f6? Позиционная капитуляция. Необходимо было 30...ef 31.♘:f4 f6 32.♘f3 ♘f7 33.♘d4 ♘e5, давая противнику опорный пункт в центре, но зато получая форпост на e5.

31.f5 g5?! Не стоило двигать эту пешку. Вряд ли лучше и 31...gf 32.ef ♘f7 33.♗e3 ♕f8 (Карпов) 34. ♘g4. Упорнее всего было стоять, воздерживаясь от движения пешек. Теперь же у черных ослаблены белые поля королевского фланга, и Карпов начинает последовательно осуществлять выгодную операцию по размену белопольных слонов.

32.♗c2! ♗f7. Слабость белопольной периферии ликвидировать не удается: 32...h5 33.♗d1 ♔h7 34.♘g3 h4 (34...♔h6? 35.h4!) 35.♘gf1 ♘f7 36.♗h5+−.

33.♘g3 ♘b7 34.♗d1! h6?! От этого бесполезного продвижения, лишь окончательно ослабляющего белые поля, стоило воздержаться.

35.♗h5 ♕e8 36.♕d1! ♘d8 37.♖a3 ♔f8 38.♖1a2 ♔g8 39.

♘g4 ♔f8 40.♘e3 ♔g8 41.♗:f7+ ♘:f7 42.♕h5! ♘d8.** На 42...♘h8 Карпов приводит забавный вариант 43.♘g4 ♕:h5 44.♘:h5 ♔f7 45.♗b6 ♖:a3 46.♖:a3 ♖a8 47.♖:a8 ♘:a8 48. ♗d8 с полным цугцвангом!

43.♕g6! (спасибо пешке, ушедшей на h6) **43...♔h8 44.♘h5!** Черные сдались: терпеть мучения после 44...♕f7 45.♘g4 ♘e8 46.♗b6 не имеет смысла.

«Чрезвычайное явление, триумф высшей стратегии», — писала об этой партии пресса. И впрямь, классический образец разыгрывания позиций с закрытым центром. «Когда после партии Унцикер вдруг по-русски обругал свою позицию «с этим дурацким черным конем, который никак не мог выпрыгнуть из клетки», то я от неожиданности чуть не свалился со стула», — рассказывал Анатолий. Между прочим, Таль уже тогда подметил, что игра на ограничение подвижности неприятельского коня — один из любимых стратегических приемов Карпова.

Одержав еще три победы белыми, он без видимого напряжения показал лучший результат на 1-й доске (+10=4). В последних двух турах Карпов не играл, поскольку в качестве претендента на корону принимал участие в работе конгресса ФИДЕ, который должен был утвердить регламент предстоящего через год матча на первенство мира. Другой претендент, Корчной, заменил молодого коллегу на 1-й доске, попросив его выступить на конгрессе от лица их двоих.

Карпов: «Мы договорились стоять насмерть против трех требований Фишера: 1) матч безлимитный; 2) до десяти побед; 3) при счете 9:9 победа присуждается чемпиону мира. Впрочем, после нашего матча, потерпев поражение, Корчной стал говорить, что требования Фишера обоснованны, что их следовало принять. Я думаю, это было не очень красиво с его стороны».

Почему же Корчной изменил свою позицию? Публично он высказался на эту спорную тему в интервью накануне исторической 32-й партии матча в Багио (1978) и затем в книге «Антишахматы»:

«При счете 5:5, после трех месяцев напряженной борьбы, я совсем иначе осмыслил торг, предшествовавший переходу шахматной короны от Фишера к Карпову... Прав ли был Фишер, когда требовал защитить титул чемпиона мира двумя очками форы — чтобы претендент добивался победы со счетом 10:8, а при счете 9:9 чемпион сохранял свое звание? Да, теперь я понял, что это было вполне естественно: чемпион этого заслуживает, не говоря уже о том, что при равном счете дальнейшая игра до первой победы — чистая лотерея, и кто бы ни выиграл, это уже неубедительно!»

Но летом 74-го два «К» выступали еще единым фронтом, выражая советскую точку зрения. Ситуация на конгрессе была весьма накаленной — после ультимативных телеграмм чемпиона мира вопрос стоял так: «Или ФИДЕ, или Фишер». Поэтому речь Карпова встретили неоднозначно. Рошаль: «Кое-кто из делегатов его перебивал, да и пред-

седательствующий не поддержал, а наоборот, заметил, что он-де повторяет говорившееся прежде. Карпов сердито покраснел, молчал почти минуту и уже совершенно спокойно добавил: «Рассматриваю эти реплики как неуважение». И спустился в зал, где ему аплодировали некоторые из тех, кто только что мешал говорить».

В итоге работы двух конгрессов — этого и чрезвычайного (март 1975) — были приняты все требования Фишера, кроме одного: чтобы при счете 9:9 чемпион сохранял титул (подробнее об этих событиях рассказано в 4-м томе). Свое знаменитое «я слагаю с себя титул чемпиона мира ФИДЕ» Бобби прислал еще в Ниццу, что вызвало риторический вопрос Найдорфа: «Почему, если Фишер отказывается от своего титула, финальный матч претендентов проводится не по регламенту матчей за мировое первенство?»

Матч Карпов — Корчной (Москва, осень 1974), де-факто ставший поединком на первенство мира, игрался до пяти побед одного из участников, но с лимитом в 24 партии — вполне сравнимо с регламентом прежних матчей за корону. Каковы были предстартовые прогнозы?

«Во время олимпиады в Ницце Тимман отметил, что Корчной по-прежнему попадает в цейтноты, Карпов же, наоборот, действует легко, с большим запасом времени, и это, по мнению Яна, определит его преимущество в матче. Андерссон и Портиш считали шансы соперников примерно равными. Найдорф отдавал предпочтение Карпову, а Горт, обратив внимание на постоянно высокую спортивную форму Карпова, в то же время предположил, что Корчной в Ницце несколько берег силы и что финальный поединок станет «борьбой нервов». Советские гроссмейстеры свои прогнозы чаще всего делали осторожно. Полугаевский отметил, что на стороне Карпова возраст, стабильность результатов, постоянный и неуклонный прогресс («Со Спасским он играл уже значительно сильнее, чем со мной»). Тайманов говорил о том, что Корчной порой все же слишком «раскрывается», и о ровности игры и растущей силе Карпова: «По-моему, он рано или поздно будет чемпионом мира». Это высказывание в известной мере перекликалось с мнением Ларсена — тому по шахматному стилю ближе был Корчной, но рассудок подсказывал: Карпов» (Рошаль).

Незадолго до матча тренерский штаб Карпова получил мощное пополнение: к Фурману и Разуваеву присоединился Ефим Геллер — шахматист энциклопедических знаний и яркого атакующего стиля. По свидетельству Разуваева, где-то на финише матча Геллер выражал Фурману недовольство игрой Карпова и сердито повторял: «Толю надо переучивать: он должен играть более агрессивно!» Фурман долго слушал коллегу, молча куря сигарету, а потом сказал: «Знаешь что, Фима? Если тебе не нравится, найди себе другого мальчика и научи его играть так, как считаешь нужным. А меня в Толе всё устраивает и мне нравится, как он играет!» Красноречивая сценка: известно, что Фурман относился к Карпову с отцовской нежностью.

Однако в начале матча у Геллера не было повода для критики. После боевой ничьей в 1-й партии Карпов одержал блистательную комбинационную победу во 2-й, применив одну из глубоких разработок Ефима Петровича.

№ 556. Сицилианская защита B78
КАРПОВ – КОРЧНОЙ
Матч претендентов,
Москва (м/2) 1974

1.e4 c5 2.♘f3 d6 3.d4 cd 4. ♘:d4 ♘f6 5.♘c3 g6 6.♗e3 ♗g7 7.f3 ♘c6 8.♕d2 0-0 9.♗c4 (9.g4 – № 576) **9...♗d7** (9...♘:d4?! – № 434) **10.h4.** Мода тех лет — острейший вариант с движением пешки «h». Ныне в ходу гибкое 10.0-0-0 ♖c8 11.♗b3 ♘e5 12.♔b1, и если 12...♘c4, то 13.♗:c4 ♖:c4 14.g4!, препятствуя h7-h5.

10...♖c8 11.♗b3 ♘e5 12. 0-0-0 ♘c4. Эта партия, естественно, не «убила дракона», но заставила черных отработать методы защиты. Дальнейшая практика показала, что больше возможностей для сдерживания натиска и создания контригры дает радикальный ход 12...h5!, введенный в гроссмейстерскую практику Майлсом и Сосонко. Подробности — в следующем томе, посвященном дебютной революции 70—80-х годов.

13.♗:c4 ♖:c4 14.h5 ♘:h5 15. g4 ♘f6. Одна из самых известных табий «дракона».

16.⟠de2!? Прелюдия к интересной новинке. Угрожает 17.e5! и 18. g5, но следующее примечание Карпова показывает, что даже в анализе острых позиций он старался опираться и на рассуждения общего характера:

«Попытку подкрепить этот ход вариантами сделал Е.Чумак, шахматист из Днепропетровска, который опубликовал в 1972 году статью на эту тему. Логически обосновать отступление коня из центра можно примерно так. Пункт c3 — важнейшая точка в расположении белых фигур, на которой черные сосредоточивают свои удары. Часто здесь случается типовая жертва качества (🖤:c3), и соперник получает сильную атаку (показательно, что после сдвоения белых пешек по линии «c» позиция черных так богата возможностями, что и без атаки, даже в эндшпиле, они удерживают равновесие — это великолепно демонстрировал в своих партиях выдающийся гроссмейстер Леонид Штейн). Таким образом, основная идея хода 16.⟠de2 — укрепление пункта c3. Кроме того, конь с e2 может быть легко пере-

брошен для прямой атаки неприятельского короля».

Помимо профилактического хода в партии у белых богатый выбор атакующих планов. Вот несколько иллюстраций, расположенных более-менее в хронологическом порядке:

1) 16.e5 ⟠:g4 (или 16...de 17.⟠b3 🖤c6! 18.♕h2 🖤:c3! 19.bc ♕c8! с контригрой) 17.fg 🖤:g4 18.🖤dg1 de 19. 🖤:g4 h5! 20.🖤:h5 🖤:d4! 21.🖤:d4 ed 22. ⟠e4 (или 22.⟠d5) 22...gh 23.🖤:g7+ 🖤:g7 24.♕g5+ 🖤h7 25.♕:h5+ 🖤g7 *1/2* (Чумак — Охотник, Днепропетровск 1970);

2) 16.🖤h6 ⟠:e4 17.♕e3 🖤:c3 18.bc ⟠f6 19.🖤:g7 🖤:g7 20.🖤h2 (или 20. 🖤h4 🖤g8 Цешковский — Майлс, Вейк-ан-Зее 1989) 20...🖤h8 (играли и 20...♕c7, но не 20...♕a5?! 21.⟠b3 ♕:a2 22.♕:e7 ♕a3+ 23.🖤b1 🖤e8 24. ♕:d6 ♕:d6 25.🖤:d6 с перевесом белых, как было в партии-первоисточнике Геллер — Корчной, Москва(м/4) 1971) 21.⟠b3 🖤c6 22.g5 ⟠h5 23.f4 🖤e8 24.f5 ♕b6 25.⟠d4 ♕c5! (Каспаров — Пикет, Тилбург 1989);

3) 16.⟠d5 e6 17.⟠:f6+ ♕:f6 18. ♕h2 🖤fc8 19.♕:h7+ 🖤f8 20.c3?! b5! 21.🖤h6 🖤:h6+ 22.♕:h6+ 🖤e7 23.♕d2 b4, перехватывая инициативу (Геллер — Ивков, Амстердам 1974), или 20.🖤b1 e5 с острой борьбой (Купрейчик — Халифман, СССР(ч) 1987);

4) 16.⟠b3 🖤e8! 17.e5 (17.🖤h6 🖤h8 18.🖤g5 ♕c8, как играл в 1991 году Халифман против Нанна и Шорта) 17...⟠:g4 18.fg 🖤:g4 19.🖤dg1 de 20. ♕h2 (при 20.♕:d8 🖤:d8 21.⟠a5(d2) 🖤:c3! 22.bc h5 слишком сильна армада черных пешек) 20...h5 с обоюдными шансами;

5) 16.♔b1 (мода 90-х) 16...♕c7?! (недостаточно и 16...♗:g4?! 17.fg ♘:g4 18.♕e2 Ананд – Толнаи, Хилверсюм 1993) 17.g5 ♘h5 18.♘d5 ♕d8 19.b3 ♖c8 20.♘e2 e6 21.♘df4 ♘:f4 22. ♘:f4 ♕c7 23.♕h2 h5 24.gh ♗e5 25. h7+ ♔h8 26.♗d4, и у белых опасная атака (Ананд – Халифман, Москва(бш) 1995), однако лучше 16...♖e8.

В целом, как показала практика, во всех этих вариантах у черных достаточно защитных ресурсов.

16...♕a5. Судя по тому, как быстро делали ходы соперники (подчеркивая этим глубину домашней подготовки), выпад ферзя был звеном заранее продуманного агрессивного оборонительного плана, связанного, как мы увидим, с известным риском. Корчной готов разменять слона g7 ради скорейшего усиления своего атакующего потенциала.

Сейчас, суммируя результаты анализов, можно сделать вывод, что черные все-таки напрасно не сыграли 16...♖e8!, что позволяло им избежать размена слона g7, цементирующего оборону короля. После острого вступления 17.♗h6 ♗h8 18. e5 ♘:g4! 19.fg игра могла бы пойти по двум путям:

1) 19...♗:g4 20.ed ♕:d6 21.♕:d6 ed 22.♖:d6 (Белявский – Филгут, Каракас 1976), и, несмотря на материальный перевес белых, после 22...♗e5 23.♖d3 f6 позиция неясна;

2) 19...♗:e5 20.♗f4 ♕a5 (несколько раз хорошо зарекомендовало себя и 20...♗g7!?) 21.♗:e5 ♕:e5 – эта позиция встретилась в десятках партий, и черные могут быть довольны результатами испытаний.

17.♗h6! ♗:h6. Гроссмейстер Симагин в свое время успешно доказывал, что ради сохранения слона g7 можно пойти на жертву качества – 17...♗h8 18.♗:f8 ♔:f8, и это стало типовым приемом создания контригры в сходных позициях. Но здесь этот прием неэффективен, ибо в лагере белых нет объектов атаки. Ботвинник оценил эту позицию как теоретически выигранную. Но у черных, добавил бы я, все-таки сохраняются возможности продолжать борьбу.

18.♕:h6 ♖fc8.

19.♖d3. «До сих пор оба соперника играли почти молниеносно, но здесь Корчной погрузился в длительные размышления. И впрямь, ему есть над чем подумать... Новинка 19.♖d3!, избыточно укрепляя пункт c3, одновременно в ряде вариантов освобождает коня e2 для атаки» (Карпов).

В начале матча Корчной исповедовал рискованную стратегию, построенную на одноразовом применении редких в его репертуаре дебютов. Так, видно, и родилась мысль сыграть «дракон», имевший тогда репутацию сложного варианта с множеством позиций без ясной оценки. За три предыдущих года он применил его только трижды, но где! Дважды в матче претендентов с Геллером (1971), а за месяц до этого в 5-й партии тренировочного матча с... Карповым.

Поэтому появление «дракона» в матче было прогнозируемым, и мощная бригада Карпова успела хорошо подготовить своего подопечного, разработав к тому же новый план за белых. Судя по всему, подготовка Корчного к единоборству с молодым соперником не была столь же основательной и глубокой.

Между тем анализ показывает, что считавшийся до этой партии основным ход 19.♖d5 не менее эффективен, чем новинка Карпова, главные достоинства которой — неожиданность и повышение прочности убежища белого короля.

Ботвинник пишет, что у черных был выбор между чуть худшим эндшпилем после 19...♛d8 и осложнениями при 19...♖4c5?, «которые, видимо, и имел в виду Корчной». Однако никаких «осложнений» после очевидного 20.g5 ♘h5 21.♘f4

не возникает. А вот ход 19...♖8c5 можно принять во внимание: 20.g5 ♘h5 21.♖:c5 ♖:c5! (плохо 21...♛:c5? 22.♘d5 ♖:c2+ 23.♔d1!) 22.♘f4 ♖:g5 23.♘cd5 ♖:d5 24.♘:d5 ♛d8 — позицию черных пробить нелегко.

Остается более внимательно изучить 19...♛d8. Чумак, а позднее и Ботвинник рассматривали только 20.g5 ♘h5 21.♘f4 ♛f8 22.♛:f8+ ♔:f8 23.♘:h5 gh 24.♖:h5 ♔g7 с несколько лучшим окончанием у белых.

Опаснее — и для белых тоже! — энергичное 20.e5 de 21.♖d2. Карпов смотрел только 21.g5 ♘h5 22.♘g3 ♛f8 23.♖:h5 gh 24.♖:d7 ♛:h6 25.gh с оценкой: «отдаленная проходная дает черным хорошие контршансы». Это действительно так, поскольку пешка «h» внезапно оказывается грозной силой: 25...h4! 26.♘f5 ♔f8 27.♖:e7 h3 28.♖:e5 ♖8c5 29.♖:c5 ♖:c5 30.♘g3 h2, и уже позиция белых внушает некоторые опасения.

После 21.♖d2 плохо 21...♛e8? из-за 22.♘d5!, но 21...♛f8 22.♛:f8+ ♖:f8 23.g5 ♝c6 24.gf ef ведет к сложному эндшпилю. Еще перспективнее 21...♛c7! 22.♘d5 ♖:c2+ 23.♔b1 ♖:d2 24.♘:c7 ♖:e2 25.♘d5 ♖e8, как было сыграно в одной из партий по переписке. Отличная компенсация за ферзя позволяет черным думать о большем, чем ничья. Определенно, 20.g5 сильнее, чем 20.e5, а выбор черных между 19...♛d8 и 19...♖8c5 не так очевиден.

19...♖4c5? Первый самостоятельный ход — и сразу решающая ошибка. Потратив более получаса на обдумывание незнакомой и, безусловно, критической ситуации,

Корчной из четырех возможных путей выбрал наиболее короткий и, главное, форсированно ведущий... к проигрышу!

Карпов согласен с Ботвинником, что лучшим практическим шансом было 19...♕d8. «Черные не должны опасаться худшего, чем чуть худший эндшпиль» (Ботвинник). Имелось в виду, очевидно, 20.g5 ♘h5 21.♘f4 ♕f8 22.♘:h5 ♕:h6 23.gh gh. Спор о достоинствах этого эндшпиля перестал быть актуальным после обнародования Шамковичем новой идеи – 20. ♘d5! ♖c2+ (некоторые считают, что надежнее 20...e6 21.♘:f6+ ♕:f6 22.♕:h7+ ♔f8, хотя инициатива белых после 23.c3 не оспаривается) 21.♔b1 e6 22.♘dc3! Черные теряют качество, получая взамен две пешки, – вполне достаточно, если бы при этом инициатива не оставалась в руках белых.

Рассмотрим последствия хода 19...♖8c5, который Карпов и его тренеры считали перед матчем наилучшим.

Действительно, после 20.g5 ♘h5 (но не 20...♖:g5 21.♖d5!) в вариантах 21.♘f4 ♖:c3 22.♖:c3 ♖:g5 23.♘d5 ♖:d5 24.ed ♕:d5 и 21.♘g3 ♖:c3 22.

♖:c3 ♖:g5 (проще задача белых после 22...♖:c3 23.♘:h5! gh 24.♕:h5 ♔f8 25.♕h6+ ♔e8 26.♕:h7 ♕:g5+ 27.♔b1 e5 28.bc) 23.♘f5 ♖:f5 24.ef ♕:f5 (24...♗:f5?? 25.♖:h5 gh 26.♕g5+ ♔f8 27.♖c8+) возникают сходные позиции с необычным соотношением сил, затрудняющим категоричную оценку. Хотя, конечно, лучше играть их белыми.

Ни Карпов, ни Ботвинник даже не упоминают о таком естественном способе защиты, как 19... ♗e6!? 20.g5 ♘h5 21.♘g3 ♕e5! 22. ♘:h5 gh 23.♕:h5 ♕g7! Здесь напрашивается 24.f4, но 24...d5! 25.♖hd1! ♕f8! 26.ed ♗f5 обещает черным контригру (например, 27.♖d4 ♖:c3! 28.bc ♖:c3 29.♖1d2 ♕c8 30.♕e2 ♕c5).

20.g5! «Затратив 18 минут на поиски опровержения 19...♖4c5, я нашел красивую форсированную комбинацию» (Карпов).

20...♖:g5. Проигрывает и 20... ♘h5 ввиду 21.♘f4! ♖:c3 (21...♖:g5 22.♖d5! ♖:d5 23.♘c:d5 ♕c5 24. ♘:e7+ ♔h8 25.♘:c8) 22.♖:c3 ♖:c3 23.♘:h5! gh 24.♕:h5 ♔f8 25.♕h6+ ♔e8 26.♕:h7 ♗e6 27.♕h8+ ♔d7 28. ♕:c3+−.

21.♖:d5! ♖:d5 22.♘:d5 ♖e8 23.♘ef4 ♗c6. «Иначе ♘f6+ и ♘d5 с матом. На 23...♗e6 я приготовился к 24.♘:e6 fe 25.♘:f6+ ef 26. ♕h7+ ♔f8 27.♕:b7 ♕g5+ 28.♔b1 ♖e7 29.♕b8+ ♔e8 30.♕:a7 (но не 30. ♖h8+?? ♔g7, и ввиду угрозы ♕g1# выигрывают уже черные) 30...♖e7 31.♕b8+ ♖e8 32.♕d6+. Своеобразная, редко встречающаяся "мельница"!» (Карпов). Правда, еще проще 28.♔d1!

24.e5! Отрезая черному ферзю дорогу на королевский фланг.

«Механизм атаки, продемонстрированный Карповым, когда основные удары были нанесены по 5-й горизонтали, встречается впервые и производит высокохудожественное впечатление» (Петросян). Не выигрывало 24.♘:f6+ ef 25.♘h5 ♕g5+! 26.♕:g5 fg 27.♘f6+ ♔g7 28.♘:e8+ ♗:e8 (Карпов) 29.♖d1 f5 30.♖:d6 ♗c6.

24...♗:d5 25.ef ef 26.♕:h7+ (конечно, не 26.♘h5?? ♖e1+) **26... ♔f8 27.♕h8+.** Черные сдались: 27...♔e7 28.♘:d5+ ♕:d5 29.♖e1+.

Затем, после трех ничьих, Карпов выиграл и 6-ю партию: в этот раз на 1.e4 Корчной ответил экзотическим для себя 1...e5 2.♘f3 ♘f6 и быстро получил тяжелую позицию. После этого он наконец-то перешел к испытанной французской защите и больше ни разу не проиграл черными, проявив недюжинную волю и упорство. Начиная с 7-й партии последовала серия из десяти ничьих подряд! В 13-й, самой волнующей и боевой, Карпов в обоюдном цейтноте азартно сыграл на победу и едва за это не поплат-

тился. Упустив выигрыш на 34-м ходу, Корчной при доигрывании долго пытался реализовать остаточный перевес, создал опасную проходную пешку «a», но Карпов превосходно оборонялся и достиг ничьей на 97-м ходу.

В дебюте 17-й партии (каталонское начало) Корчной добился явного перевеса, но где-то промедлил и в поисках усиления позиции попал в жестокий цейтнот. На 30-м ходу он допустил грубый просмотр, понес материальные потери и сразу после контроля был вынужден сложить оружие. Счет стал 3:0 в пользу Карпова, а если считать по старому регламенту, то 10:7.

И Анатолий решил, что дело сделано: «Теперь матч должен был закончиться к партии этак 20-й... Почему же этого не произошло? Всему виною «крамольная» мысль: матч закончился, так зачем нужны дополнительные усилия, осталось ведь только приходить и подписывать бланки последних партий...» А годы спустя он признался: «Я решил, что пора вспомнить о Фишере, что нужно приберечь для борьбы с ним и силы, и идеи. Уверенность переросла в успокоенность: я уже чувствовал себя победителем».

Итогом преждевременного расслабления стали два проигрыша — в 19-й и 21-й партиях, резко обострившие ситуацию в матче. До сих пор Карпов еще ни в одном соревновании не терпел больше двух поражений — что же будет сейчас?

В те дни я как раз был проездом в Москве — возвращался домой с сессии школы Ботвинника. Помню, как Михаил Моисеевич комментировал партии матча, выступая в Доме ученых в Дубне (до этого, на февральской сессии, он так же освещал матч Карпов — Полугаевский, и все эти комментарии легли в основу его будущей книги «Три матча Анатолия Карпова»). А 21-ю мне посчастливилось увидеть вживую: меня взял с собой на партию мой тренер Александр Никитин.

Впервые в жизни я окунулся в удивительную матчевую атмосферу — в эту благоговейную тишину зала, изредка нарушаемую то восхищенным, то разочарованным гулом; в бурление пресс-центра, куда Никитин привел меня «посмотреть на титанов мысли». Затем он отвел меня в зал и ушел. Взглянув на огромную демонстрационную доску, я обомлел.

Только что демонстратор с помощью длинного шеста воспроизвел на доске ход Карпова **12...♖b8?** Как же так?! Ничего не понимаю: ведь у белых есть выигрывающий удар 13.♘:h7! Пока Корчной думал над ответом, пришел Никитин. Я ему говорю шепотом: «Конь аш-

семь!» А он только: «Да-а...» Видимо, этот ход заметили и другие: зал явно оживился.

Действительно, после **13.♘:h7! ♖e8** (увы, 13...♔:h7 14.♕h6+ ♔g8 15.♕:g6+ ведет к неизбежному мату) **14.♕h6 ♘e5 15.♘g5 ♗:g5 16. ♗:g5 ♕:g5 17.♕:g5 ♗:d5 18. 0-0 ♗:c4 19.f4** черные сдались. Жаль, конечно, что партия закончилась так быстро и я не увидел настоящего сражения... И все же это была моя первая встреча с Большими шахматами, оставившая у меня, 11-летнего мальчишки, незабываемое впечатление.

Надо ли говорить, как взволновались советские спортивные чиновники, сделавшие ставку на Карпова, когда за три партии до финиша счет в матче стал 3:2. По свидетельству очевидца, сразу после катастрофической 21-й партии к Анатолию подошел начальник отдела шахмат Спорткомитета СССР Батуринский и предложил ему срочно обсудить ситуацию на случай ничейного исхода матча, но Карпов жестко ответил: «Я веду в счете и не собираюсь заканчивать матч вничью!» Напомню, что по регламенту при ничейном исходе матча всё решал жребий. И, как уже отмечалось во 2-м томе, функционеры Спорткомитета пытались тогда уговорить приехавшего в Москву президента ФИДЕ Эйве изменить регламент... К счастью для шахмат, Эйве устоял.

Устоял и Карпов, сделав три ничьи, хотя ему было непросто перенести столь жестокий и нелепый разгром. Оказывается, еще после 5-й партии, где встретился тот же дебютный вариант, Петросян посоветовал ему больше так не играть, но Анатолий об этом совете забыл... «Нужно отдать должное нюху Петросяна: чувство опасности у него было феноменальное».

Особую трудность представляла 23-я, последняя «черная» партия: как сделать ничью? Тут дал хороший совет Ботвинник, напомнив о варианте новоиндийской защиты из 21-й партии матча-реванша Эйве — Алехин (1937): «Уж если Алехин играл — значит, это неплохо». И действительно, Карпов уверенно добился ничьей.

А заключительная, 24-я партия напомнила о последней партии матча Алехин — Эйве 1935 года. В тяжелой позиции, без пешки, осознав, что у него нет никаких шансов на успех, Корчной (по примеру Алехина) предложил ничью. И Карпов ее тут же принял, ибо это означало его победу в матче — 3:2 при 19 ничьих, или 12,5:11,5 по старинке.

«Полагаю, что должен был выиграть этот матч с более крупным счетом, — заявил победитель. — Потому что сам знаю, что где-то расслабился, где-то сыграл хуже, чем мог». А побежденный, несмотря на вызывающее интервью, имевшее для него печальные последствия (см. стр. 82), признался: «Я чувствовал себя бесконечно усталым, так что в последних трех партиях не смог навязать сопернику настоящей борьбы».

Спустя несколько месяцев выяснилось, что фактически это был матч на первенство мира. Но парадокс цикла 1974 года состоит в том, что в творческом отношении функцию матча на первенство мира выполнил полуфинальный поединок Карпов — Спасский, оказавший огромное влияние на дальнейшее развитие шахмат. Поэтому я и прокомментировал его почти целиком, а из финального матча привел лишь одну, самую яркую партию — зато, по словам Петросяна, «такая партия может служить творческой реабилитацией всего матча». А великолепной вершиной противостояния Карпов — Корчной станет через четыре года матч в Багио...

Спасский: «Это был цикл Анатолия Карпова. Все матчи — у Полугаевского, у меня, у Корчного — он выиграл хорошо. В данный момент Карпов объективно, несомненно, сильнейший. Финальный претендентский матч по продолжительности был равен прежним матчам на первенство мира. Карпов вел борьбу, если можно так сказать, в технически силовом плане, не раскрывая полностью своего творческого потенциала. Такой стратегический план кажется мне верным. Надо учесть, что именно на Карпова впервые обрушились повышенные нагрузки нового регламента отбора претендентов».

Таль: «В цикле матчей претендентов будущий победитель выступил как бы в трех ролях: с Полугаевским это был, несмотря на молодость, зрелый психолог, сумевший тонко использовать человеческие слабости в характере партнера; со Спасским — настоящий вдохновенный шахматист, одинаково грозный в атаке и цепкий в защите; с Корчным — не мальчик, но муж, сумевший выдержать беспримерный по своему спортивному напряжению поединок. Карпов все время прогрессирует и еще весьма далек от своего потолка. Не сомневаюсь, что к матчу с Фишером он будет еще сильнее».

«В финале борьба носила иной характер, нежели в матче со Спасским. На сей раз Карпов играл более расчетливо, по возможности избегая риска. Он уже чувствовал свою силу, ему надо было выигрывать матч, и только!» — напишет Ботвинник в апреле 1975 года и отметит у 23-летнего гроссмейстера три уязвимых места, над устранением которых тому надо еще поработать: недостаток физических кондиций, неравнодушие к похвалам (будто бы из-за этого после третьей победы он «потерял уважение к партнеру и чувство опасности — и сильнейшая сторона спортивной мощи Карпова исчезла»), относительно скромный дебютный арсенал. Но завершит свой диагноз такими словами: «Анатолий Карпов, несомненно, сильнейший шахматный боец наших дней».

Эйве: «Финальный матч претендентов прошел в трудной, изнурительной борьбе и был интересен в плане психологической дуэли двух очень разных соперников». На закрытии матча президента ФИДЕ спросили, что будет, если по истечении установленного срока Фишер не примет вызов претендента. Эйве ответил: «Если до 1 апреля 1975 года Фишер не сообщит, что

принимает вызов, я прилечу в Москву, чтобы провозгласить Карпова 12-м чемпионом мира».

Но вероятность того, что матч с Фишером все-таки состоится, еще существовала, и Спорткомитет СССР сделал всё возможное, чтобы обеспечить Карпову полноценную подготовку. В начале 1975 года было проведено несколько тренировочных сборов с участием лучших шахматных специалистов страны. Немалый интерес представляют воспоминания очевидца этих событий Юрия Разуваева, публикуемые здесь впервые:

«За год до этого, перед матчем с Полугаевским, Анатолий ленился работать — предпочитал возиться с марками, играть в карты, на бильярде или гонять блиц (тут он был страшен: крушил всех подряд, даже Таля). Видимо, он еще не втянулся в цикл. Это был подлинный самородок: изучил в детстве партии Капабланки — и начал играть. Он был чистый практик, Игрок! Ну и, конечно, потом ему очень многое дал Фурман... Но когда Анатолий включился в работу, то работал очень хорошо: активно участвовал в анализе и делал массу находок. При этом ему всегда было важно, чтобы кто-то «играл» против него. Раз в час-полтора он менял цвет, «играя» одну и ту же позицию и за белых, и за черных: он как бы тренировал свои игровые качества. Ему было необходимо постоянно чувствовать сопротивление — тогда он загорался и находил «путеводную нить». Меня поражала его всеядность: он одинаково хорошо «играл» все табии за оба цвета. Видимо, здесь-то и проявлялось его уникальное чувство позиции. Я видел многих чемпионов мира, но это было необычно.

Конечно, нельзя сбрасывать со счетов влияние Геллера, однако очень большое влияние на Карпова оказал и Таль. Почему-то о Тале принято говорить только, что «он считал варианты как компьютер», и мало кто отмечает его уникальное понимание шахмат, способность мгновенно оценивать позицию. Такой глубины я не видел вообще ни у кого! Конечно, Геллер был фантастически глубоким шахматистом, но Таль тоньше чувствовал позицию. Он играл в современные сверхдинамичные шахматы. Благодаря этой своей оценочной способности он очень быстро схватывал суть проблемы и определял направление работы в любом головоломном положении. В этом смысле он был совершенно уникален! Правда, в поиске Таль был несколько ленив и обычно предлагал: «Давайте-ка лучше поиграем эту позицию в блиц!»

На сборе под Ленинградом, в санатории «Мельничьи ручьи», нас было лишь трое: Таль, Карпов и я. И когда они садились «играть позицию» в блиц, Таль начинал буквально фонтанировать идеями. А я в изумлении сидел рядом и записывал их в толстую тетрадь...

Как шла подготовка к битве с Фишером? Во-первых, поскольку предстоял длинный матч, Карпову требовался очень большой выбор дебютов: ведь на такой дистанции

всё рано или поздно «пробивается». Поэтому на 1.e4 мы готовили, кроме 1...e5 и 1...c6, сицилианскую защиту — систему Паульсена и схевенинген. В Каро-Канне Анатолий предпочитал тогда ход 4...♗f5, успешно апробированный им в матче со Спасским. Я было предложил «свой» ход 4...♘d7, но Толя скептически ответил: «Ну, это в последнюю очередь». Забавно, что годы спустя этот вариант стал главным оружием Карпова за черных!

Во-вторых, мы разделяли мнение Геллера о том, что Фишер очень рискованно разыгрывает дебют, применяя острейшие и зачастую стратегически сомнительные варианты. Поэтому, как ни странно, дебют был его самым слабым, уязвимым местом. Не зря же Ласкер сказал: «В шахматах черные должны сначала защищаться, иначе игра превратится в фарс». Ибо в обоюдоострых вариантах роль любой заготовки возрастает многократно: тут можно решить судьбу партии буквально одним ходом. И мы старались придумать побольше таких заготовок — подводных мин, особенно за белых.

Так, против системы Найдорфа в сицилианской защите глубоко изучались варианты с 6.♗g5 — еще перед матчем с Полугаевским, а затем весомую лепту внесли Геллер и Таль. Против защиты Алехина, которую Фишер играл в матче со Спасским, Анатолий и раньше был «вооружен до зубов». Когда на финише межзонального турнира Корчной предложил ему сделать по ничьей, Карпов возмутился: как же, «мой» Торре играет защиту Алехина — ведь это готовое очко!..

Кроме того, еще перед матчем со Спасским я убедил Анатолия «подавать с двух рук», и это дало отличный эффект. Ведь и Фишер в Рейкьявике с успехом играл много дебютов (хотя тут я согласен с Бондаревским — со страху!). Почему бы не действовать так же против самого Фишера? Помню, Фурман мне жаловался: «Какой-то «чижик» научил Толю играть 1.e4, а мы теперь с тобой мучаемся!» Мы-то с Фурманом играли 1.d4, да и Карпову этот ход вполне подходил по стилю. Словом, мы продолжили работу над 1.d4. От Фишера можно было ожидать прежде всего староиндийской защиты, «Грюнфельда» и модерн-Бенони — к этим дебютам шла очень основательная подготовка, даже игрались тренировочные партии.

Когда выяснилось, что Фишер играть не будет, Фурман пожал плечами: «Все его дебюты за черных «полетели» — и он сошел с дорожки». Действительно, вскоре многое из репертуара Фишера было поставлено под сомнение. Жаль, что это случилось не в очном поединке, который мог дать гигантский толчок развитию дебютной теории. Мы считали, что в таких матчах надо пробивать оборону противника именно в основных вариантах, отстаивая самые принципиальные продолжения. И эта линия, кстати, возобладала в последующих матчах на первенство мира, ее восприял потом и Каспаров.

Большая работа помогла Толе в дальнейшем: он начал выигрывать

все турниры! Как говорится, снаряд пролетел мимо цели. Но для шахматного развития Карпова оказалось плохо, что он не сыграл матча с Фишером. Беда великого шахматиста: он быстро понял, что ему, чтобы обыгрывать всех, больше ничего не надо, — и почти перестал работать. В Багио он играл в основном на старом багаже. А в итоге, потеряв свои лучшие годы, так до конца и не реализовался в творческом плане. Фишер реализовался полностью, а вот Карпов все-таки недобрал».

На эти сборы не смог приехать Бондаревский, но он и Полугаевский представили Карпову развернутые письменные характеристики американского чемпиона (эти интересные работы не так давно были опубликованы в книге «Русские против Фишера»). Весьма любопытны и впервые публикуемые здесь воспоминания Игоря Зайцева:

«В самом начале апреля 1975 года я был внезапно (вероятно, с подачи Тиграна Петросяна) приглашен в Новогорск на сбор Анатолия Карпова для консультаций по некоторым теоретическим вопросам. Здесь, как мне представлялось, должна была вовсю кипеть работа по подготовке к матчу с Фишером. Однако на сборе царила предпраздничная атмосфера. Карпов с Петросяном азартно сражались на бильярде, а Фурман, поочередно подшучивая над ними, флегматично наблюдал за игрой. Минут через сорок битва на зеленом сукне завершилась, и мы отправились на капитальный обед. С таким сценарием тренировочного процесса я уже был хорошо знаком за долгие годы общения с Петросяном. И Карпов, и Петросян всегда предпочитали живое шахматное общение изматывающему анализу. Примерно часа через полтора после обеда мы с Анатолием наконец-то отправились к нему в номер и сели за шахматы.

Ну что я мог тогда с ходу показать ему под гениального Фишера? Помню, пытался заинтересовать его новой защитой, которую в конце 60-х придумал в разменном варианте испанской: 1.e4 e5 2.♘f3 ♘c6 3.♗b5 a6 4.♗:c6 dc 5.0-0 ♘e7!? (после моих публикаций в «64» ее с успехом применил Керес), но поскольку в основном варианте — 6. ♘:e5 ♕d4 7.♕h5 g6 8.♕g5 ♗g7 9. ♘d3 черным приходилось идти на неясную игру без пешки путем 9...f5, у Карпова она особого энтузиазма не вызвала. Другие занимательные идеи, относящиеся к открытому варианту «испанки», были восприняты им более благосклонно. Однако задерживать надолго свое внимание на них он тогда тоже не пожелал: ведь вероятность того, что Фишер вдруг предпочтет «сицилианке» специфический вариант испанской партии, была смехотворно мала. А целеустремленный и очень организованный по своей натуре Карпов никогда не разбрасывался временем.

В ходе этого нашего первого шахматного рандеву его постоянно вызывали к единственному телефону, находившемуся на первом этаже здания: именно в эти часы окончательно определилась ситуация с матчем на первенство мира — Фишер не принял вызов. И вышло так, что начинались мои теоретические смотрины с претендентом, а заканчивались фактически с чемпионом мира.

Трудно сказать, кто вышел бы победителем в их матче. Я не раз слышал от самого Карпова, что в тот год шансы Фишера были несколько выше. Но ведь и перед началом матчей претендентов Карпов скромно говорил: «Это не мой цикл». Мне кажется, от него вполне можно было ожидать нового качественного рывка.

Во всех своих триумфальных матчах Фишеру чуть ли не с первых партий каким-то непостижимым образом удавалось посеять неуверенность в душах своих опытных соперников и взять над ними психологический верх. Там же, где соперник был менее податлив, как, например, неуступчивый Решевский, сражение было куда более упорным. Достойно в первой половине матча с Фишером выглядел и Петросян. Но как только у Петросяна произошел надлом и он утратил душевное равновесие, Фишер преобразился и заиграл с удвоенной энергией. Как утверждают иные профессиональные психологи, в поединке двух личностей суммарная уверенность величина постоянная: то, что теряет один, — приобретает другой.

Крайне маловероятно, чтобы такое психологическое расслабление могло произойти с Карповым. Это подтверждается всей его исключительно стабильной карьерой. Правда, та же карьера наводит на мысль, что Фишер мог оказаться более выносливым, если бы матч излишне затянулся. Карпову пришлось бы уделить самое серьезное внимание общефизической подготовке. Не будем забывать, что он был на восемь лет моложе чемпиона, а общий успех, согласно статистике матчей на первенство мира, все же на стороне молодых.

Сопоставить их шахматные достоинства еще более сложно. По-моему, к 1975 году позиционная интуиция сильнее проявлялась в игре Карпова, но на стороне Фишера было комбинационное зрение более дальнего радиуса действия. Карпов был более цепок в защите – Фишер более решителен в атаке. Чуть различались они и при реализации преимущества: там, где Карпов действовал техничнее, Фишер добивался цели энергичнее.

Наверное, Фишер детальнее представлял «свои» схемы, но поскольку его дебютный репертуар был довольно узок, Карпов мог нащупать в нем уязвимые места, в том числе и опираясь на объединенную поддержку «отечественных производителей» теории. В узком кругу Петросян не раз говорил, что Фишер только потому и отошел от шахмат, что почти все его дебютные варианты уже опровергнуты. Возможно, это преувеличение, но многие болевые точки излюбленных вариантов Фишера были действительно уже хорошо обозначены.

Попробую предугадать конкретный характер их дебютного противостояния. Фишер едва ли отклонился бы от привычного 1.e4, ибо уже мог убедиться, что в закрытых началах у Карпова на вооружении исключительно солидные и надежные схемы. А как отбивал бы 1.e4 Карпов? Вероятно, неудобно-разнообразными для соперника способами, опираясь одновременно на испанскую, русскую, Каро-Канн и даже сицилианскую защиту. Испанскую партию Карпов мог трактовать как традиционно, так и облюбовав один из специфических вариантов. На руку ему могло оказаться и то, что на 3...а6 Фишер в те годы, дабы избежать то ли атаки Маршалла, то ли открытого варианта, нередко играл 4.♗:c6.

Белыми Карпов, в отличие от своего соперника, мог бы гораздо свободнее чередовать 1.e4 и 1.d4. При 1.e4 чаще всего разыгрывались бы варианты «сицилианки», а при 1.d4 от Фишера следовало ожидать прежде всего староиндийскую защиту. Похоже, на длинной матчевой дистанции шансы Карпова в области дебюта были, как минимум, не хуже.

В стадии перехода из дебюта в миттельшпиль при решении вопросов стратегии я бы в то время отдал некоторое предпочтение Фишеру, имея в виду его большие знания и опыт. Однако не вижу, на каких весах можно взвесить и сравнить такие неоднородные факторы, как то, что Карпов был молодым, стремительно растущим и очень тренированным шахматистом, а сидящий на строгой турнирной диете Фишер, колдуя в одиночку над дебютными вариантами, являлся исключительно глубоким и тонким исследователем.

Так или иначе, для меня очевидно, что они были достойными друг друга соперниками. Оба почти не допускали серьезных ошибок, крайне редко проигрывали и в глазах своих современников выглядели почти непогрешимыми шахматистами».

В предыдущем томе я уже высказал свое мнение о том, почему Фишер отказался играть с Карповым. Теперь, когда нам в общих чертах известна работа карповской команды, мне хочется более четко прояснить свое видение ситуации, сложившейся к тому времени в мировых шахматах.

На мой взгляд, когда Фурман и Петросян объяснили уход Фишера тем, что почти все его дебютные варианты уже «полетели» или «опровергнуты», это было явным преувеличением — максимализмом, свойственным шахматным авторитетам старой школы, привыкшим мыслить общими категориями. Они, правда, нащупали верное объяснение, но выразили свою мысль неточно. Трудно понять: а какие, собственно, варианты были опровергнуты? Острейший «Найдорф» держится по сей день, как и фишеровские защиты на 1.d4. Да и можно ли вообще говорить об опровержении целых дебютных систем? К тому же к 1975 году на горизонте появилось немало новых, достаточно привлекательных схем (среди них и такие некорректные, с точки зрения классиков, как челябинский

вариант или «еж»), из которых Фишер вполне мог бы взять себе кое-что на вооружение.

Поэтому правильнее было бы сказать не об опровержении конкретных дебютных вариантов, а о новом подходе к дебютной подготовке в целом. Вот в чем гвоздь проблемы! Своей огромной работой в начале 70-х Фишер подготовил качественный скачок в развитии теории дебютов — он выступил провозвестником подлинной дебютной революции, которая началась как раз с его «золотого» 1972 года и спустя более десяти лет логически привела прогресс шахматной мысли к моим матчам с Карповым.

Кому-то эти послефишеровские годы могут показаться скучноватыми, однако в шахматах шла колоссальная подспудная работа. Уход Фишера и политизация шахматной жизни несколько отвлекли внимание от творческой стороны дела, что не позволило в должной мере оценить роль этого периода в развитии шахмат (именно поэтому мной так подробно освещены важнейшие матчи Карпова). Хотя на самом деле в дебютной теории происходили поистине революционные изменения. Эта тема оказалась настолько увлекательной и безбрежной, что я решил посвятить ей отдельный, 6-й том.

Так в чем же была ключевая проблема Фишера? С моей точки зрения, в том, что он, всегда работая в одиночку, был уже просто не в состоянии приспособиться к новым требованиям подготовки, диктуемым дебютной революцией. Сложность возникших проблем требовала иных методов работы, иного мышления и, что особенно важно, наличия оппонентов. И, гипотетически сравнивая предматчевую подготовку Фишера и Карпова, надо отметить не только перевес претендента в количестве и качестве конкретных домашних заготовок, но и, прежде всего, его явное превосходство во всеохватности, масштабности этой подготовки.

Вполне вероятно, что Фишер, с его обостренным шахматным чутьем, еще после матча Карпов – Спасский отчетливо понял: пришла новая эпоха и ему надо отказываться от привычных методов работы. Он собственными глазами увидел плоды порожденной им революции и осознал, что в одиночку подготовиться должным образом уже невозможно. Пригласить помощников? Но он всегда работал один, не доверяя помощникам даже анализировать отложенные позиции! Он осознал, что произошли серьезные качественные сдвиги, что он ушел из одних шахмат, а придет в другие, – и, чтобы вписаться в новую реальность, от него потребуются сверхусилия, невероятный рывок.

Он понял, что ему придется играть с лидером поколения, выросшего на волне дебютной революции и принесшего в шахматы эти качественные сдвиги. С хладнокровным бойцом, который не только учтет уроки своих матчей с Полугаевским, Спасским и Корчным, не только использует анализы ведущих советских гроссмейстеров, но еще и проявит свою удивительную способность мгновенно впитывать, переваривать и успешно воплощать в жизнь любые здоровые стратегические идеи.

Наблюдая за отборочным циклом, он увидел, что Карпов будет особенно силен в первой части марафона. И Бобби, учитывая его психологическую неустойчивость, скорее всего, начал всерьез опасаться неудачного старта. Однако и эти страхи во многом упирались в качество дебютной подготовки. Фишер чувствовал, что в поединке с Карповым она может оказаться у него не отвечающей требованиям момента. Раздираемый многочисленными комплексами, он попал в порочный замкнутый круг: боишься, что не сумеешь подготовиться как следует, и от этого боишься еще больше.

Короче, Фишер так и не смог перейти на новые рельсы, в том числе и потому, что слишком долго не играл в шахматы. Если в эпоху Ботвинника можно было не играть три года и сохранить титул чемпиона мира, то во времена дебютной революции три года стали целой вечностью! В новейшей шахматной истории чемпионам и претендентам удавалось успешно переходить в другую эпоху, но – будучи активно играющими шахматистами. Самую титаническую работу проделал в 70-е годы Корчной, хотя впечатляет и решительная перестройка Карпова в середине 80-х (об этом речь впереди). Мне также, хотя и не в такой степени, пришлось перестроить свою игру после поражения в матче с Крамником...

Но вернемся в весну 1975 года: 3 апреля ФИДЕ провозгласила Карпова 12-м в истории шахмат чемпионом мира. А 24 апреля в Москве, в Колонном зале Дома союзов состоялась торжественная коронация нового шахматного короля. В своем выступлении д-р Эйве, в частности, заявил:

«Я восхищен выдержкой Карпова, его глубокой порядочностью и спортивными качествами, проявленными на протяжении всего времени, пока тянулась вся эта история (с выработкой условий матча). Фишер имел все возможности защищать титул. Упрямство Фишера или еще какие-то качества его характера, чего я, как и многие другие, недопонимаю, не позволили ему воспользоваться этим правом и выполнить свой долг по отношению к шахматному миру. Что же касается Карпова, то мы все уверены: он будет достойным чемпионом и еще не раз продемонстрирует свою силу в различных соревнованиях».

Эйве не без гордости вспомнил, что первый из трех тысяч ходов Карпова на пути к трону сделал он — на Кубке Нимейера в Гронингене (см. стр. 223), и заключил: «Так что это с моей легкой руки Анатолий Карпов стал чемпионом мира!»

«Не знаю, как Фишер, а я считаю огромной потерей не сыгранный нами матч, — скажет Карпов годы спустя. — Не стоит гадать, чем бы он закончился, но ни на миг не сомневаюсь, что он стал бы самым знаменательным событием в моей жизни... Конечно, я был счастлив, когда Макс Эйве увенчал меня лавровым венком чемпиона мира. Но в этом венке не было самых главных листьев, не было самого ценного для меня — памятных знаков о борьбе с моим блистательным предшественником».

ИГРАЮЩИЙ ЧЕМПИОН

Получив титул без матча, Карпов ринулся в горнило турнирных сражений, движимый желанием доказать, что ему действительно нет равных в мире. Свое кредо он изложил еще на церемонии коронации: «Мне кажется, что одна из главных обязанностей чемпиона мира — быть играющим шахматистом, чтобы люди разных стран видели чемпиона за шахматной доской, а гроссмейстеры и мастера могли бы помериться с ним силами, поучиться у него и научить кое-чему его самого. Поэтому я твердо намерен систематически выступать в отечественных и международных соревнованиях».

Его дебютом в ранге чемпиона стал мемориал Видмара (Порторож — Любляна, июнь 1975): 1. Карпов — 11 из 15 (+7=8); 2. Глигорич — 10; 3—5. Горт, Рибли и Фурман — по 9,5; 6—7. Парма и Портиш — по 8,5; 8—9. Велимирович и Любоевич — по 8. Примечательно, что в стартовой партии с Портишем он избрал не излюбленный ход 1.e4, а 1.♘f3 — и одержал хорошую победу в славянской защите (реванш за Сан-Антонио!). С тех пор «подача с двух рук», успешно испытанная в матче со Спасским и подготовленная против Фишера, применялась Карповым регулярно, хотя до матчей со мной он все-таки явно тяготел к 1.e4.

Затем был командный чемпионат СССР (Рига, июль 1975), собравший очень сильный турнир первых досок: Карпов, Спасский, Петросян, Таль, Белявский... Анатолий уверенно показал лучший результат (+4=3), причем вновь одолел Спасского с помощью 1.d4 – на сей раз была новоиндийская защита и успешная осада изолированной пешки d5.

Следующее испытание чемпиона – супертурнир в Милане (август-сентябрь 1975), городе, который претендовал на проведение матча Фишер – Карпов и решил заменить его другим выдающимся шахматным событием. Соревнование проходило по необычной формуле – в три этапа: сначала круговой турнир 12 гроссмейстеров, затем полуфинальные матчи из четырех партий между участниками, занявшими первые четыре места (1–4 и 2–3), и финальный матч из шести партий.

Карпов: «Здесь я просто обязан был быть первым! Уж очень грандиозен по составу турнир – словно его и придумали для проверки нового чемпиона мира на прочность. Мир всё еще требовал доказательств законности новой «шахматной власти». Милан должен был поставить точку над «i». Прежде всего мне нужно было попасть в первую четверку... Когда речь идет о необходимости быть первым, сыграв за 25

дней 21 партию против сильнейших соперников, творческая сторона отходит на второй план».

Выиграв в шести турах три «испанские дуэли» – черными у Любоевича (в глубоком эндшпиле – ничейном «разноцвете») и белыми у Унцикера и Глигорича, он захватил лидерство. И мог финишировать первым, если бы в 8-м туре не проиграл белыми Андерссону. Симптоматично, что Ульф победил Карпова – а перед этим и Портиша! – в своей коронной системе «еж», тогда только набиравшей обороты (в томе о дебютной революции этой гибкой системе будет посвящена целая глава). Карпов любил играть против «ежа» и думал лишь о победе: «Андерссон – цейтнотчик, и я специально действовал так, чтобы дать ему пищу для размышлений». Завязалась сложная маневренная борьба, и Ульф действительно попал в страшный цейтнот, но когда он провел d6-d5 и предпринял отчаянную жертву качества, начались чудеса: Анатолий сделал серию «очевидных» ходов и... получил проигранную отложенную позицию.

Однако место в четверке он не упустил и после бескровного полуфинала с Петросяном (2:2, победа по лучшему коэффициенту в турнире) выиграл финальный матч у Портиша – 3,5:2,5. Исход всего соревнования решила единственная победа Карпова, и снова белыми в испанской партии – в улучшенной защите Стейница. Подробнее об этом нелегком матче рассказано в главе «Венгерский Ботвинник» (см. № 337). Таль: «Незадолго до турнира Карпов приболел и выступал в Италии без обычного подъема. На мой взгляд, одно из наиболее наглядных проявлений экстракласса — умение удачно выступать даже в тех случаях, когда игра «не идет». Именно это и продемонстрировал чемпион в Милане».

В ноябре Карпов давал напряженные сеансы в турнире Дворцов пионеров, проходившем в Ленинграде (где, как уже говорилось, мы впервые встретились за доской). Через пару недель в Ереване стартовал 43-й чемпионат СССР, в котором должны были играть все ведущие шахматисты страны: с 1973 года, после потери короны, Спорткомитет старался неукоснительно следовать этой линии. Разумеется, должен был играть там и Карпов, но ему пришлось отказаться от участия из-за усталости и неважного состояния здоровья, что было подкреплено официальным медицинским заключением.

Недовольный этим известием начальник отдела шахмат Батуринский писал в докладной записке зампреду Спорткомитета Ивонину: *«Прошу Вас лично переговорить с А.Е.Карповым, а при необходимости и с медицинскими работниками, учитывая, что неучастие чемпиона мира в чемпионате страны, вслед за отказами Корчного и Спасского второй год подряд, будет иметь неблагожелательные отклики».* Но ленинградские медики сумели убедить спортивное руководство... Чемпионом страны стал тогда Петросян, обогнавший на пол-очка Ваганяна, Гулько, Романишина и Таля.

Как следует отдохнув и восстановившись, Карпов отправился вместе со своим давним другом-соперником Рафиком Ваганяном на весьма представительный «Турнир солидарности» в Скопье (февраль–март 1976), где за четыре года до этого он блестяще дебютировал на олимпиаде.

Жребий свел конкурентов уже в 1-м туре, и Ваганян снова, как и три года назад в Будапеште, не смог устоять в своей любимой французской защите.

№ 557
КАРПОВ – ВАГАНЯН
Скопье 1976, 1-й тур

23.♗f5! (ради этого белые и отдали пешку b2) **23...♖e7?** По мнению Карпова, «проигрывало и 23... gf из-за 24.♖d3 f4 25.♕:f4 ♕c2 26. ♖g3+ ♔h7 27.♕f6» (или 27.♕g4), но «упорнее, пожалуй, 25...f6».

В эпоху компьютеров можно сказать куда определеннее: продолжение 23...gf! 24.♖d3 f6! с последующим ♖g7 позволяло черным спастись — 26.♖g3+ (слабее 26.♖ee3

🏳g7!) 26...🏳g7 27.♕:f6 🏳:g3 28.fg ♕b6+ 29.♔h2 ♕c7 или 26.♕:f6 🏳g7 27.♕e6+ ♔h7 28.♕f5+ ♔h8=.

24.🏳:e7 ♘:e7 25.♗d3! ♘f5. Трудный выбор: в случае 25...♔f8 (25...♘c6? 26.♗:g6, а на 25...🏳e8? или 25...♕a3? решает 26.♖e1) 26. 🏳b1 ♕d2! (но не ход Карпова 26... ♕:a2?) 27.🏳:b7 ♕e1+ 28.♔h2 ♕e6 29.♕h8+ ♘g8 30.♕d4 черным тоже не позавидуешь.

26.♗:f5 gf 27.🏳e1 ♕:a2 28. ♕h6! На 28.🏳e3 выручало красивое 28...f4! 29.♕:f4 ♕b1+ 30.♔h2 a3! 31.🏳g3+ ♔g6 32.🏳:g6+ fg, «и у белых лишь вечный шах» (Карпов). По схожей причине 🏳e3 не выигрывает на 29-м и 31-м ходах.

28...a3 29.♕g5+ ♔f8 30.♕f6 ♔g8 31.♕:f5 ♕d2? (еще не так ясно было 31...♔g7 с идеей d5-d4) **32.🏳e7!**, и на 40-м ходу черные сдались.

После этого поражения Рафик явно сник и в дальнейшем уже не участвовал в борьбе за призовые места. Невольно вспоминаются слова Корчного: «Ваганян — шахматист огромных практических возможностей. Но он скорее художник, чем борец. И ему нужно вдохновение, чтобы продемонстрировать свой класс. А оно, вдохновение, капризная штука».

Карпов же, хотя и затратил на стартовую победу массу нервной энергии, сумел после ничьей черными с Адорьяном (обратите внимание на дебют: 1.e4 c5 2.♘f3 e6 3. d4 cd 4.♘:d4 a6 5.♗d3 ♕c7 6.0-0 g6 и т.д.) выиграть еще четыре партии подряд! В одной из них встретилась куда более тонкая и изысканная, чем в миланском поединке с Любоевичем, вариация эндшпиля с разноцветными слонами.

№ 558
КУРАИЦА – КАРПОВ
Скопье 1976, 5-й тур

Перевес черных носит скорее академический характер. Трудно представить, что из него можно извлечь нечто реальное.

32.♕d3. Кураица предлагает размен ферзей, считая, что в этом «разноцвете» нет никаких опасностей. Чуть осмотрительнее было 32.h4 (Карпов) 32...♕f5 33.♕d3, но серьезно критиковать сделанный ход трудно: в эндшпиле белые еще долго сохраняли ничью.

32...♕:d3 33.cd h4! Чуть-чуть прижимая белые пешки королевского фланга и потенциально готовя прорыв. Без создания еще одной слабости или еще одной проходной «разноцвет» не выиграть!

34.g3 ♔f7 35.♗e3 f5 36.♔f4 ♔g6 37.♗e3?! Пассивно. Самый простой путь к миру — 37.gh, сокращая количество черных пешек: 37...♔h5 38.♔:f5 (вероятно, годится и 38.♔g3, но зачем лишние сложности?) 38...♗:f3, и теперь, разумеется, не 39.♗b2? ♔d5! 40.♗c1 ввиду 40...♔h4 (Карпов рассматривает лишь 40...♗f7? 41.♗b2 ♔:h4 42. d5!=) 41.♔g6 ♔h3 42.♔:g7 ♔:h2 43.♔f6 ♔g3 44.♔e7 ♔f3 45.♔d7 ♔e2 46.♔:c7 ♔:d3–+, а 39.♔f4 ♗e2 40. ♔g3 с ничейной позицией.

Достаточно для ничьей и 37.g4, также лишая противника возможности прорыва на королевском фланге. После 37...♗e6 38.♗b2 fg 39.fg ♗b3 40.g5 ♗c2 белые отдают пешку d3 и ходят слоном по полям c1-b2-a3, а на ♔f7 — ♔e5.

Ход 37.♔e3, конечно, тоже не проигрывает, но это «моральная» победа черных: они захватывают пространство на королевском фланге, и у белых возникают трудности в защите.

37...♔h5 38.♗b4 g5. «Вот она, реальная угроза прорыва — 39...f4+ 40.gf g4! 41.fg+ ♔:g4. Белые должны отступить королем, всё еще не понимая, где же таится опасность» (Карпов).

39.♔f2 ♗a2 40.♗a3 ♗b1 41. ♔e2 ♗a2 42.♗c1 ♗e6 43.♔f2 ♗c8.

44.d5? «А это уже нервы» (Карпов). Белые не просто отдают пешку, но и, самое главное, раздваивают пешки «c» — именно это обстоятельство и позволяет черным добиться победы!

Надо было продолжать пассивную оборону — 44.♔e2. При 44... ♗a6 45.♔e3 (к выгоде черных 45. ♗b2? hg 46.hg f4 Карпов) 45...f4+ 46.gf g4 белые спасаются путем 47.f5 (Карпов) 47...g3 48.hg hg 49.f6 ♔g6 50.f4 или 47.fg+ ♔:g4 48.♔e4 ♗c8 49.♔e5, и на 49...♔h3 50.f5 ♗:f5 51. ♔:f5 ♔:h2 есть 52.d5! cd 53.♗f4+ ♔g2 54.♗:c7, а на 49...♗f5 возможен немедленный прорыв 50.d5 cd 51.c6 ♗:d3 52.♔:d5 ♔h3 53.f5! ♗:f5 54.♗f4=.

Лучший шанс черных — сразу 44...f4! 45.gf g4. Белые должны ждать: 46.♔f2 ♗f5 47.♗a3 ♗:d3 48. ♗c1 ♗c4 (слон идет на d5, чтобы вынудить взятие на g4) 49.♗b2 ♗d5 50.fg+ ♔:g4 51.♗c1 ♗b3 52.♔g2 ♗c4 53.♔f2 ♗d5. Теперь из-за цугцванга белым приходится расстаться с пешкой: 54.f5 ♔:f5 55.♔e3 ♔g4 56.♔f2 ♔h3 57.♔g1.

Примерно такая же позиция возникла далее и в партии. Но! Здесь пешки черных сдвоены, и это спасает белых: 57...♗f3 58.♔f2 ♗h5 59.♔g1 ♗d1 60.♔h1 ♔g4 61. ♔g2 ♔f5 62.♔h3 ♔e4 63.♗b2 ♔d3 64.♔:h4 ♔c2 65.♗a1 a3 66.♔g5 a2 67.♔f6 ♔b1 68.♗c3 a1♛ 69.♗:a1 ♔:a1. Слона черные выиграли, но белый король темп в темп отбирает все неприятельские пешки: 70. ♔e7 ♔b2 71.♔d7 ♔f3 72.h4 ♔c3 73.h5 ♔:d4 74.h6 ♗e4 75.h7 ♗:h7 76.♔:c6.

44...cd 45.d4 f4! 46.gf. «Безнадежно 46.g4+ ♔g6 с дальнейшим маршрутом короля f7-e6-d7-c6-b5-c4 и переводом слона на d3» (Карпов). А белый король вынужден защищать стоящие на белых полях пешки f3 и g4.

46...g4 47.♔g2 ♗f5 48.♔f2 gf 49.♔:f3 ♗e4+ 50.♔f2 ♔g4 51.♗b2 ♔:f4 52.♗c1+ ♔g4 53.♗b2 c6 54.♗c1 ♔h3 55.♔g1 ♗g6 56.♔h1 (иного нет) **56...♗h5.** Конечно, не 56...♗g4? 57.♔g2 ♗f5 58.♔f3 ♗h5+ 59.♔e3=. «Во что бы то ни стало надо отобрать поле f3 у белого короля» (Карпов).

57.♔g1 ♗d1! Белые сдались: 58.♗b2 ♔g4 59.♔g2 ♗f3+! 60.♔f2 ♔f4 (Карпов) или 58.♔h1 ♔g4 59.♔g2 ♔f5 60.♔h3 (60.♔f2 ♔e4) 60...♔e4, и игра опять идет темп в темп, но здесь после 61.♗b2 ♔d3 62.♔:h4 ♔c2 63.♗a1 ♔b1 64.♗c3 a3 65.♔g5 a2 66.♔f6 a1♕ 67.♗:a1 ♔:a1 68.♔e6 ♔b2 69.♔d6 ♔c3 70.♔:c6 ♔:d4 решающий темп оказывается у черных.

«Даже в самых простых на первый взгляд позициях хранится много тайн, и следует одинаково внимательно разыгрывать как положения со всеми фигурами при разносторонних рокировках, так и окончания с разноцветными слонами при равном количестве пешек. Увы, часто бывает достаточно и одной, даже не очень грубой, ошибки для проигрыша, может быть, и хорошо в целом проведенной партии», — резюмирует Карпов. Через 22 года в его творчестве встретится еще один тонкий «разноцвет» (№ 595).

В 7-м туре состоялась единственная в своем роде партия Решевский — Карпов: **1.♘f3 c5 2.c4 ♘f6 3. g3 g6 4.♗g2 ♗g7 5.0-0 0-0 6. d4 cd 7.♘:d4 ♘c6 8.♘c3 ♘:d4 9.♕:d4 d6 10.♕d3 a6 11.♗d2 ♖b8 12.♖ac1.** Ничья. Невероятно, но факт: 64-летний гигант американских шахмат сыграл за свою карьеру с одиннадцатью чемпионами мира! В Скопье Решевский показал скромный результат, пережив все свои обычные проблемы.

Карпов: «Его религиозность и пунктуальность в следовании обрядам веры известны всему шахматному миру. Религия запрещает ему играть в пятницу вечером. Потому все участники согласились переносить партии этого дня недели с Решевским на утро, чтобы заканчивались они до наступления заката. На первую пятницу пришлась встреча Решевского с Ваганяном, который отнесся к перспективе утреннего сеанса чрезмерно спокойно, даже беспечно. Я забеспокоился: «Узнай точно время начала». Ваганян вернулся обескураженный: «Сказали, рано — в десять». — «Ни в коем случае. Ты же привык вставать поздно. Раньше полудня и не думай соглашаться. Одиннадцать — это уже крайний срок: на тот случай, если твой мягкий характер не выдержит и ты начнешь уступать». И мы вместе отправились к организаторам. Решевский спорил, грозился уехать из Скопье, но все участники поддержали нас. Партию эту, которая началась в одиннадцать, Ваганян провел блестяще и тут же примчался в отель благодарить меня...»

Мне кажется, этот эпизод раскрывает жесткий, неуступчивый характер Карпова и отчасти отвечает на вопрос, почему одни яркие дарования становятся чемпионами, а другие — нет. Здесь надо еще пояснить, что Анатолий, как и многие ведущие гроссмейстеры, по своей природе «сова» и для него всегда было очень важно, чтобы игра начиналась как можно позже.

Последней интригой турнира в Скопье выглядел финишный поединок лидеров Ульман — Карпов. Немецкий гроссмейстер отставал на пол-очка и, казалось бы, должен был попытать счастья. Однако он ничего не достиг по дебюту (см. № 368, примечание к 7-му ходу черных) и, недовольный своей позицией, предложил ничью. Но Карпов опять проявил характер: отклонил мирное предложение и холодно довел партию до победы.

Общий итог был воистину чемпионским: 1. Карпов — 12,5 из 15 (+10=5); 2. Ульман — 11; 3. Тимман — 10,5; 4—5. Кураица и Тарджан — по 9; 6. Велимирович — 8,5; 7. Адорьян — 8; 8—9. Ивков и Матанович — по 7,5; 10. Ваганян — 7. После турнира Карпов с гордостью заявил, что в процентном отношении превзошел результат Фишера в Скопье-67 (13,5 из 17). А на вопрос, кого он считает самым опасным своим соперником, ответил без обиняков: «Таких пока не видно...»

Видимо, вдохновленный успехами Карпова, Спорткомитет принял в марте 1976 года впечатляющее постановление «О подготовке советских шахматистов к соревнованиям чемпионатов мира 1976—78 гг.» В преамбуле к нему сообщалось:

«Выполняя приказы Комитета № 117 от 7 февраля 1973 г. и № 48 от 29 мая 1974 г., советские шахматисты добились значительных успехов в международных соревнованиях и упрочили свое лидирующее положение в шахматном мире. В настоящее время им принадлежат все официально разыгрываемые звания чемпионов мира и Европы. Гроссмейстер А.Карпов, после провозглашения его чемпионом мира, выступая во всесоюзных и зарубежных соревнованиях, добился высоких результатов и общего признания как первый шахматист мира».

Данным постановлением был утвержден трехлетний «План подготовки членов сборных команд СССР к соревнованиям чемпионатов мира 1976—78 гг.» Не знаю, насколько он был выполнен, но хочу познакомить вас с выдержками из этого некогда секретного документа — памятника целой эпохе:

«Каждый член сборной команды СССР должен ежегодно играть в среднем 80 партий в шести соревнованиях. Контрольным соревнованием для каждого гроссмейстера, определяющим его игровую нагрузку в следующем году, является личный чемпионат СССР.

Тренировочная нагрузка члена сборных команд СССР складывается ежегодно из четырех сборов общей средней продолжительностью 70 дней и четырех периодов самостоятельной работы общей средней продолжительностью 70 дней.

Ежегодно в январе на Олимпийской базе Спорткомитета в Новогорске проводится 24-дневный сбор сильнейших шахматистов СССР. В течение года на базах Спорткомитета проводятся 12—18-дневные тренировочные сборы перед официальными соревнованиями ФИДЕ и перед крупнейшими международными турнирами.

Каждый член сборной команды СССР обязан вести дневник подготовки и выступлений. Дневник является основным отчетным документом, отражающим качество подготовки и игры спортсмена.

Состояние здоровья, общефизическая подготовка спортсмена контролируются постоянно врачом сборных команд СССР по шахматам. Психологическая подготовка проводится на тренировочных и оздоровительных сборах силами специалистов-консультантов и контролируется врачом сборных команд СССР.

План-график обеспечения членов сборных команд СССР и тренеров оперативной шахматной информацией:

1. Разработка творчества ведущих зарубежных гроссмейстеров (Мекинг, Любоевич, Андерссон, Хюбнер, Смейкал, Портиш, Горт, Ларсен, Браун, Кавалек) с критическим анализом, сводкой дебютного репертуара и рекомендациями.

2. Разработка актуальных проблем и написание закрытых работ «Дебютные итоги 1975 (1976, 1977) года». Сроки выполнения – весь период 1976—78 гг. Исполнители — ведущие шахматные теоретики (гроссмейстеры и мастера). Объем каждой работы: 25—30 страниц машинописного текста. Финансирование

– по трудовым соглашениям из расчета: ежегодно 6 работ х 250 рублей = 1500 рублей.

3. Снятие копий с иностранной шахматной периодики. Финансирование – по трудовым соглашениям из расчета: ежегодно 20 000 стр. х 2,5 коп. = 500 рублей.

4. Изготовление перфокарт с шахматной информацией для использования в перфокартотеке ЦШК СССР. Финансирование – по трудовым соглашениям из расчета: ежегодно 15 000 перфокарт х 20 коп. (средняя стоимость расценок, установленных в 1974 г. в период подготовки А.Карпова к матчу с Р.Фишером) = 3000 рублей.

Ежегодная стоимость работ ориентировочно составляет 5000 (пять тысяч) рублей».

Тем временем шахматная жизнь шла своим чередом. После большого турнира чемпион мира сыграл в трех соревнованиях подряд всего по шесть партий: в апреле — командный Кубок СССР в Тбилиси (+2 =4), в мае — двухкруговой турнир четырех в Амстердаме (+2=4). Карпов: «С завершением этого турнира совпало мое 25-летие, и, когда мы вместе с 75-летним профессором Эйве выступали по телевидению, голландцы шутили, что идет передача столетия».

В июле — такой же четверной турнир в Маниле (+1–1=4). Во 2-м туре чемпион неожиданно проиграл белыми кумиру филиппинских болельщиков Эугенио Торре — тот избрал, конечно же, не защиту Алехина, как на межзональном в

Ленинграде, а обоюдоострый вариант сицилианской защиты 1.e4 c5 2.♘f3 d6 3.d4 cd 4.♘:d4 ♘f6 5.♘c3 ♘c6 6.♗g5 e6 7.♕d2 a6 8.0-0-0 ♗d7 9.f4 b5. «И даже отличная победа над Любоевичем не спасла меня от 2-го места в соревновании, — сетует Карпов. — Слишком коротка была дистанция, да и «хозяин здешних мест», мой главный конкурент, продолжал играть исключительно удачно».

№ 559. Испанская партия C95
ЛЮБОЕВИЧ – КАРПОВ
Манила 1976, 3-й тур

1.e4 e5 2.♘f3 ♘c6 3.♗b5 a6 4.♗a4 ♘f6 5.0-0 ♗e7 6.♖e1 b5 7.♗b3 d6 8.c3 0-0 9.h3 ♘b8 10.d4 (10.d3 – № 540) **10...♘bd7 11.♘bd2 ♗b7 12.♗c2 ♖e8.** Карпов блестяще чувствовал тонкости расстановки фигур в системе Брейера и с одинаковым успехом играл ее за оба цвета. Из 34 партий, начатых этой системой, он выиграл 12 и не проиграл ни одной! И вообще с большим пиететом относился к «королеве дебютов», памятуя завет Капабланки: испанская партия — пробный камень понимания позиционной игры.

Мне, тоже с детства, запомнилось мнение другого корифея — Кереса, считавшего, что рост молодого игрока немыслим без знания и, главное, понимания тонкостей испанской партии, и знание этого дебюта необходимо каждому сильному шахматисту.

13.b4 (через десять лет в Тилбурге Любоевич сыграет против Карпова скромнее — 13.b3; 13.a4 —

№ 591) 13...♗f8 14.a4 ♘b6 15. a5 ♘bd7 16.♗b2.

16...♖b8! (Спасский играл в матче с Фишером 16...♕b8?! — № 486) **17.♕b1.** В примечаниях к упомянутой партии рассмотрено и продолжение 17.♖b1 ♗a8 – таким способом Карпов двумя месяцами раньше обыграл Брауна (Амстердам 1976).

17...♘h5! Уход ферзя с d1 сделал возможным этот маневр с намерением укрепиться на важном поле f4 и, кроме того, облегчающий проведение c7-c5. Немедленное 17...c5?! опасно из-за 18.bc dc 19.de ♘:e5 20.♘:e5 ♖:e5 21.c4 (Карпов) 21...♖e6 22.♖d1 ♘d7 23.e5 g6 24.♗e4.

18.c4? Ошибочное решение. Пешка c3 является опорой пешечной цепи; ее преждевременное продвижение ослабляет крепкие позиции белых в центре и вдобавок имеет скрытый дефект — противостояние белого ферзя и ладьи b8. Верно 18.♘f1, и в случае 18...♘f4 19. ♗c1 ♕f6 20.♘1h2 белые могли бы нейтрализовать появление черного коня на f4. Но Карпов намечал 18...c5!?

18...bc 19.②:c4 ed! Важное звено в намеченном плане активизации. Теперь черные ладьи включаются в игру.

20.③:d4. Взятие 20.②:d4 позволяло черным развить инициативу на королевском фланге: 20...②e5! 21.②e3 (не 21.③b3 ②f4! или 21.②d2 ③c8! Карпов) 21...豐g5.

20...c5! 21.③e3. При 21.bc ③:e4! белые оставались без пешки: 22. 豐d1 ②:c5 23.③:c5 ③:c2 24.罝:e8 豐:e8 25.豐:c2 dc.

21...cb? Значительно сильнее было немедленное возвращение коня 21...②hf6! Белые теряли пешку без заметной компенсации, так как осложнения после 22.③f4 豐c7 23.豐d1 (23.②cd2 ③c6) 23...cb 24. ②d6 罝e6 25.②:f7 豐:f4 26.②3g5 ②c5 27.g3 豐c7 28.③b3 豐e7 оканчиваются к выгоде черных.

22.②b6? Белые не используют подвернувшуюся возможность. Промежуточное 22.③a7! 罝a8 23. ③d4 сбивало ладью с линии «b» и позволяло удержать динамическое равновесие, например: 23...②hf6 24.②cd2 罝b8 25.③a4! 罝e6 26.③a7 罝a8 27.③d4, и на 27...②c5 – 28.③c2.

Любоевич перекрывает линию «b» примитивным образом, однако теперь «горит» пешка e4.

22...②hf6! 23.豐:b4 d5 24. 豐b3 de 25.②g5 ③d5? Еще одно напрашивающееся, но неудачное решение, вновь меняющее оценку позиции. А вот 25...豐e7! подчеркивало неудачную позицию коня g5 и заставляло белых принять экстренные меры для его вызволения. После 26.f3 ef (неплохо и 26...②c5 27.豐c3 ef 28.③d4 ②fe4 29.②:e4 ②:e4 30.豐:f3 豐b4) 27.③f2 ②e5 28. gf h6 29.f4 fg 30.fe ②h5 белые остаются с разбитой безрадостной позицией.

26.豐a4? Роковая ошибка. Жертва ферзя – 26.②:d5! 罝:b3 27.③:b3 ②:d5 28.③:d5 ②e5 29.罝ed1 позволяла белым надеяться на ничейный исход.

26...②:b6! (начало финальной стадии, точно рассчитанной Карповым) **27.③:b6** (27.ab? h6) **27... 豐e7!** Противостояние ферзя b1 и ладьи b8 принесло белым массу хлопот, а вот противостояние ферзя e7 и ладьи e1 использовать никак не удается.

28.f3 ♖:b6! 29.ab ♕c5+ 30. ♔h1. После 30.♔h2 наиболее эффектно решало 30...♗c6 31.♕a5 ♕f2! 32.♘:e4 ♘:e4 33.♖:e4 ♗d6+ 34.♔h1 ♕g3 35.♖:e8+ ♗:e8 36.♔g1 ♕h2+ 37.♔f2 ♗g3+ 38.♔e3 ♕:g2 с неотразимой атакой.

30...♗c6! (теперь материальные потери неизбежны) **31.♕a5 ef!** Не ослабляя атаку. Переход в эндшпиль 31...♕:a5 32.♖:a5 ♗b4 оставлял белым после 33.♖ea1 или 33. ♗b3 надежды на спасение.

32.♘:f3. Нельзя 32.♕:c5 из-за простого 32...♖:e1+ 33.♖:e1 (33.♕g1 fg+ 34.♔h2 ♗d6#) 33...fg+ 34.♔h2 ♗:c5 (Карпов).

32...♕:c2 33.♕:a6 ♗:f3 34.gf ♖:e1+ 35.♖:e1 ♘h5! Точность до конца! На немедленное 35...♕f2 следовало 36.♖f1 ♕g3 37.♕c8! ♘d5 38.b7 ♘e3 39.♖g1 ♕:f3 40.♔h2 ♕f2 41.♔h1, «и только ничья» (Карпов).

36.♖e8 (36.♖g1 ♕c6! 37.♔g2 ♗d6) **36...♕f2.** Заканчивает борьбу, ибо черный король скрывается от шахов на h6, а белый — гибнет.

37.♖:f8+ ♔:f8 38.♕a3+ ♔e8 39.♕a4+ ♔e7 40.♕b4+ ♔f6 41. ♕d6+ ♔g5 42.♕e5+ ♔h6. Белые сдались.

В самом деле яркая победа чемпиона мира над одним из сильнейших тогда зарубежных шахматистов. Множество партий Карпов выиграл благодаря превосходству в понимании позиции, а здесь он еще и «пересчитал» соперника, славившегося своими счетными способностями.

Турнир в Маниле памятен не только этой партией. Карпов: «Друг Фишера — вице-президент ФИДЕ филиппинец Флоренсио Кампома-нес давно хотел организовать нашу встречу. Когда я приехал в Манилу, Кампо конфиденциально сообщил мне, что прибудет и Фишер. Но турнир заканчивался, а Фишера всё не было... По дороге в аэропорт выяснилось, что Кампоманес хочет проводить меня в Токио. Уже потом я понял, что он каким-то образом договорился о встрече с Фишером в Японии».

В августе 11-й и 12-й чемпионы встретились второй раз — уже в испанской Кордове, неподалеку от которой, в Монтилье, Карпов выиграл сравнительно небольшой турнир (+5=4). Подробнее об их переговорах рассказано в 4-м томе. «Ботвинник, которому Карпов по телефону рассказал о своих встречах с Фишером, усомнился: «А вы уверены, что беседовали именно с ним, а не с его двойником?» Вот насколько появление бывшего чемпиона было для всех неожиданностью» (Рошаль).

Однако близился конец года, а с ним и самый суровый экзамен для чемпиона мира — построже многих международных турниров: 44-й чемпионат СССР (Москва, ноябрь–декабрь 1976). Карпова вновь преследовала простуда, к тому же серьезно заболели родители, но отступать было уже некуда. Его выступление ожидалось с огромным интересом. Это было по-своему уникальное событие: раньше из советских чемпионов мира в годы чемпионства только Ботвинник играл в чемпионатах страны — в 1951, 1952 и 1955 годах (и лишь однажды, в 1952-м, стал первым после дополнительного матча с Таймановым).

· Таль: «Впервые в истории советских шахмат звание чемпиона мира было получено до завоевания золотой медали чемпиона страны, но что, пожалуй, самое главное – шахматисты давно не видели Карпова в настоящем «деле». Он одержал несколько побед на международных турнирах, но соревнования эти особого резонанса не вызвали. В начале чемпионата Карпов выглядел растренированным. Пара ничьих, жестокое поражение от Геллера – всё это, казалось, предвещало сенсацию...»

Действительно, пережить проигрыш Геллеру (№ 250) и овацию зала в честь соперника Карпову было нелегко. Не на шутку обеспокоилось и спортивное начальство...

Правда, в 4-м туре чемпиону «помог» Балашов, который в партии с ним долго не поддавался «испанской пытке», но при откладывании записал неважный ход, а в самом начале доигрывания (на 43-м ходу!) вдруг подставил ферзя и тут же сдался. Хотя в целом турнир был, наверное, самым удачным в карьере Балашова: это поражение оказалось у него единственным и на второй половине дистанции только он пытался выдержать темп гонки, заданный Карповым.

Победив белыми и Купрейчика, при ничьих черными с Петросяном («этюдное спасение в труднейшем ладейном окончании») и Романишиным, чемпион мира несколько поправил свои дела. После семи туров положение в стане лидеров

было таким: Балашов – 5; Дорфман и Рашковский – по 4,5; Геллер, Карпов, Петросян, Полугаевский и Таль – по 4. Отсюда видно, какое спортивное значение имел в 8-м туре поединок Карпова с Иосифом Дорфманом (которой, кстати, отлично сыграл и в следующем чемпионате СССР, разделив 1–2-е места).

Таль: «Эта партия полностью захватила не только весь зрительный зал. Играя за соседним столиком, я временами ловил себя на мысли, что позиция в ней интересует меня больше собственной партии. Думаю, многие участники испытывали такое же чувство: столик, за которым шло это сражение, был постоянно окружен тесным кольцом». Да, были времена, когда и прагматик Карпов сам навязывал соперникам сверхострую борьбу и действовал при этом изобретательно и уверенно! Дорфман принял вызов, и получился очень интересный и необычайно сложный шахматный спектакль.

№ 560. Сицилианская защита В81
КАРПОВ – ДОРФМАН
44-й чемпионат СССР,
Москва 1976, 8-й тур

1.e4 c5 2.♘f3 d6 3.d4 cd 4.♘:d4 ♘f6 5.♘c3 e6 6.g4. «В тех случаях, когда непременно нужна победа, обращаешься к этому острому варианту незабвенного Пауля Петровича Кереса. А я как раз встречался с одним из лидеров турнира» (Карпов).

6...♗e7 (6...♘c6 – № 539; 6...h6 – № 572, 578) **7.g5 ♘fd7 8.h4 ♘c6**

9.♗e3 a6 10.♕e2. Ход, создающий предпосылки для острых выпадов ♘f5 или ♘d5. Все-таки неприятнее для черных 10.♕h5!?

10...♕c7?! Не всегда этот выход ферзя на привычную сицилианскую позицию является наилучшим решением. Здесь он, наоборот, мешает быстрейшему развертыванию контратаки. Необходимо было 10...♘:d4 11.♗:d4 0-0 12.0-0-0 b5, оставляя ладье линию «c», а ферзю — возможность прыгнуть на a5.

11.0-0-0 b5. «Черные провоцируют соперника на жертву, вроде бы не опасаясь ее последствий» (Карпов).

12.♘:c6! После долгих раздумий Карпов отказался от немедленной жертвы коня — 12.♘f5, поскольку «промежуточное 12...b4! ведет к необозримым осложнениям — 13.♘d5 ed 14.ed ♘de5!» Тщательный анализ (естественно, с помощью компьютера) показал, что 15.♘:g7+ ♔f8 16.♘e6+! fe 17.dc сулит белым отличные перспективы в этом хаосе, например: 17...♕:c6 18.f4 b3! 19.ab ♕:h1 20.fe d5 21.♕f2+ ♔e8! 22.♗g2 (выясняется коварство хода 18...b3

— открытие линии «a» отменяет шах слоном: 22.♗b5+?? ab 23.♖:h1 ♖a1+) 22...♕h2 23.♖h1 ♕:e5 24.♗d4 ♗:g5+ 25.hg ♕:g5+ 26.♔b1 ♖f8 27.♕e2, и, несмотря на материальный перевес, черным трудно защищаться.

Естественное взятие коня 12...ef Карпов считал плохим из-за 13.♘d5 ♕d8 14.ef. Однако последствия 13...♘a5! 14.ef 0-0! совсем не очевидны: 15.f6 ♗d8 16.fg ♖e8 17.♕h5 ♘ce5.

Надо отдать должное замечательной интуиции Карпова, заставлявшей его порой идти наперекор собственному вариантному расчету — и обходить при этом невидимые даже ему препятствия! Чувство опасности не подвело Карпова и на этот раз: его выбор момента для жертвы коня оказался правильным.

12...♕:c6 13.♗d4! b4? Дорфман практически вынуждает соперника пожертвовать фигуру, надеясь, что в позициях с нарушенным материальным соотношением Карпов будет испытывать дискомфорт.

Тривиальное 13...0-0 соперники считали слишком рискованным предприятием. Карпов отмечает: «Делая рокировку, черные моментально попадали под пешечную атаку». Но, допуская атаку Кереса, черные не должны бояться пешечного наступления на королевском фланге!

14.♘d5! ed 15.♗:g7. Другая схема штурма — 15.ed? ♕d5 16.♗:g7 ♕:h1 17.♖e1 ♘e5 18.♗:e5 de 19.♕:e5 опровергалась простым 19...0-0!

15...♖g8 16.ed ♕c7 17.♗f6 ♘e5 18.♗:e5 de 19.f4 ♗f5.

20.♗h3?! Разменивая слона f5, белые практически убивают намечавшуюся контригру по линии «с». Даже атакуя, Карпов старается ограничить активность соперника! Но такое профилактическое мышление при наступлении, требующем решительных мер, не всегда бывает эффективным.

К явной выгоде белых вело немедленное 20.fe! ♖c8 21.♖h2!, и черный ферзь не мог попасть на с4. Однако Карпову не понравилось, что противник получает контригру после 21...♕a5 22.♕f3 b3! 23.♕:b3 (23.♕:f5? даже проигрывает: 23...ba! 24.♕:c8+ ♗d8 25.♕c6+ ♔f8) 23...♖g6. Здесь Карпов напрасно обрывает анализ — после 24.♕f3! ♗d7 25.♖f2 ♖g7 26.e6! черные быстро гибнут.

20...♗:h3 21.♖:h3 ♖c8 22.fe. Снова в качестве альтернативы Карпов указывает профилактический ход 22.b3, отбирающий у черных поле с4, на котором они построили едва не спасшую их контригру. Он говорит о перевесе белых после 22...e4 23.♕:e4 ♔f8, однако этого перевеса не обеспечивает ни предлагаемое им 24.f5 ♗d6 25.f6 из-за

25...♕d7 26.♖f3 ♖g6, ни 24.♕:h7 ♕:f4+ 25.♔b1 ♕d6 26.♕f5 ♖c7.

22...♕c4! Попав в отчаянное положение, Дорфман находит великолепную перестройку.

23.♖dd3?! Этот естественный ход был обойден вниманием комментаторов, хотя во многих вариантах именно ослабление 1-го ряда не позволит белым победоносно завершить атаку. Карпов опять придерживается стратегии ограничения возможностей соперника и хочет сохранить пешечную пару h4+g5, сковывающую силы черных.

Более устрашающей выглядит жертва этих пешек — 23.♖hd3! ♕:h4 (перестройка, осуществленная в партии, — 23...♕f4+? 24.♔b1 ♖c4, здесь сразу проигрывает: 25.e6 ♖e4 26.ef+ ♔:f7 27.♕h5+ ♔g7 28.♖f3) 24.d6 ♗g5+ 25.♔b1 ♖d8 26.e6, но холодное 26...♖g6! позволяет черным удержаться на плаву: 27.e7 ♗:e7 28.de ♖:d3 29.♕:d3 ♕:e7 30.♕d4 ♖f6.

Однако по-настоящему страшные испытания ждут черных после профилактического 24.♔b1! Следующий иллюстративный вариант заканчивается переходом в эндшпиль, где черные могут рассчитывать на ничью: 24...♖c4 25.d6 ♖e4 26.♖e3! ♖:e3 27.♕:e3 ♗:g5 28.♕a7 ♗d8 29.e6! fe 30.♖f1 ♗f6 31.d7+ ♔e7 32.d8♕+ ♔:d8 33.♕a8+ ♔e7 34. ♕:g8 ♕d4! 35.♕:h7+ ♗g7 36.c3 bc 37.♕c2! ♕b6 38.b3 ♕e3. Но совсем не очевидно, что черным удалось бы преодолеть все эти минные поля со столь малыми потерями.

23...♕f4+! 24.♔b1 ♖c4! 25. d6. Лобовое 25.e6 с блеском проходило при 25...fe? 26.d6 ♖e4 27. ♕h5+ ♕f7 28.♖d1 ♗f8 29.♕h1! ♕b7 30.♔c1! ♖g7 31.d7+! ♖:d7 32.♖:d7 ♔:d7 33.♖e3, однако централизация 25...♖e4! вновь выручала черных. Например: 26.ef+ ♕:f7 27. ♖he3 ♖:e3 28.♖:e3 ♕g6, а немедленное 26.♖he3 наталкивается на эффектное 26...♖:g5!! 27.hg ♗:g5.

25...♖e4! 26.♖he3 ♖:e3. Здесь уже не проходит 26...♖:g5? 27.hg ♗:g5 28.d7+ ♔d8 из-за красивой контржертвы 29.♖d1! ♕:e3 30.♕:a6! ♕c5 31.♕b7 или даже прозаического 29.♕g2! ♖:e3 30.♕a8+ с матом.

27.♖:e3 ♕:h4 28.♕f3 ♕:g5. Другие взятия пешки одинаково плохи: 28...♖:g5? 29.♕c6+ ♔f8 30. de+ ♔:e7 31.a3! или 28...♗:g5? 29. e6 fe 30.♖:e6+ ♔d8 31.♕c6! И лишь отступление 28...♗d8!, без труда вычисляемое компьютером и не замеченное ни одним из комментаторов, оставляет черным шансы на успешную защиту.

Дальше машина выдает удивительные варианты, в которых черный король чувствует себя в безопасности в центре доски и которые человек будет рассматривать всерьез только в анализе: 29.e6 fe 30.

♖:e6+ ♔d7 31.♕f5 (или 31.♖e3 ♔:d6 32.♕b7 ♕c4! 33.♖d3+ ♔e5 34.b3 ♕c5 35.♕b8+ ♔f5 36.♖:d8 ♕g1+ 37.♔b2 ♕c5!!=) 31...♕:g5 32.♖e7+ ♔c6 33.♕c8+ ♔b5 34.♖b7+ ♗b6 35.a4+ ba 36.♕d7+ ♔c5 37.b4+ ♔d4! 38.♕:h7 ♗d8 39.♕d3+ ♔e5. Если всё это правильно, следует признать, что совсем не очевидные неточности, допущенные Карповым на 20-м и 23-м ходах, упустили львиную долю перевеса, оставив белым лишь инициативу.

29.♖e1. «Известный перевес сохраняли белые после 29.♕c6+ ♔f8 30.de+ ♕:e7 31.♕h6+ ♗g7 32.b3, но мне хотелось большего, и потому я "ограничился" тихим — а на самом деле азартным — ходом» (Карпов). Объективно, немедленный отыгрыш фигуры был лучшим продолжением, но в наступающем цейтноте чемпион продолжает нагнетать напряжение.

29...♕g2?! До этого Дорфману удавалось отражать натиск, однако здесь он теряет нить игры. Предложенное Карповым 29...♕g4 30. ♕c6+ ♕d7 после 31.♕e4! ♗d8 32. ♕:h7 заставляло черных еще долго проявлять точность в обороне — например, 32...♖f8 33.♖g1 a5 34.♖g8 ♗e7 35.♖g7 ♗d8, но окончательный исход битвы оставался неясным.

30.♕f5! (этот ход черные явно зевнули) **30...♖g6?** Преждевременная паника. Теперь белые отыгрывают фигуру в очень выгодной редакции. Продолжая преследование ферзя — 30...♕g4! 31.♕:h7 ♕g6! (вряд ли отразимы угрозы белых после 31...♗h4 32.♖f1 ♗g7 33.♕d3 ♕c8 34.♖d1), черные максимально осложняли задачу соперника, например: 32.♕h3 ♕g4 33.♕d3 ♗h4 34.♖f1 ♕e6 — остающаяся у черных лишняя фигура не позволяет дать определенную оценку позиции.

31.♖f1. С этого момента все ходы белых соответствуют, говоря современным языком, «первой строке компьютера».

31...♕d5 32.de ♔:e7 33.♕f4! **a5 34.♕h4+ ♔e8 35.♕:h7 ♕f3 36.♕h8+ ♔e7 37.♕h4+ ♔e8 38.** **♕c4 ♖b7 39.b3.** Белым удалось сделать «форточку», не потеряв темпа атаки. Черным теперь надеяться не на что.

39...♖e6 40.♖g1 ♖:e5 41. **♖g8+ ♔e7 42.♕h4+ ♔d7.**

43.♕f6! Последняя тонкость, отшлифованная при домашнем анализе отложенной позиции. Белые заставляют ладью отступить, бросив пешку a5 на произвол судьбы.

43...♖e7 44.♕f5+ ♔d6 45. **♕:a5.** «Шахи шахами, а пешки пешками...» — философски замечает победитель.

45...♖e5. В ответ на 45...♕e4 46. ♕b6+ ♔e5 47.♕c5+ Карпов дает почти 20-ходовый вариант, состоящий из сильнейших, по его мнению, ходов обеих сторон. Но, как известно, любой длинный вариант обязательно содержит ошибку. Так и здесь. «47...♔f4 48.♖b8...» Сразу решает 48.♕g5+ ♔f3 49.♕g2+ ♔e3 50.♖g3+, а вместо самоубийственного 47...♔f4 затягивало игру 47... ♔f6, хотя выигрыш белых лишь вопрос времени.

46.♕d8+ ♔e6 47.♕b2 f6 48. **♖f8 ♕g7 49.♕c8+ ♔d5 50.♕c4+.** Черные сдались.

Карпов: «После этой важной в психологическом отношении победы дела пошли куда лучше». Таль: «Как это часто бывает, блестящая победа круто изменила не столько турнирное положение чемпиона мира, сколько его настроение. Карпов буквально врезался в лидирующую группу, а затем, не снижая темпа, стал одного за другим обгонять соседей по турнирной таблице».

Почему-то экс-чемпион не упоминает о своей встрече с Карповым в 10-м туре, в которой он избрал черными тот же вариант «сицилианки», что и Торре в Маниле. На этот раз Карпов подготовился и применил любопытную новинку, но Таль не растерялся и предложил остроумную жертву ферзя, явно удивив чемпиона: над ответом он думал 40 минут. И в итоге счел за благо отклонить жертву и предложить ничью. Однако Таль отказался! И впрямь, позиция белых была уже хуже, а после серьезной неточности Карпова стала и вовсе критической. По свидетельству очевидцев, на Батуринском в эти минуты буквально не было лица.

№ 561
КАРПОВ – ТАЛЬ
*44-й чемпионат СССР,
Москва 1976, 10-й тур*

31...♖fd8. Простое 31...♕d4+ 32. ♔b1 ♕:h4 казалось неясным из-за 33.g6, но эти страхи не для компьютера: после 33...fg с угрозой ♖f2 черные должны победить. «Трудно передать, что творилось в это время в зале и в пресс-бюро. Все то и дело выигрывали эту позицию за экс-чемпиона мира. Но на сцене чемпион продолжал выходить сухим из воды» (Рошаль).
    32.♔b1 ♖d5? Амнистия! Профилактическое 32...g6! с дальней-

шим ♖d5(4) еще сохраняло выигранную позицию. Теперь же белые находят единственный ресурс.
    33.g6! fg 34.♖:e6 ♖cd8 35. ♖c1! ♕c3 36.♖:g6 ♖e5 37.♕f2 ♖ed5. Ничья, встреченная овацией зала. В тот вечер Таль выглядел более чем расстроенным...
    Лишь после этого чудесного спасения Карпов действительно «врезался в лидирующую группу», выиграв в последующих шести турах — удивительный случай в его практике! — четыре партии черными (одна из них, с К.Григоряном, упомянута в примечаниях к партии № 251), а затем и последнюю белыми. И закончил трудный турнир вполне по-чемпионски: 1. Карпов — 12 из 17 (+8–1=8); 2. Балашов — 11; 3–4. Петросян и Полугаевский — по 10,5; 5. Дорфман — 9,5; 6–7. Смыслов и Таль — по 9.
    Этот чемпионат СССР вызвал волну откликов во всем шахматном мире. «Создается впечатление, что хрупкий и субтильный Карпов был единственным участником марафона, не только сохранившим силы, но и продолжавшим наращивать темп до самого финиша. Ему пришлось совершить целую серию спортивных подвигов», — восхищался гроссмейстер Доннер. Ему вторил гроссмейстер Бирн: «Карпов превосходит соперников в способности к максимальной мобилизации всех сил в самую трудную и решающую минуту».
    В начале 1977 года у чемпиона словно открывается второе дыхание, и он показывает серию блистательных результатов, не оставля-

ющих сомнений в его превосходстве. В марте — победа в Бад-Лаутерберге: 1. Карпов — 12 из 15 (+9=6); 2. Тимман — 10; 3. Фурман — 9; 4. Сосонко — 8,5 (впереди Хюбнера, Олафссона, Глигорича, Майлса, Андерссона, Торре...). В апреле — эффектные 5 из 5 на командном чемпионате Европы в Москве (победы над Смейкалом, Любоевичем, Георгиу, Портишем и Кином). В мае — триумф в Лас-Пальмасе: 1. Карпов — 13,5 из 15 (+12=3); 2. Ларсен — 11; 3. Тимман — 10 (впереди Таля, Брауна, Адорьяна, Майлса...).

И лишь на летнем супертурнире в Ленинграде, посвященном 60-летию Октябрьской революции, очевидно, начинает сказываться усталость: Карпов пропускает вперед Романишина с Талем и Смыслова... Впрочем, и в этом соревновании он сыграл несколько «чисто карповских» партий. Вот одна из них.

№ 562. Защита Пирца-Уфимцева В08
КАРПОВ — СМЕЙКАЛ
Ленинград 1977, 3-й тур

1.e4 g6. Весной на командном чемпионате Европы в Москве Смейкал проиграл Карпову «испанскую дуэль» и теперь пытает счастья в другом дебюте.

2.d4 ♝g7 3.♘c3 d6 4.♘f3 ♞f6 5.♝e2 0-0 6.0-0 ♝g4 (6...c5 — № 566) **7.♝e3 ♞c6 8.♕d2.** Вскоре чемпион ввел в практику 8.♕d3 (одна из идей Зайцева) 8...e5 9.d5 ♞b4 (9...♞e7!?) 10.♕d2 a5 11.h3 ♝d7 12.♝g5 с инициативой у белых (Карпов — Корчной, Багио(м/18) 1978). Но потом выяснилось, что это нейтрализуется путем 8...♞d7 (Полуга-

евский — Сакс, Буэнос-Айрес(ол) 1978; Карпов — Тимман, Амстердам 1980).

8...e5 9.d5 ♞e7 10.♖ad1 (полезный ход; его основная цель — максимально затруднить подрыв с7-с6) **10...♔h8.** Продолжения 10...♞d7, 10...♝:f3, 10...♞d7, 10...♞e8 и 10...b5 обсуждались при разборе партии Геллер — Таль (№ 249).

11.h3 ♝:f3 12.♝:f3 ♞d7 13.♝e2.

13...f5?! С этим ходом торопиться не стоило. Профилактика 13...a6 все равно входила в планы черных, ибо тогда продвижение 14.f4 теряло смысл: после 14...ef они получали прекрасный форпост на e5, а поле e6 оставалось недоступным для белого коня.

14.f4! Теперь это продвижение вполне своевременно: отдавая черным контроль над полем e5, белые получают взамен богатую игру по белым полям.

14...a6. На командном чемпионате Европы Кин пытался азартно атаковать Карпова на староиндийский манер — 14...g5?! Но без белопольного слона шансы создать серьезные угрозы белому королю невелики, и после 15.fg f4 16.♗f2 h6 17.gh ♗:h6 рейд слона в лагерь черных показал несостоятельность агрессивной стратегии Кина: 18. ♗g4 ♘f6 19.♕e2 ♖g8 20.♗e6! ♖g7 21. ♔h1 ♘g6 22.♖g1 ♕e7 23.♖d3 ♖h7 24.♗f5!, и у белых ясный перевес.

15.fe ♘:e5 16.♖f2 ♕d7 17. ♖df1 fe?! Снятие пешечного напряжения без достаточных на то оснований чаще всего облегчает задачу сопернику. Я бы предпочел 17... ♖ae8 18.♗f4 ♘f7.

18.♘:e4 ♖:f2 19.♗:f2 h6 20. b3 ♖f8 21.c4 g5 22.♘g3! ♘7g6 23.♗e3 ♖:f1+ 24.♗:f1 ♕f7 25. ♕c2 ♘h4 26.♗e2 ♘eg6. Идет тягучая, маневренная борьба, в которой черным все время приходится заботиться об укреплении своей позиции.

27.♗d3?! Гораздо более опасной для черных мне кажется другая перегруппировка: 27.♗h5! ♕f6 28. ♕e4! Теперь 28...♕a1+ 29.♘f1 ♕f6 30.g3 ♘f5 31.♗f2 ♘ge7 32.♘e3 ♕e5 33.♕:e5 ♗:e5 34.♘:f5 ♘:f5 приводит к эндшпилю «два слона против слона и коня», в котором у белых

неплохие виды на победу. А попытка контратаки — 28...♘f4 29.♕e8+ ♔h7 30.♗f7 ♕a1+ 31.♘f1 h5 оставляет белым лишнюю пешку в результате эффектной тактической перепалки: 32.♗:f4 gf 33.♕e4+ ♔h8 34.♕:f4 ♗d4+ 35.♔h1 ♗e3 36.♕:e3 ♕:f1+ 37.♕g1 ♕:f7 38.♕d4+ и ♕:h4.

27...♗e5? Упуская неожиданно подвернувшийся шанс активизировать фигуры: 27...♘f4! 28.♗e4 ♕f6 с намерением ♕a1+ и ♗e5. Смейкал, будучи в привычном для себя цейтноте, не рискнул увести ферзя далеко от короля, и Карпов тут же находит отличную возможность активизировать своего ферзя и напомнить сопернику о слабости белых полей в его лагере.

28.♗f2 ♘f4 29.♗e4 ♕f6 30. ♕d1! b6 31.♕g4! Как-то незаметно белые явно преуспели в усилении своей позиции, и черным становится трудно найти хороший ход.

31...♔g7?! Более упорное 31...♕d8 давало белым приятный выбор между подготовкой к переходу в выгодный эндшпиль — 32.♘h5 ♘:h5 33.♕:h5 ♕f6 34.♕e8+ ♔g7 35. ♕d7+ ♕f7 36.♕g4 ♘g6 37.g3 и организацией наступления на ферзевом фланге — 32.b4 ♕e8 33.c5.

32.♗e3 ♔f7 33.♕c8 ♕e7? На висячем флажке Смейкал просматривает внезапный прыжок слона и проигрывает сразу. Впрочем, ход 33...♘f:g2! с дальнейшим 34.♕:c7+ ♔f8 35.♕c8+ ♔f7 можно было назвать лучшим лишь потому, что он содержал ловушку — 36.♘h5? ♗h2+! 37.♔h1 ♕a1+ 38.♗c1 ♗e5!, и белым приходится давать вечный шах: 39.♕e6+ ♔f8 40.♕:h6+ ♔f7 41.♕h7+ ♔f8 42.♗b1 ♕c3 43.♕h6+ ♔f7. Однако путем 36.♕e6+! ♕:e6 37.de+ ♔:e6 38.♗:g2 ♗:g3 39.♗d5+ ♔f5 40.♗:b6 они переходили в технически выигранный эндшпиль.

34.♗h7! ♘:h3+ 35.♕:h3. Черные сдались.

Закончил год чемпион мира, как и начал, — на победной ноте, уверенно выиграв осенний супертурнир в Тилбурге: 1. Карпов — 8 из 11 (+5=6); 2. Майлс — 7; 3—6. Горт, Кавалек, Тимман и Хюбнер — по 6.

Вскоре, после финального матча претендентов (см. главу «Белградский реванш»), определился соперник Карпова по матчу на первенство мира. Им стал, к неудовольствию советского руководства, невозвращенец Виктор Корчной. Готовясь к поединку, оба гроссмейстера сыграли в начале 1978 года в сильных турнирах: один — в Вейк-ан-Зее (1. Портиш — 8 из 11; 2. Корчной — 7,5; 3. Андерссон — 6,5), другой — в Бугойно (1—2. Карпов и Спасский — по 10 из 15; 3. Тимман — 9).

Шахматный мир, разделенный на Запад и Восток, замер в ожидании давно не виданного сражения за мировую корону.

БАГИО ГЛАЗАМИ КАРПОВА

«Матч в Багио — самое склочное, самое скандальное соревнование из всех, в которых я когда-либо принимал участие, — признаётся Карпов. — Шахматы, которые суть средство общения и взаимопонимания людей, Корчной превратил в поле вражды. Ни до, ни после я ничего подобного не знал... Матч начался тяжеловато. Мы приглядывались друг к другу, прощупывали, кто в какой форме; козыри выкладывать не спешили. Ведь матч — впервые за полвека — был безлимитным, до шести побед. Предсказывать его длительность не представлялось возможным. Я знал одно: спешить нельзя».

Интересно происхождение такого регламента матча, существенно повлиявшего на ход шахматной истории. Его вырабатывал специальный комитет ФИДЕ, первое заседание которого состоялось еще в феврале 1976 года в Амстердаме. От СССР в работе участвовали Карпов и Батуринский, представлявший Советскую шахматную федерацию. Тогда Карпов, естественно, выступал против безлимитного матча, навязанного шахматному сообществу Фишером. Советская сторона предлагала играть до шести побед, но с лимитом в 24—30 партий, а при ничейном счете чемпион сохранял бы звание.

Батуринский: «Однако очень скоро стало ясно, что большинство — и в первую очередь президент ФИДЕ д-р Эйве — уже настроилось на «безлимитную волну». Прения зашли в тупик... Но надо отдать должное Эйве — он нашел любопытный выход: лимита не устанавливать, но играть до шести (а не десяти, как настаивал в свое время Фишер) побед; при счете 5:5 звание чемпиона мира сохраняется за его обладателем, но — важнейшее дополнение! — «претендент получает право в течение года сыграть с чемпионом новый матч». Тогда же Эйве сделал еще полшага: второй матч, если он понадобится, будет играться с ограниченным числом партий. Все с этим согласились, и все же не чувствовалось, что это окончательное решение».

Окончательно всё решилось осенью 1977-го в Каракасе, на заседании Центрального комитета ФИДЕ. Его участник гроссмейстер Авербах вспоминает, что уже в день приезда исполнительный директор Шахматной федерации США Эдмондсон попросил устроить ему встречу с Карповым до начала работы ЦК:

«И в тот же вечер в моем присутствии они встретились. Эдмондсон сразу взял быка за рога: «Какой регламент вы предпочитаете?» И Карпов неожиданно для меня заявил: «Я бы согласился играть до шести побед, а при счете 5:5 — до первого выигрыша, но в этом случае мне хотелось бы иметь матч-реванш». *(Хотя ФИДЕ давно уже отменила матчи-реванши. — Г.К.)* «Отлично! — воскликнул Эдмондсон. — Я помогу убедить членов ЦК принять ваши условия». И на заседании ЦК всё было разыграно, как по нотам. Слово взял «хозяин поля», известный деятель ФИДЕ Тудела и предложил от своего имени озвученные выше условия чемпиона, добавив: «Надо только спросить у г-на Карпова, согласен ли он на эти условия?» Анатолий Евгеньевич милостиво согласился... Эдмондсон только лукаво улыбался. В Багио, с одобрения Карпова, он был назначен членом апелляционного жюри».

Выступление Карпова зафиксировал для истории другой очевидец этих событий — пресс-атташе советской делегации Рошаль: «Многие хотят видеть что-то новое. Хорошо, я согласен играть безлимитный матч даже после того количества партий, какое я играю в турнирах. Некоторые против ничьей «в запасе» у чемпиона мира — согласен и на это. Надеюсь, что и матч-реванш мне не понадобится. Но если так случится, что выиграет претендент, то пусть уж вместе с ним выигрывает и весь шахматный мир: пусть миллионы любителей шахмат получат новый толчок для популяризации нашей игры в виде интереснейшего матча-реванша. Я готов поддержать этот компромиссный вариант».

По свидетельству Рошаля, делегаты начали аплодировать Карпову еще до конца его выступления, и «разве что Эйве как-то неуверенно заговорил о предоставлении чемпиону мира права на реванш только в случае проигрыша со счетом 5:6, но тут же сам, видимо, почувствовал свое одиночество». Решение было принято почти единогласно. Мнением участников финального матча претендентов Корчного и Спасского никто не поинтересовался. Ситуации, возникшие на финише матчей 1978 и 1984/85 годов, тогда не могли привидеться даже в страшном сне...

Конечно, Карпов считался фаворитом матча, однако надо учитывать, что незадолго до его начала он понес тяжелую, невосполнимую утрату. В марте 1978-го скончался Семен Фурман — бессменный наставник чемпиона, выдающийся теоретик, понимавший, как никто другой, природу таланта своего ученика и успешно решавший стратегические задачи подготовки. «Смерть Фурмана убила что-то во мне, — скажет Карпов годы спустя. — Я как бы закрепостился и не мог расслабиться, чтобы впустить в себя новое, сделать его своим — и тем самым преобразиться. Отсутствие новизны рождало скуку, и только поэтому я не мог себя заставить работать так, как когда-то мы самозабвенно трудились с Фурманом».

Перед Багио, по личным причинам, «отошел от дел» и второй тренер чемпиона — Юрий Разуваев. Пришлось мобилизовать резервы: главные действующие лица обновленной команды — Балашов, Зайцев и Таль — были давно и хорошо знакомы Карпову. Эта мощная бригада «выдала на-гора» множество новинок, и все же, мне кажется, на длинной дистанции сложнейшего матча порой ощущалось отсутствие консолидирующей руки Фурмана.

Специально для этой книги своими воспоминаниями о тех далеких днях поделился многолетний тренер чемпиона Игорь Зайцев:

«Первый наш, 18-дневный сбор перед Багио проходил ранней весной 1978 года неподалеку от Сочи, в живописных окрестностях знаменитой Красной Поляны. Помимо шахматистов — Карпова, Васюкова и меня — на сборе присутствовали профессор медицины Владимир Зухарь, опытный тренер по общефизической подготовке Валерий Крылов и повар Виктор Бобылев, впоследствии долгие годы сопровождавший Карпова почти во всех его поездках. Я впервые участвовал в столь колоритном сборе. Всё мне здесь было в новинку: и раскованный Карпов, отчаянно бьющийся на бильярде, и ежедневные полуторачасовые прогулки на пьянящем горном воздухе с обсуждением всех шахматных и нешахматных событий...

Затем последовал основательный, полуторамесячный сбор чемпиона в Гаграх, с участием Таля, Балашова и автора этих строк. Здесь было завершено и формирование тренерской группы, вылетающей с Карповым на Филиппины, и очерчен круг дебютных проблем, с которыми мы могли столкнуться в матче с Корчным.

Хотя работа над дебютными вариантами кипит постоянно, но по ходу самого матча обычно находятся лишь разного рода корректировки и занятные микроидейки. Выходу аналитической продукции большего масштаба препятствует каждодневная матчевая суета. Для подлинных теоретических озарений и открытий нужна долгая глубокая сосредоточенность и даже отрешенность. Поэтому желательно было подготовить все основные дебютные сюрпризы еще до матча, а в ходе самого единоборства лишь варьировать и уточнять найденные идеи.

За белых в поле зрения нашей аналитической группы постоянно находились открытый вариант испанской партии и, конечно, французская защита с 3.♘d2 (на всякий случай мы отрабатывали и варианты с наиболее принципиальным продолжением 3.♘c3). За черных исследовались три направления, доставлявшие нам массу хлопот: вариант ферзевого гамбита с 5.♗f4, карлсбадская система и всевозможные вариации английского начала.

В нашей тренерской группе както сама собой произошла шахматная специализация. Тон в анализе задавали два выдающихся практика — Таль и Балашов. К тому же оба они, обладая незаурядной и очень организованной памятью, всегда могли дать исчерпывающую энциклопедическую справку по любому разделу теории. Совсем не случайно Фурман, наставляя молодых шахматистов, внушал им: «Если хотите знать последнее слово теории — следите за партиями Таля: он быстрее других подхватывает новые идеи!» В памяти же Балашова легко умещались вся классика и весь каркас современной теории начал. Попутно у него же можно было осведомиться, к примеру, что за день недели был 31 октября 1892 года, когда родился Алехин. Я тоже не жалуюсь на память (до сих пор даю сеансы одновременной игры вслепую), но когда

сталкиваюсь с проявлениями ее феноменальности — скажем, у Балашова, Таля, Каспарова или Иванчука, то невольно ощущаю всю разницу.

Мне в этом разделении труда чаще всего отводилась довольно почетная роль «свежей головы» — человека, способного взглянуть на возникшую позицию непредвзято, под неожиданным углом. Видимо, именно за счет этих качеств мне в период активного сотрудничества с Карповым удалось изобрести целый ряд совершенно новых дебютных схем и множество усилений в вариантах.

Вилла в Багио, где разместился Карпов, являла собой гигантскую старинную постройку, оставшуюся чуть ли не со времен конкистадоров. Чтобы в процессе подготовки нас не могли прослушать никакой техникой, над нами был сооружен шатер из плотного полиэтилена. Однако долго находиться в такой упаковке было нелегко: минут через сорок становилось трудно дышать и лицо покрывалось водяной пленкой (и так то дело было в океанских субтропиках!). В хорошую погоду, разбившись на пары, мы с утра и до позднего вечера, с коротким перерывом на обед, вели наш анализ на открытой площадке первого этажа. Но как только темнело, вокруг начинали с шумом носиться летучие мыши и всё пространство заполнялось мириадами насекомых и ночных бабочек. И нам волей-неволей приходилось перебираться в наш полиэтиленовый рай... За три месяца поисков и терзаний мы родили немало хороших идей, но «случались и выкидыши», как остроумно заметил Таль».

Первая партия длилась всего два часа. Карпов: «Сделав черными свой 18-й ход, я по всем правилам предложил ничью. Корчной задумался на некоторое время, потом, не ответив мне, махнул рукой и начал расписываться на бланке. Я тоже подписал бланк и даю ему, он свой отбрасывает куда-то в сторону и не глядя подписывает мой бланк. Потом быстро уходит, не собираясь вовсе протягивать мне руку. А я-то полагал, что это не менее обязательно делать, нежели перед началом партии (такого же мнения был и присутствовавший при этом Таль). Да, Корчной сразу показал, что видит в рукопожатии пустую формальность».

Похоже, для Карпова это была одна из тех капель, что вскоре переполнили чашу его терпения. Другой эпизод случился после ничейной 2-й партии, где было окончание «ладья и слон против ладьи и коня». Анатолию сообщили, что Корчной-де заявил: «Карпов где-то слышал, что слон лучше, чем конь. В руках Леонида Штейна — может быть, но не в его руках!» Были выпады и в адрес Таля, не говоря уже о десантированном в 4-й ряд докторе Зухаре (об этом — в главе «Багио глазами Корчного»). В итоге перед 8-й партией Карпов внезапно отказался пожать руку, протянутую ему соперником, чем выбил того из колеи. Это было нарушением правил, и по просьбе чемпиона Рошаль зачитал в пресс-центре заявление, объясняющее мотивы такого поступка: «...Последние события показали, что претендент не отказывается от своей линии нагнетания

напряженности обстановки. В таких условиях Карпов не желает подавать руку Корчному».

Однако нас в данном случае больше интересует, что творилось на шахматной доске. Вновь слово Зайцеву:

«По характеру дебютной борьбы вскоре мы почувствовали, что Корчной готовился не вразброс, как мы, а более целеустремленно и тщательно, заранее твердо определившись с кругом вариантов и схем, которые собирался отстаивать в поединке. Начало матча выдалось тревожным: в 3-й и 5-й партиях Карпов черными столкнулся с серьезными проблемами, причем во второй из них спасся от поражения только чудом (№ 518). Любой шахматист, планируя успешное выступление, надеется в первую очередь на удачную игру белым цветом, но в стартовых схватках Анатолию никак не удавалось получить сколь-нибудь заметный перевес в открытом варианте «испанки». Во 2-й партии Корчной сознательно «скормил» нам второстепенную и, я бы сказал, не очень качественную новинку. Дома мы быстро установили ее изъяны, но в 4-й партии претендент, словно ведомый каким-то особым чутьем, ушел в сторону, опять обновив вариант. И лишь в 8-й партии Карпову наконец удалось опровергнуть рискованную дебютную стратегию соперника (см. главу «Багио глазами Корчного»). То, что Карпову удалось справиться с непростой проблемой за доской, имело далеко идущие последствия. Корчной, будучи тонкой и наблюдательной натурой, наверняка уже давно подметил, что Карпов крайне редко играет в дебюте на прямое опровержение замысла противника и обычно готов удовлетвориться солидным позиционным решением, перенося центр тяжести на миттельшпильное лавирование. Только этим можно объяснить эпизодическое появление в «черном» репертуаре Корчного не вполне теоретически благонадежных вариантов — таких, как 4...f5 в «испанке» (20-я партия матча 1974 года). В Багио мы допускали возможность одноразового появления рижского и берлинского вариантов (разновидность последнего объявилась позже в Мерано). И считали, что опыт применения «дракона» — удача в 5-й партии тренировочного матча (1971) и катастрофа во 2-й партии матча претендентов (№ 556) — должен был подсказать Корчному, как опасно повторять с Карповым сомнительные эксперименты. Однако в Багио, когда чемпион действовал не совсем уверенно, претендент придерживался такой рискованной линии.

На мой взгляд, Корчной очень точно улавливал состояние противника и вообще отличался незаурядной психологической чувствительностью. В 1974 году я секундировал Петросяну в его проигранном матче с Корчным и навсегда запомнил весьма необычный случай. По ходу 5-й партии, оказавшейся последней в матче, я в сердцах тихим шепотом отпустил в адрес Виктора Львовича какое-то безобидное замечание. Игра шла в огромном зале драматического театра, к тому же на этот раз я сидел в бельэтаже, довольно далеко от сцены... Но, о ужас: Корчной,

думавший над ходом, мгновенно вскинул голову и изо всей тысячной массы болельщиков, вперив свой взгляд, выхватил именно меня!

Открыв счет в 8-й партии, Карпов попытался развить успех в 10-й, пустив в ход мою острую новинку в открытом варианте — 11.♘g5!? Эту идею я привез еще в Красную Поляну, и Карпову она сразу же приглянулась: мы постоянно занимались ее расшифровкой. Она стала нашей тяжелой артиллерией, и оставалось лишь ждать удобного случая, чтобы пустить ее в ход. Жертва коня произвела настоящий фурор в шахматном мире, но того практического эффекта, на который мы рассчитывали, она, увы, не дала. Продумав в общей сложности около часа, Корчной отлично разобрался в хитросплетениях тактических нюансов и нашел защиту (см. № 266).

Итак, выпущенная теоретическая торпеда прошла мимо цели, не оказав заметного влияния на ход борьбы. Но определенное взаимное психологическое воздействие все же произошло. Соперник увидел, что в области дебюта у нас есть не только ручные пулеметы, но и гаубицы, и стал действовать гораздо осмотрительнее. Однако этот же эпизод заставил подтянуться и всех нас: ведь мы воочию убедились в огромном потенциале Корчного».

Карпов: «Победа в 8-й партии не сняла напряжения, которое нарастало во мне с каждым днем. Игру нужно было ломать более решительно, но к этому я пока не был готов. И в 10-й партии это сказалось. Корчной выдержал тяжелейший удар, защищался блестяще, а я вот использовал не все свои возможности. Сразу не получилось — и я как бы смирился и не стал искать победу. Тут бы взять тайм-аут, но я не угадал, отправился на игру».

После поражения в 11-й партии чемпион наконец взял тайм-аут, но отдых не принес облегчения: «Всё надо делать вовремя!» Идя на 12-ю партию, он не чувствовал желания играть: «Эту партию я как-то отсидел. Если бы Корчной понял мое состояние — мне бы несдобровать. Но я удачно имитировал желание немедленно реваншироваться, собранность, уверенность, напор — и он думал только об уравнении, а добившись его, не скрывал удовлетворения. Пронесло... Но кризис не мог длиться вечно. Перелом произошел в 13-й партии. Ни до, ни после — во время игры. А начиналась партия, как и предыдущие: я играл без желания, отстраненно и всё заметней не поспевал за мыслью соперника...»

№ 563. *Ферзевый гамбит* D53
КОРЧНОЙ – КАРПОВ
Матч на первенство мира,
Багио (м/13) 1978

1.c4 ♞f6 2.♞c3 e6 3.♞f3 d5 4. d4 ♝e7 5.♝g5 h6 6.♝h4 0-0 7. ♜c1. Фирменный план Корчного. В 1-й, разведочной партии было 7.e3 b6 8.♜c1 (8.cd – № 485; 8.♝e2 – № 554) 8...♝b7 9.♝d3 (избегая и 9.♝:f6!? ♝:f6 10.cd – № 517) 9...dc 10.♝:c4 ♞bd7 11.0-0 c5 12.dc ♞:c5 13.♕e2 a6 14.♜fd1 ♕e8 15.a3 ♞fe4=. А 15.♞e5 b5 16.♞:b5?! (Каспаров – Карпов, Москва(м/36) 1984/85) опровергается ходом 16...♕b8!

7...b6 (позже Карпов введет в практику 7...dc! – № 573) **8.♝:f6** (8.cd – № 336) **8...♝:f6 9.cd ed 10.g3.** Развивая слона на g2, белые хотят давлением на пешку d5 затруднить продвижение c7-c5, а при c7-c6, как было в партии, они могут сковать черную пешечную цепь путем b2-b4.

10...c6. Солидная схема, где все конфликты откладываются до миттельшпиля. Активнее 10...♝e6 11. ♝g2 c5 12.0-0 ♞c6 13.dc bc. Незадолго до матча так сыграл один из недавних тренеров Карпова; далее было 14.♞e1 ♜b8 15.♞d3 c4 16.♞f4 ♜:b2 17.♞c:d5 ♝:d5 18.♝:d5 ♞e5= (Олафссон – Геллер, Вейк-ан-Зее 1977), но в случае 15.♞:d5! ♝:d5 16.♝:d5 ♞b4 17.♝b3 черным пришлось бы еще побороться за уравнение.

11.♝g2 ♝f5 12.0-0 ♕d6 13. e3 ♞d7 14.♞e1 ♜fe8 15.♞d3 g6 16.♞f4 ♝g7. Белопольного слона можно было сохранить ходом 16...h5, но Карпову не нравилось, что после 17.h4 пешечные цепи на королевском фланге теряли динамику, а на ферзевом белые сохраняли некоторые возможности давления.

17.g4! Остро и в то же время вынужденно: успей черные поставить коня на f6, они могли привести в движение свои пешки «g» и «h».

17...♗e6 18.h3 ♘f8. Неплохо смотрелось и 18...♘f6 (Карпов) 19. ♘:e6 ♖:e6, но черные не хотят закрывать слона g7.

19.♘:e6 (допускать ♗d7, конечно, не стоит) **19...♘:e6.** Карпов не любит портить свою пешечную структуру, хотя и указывает, что «интересно было 19...fe», потенциально усиливая подвижность черной пешечной цепи в центре. Белым пришлось бы пресечь идею e6-e5 ходом 20.f4, и их шансы в дальнейшей борьбе были бы выше: 20...♖ac8 21.♘e2 c5 22.♕d2 cd 23.ed ♘d7 24.♕d3.

20.♕d3 ♖ad8. «Поскольку не видно перспективы на продвижение c6-c5, ладье на поле d8 делать нечего. Следовало подумать о переводе ферзя на королевский фланг (♕e7-h4) и атаке выдвинутых белых пешек путем h6-h5 или f7-f5» (Карпов).

21.♖c2 ♘c7 22.♘a4. Сдвоение ладей — 22.♖fc1 не мешало черным освободиться: 22...c5! 23.dc bc 24. ♘b5 ♘:b5 25.♕:b5 d4!

22...♕d7 23.b3 ♖e6. Черные продолжают играть без ясного плана, направляя ладью на d6, где она займет пассивную позицию. «Заслуживало внимания 23...♘b5 с идеей ♘d6» (Карпов), не опасаясь давления белых ладей на пешку c6.

24.♘c3 ♖d6. Снова спорное решение, позволяющее белым начать проявлять активность. После 24...♗f8 (Карпов: «Препятствуя ходу b3-b4») сделать это было бы гораздо трудней.

25.b4! ♗f8 26.♘e2 b5. Форпост на c4 для черных сейчас важнее, чем контроль над полем c5.

27.♕b3! Ход, решающий две важные задачи: для коня освобождается маршрут ♘e2-c1-d3-c5 и готовится подрыв a2-a4.

27...♘a8 28.a4! ba. Комфортную стоянку на c4 получить не удается: 28...♘b6 29.ab cb 30.♘f4 ♘c4 31.♖a1 a6 32.♖ca2 ♕b7 33.♘d3 ♖e6 34.♘c5 ♗:c5 35.dc с явным перевесом. А «на 28...a6 следует 29.a5, и конь в офсайде» (Карпов).

29.♕:a4 ♘b6 30.♕b3 ♖b8 31. ♘f4 ♘c4 32.♕a4. Немедленная жертва качества 32.♖:c4 dc 33.♕:c4 обещала мало ввиду слабости пешки b4: после 33...♖b6 34.♖a1 ♕b7 35.♘d3 ♖d8 36.♗e4 ♔g7 37.♖a4 ♖b8 черные должны устоять. Корчной не торопится форсировать события, продолжая усиливать позицию.

32...f5. Верный своей манере ведения боя, Карпов «под цейтнот» обостряет игру ценой ослабления собственного короля. Все-таки надежнее было сначала разменять пешки a7 и b4: 32...♖b5 33.♖a2 a5 34.ba ♖:a5 35.♕c2 ♖:a2 36.♕:a2 f5 (Карпов) 37.gf ♕:f5, но и тут черным надо еще доказывать равенство после 38.♕b1.

33.gf ♕:f5 34.♕:a7 ♖:b4 35. ♖a2 ♕c8 36.♖c1 ♖b7 37.♕a4. Карпов больше опасался хода 37. ♕a6, считая связку довольно неприятной. Однако после простого 37... ♕d7 38.♗f1 c5 39.♕a4 cd! (39...♕:a4? 40.♖:a4 cd 41.♗g2!) черные защищались: 40.♕:d7 ♖b:d7 41.ed ♘b6.

37...♖f7 38.♖:c4! На висячем флажке белые жертвуют качество, правда, ничем не рискуя, так как последующие ходы их ясны.

38...dc 39.♕:c4 ♕f5 40.♘d3 ♗g7. Пришла пора откладывания. Карпов: «Я сел за столик в одном качестве, поднялся из-за него — в другом. Я ощутил перелом — вдруг понял, что вижу всё окружающее другими, прежними, докризисными глазами: всё вокруг было ярко, отчётливо, интересно. И как закончится эта партия — мне вдруг стало очень интересно. А уж что в следующей сыграю хорошо, в полную силу — у меня и вовсе не было сомнений».

41.♖a7. Над этим секретным ходом Корчной думал 40 минут! Отложенная позиция, безусловно, не-

приятна для черных — из разряда тех, где не видно ясного пути к ничьей, но и нет форсированного выигрыша. Соперники имели не один день на анализ, и было установлено, что ни 41.f4, ни 41.♘b4, ни 41. ♘c5 не дает реальных шансов на победу. Записанный ход тоже подвергся тщательному анализу.

Корчной: «В поисках синей птицы я вместе с помощниками провел полночи, устал и назавтра решил взять тайм-аут — перенести доигрывание». И оно состоялось уже после 14-й партии, тоже отложенной, но в безнадежной для него позиции. Таким образом, впервые в истории матчей на первенство мира в один вечер доигрывались сразу две партии. Это был один из кульминационных моментов битвы в Багио!

Как показал ход доигрывания, анализ карповской бригады был более глубоким.

41...♖f6! «Эндшпиль после 41...♕e6 42.♕:e6 ♖:e6 43.♖a6 очень неприятен ввиду угрозы d4-d5» (Карпов).

42.♖:f7. На 42.♖b7 лучшую защиту дает 42...♗f8! (42...♔h7?? 43. e4!) 43.♖:f7 ♖:f7 44.♘e5 ♕f2+ 45. ♔h1 ♗d6 46.♘:f7 ♕:f7 47.♕:c6 ♕c7!, и «после размена ферзей эндшпиль с разноцветными слонами ничейный» (Карпов). Но у белых есть возможность сохранить ферзей — 48.♕a8+ ♔g7 49.♕a1. Теперь после 49...g5 к размену ферзей и ничьей ведет 50.e4 ♗f4 51.e5 ♕c1+ 52. ♕:c1 ♗:c1 53.d5 ♗b2 54.e6 ♗a3, но 50.♗e4 оставляет белым некоторые шансы на успех.

42...♖:f7 43.d5.

43...♗e5! Прекрасно! Слон идеально расположен именно на диагонали b8-h2, где он не только блокирует пешку, но и присматривается к белому королю. «А размен слона (44. ♘:e5 ♛:e5) облегчает задачу черных» (Карпов). По словам чемпиона, этот ключевой ход предложил глава советской делегации Батуринский (он был крепким кандидатом в мастера).

44.dc. Проходную пешку «d» на пару с коллегой по линии «е» остановить было бы трудно, а разрозненные пешки «е» и «с» опасности не представляют.

44...♔g7 45.♗e4. Здесь Корчной вновь оказался в цейтноте: маневр 43...♗e5 стал для него явной неожиданностью. Впрочем, позицию белых, если они еще мечтают о выигрыше, не так просто усилить. Движение пешек ослабляет собственного короля. Так, при 45.е4 ♛h5 угроза ♛е2 вынуждает 46.♘:e5 ♛:e5. А на 45.f4 ♗c7 46.е4 силен маневр 46...♟a5, заставляющий белых действовать осмотрительно: если 47.♛d4+ ♔h7 48.♔h2, то 48...g5!

45...♔g5+ 46.♔f1 ♗d6 47. ♗d5 ♖e7 48.♗f3 h5. Таль одобряет этот ход, «на всякий случай»

отнимающий у белого слона поле g4 и расширяющий укрытие короля. Менее амбициозное 48...♛f6 тоже не оставляло белым особых шансов на успех — как в эндшпиле после 49.♛d4 ♛:d4 50.ed ♘f8 51. ♘b2 (51.♗g4 ♔e8 и ♔d8) 51...♖e6 52. ♘c4 ♔e7, так и в случае 49.♘f4 (49.♗e4 ♛e6!?) 49...♖:f4 50.ef ♛d6.

49.♗d1. В остром цейтноте Корчной не хочет принимать кардинальных решений и только после 56-го хода собирается взвесить возможности игры на победу. Размен ферзей — 49.♛d4+ ♛f6 50.♛:f6+ ♔:f6 вел к равному эндшпилю, например: 51.h4 ♖a7 52.♗d5 ♖a5 53.е4 g5!

49...♛f5 50.♔e2 ♖e4 51. ♛c3+ ♛f6 (опасно 51...♔h7? 52.с7 ♖e8 53.♗c2!) **52.♛b3.** Вновь уклоняясь от размена ферзей, равносильного предложению ничьей: 52. ♛:f6+ ♔:f6 53.♗b3, и если 53... ♖h4, то 54.f4 ♖:h3 55.♘f2 ♖h4(2) 56.♔f3 с угрозой ♔g3.

52...♛f5 53.♛b7+ (опять избегая 53.♛c3+ ♛f6 54.♛:f6+, Корчной хочет войти в новый контроль с ферзями — он еще надеется победить!) **53...♖e7 54.♛b2+ ♔h7 55.♛d4 ♗c7.**

56.♕h4?? Последним контрольным ходом белые допускают грубейшую ошибку, уводя ферзя на край доски. Хладнокровное 56.♕c5, хотя и допускало размен ферзей – 56...♕:c5 (при 56...♕f6 57.♗b3 Корчной добивался своей цели – сложной позиции при ферзях) 57.♘:c5 и т.д., позволяло играть с ничьей в кармане.

56...♖e4! 57.f4 (спасая ферзя, приходится двинуть пешку в самый неподходящий момент) **57...♗b6! 58.♔c2 ♖:e3+ 59.♔d2 ♕a5+ 60.♔d1 ♕a1+ 61.♔d2 ♖e4.** Белые сдались.

Это одна из филиппинских драм Корчного (наряду с 5-й и 17-й партиями). Удивительная непрактичность: думать над записанным ходом 40 минут, затем взять тайм-аут... Друг его юности Олег Скуратов писал: «Виктор никогда не щадил себя, не экономил, не берег силы. Эта расточительность аукнулась особенно сильно в Багио. Глядя на его роковые просмотры, я невольно вспоминал студента Корчного, сутками игравшего на износ бесконечные блицпартии. Увлеченный игрой, он не размышлял о последствиях таких перегрузок». Увлекался блицем и Карпов, но в его случае скорее можно говорить о последствиях игровых перегрузок в затяжных матчах.

В 14-й партии штаб чемпиона наконец подобрал ключи к варианту, в котором претендент сделал две ничьи в начале матча. Карпов: «Эту партию я провел в лучших своих традициях». Столкнувшись с очередной новинкой, Корчной держался что есть сил, но ближе к 30-му ходу не выдержал тягот изнурительной, кропотливой защиты.

№ *564. Испанская партия С82*
КАРПОВ – КОРЧНОЙ
Матч на первенство мира,
Багио (м/14) 1978

1.e4 e5 2.♘f3 ♘c6 3.♗b5 a6 4.♗a4 ♘f6 5.0-0 ♘:e4 6.d4 b5 7.♗b3 d5 8.de ♗e6 9.c3 (9.♘bd2 – № 574, 575) **9...♗c5 10.♘bd2 0-0 11.♗c2 ♗f5 12.♘b3 ♗g4.** Через три года в Мерано Корчной с успехом испытал 12...♗g6! (№ 524).

13.h3!? Сюрприз! Обычная незатейливая игра на преимущество двух слонов – 13.♘:c5 ♘:c5 14.♖e1, как было еще в партиях Бронштейн – Флор (СССР(ч) 1944), Эйве – Элисказес (Мар-дель-Плата 1947) и Фишер – Ларсен (Санта-Моника 1966), не принесла белым дивидендов во 2-й и 4-й партиях.

13...♗h5. Карпов только упомянул о более остром ходе 13...♗:f3, а Таль назвал его небезвыгодным для белых. Действительно, трудно решиться, да еще без специального анализа, на неясную игру после 14.gf (14.♕:f3?! ♘:e5 Наварро – И.Иванов, Сьенфуэгос 1980) 14...♘:f2 15.♖:f2 ♗:f2+ 16.♔:f2 ♘:e5 или 16...♕h4+ 17.♔g2 ♘:e5 – белые слоны могут сказать свое слово!

14.g4! ♗g6. Эта позиция считалась вполне приемлемой для черных, но штаб чемпиона подготовил новую идею, которая нанесла серьезный удар по варианту с 12...♗g4.

15.♗:e4! «Мне пришло в голову, что можно форсировать переход в такой эндшпиль, где наличие разноцветных слонов не уменьшает, а даже увеличивает перевес белых» (Карпов).

15...de 16.♘:c5 ef 17.♗f4! Основа замысла. Карпов не упускает случая получить еще один мелкий плюс: спасая пешку f3, черные вынуждены сами разменять ферзей — и подарить белым лишний темп.

17...♕:d1. «После 17...♕e7 белые выигрывают темп путем 18.♕d5 ♘a5 19.b4 ♘c4 20.♖fe1, и пешка f3 гибнет» (Карпов): 20...a5! 21.a3!

18.♖a:d1 ♘d8! Лучшая защита. Черные разменивают сильного коня c5 и создают в центре опорный пункт для своего слона, сохраняя этим пешку f3. Корчной даже пускает вражескую ладью на 7-й ряд, видя, как ее можно будет выкурить оттуда.

19.♖d7 ♘e6 20.♘:e6 fe 21. ♗e3 (эта позиция стояла у Карпова дома) **21...♖ac8.** Размен одной пары ладей после 21...♖f7?! 22.♖fd1 (Карпов) 22...♖af8 23.♗c5 ♖:d7 24.♖:d7 ♖c8 25.♔h2 ♗e4 26.♔g3 ♗d5 27.h4 делал шансы белых на победу реальными.

22.♖fd1 ♗e4! Как раз вовремя. Промедление — 22...h5?! отдавало в руки белых 7-й ряд: 23.gh ♗:h5 24. ♖e7 и ♖dd7 (Карпов).

23.♗c5! Вынуждая ладью покинуть линию «f» и занять пассивную позицию; но и белой ладье приходится отступить, и это — несомненное достижение черных.

23...♖fe8 24.♖7d4 (после 24.♔h2 ♗c6 ладья изгонялась с d7) **24...♗d5 25.b3 a5 26.♔h2 ♖a8 27.♔g3 ♖a6.** Добившись успехов в организации обороны, Корчной расслабился и решил помешать ходу c3-c4 простым способом. Он отказался от 27...a4 28.c4 bc 29.bc ♗c6, возможно, не заметив, что на 30.a3 есть сильный ответ 30...♖a5!

Карпов утверждает, что и без 30. a3 «у белых явное позиционное преимущество», но оно заключалось бы лишь в полном господстве по линии «d» при отсутствии на ней полей вторжения. Белым пришлось бы тогда открывать второй фронт на королевском фланге...

28.h4 ♗c6? Еще не поздно было сыграть 28...a4, однако Корчной увлечен ошибочной идеей перевода ладьи и не чувствует опасности.

29.♖:d5! В случае «очевидного» 29.b4 черные вряд ли рисковали бы проиграть. Неожиданной жертвой качества Карпов вскрывает изъян в замысле Корчного, пользуясь тем, что у неприятельских ладей пока отсутствует взаимодействие. На черных вновь наваливаются проблемы.

29...ed 30.♖:d5 ♖ce6 31.♗d4 c6 32.♖c5. Прошло всего три хода, но как разительно изменилась ситуация на доске! Черные ладьи занимают пассивные позиции, пешки ферзевого фланга — явные объекты для нападения, пешка f3 и вовсе обречена. Если в движение придет белая пешечная фаланга, черным не удержаться.

32...♖f8? Теперь партию не спасти. Защитные ресурсы черных были еще далеко не исчерпаны, и прежде всего следовало разменять ладьи: 32...♖d8! 33.♔:f3 ♖d5 34.♖:d5 cd. В этом случае задача белых серьезно осложнялась, а быть может, становилась и вообще невыполнимой!

На ходы королем, подготавливающие продвижение пешки «f», у черных находится весьма убедительная контригра:

1) 35.♔g3 b4! 36.f4 ♖c6! 37.cb ab 38.f5 ♖c2 39.e6 ♖:a2 40.♔f3 (в случае 40.g5? ♖e2! с угрозой g7-g6 белые рискуют проиграть: 41.♗c5 ♖e4 42. e7 g6 43.fg hg 44.♗:b4 ♔f7, и в дело вступает черная пешка «d») 40... ♖a3 41.♔f4 ♖:b3 42.g5 ♖h3 43.♗c5 ♖:h4+ 44.♔e5 b3 (при 44...♖g4 45. ♔d6 брать пешку g5 нельзя, но 45... b3 всё еще спасает) 45.f6 ♖e4+ (не 45...gf+? 46.gf ♖e4+ из-за 47.♔f5! +−) 46.♔:d5 gf! 47.gf (при 47.♔:e4? b2 новый ферзь появляется с шахом!) 47...♖f4, и ничья очевидна;

2) 35.♔e3 h5! 36.gh (безобидно 36.f3 hg 37.fg b4! 38.h5 ♖c6 39.♔d3 ♔f7) 36...♖h6 37.♔f4 ♖:h5 38.♔g4 g6! 39.a4! (выигрыш пешки a5 — единственный шанс белых) 39...ba 40.ba ♔f7 41.f4 ♔e6 42.♗b6 ♖h8 43.♔g5 (при 43.♗:a5 ♖a8 44.♗b6 ♖:a4 45.♔g5 ♖a2 46.♔:g6 ♖g2+ белый король оттесняется на край доски, что лишает их всяких шансов) 43...♖h5+! (пассивно 43...♔f7?! 44. ♗:a5! ♖a8 45.♗b4 ♖:a4 46.e6+! ♔:e6 47.♔:g6, но даже здесь, играя 47...d4 48.f5+ ♔d7! — единственное: 48... ♔d5? 49.f6 d3 50.c4+! ♔:c4 51.f7 ♖a8 52.♗d2 и т.д. — 49.f6 d3, черные после появления новых ферзей, кажется, не проигрывают) 44.♔:g6 ♖:h4 45.f5+ ♔:e5 46.♗c7+ ♔e4 47.f6 ♖g4+ 48.♔h5 ♖g1 49.f7 ♖f1 50.♔g6 d4 с ничьей, так как поле превращения пешки «a» не контролируется слоном.

Однако белые могут предотвратить контригру с h7-h5 (путем 35. h5) или с b5-b4 (35.a3). Итак:

3) 35.h5 b4! (35...♖c6 36.♔e3 или 36.a3! ведет к рассматриваемым вариантам; хуже механически тормозить наступление — 35...g5 36.hg hg 37.♔e3 g5 38.f4! gf+ 39.♔:f4 ♔f7

40.♔f5 ♖c6, и после 41.a3 выясняется, что маневрами ладьи по полям c6, e6 и g6 ничью не сделать,
например: 41...a4 42.ba ba 43.g5 ♖e6
44.♗c5, и на 44...♖c6 следует 45.
♗d6!, а на 44...♖g6 — 45.♗e7!, затем
♗f6, и проходные пешки белых
приходят в движение) 36.♔e3 ♖c6!
37.♔d3 (в случае 37.cb ab 38.f4 ♖a6
задача черных проще) 37...g6! 38.hg
♖:g6 39.f3 ♔f7 40.cb ab 41.♗c5 ♖a6,
успевая со спасительной контригрой как при 42.♔d4 ♖:a2 43.♔:d5
♖d2+ 44.♔d4 ♖d3 45.f4 ♖:b3 46.e6+
♔e8 47.f5 ♖d3 48.♔e4 ♖g3 49.♔f4
♖d3, так и после 42.♗:b4 ♖:a2 43.
♗d6 ♖f2 44.♔e3 ♖f1 45.b4 d4+ 46.
♔:d4 ♖:f3 47.b5 ♔e6 48.b6 ♖b3;

4) 35.a3! Так «намеревался продолжать» Карпов, «с тем чтобы создать крепость на ферзевом фланге
путем b3-b4 и только потом двигать
пешки королевского фланга». Это
дает наибольшие шансы на успех:
белые затрудняют активизацию ладьи и планируют ♔g3 и f2-f4.

Здесь 35...h5? является жертвой
пешки, которую черные не могут
себе позволить: 36.gh ♖e8 37.♔g4
(37.b4!?) 37...b4 38.ab ab 39.cb ♖b8
40.♗c5 d4 41.♔f4, и белые должны
выиграть. А пассивная оборона пу-

тем 35...g6? постепенно пробивается после 36.♔g3: Карпов указывает
лишь безнадежное 36...♖e8? 37.f4
♖f8 38.e6 (еще лучше 38.h5!), однако не помогает и 36...h5 37.f4 hg 38.
♔:g4 ♔f7 39.♔g5 (не 39.h5? gh+ 40.
♔:h5 ♖g6 41.f5 ♖g2, и с отрезанным
королем белым не победить) 39...
♖e8 40.f5 gf 41.♔:f5 ♖e6 42.♗e3 ♖c6
43.♗d2 (пешка «h» готова двинуть-
ся в ферзи, а контригра черных запаздывает) 43...b4 44.ab ab 45.cb
♖c2 46.e6+ и т.д.

Поэтому черные должны стремиться к немедленной активизации ладьи — 35...♖c6!, и в случае 36.
♔g3 b4! 37.ab ab 38.cb ♖c1 39.e6 ♖e1
40.♗e3 (или 40.b5 ♖:e6 41.b6 ♖e8
42.f4 g6) 40...♔f8 41.♔f4 ♔e7 42.
♔e5 d4 43.♔:d4 ♔:e6 они, видимо,
добиваются ничьей.

Белые могут радикально пресечь
идею b5-b4 путем 36.b4 («по Карпову»), но тогда для ладьи вскрывается линия «a»: 36...ab 37.ab ♔f7
38.♔g3 ♔e6 39.f4 g6 40.h5 ♖a6 41.
♔h4 ♖a2 42.♔g5 ♖g2=. Вместо 38.
♔g3 сильнее 38.♔f4!, и в случае 38...
♔e6 39.♔g5! или 38...♖a6 39.♔f5!
g6+ 40.♔g5 ♖a1 41.f4 ♖f1 42.f5 gf
(42...h6+ 43.♔:h6 gf 44.g5!) 43.gf h6+
44.♔g4 дела черных явно ухудшают-
ся. Но и здесь находится возражение: 38...h6! 39.h5 g6 40.hg+ ♖:g6,
и так как на 41.♔f5 есть 41...♖g5+, на
41.♔g3 — 41...h5, а на 41.f3 — 41...
♔e6, белые вынуждены смириться
с ничьей.

Теперь в поисках выигрыша уже
просто напрашивается следующее
направление: 36.♔f4 ♔f7 37.♔f5, и
при 37...h6? 38.h5 с дальнейшим f2-
f4 черным, скорее всего, не устоять.

Им надо действовать энергично: 37...g6+ 38.♔g5 b4! 39.ab ab 40.cb ♖c1 41.f4 ♖d1! (41...♖f1? 42.h5 h6+ 43.♔:h6 gh 44.f5! hg 45.e6+ ♔e7 46.♔g6, и белые пешки неудержимы) 42.♗c5 d4 43.f5 gf 44.gf h6+! (не сразу 44...d3? из-за 45.e6+ ♔g8 46.f6) 45.♔f4 (45.♔:h6? d3, и выигрывают уже черные) 45...d3 46.e6+ ♔e8 47.♔e3 d2, и ввиду размена пешки d2 на одну из связанных проходных — ничья.

Более изощренная разновидность того же плана — 41.b5!? (вместо 41.f4). Вынуждая противника заняться пешкой «b», белые тем временем надеются добиться большего на другом фланге: 41...♖b1 42.f4 ♖:b3 43.f5 (43.b6 ♖b4) 43...♖:b5 44. e6+ ♔e7.

Поход за пешкой h7 — 45.♔h6 ведет к изоляции короля: 45...gf 46.gf ♖b3 47.♔:h7 (47.♔g5 ♖b5 — примерно как при 45.h5) 47...♖g3=. Интереснее 45.h5 gf 46.gf ♖a5 (надо стеречь поле c5) 47.♗f6+ (после 47.♔h6 ♖a4 48.♗c5+ ♔f6 49.♔:h7 d4 ничьей будут добиваться белые) 47...♔e8 48. ♗g7 ♔e7 (естественный ход, но технически четче 48...d4!, ибо после 49.♗:d4 ладья будет держать на прицеле пешку f5 и белые не смогут вы-

играть, даже проникнув королем на f6) 49.♗d4 ♖b5 50.♔h6 (оптимальный момент для атаки пешки h7) 50...♖b3 51.♔:h7 ♖g3! (не 51...♖f3? 52.♗c5+ ♔f6 53.♔g8!) 52.h6 (отличие от варианта с 45.♔h6 — в продвинутости пешки «h», но это не решающий фактор) 52...♖g5 53.♗g7 d4 54.f6+ ♔:e6 55.♔g8 d3 56.f7 ♖f5 57.h7 d2 58.h8♕ d1♕ 59.♕h6+ ♔d7 60.♗f6 ♕g4+ 61.♕g7 ♖c4, и ничьей, очевидно, не избежать.

Остается попытка 36.h5 ♔f7 37. ♔g3 — на это черные отвечают типовым 37...b4! (хуже 37...♔e6 38.f4 g6 39.♔h4) 38.ab ab 39.cb ♖c1 40.f4 ♖b1! (сомнительно 40...♖d1 41.♗c5 ♖d3+ 42.♔h4, например: 42...♖:b3 — 42...♔e6!? — 43.f5 h6 44.e6+ ♔e8 45.g5! hg+ 46.♔g4! ♖b1 47.h6! gh 48.f6+−) 41.f5 ♖:b3+ 42.♔f4 ♖:b4 43.e6+ ♔g8 44.♔e5 h6 45.♔:d5 ♖a4! (при 45...♖b8? 46.♗c5 ♖d8+ 47.♔c6 король решающим образом поддерживает грядущий пешечный прорыв: 47...♖d1 48.♗d6 ♖a1 49. ♔d7 ♖a7+ 50.♗c7 ♖a8 51.g5! hg 52. h6 g4 53.hg ♔:g7 54.♗e5+ и т.д.), и если 46.g5 hg 47.h6 gh 48.f6, то, «по мнению» компьютера, ничью форсирует 48...♖:d4+! 49.♔:d4 g4 50. ♔e5 g3 51.f7+ ♔g7 52.♔d6 g2 53.♔e7 g1♕ 54.f8♕+ ♔h7. В практической партии, конечно, в этой финальной позиции от черных потребовалось бы еще немало точных ходов.

Разумеется, этот увлекательный эндшпиль содержит и массу других тонкостей. Но в любом случае несомненно, что 32...♖f8? — решающая ошибка Корчного, позволяющая белым перевести партию в чисто техническую стадию.

33.a4! Карпов разбивает пешечную пару противника, обрекая черные ладьи на защиту слабых островков.

33...ba 34.ba g6 35.♖:a5 ♖ee8. На подрыв 35...h5 белые уже могут не обращать внимания: 36. ♖c5! hg 37.a5 ♖d8 38.♔:g4 ♖d5 39. ♖:d5 cd 40.♔:f3+−.

36.♖a7 (по сути, заканчивает борьбу) **36...♖f7.** Размен 36...♖a8 37.a5 ♖:a7 38.♗:a7 белым не страшен: слишком много их пешек мечтают стать ферзями.

37.♖a6! (вновь лишая черные ладьи надежд на активизацию) **37...♖c7 38.♗c5 ♖cc8 39.♗d6 ♖a8 40.♖:c6 ♖:a4 41.♔:f3 h5 42.gh.** Записанный ход. Три пешки за качество при активных фигурах не оставляют противнику шансов на спасение, тем более после домашнего анализа.

В день доигрывания претендент, напомню, сначала неожиданно проиграл 13-ю партию. «Корчной был потрясен, — свидетельствует Карпов. — Ведь через полчаса предстояло второе доигрывание — и второе поражение подряд... Я думал, что на это доигрывание он не пойдет, но он вышел, вероятно, чтобы показать, что спокойно принимает удар судьбы. Он даже улыбался. Могу представить, чего ему стоила эта улыбка».

42...gh 43.c4 ♖a2 44.♖b6 ♔f7 45.c5 ♖a4 46.c6 ♔e6 47.c7 ♔d7 48.♖b8 ♖c8 49.♔e3! ♖:h4 50.e6+! Черные сдались: 50...♔:d6 51.♖:c8 ♖c4 52.♖d8+! ♔:c7 53.e7 или 50...♔:e6 51.♗g3!

Счет стал сразу 3:1 в пользу чемпиона. И он решил «подтянуть тылы», привыкнуть к новой ситуации в матче: «Я не стал форсировать события, продолжал играть как ни в чем не бывало, уверенный, что поднимающаяся во мне волна сметет соперника своей логической силой. Так и случилось в 17-й партии».

Справедливости ради надо заметить, что в самом начале этой невероятно драматичной и зрелищной партии Корчной потерял 11 минут своего времени на борьбу с Зухарем (см. главу «Багио глазами Корчного»), а затем энергичной игрой добился совершенно выигранной позиции. И, пожалуй, в тот вечер «поднимающаяся волна» могла накрыть «своей логической силой» самого Карпова...

Перед разбором этой партии все-таки попытаемся понять, чем же занимался в Багио доктор медицинских наук Владимир Петрович Зухарь. Ведь поначалу его задачей было всего лишь обеспечивать Карпову хороший сон и давать ему психологические советы. Специально для этой книги своими воспоминаниями поделился Александр Рошаль:

«Корчной всегда отличался мнительностью, верил в парапсихологию и всякую мистику (позже он даже играл партию... с духом Мароци). В Багио с самого начала, когда Зухарь еще не вошел во вкус, Виктор Львович жаловался: «Они привезли с собой секретного психолога!» Наверное, он помнил Зухаря по московскому матчу. Короче, как только Корчной дал повод думать, что он боится гипноза, это было сразу же использовано. Мы отлично понимали, что Зухарь никакой не гипнотизер, но решили: раз противник этого хочет — пожалуйста! Да и сам доктор так увлекся своей ролью, что вскоре начал считать себя чуть ли не главным участником событий. Перед партиями он не ел супа на обед и не пил воды, чтобы потом безотлучно сидеть все пять часов на своем «боевом посту» в 4-м ряду. Не знаю точно, было ли это заданием Батуринского или его собственным «ноу-хау».

Как только не боролась с нашим психологом команда претендента! Петра Лееверик садилась прямо перед ним, закрывая ему видимость. Тогда Зухарь начинал просить нас, Крылова или «искусствоведов в штатском» *(сотрудников КГБ. — Г.К.),* чтобы они куда-нибудь отодвинули Петру. Однажды она села ему почти что на колени, и Таль немедленно скаламбурил: «Теперь он Владимир Пе́трович!»

Психологи — странные люди: когда о них постоянно говорят, они начинают верить в исключительную важность своей миссии. Во время одного из длительных тайм-аутов мы все были приглашены на очередной прием и местный шоумен объявил: «У нас в гостях команда Анатолия Карпова. Вместе с ним здесь присутствует знаменитый...» Наверное, он хотел назвать Таля, который был известен и на Филиппинах. Но тут, не дав ему договорить, неожиданно встал Зухарь и поклонился...

Через какое-то время из лагеря Корчного объявили: «Ну, погодите: скоро и к нам приедет человек, который здесь всех загипнотизирует». Однако советским не составило большого труда обезоружить нашего же эмигранта из Харькова, этого любителя-«гипнотизера», который, ясное дело, брался за любую работу... Это была психологическая война. Сначала мы воспринимали ее как довольно забавную игру. Я, например, позволил себе сомнительную шутку, назвав этого маленького израильтянина «евреем Пржевальского». Но затем эти игры приобрели уже угрожающие размеры».

...Итак, выиграв яростный бой за пересадку Зухаря, претендент наконец-то сделал первый ход, и тут же из комнаты отдыха появился чемпион.

№ 565. Защита Нимцовича Е47
КОРЧНОЙ – КАРПОВ
Матч на первенство мира,
Багио (м/17) 1978

1.c4 ♘f6 2.♘c3 e6 3.d4 ♗b4 4. e3 0-0 (отказ от 4...c5 5.♘e2!? — № 518) **5.♗d3 c5 6.d5!?** Корчной назвал этот новый, резкий ход «интересной идеей Якова Мурея». Обычно играли 6.♘f3 или 6.♘e2.

6...b5!? Черные отвечают как и в 7-й партии, где «эта жертва пешки прозвучала неожиданно и вполне оправдалась практически» (Карпов).

7.de fe (по мнению Карпова, еще лучше 7...bc 8.ef+ ♔h8 9.♗:c4 d5) **8.cb a6!?** А это уже новинка. Видимо, чемпион мира был недоволен дебютными итогами 7-й партии, где он сначала построил подвижный пешечный центр: 8...♗b7 9.♘f3 d5 10.0-0 ♘bd7 11.♘e2! ♕e8 12.♘g3 e5 (12...c4!? 13.♗c2 ♘c5) 13.♗f5 g6 14.♗h3 a6?! 15.♘g5! ab (на 15...♗a5 или 15...♕e7 сильно 16.e4!) 16.♘e6 c4 17.♗d2!, и белые выиграли качество, но... не партию.

9.♘e2 d5 10.0-0 e5. Возможно, перспективнее 10...ab 11.♗:b5 ♗a6 12.♗:a6 ♘:a6, но Карпов пока принципиально не хочет определять позицию своего слона.

11.a3. Первый критический момент.

11...ab?! «Лучше было выбирать между 11...♗a5 и 11...♗:c3» (Таль). На 11...♗a5?! хороша контржертва пешки 12.b4!, выявляющая слабость

неприятельского центра: 12...cb 13.ab ♗:b4 14.♕b3 ♗:c3 15.♘:c3 ♗b7 16.e4! и т.д. Но 11...♗:c3! (именно сейчас, чтобы исключить ответ 12.bc) могло и впрямь уравнять шансы: 12.♘:c3 c4 13.♗e2 (13.♗c2 d4) 13...ab 14.♘:b5 ♗a6 15.♘c3 (15.♕a4 ♘bd7 или 15...♘c6) 15...d4 16.ed ed 17.♗f3 ♖a7 18.♘e2 ♕d7 с богатой контригрой.

12.♗:b5 ♗:c3. Трудный выбор. Так бывает: в анализе приходишь к одному выводу, а во время игры тебя начинают одолевать сомнения, лезут в голову новые варианты. Ты меняешь намеченный путь, а после коришь себя: «Что же я наделал?» Вот и здесь: Карпову было рекомендовано слона сохранить, но раздумья за доской завели его на другой путь. Почему?

«На 12...♗e6 неприятен ответ 13.♘a4, а 12...c4 не проходит ввиду 13.e4, и позиция черных разрушается. В случае 12...♗a5 (Таль) белые играют 13.♗d2, создавая угрозу b2-b4, при которой вскрытие линии «а» оказывается уже в пользу белых» (Карпов). Например: 13...♗a6 14.b4! cb 15.ab ♗:b4 16.♕b3 ♗c5 17.♖fd1 или 17.♖fc1, и висячий центр черных трещит по швам.

А от 12...♕b6 Карпов отказался из-за 13.♗d3 c4? 14.♘:d5, хотя после 13...♗:c3 14.♘:c3 ♗e6! у черных появлялась компенсация за пешку, а 14.bc было бы уже не так выгодно белым, как в партии. На самом деле 12...♕b6? опровергалось комбинационным путем, который чемпион тоже видел, но... не до конца: 13.♘:d5! ♕:b5 14.♘:f6+ gf 15.♕d5+ ♔h8 16.♕:a8 ♗b7 17.♕a7 ♗a5!

И здесь вместо указанных Карповым красивых вариантов 18.♘c3 ♗:c3 19.bc ♗:g2! 20.♔:g2 ♖g8+ и 18.a4 ♕c6 19.f3 ♗b6—+ есть удар 18.b4!, резко меняющий оценку позиции: не проходит 18...♕c6? 19. f3 ♗b6 из-за 20.b5!, а в случае 18...cb 19.ab ♗:g2 20.♕c5! ♕:c5 21.bc ♗:f1 22.♔:f1 ♘c6 (22...♗b4 23.♗a3) 23. e4 или 18...♘d7 19.♘c3! ♕c6 20.e4 ♖a8 21.♕:a8 ♗:a8 22.ba белые должны реализовать материальный перевес.

13.bc! Карпов не любит дефектные пешки и потому даже в расчетах «за противника» взятие пешкой явно недооценил. Теперь пешечное трио черных утрачивает динамику, и приходится искать другую компенсацию за отданную пешку. Но сделать это нелегко, ибо перевеса в развитии у черных нет, а слон b5 парализует их контригру на ферзевом фланге.

13...♗a6?! Черные согласны разменять белопольных слонов, рассчитывая, что другой белый слон будет стеснен в своих действиях и это удастся как-то использовать. «Возможно, лучше было 13...♗b7», но не 13...c4?! 14.a4 ♗a6 15. ♗a3 ♖f7 16.f4! ♕b6 (Карпов) 17. ♕d2! с явным перевесом белых.

14.♖b1 ♕d6. «Если 14...♘bd7, то 15.e4 ♗:b5 16.♖:b5 с последующим a3-a4, ♗a3 и f2-f4» (Карпов). Кроме того, надо было считаться и с 15.♗c6!?

15.c4 d4 16.♘g3! Заманчиво выглядело немедленное 16.f4. На это Карпов собирался отвечать 16... ♘c6, не видя, что после 17.fe ♘:e5 18.ed ♘:c4 19.♕d3! черным плохо: 19...♘e5 20.♗f4 ♘:d3 21.♗:d6 ♖fc8 22.a4 c4 23.♘c3 и т.д. «Вероятно, заслуживало внимания 16...♗b7», однако и это на руку белым: 17.fe ♕:e5 18.♘g3 ♘c6 (18...de 19.♖b3) 19.♗a4! и т.д.

Остается 16...d3! По Карпову, после 17.♘g3 ef *(? – Г.К.)* 18.♖:f4 «у белых некоторый перевес». А помоему — практически выигранная позиция: 18...♕d8 19.♘f5! ♕e6 20. ♗:a6 ♘:a6 21.♗:g7! или 18...♗:b5 19.♖:b5 ♘c6 (19...g6 20.♖b3) 20.♘f5 и т.д. Конечно, необходимо 17...e4. Или 17.♘c3 e4, и если 18.g4, то 18...c4! со сложной борьбой.

16...♘c6 17.a4! При «жадном» 17.♘f5 ♕e6 18.♗:c6 ♕:f5 19.e4! (19. ♗:a8? ♕:b1 Карпов) 19...♕e6! 20. ♗:a8 ♖:a8 и ♗:c4 пара связанных проходных могла вполне компенсировать черным недостающее качество.

17...♘a5? Существеная потеря времени. «Задуманная игра на пешку c4 по темпам не получается. Возможно, следовало отвести слона – 17...♗b7» (Карпов). Это тоже не обещало черным легкой жизни, но во всяком случае сохраняло игровую интригу.

18.♕d3 ♕e6 19.ed! cd (неудовлетворительно и 19...ed 20.♗a3 или 19...♗:b5 20.cb ed 21.♗g5) **20. c5 ♖fc8 21.f4!** Разрушает надежду черных на центральные пешки. Теперь у белых к материальному перевесу добавилась еще и мощная инициатива.

21...♖:c5. «Очевидно, что стратегическое сражение мною проиграно. Осталось только надеяться на изобретательность в защите и поиски тактических шансов» (Карпов).

22.♗:a6! Кратчайший путь к цели, хотя к решающему перевесу белых вело и 22.fe ♗:b5 (22...♖:e5? 23.♗:a6 и ♖b8+) 23.ab ♖:e5 24.♕:d4 (24.b6 Карпов) 24...♖d5 25.♕f4 или 23... ♕:e5 24.♘f5! (24.♗d2 Карпов; 24. ♗b2!?) 24...♘g4 (24...♖d8 25.♗d2) 25.g3, и на 25...♖f8 есть красивый удар 26.♗f4! ♕f6 (26...♖:f5? 27.♗d6!) 27.♘:d4 ♖d5 28.♗c7! ♕:d4+ 29.♕:d4 ♖:f1+ 30.♖:f1 ♖:d4 31.♗:a5+–.

22...♕:a6 23.♕:a6?! На свою беду, Корчной решил сыграть не на атаку, а на технически выигранный эндшпиль. После 23.♖b8+! ♔f7 24. ♖b5! с угрозой fe черные были бы беззащитны: 24...ef 25.♘e4 ♖c6 26. ♘:f6 ♖:f6 27.♕:h7 ♘c6 28.♖f5! или 24...♖c3 25.♕f5 ♖:g3 (а что еще?) 26.

fe! ♖g6 27.ef gf (27...♖:f6 28.♕d7+) 28.♗g5!, парализуя армию противника.

23...♖:a6 24.♗a3. Этот слон, не имеющий оппонента, призван сыграть огромную роль в ходе дальнейшего сражения.

24...♖d5 25.♘f5! ♔f7. Едва ли больше надежд оставляло черным 25...♘c6 26.fe ♖:e5 27.♖b7, и если 27...♖a7, то 28.♖b6!, например: 28... ♘d8 (28...♖e6 или 28...♖:a4 – 29. ♗d6!) 29.♖b8 ♖d7 30.♘:d4! ♖:d4 31. ♗b2 ♖ed5 32.♗:d4 ♖:d4 33.a5 ♔f7 34.a6 ♖d7 35.a7 ♖:a7 36.♖:d8+–.

26.fe ♖:e5 27.♖b5. «Взятие пешки 27.♘:d4 вело к ослаблению напряжения и к ничейной развязке после 27...♘c4» (Карпов). Однако при 28.♖b7+! не видно ничьей: 28...♔g6 29.♗f8 ♘e8 30.♖b4 или 28...♔e8 29.♗b4 ♖:a4 30.♘f5 ♔d8 31.♗c3 и ♖:g7 с лишней пешкой и инициативой, а если 28...♔g8, то 29.♗e7 ♖:a4 30.♗:f6 gf 31.♘f5 ♘d2 32.♖c1!, и «абсолютное владение 7-й горизонталью» (Нимцович) должно принести белым победу.

27...♘c4!? «Издалека Корчной просмотрел этот ход. Конечно, белые надеялись на размен ладей» (Карпов): 27...♖:b5 28.ab ♖a8(e6) 29.♘:d4+–. Получше, но тоже недостаточно было 27...♖e2 28.♗b2 (видимо, не единственный путь) 28...d3 29.♗c3 ♘c4 30.♖b7+ ♔f8 31. ♖:g7 d2 32.♖c7 ♖e4 33.a5! ♖f4! 34. ♖b1 ♘e8 35.♖c8 ♔f7 36.g3! ♖e4 37.♖f1 ♘f6 38.♖c5+–.

28.♖b7+ (28.♘d6+? ♖:d6) **28... ♔e6** (иного нет) **29.♘:d4+.** Чтобы прийти к этому прагматичному решению, Корчной истратил почти всё оставшееся время, но так и не решился ни на один из двух острых ходов слоном, тоже сулившими ему победу:

1) 29.♗f8!? d3! И впрямь, довести «до кондиции» такую головоломку можно, наверное, только при помощи компьютера.

В цейтноте толкнуть игрока на этот путь может лишь сверхинтуиция или азарт: 30.♘d4+! ♔d5 31.♗:g7 ♔:d4 32.♖:f6! ♖:f6 33.♗:f6 d2 34.♖b1 ♔d3 35.♗:e5 ♘:e5 36.a5 ♘c2 37.♖a1 d1♕+ 38.♖:d1 ♔:d1 39.a6 ♘c6 40. ♔f2 ♔d2 41.♔f3 ♔d3 42.♔f4 ♘c4 (42...♔e2 43.g4 ♔f2 44.h4 и т.д.) 43. ♔g5 ♔b5 44.♔h6 ♔:a6 45.♔:h7, и машина объявляет мат в 24 хода (!);

2) 29.♗b4!? Это также требовало от белых немалой точности: 29... ♘e3 30.♘:d4+ ♔d5 31.♘f3! ♖e8 32. ♖b5+ ♔e4 33.♖a1 или 29...♔d5 30. ♖b5+ ♔e4 31.♘g3+ ♔d3 32.♖d1+ ♔c2 33.♖:d4 ♖:b5 34.ab ♖a1+ 35. ♔f2 ♔b3 36.♗e1 ♖a2+ 37.♘e2 с лишней пешкой и технически выигранной позицией.

29...♔d5 30.♘f3? Критиковать цейтнотные решения можно только ради восстановления истины. Рискованным выглядит эффектное 30.♗f8!? ♔:d4 31.♗:g7, хотя белые с

лихвой окупают временную жертву фигуры: 31...♖ee6 32.♖f7 ♔e5 33.g4! ♖:a4 34.g5 или 31...♘d5 32.♖d1+! ♔e4 33.♗:e5, добираясь до пешки «h» и сохраняя пешку «a».

Зато четкое 30.♘c2 ♖:a4 31.♗f8! позволяло белым реализовать свое преимущество без особого риска: 31...♔e8 32.♘b4+! ♔e4 33.♘c6! с решающей атакой или 31...♖e8 32. ♗:g7 ♘e4 (32...♔c6 33.♖b4! ♖:b4 34.♘:b4+ ♔b5 35.♖f6 ♔:b4 36.♖h6 и т.д.) 33.♖d1+ ♔c6 34.♖dd7 ♘a5 35.♖bc7+ ♔b5 36.♗d4, и черным не устоять.

30...♘:a3 31.♘:e5 ♔:e5 32. ♖e7+ ♔d4 33.♖:g7?! Корчной стремится оставить черных без пешек, уповая на то, что их ладья с парой коней не справятся с его проходными, поддержанными активными ладьями. Опасности для себя он еще не видит, иначе сыграл бы сначала 33.♖f4+!, отгоняя черного короля, и лишь на 33...♔d5(c5) — 34.♖:g7 с шансами на успех.

33...♘c4 34.♖f4+ ♘e4!? «По всей видимости, черные уже могли добиться ничьей даже после 34... ♔d3, но тогда 35.♖f7, и в конечном счете придется обменять пешку «h» на пешку «a». Так лучше это сделать сразу, но зато активизировать еще одну фигуру» (Карпов).

Мне кажется, что на 34...♔d3 сильнее 35.h3!, пока не отдавая пешку «a»: 35...♘e3?! 36.a5! ♘fd5 37. ♖a4 или 35...♘d5 36.♖d7! ♘e3 37. ♔f2, и до ничьей еще далеко.

35.♖d7+! (при 35.♖:h7 ♖a4 36.h4 ♔e5 37.♖f8 ♘e3 черные успевали защититься) **35...♔e3?!** Карпов ловит свой шанс! Осторожное

35...♔e5 после 36.g3 ♘cd6 (36... ♖:a4? 37.♖e7+) 37.♖:h7 ♖:a4 38. ♖e7+ ♔d5 39.g4 ♖a1+ 40.♔f1 позволяло мечтать лишь о ничьей.

36.♖f3+ ♔e2 37.♖:h7? Как не взять пешку на висячем флажке? Но гораздо сильнее было 37.♖e7! ♘cd2 38.♖a3 с намерением a4-a5 и h2-h3. Черным, лишенным контригры (38... ♖c6 39.♖a1! или 38...♖a5 39.♖a2!), пришлось бы спасать пешку «h» и вести трудную борьбу за ничью.

37...♘cd2?! (опять азартный практический шанс в цейтноте противника, вместо простого 37...♖:a4 =) **38.♖a3?!** Хладнокровное 38. ♖ff7! ♖:a4 (не 38...♖c6? 39.h4!) 39. ♖a7 ♖c4 40.♖a1 вновь вынуждало черных бороться за ничью.

38...♖c6!

39.♖a1?? Самоубийственно и 39. h4?? ♖a1+ 40.♔h2 ♘f1 41.♔h3 ♘f2#. Ничью давало только движение пешки «g»: 39.g4! (можно и 39.g3) 39...♘f3+ 40.♔g2 ♘e1+ 41.♔g1 ♖c1 42.♖a2+ ♔f3 43.♖f7+, но у Корчного не было времени подозревать соперника в каком-либо коварстве, и он быстро сделал заранее приготовленный ход.

39...♘f3+! Зевнуть в цейтноте такой ошеломляющий удар немудрено. Белые сдались: 40.gf ♖g6+ 41.♔h1 ♘f2# или 40.♔h1 ♘f2#. Зал взорвался громом аплодисментов: это ликовали приехавшие на неделю советские туристы.

Карпов: «Мои кони заматовали неприятельского короля в эндшпиле — такого в матчах на первенство мира еще не случалось! Корчной, расписавшись на бланке, подошел к демонстрационной доске и несколько минут смотрел на нее, словно стараясь осмыслить, что же, собственно, произошло».

После этого потрясения претендент уехал в Манилу, взяв один за другим два тайм-аута. Карпов: «Честно говоря, я подозревал, что Корчной постарается не играть в присутствии советских туристов (кто-то мне даже передал его слова: «Я больше не доставлю им этого удовольствия»). Администрация отеля «Террейс Плаза» устроила торжество по случаю четвертой победы. Мне пришлось съесть белого кремового короля из торта с четырьмя свечами по углам «вкусной» шахматной доски, где была изображена финальная позиция 17-й партии».

Тем же вечером, 26 августа, отмечался и день рождения пресс-атташе советской делегации Рошаля, и «нейтральный» член апелляционного жюри Эдмондсон произнес по этому случаю тост: «Мы живем в мире разрывов: расплываются континенты, сталкиваются религии, распадаются семьи... А шахматы, наоборот, объединяют нас и склеивают расплывающиеся материки. За тех, кто служит им! За вас, дорогой Алекс!» Четверть века спустя Рошаль скажет: «Увы, как и многие мои коллеги, я не могу полностью согласиться с этим комплиментом и считать себя «голубем мира». На войне как на войне...»

Вскоре из Манилы пришло сообщение, что Корчной требует удалить из партера советского психолога и установить между залом и сценой зеркальный экран, а иначе он отказывается продолжать игру. Матч был на грани срыва. Батуринский вспоминает, что тем вечером Карпов сказал ему: «Я должен выиграть матч, доведенный до конца, несмотря на все фокусы Корчного. Подумайте над приемлемой формой компромисса, который отвечал бы этой цели». Так родилось известное «джентльменское» соглашение Батуринского — Кина (см. главу «Багио глазами Корчного»), и после недельного антракта матч возобновился.

Батуринский: «Период между 18-й и 26-й партиями смело можно назвать днями упущенных Карповым возможностей. Он проиграл 21-ю партию, не выиграл ни одной, хотя находился в шаге от победы в 18, 20, 22 и 25-й — и мог легко закончить матч, выиграв хотя бы две из них. Почти в каждой из этих партий чемпион мира совершал одну и ту же стереотипную ошибку: достигнув отличной игрой большого перевеса и располагая достаточным запасом времени, он проявлял труднообъяснимую поспешность и терял свои шансы. К примеру, в 22-й партии ему проще всего было записать ход 41.♖:d6 — Таль полагает, что черные сдались бы без доигрывания. Но Карпов сделал этот ход на доске и продолжил игру в быстром темпе; в отложенной через семь ходов позиции выигрыша уже не было. В подобных случаях находившимся в зале тренерам и друзьям чемпиона так и хотелось крикнуть: «Толя, остановись!» Увы, это было невозможно... Карпов объясняет подобные «мазки» привычкой с детских лет играть быстро. Повзрослев, он старался от нее избавиться, но это удавалось не всегда. Думается, есть и другая причина: в моменты наивысшего напряжения, неизбежного в борьбе на таком уровне, тормозящие рефлексы порой отказывают».

После 22-й партии Карпов был особенно огорчен: «Ну что мне стоило остановиться сразу после контрольного хода? Но я завелся: он ходит — я хожу, он ходит — я хожу... Когда я очнулся, в моих сетях было пусто. Вот когда у меня пропал сон! И впервые на этом матче я обратился за помощью к Зухарю. Поражения так не терзают, как неиспользованные возможности... Я промучился полночи и позвал Зухаря. Он колдовал-колдовал надо мной — тщетно. Следующий день я ходил как ватный, ночью не стал испытывать судьбу, попросил Зухаря сразу браться за дело. И опять всё зря. А таблетки были для меня табу — шахматы их не прощают... Я бился мыслью и всё не мог понять: почему, почему, почему я не могу реализовать свое явное игровое преимущество?!»

Хотя чемпион выиграл 27-ю партию и счет стал уже 5:2, это не улучшило его состояния: «Во мне уже выгорело всё, что могло гореть... Оставался еще один, последний шаг, но я не знал, не представлял, в этот момент не видел, как его сделать». И тут начинается подлинная драма Карпова: он проигрывает 28-ю, 29-ю и, после ничьей в 30-й, еще и 31-ю партию (хорошо знакомая мне психологическая усталость, наваливающаяся, когда до цели рукой подать: в нашем матче-реванше 1986 года, тоже ведя в счете «плюс три», я умудрился проиграть три партии подряд). К изумлению всего шахматного мира, счет становится 5:5.

О том, что творилось накануне решающей 32-й партии, рассказано в главе «Багио глазами Корчного».

Карпов: «Знаете, чем отличается игрок от неигрока? Если проигрывает подряд неигрок — он разваливается на куски и сдается, а если игрок — он продолжает идти вперед, потому что знает, что серенькая полоска где-то кончится и опять начнется светлая, и начнется его игра. Я чувствовал, что волна Корчного уже прошла, а моя опять начинает подниматься... В другое время после такой поездки (в Манилу, во время тайм-аута. — Г.К.) я был бы мертвый, а тут меня словно обмыли живой водой. На 32-ю партию я пришел уверенный и спокойный. Корчной едва взглянул на меня — и его не стало. Когда неделю за неделей видишь перед собой одного и того же человека, то с первого взгляда угадываешь его состояние и настроение. И Корчной понял всё; даже прежде меня понял, что эта партия будет последней. И я прочел это в его мгновенном, тут же отведенном взгляде. Эту партию я исполнил так, как хотел бы играть всегда: спокойно, без эмоций, легко и непринужденно».

К сожалению, историческая 32-я партия была на удивление поверхностно и однобоко освещена в печати. Видимо, повлияло огромное политическое значение ее результата, а также чрезвычайно нервозная обстановка на матче и крайняя усталость всех участников этого события, в том числе комментаторов. Надеюсь, мне удалось восполнить образовавшийся пробел.

№ 566. Индийская защита A43
КАРПОВ — КОРЧНОЙ
Матч на первенство мира,
Багио (м/32) 1978
1.e4 d6 2.d4 ♘f6 3.♘c3 g6 4. ♘f3 ♗g7 5.♗e2 0-0 6.0-0 c5. Редкий ход. «Корчной верен излюбленной тактике — как можно чаще менять дебютный рисунок» (Карпов). В 18-й партии было 6... ♗g4 7.♗e3 ♘c6 (см. № 562).

Выбор дебюта на финише длинного матча, да еще при игре черными, — занятие не из простых. Нервы уже на пределе, и всё игранное ранее кажется полным изъянов. Хочется чего-то новенького, причем одновременно и покрепче, и позаковыристей. По свидетельству гроссмейстера Панно, помогавшего Корчному в том матче, они хотели «выбрать что-нибудь посложней, особенно учитывая психологическое состояние чемпиона». Кто убедил сделать ход 6...с5 — можно только гадать (хотя известно, что в подобном ключе играли Кин и Торре). Но для Корчного выбор оказался неудачным, да и с психологическим состоянием Карпова они не угадали.

7.d5. Мгновенно переводя игру из защиты Пирца-Уфимцева в известную схему индийской защиты: так называемый вариант Шмида — Таля, кстати, уже встречавшийся в практике Карпова. Забавно, что первый из столпов варианта был главным судьей матча (правда, к этому дню он покинул Багио), а второй — помощником чемпиона...

Корчной ожидал 7.dc 8.♕:d8 ♖:d8 9.♗e3 b6 10.♖fd1, ибо теория оценивала этот вариант к некоторой выгоде белых. Карпов: «Но я понимал, что соперник мог заготовить усиление, и уклонился от размена пешек». Действительно, вскоре после матча один из секундантов Корчного продемонстрировал новый ход, решивший дебютные проблемы черных: 10...♘c6! 11.♖:d8+ ♘:d8 12.♖d1 ♗b7 (Андерссон — Стин, Мюнхен 1979).

Корчной был шокирован: «Я анализировал этот ход много дней, рассчитывая на психологический эффект новинки. Каково же было мое удивление, когда в критический момент Карпов ответил не раздумывая! Он знал ход 6...с5 *(так ли уж это удивительно для гроссмейстера экстракласса? — Г.К.)* и более того — ждал его появления именно сегодня!»

В который раз надо отдать должное психологической проницательности Карпова.

7...♘a6. Самое популярное продолжение. Другая стратегия связана с немедленным подрывом центра — 7...e6.

8.♗f4. Сейчас этот ход, затрудняющий e7-e6, признан сильнейшим, а тогда нередко играли и 8.h3, и 8.♘d2 (№ 403).

8...♘c7 9.a4. Полезная профилактика. На 9.♘d2 спорно 9...b5?! 10.♘:b5 (Найдорф — Таль, Москва 1967), но приемлемо 9...♘d7. А вот если 9.♖e1, то 9...b5! 10.♘:b5 (10.♗:b5 ♘h5!) 10...♘:e4 11.♘:c7 ♕:c7 12.♗c4 ♘f6, решая дебютные проблемы.

9...b6. Один из трех основных ответов: черные упреждают блокадное a4-a5 и не спеша готовят b6-b5 или e7-e6. В случае 9...♗g4 10.h3 ♗:f3 11.♗:f3 ♘d7 12.♕d2 a6 13.♗e2 у белых небольшой, но устойчивый перевес (Карпов — Браун, Мадрид 1973).

Острее 9...a6!? — возможно, и это не дает черным полного уравнения, но здесь у них появляются хотя бы какие-то контршансы. Например, в партии Таль — Велимирович (Белград 1979) после 10.♖e1 (ныне в моде 10.♕d2 или 10.h3, но не 10.a5 ♘b5!)

10...Ⓡb8 11.a5 (неясно и 11.e5 ♘h5) 11...b5 12.ab Ⓡ:b6 черным удалось создать фигурную игру, компенсирующую ослабление их ферзевого фланга.

Судя по дальнейшему течению партии, Корчной так и не пришел в себя после жесткой реакции противника на его заготовку. Закралась мысль о предателях и шпионах, к тому же, в нарушение всех договоренностей, в 4-м ряду зала вновь появился «ужасный» доктор Зухарь и вперил в него свой пристальный взгляд. Претендент явно потерял игровой настрой и начал расставлять фигуры «рукой», без четкого плана. И уже через несколько ходов допустил малозаметную, но серьезную ошибку...

10.Ⓡe1 ♗b7. На 10...a6 белые могли пойти 11.h3 и осуществить ту же расстановку сил, что и в партии: 11...♘d7 (11...Ⓡb8? 12.e5!) 12.♗c4 Ⓡb8 13.♕d3 (Халифман — Ерменков, Бургас 1994) или 11...♗b7 12. ♗c4 ♕d7 13.♕d3 (см. следующее примечание).

11.♗c4! Неприятный нюанс: белые сразу укрепляют свои устои в центре, экономя темп на h2-h3. «Профилактическое 11.h3 с идеей сохранить слона на диагонали h2-b8 могло оказаться промедлением: после 11...♕d7 12.♗c4 Ⓡad8 13.♕d3 e5 (или 13...e6. — Г.К.) завязывалась обоюдоострая игра» (Карпов).

Однако жизнь внесла в эту оценку определенные коррективы: 13. ♘b5! a6 14.♘:c7 ♕:c7 15.♕e2 ♕c8 16.Ⓡad1 Ⓡfe8 17.c3, и черные по-прежнему без контригры (Горт — Сеппеур, бундеслига 1984).

Поэтому в конце 20-го века главные споры шли вокруг 12...a6 13. ♕d3! (рано 13.e5?! ♘h5 Сосонко — Торре, Амстердам 1977; Белявский — Торре, Москва 1981) 13...Ⓡad8 14.Ⓡad1 ♕c8 15.♕e3 Ⓡfe8, и если 16.♗h6, то 16...e6! (Пикет — Георгиу, Остенде 1987; Адианто — Торре, Сан-Франциско 1991; Юсупов — Любоевич, Линарес 1992). Но в 21-м веке стали играть 16.Ⓡd2! и Ⓡed1, сохраняя угрозу зажима.

Отсутствие хода h2-h3 побуждает черных оттеснить слона f4 от ключевого поля e5.

11...♘h5. «Потеря драгоценного времени. Вместо того чтобы топтаться на месте, необходимо было 11...♕d7, стремясь после 12.e5 de 13.♘:e5 ♕f5 любой ценой вызвать тактические осложнения: 14.♘:g6 fg 15.♗:c7 ♘g4» (Карпов). Увы, после 16.♗g3 ♗d4 17.♕e2 с угрозой ♘d1 компьютер холодно констатирует, что осложнения быстро заканчиваются: 17...♘:f2 18.♘b5! или 17... ♕:f2+ 18.♗:f2 Ⓡ:f2 19.♔h1 Ⓡ:e2 20. Ⓡ:e2 ♘f2+ 21.Ⓡ:f2 ♗:f2 22.d6+, и белые выигрывают. Поэтому на 12. e5 верно 12...♘h5! с неясной игрой.

«Видимо, на 11...♕d7 белым следует отвечать 12.♕d3, сохраняя несколько лучшие шансы, но в целом борьба складывается очень напряженно» (Карпов). Так, на 12...a6 (или 11...a6 12.♕d3 ♕d7) помимо обычного 13.h3 ♖ad8 14.♖ad1 (см. примечание к 11-му ходу белых) сильно 13.♖ab1! ♖ab8 (черные не успели сыграть ♖ad8, и 13...e6?! ведет к потере пешки) 14.b4! ♘h5 15.♗d2 cb 16.♖:b4 с инициативой. А на 12...♖ad8 хорош выпад Горта 13.♘b5!, четко фиксирующий перевес белых (если 13...♘h5, то 14.♗c1).

Не улучшает положения черных и 11...♘d7 12.♕d2 и т.д. Поэтому критика маневра 11...♘h5, в отличие от следующего хода Корчного, представляется малообоснованной.

12.♗g5 ♘f6? «Как мне кажется, пристрастие Корчного к прочным позициям на сей раз оказало ему плохую услугу», — отмечает Карпов... в примечании к 11...♘h5. А вот ошибочность 12-го хода черных не отметили ни сам победитель, ни Таль в «64», ни Филип в «Информаторе», ни другие комментаторы!

Необходимо было 12...h6, например: 13.♗h4 g5 14.♘d2 ♘f4 15.♗g3 ♘g6 16.♘f3 a6 или 13.♗e3 e6! 14.♕d2 ed 15.ed g5, оживляя позицию ценой ослабления королевского фланга. Этот вынужденный план обороны встречался в практике конца 20-го века.

13.♕d3. «Теперь получение черными контригры по всем направлениям значительно затруднено» (Карпов). А если точнее — теперь черные на грани поражения!

13...a6 14.♖ad1 ♖b8.

15.h3?! Сверхнадежная игра. «Я не стал рисковать, — пишет Карпов. — В принципе, последовательным продолжением, увеличивающим пространственный перевес и усиливающим давление белых, было 15. e5!? de 16.♘:e5 и т.д. В другой ситуации я непременно так и сыграл бы, но в этой партии мне никак нельзя было «продешевить» и ставить на карту сразу всю инициативу белых».

И впрямь, после 16...♕d6 17. ♕f3! ♖be8 18.♗f4 ♕d8 19.♘c6 ♕d7 20.♗e5 или 16...b5 17.ab ab 18.♗:b5! (18.♘:b5?! ♘c:d5 Таль) 18...♘c:d5 (18...♘:b5 19.♕:b5+−) 19.♘:d5 ♕:d5 (19...♗:d5 20.c4) 20.♕:d5 (но не ход Карпова 20.♕g3? из-за 20...♕:g2+!) 20...♗:d5 21.c4 партия плавно переходила в техническую стадию реализации огромного перевеса.

Таким образом, после 15.e5! борьба в этом важнейшем поединке могла закончиться, так и не начавшись. Тогда как ход в партии оставляет за белыми «только» стабильное позиционное преимущество.

15...♘d7 16.♕e3. «Занимая еще одну важную магистраль и заодно пресекая на корню контригру типа 16...b5 17.ab ♘b6» (Карпов).

16...♗a8! 17.♗h6 b5 (иной игры нет, хотя без слона g7 это уже не так эффективно) **18.♗:g7 ♚:g7 19.♗f1 ♘f6 20.ab ab 21.♘e2 ♗b7?!** Медлительность соперника можно было использовать путем 21...e6 22.de ♘:e6 23.♘g3 ♕c7. Конечно, это «вело к серьезному ослаблению пешечной структуры» (Карпов), но позиция черных оставалась еще вполне жизнеспособной.

22.♘g3 ♖a8 23.c3 ♖a4 24.♗d3 ♕a8!? «Пренебрежение к угрозам белых. Ферзь уходит на край доски в тот момент, когда тучи сгущаются над позицией короля. Может быть, Корчной недооценил опасности?» (Карпов). А может, наоборот, Карпов переоценил угрозы белых?!

25.e5! Вроде бы давно назревший прорыв, названный Карповым «кинжальным ударом». В случае 25. ♕g5 черные защищались посредством 25...♘h8! 26.e5 ♘g8.

25...de. К эффектному мату вело 25...♘f:d5? 26.♘h5+ gh (26...♚h8 27.♕h6 ♘e6 28.♘g5) 27.♕g5+ ♚h8 28.♕h6 f5 29.♘g5.

26.♕:e5 ♘c:d5 27.♗:b5. Возможно, это никем не замеченная кульминация всей драмы в Багио.

27...♖a7? «Единственный способ хотя бы временно удержать материальный баланс» (Карпов). Однако, по-моему, необходимо было 27... ♖a5! 28.c4 ♕b8!, активизируя фигуры: при 29.♘d2 ♗a8 30.♘b3 ♖a2 31. ♖d2 ♘c7 перевес белых невелик.

Энергичнее 29.♕g5! e6! 30.cd h6! 31.♕e3 ♖:b5 32.de, и в случае 32... ♖e8 33.♕c3 ♗:f3 34.ef ♖e1 35.♖:e1 ♕f4 36.gf ♘d4! 37.♘e4 ♘:e4 38.fe ♕:c3 39.bc ♚:f7 черные сохраняют надежду спастись в ладейном окончании. Правда, у белых есть трудно-находимый «промежуток» 36.♖e5!, ведущий к форсированной победе: 36...♗:f7 (не 36...♗c6? 37.♖f5!! или 36...♖b3? 37.f8♕+! ♚:f8 38.♕:c5+) 37.gf ♖b4 38.♕e3! c4 (38...♕:b2 39. ♖e7+ и мат) 39.♖e6! ♖b7 (39...♘d5 40.♕e4) 40.♕e5 ♘d7 41.♕d5+−.

Но всё это остается за кадром, поскольку вместо 32...♖e8 лучше сразу 32...♗:f3! 33.♕:f3 ♖b3, стремясь забрать затем пешку b2 и получить эндшпиль «две против трех на одном фланге» (а в случае e6-e7 напасть всеми силами на эту зарвавшуюся пешку). Поиски выигрыша в такой позиции, если он вообще есть, могли отнять последние силы...

28.♘h4! (теперь трудности черных становятся непреодолимыми) **28...♗c8.** Плохо 28...♗c6? 29.♗:c6 ♕:c6 30.c4 ♘b6 31.♖d6!! (Карпов) 31...ed 32.♘hf5+ или 31...♕c7 32. ♕g5! На 28...♕b8 Карпов рекомендует 29.c4 ♕:e5 30.♖:e5 «с выигранным окончанием» — 30...♘c7? 31. ♖:c5, но черные отвечают 31...♖a5!, и выигрыш ускользает. Правильно 29.♕g5! e6 30.c4 ♘c7 31.♖d6! с подавляющим преимуществом.

29.♗e2. «Согласитесь, что в этом ходе есть что-то привлекательное» (Карпов). Мне больше по вкусу централизация: 29.♘e4 ♘c7 30. ♗d3 ♘e6 31.♘:c5 и т.д.

29...♗e6 30.c4 ♘b4 31.♕:c5 ♕b8 32.♗f1 ♖c8?! Вряд ли спасало и лучшее 32...h6. Корчной был в цейтноте и наверняка в душе понимал, что партия уже проиграна...

33.♕g5 ♔h8 34.♖d2 ♘c6 35. ♕h6 ♖g8 (неэстетично, чуть лучше 35...♘g8 36.♕e3 ♘f6) **36.♘f3 ♕f8 37.♕e3 ♔g7?!** Упорнее 37... ♖b7 (Карпов) 38.♘g5 ♗d7, но у черных оставались считанные секунды.

38.♘g5 ♗d7 39.b4 ♕a8 40. b5 ♘a5 41.b6 ♖b7. Записанный ход. Назавтра Кин сообщил судье Филипу, что черные сдают партию без доигрывания.

Выиграв этот незабываемый матч со счетом 6:5 (при 21 ничьей), Карпов сохранил титул чемпиона мира.

А что было бы в случае его поражения? Спустя десять лет, уже в эпоху перестройки и гласности, Михаил Таль скажет с улыбкой, выступая по телевидению: «Мы не могли себе представить последствий, если бы чемпионом мира стал не советский, а антисоветский шахматист. Не исключено, что тогда шахматы объявили бы лженаукой». Затем он случайно столкнется с Корчным на олимпиаде в Нови-Саде (1990) и в ответ на упреки «относительно поведения советских» вдруг скажет ему извиняющимся тоном: «Там, в Багио, мы все боялись за вас — если бы вы выиграли матч, вас могли уничтожить физически. Для этого всё было подготовлено...»

И Корчной подхватит эту версию в своих последующих интервью: «Я не нарочно проиграл матч в Багио, но если бы я его выиграл, то всё было подготовлено к тому, чтобы меня уничтожить! Рошаль в свое время, видимо, подписал обязательство «хранить вечно», а Таль, который ничего не подписывал, сказал мне об этом прямо в лицо! Повторюсь: я не нарочно проиграл этот матч. Но какие-то высшие силы не позволили мне его выиграть».

А вот как осенью 2005 года прокомментировал эту коллизию Александр Рошаль:

«За свою долгую жизнь в шахматах я не встречал ни одного неосмотрительного и неподозрительного крупного шахматиста. Ни одного! Эти качества — осмотрительность и подозрительность, выработанные непрерывным соперничеством, помогают хранить дебютные секреты, побуждают дружить только с теми, кто неопасен, кто не предаст, не нанесет психологической травмы и т.д. Подозрительность иных великих доходила до мнительности, порой даже до маниакальности.

Помню, летом 1974 года, незадолго до первого матча Карпов — Корчной, приехав на олимпиаду в Ниццу, я зашел в огромный игровой зал вместе с супругой Корчного Беллой. Карпов сидел вдалеке от нас, на возвышении, и потом вдруг спросил у меня: «А о чем это ты говорил 35 минут с женой Корчного?» Надо же: за игрой, находясь на расстоянии в сотню метров, он засек время нашего разговора! Ему тогда важно было увериться, с ним я или с Корчным. А я пребывал в добрых отношениях с ними обоими (и совсем недавно Виктор подарил мне свою книгу с надписью: «Моему другу-врагу»).

Еще большей подозрительностью страдал Корчной. Однажды Таль в шутку сказал мне: «У тебя мания преследования, периодически переходящая в манию величия и обратно». Но, по-моему, нечто подобное происходило с Корчным. Это был непрерывный процесс: проиграл — ой, ой, меня предали, кругом шпионы; выиграл — а я ведь и впрямь самый великий!

Узнав от Таля об их встрече в Нови-Саде и о том, что в Багио мы якобы боялись за жизнь Корчного, я огорчился: «Миша, зачем ты *с ним* так шутишь? Ты знаешь, *с кем* ты так шутишь?» Таль возразил: «Ну и пускай — ему, наверное, сейчас это приятно слышать». Но надо знать Корчного: любую шутку по отношению к себе он воспринимает всерьез! И, будучи мнительным и склонным к мистике, всегда ищет черную кошку в темной комнате — там, где ее нет.

Судя по его интервью, Виктор явно переоценивает мою информированность в нешахматных вопросах: мне об угрозе для его жизни ничего неизвестно! И все слухи о «подготовке его уничтожения в Багио» я отметаю как нелепые и далекие от реальности. А реальность была такова: в случае поражения Карпова через год состоялся бы матч-реванш, и Советский Союз приложил бы все силы, чтобы Толя вернул стране шахматную корону.

Да и с какой стати нам было бояться за Корчного?! Скорее уж следовало бояться за себя! Когда счет стал 5:5 и я слег с давлением, ко мне в номер зашли Зухарь с Балашовым и Зайцевым. Психолог сказал: «Сейчас я досчитаю до семнадцати — и ты заснешь, и всё будет хорошо». Считал он так нудно и противно, что меня действительно охватила дрёма. Потом я спрашиваю: «Зухарь ушел?» Тренеры говорят: «Ушел. Но ты так не переживай — у нас еще есть заготовки». А я им в ответ: «С вашими заготовками мы скоро все попадем на лесозаготовки». Такое мне было известно не понаслышке. Помнится, подобные мрачные шутки отпускал и опытный Батуринский. Но, к счастью, Толя выиграл».

«Мрачные шутки» Рошаля и Батуринского требуют пояснения: в сталинские времена родители первого из них были репрессированы, а второй много лет служил военным прокурором и ушел в отставку в чине полковника юстиции.

Большой интерес, но уже с чисто шахматной точки зрения, представляет и эксклюзивный комментарий Игоря Зайцева:

«По поводу 32-й партии мне доводилось слышать самые разнообразные, порой даже весьма фантастические версии. Как очевидец, сидевший весь матч в зрительном зале, выскажу свое мнение и я.

Начну издалека. Мне кажется, что Корчной извлек для себя очень большую пользу еще из поражения от Спасского в финальном матче претендентов 1968 года. Не знаю, как и над чем он начал тогда работать, однако с определенного момента его игра стала более инициативной, а стратегические замыслы — более совершенными и отточенными. Именно стратегическая составляющая стала выдвигаться в качестве ведущей черты творчества Корчного. Поэтому он, в отличие от других претендентов на корону, мог легко сменить один дебют на другой — несмотря на свой солидный возраст! Дело в том, что с годами у подавляющего большинства шахматистов привыкание к характерной для каждого дебюта центральной структуре становится очень сильным, а переход от одной структуры к другой — болезненным.

В связи с этим от Корчного всегда можно было ожидать применения таких систем, где процесс формирования пешечной структуры многообразен и растянут во времени. К примеру, так происходит в английском начале (один из самых ударных дебютных инструментов Корчного) или в защите Алехина (она также была когда-то у него на вооружении). Под стать этим построениям и гибкая защита Пирца-Уфимцева. Поэтому решение Корчного в самый ответственный момент матча избрать именно этот дебют я считаю не «сенсационным» или «недальновидным», а скорее вполне ожидаемым и соответствующим его шахматному портрету.

Во-первых, эту защиту Корчной играл против Карпова уже дважды — на межзональном турнире в Ленинграде (1973) и в 18-й партии матча в Багио, и оба раза для черных всё обошлось благополучно. Во-вторых, секундант претендента Кин тоже играл так против Карпова — на командном чемпионате Европы в Москве (1977), и хотя проиграл, все же сумел вызвать обоюдные осложнения. И это могло привлечь внимание Корчного, стремившегося на финише развить свой успех. Да и сама манера Карпова разыгрывать этот дебют — одна и та же солидная, неторопливая схема, — видимо, не только не отпугивала, но, напротив, в чем-то даже устраивала Корчного, явно поймавшего игровой кураж. Косвенное подтверждение этих выводов — единственное поражение Карпова в триумфальном для него 50-м чемпионате СССР (1983), которое он потерпел белыми от Азмайпарашвили именно в защите Пирца-Уфимцева.

Конечно, «Уфимцев» с 6...c5 — это несколько иное, но такая переориентация, в силу своей относительной новизны, могла оказаться и неожиданной, и успешной. Кстати, в теории этот вариант себя ничем не опорочил и позже его играли многие известные гроссмейстеры, вплоть до Крамника. И все же надо признать, что здесь линия позиционного нагнетания за белых более в стиле Карпова, тогда как подспудная подготовка черными того или иного подрыва неприятельского центра не вполне в духе Корчного. Поэтому неудивительно, что в 32-й партии ситуация на доске довольно скоро стала складываться в нашу пользу. Однако до самых последних минут этой драматичной схватки всей нашей вконец измотанной группе не верилось, что дело идет к счастливой развязке.

Впрочем, и сам обратный перелет был далеко не безоблачным — в буквальном смысле: почти всю дорогу до Бомбея нас по пятам преследовал очередной тайфун. Я помню, как несколько раз лайнер неприятно проваливался в глубокую воздушную яму и в салоне начиналась легкая паника. Но все равно это было ничто в сравнении с тем невероятным облегчением, которое мы все ощутили, когда с наших плеч свалился груз этого испытания».

На мой взгляд, Карпов играл этот матч в период определенного спада и потому вплоть до 17-й партии не имел игрового перевеса — более того, объективно Корчной играл даже интереснее. Лишь после трагического зевка в 17-й партии он, как говорится, «поплыл» и должен был быстро проиграть матч. Но Карпов не выиграл несколько выигранных позиций, и матч затянулся...

В конечном счете результат единоборства определило то, что у Корчного была слишком большая амплитуда колебаний между сильными и слабыми ходами. Карпов играл, может быть, и не так ярко, зато ошибался все-таки меньше. Вообще говоря, трудность «проблемы Карпова» состоит именно в этой его ровности игры, удивительной способности долго поддерживать достаточно высокий уровень, качество ходов. Конечно, и у него случались зевки, но все-таки они, в отличие от зевков его соперников, в подавляющем большинстве случаев не были провальными. Это свойство плюс исключительная цепкость чемпиона позволяли ему и позже «вытягивать» самые тяжелые, порой безнадежные матчи.

Багио послужил для Карпова тем тревожным звонком, который заставил его начать понемногу перестраиваться. И с 1979 года он вступает в период выработки нового алгоритма и неуклонного усиления игры. Позже Карпов, вспоминая о тех своих битвах с Корчным, заметит: «Это были лучшие его годы, но я рос быстрее, чем он креп».

ЗВЕЗДНЫЕ ИГРЫ

В феврале 1979 года Карпов вышел на старт крупного турнира в Мюнхене и лидировал после пяти туров (+2=3), однако был вынужден срочно вернуться домой в связи с кончиной отца. После этого тяжелого удара он, наверное, отказался бы от участия в предстоящем «Турнире звезд» (Монреаль, апрель—май 1979), если бы не дал заранее согласия там играть и не понимал, что его отказ «поставит под угрозу само устройство соревнования».

Двухкруговой турнир десяти звезд в Монреале, хотя и «блистал» отсутствием бойкотируемого Корчного, собрал уникальный по тем временам состав: Карпов, Таль, Спасский и все сильнейшие несоветские шахматисты мира. Идеальное испытание для чемпиона! И после короткой стартовой ничьей с Хюбнером он решительно взялся за дело.

Таль: «Шахматисты, как правило, народ злопамятный. И поэтому поединок 2-го тура Карпов — Тимман ожидался с нетерпением. Ведь именно голландский гроссмейстер нанес последнее в турнирных боях поражение чемпиону мира *(в Бугойно-78. — Г.К.)*. Можно было предположить, что Карпов будет стремиться к реваншу, и это ему удалось блестяще. Всю партию он провел на одном дыхании, последовательно ограничивая контригру соперника и дюйм за дюймом захватывая пространство...»

Тут надо отметить, что особая, исключительная изощренность Карпова в сфере профилактики сближает его с Петросяном. «В отличие от большинства своих коллег, они, похоже, от природы наделены были высоко развитым профилактическим мышлением, — считает Марк Дворецкий. — Следующая партия Карпова (и в неменьшей степени его комментарии к ней) наглядно иллюстрирует стиль игры и способ мышления тогдашнего чемпиона мира. Сколь тонкая работа скрывается за внешней простотой!»

№ 567. Защита Пирца-Уфимцева B07
КАРПОВ — ТИММАН
Монреаль 1979, 2-й тур
1.e4 d6 2.d4 ♘f6 3.♘c3 g6 4. g3. Обычно Карпов ходил 4.♘f3 и ♗e2 (№ 562, 566), но в поединке с одним из признанных знатоков этой защиты он захотел, по собственным словам, немного поэкспериментировать, попробовать что-нибудь новое: «Я сыграл по настроению».

4...♗g7 5.♗g2 0-0 6.♘ge2. Тоже солидная, но сравнительно редкая система. «С момента появления на авансцене теории за защитой Пирца-Уфимцева закрепилась репутация не вполне корректного начала. И, дабы подтвердить это мнение, за белых усиленно разрабатывались всевозможные атакующие схемы. Потребовались годы, чтобы избавиться от столь предосудительного подхода, но и сейчас многие неторопливые стратегические планы по инерции всё еще находятся в тени» (Карпов).

6...e5 (другой испытанный план Тиммана — 6...♘bd7 и c7-c5) **7.0-0.** По следам этой партии довелось отстаивать позицию черных и мне: 7.h3 ed (интересно и 7...b6!? или 7...♘bd7 и b7-b6) 8.♘:d4 ♖e8 9.0-0 ♘bd7 10.a4 a5 11.♘db5 ♘c5 12.♗g5 ♗d7 13.♕d2 h6! 14.♗:f6 ♗:f6 15.♘d5 ♗:b5 16.ab (Геллер — Каспаров, СССР(ч) 1979), и здесь проще всего было 16...♘:e4=.

7...♘a6. Не самый лучший ответ, куда чаще играли 7...c6, 7...♘c6 или 7...ed. «По мере приближения миттельшпиля и особенно в самом миттельшпиле разбросанность сил будет причинять черным большие неудобства. Однако ведущие гроссмейстеры (а Тимман, безусловно, принадлежит к их числу) обязаны иметь — и, как правило, имеют — свое «особое мнение» по поводу того или иного книжного варианта. Это позволяет уточнить оценки и служит развитию теории» (Карпов).

8.♖e1 c6 9.h3. «Типичный в подобных ситуациях профилактический ход, — поясняет Карпов. — Ограничивая слона соперника, белые заодно создают на королевском фланге «зону непроходимости» и для остальных легких фигур».

9...♖e8. «Все надежды на получение контригры черные связывают с нажимом на пешку e4» (Карпов). «А это уже профилактическое мышление, — добавляет Дворецкий. — Карпов сразу определяет главную идею противника, за которой он будет внимательно следить в течение всей партии».

10.♗g5. Провоцируя h7-h6, чтобы с темпом пойти ♕d2. «Вновь характерный прием, преследующий всё ту же цель — накопление мелких выгод. Затем все эти малозаметные факторы сливаются воедино, образуя то превосходство одних фигур над другими, которое принято называть позиционным преимуществом» (Карпов). Правда, в свете следующего примечания заслуживает внимания безыскусное 10.♗e3!?

10...h6?! На 10...ed 11.♘:d4 h6 Карпов указывает 12.♗f4! g5 13.♗c1

(ослабление поля f5!), а на 10... ♕b6!? — «простое 11.♖b1 с перевесом, поскольку явно неудовлетворительно 11...ed 12.♘:d4 ♘c5 13.b4 ♘c:e4 ввиду 14.♗:e4! ♘:e4 15.♘:e4 ♗:d4 16.♘f6+». Конечно, правильно 13...♘e6, поэтому я бы предпочел 13.♘b3! ♘e6 14.♗e3 ♕c7 15. ♕d2 и т.д.

Но вместо 12...♘c5 «возможно 12...d5 или 12...♘g4!? 13.hg *(13.♘ce2 ♘f6! — Г.К.)* 13...♗:d4 14.♗e3 ♗:e3 15.♖:e3 d5! с неясной игрой — в этом варианте есть своя внутренняя логика: слон на g5 почти не участвует в борьбе за центр, и черные используют это обстоятельство» (Дворецкий). Действительно, после 16.e5 d4! 17.♘a4 ♕b4 18.c3 ♗:g4! 19.♕:g4 ♕:a4 20.♖a1 (20.e6 ♗:a2!) 20...♖ad8 21.b3 ♕a3 22.cd ♘c7 они консолидируют позицию. Неясно и 14.♕:g4 ♗:g4! 15.♕:g4 ♗:f2+ 16.♔h2 ♗:e1 17.♖:e1 ♖e5!

11.♗e3 ♕c7?! Отнимая поле у коня a6. Карпов рекомендует профилактическое 11...♔h7 («ведь рано или поздно этот ход все равно придется сделать») с дальнейшим 12.♕d2 ed 13.♘:d4 *(! — Г.К.)* 13... ♘c5 14.f3 d5 15.♘:c6 ♘c:e4 16.fe (не 16.♘:d8 ♘:d2 17.♘:f7?! ♖:e3! 18. ♖:e3 d4) 16...bc, «и у черных хорошая игра».

Однако 17.ed cd 18.♘:d5 оспаривает эту оценку: на 18...♖b8 следует 19.♗:a7 ♖:e1+ 20.♖:e1 ♖:b2 21. ♗d4!, на 18...♘e4 — 19.♕d3 ♘g3 (19...f5 20.♖ad1) 20.♗f2 или внезапный удар 20.♗:h6!, а в случае 18... ♘:d5 19.♕:d5 ♕:d5 20.♗:d5 ♖b8 21.♗:a7 ♖:e1+ 22.♖:e1 ♖:b2 23. ♗b3! белые сохраняют лишнюю пешку и шансы на успех (23...♗:h3 24.♖e7 и т.д.).

Кроме 15...♘c:e4 Дворецкий предлагал 15...bc 16.♗:c5 de, но и здесь после 17.♕:d8 ♖:d8 18.fe за черных не видно компенсации за пешку: 18...♘d7 (18...♖d2 19.e5!) 19.♖ad1 ♖b8 20.♗a3 ♖e8 (20...♗:c3? 21.bc и 22.e5!) 21.♘a4 и т.д.

Видимо, лучше ввести в игру неприкаянного коня — 11...ed 12.♗:d4! (12.♘:d4 ♘c5 13.♗f4 ♘h5!) 12...♘c7 (уже не 12...♘c5?! из-за 13.e5!), «в духе партии Свешников — Цешковский (Сочи 1976), хотя это также не сулит черным уравнения» (Карпов) после 13.♕d2 ♘e6 14.♗e3 ♔h7 15.g4.

12.♕d2 ♔h7 (схожие проблемы у черных и при 12...ed 13.♘:d4 ♔h7 14.♖ad1) **13.♖ad1 ♖d7.** Невыгодно 13...ed 14.♗:d4, и вновь нет 14...♘c5? из-за 15.e5! А «в случае 13...♗e6 14.g4 ♖ad8 15.f4 ♗c4 16.♘g3 у белых столь же многообещающая позиция, как и в партии» (Карпов). По мнению Дворецкого, здесь заслуживает внимания 16...ef 17.♗:f4 c5. Думаю, что на это белые не без удовольствия ответили бы 18.d5.

14.g4! Типовой ход. Поучительный комментарий Карпова: «Задумавшись, я пришел к выводу, что прямолинейная игра по центру уже ничего не сулит. Теперь с целью захвата новых плацдармов необходимо надвигать пешки королевского фланга. Но играть 14.f4 не хотелось. Нелогично сразу усиливать напряжение — все равно придется в дальнейшем сыграть g3-g4, так почему вначале не использовать такой ресурс усиления позиции, как g3-g4 и ♘g3. Заодно белые решают и важную стратегическую задачу — укрепляют центральную пешку e4».

14...♖ad8 15.♘g3 ♗c8. «Кардинально воспрепятствовать продвижению f2-f4 можно лишь путем g6-g5. Но позиция черных еще не так плоха, чтобы решаться на столь отчаянные меры» (Карпов).

16.f4! b5?! У каждого гроссмейстера есть свои любимые ходы, которые он делает при первой возможности. Тимман любил активизировать игру движением пешки «b», но здесь это лишь еще больше ослабляет его позицию. Впрочем, черным дорог хороший совет: так, в случае 16...ef 17.♗:f4 ♕b6 18.b3 с последующим ♖f1 и ♗e3 им тоже грозила бы гибель от удушья.

«Угадать сейчас ход Карпова, зная его стиль, совсем легко» (Дворецкий).

17.a3! b4?! 18.ab ♘:b4 (итог отчаянного пешечного демарша в одном: теперь белым выгоден переход практически в любой эндшпиль) **19.♘ce2!** «Идея черных состояла в том, чтобы, сыграв a7-a5, ♗a6, ed и c6-c5, как-то пристроить свои фигуры. Но этот путь долог, и белые успевают помешать замыслу соперника» (Карпов).

«Мы бы, наверное, думали, как побыстрее использовать солидный позиционный перевес белых — пойти ли f4-f5, готовить g4-g5 и т.п. Но Карпов мыслит совершенно по-другому: даже в таких ситуациях он прежде всего контролирует возможные намерения противника и старается им помешать» (Дворецкий).

19...ed?! Признание того, что битва проиграна. Черные уступают позиции и в центре, после чего им не на что надеяться. Но, по Карпову, безрадостно было и 19...a5 20.c3 или 19...c5 20.fe de 21.d5.

20.♞:d4 a5. «Дальнейшая игра белых, по существу, сводится к тому, чтобы не дать войти в игру фигурам соперника» (Карпов).

21.c3 ♞a6.

22.♕c2! «Наверное, лучший ход в партии, в целом отлично иллюстрирующей идею Нимцовича об избыточной защите стратегически важных пунктов. Тут сочетаются сразу обе отмеченные Нимцовичем

формы профилактики — препятствование замыслам соперника и избыточная защита» (Дворецкий). Белые не дают черному коню войти в бой (22...♞c5 23.b4!) и лишний раз укрепляют пешку e4.

22...♝d7 23.♞f3! (опять профилактика против ♞c5) **23...♜e7.** По мнению Карпова, «23...♞c5 не годилось из-за 24.e5». Дворецкий возражает: «Не вижу, как опровергается 24...♞d5, — после 25.♝:c5 dc белым непросто доказать свое преимущество: 26.♞h5 (Адианто) 26...♝h8 или 26.♕c1 (Нанн) 26...c4 27.♞e4 f6 28.♞d6 ♜f8». Однако после 26.♕e4! позиция белых явно лучше (26...c4 27.♜d2), хотя черные еще могут сопротивляться.

А при 23...c5, по словам Карпова, «конь на a6 выглядел бы живым укором».

24.♝f2! «Один из последних профилактических ходов. Белые перед решающими наступательными операциями наиболее гармонично располагают свои силы и... опять-таки укрепляют центральный форпост e4! Преждевременно 24.♕d3 ввиду 24...♝c8», — пишет Карпов. Едва ли он рассматривал кооперативные варианты типа 25.e5? ♞d5 26.ed? ♜:d6 27.c4? ♜:e3! 28.♜:e3 ♞:e3 29.♕:d6 ♞d1+ (Нанн), однако тонко угадал, что Тимман хочет пойти слоном на e8, и не стал вынуждать ♝c8, а сделал полезный выжидательный ход, усиливающий угрозу e4-e5.

24...♝e8?! По словам Карпова, «ошибка тактического характера». Но, согласитесь, добровольно играть 24...♝c8 как-то не хочется.

25.♕d3! ♕b7 (25...♘b8? 26.e5 или 26.g5+–) **26.♖a1!** После длительных маневров на своей половине доски белые вновь откладывают начало наступления, предпочитая материальные завоевания.

26...♘c7 (сейчас, как и ходом позже, нельзя ♕:b2? из-за ♖eb1) **27.♖:a5.** Всего второй переход демаркационной линии (после 10. ♗g5) привел к совершенно выигранной для белых позиции: у них лишняя пешка, а их фигуры доминируют, зажав основные силы противника на двух последних горизонталях.

27...♖dd7 28.b4 ♘e6.

29.♗e3! Карпов опять не спешит, собираясь загнать на 8-й ряд и коня. Он отверг 29.♕d2, так как «после 29...d5!? черные могли получить некое подобие контригры: 30.e5 ♘e4 31.♘:e4 de 32.♘d4 c5, и дело осложняется». Здесь тоже не было шансов на спасение: 33.♗:e4 ♕b6 34. f5 или 33.bc ♕c7 34.♖ea1 ♘:c5 35. ♕e3, но... Карпову этого мало!

29...c5 30.f5 ♘d8 31.b5. Не пуская коня на c6. «Для «полного счастья» белым остается еще сыг-

рать c3-c4, чтобы достичь доминации по всей доске» (Карпов).

31...♔h8 32.♗f2. «Слон сделал свое дело на e3 и вновь отступает, чтобы укрепить пункт e4» (Дворецкий).

32...♖c7 33.♖a4 ♕b8 34.c4 ♖a7 (нет смысла обсуждать и 34... ♘g8 35.h4) **35.♖:a7 ♖:a7 36.e5! de 37.♘:e5 ♖a2 38.♗:c5.** Черные сдались. Гимн профилактике!

Победив затем еще Спасского, Любоевича и Кавалека, чемпион после первого круга возглавил гонку, но в следующем туре на 39-м ходу упустил выигрыш в партии с Хюбнером и был настигнут блестяще выступавшим Талем. Острая конкуренция заставила Карпова играть против Тиммана на победу и черными.

«В этой партии встретилась, пожалуй, самая значительная новинка турнира, — заявил потом Карпов. — Она была подготовлена еще к Корчному, но тот как-то ловко обошел эту заготовку. И вот совершенно неожиданно вариант «выстрелил» в Тиммана».

№ 568. Английское начало A28

ТИММАН – КАРПОВ

Монреаль 1979, 11-й тур

1.c4 ♘f6 2.♘c3 e5 3.♘f3 ♘c6 4. e3. В Багио усиленную проверку проходило продолжение 4.g3 ♗b4, и потому Тимман, не желая проверять качество аналитической работы бригады Карпова, первым сворачивает в сторону, надеясь, что в других схемах познания соперника будут менее детальны.

4...♗e7. Сюрпризом на сюрприз! Карпов тоже сворачивает на редкую дорожку, отказываясь от основного варианта 4...♗b4 5.♕c2. Теперь в случае 5...0-0 6.d3 ♖e8 7. ♗d2 ♗:c3 8.♗:c3 d5 9.cd ♘:d5 10. ♗e2 ♘f5 у черных нет проблем (Эльвест — Каспаров, Рейкьявик 1988), но неприятнее для них 6.♘d5! ♖e8 7.♕f5!? — оригинальный выпад, введенный в практику Кином еще в 1977 году. Поэтому вместо 5...0-0 они зачастую сразу расстаются со слоном: 5...♗:c3 6.♕:c3 ♕e7 7.a3 a5 8.b3 d5= (Х.Олафссон — Карпов, Мальта(ол) 1980).

5.d4 ed 6.♘:d4 0-0.

7.♘:c6. На 7.♗e2 черные все равно могут сыграть 7...d5!? с идеей 8.cd ♘b4! Поскольку нельзя 9.е4? из-за 9...♘:е4! 10.♘:е4 ♕:d5, белым остается удовлетвориться равенством — 9.♗f3! ♕b:d5 10.♘:d5 ♘:d5 11.0-0 ♗f6 12.♕b3 ♘b6 13.♖d1 (Майлс — Тимман, Порторож 1979). Другая, тоже перспективная реакция — 7...♗b4!? 8.0-0 ♗:c3 9.bc ♖e8 (гораздо слабее сыграл партнер знаменитого маэстро: 9...d5? 10.cd ♘:d5 11. ♘:c6 bc 12.♕d4 ♗e6 13.♗a3 Рубинштейн — Э.Кон, Пьештяни 1912) 10.f3 ♘e5 11.е4 d6 ведет к позиции

из практики современных гроссмейстеров (Азмайпарашвили — Ананд, Дубай(бш) 2002).

Стоит также отметить маневр 7. ♘de2 ♖e8 8.♘f4, ограничивающий активность пешки «d» и обеспечивающий этим владение большим пространством: 8...♘e5 9.♗e2 c6 10.0-0 a6 11.b3 b5 12.♗b2 d6 13.♕c2 (Тимман — Майлс, Бугойно 1984).

7...bc 8.♗e2 d5 9.0-0 ♗d6 10.b3. Предварительный размен 10.cd cd делает дефекты пешечной структуры черных менее заметными, и никаких оснований рассчитывать на дебютный перевес у белых не остается.

10...♕e7! Карпов пишет, что «по всем показателям дела черных и в центре и на любом из флангов обстоят неплохо», но особенно должно тревожить белых отсутствие важного защитника короля — коня на f3. Именно из-за этого им вскоре придется двинуть вперед одну из пешек и ослабить укрытие короля.

11.♗b2. Взятие 11.cd? ведет к потере коня после 11...♕e5! На 11. ♕c2 хорошо выглядит 11...♕e5 12. f4 ♕e7. Спокойное развитие слона вроде бы помогает избежать новых проблем, что позволяет надеяться на успешную защиту от нападения на ограниченном участке доски, где объектов атаки пока нет.

Таль: «Дебютные справочники последних лет единодушно оценивали позицию после 11.♗b2 в пользу белых. Простой, но парадоксальный ответ Карпова заставляет коренным образом изменить эту оценку. До конца турнира гроссмейстеры анализировали это продолжение, искали за белых равенство...»

11...dc! Автор столь неожиданного взятия — Игорь Зайцев, предложивший этот ход Карпову во время подготовки к матчу в Багио. Идея новинки — в максимальном расширении зоны действия черных фигур, удачно нацеленных на королевский фланг. Зайцев, славящийся своим нешаблонным шахматным видением, сразу разглядел это основное достоинство стратегически нелепого на вид размена, с лихвой перекрывающее его очевидный недостаток — полный развал пешечной структуры.

12.bc? Как ни удивительно, но первый же самостоятельный ход белых является и основной причиной проигрыша.

Выбор Тиммана нехорош уже тем, что к делу сразу подключается ладья a8, после чего белый ферзь оказывается перегруженным оборонительными функциями. Кроме того, у черных появляется новый объект атаки — пешка c4, защиту которой может пока обеспечить опять-таки только ферзь.

Но решиться на 12.♗:c4 за доской нелегко — от короля удаляется еще один защитник. Тут кроме общих соображений нужны еще и конкретные варианты. Скоропалительная атака 12...♗:h2+? (но не знак Карпова «!?») 13.♔:h2 ♘g4+ быстро захлебывается: 14.♔g3 ♕g5 15.f4 ♕g6 16.♔f3 ♖e8 17.e4. Не дает эффекта и планомерное наступление 12...♕e5 13.g3 ♗h3 (Карпов) ввиду 14.♖e1 ♖fd8 15.♕f3 с перевесом белых. Однако после 12...♘g4! 13.g3 черные могут выбирать между форсированием ничьей — 13...♘:h2 (Карпов) 14.♔:h2 ♕h4+ 15.♔g1 ♗:g3 и продолжением обоюдоострой игры: 13...♕e5!? 14.♗e2 ♘f5 15.e4 (15.♕d4? ♗d3!) 15...♗h3 16.♖e1 ♗c5.

12...♖b8! 13.♕c1. Слона защитить непросто: плохо простодушное 13.♖b1? ♖:b2 14.♖:b2 ♕e5 (Карпов), но и при 13.♕c2 ♕e5 14.g3 ♗f5 15.♕c1 ♕e6 16.♖d1 ♘g4 давление черных крайне неприятно.

13...♘g4. «Атака черных развивается легко и непринужденно. Белые с тревогой следят за развитием событий на королевском фланге» (Карпов).

14.g3?! Быстро проигрывало 14. h3? ♕e5 15.g3 ♘:f2! 16.♖:f2 ♖:b2! 17. ♕:b2 ♕:g3+ 18.♖g2 ♕:e3+ и т.д. Но необходим был размен 14.♗:g4 ♗:g4 и теперь не 15.♖e1 ♖b4! (Холмов), а 15.h3, надеясь в случае 15... ♗f5 16.♘e2 ♕g5 17.♘f4 постепенно нейтрализовать инициативу противника, хотя после 15...♗h5! 16. ♘a4 (16.♖e1 ♕e5! 17.f4 ♕e7) 16...c5 17.♗c3 ♖fe8 сделать это непросто.

14...♖e8! Немедленная атака с жертвами 14...♘:h2 15.♔:h2 ♕h4+ 16.♔g2 ♕h3+ 17.♔g1 ♗:g3 18.fg ♕:g3+ 19.♔h1 показалась Карпову достаточной лишь для ничьей вечным шахом.

Действительно, подключение ладьи e8 успеха не приносит: 19... ♖e8!? 20.♖f3! ♕h4+ 21.♔g1! (неосмотрительное 21.♔g2? позволяло черным в компьютерном стиле развалить оборону соперника: 21... ♖e5! 22.♖g3 ♗h3+! 23.♔f2 ♖f5+ 24. ♗f3 ♗g4 25.♔g2 ♗:f3+ 26.♖:f3 ♖g5+ 27.♔f1 ♕h1+ 28.♔e2 ♕h5! 29.♘e4 ♖g2+ 30.♘f2 ♖g3–+) 21...♖e6 22.♗f1 ♖g6+ 23.♗g2 ♗h3 24.♖:h3 ♕:h3 25. ♕d2, и черные должны объявлять вечный шах – 25...♗:g2+ 26.♕:g2 ♕:e3+ 27.♔:h2 ♕h6+.

15.♘d1? Допускает серию тяжелых ударов, но и рекомендованная некоторыми комментаторами попытка защиты 15.♗f3 оказывается недостаточной ввиду 15...♕f6! 16. ♗:g4 ♗:g4 17.f3 ♗h3 18.♖f2 ♕g5! или 16.♗g2 ♕h6 17.h4 (17.h3 ♘e5 Карпов) 17...g5! 18.♗:c6 (18.e4 ♗f4!) 18...gh! 19.e4 ♕h5.

Относительно лучшее 15.♕c2 допускает стандартную атаку 15... ♘:h2 16.♔:h2 ♕h4+ 17.♔g1 ♗:g3

18.fg ♕:g3+ 19.♔h1 ♖e6! Кажется, что белым пора сдаваться, но у них неожиданно находится возможность продлить сопротивление, переведя игру в эндшпиль, где лишняя фигура служит им слабым утешением: 20.♗h5! ♖h6 21.♕h2 ♕:h2+ 22.♔:h2 ♖:h5+ 23.♔g1 ♖:b2 24.♖ad1! g6 25.♖d8+ ♔g7 26.♖:c7 ♖g5+ 27.♔h1 ♖gg2 28.♖f4 ♖gc2.

15...♘:h2! 16.c5 (нельзя 16.♔:h2 из-за 16...♕h4+ 17.♔g1 ♗:g3 18.fg ♕:g3+ 19.♔h1 ♖e4!) **16...♘f1! 17.cd ♘:g3!** Эта эффектная концовка рейда коня по тылам противника, не замеченная Тимманом, лишает белых последних иллюзий.

18.fg ♕:d6 19.♔f2. На 19.♔g2 Карпов дает в качестве пути к победе 19...♕h6 20.g4 ♕g5 21.e4 ♕:c1 22. ♗:c1 ♗:e4 23.♘c3 ♖e8. Я бы предпочел 19...♕d5+ 20.♗f3 ♗h3+ 21.♔f2 ♕d3 22.♗e2 ♕f5+ 23.♔e1 c5 24.♕c3 ♕g5, но выбор здесь – дело вкуса.

19...♕h6 20.♗d4 ♕h2+. Дальнейшее продолжение партии можно объяснить только нежеланием Тиммана сдаваться столь рано.

21.♔e1 ♕:g3+ 22.♔d2 ♕g2! 23.♘b2 ♗a6 24.♘d3 ♗:d3! 25.

♔:d3 ♖bd8 26.♗f1 ♕e4+ 27.♔c3 c5! 28.♗:c5 ♕c6 29.♔b3 ♖b8+ 30.♔a3 ♖e5 31.♗b4 ♕b6, и только тут белые наконец сдались.

Это одна из тех побед, что производят особенно страшное впечатление на профессионалов. Еще бы: выиграть черными практически в 20 ходов (!), в безобидном дебютном варианте (!), без грубых зевков партнера (!).

Карпов снова стал единоличным лидером. Но, как бывает после необычно эмоциональной партии, в его игре наступил временный спад. В следующем туре он неожиданно проиграл белыми аутсайдеру турнира Ларсену. На 1.e4 тот удивил чемпиона редкой скандинавской защитой — 1...d5 (кстати, так сыграл против меня и Ананд в 14-й партии нашего матча, Нью-Йорк 1995). Потом датчанин дал этому забавное объяснение: «Горт сказал мне: «Ну да, ты же скандинав!» Я ответил: «Да, но это просто хороший вариант Каро-Канна!» Думаю, что против Карпова идея избегать пешечных ослаблений удачна».

Действительно, в Каро-Канне Карпов побеждал Ларсена и до этой партии — в Бугойно (1978), и много раз после — в Тилбурге (1979 и 1982), Амстердаме (1980) и Линаресе (1983). Но — к вопросу о злопамятности шахматистов! — как только подвернулся случай, он взял у датчанина убедительный реванш и в скандинавской защите (Мар-дель-Плата 1982).

В итоге монреальский «Турнир звезд» завершился триумфом чемпиона и экс-чемпиона мира: 1—2.

Карпов и Таль — по 12 из 18; 3. Портиш — 10,5; 4. Любоевич — 9; 5—6. Спасский и Тимман — по 8,5; 7—9. Горт, Кавалек и Хюбнер — по 8; 10. Ларсен — 5,5.

«В практике Карпова этот турнир был не самым лучшим, и все же он играл лучше всех! — скромно заметил Таль. — У Карпова был секундант Таль, у Таля был секундант Карпов. Выяснилось, что он тренирует меня ничуть не хуже, чем я его». Экс-чемпиона тогда еще не покинула надежда снова прорваться к матчу на первенство мира: вскоре он с блеском выиграл межзональный турнир в Риге.

В свою очередь, Карпов выиграл за два года целую серию больших и малых турниров, и каждое из его редких поражений становилось настоящей сенсацией. Так, на старте командного чемпионата Европы в Скаре (январь 1980), где я дебютировал в составе команды СССР, чемпион вдруг проиграл белыми Майлсу, ответившему на 1.e4 дерзким 1...a6?! Это была единственная удача англичанина за всю историю их поединков с классическим контролем, Карпов же одержал над ним 12 побед, причем все белыми (одна из них — № 576).

В мае 1980 года он отправился с Талем и Полугаевским на супертурнир 12 гроссмейстеров в Бугойно. Таль после недавнего поражения от Полугаевского в матче претендентов был уже «не тот», зато хорошую форму демонстрировал Ларсен. После семи туров положение лидеров было таким: Ларсен — 5,5; Тимман — 4,5; Карпов и Полугаевский

— по 4; Андерссон, Любоевич и Таль — по 3,5. Понятно, сколь велико было значение встречи в 8-м туре между чемпионом мира и его секундантом.

На этот раз Карпов, видимо, памятуя о своих трудностях с Талем в сицилианской защите (№ 561), решил вновь «сменить подачу» — и одержал эффектную победу в наиболее актуальном на тот момент разветвлении меранской системы.

№ 569. Славянская защита D48
КАРПОВ – ТАЛЬ
Бугойно 1980, 8-й тур

1.c4 e6 2.♘c3 d5 3.d4 c6 4.e3 ♘f6 5.♘f3 ♘bd7 6.♗d3 (6.♕c2 — № 584, 585) **6...dc 7.♗:c4 b5 8. ♗d3 a6.** Трудно бороться между собой шахматистам, тесно связанным узами совместной аналитической работы. Вести теоретические споры на публике — нелепо, и гроссмейстеры попытались удивить друг друга: Карпов уклонился от 1.e4, а Таль ответил редким для себя дебютом.

9.e4 c5 10.d5 c4 11.de cd. Черные отказываются от 11...fe (№ 592) в пользу менее острого хода, считавшегося тогда вполне приемлемым.

12.ed+ ♕:d7 13.0-0. «Новинка. Обычно играли 13.♗g5 или 13. e5» (Карпов). При 13.e5 ♘d5 14. ♕:d3 белые, как показала практика, предоставляют противнику отличную контригру по белым полям: 14...♘:c3 15.♕:c3 ♗b7 16.0-0 ♖c8 17.♕b3 ♗e7 и т.д.

13...♗b7 14.♖e1. Считая, что пешка d3 обречена, Карпов не форсирует события движением пешки «e», а готовит более выгодные условия для будущих операций.

14...♗b4. На этом ходе был поставлен крест именно после данной партии, хотя развитие событий в ней показали обороноспособность позиции черных. Несколько дольше в поле зрения теоретиков оставалась линия 14...♗e7 15.e5 ♘d5 16.♘e4 0-0 17.♕d3 ♕g4. Но в итоге выяснилось, что после 18.♘fg5! некоторая активность черных фигур не компенсирует недостающую пешку: 18...♖ad8 19.a3 f5 20.ef gf 21. ♕h3! ♕:h3 22.♘:h3 ♖fe8 23.♗d2 (Карпов — Лутц, Дортмунд 1994) или 18...♖fd8 19.h3 ♕h5 20.♘g3 ♕g6 21.♕:g6 hg 22.a3 ♖ac8 23.♘f3 b4 24.♗g5 f6 25.ef gf 26.♗d2 (Пикет — Широв, Аруба 1995).

С тех пор ход 11...cd прочно осел в «архиве», проигрывая своему конкуренту 11...fe в остроте и перспективности.

15.♘e5 ♕e6. Другие отходы не лучше. Например, в случае 15...♕c7 активность черных кончается после 16.♗f4! ♗:c3 17.♘:d3 ♕d7 18.bc ♖d8 19.♖e3 0-0 20.♗g5 с перевесом.

16.♘:d3 ♗:c3 17.♘f4! Сильный промежуточный ход, позволяющий белым бороться за инициативу. При 17.bc 0-0-0 18.f3 ♕c4 19. ♖e3 ♘g4! 20.fg ♗:e4 21.♕e2 ♗:d3 22. ♕f3 ♕c5 форсирование ничьей — 23.♗a3 ♕:a3 24.♕c6+ было бы для них, вероятно, лучшим выходом.

17...♕d7. «Неудачно 17...♕e5 18.bc 0-0 19.♘d3, и нельзя 19...♕:c3 из-за 20.♗b2» (Карпов). А по-моему, централизация ферзя и отыгрыш пешки позволяли черным надеяться на уравнение: 20...♕c6 21. ♖c1 ♕b6 22.♘c5 ♖ad8 23.♕f3 ♗c8.

Кроме того, неясно, смогли бы белые пробить редуты черных после жертвы ферзя: 17...♗:e1 18.♘:e6 ♗:f2+ 19.♔:f2 fe! (19...♘:e4+? 20. ♔g1 fe 21.♕h5+! g6 22.♕e5) 20.e5 ♘e4+ 21.♔g1 0-0.

18.bc ♘:e4. Сомнителен размен ферзей в другой редакции — 18... ♕:d1 19.♖:d1, после чего у белых находится форсированный путь сохранить лишнюю пешку: 19...♘:e4 20.♗a3 (Карпов) 20...♖d8 21.♖e1! ♔d7 22.f3 ♘d6 23.♖ad1 ♔c6 24.♘e6! fe 25.♖:e6. Поскольку все ладьи черным не разменять, белые сохраняют шансы на победу: 25...♖he8 26. ♖:e8 ♖:e8 27.♖:d6+ ♔c7 28.♔f2 ♖d8 29.♖e6 ♖d2+ 30.♔g3 ♖:a2 31.♗f8 g6 32.♖e7+ ♔b6 33.♖:h7.

19.♕:d7+ ♔:d7 20.♗a3 ♖he8 21.♖ed1+ ♔c7 22.f3. Теперь конь должен отойти, но не на d6, а на позицию, где он не сможет помочь королю.

22...♘f6 23.♗d6+! ♔b6 24.c4! Сигнал к атаке. Черный король чувствует себя неуютно, несмотря на отсутствие ферзей.

24...♖ac8? Теперь король полностью лишается пешечного прикрытия, и белые ладьи начинают свирепствовать.

Надежды на спасение давала попытка ходом 24...bc! уберечь пешку a6. В этом случае у короля оставалось некое подобие укрытия. Карпов приводит вариант 25.♖ab1+ ♔c6 26.♖b4 с оценкой «±», однако после 26...♖ac8! 27.a4! g5! у белых нет ничего лучшего, чем 28.♖:c4+ ♔b6 29. ♗c7+! ♔a7 30.♖d6, на что следует новая разменная операция 30...♘e4! 31.fe gf 32.♖d7 ♖:e4 33.♖:e4 ♗:e4 34.♖:f7 ♔b7 35.♗:f4+ ♔b6, переводящая игру в эндшпиль, где у черных хорошие виды на ничью.

Более сильным возражением на 24...bc 25.♖ab1+ ♔c6 является 26. ♖d4! с идеей продолжать атаку, например: 26...♖ac8 27.♗a3 ♔c7 28. ♖:c4+ ♔b8 29.♖cb4 ♖c7 30.♗b2 ♔c8 31.♗:f6 gf 32.♖b6 и т.д. Лучшая защита здесь — 26...♖ed8! После 27. ♖b4 ♖:d6 28.♖d:c4+ ♔d7 29.♖:b7+ ♔e8 30.♖cc7 ♖d7 белые сохраняют инициативу, а черные — реальные шансы на спасение.

25.cb ab 26.a4! ♖cd8 27.ab. Карпов последовательно проводит свой план. Черного короля прикрывает от ладейных атак чужая пешка, но белые находят способ избавиться от нее. Впрочем, изящное 27. ♖ac1! ♖d7 28.♗c7+! превращало эту пешку в активного участника атаки, обеспечивая легкий выигрыш: 28...♔a7 29.♖:d7 ♘:d7 30.ab+–.

27...♖d7 (прогнать коня не удается: 27...g5 28.♖ac1! ♖d7 29.♗c7+! ♔b5 30.♖b1+) **28.♖d4 ♖ed8 29. ♖ad1 ♖c8.** Снова нельзя 29...g5, на этот раз из-за 30.♗e7! ♖:d4 31. ♗:d8+ (Карпов).

30.♗e5 ♖e7. У черных был печальный выбор между безнадежным эндшпилем – 30...♖:d4 31. ♗:d4+ ♔b5 32.♗:f6 gf 33.♖d7 (Карпов) и самоубийственным выходом короля под все удары, что и предпочел Таль.

31.♖d6+ ♔:b5 32.♖b1+ ♔c4 33.♖d4+ (как подсказывает компьютер, быстрее матовало 33.♖d2) **33...♔c5 34.♘d3+.** Ввиду неизбежного мата черные сдались.

В следующем туре чемпион в хорошем стиле одолел черными Тиммана (испанская партия, вошедшая в моду система Зайцева – 9...♗b7 10.d4 ♖e8), а затем выиграл «по заказу» у Кавалека и Глигорича. Четыре победы кряду – и все конкуренты остались позади: 1. Карпов – 8 из 11 (+5=6); 2. Ларсен – 7,5; 3. Тимман – 6,5 и т.д.

Через полтора месяца в Амстердаме стартовал двухкруговой ИБМ-турнир при восьми участниках. Перед его началом Ларсен и Тимман заявили, что будут бороться за первое место и «покончат с победами Карпова». И если Ларсен, потеряв

форму, оказался на дне турнирной таблицы, то Тимман сдержал обещание и конкурировал с чемпионом до самого финиша.

На этот турнир Карпов приехал с одной из новых надежд советских шахмат, чемпионом мира среди юношей 1978 года Сергеем Долматовым. На вооружении у молодого шахматиста был модный челябинский вариант сицилианской защиты. Долматов, естественно, применил его и против Карпова. Эта поучительная партия требует небольшого предисловия.

Пик шахматной силы Карпова совпал со стремительным развитием челябинского варианта, но удушающий игровой стиль чемпиона отпугивал «челябинцев» от мысли применять против него эту стратегически рискованную схему. И партия с Долматовым подтвердила их опасения, надолго отбив у гроссмейстеров охоту играть так против Карпова. Лишь в 1994 году на это отважился Лотье и легко добился ничьей, но к тому времени Карпов уже редко начинал игру ходом 1.e4.

№ 570. Сицилианская защита B33
КАРПОВ – ДОЛМАТОВ
Амстердам 1980, 5-й тур

1.e4 c5 2.♘f3 ♘c6 3.d4 cd 4. ♘:d4 ♘f6 5.♘c3 e5 6.♘db5 d6 7.♗g5 a6 8.♘a3 b5. Табия челябинского варианта. Подробно о его развитии будет рассказано в 6-м томе.

9.♘d5. Карпов применял только эту, стратегически наиболее солидную систему. Он сыграл ею четыре партии и выиграл две из них, причем одну на 101-м (!) ходу, «переходив» в 1979 году Юртаева.

9...♗e7 10.♗:f6 ♗:f6 11.c3 0-0 12.♘c2 ♖b8. В ту пору ход ладьи, мешающий подрыву a2-a4, считался важной тонкостью, так как позиция после 12...♗g5 13.a4 ba 14. ♖:a4 оценивалась в пользу белых.

13.♗e2 (играя 12...♖b8, черные прежде всего должны быть готовы к 13.h4! — см. 6-й том) **13...♗g5 14. 0-0 ♗e6.** Более точным признаётся 14...a5, отнимая у белого коня поле b4 и готовясь к борьбе с форпостом на d5 путем ♘c6-e7.

15.♕d3 ♕d7. Естественный выход ферзя с целью соединить ладьи, но и здесь лучше было 15...a5.

16.♕g3! f6?! Упорствуя в стремлении держать под контролем поле e3, черные идут на совершенно ненужное ослабление белых полей и вдобавок лишают своего слона прекрасного маршрута g5-d8-b6. Между тем вполне возможно было 16... ♗d8 17.♘ce3 g6, откладывая размен этого слона до лучших времен.

17.♖fd1 a5. Теперь это продвижение, которое еще буквально ход назад сулило определенную контригру, лишено прежнего эффекта.

18.♘a3! Великолепное и неожиданное решение! Слон g5 караулит появление коня на e3, чтобы тут же его разменять, поэтому конь идет другим путем.

Шахматисту, слепо верящему в классические каноны, трудно представить, что возвращение коня на край доски является сильнейшим продолжением. Начиная сражение на ферзевом фланге, белые вынуждают соперника постепенно перейти к пассивной обороне.

18...♘a7. Дальнейшее пешечное продвижение на ферзевом фланге — 18...b4 после 19.♘c4 bc 20. bc только ухудшало позицию черных: их слон отрезан от поля d8, а белая ладья уже стоит на d1.

19.h3! (намечаемый размен белопольных слонов белым явно выгоден) **19...♔h8.** Надо сказать, что нечеткая игра черных в дебюте отнюдь не привела к немедленному стратегическому фиаско, ибо в их позиции нет явных слабостей и налицо только не слишком большая разница в активности фигур. Но именно с этого момента партия превращается в прекрасное учебное пособие по методике расшатывания укреплений противника путем накопления мелких плюсов. В подобной работе Карпову долгое время не было равных!

20.♗g4! ♖fc8?! Все-таки следовало играть 20...f5 и, пристроив к делу слона (не торопясь при этом менять его на коня), держать оборону после разгрузки 21.ef ♗:f5 22. ♘c2 ♗:g4 23.♕:g4 ♕:g4 24.hg. Хотя инициатива по-прежнему в руках белых, добиться чего-то реального им совсем непросто, например: 24...♘c6 25.♘ce3 g6 26.a4 ♘e7 27. ♘:e7 ♗:e7 28.b4 ab 29.cb ba 30.♖:a4 ♖f7 31.♘d5 ♗g7, и ограниченность оставшегося материала позволяет черным рассчитывать на ничью.

21.♗:e6 ♕:e6 22.♕d3! ♖c5?! Опять естественный и довольно слабый маневр, позволяющий белым начать активные действия. Лучше было сразу 22...g6. Без этого программного хода, подготавливающего f6-f5, все равно не обойтись.

23.♘c2 g6.

24.b4! Карпов начинает новую, неочевидную операцию, чтобы расчистить пешечные завалы на ферзевом фланге и освободить дорогу ладье. Он уже наметил контуры будущего наступления.

24...ab 25.♘c:b4 ♖b7 26.a4! ba 27.♖:a4 f5 28.♖a6! ♘c8. Приходится отступать, так как активное 28...♘b5 позволяло белым фигурам подобраться к королю по беззащитной 8-й горизонтали: 29.♖a8+ ♔g7 30.♘a6 ♖c8 31.ef! (удачно выбранный момент для этого размена позволяет еще больше ослабить королевскую крепость) 31...gf 32.♖:c8

♕:c8 33.♖b1! ♖a7 34.♕:b5 ♕:a6 35. ♕b8! Поэтому Долматов перегораживает опасную магистраль конем.

29.♖a8 ♔g7. Начинается новая фаза борьбы. Белым для победы надо найти план по расшатыванию еще крепкой обороны соперника.

30.♕e2. Энергичнее 30.♕a6! ♕d7 31.ef!, заставляя побить пешкой, что ослабляет убежище короля: 31...gf 32.♕d3 ♕f7 33.♖da1.

30...fe. Это взятие разрывает пешечную цепь и создает опасность усиления господства противника на белых полях (что и произошло в итоге). Но и размен коней 30...♘e7 31.♘:e7 ♗:e7 не облегчал положения черных, поскольку ключевое поле d5 вновь занимал конь — 32.♘d5 ♗g5 33.c4.

31.♕:e4 ♕f5 32.♕e2 ♖f7 33. c4 ♗h4 34.♖f1.

34...♘e7. Согласно Дворецкому, это безусловная позиционная ошибка: «Зачем разменивать «лишнего» белого коня b4? Правда, на 34...e4!? (с идеей ♕e5-d4) много лет спустя Юрий Якович указал очень сильное возражение: 35.♖a3! (грозит ♖e3), и если 35...♗g5, то 36.f4! (не 36.f3

Ψe5) 36...♗f6 37.g4 Ψe6 38.♔h1 и Ξe3. Поэтому черным стоило ограничиться выжидательным ходом 34...♗g5!, и если 35.Ξfa1, то либо продолжить выжидательную тактику (35...h5; 35...♗h4), либо все же сыграть 35...e4, не опасаясь 36.Ξe1 ♗h4 37.Ψb2+ Ψe5 38.Ψ:e5+ de 39. g3 ♗f6 40.♘:f6 Ξ:f6 41.Ξ:e4 ♘d6 с вероятной ничьей».

На мой взгляд, сохранение связки белых коней тоже грозило черным серьезными неприятностями. Так, на 34...♗g5 35.Ξfa1 e4 36.Ξe1 ♗h4 очень сильно 37.g3 ♗d8 38. ♘c2, и «лишний» конь удачно включается в игру: 38...♗a5 39.♘ce3 Ψ:h3 40.Ψb2+ ♔g8 41.Ξa1 ♗d8 42. Ψd4. Тотальная доминация белых в центре в сочетании с активностью их ладей делает позицию черных вряд ли защитимой, например: 42...Ψe6 43.Ξ1a6! Ψe5 44.Ψ:e5 de, и внезапный отскок коня решает партию — 45.♘c3! ♗g5 46.♘:e4 ♗e3 47.♘:c5 Ξ:f2 48.♘e4! Несладко приходится черным и в случае 35... ♗h4 (вместо 35...e4) 36.g3 ♗d8 (недостаточна жертва фигуры — 36...Ψ:h3 37.gh Ψ:h4 38.♘e3 ♘b6 39.Ξ8a7) 37.h4.

35.Ξa6. Немедленное 35.♘:e7 ♗:e7 36.♘d5 позволяло черным вернуть в игру ладью, застрявшую на c5, — 36...Ξc8!

35...Ψd7? Именно это напрашивающееся решение заслуживает серьезной критики — в пассивной стойке черным не устоять. Лучшим практическим выходом была жертва пешки 35...♘:d5 36.♘:d5 e4! 37. Ξ:d6 Ψe5 38.Ξa6 Ψd4 с активизацией фигур и шансами на ничью.

36.Ψe4 ♘:d5 37.♘:d5 ♗e7 38.Ξfa1 ♗f8. Черные уже не успевают активизироваться: 38...Ψf5 39.Ψe2 ♗h4 40.g3.

39.Ψe2 Ξc6.

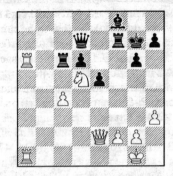

40.Ξ6a3! Способность Карпова видеть всю доску поразительна. Сдвоив ладьи по линии «a», он вдруг резко меняет направление удара и совершает неожиданный маневр, решающим образом усиливающий его позицию. Поскольку у черных нет более полезного хода, чем возвращение ладьи назад, белые выводят из игры именно ладью f7, ослабляя этим защиту короля. Другая белая ладья теперь может угрожать не только вторжением по линии «a», но и переброской на королевский фланг через a3 и f3. При этом становится заметной доминирующая роль коня d5, который не позволяет ладье c5 вовремя прийти на помощь королю, оставляя ей роль стороннего наблюдателя.

40...Ξc5 41.Ξf3! Ξ:f3 42.Ψ:f3 Ψf7 43.Ψg4 h5. Черные вынуждены пойти на это новое ослабление, чтобы уберечь монарха.

44.♕e4 ♖c8. На 44...♔h7 заканчивает сражение челночный рейд ладьи: 45.♖a3 ♗g7 46.g4! ♕d7 47.♖f3! (технический эндшпиль после 47.gh ♕f5 48.hg+ ♕:g6+ 49.♕:g6+ ♔:g6 50.♖g3+ ♔f7 51.♖g4 — слишком малая награда за столь успешную кампанию) 47...hg 48.hg ♕e6 49.♖a3! ♕f7 50.♖f3 ♕e8 (50...♕e6 51.♘f6) 51.♖f6! Ничего не меняет 44...♔h6 45.♖a8 ♗g7 46.g4!

45.♖a3 ♕f5. Предотвращая вторжение ладьи по линии «f», однако она наносит решающий удар с другого фланга. При 45...♖b8 46.♖f3 контрвторжение 46...♕b7 47.♔h2 ♕b1 неэффективно: 48.♕h4 ♕c1 49.♕f6+ ♔h7 50.♕f7+ ♗g7 51.♕c7 ♖b1 52.♖f7 ♕g1+ 53.♔g3 ♖b3 54.f3 h4+ 55.♔:h4 ♕f2+ 56.g3 с победой. После 46...♕d7 47.♖f6 ♕e8 выигрыш ферзя — 48.♘c7 ♔:f6 49.♕f3+ ♔e7 50.♘:e8 ♖:e8 дает черным надежду на построение крепости, но энергичное 48.f4! вынуждает быструю капитуляцию: 48...ef 49.♖e6 ♕f7 50.♘:f4.

А в случае, может быть, самого упорного 46...♕e6 белым не стоит ни забирать ферзя (47.♖f6 ♕:f6), ни пешку (47.♘f4 ♕f5 48.♕:f5 gf 49.♘:h5+ ♔g6 с контригрой). После 47.♕h4! e4 (47...♕b7 48.♖f6 ♗e7 49.♖:e6 ♗:h4 50.g3) 48.♖e3 ♕e5 49.♕:e4 выигрыш технически прост.

46.♖a7+ ♔h6. На 46...♔h8 решает изящный тактический удар 47.♘f6!, переводя игру в элементарно выигранный ферзевый эндшпиль: 47...♕:f6 (безнадежно и 47...♗g7 48.♕b7 ♕:f6 49.♕:c8+) 48.♕b7! ♕g7 49.♕:c8 ♕:a7 50.♕:f8+ ♔h7 51.♕:d6.

47.♕e3+ g5 48.♕e2 ♖b8 49. g4! hg?! Все-таки не следовало вскрывать линию «h». Упорнее немедленное 49...♕b1+ 50.♔g2 ♖b7 51.♖:b7 ♕:b7, хотя после 52.♕f3 ♗g7 53.gh партия переходила в эндшпиль, где черным нечего противопоставить белопольной доминации соперника.

50.hg ♕b1+ 51.♔g2.

Черный ферзь отброшен на обочину, у белых появился форпост f5 для коня, а ладье открыт маршрут a7-a3-h3. Ослабить страшный эффект этого маневра путем 51...e4 52.♖a3 ♔g6 не удается, ибо после 53.c5! черные не могут бить пешку (53...dc? 54.♕a6+!), а единственное приемлемое на вид продолжение 53...♖c8 допускает красивую заключительную атаку: 54.♕c4! ♖:c5 55.♕d4! ♗g7 56.♘e7+ ♔f7 57.♕:d6 и т.д. Поэтому стремление черных разменять ладьи логично и выглядит мерой, облегчающей их положение.

51...♖b7 52.♖:b7 ♕:b7 53. ♕f3! Выясняется, что прийти на помощь королю черный ферзь не может из-за тривиального мата: 53...♕g7 54.♕h3+ ♔g6 54.♕h5#. На доске почти не осталось фигур, но разница в силе немногочисленных армий такова, что борьба сразу заканчивается.

53...♕c8 54.♕f6+ ♔h7 55. ♕f7+. Черные сдались: на 55... ♔h8 решает 56.♘f6, а на 55...♔h6 — 56.♘e3.

В следующем туре Карпов уступил черными Рибли, и второй круг вылился в острую гонку с Тимманом. В предпоследнем туре чемпион играл с Рибли белыми и, учитывая турнирную ситуацию, жаждал немедленного реванша.

Что весьма характерно для Карпова, в итоге опять получился учебный пример накопления мельчайших преимуществ в сочетании с неумолимо усиливающимся давлением, в конечном счете ломающим волю к сопротивлению.

№ 571. *Английское начало А38*
КАРПОВ – РИБЛИ

Амстердам 1980, 13-й тур

1.c4 (и вновь подача слева!) **1... c5 2.♘f3 ♘f6 3.♘c3 ♘c6 4.g3 d5 5.cd ♘:d5 6.♗g2 g6 7.0-0 ♗g7 8.♘:d5 ♕:d5.** Карпов играл этот не лишенный яда вариант за оба цвета и прекрасно знал его тонкости.

9.d3 0-0 10.♗e3 ♗d7! Этот ход (вместо прежнего 10...♕d6), впервые встретившийся в партии Тимман – Олафссон (Амстердам 1976), заставил признать, что особых опасностей для черных здесь нет. Увидев его на доске, Карпов сразу же вспомнил ход борьбы в первоисточнике и, поразмыслив, придумал новинку (см. далее).

11.♘d4. Стоящий на d5 ферзь держит под прицелом пешку a2, не давая войти в игру белой ладье. Но согнать его с выгодой не удается: 11. ♘d2 ♕h5 или 11.♘g5 ♕e5. Интересные осложнения неожиданно быстро для столь пресной схемы могут возникнуть при 11.♖c1 b6 12.d4 cd 13.♘:d4 ♘:d4 14.♗:d5 ♘e2+ 15.♔g2 ♘:c1 16.♗:a8 ♗:b2 17.♖b1 ♗f6! 18. ♖f:c1 ♖:a8, и ситуация разрядилась (Багиров – Тукмаков, Тбилиси 1978).

11...♕d6 12.♘:c6 (12.♘b5 ♕e5) **12...♗:c6 13.♗:c6 ♕:c6 14. ♖c1 ♕e6.** Критическая позиция. Черные грозят укрепиться путем 15...b6, и белые не могут откладывать взятие пешки c5.

15.♖:c5. Нет проблем у черных при 15.♗:c5 ♗:b2 (или 15...♖:a2 16.♗:e7 ♖e8 17.♗a3 ♗:b2= Карпов) 16.♖b1 ♗g7 17.a4 ♖fd8 18.♗e3 b6 19. ♕d2 ♖d5 (Тимман – Олафссон, Амстердам 1976).

15...♕:a2. Позицию после 15... ♗:b2 16.♖b5 ♗f6 17.♕a4 Карпов считает выгодной для белых. После 17...♕d7 18.♖a5 ♕:a4 19.♖:a4 ♖fc8 20.♖b1 b6 черным, как и в партии, пришлось бы защищать худший эндшпиль.

16.♖b5!? «Новинка, пришедшая в голову во время партии» (Карпов). Она не претендует на опровержение дебютного построения, но ставит перед черными новые проблемы.

16...b6. Не лучшее решение. Более четкая дорога к уравнению — 16...♕a6! 17.♕b3 b6 18.♖b4 ♖fc8 19.♖a4 ♕b7 20.♖fa1 h5! (Эльвест — Полугаевский, Реджо-Эмилия 1991) или 18...♖fb8 19.♖c4 b5 20.♖c7 e6 21.♖fc1 h5 с неясной игрой (Андерссон — Тимман, Убеда 1997).

17.♕a1! Пользуясь тем, что при пешке на b2 поле a1 недоступно черному слону, белые хотят связать ладью a8 защитой пешки a7. Если бы эта ладья успела перескочить на 7-й ряд, то конфликт был бы исчерпан.

17...♕:a1? Стремясь «высушить» игру и побыстрей заключить мир, черные обрекают себя на мучения в позиции, где уже лучшим для них выходом будет переход в ладейный эндшпиль без пешки. Безусловно, «следовало предпочесть 17...♕e6» (Карпов) — при ферзях легче удержать такую позицию: 18.♕a4 ♖fc8 19.♖b4 ♕d5 20.♖a1 ♕h5 (К. Хансен — Сутовский, Эсбьерг 2001).

Разумеется, анализируя позицию в спокойной обстановке, можно без особого труда разобраться с несложными проблемами, поставленными ходом 16.♖b5. Но за доской найти правильный путь Золтану Рибли оказалось не под силу, хотя тогда, на пике своей карьеры, он славился тонким пониманием позиции.

18.♖:a1. Выясняется, что черным не хватает темпа, чтобы предотвратить вторжение ладьи на a6, особенно неприятное именно при

ладье на a8. Внезапно для них наступают трудные времена.

18...♖fb8. Рибли надеется на пассивную стойку, намереваясь после 19...♖b7 наконец-то увести ладью с a8. На открытой линии «c» этой ладье делать нечего: 18...♖fc8 19.♖a6! ♖c2 20.b3 ♖:e2 21.♖b:b6 (Карпов) 21...♖e1+ 22.♔g2 ♖a1 23.♖:a1 ♗:a1 24.♖a6.

19.♖a6! ♔f8 (19...♖b7 вело к потере пешки и крайне опасному слоново-ладейному эндшпилю: 20.♖b:b6! ♖:b6 21.♗:b6 ♗:b2 22.d4! e5 23.d5) **20.♖b4! ♗e5 21.♖ba4!** Точно сыграно. «На 21.b3 черные успевали защититься — 21...♗c7 22.♖ba4 ♖b7» (Карпов).

21...b5? Решающая ошибка. Теперь переход в трудный эндшпиль «пять на четыре» становится мечтой, исполнение которой зависит целиком от желания белых. По Карпову, «следовало предпочесть 21...♗:b2 22.♗:b6 ♖b7 23.♗:a7 ♖c8, и выиграть этот эндшпиль белым не так-то просто».

22.♖a2 ♖b7 23.b3! Тревожный сигнал для черных. Немедленному выигрышу пешки — 23.♖:a7 ♗:b2

24.♖:b2 ♖a:a7 25.♖:a7 ♖:a7 26.♖:b5 Карпов предпочел позиционное давление, продолжая изнурять соперника.

23...♗b8 24.♗c5 (теперь у черных отнята и линия «с») **24...♔e8 25.d4 ♔d7 26.e4!** Карпов: «Достаточно ответственное решение, требующее далекого расчета вариантов. После 26.d5 можно было вынудить черных перейти в ладейный эндшпиль — 26...♗d6 27.♗:d6 ed, который выглядит совершенно выигранным для белых». Но им справедливо хотелось большего.

26...e6 (черному слону уже не встать на d6) **27.b4 ♔c8.**

28.d5! Карпову «не по душе было 28.♔g2 ♖d7 29.♖6a5 ♗d6! 30.♖:b5 ♗c5 31.♖:c5+ ♔d8!, и король белых не успевает защитить далеко выдвинутые пешки». Действительно, в ладейном эндшпиле после 32.d5 ed 33.♖:d5 ♖:d5 34.ed у черных появляется проблеск надежды: 34...a6 35.♔f3 ♖b8 36.♖:a6 ♖:b4.

28...ed 29.ed ♖d7 (нет 29...♗e5? из-за 30.♖e2 Карпов) **30.d6 ♖d8.** Фигуры черных запатованы, и теперь в дело вступает белый король.

31.♔g2 ♔d7. «В случае пассивной защиты — 31...♗b7 белые должны выиграть прорывом короля через королевский фланг: 32.♔f3 ♖e8 33.♔f4 h6 34.h4 и т.д.» (Карпов). Например: 34...♔c8 35.♖2a5 ♔b7 36.h5 gh 37.♔f5 ♖e6 38.f4 ♔g6 39.♖a3 ♔c8 40.♖d3 ♔d7 41.♖e3+−.

А на 31...♖e8 возможно 32.d7+ ♔:d7 33.♖f6 (Карпов), и хотя черные могут несколько осложнить задачу соперника путем 33...a5! 34.ba ♖e5 35.♗b4 ♔e8, все равно белые близки к победе: 36.♖b6 ♗a7 37.♖b7. Впрочем, не стоит переоценивать значение активизации черной ладьи: 32.♔f3!? ♖e6 33.♖2a5 ♔b7 34.♔f4 h6 35.h4 — как и в варианте с 31...♔b7, белый король прорывается во вражеский лагерь (35...♖e1 36.h5).

32.♖e2! Выигрывало и 32.♖2a5 ♔e6 33.♖:b5 ♖d7! 34.♖ba5! (Карпов рассматривает только 34.♖a2 ♗:d6, и «позиция выглядит не так ясно») 34...♗:d6 35.♗:a7, но ходом в партии белые не дают сопернику нормально развязаться.

32...♔c8 (в случае 32...♖e8 33.♖:e8 ♔:e8 34.♔f3 — Карпов — 34...♔d7 35.♔e4 ♔e6 36.g4 на армию черных жалко смотреть) **33.♖e7 ♖d7.**

34.Дa2! Решающий перевод ладьи, тогда как неосторожное 34.Дc6+? Крb7 35.Д:d7+ Крc6 36.Д:f7! (36.Дd8 a5 Карпов) 36...a5! давало черным хорошие шансы на спасение: 37. Д:h7 Д:d6 38.С:d6 Крd6 39.ba Д:a5 40.Дg7 b4 41.Д:g6+ Крc5.

34...a5 (34...Крd8 35.Сb6+; 34... С:d6 35.Д:d7 Крd7 36.Дd2) **35.Дc2.** Черные сдались. Легкость, с какой Карпов обыгрывал лучших гроссмейстеров мира в совершенно безобидных на вид позициях, до сих пор производит впечатление.

Финишная победа над Ларсеном расставила все точки над «i»: 1. Карпов — 10 из 14 (+7—1=6); 2. Тимман — 9; 3. Сосонко — 8; 4. Горт — 7,5; 5—6. Долматов и Рибли — по 7.

Немалый резонанс вызвала и вторая подряд победа чемпиона на осеннем супертурнире в Тилбурге. Для начала он во 2-м туре обыграл черными Рибли — реванш так реванш! В 3-м неожиданно уступил белыми Ларсену (№ 430), а затем «в гневе» нанес поражения Тимману, Хюбнеру, Андерссону и Спасскому! Против экс-чемпиона мира Карпов вновь извлек из запасников неувядаемую атаку Кереса.

№ 572. Сицилианская защита В81
КАРПОВ — СПАССКИЙ
Тилбург 1980, 9-й тур
1.e4 c5 2.Кf3 e6 3.d4 cd 4.К:d4 Кf6 5.Кc3 d6 6.g4 h6 (6...Кc6 — № 539; 6...Се7 — № 560) **7.h4.** Потом Карпов перешел на 7.Дg1 (№ 578), а от продолжения 7.g5 hg 8. С:g5 отказался после двух партий с Андерссоном (Скара 1980; Бугойно 1980), где черные уравняли шансы

путем 8...Кc6 9.Фd2 Фb6 10.Кb3 a6 11.0-0-0 Фc7 с дальнейшим Сd7, Се7, 0-0-0, Крb8, Сc8 и Кg8!?

7...Кc6 8.Дg1 d5!? «Наиболее принципиальное продолжение, если черные стремятся к активной борьбе за центр. Уже следующим ходом белые отбрасывали бы пешкой «g» коня с f6» (Карпов).

Чаще применялся другой выпад — 8...h5. В 1-й партии матча 1984/85 года Карпов сыграл 9.gh, и после 9... К:h5 10.Сg5 Кf6 11.Фd2 Фb6 12. Кb3 Сd7 13.0-0-0 a6 (схема, аналогичная той, что применял Андерссон, — см. выше) мне удалось благополучно решить дебютные проблемы (подробнее об этом в 7-м томе).

А 9.g5 Кg4 10.Се2 наталкивается на контрудар 10...d5! Его придумал венгерский гроссмейстер Андраш Адорьян, славящийся своим интересным игровым почерком и еще больше — оригинальными находками во многих дебютах. Мы вместе с ним анализировали эту идею перед моим первым матчем с Карповым; ее жизнеспособность подтвердила одна из партий Андраша: 11.К:c6 bc 12.С:g4 hg 13.Ф:g4 d4 14.Кe2 e5! (Шнапик — Адорьян, Дортмунд 1984).

9.Сb5 Сd7 10.ed К:d5 (на 10...ed достаточно хорошо 11.Фe2+ Се7 12.Се3 a6 13.Сd3) **11.К:d5 ed.** Упрощения типа 11...К:d4 12. С:d7+ Ф:d7 13.Ф:d4 Д:d5 14.Ф:d5 ed после 15.Се3 приводят к скучной позиции, где черным трудно проявить какую-либо активность. Наверное, они могут защититься, но зачем играть такую дебютную схему?

12.<u>.</u>e3! «Развитие — прежде всего! Еще одна заманчивая возможность — 12.♕e2+, что после 12...♕e7 13. <u>.</u>e3 ♘:d4 14.<u>.</u>:d7+ ♔:d7 15.<u>.</u>:d4 вело к некоторому перевесу белых, однако при 12...♕e7 13.♘f5 <u>.</u>:f5 14. gf ♔f8 позиция не представлялась мне столь уж ясной» (Карпов).

12...<u>.</u>e7. Рискованным выглядит 12...♕:h4 13.♕d2! (по-моему, лучший ход, не допускающий упрощений) 13...<u>.</u>e7 14.0-0-0. А вот после предварительного 12...a6! 13. <u>.</u>a4 пешка может оказаться вполне съедобной: 13...♕:h4 14.♕f3 ♕e7 15.0-0-0 ♕e4 16.♕g3 0-0-0 17.♘:c6 <u>.</u>d6! 18.♕:d6 <u>.</u>:c6 19.♕g3 ♕:a4.

13.♕d2. «Возможно было и 13.♕e2, пытаясь использовать открытое положение черного короля. Правда, и тогда белые также подвергаются опасности по незащищенной диагонали a5-e1, а при случае и по линии «e». Черные имели бы выбор между 13...♕a5+ 14.c3 ♘:d4 15.<u>.</u>:d7+ ♔:d7 16.<u>.</u>:d4 ♖he8 и 13...0-0 14.0-0-0 ♕a5, что после 15.<u>.</u>:c6 bc 16.♔b1 выглядит перспективнее для белых» (Карпов).

Однако, на мой взгляд, после 16... <u>.</u>:h4 белым надо изрядно потру-

диться, чтобы доказать наличие компенсации за пешку (скажем, 17. f4 ♖fe8 и т.д.). Вместо 15.<u>.</u>:c6 можно сразу играть 15.♔b1, но после 15...♘:d4 16.<u>.</u>:d4 ♕b5 17.♕:e7 ♖fe8 18.♕a3 ♖ac8 черные стоят надежно (19.g5?! h5, и объектом контратаки становится пункт c2).

А на 13.♕f3 0-0 14.<u>.</u>:c6 bc 15.g5 жертвой пешки 15...h5! 16.♕:h5 ♕a5+ 17.c3 ♖ab8 черные перехватывают инициативу.

13...<u>.</u>:h4?! «Прежде, помнится, Спасский на подобные пешки даже не смотрел, но времена меняются, и любовь к лишним пешкам появляется и у таких шахматистов, как Спасский. Впрочем, желание черных избавиться от одной из нависших над их позицией пешек определяется стремлением уйти королем на свой фланг, что сразу опасно: 13...0-0 14.♘f5 <u>.</u>f6 15.0-0-0, и черным трудно парировать угрозы» (Карпов). И впрямь, уже проигрывает 15...d4? из-за 16.<u>.</u>:h6 gh 17.♕:h6.

Однако один из крупнейших знатоков схевенингенских схем Ульф Андерссон (в последние годы играющий больше в заочных турнирах) нашел остроумную защиту 14...d4!, после чего в осложнениях 15.<u>.</u>:h6 <u>.</u>b4 16.c3 dc 17.bc ♘e5! 18.<u>.</u>e2 ♖e8 19.♔f1 <u>.</u>f8 20.<u>.</u>f4 ♕a5 черные получили отличную компенсацию за пожертвованную пешку (Тиммерман — Андерссон, по переписке 1995—97).

Ход в партии полностью отдает инициативу белым.

14.0-0-0 <u>.</u>f6?! Разгрузка 14... ♘:d4 15.<u>.</u>:d7+ ♕:d7 16.<u>.</u>:d4 0-0 чревата опасностью угодить под разгромную атаку: 17.♖h1! ♕d8 18.♖dg1! ♗f6 19.g5 ♗:d4 20.♕:d4 (20.gh? ♕b6! 21.c3 ♗:f2) 20...hg 21.♕d3 f5 22.♖h5 ♕d7 23.♖h:g5 ♖f7 24.♕h3+–.

Мне кажется, лучшим решением (как и на предыдущем ходу) была рокировка. Конечно, после 14...0-0 грозно выглядит 15.g5. Теперь на 15...♘:d4 сильно 16.♕:d4!, и уже проигрывает и 16...♗:b5? 17.gh ♗f6 18.♖:g7+ ♔h8 19.♕f4 ♗d7 20.♗d4, и 16...♗:g5? 17.♗:d7 ♕:d7 18.f4. А в случае 16...hg 17.♗:d7 ♕:d7 18.♗:g5 ♗:g5 19.♖:g5 f6 20.♖h5 атака белых очень сильна. Осторожнее 15...hg, и на 16.♗:g5 ♗:g5 17.♖:g5 не 17... ♘:d4? из-за 18.♖:g7+! ♔:g7 19.♕:d4+ f6 20.♖g1+ ♔f7 21.♕:d5+ ♗e6 22. ♕:b7+ ♕e7 23.♖g7+, а 17...♕f6 – тут вся борьба впереди. Более неприятным может оказаться 15.♘f5 и далее 15...d4 16.♗:c6 de 17.♕:e3 bc 18.♘:h4 ♕:h4 19.♖:d7 – здесь от черных потребуется кропотливая защита.

15.♘f5!? Развивать инициативу совсем не просто – на королевском фланге у черных нет слабостей, а кроме того, там еще нет короля! С одной стороны, ход конем хорош, так как белые открывают линию «g», практически исключая короткую рокировку черных (да и на ферзевом фланге король не будет в безопасности); вдобавок белые готовы забрать пешку d5. С другой стороны, разменивается одна из главных атакующих фигур, а платой за вскрытие линии «g» становится утрата возможности пешечного штурма.

От очевидного 15.f4 Карпов отказался, не найдя четкий перевес после 15...♕a5 16.♕:a5 ♘:a5 17.♗:d7+

♔:d7, и только после партии обнаружил, что «путем 18.♘f5! получал прекрасные перспективы». Компьютерная проверка показала, что Карпов прав: 18...♔c6 19.♗d4 ♗:d4 20.♖:d4 к выгоде белых. Не лучше и 15...♕c7 16.g5 hg 17.fg ♗e5 18.♘f3 0-0-0 19.♗:c6 ♗:c6 20.♘:e5 ♕:e5 21. ♗:a7. Во избежание худшего черным вновь следует перейти в эндшпиль – 21...♖h2 22.♗d4 ♖:d2 23.♗:e5 ♖:d1+ 24.♖:d1, но и здесь им предстоит крайне неприятная защита.

15...♗:f5. Рокировать уже не удается: 15...0-0? 16.♘:h6+! gh 17.g5! ♗e5 18.f4 ♗c7 19.gh+ ♔h8 20.♕:d5 ♕e7 (20...♗e6 21.♕g2!) 21.♗c5 ♗:f4+ 22.♔b1 ♕e5 23.♗:f8+–.

16.gf a6. Спасский намеревается сберечь пешку «d» как компенсацию за переживаемые трудности. Переход в окончание – 16...♕d7!? 17.♕d5 ♕:d5 18.♖:d5 a6 давал шанс добиться уравнения при 19.♗:c6+ bc 20.♖d6 ♖c8 благодаря проходной «h» (21.♖e1 ♔f8 22.♖d7 h5 23.♖a7 h4 24.♖:a6 h3). Но путем 19.♗a4! b5 20. ♗b3 ♘e7 21.♖d3 ♘:f5 22.♗c5 ♖c8 23. ♖e1+ ♘e7 24.♗d6 Карпов мог сохранить двух слонов, инициативу и реальные шансы на успех.

17.♗:c6+? Странный размен: пешечный бастион черных в центре укрепляется, и у них появляется реальная возможность укрыть короля на c7 или c8, а линию «b» использовать для контратаки.

«Всегда жалко отдавать такого слона, но белые не имеют времени, чтобы отводить его, ибо тогда вперед устремлялась пешка «d», а король черных спокойно уводился на f8 и по возможности на g8», — объясняет Карпов. Здесь он слишком неконкретен. При таком развитии событий вне игры надолго оказывается ладья h8 и очень активизируются оба белых слона: 17.♗a4! b5 (сейчас 17...♕d7 слабее, чем на предыдущем ходу, поскольку помимо 18.♕:d5 очень неприятно 18.♗b6! ♕:f5? 19.♕b4) 18.♗b3 d4 19.♕e2. Теперь как при 19...♔f8 20.♕h5 ♕e7 21.♗f4 ♖d8 22.♖ge1, так и после 19...♕e7 20.♕f3 ♖c8 21.♗f4 ♘e5 22.♕g3 у белых грозная инициатива.

17...bc 18.♗c5. Защищенность пешки d5 позволяет черным в случае 18.♗d4 строить оборону при активном участии короля: 18...♗:d4 19.♕:d4 ♕f6 20.♕c5 (20.♕b4 ♔d7! 21.♕b7+ ♔d6!) 20...♔d7! 21.c4 ♖hb8! 22.♖d2 ♕e7 23.♕d4 ♕f6 24.♖:g7 ♕:d4 25.♖:d4 ♔e7 26.cd cd 27.♖:d5 ♖b5 со скорой ничьей.

18...♖b8 19.b4!? Остро и интересно сыграно; для поддержания ускользающей инициативы белые решаются отдать свой главный козырь — надежное прикрытие короля. При спокойном 19.b3 ♖b5 20.♗d4 черные держат позицию простыми средствами: 20...♗:d4 21.♕:d4 ♕f6 22.♖ge1+ ♔f8 23.♖e5 ♖b8

(в случае 23...♔g8 24.♖e8+ ♔h7 25.♕:f6 gf 26.♖e7 ♖f8 27.♗c7 ладейный эндшпиль все же к выгоде белых) 24.♖g1 (24.♖de1 ♔g8) 24...h5!? с неясной игрой (25.♖ge1 ♔g8 и т.д.).

19...♖b5? Двигая вперед пешку b2, Карпов считал, что соперник обязан жертвовать качество. Но это не так — самое худшее для черных было уже позади, и ход 19...♗d7! это подчеркивал. Убежища обоих королей плохи, и белые также должны быть осторожны, например: 20.♕e2? a5 21.c4 ab! 22.cd ♕a5! 23.dc++ ♔c8 24.♔b1 b3 25.a3 ♖b5, и черные переходят в атаку. Сильнее 20.c4 ♔c7 21.cd cd 22.♕d3! — белые всё еще владеют инициативой, но исход борьбы в этой обоюдоострой позиции трудно предсказать.

20.♖ge1+ ♔d7 21.c4 ♖c5 22.bc.

22...♖g5? Эта роковая ошибка — результат переоценки собственных шансов. Внешне рискованный ход 19.b4, вероятно, раззадорил Спасского, и он решил наказать зарвавшегося соперника. Карпов тоже весьма оптимистично оценивал свою позицию и наиболее подходящим ответом считал 22...♕b8, на что наметил 23.cd! (23.f4?! ♚c8! 24. cd cd 25.♖e2 ♖d8 с обоюдными шансами) 23...♖g5 24.♖e3, «и черные должны искать спасение после 24... ♗:e3 25.fe ♕e5 26.dc++ ♚:c6 27. ♕d7+ ♚:c5 28.♕a7+ ♚b5». Здесь спасения уже нет: 29.♕b7+ ♚c5 30. ♖d2! ♕a1+ 31.♚c2 ♕:a2+ 32.♚d1 ♕a4+ 33.♖c2+ ♚:d6 34.♕c7+ ♚d5 35.♕c5+ ♚e4 36.♚e2! ♕b5+ 37. ♖c4+. Не так катастрофичны последствия 25...♖d8 26.dc++ ♚e7, но в ферзевом эндшпиле черным придется очень тяжело: 27.♕c2 ♖:d1+ 28.♕:d1 ♕c7 29.♕d5 h5 30.♚d2.

Возможность серьезно затруднить задачу противника у черных все же была — 22...♕f8! На вынужденное 23.♕b4 они могут перевести игру в эндшпиль: 23...♕b8 24. ♕:b8 ♖:b8 25.cd ♖b5 (или 25...a5 26. ♖e4 cd 27.♖:d5+ ♚c6 28.♖d3 ♚:c5 29.♖a4!) 26.dc++ ♚:c6 27.♖d6+ ♚c7 28.♖:a6 ♖c5+ 29.♚d1 ♖:f5 30.♚e2, и выиграть белым еще не просто.

23.f4 ♕f6! На этот неожиданный выпад возлагал свои надежды Спасский. Теперь перерезать диагональ естественным путем нельзя: 24.♖e5? ♕:e5! 25.fe ♗:d2 26.♖:d2 ♖e8, и белым нелегко даже спастись. Но...

24.cd! Видимо, Спасский недооценил именно это взятие, издалека рассчитывая на 24.fg? ♕a1+ 25. ♚c2 ♕:a2+ с выигрывающей атакой: 26.♚d3 ♕:c4+ 27.♚e3 hg! или 26.♚c1 ♕a1+ 27.♚c2 ♕a4+ 28.♚c1 ♖b8! Он обнаружил просчет слишком поздно. Хотя логика борьбы должна была подсказать ему, что победные для черных варианты

здесь случайны, и их следует внимательно проверить, прежде чем основывать на них свои решения.

24...♕a1+ 25.♚c2 ♕:a2+ 26. ♚d3 ♕:d2+. Упорнее 26...♕b3+ 27.♕c3 ♕b5+ 28.♚c4 ♗h4, но после 29.♖g1 ♗f6 30.d6 выигрыш белых — вопрос времени.

27.♖:d2 ♗:f4 28.♖a2! Заканчивает борьбу. Угроза d5-d6 не дает возможности защитить пешку a6, после чего страшную активность проявляют обе белые ладьи и король.

28...cd 29.♖:a6 h5 30.♚d4 h4 31.♚:d5 ♖b8 32.f6 gf 33. ♖:f6 ♗g3 34.♖:f7+ ♚d8 35.♖f8+. Черные сдались. Эффект от этой партии был таким, что 8...d5 на время исчезло из практики и к продвижению d6-d5 в схожих ситуациях стали относиться с большим подозрением.

Финишная ничья с Талем обеспечила чемпиону новый успех: 1. Карпов — 7,5 из 11 (+5−1=5); 2. Портиш — 7; 3. Тимман — 6,5; 4−5. Сосонко и Спасский — по 6; 6. Таль — 5,5.

На фоне этих почти непрерывных побед лишь легким облачком пробежали дележ 4—5-го мест на турнире в Буэнос-Айресе и проигрыш белыми Тимману в остром варианте сицилианской защиты. Здесь Ларсен и Тимман наконец-то добились своей заветной цели — опередили чемпиона мира, заняв первые два места.

Сразу же после этого Карпов возглавил команду СССР на олимпиаде (Мальта, ноябрь—декабрь 1980) и показал результат +6=6. Я был тогда вторым запасным, и мы с огромным трудом, лишь по дополнительным показателям, опередили сильную команду Венгрии. Поистине золотой стала финишная партия Карпов — Якобсен, отложенная в непростом ладейном эндшпиле и четко доведенная до победы нашим лидером при доигрывании.

В 1981 году, накануне очередного матча на первенство мира, когда уже выяснилось, что его соперником вновь будет Корчной, чемпион играет сначала в матч-турнире четырех сборных команд СССР (здесь я впервые сразился с ним один на один: итог — две боевые ничьи), затем в трех крупных турнирах: Линарес (1—2. Карпов и Кристиансен — по 8 из 11; 3. Ларсен — 7), Москва (1. Карпов — 9 из 13; 2—4. Каспаров, Полугаевский и Смыслов — по 7,5) и Амстердам (1. Тимман — 7,5 из 11; 2—3. Карпов и Портиш — по 7).

Судя по количеству побед, а главное — по их качеству и стилевому разнообразию, 30-летний Карпов обрел оптимальную форму и выглядел фаворитом предстоящего сражения за корону.

«ЛЕГКИХ МАТЧЕЙ НЕ БЫВАЕТ»

Матч в Мерано (осень 1981), в отличие от Багио, Карпов вспоминает «с нежностью и удовольствием: природу, людей, непревзойденную организацию соревнования, да и победа была красивая, безоговорочная, быстрая...» Однако тогда, сразу после победы, он заявил: «Матч, хотя и получился коротким, потребовал и напряжения, и серьезных нервных перегрузок. Он был практически без коротких ничьих: во всех партиях, кроме 17-й, борьба шла до «голых» королей. Поэтому матч надо назвать тяжелым — собственно, легких матчей на первенство мира и не бывает».

Подготовка чемпиона мира носила небывало всесторонний и фундаментальный характер. Рассказывает Игорь Зайцев:

«За три года, отделявшие Багио от Мерано, увеличилось число желающих помогать нам в работе. И дело тут вовсе не в настрое за Карпова и против Корчного — само участие в аналитической подготовке к состязаниям высшего ранга считалось весьма престижным *(а зачастую бывало и обязательным. — Г.К.).* Да и я, в качестве старшего тренера чемпиона мира, всячески способствовал тому, чтобы максимально расширить круг добровольных помощников. Мне казалось, что даже непродолжительное шахматное общение с новыми людьми обогащает стиль Карпова, делает его более универсальным и эластичным.

Тем самым обеспечивалась и преемственность взглядов, крайне важная для любого большого шахматиста: ему в процессе становления необходимо пропустить через свое восприятие все ступени развития многовековой шахматной мысли. По сути, налаживание такой преемственности знаний — основа всей тренерской работы. Это и есть залог многолетней турнирной стабильности профессионала, тогда как пробелы в знаниях порождают кризис и неудачи.

Непосредственно перед Мерано ядро тренерской группы осталось прежним. Секундантами вновь были заявлены мы с Балашовым, но в генеральной прицельной аналитической подготовке активно участвовали Таль, Полугаевский (они тоже поехали в Мерано), Геллер и Ваганян. В разное время к нам присоединялись Убилава, Михальчишин, Цешковский, Капенгут, Кимельфельд, Лепёшкин и Розенберг, а один из сборов посетил и творческий сподвижник Фурмана, старейшина отряда советских теоретиков Георгий Борисенко, к которому все мы, начиная с Карпова, отнеслись с особым почтением.

Ожидая серьезного противостояния в дебюте, мы постарались учесть уроки Багио и на сей раз припасли великое множество крупных и мелких теоретических сюрпризов (хотя, как потом выяснилось, далеко не все идеи были доведены до нужных кондиций). Видимо, уповая на это, Анатолий в последний предматчевый год больше занимался общественными делами, а поскольку тренерская бригада состояла в основном из действующих шахматистов, регулярно отъезжавших на различные соревнования, мне иногда приходилось бывать на сборах чуть ли не в гордом одиночестве.

В один из таких неурочных январских дней 1981 года на сбор вдруг нагрянуло высокое начальство в лице председателя Спорткомитета Павлова и завсектором по спорту ЦК КПСС Грамова. Увидев столь странное запустение, они начали доброжелательно, но весьма настойчиво и придирчиво расспрашивать меня о ходе подготовки. Но когда я извлек наши шахматные записи, которые для непосвященных были как китайская грамота, то уже сам внушительный вид толстенных амбарных книг, испещренных многочисленными вариантами, заметно их успокоил.

Вообще слухи о том, будто всех нас в период матчей с Корчным держали под каким-то особым колпаком, не соответствуют действительности: никаких строгостей и накачек не было и в помине.

Основной, предотъездный сбор проходил в латвийском Плявинясе на берегу живописного лесного озера. Здесь нам удалось и плодотворно поработать, и хорошо отдохнуть, набраться физических сил.

Осенняя Италия встретила нас солнечной мягкой погодой и настойчивыми атаками темпераментных журналистов. Нашу делегацию разместили в удобном трехэтажном коттедже, где, к общей радости, был даже бассейн. Правда, когда здание прогрелось, изо всех щелей по дому стали расползаться отвратительные черные раки — скорпионы! Это было настоящее потрясение. Вести вдумчивый анализ в таких условиях было по меньшей мере дискомфортно. Что за напасть — в Багио нас преследовали землетрясения и тайфуны, а здесь достали эти твари! К счастью, нам объяснили, что они ядовиты только в мае. И мы понемногу успокоились, хотя скорпионы оставались при нас до самого конца матча...

Как и положено в таких матчах, по ночам шел интенсивный анализ — особенно если к утру позарез надо было расколоть какую-нибудь дебютную шараду или найти оптимальное решение в отложенной позиции. Последнее, не в пример Багио, случалось лишь четырежды — во 2, 4, 5 и 8-й партиях.

Сейчас уже все привыкли к тому, что партия заканчивается в один присест. Однако матчи тех лет еще игрались с откладыванием после сорока ходов. Это имело свои плюсы: именно в ходе работы над неоконченными поединками совершенствовалось искусство анализа. Но какая же адская, в основном ночная, нагрузка ложилась на плечи тренеров!.. Изучая специфику партий с доигрыванием, я еще перед Мерано установил, что откладывание, как и право выступки, является небольшим, но несомненным преимуществом белых: они могут первыми воспользоваться — или, по обстановке, не воспользоваться — своим правом записать ход! Об этом наблюдении я сообщил Карпову, надеясь, что оно ему пригодится. Позже именно из-за этого дополнительного козыря белых я воспринял отмену доигрывания как логичный и справедливый акт.

Легко просчитать, что в безлимитном матче всегда выгодно в 1-й партии иметь белый цвет. Поэтому, отправляя Карпова на жеребьевку, мы напутствовали его как привередливые грибники: «Бери только белые!» Но вышло наоборот...»

Белый цвет в 1-й партии выпал Корчному, однако ему это не помогло. Карпов очень уверенно разыграл систему Тартаковера—Макогонова—Бондаревского в ферзевом гамбите: не побоялся пойти на позицию с висячими пешками с5 и d5, своевременно разменял неприятельского чернопольного слона (путем ♘f6-h5:g3), а после ошибки белых на 24-м ходу с большим эффектом осуществил типовой прорыв d5-d4 и добился отличной победы. Геллер: «После этого на стороне чемпиона оказалось серьезное психологическое преимущество».

Во 2-й партии Корчной попытался удивить соперника редкой защитой в испанской партии, но в итоге получил несколько худшую позицию без реальной контригры — конек Карпова! «Он полностью переиграл соперника в позиционной борьбе. Стало ясно, что защита претендента — некогда сильное его оружие — дает трещины, не выдерживает планомерного, хотя и внешне неторопливого наступления чемпиона. Необходимо отметить то исключительное взаимодействие, которое в этой партии наладили между собой белые фигуры», — пишет Геллер, который семь лет назад, если помните, был не в восторге от стиля Карпова.

После ничьей в 3-й партии Карпов выигрывает в тонкой позиционной манере еще и 4-ю, где снова, как и в 6-й партии московского матча (1974), встретилась русская партия. Но в Москве дело кончилось быстрым разгромом, а в Мерано после своего 22-го хода чемпион, «если бы не введенная Корчным процедура предложения ничьей через арбитра, не возражал бы разделить очко пополам». Однако в этот момент претендент избрал сомнительный план, и его позиция стала ход от хода ухудшаться...

Всего четыре партии — и уже три из шести необходимых побед! Балашов: «Почти никто не мог угадать ходы Карпова — это свидетельство его хорошей формы». Таль: «Половину дистанции Карпов пробежал с космической скоростью!»

В те дни Виктор Львович начинает жаловаться на плохое самочувствие — он убежден, что это неспроста и что, мол, советские чем-то его облучают. А вот что говорит ныне по этому поводу тогдашний пресс-атташе советской делегации Александр Рошаль:

«О каком-либо воздействии на Корчного мне ничего неизвестно. В Мерано с нами был серьезный ученый-психолог Кабанов. Он долго расспрашивал меня, как вел себя в Багио Зухарь. Когда я ему рассказал, кем возомнил себя наш доктор, Кабанов улыбнулся: «Ну, со мной-то этого быть не может». Но уже через пару недель он попросил меня собирать вырезки из статей в иностранной прессе, где бы упоминалась его фамилия. Не знаю, может, ему это надо было для отчета...

Сопровождение у нас, как и в Багио, было и впрямь многочисленным — однако не для устрашения противника, а для нужд в основном технического характера: безопасность, защита от «прослушки» и т.д. В Мерано всё было гораздо проще,

чем на Филиппинах. Корчной уже «возвращался с рынка», и всем было ясно, что Карпов выиграет матч. Другое дело, когда после ряда побед Карпов проиграл 6-ю, а впоследствии и 13-ю партию, в Спорткомитете слегка переполошились (а вдруг повторится Багио?!) и засуетились — активизировали московскую «группу поддержки», обратились с запросами к гроссмейстерам...

Пресс-атташе делегации претендента Эмануил Штейн вспоминал потом в интервью, будто бы я сказал ему при встрече: «Мы вас уничтожим!» Дословно не помню, но я действительно мог ему пообещать, что мы сотрем их в порошок. В этом была не просто уверенность, а абсолютная убежденность в нашей победе. Помню, еще я сказал ему: «Сегодня разница в силе игры между Корчным и Карповым такая же, как между тобой и мной!» (между прочим, несмотря на «войну лагерей», у меня со Штейном были вполне корректные отношения).

Но Корчной зачастую искал причину своих поражений вне себя, оправдывал их вмешательством неких потусторонних сил или просто случайностью, везением соперника... Как-то Виши Ананд сказал мне: «Я выиграл у него всухую порядка пятнадцати партий, и после каждой из них он сообщал мне, что я не имею понятия о шахматах». Такая привычка встречалась и у других великих шахматистов, но у Корчного, на мой взгляд, она доходила до крайностей.

Поэтому, говоря о «секретном облучении», Виктор Львович себе льстит: ничего такого не было и в помине. И если Багио вспоминается мне, как одно из самых захватывающих и драматичных событий, то Мерано скорее ассоциируется с солнечной осенью, поездкой в Венецию и т.п. Здесь мы могли позволить себе совершенно иной, не столь замкнутый и монотонный образ жизни».

После провального старта Корчному все-таки удалось прийти в себя — сделать несколько ничьих и даже одержать неплохую победу (№ 524), но в 9-й партии его настиг очередной мощнейший удар.

Зайцев: «Три тяжелых стартовых поражения Корчного отнюдь не носили дебютного характера: Карпову удавалось переигрывать своего соперника в более поздних стадиях. Зато три последующие его победы были в немалой степени связаны с домашней подготовкой. В первую очередь это чисто карповская задумка из 9-й партии, памятная многим по маневру 11...♘h5! Здесь явственно виден каллиграфический почерк чемпиона мира».

№ 573. Ферзевый гамбит D53
КОРЧНОЙ – КАРПОВ
Матч на первенство мира,
Мерано (м/9) 1981

1.c4 e6 2.♘c3 d5 3.d4 ♗e7 4. ♘f3 ♘f6 5.♗g5 h6 6.♗h4 0-0 7.♖c1 dc! Одна из самых ценных новинок в матче. Последующая практика показала, что взамен временной уступки в центре черные получают возможность удобно развить фигуры ферзевого фланга.

8.e3. Уравнивают шансы черные и при 8.e4 ♘c6! (суть задумки с

7...dc) 9.e5 (в пользу черных 9.♗:c4? ♘:e4 10.♗:e7 ♘:c3 11.♗:d8 ♘:d1 12.♗:c7 ♘:b2) 9...♘d5 10.♗:e7 ♘c:e7 11.♗:c4 ♘:c3 12.bc b6 (Тукмаков – Белявский, Тилбург 1984).

8...c5 9.♗:c4 cd 10.ed. На 10.♘:d4 к равной игре ведет 10... ♗d7!, например:

1) 11.♗e2 ♘c6 12.♘b3 ♘d5 13. ♗:e7 ♘c:e7 14.♘:d5 ♘:d5 15.♕d4 ♗c6 16.♗f3 ♘e7 (Корчной – Карпов, Мерано(м/17) 1981);

2) 11.0-0 ♘c6 12.♘b3 ♖c8 13.♗e2 ♘d5 14.♗:e7 ♘c:e7 15.♘:d5 ♘:d5 16.♖:c8 ♕:c8 17.♕d4 ♕b8 18.♗f3 ♘f6 19.♘c5 ♗b5 20.♖d1 b6 (Карпов – Каспаров, Москва(м/23) 1984/85);

3) 11.♗g3 a6 12.e4 ♘c6 13.♘b3 b5 14.♗d3 b4 15.♘a4 ♘e5 16.♗:e5 ♗:a4 (Иванчук – Гельфанд, Дортмунд 1997).

10...♘c6 11.0-0. Любопытно, что схожая позиция, только с ладьей на e1, получилась — причем из другого дебюта! – в 11-й партии второго матча Карпов – Каспаров (1985), и тот самый лишний темп, позволивший ладье стоять на e1, сыграл решающую роль (об этом в 7-м томе).

11...♞h5! Важная деталь дебютной конструкции черных. После размена чернопольных слонов их кони полностью контролируют поле d5.

12.♗:e7 ♞:e7 13.♗b3?! Столкнувшись с сильной новинкой, белым стоило свернуть игру и уже дома поискать более эффективную реакцию на 7...dc или даже критически взглянуть на достоинства хода 7.♖c1. «У меня создалось впечатление, — пишет Карпов, — что здесь Корчной понял, что он не извлек никакого перевеса из белого цвета и проиграл дебютное сражение, но как бы по инерции продолжал искать пути к игре на выигрыш. Именно поэтому он и воздерживался от упрощений, неизбежных после d4-d5».

Вскрытие центра 13.d5 ed 14. ♞:d5 ♞:d5 15.♛:d5 (или 15.♗:d5 ♞f4 16.♗e4 ♗e6) 15...♛:d5 16.♗:d5 не мешает черным завершить развитие: 16...♞f4 17.♗c4 ♗e6 18.g3 ♖ac8 со скорой ничьей (Ульман — Кураица, Сараево 1982).

13...♞f6 14.♞e5 ♗d7 15.♛e2 ♖c8 16.♞e4?! С этого момента позиция Корчного начинает с каждым ходом ухудшаться. «Белые не могут найти четкий план и упускают из виду, что каждый размен легких фигур потенциально ослабляет пешку d4» (Карпов).

Добавим к этому, что при тяжелых фигурах изолированная пешка — всегда и только слабость. Но главная проблема белых в том, что им очень непросто «найти четкий план» — такой, который не приведет в конечном счете к тому же размену легких фигур и всё более явной слабости пешки d4. Например, 16.♖fe1 ♖c7!? (Карпов; но не 16... ♗c6? 17.♞:f7 ♖:f7 18.♛:e6) 17.♖cd1 ♗c6, и здесь уже белым невыгодно 18.♞:f7 ♖:f7 19.♗:e6 ♞ed5, а после 18.♞b5 ♗:b5 19.♛:b5 ♞ed5 гораздо легче угадывать следующие ходы черных.

16...♞:e4 17.♛:e4. На 17.♖:c8 ♛:c8 18.♛:e4 есть известный метод игры: 18...♗c6! 19.♞:c6 ♛:c6 20. ♛:c6 bc! 21.♖d1 ♖b8!, давая понять, что от слабой пешки d4 уже трудно избавиться. «Черный конь способен и надежно защищать свою пешку, и атаковать неприятельскую пешку d4, в то время как функции белого слона ограничены» (Карпов).

17...♗c6 18.♞:c6 ♖:c6! «Именно так, чтобы белые не могли без всякого ущерба (например, уступив линию «c») перебросить одну из своих ладей на королевский фланг» (Карпов).

19.♖c3?! Ответственный момент. «Корчной долго обдумывал последствия размена на поле c6 и в конечном счете, видимо, понял, что он недооценил указанные мною выше соображения» (Карпов). Отсутствие чернопольного слона, который мог бы с поля e3 защитить пешку d4, осложняет задачу белых, и ничью надо уже делать с позиции слабости: 19.♖:c6 bc! (идея, знакомая нам по 10-й партии матча Ласкер — Капабланка, № 90) 20.♖c1 ♛b6 21.♖c4! ♖d8 22.g3. Думаю, при аккуратной игре это вполне выполнимая задача.

19...♛d6 20.g3?! Карпов считает, что этим ходом белые потеряли «перспективы игры на королевском фланге». Если они и были, то, мне кажется, утрачены гораздо раньше. Но, думая о спасении, лучше было перестроиться по типу 20. ♖:c6 (20.♗c2 g6) 20...bc 21.♖c1 ♖d8 22.♖c4 — после 22...♞f5 23.♖:c6 ♛:d4 24.♛e2 инициатива черных еще не носила угрожающего характера.

20...♖d8 (теперь стратегически позиция определилась к явной выгоде черных) **21.♖d1.**

21...♖b6! Карпов уходит от размена, чтобы затем было чем усилить давление на пешку d4. И, судя по всему, судьба этой пешки теперь решена (как метко заметил Ларсен: изолированные пешки надо не блокировать, а забирать!). Корчной не видит, где бы он мог проявить активность, и потому вынужден перейти к пассивной защите.

22.♛e1 ♛d7! (последовательное осуществление плана усиления давления на пешку d4) **23.♖cd3.** Запоздалая попытка активизации 23.♖c5 опровергается тактически: 23...♖d6 24.♖dc1 ♗c6! 25.♗a4 ♞:d4! 26.♗:d7 ♞f3+.

23...♖d6 24.♛e4 ♗c6 25.♛f4. Размен ферзей ведет к потере пешки: 25.♛:c6 ♞:c6 26.d5 ♞b4 или 25...bc 26.♗c4 (26.g4 c5) 26...♞f5.

25...♞d5! Теперь ферзь не может встать на активное поле — 26. ♛e4 ♞b4! — и вынужден занять менее выгодную позицию (удаляться от ферзевого фланга ему нельзя: 26.♛h4 a5 27.a4 b5!).

26.♛d2 ♛b6! 27.♗:d5?! Испытывая недостаток времени, Корчной не хочет подрывать устойчивость слона движением пешки a2 и решает парировать угрозу ♞d5-b4 самым простым способом. Позиция после 27.a3 ♞e7 28.♛f4 ♞c6 29. d5 e5 30.♛e3 ♞d4 тоже выгодна черным, но, возможно, была бы меньшим злом.

27...♖:d5 28.♖b3?! Нового ослабления, предотвращающего e6-e5, все равно не избежать, поэтому упорнее сразу 28.f4, не уводя ладью с линии «d»: 28...♖8d7 29.♛f2 ♛d8 30.♛e3.

28...♗c6 29.♛c3 ♛d7 30.f4 b6! 31.♖b4 b5! 32.a4 ba 33.♛a3 a5 34.♖:a4. Белые выиграли бой за пешку a4, но слишком дорогой ценой: основные их силы завязли на ферзевом фланге.

34...♛b5! (вторжение ферзя на e2 грозит вмиг разрушить позицию белых) **35.♖d2.** Не лучше 35.b3 (с идеей 35...♛e2 36.♛c1), соглашаясь на переход в плохой ладейный эндшпиль после 35...♖b8 36.♖d2 ♛b3 37.♛:b3 ♖:b3 38.♖da2 ♖bb5. Но Корчной не хочет отдавать пешку, а кроме того, возможно было, как и в партии, 35...e5 36.fe ♖:e5.

35...e5! 36.fe ♖:e5 37.♛a1. Конечно, не 37.de? ♖:d2 38.♖:a5 ♛e2. Белым осталось сделать один ход, и ферзь, встав на d1, на какое-то время стабилизирует положение...

37...♛e8! Великолепный перевод, максимально использующий и вертикальные, и диагональные возможности сильнейшей фигуры. Позиция белых рассыпается как карточный домик.

38.de (сразу проигрывает 38. ♖d1 из-за 38...♛e2) **38...♖:d2 39. ♖:a5.** Нет надежд построить даже подобие обороны при 39.♛e1 ♛d8 40.♛e3 ♛d5! 41.♖e4 ♖d3 42.♛f4 g5! 43.♛f5 (43.♛g4 ♖d1+ 44.♔f2 ♛c5+ 45.♖e3 ♖d2+ 46.♔f3 ♛c2) 43... ♖d1+ 44.♔f2 ♛d2+ 45.♖e2 ♛d4+ 46.♔g2 g4!

39...♛c6 40.♖a8+ ♔h7 41. ♛b1+ g6 42.♛f1 (последняя проверка бдительности: 42...♛:a8?? 43. ♛:f7+ с ничьей) **42...♛c5+ 43. ♔h1 ♛d5+.** Ввиду неминуемого 44.♔g1 ♖d1 белые сдались.

При счете 4:1 после девяти партий Корчного могло спасти только чудо. Его нервы были, по всей видимости, на пределе. Карпов: «Он оскорблял меня во время 8-й и 9-й партий. В 10-й, вероятно, испугался, что судьи поставят микрофоны и запишут его слова, поэтому просто нес чепуху».

«Руде право» (Чехословакия): «Во время 9-й и 10-й партий чемпиону мира пришлось пять раз поднимать руку в знак того, что он просит главного судью Пауля Кляйна подойти к игровому столику. Кляйн: «В ходе игры Корчной по-русски ругался на Карпова, оскорблял его и поливал грязью его страну. Мы сделали Корчному несколько замечаний». Игра и корректное поведение чемпиона мира находятся в остром контрасте с поведением Корчного».

Агентство ЮПИ: «После 12-й партии Карпов обвинил претендента в том, что тот «выкрикнул вслух оскорбительные слова» в его адрес и постоянно мешал сосредоточиться, намеренно размахивая руками. Корчной в ответ на это заявил, будто всего лишь попросил Карпова не качаться в кресле и не отвлекать его».

В три часа ночи после 12-й партии Батуринский вручил председателю апелляционного жюри Глигоричу письменный протест чемпиона мира и требуемый денежный залог в 500 швейцарских франков. На следующий день жюри объявило претенденту официальное предупреждение, сообщив, что «повторное подобное нарушение будет караться денежным штрафом в 15 000 швейцарских франков».

Но эти вспышки были лишь бледной тенью прошлого матча... После победы в 13-й партии (№ 525) для Корчного забрезжил было маленький лучик надежды, однако уже следующий поединок показал, что «второго Багио» не будет.

Вспоминает Юрий Разуваев, работавший тогда гостренером Спорткомитета СССР: «Однажды поздним вечером, после 6-й партии, нас с Геллером внезапно вызвал к себе зампред Спорткомитета Ивонин и попросил явиться завтра с утра в его кабинет, дабы «срочно придумать для Толи какую-нибудь новинку в испанской партии». При этом, правда, поинтересовался: «Возможно ли такое?» Геллер ответил: «Что ж, попробуем». Наутро в углу огромного кабинета мы увидели письменный стол, а на нем — шахматную доску с фигурами, ручки и чистые листы бумаги. Рядом на сервировочном столике красовались бутылки «Боржоми» и бутерброды с икрой. Как только мы с Геллером уселись за анализ, Ивонин деловито сказал: «Ну, кажется, всё в порядке. Не буду вам мешать». И вышел, закрыв дверь на ключ... Анализ отнял у нас весь рабочий день. Так родилась идея 13. ♘e4!? Все наши варианты я записал на листках и отдал их Ивонину...»

Зайцев: «В 14-й партии встретилась одна из двух ядовитых, хотя и проходных, новинок в открытом ва-

рианте «испанки», решивших исход матча. В тот день была реализована интересная идея Геллера, обнаруженная совместно с Разуваевым, — 13.♘e4!? Правда, чтобы разобрать записи, сделанные от руки на листках бумаги, и представить эту находку Карпову в надлежащем виде, мне пришлось пожертвовать вожделенной поездкой в Венецию, куда во время трехдневного перерыва отправилась вся наша делегация».

№ 574. Испанская партия C80
КАРПОВ – КОРЧНОЙ
Матч на первенство мира,
Мерано (м/14) 1981

1.e4 e5 2.♘f3 ♘c6 3.♗b5 a6 4.♗a4 ♘f6 5.0-0 ♘:e4 6.d4 b5 7.♗b3 d5 8.de ♗e6 9.♘bd2 (отказ от 9.c3 – № 524, 564) **9...♘c5 10.c3 d4 11.♗:e6.** «В 10-й партии матча в Багио Карпов сыграл 11. ♘g5!?, но, как показали дальнейшие партии и анализы, у черных в этом случае достаточная контригра», — писал Полугаевский, не подозревая о будущей популярности хода конем.

11...♘:e6 12.cd. Ни 12.a4 dc 13.bc b4 14.♕c2 ♕d5! (Г.Кузьмин — Дорфман, СССР(ч) 1978), ни 12. ♘b3 dc 13.♕c2 ♕d5 14.♖d1? ♘b4! 15. ♕e2 ♕c4! (Сакс — Таль, Таллин 1979) не ставит перед черными серьезных проблем.

12...♘c:d4 13.♘e4!? Это и есть одна из тех новинок, что помогли сломить сопротивление «ожившего» было Корчного. Эффект таких сюрпризов очень силен, поскольку сопернику трудно по ходу матча найти достойное противоядие. Тогда приходится менять основной дебют, а запасной не всегда бывает равноценным по качеству и степени подготовленности.

Обычно играли 13.♞:d4 ♛:d4, например: 14.♛e2 ♜d8 15.a4 ♛d5! 16.ab ab 17.♛e4 (не годится 17.♜a5? ♝b4! 18.♜:b5 ♞d4) 17...♝c5 18.♛:d5 ♜:d5 с прекрасным для черных эндшпилем (Адамс – Ананд, Линарес (м/2) 1994). За 80 лет до этого после 14.♛f3 ♜d8 15.a4 (не 15.♛c6+ ♛d7 16.♛:a6 ♝b4!) 15...♛d5 16.♛:d5 ♜:d5 17.ab ab 18.♜a8+ ♞d8 19.♞e4! ♜:e5 20.♜d1 ♝e7 21.f3 ♜f5?! 22.♜c8 белые долго владели инициативой в сходном по рисунку окончании (Капабланка – Ласкер, Петербург 1914), но вскоре стал известен лучший рецепт – 15...♝b4!=.

13...♝e7. Над этим ходом Корчной продумал 79 минут, установив тогдашний рекорд для матчей на первенство мира. Мне удалось побить это сомнительное достижение, когда в дебюте 2-й партии матча с Карповым в Севилье (1987) я задумался на 83 минуты!

В очередной раз столкнувшись с неожиданностью, Корчной пред-

почел сделать наиболее полезный, даже из общих соображений, ход. Другой типовой маневр 13...♛d5?! был справедливо осужден Карповым: после 14.♞:d4 ♞:d4 15.♞c3 ♛d7 16.♝e3 ♝c5 17.♛h5 или 14...♛:e4 15.♞:e6 fe 16.♛h5+ g6 17.♛h3 белые прочно захватывают инициативу.

14.♝e3 ♞:f3+? По сути, единственная ошибка в партии, но при этом — непоправимая. Невольно вспоминается 2-я партия матча 1974 года и проигрывающий ход Корчного 19...♞c5? сразу после дебютной новинки соперника (№ 556).

Очевидно, что удержать коня в центре не удается: 14...c5 15.b4! (и далее 15...♞:f3+ 16.♛:f3 c4 17.♜fd1 ♛c8 18.♞d6+ ♝:d6 19.ed 0-0 20.d7). Однако и его размен неудачен и лишь способствует быстрой активизации белых. В следующей «черной» партии Корчной нашел верный путь — 14...♞f5! 15.♛c2 0-0.

16.♞eg5 ♝:g5! 17.♞:g5 g6 18.♞:e6 fe 19.♜ae1 ♛d5 20.b3 ♜ac8=. Гораздо чаще потом белые пытались бороться за перевес путем 16.♜ad1!? ♞:e3 17.fe ♛c8 и далее, в основном, 18.♞d4 или 18.h3:

1) 18.♘d4 ♘:d4 19.ed ♕e6! 20. ♘g3! (20.♕:c7 ♖ac8 21.♕a5 ♖c2 с отличной компенсацией) 20...c6 (забавно, что в западню 20...f6? 21.♘f5! fe? 22.♕b3! *1-0* попались два сильных гроссмейстера: Цешковский — Юсупов, Ереван 1982; Чандлер — Нанн, Нествед 1985) 21.♘f5 ♖fe8 22.♖d3 ♗f8 23.♖h3 g6 24.♘h6+ ♔:h6 25.♖:h6 c5= (Шорт — Юсупов, Монпелье(тп) 1985);

2) 18.h3 ♖d8 19.♘h2 ♖:d1 20.♕:d1 ♕e8! (в партии Геллер — Таль, Сочи 1986, было 20...♘c5, и здесь, по мнению Таля, 21.♕d5! давало белым перевес) 21.♕h5 ♘c5 22.♘g3 a5! 23. ♘f5 ♖a6 24.♘g4 ♖g6, перехватывая инициативу (Таль — Корчной, Рейкьявик 1987).

15.♕:f3 0-0 16.♖fd1. Наиболее логичный ход, усиливающий позиции белых в центре. Карпов долго колебался, прежде чем сделать выбор, ибо ему хотелось сохранить ладью на линии «f» и продвинуть пешку f2. Но это могло нивелировать эффект дебютной новинки и привести к неясной позиции: 16. ♕g3?! ♕d5! 17.♘f6+ ♗:f6 18.ef ♕f5 19.fg ♖fd8 (Карпов) или даже 18... g6 19.♕h4 ♕f5.

16...♕e8. Ферзь не успел выскочить на d5 и теперь вынужден ютиться в задних рядах. Карпов считает, что Корчной выбрал не наименьшее из зол. Однако и другие отступления ферзя — 16...♕c8 17.♖ac1 ♖d8 18.♘d6 ♗:d6 19.ed или 16...♕b8 17.♕g4 c5 18.f4 ♕c7 19. ♘d6 — приводили к ситуациям, где надежда на спасение связывалась бы только с возможной ошибкой партнера.

17.♘f6+! ♗:f6. Последствия 17... gf? 18.ef ♗d6 19.♖d4! с последующим ♖h4 слишком прозрачны.

18.ef ♕c8 19.fg. Разгромной атаки пока не получается — 19.♕g3 ♖d8 20.f4? g6 21.f5 ♘f8, и Карпов выбирает продолжение, в конечном счете оставляющее белым лишнюю пешку.

19...♖d8. Конечно, не 19... ♔:g7? 20.♗h6+! ♔:h6 21.♕f6+ с матом, а после 19...♘:g7 белые не только отбирают пешку c7 (20.♖ac1 или 20.♕g3), но и могут создать атаку на ослабленную позицию рокировки. Корчной не собирается отдавать пешку «с» и надеется, что белая пешка g7 защитит его короля от фронтальной атаки.

20.h4. Карпов увидел, что пешке ничто не помешает пробежать до поля h6, но при этом позволяет черным немного активизироваться. Победитель сам критикует себя, полагая, что «следовало подумать о профилактическом ходе 20.b4, чтобы застопорить всю игру черных и в конце концов вынудить их взять пешку «g», раскрывая короля».

20...c5 21.♖ac1. «Самым техничным решением было 21.♖:d8+

♕:d8 22.♖d1 ♘d4 23.♗:d4 cd 24. ♕e4!, и пешка «h» идет беспрепятственно» (Карпов).

21...♕c7 22.h5. «Овладевшая мною идея позволяет сопернику активизировать наконец фигуры и получить контригру, — пишет Карпов. — Следовало продолжать 22. ♕f6! ♖:d1+ 23.♖:d1 ♖d8 24.♖:d8+ ♕:d8 25.♕:d8+ ♘:d8 26.♗:c5; неплохо было и 22.b4 c4 23.h5».

Но для подобного самобичевания нет оснований — позиция белых всё еще легко выигрывается.

22...♕e5! 23.h6 ♕:b2. На эту позицию издалека и шел Карпов. Но, по его словам, «видимо, кое-что недооценил: пришлось надолго задуматься».

24.♖d7. Эффектно и к тому же выигрывает пешку a6. «Как будто единственное... В случае 24.♗:c5 ♘:c5 25.♖:c5 ♕:a2 26.♖d7 находится возражение: 26...♖ab8 27.♕f4 ♖a8» (Карпов).

Однако обложенный пешками g7 и h6 король все же становится добычей белых фигур: 28.♖e7 ♕b1+ 29. ♔h2 ♕g6 30.♖f5 ♖d4 31.♕e3! ♖dd8 32.♖e:f7 ♕:f7 33.♖:f7 ♔:f7 34.♕f3+,

и нет 34...♔g6 из-за 35.g4. Вместо 27...♖a8 можно было сразу подвести на помощь ферзя — 27...♕e6. Тогда 28.♖cd5! ♖e8 (если 28...♕e8, то 29.♕:f7+ ♕:f7 30.♖:d8+ ♕e8 31. ♖:e8+ ♖:e8 32.♖d7 — дорога пешке f2 открыта: 32...b4 33.f4 b3 34.♖b7) 29.g3 (избегая 29.♖5d6 ♕e1+ 30. ♔h2 ♕e5) 29...♖b7 (на 29...b4 30. ♖5d6 ♖a2 проще всего добраться до пункта f7 путем 31.♔g2 с последующим ♖d5) 30.♖7d6 ♕e1+ 31.♔g2 ♖be7 32.♖:a6 b4 33.♖b6 — пешку «b» черные тоже потеряют.

Отмечу еще немедленное 24... ♕:a2. И здесь белые достигают цели, используя угрозу вторжения на 8-ю горизонталь: 25.♖:d8+ ♖:d8 26.♗b6 ♕d2 (26...♖b8 27.♕b7!) 27. ♕c6 ♖b8 28.f4! (не сразу 28.♕c8+ ♘d8; ходом 28.f4 белые защитили пешку h6 в варианте 28...b4 29. ♕c8+ ♘d8 30.♕:b8 ♕c1+ 31.♔h2) 28...♕:f4 29.♕c8+ ♘d8 30.♖e1! Определенно, Карпов был прав, когда гнал пешку до h6!

24...♖:d7 25.♕:a8+ ♖d8 26. ♕:a6 ♕e2! 27.♖f1?! Черные грозили вечным шахом, но некоторую контригру они получают, пожалуй, только сейчас.

От естественного 27.g3 Карпов отказался из-за 27...♘d4 28.♗:d4 cd, придя к выводу, что «матовые угрозы черные отразят, а пешка «d» становится опасной». Мне кажется, выигрыш тут несложен: 29.♕f6! ♕e8 (29...♖a8 30.♕:d4 ♕:a2 31.♕d7 ♕a6? 32.♖c6) 30.♕c7 ♖d7 31.♕c6 ♖d8 32.♕:e8+ ♖:e8 33.♖d7. Возможно, что выигрывает даже 28. ♖:c5 ♘f3+ 29.♔g2 ♘e1+ 30.♔h3 ♕f1+ 31.♔g4. Упорнее выжидательное 27...♕b2, хотя белые не должны испытывать серьезных проблем, например: 28.a4 ba (или 28...b4 29. ♕b6 b3 30.♖:c5 ♕a1+ 31.♔h2 ♕:a4 32.♖e5) 29.♕:a4 ♘d4 30.♖:c5 ♕b1+ 31.♔h2 ♘f3+ 32.♔g2 ♘e1+ 33.♔h3 ♘d3 34.♖f5 ♕h1+ 35.♔g4 – здесь король в безопасности, и белые без особого труда реализуют материальный перевес.

27...♖d1 28.♕a8+ ♖d8. «Но не 28...♘d8 из-за 29.♖:d1 ♕:d1+ 30. ♔h2 ♕h5+ 31.♔g3 ♕g6+ 32.♔h4 ♕f6+ 33.♔h3! ♕e6+ 34.g4 – шахи кончились, и белые выигрывают» (Карпов).

29.♕c6! b4. Через три хода поле c4 будет заблокировано белыми, но отказываться от b5-b4 в пользу выжидательной тактики бессмысленно. В подобной ситуации черным надо искать шансы в нервной борьбе за доской, а не при анализе отложенной партии. Да и объективно в случае 29...♕d3 30.♖c1 ♕e2 31.g3 ♕b2 32.♔g2 возможности черных истощались, и после 32...♕:a2 33.♗:c5 финал близок.

30.♕a4! ♕d3 31.♖c1 ♕d5 32. ♕b3 ♕e4. Размен ладей – 32...♕h5 33.♕c4 ♖d1+ 34.♖:d1 ♕:d1+ приводил к эндшпилю, легко выигрываемому белыми: 35.♔h2 ♕h5+ 36. ♔g3 ♕g6+ 37.♔f3 ♕f6+ (37...♕h5+ 38.g4 ♘g5+ 39.♗:g5 ♕:g5 40.♕a6 ♕d5+ 41.♔g3 ♕e5+ 42.♔h3 ♕e8 43.f3 – наступает цугцванг) 38.♔e2 ♕b2+ 39.♔f1 ♕a1+ 40.♗c1. Шахов больше нет, и с обездвиженным королем черные не могут сопротивляться: 40...♕d4 41.♕:d4 ♘:d4 42. ♗e3 ♘e6 43.g4 c4 44.♔e2.

33.♕c2.

33...♕:c2? В цейтноте Корчной разменивает своего самого активного бойца. Больше проблем ставило перед белыми 33...♕g4!, и после 34. ♗:c5? ♖c8 35.♕d2 кавалерийская атака 35...♘f4! окончательно запутывала ситуацию: 36.f3 ♕g5 37.♖c2 ♕:h6 38.♕:b4 ♕g6.

Сохраняло решающий перевес 34.f3 ♕g3 35.♕e4 ♕d6 36.♗f2, хотя в этой позиции противник еще может продолжать сопротивление. Вполне вероятно, что в случае 33... ♕g4! откладывание партии не носило бы формального характера.

34.♖:c2 f5 35.f4! ♔f7. Любопытно, что на 35...♖d5 выигрывает (помимо 36.♔f2 и 36.♖e2) 36.g4 fg 37. ♖c4, имея в виду ♖e4 и ♔g2-g3. Беспомощность черных абсолютна – такова сила защищенной пешки g7.

36.g4! ♖d5 37.gf ♖:f5 38. ♖d2 ♖f6 39.♖d7+ ♔g8 40.f5! Пешку h6 надо сохранить. Хотя при 40.♖e7?! ♖g6+ 41.♔f2 ♖:h6 42.f5 ♖f6 43.♖:e6 ♖:f5+ 44.♔e2 ♔:g7 у белых лишний слон, поле превращения последней белой пешки он не контролирует. Благодаря оставшимся на доске ладьям белые должны победить, но борьба могла затянуться.

40...♖:f5 41.♖e7. Дальнейшие ходы можно было не делать, однако Корчной не хочет слышать аплодисментов в честь победителя.

41...♘g7 42.♖:g7+ ♔h8 43. ♖c7 ♔g8 44.♗:c5 ♖g5+ 45.♔f2 ♖g6 46.♗e3. Черные записали секретный ход **46...♖a6**, но назавтра сдались без доигрывания.

Счет стал 5:2. Зайцев: «О том, что развязка в матче уже близка, красноречиво свидетельствовала 15-я партия, в которой игравший белыми Корчной остроумной и неожиданной временной жертвой слона выиграл пешку при тяжелых фигурах и «разноцвете». Но избранный им способ реализации оказался слишком упрощенным и не доставил Карпову больших хлопот.

20.♖c5. Еще в ходе игры нам казалось, что сильнее сразу 20.ed ♗:d4 21.♖c5! После 21...♖ad8 22.♖d5 ♕:d5 23.♗:d5 ♖:d5 24.♕f3 ♖fd8 25.♖e1 доказательство ничьей заняло бы у черных еще не один десяток ходов.

20...♗f6 21.♖d5?! Вероятно, не стоило торопиться с этим ходом: после 21.ed ♖ad8 (не лучше рекомендованное Корчным в «Информаторе» 21...♖ac8) можно было попытаться расшатать оборону противника с помощью 22.♖a5!? В случае прямолинейного 22...b6?! 23. ♖d5 акции белых возрастают ввиду ослабления поля c6. Видимо, лучше легко находимая компьютером тактическая развязка — 22...♕c7 23. ♖:a7 ♗:d4 24.♖:b7 ♗:f2+ 25.♔h1 ♕:g3 26.♕f3 ♖d2 27.♕:g3 ♗:g3, но и здесь после 28.a4 f6 29.a5 ♖f7 30.a6 белые сохраняют шансы на успех.

21...♕c7 22.ed ♖ad8, и на 41-м ходу черные добились ничьей. Чувствовалось, что Корчному уже недостает его прежней энергии и настойчивости. Можно привести не один современный пример, где при таком соотношении материала сильнейшей стороне удавалось создать сопернику немалые трудности».

Ничью принесли и следующие две партии. Таль: «Меня даже не очень волновало, с каким счетом победит Карпов. Лишь бы, думал я, он не повторил ошибок Багио. Он их не повторил. Правда, было несколько совпадений матчевого счета, но на этом аналогии закончились. И когда при счете 5:2 он сделал три ничьи, я успокоился, ибо Карпов ни разу не оказался под серьезной угрозой проигрыша. А к 18-й партии все объективные данные, включая мой «внутренний голос», говорили за то, что пора матч заканчивать».

№ 575. Испанская партия C80
КАРПОВ – КОРЧНОЙ
Матч на первенство мира,
Мерано (м/18) 1981
1.e4 e5 2.♘f3 ♘c6 3.♗b5 a6 4.♗a4 ♘f6 5.0-0 ♘:e4 6.d4 b5

7.♗b3 d5 8.de ♗e6 9.♘bd2 ♘c5 10.c3 d4 11.♗:e6 ♘:e6 12.cd ♘c:d4 13.a4! Эта мысль пришла в голову Полугаевскому. «Тут всё было гораздо проще: автор идеи находился в Мерано и сумел сам придать ей соответствующее обрамление» (Зайцев). Совместный анализ показал, что опасных для черных подводных камней здесь не меньше, чем при 13.♘e4 (№ 574).

И, несмотря на то что соперник еще не решил всех дебютных проблем при «ходе конем», было решено проверить его реакцию на другую новинку. Эффект превзошел все ожидания! Над ответом Корчной продумал 54 минуты и избрал не лучший план защиты.

13...♗e7?! Сегодняшняя практика отсеяла и 13...♗e7, и 13...♖b8. Во втором случае неприятен для черных эндшпиль, возникающий после 14.ab ab 15.♘e4 ♗e7 16.♗e3 ♘f5 17.♗a7 ♕:d1 18.♖f:d1 ♖d8 19.g4 ♖:d1+ 20.♖:d1, например: 20...♘h4 21.♘:h4 ♗:h4 22.♗e3 (Смирин — Хюбнер, Поляница-Здруй 1995) или 20...♘h6 21.h3 f5 22.ef gf 23.♗e3 (К. Хансен — И.Соколов, Мальмё 1997).

Некоторое время лучшим считалось 13...♗c5. При 14.♘e4 ♗b6 у белых неплохой выбор, а самое перспективное, пожалуй, 15.♘fg5!? Хорошие шансы на уравнение дает 14...0-0 15.♘:c5 ♘:f3+ 16.♕:f3 ♘:c5 17.ab ab 18.♗g5. Эта позиция считалась явно выгодной для белых, пока черные не прибегли к такому радикальному средству как жертва ферзя — 18...♖:a1 19.♗:d8 ♖:f1+ 20.♔:f1 ♖:d8. Она встретилась, в частности, в партии Топалов — Ананд (Дос-Эрманас 1996), где после 21.g3 (не 21.♕c6 ♘e6 22.♕:b5?? ♖d1+ 23.♔e2 ♘d4+) 21...♘e6 22.♕b7 g6 23.♕:b5 c5 24.h4 h5 черные построили вроде бы неприступную крепость. Но позже, уже в 21-м веке, они на 14.♘e4 отвечали лишь 14...♗b6. Напрашивается вопрос: действительно ли крепость неприступна?

Сейчас на первый план вышло 13...♗b4, хотя в партии Крамник — Широв (Монако(бш) 2005) черные быстро оказались в трудном положении: 14.ab ♘:f3+? 15.♘:f3 ab 16.♖:a8 ♕:a8 17.♘g5! Плохо и 14...ab? 15.♖:a8 ♕:a8 16.♘:d4 ♘:d4 17.♕g4. Поэтому играют 14...♘:b5, но после 15.♘e4 0-0 16.♗e3 (Широв — Ананд, Майнц(бш) 2004) или 15.♕a4 ♗e7 16.♘e4 (Свидлер — И.Соколов, Вейк-ан-Зее 2005) черные сталкиваются с некоторыми затруднениями.

Приходится констатировать, что абсолютно надежного рецепта защиты от 13.a4! современная практика не предлагает.

14.♘:d4 ♘:d4. Предприняв несколько попыток отстоять позицию после 14...♕:d4 15.ab ♕e5 16.ba 0-0

17.♕a4, черные остались недовольны результатами:

1) 17...♖fb8 18.a7 ♖b7 19.♘f3 ♕d5 (или 19...♕b5 20.♕:b5 ♖:b5 21.♗e3 ♗f6 22.♖a2 Хьяртарсон — Смейкал, бундеслига 1989) 20.♗e3 ♗c5 21.♖ad1 ♕b3 22.♕:b3 ♖:b3 23.♗:c5 ♘:c5 24.♘d4 (Эльвест — Марин, Таллин 1989);

2) 17...♘c5 18.♕c4 ♖fb8 19.♖a5 ♕d6 20.♘e4 ♘:e4 21.♕:e4 ♕b4 22.♕:b4 ♗:b4 23.♖a4 ♖b6 24.a7 ♗c5 25.♖d1 (Топалов — Корчной, Мадрид 1996). Этот эндшпиль Корчной, кажется, мог спасти, сыграв 25...♖b7 (26.♗e3 ♗:e3 27.fe ♔f8), но и перевес белых мог стать реальным в случае 19.♘f3! ♕e6 20.♕:e6 fe 21.a7 ♖b7 22.♘d4 или 22.♗e3.

15.♘e4. Этот программный ход «обеспечивает белым прочный перевес как при наличии ферзей, так и при их размене» (Карпов).

15...♘e6? Коню в центре не удержаться. Корчному не хотелось удалять его от королевского фланга, но на e6 позиция коня непрочна. Все же лучше было 15...0-0 16.ab ♘:b5 17.♗e3 ♕c8 — конь, будучи под защитой пешки a6, сам бы защищал другой пешечный островок, а ферзь, перебравшись на e6 или f5, затруднял бы развитие атаки белых.

Такую схему одно время практиковал Юсупов, славящийся своим упорством в защите. Ему пришлось нелегко в трех партиях 1989 года — с Иванчуком (Линарес), Адамсом (Гастингс) и Чандлером (там же), и последователей он не нашел. В варианте 13...♗b4 14.ab ♗:b5 (см. выше) возникают сходные по рисунку позиции, но с конями на f3 и e6 — там черным легче защищаться.

16.♗e3 0-0 17.f4 ♕:d1. На 17...g6 Карпов был готов сыграть 18. g4!, обеспечивая продвижение f4-f5.

18.♖f:d1. В результате неудачно разыгранного дебюта черные оказались в тяжелой позиции без намека на контригру.

18...♖fb8?! Надеждам черных на активизацию своих ладей не суждено сбыться, в то время как появление белой ладьи в 7-м ряду делает катастрофу неизбежной. «Решительное» 18...f5 19.ef ♗:f6 (или 19... gf 20.f5 ♘g7 21.g4) 20.♘:f6+ (быть может, еще сильнее 20.f5 ♗:b2 21.fe ♗:a1 22.♖:a1 с последующим ♘c5) 20...gf 21.f5 ♘g7 22.g4 выглядит очень непривлекательно. Лучший шанс состоял в упрощениях после 18...♖fd8 19.ab ab 20.♖:a8 ♖:a8 21.f5 ♖d8 (21...♘f8 22.♖c1! ♖a4? 23.♘c3) 22.♖:d8+ (22.♖c1 ♘d4) 22...♘:d8. Несмотря на явное превосходство белых, черные могли надеяться на спасение благодаря ограниченности оставшегося материала.

19.♖d7 ♗f8. «Упорнее было 19...♗d8, хотя и в этом случае после 20.a5 ♘f8 21.♖d3 положение черных далеко не из приятных» (Карпов). Действительно, несмотря на материальное равенство, дисгармония в положении черных фигур и неудачная пешечная структура делают их позицию объективно проигранной.

20.f5 ♘d8.

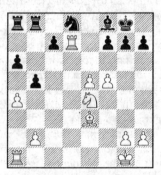

21.a5! Взятие пешки 21.♖:c7 (на это, очевидно, рассчитывал Корчной) позволяло черной ладье активизироваться: 21...ba 22.♗d4 ♖b4 23.♖d1 (Кин) 23...♖b7 (указано Карповым) 24.♖:b7 ♘:b7 25.♖a1 a3 26.ba ♖d8. Откладывая материальные приобретения, чемпион мира последовательной игрой не дает сопернику ни малейшего шанса.

21...♘c6 22.e6! fe 23.f6! Мощная игра. «По-видимому, этот ход недооценил Корчной, продолжая 19...♗f8» (Карпов). Думаю, что Корчной недооценил всю серию последних ходов белых, когда поставил ладью на b8.

23...♘e5. Выманить ладью с 7-го ряда можно, но слишком дорогой ценой: 23...♖d8 24.♖:c7 ♖ac8 25. f7+ ♚h8 26.♖:c8 ♖:c8 27.♖c1 (Карпов) 27...♘e7 28.♖:c8 ♘:c8 29.♘c5, и за пешку f7 приходится отдавать

фигуру. Терпеть ее там тоже невыносимо: 23...♖c8 24.♖c1! ♘:a5 25. ♗d4 ♖d8 26.♖c:c7 ♖:d7 27.♖:d7 ♘c6 28.fg ♗e7 29.♖c7! ♖d8 30.♗e3.

24.♖:c7 ♖c8 25.♖ac1 ♖:c7 26. ♖:c7 ♖d8 27.h3! «Спешить некуда. Этот ход обеспечивает спокойное убежище для короля» (Карпов). Я иначе отношусь к шахматному времени вообще и к профилактике в частности. Видимо, поэтому наши шахматные почерки столь различны.

27...h6. Это не встречная профилактика — у черных просто нет полезных ходов. Проигрывает и 27...♖d7 28.♖c8 ♖d1+ 29.♚f2 gf 30. ♘:f6+ ♚g7 31.♘:h7 или 31.♚e2.

28.♖a7! (безусловно, самый четкий способ реализации преимущества) **28...♘c4.** Ни сейчас, ни позже ладья не может покинуть 8-й ряд из-за крупных потерь: 28...♖d1+ 29.♚f2 ♖b1 30.♗d4 ♘c6 31.f7+ ♚h7 32.♖a8 ♘:d4 33.♖:f8 ♖:b2+ 34.♚g1 ♖b1+ 35.♚h2 ♖f1 36.♖d8.

29.♗b6! ♖b8 30.♗c5 ♗:c5+ 31.♘:c5 gf.

32.b4! Технически точное решение. На миг черные остаются с лишней пешкой, но их позиция по-прежнему абсолютно безнадежна. Тут было самое время сдаться, но Корчной, как и в последней партии в Багио, хотел дотянуть до откладывания. Дальнейшее ясно без комментариев.

32...Дd8 33.Д:a6 ♔f7 34.Дa7+ ♔g6 35.Дd7! Дe8 36.a6 Дa8 37. Дb7 ♔f5 38.Д:b5 ♔e5 39.Дb7 ♔d5 40.Дf7! f5 41.Дf6. Корчной записал ход **41...e5**, на что у белых целый веер выигрывающих ходов: 42.♘d7, 42.♘a4, 42.Д:f5... Но, как и ожидалось, доигрывания не последовало. За два часа до его начала черные сдались, и матч закончился со счетом 6:2 (при 10 ничьих) в пользу Карпова.

Батуринский вспоминает, что сначала Корчной прислал Кляйну записку на английском языке: «Я уведомляю о том, что сдаю 18-ю партию и весь матч и поздравляю Карпова и всю советскую делегацию с прекрасной электронной техникой. Корчной». Как видно, претендент искренне верил, что причиной его поражения является действие таинственных электронных лучей. Впрочем, когда спустя несколько часов Батуринский попросил Кляйна снять фотокопию с этой записки, тот смеясь ответил: «Ее нет!»

Сегодняшний итоговый комментарий Зайцева: «Кажется, что именно заключительные залпы, нанесенные по открытому варианту, принесли Карпову победу в матче. Формально так оно и было, но, по-моему, главная причина поражения Корчного не в этом, а в том, что он чересчур увлекся схемами, где

стратегическая обстановка в центре определяется слишком рано. Возможно, ему как очень сильному стратегу следовало направить все усилия на то, чтобы отыскать (или, в конце концов, открыть) такие построения, где бы достаточно долго сохранялась стратегическая (не позиционная, а именно стратегическая!) борьба. То есть борьба за контроль над процессами структурообразования. Подсказкой для Корчного могли послужить хотя бы две его давние победы над Карповым — в Гастингсе (1971) и в 19-й партии московского матча (1974), где был разыгран плотный дебют ферзевой пешки. Подобную линию впоследствии вполне осознанно и небезуспешно избирали против Карпова другие матчевые соперники — Юсупов (1989) и Ананд (1998)».

По-своему интересны и мнения известных гроссмейстеров, высказанные сразу после матча.

Полугаевский: «Я чувствовал: настроение чемпиона мира — не просто выиграть матч, а добиться убедительной победы. Он подошел к соревнованию профессионально, в лучшем смысле этого слова».

Геллер: «Особенно трудный для шахматистов пятый час игры полностью остался за Карповым. Он практически обошелся без цейтнотов и, главное, не позволял себе преждевременной внутренней демобилизации, что не раз подводило его в Багио. Чемпион мира выиграл и теоретическую дуэль. Очень точно сбалансированными оказались у него практика и аналитическая работа».

Глигорич: «Качество игры в Мерано было куда выше — заметно меньше ошибок, нежели во многих других таких матчах. Карпов играл отлично, и ему сейчас нет равных, а потому нет смысла слишком сурово оценивать игру его соперника. Матч привел к исключительно важным выводам для теории дебютов».

Шмид: «Карпов — это выдающееся явление. Но кроме исключительного, рано проявившегося таланта нужны были и прекрасные условия, в которых он смог развиться. Нынешний чемпион мира — универсал наивысшего класса».

Олафссон: «Убедительная победа! Перед нами три года отбора будущего соперника Карпова, и сейчас еще нелегко сказать, кто составит ему конкуренцию. Среди наиболее вероятных претендентов я бы назвал Тиммана, Каспарова, Корчного, а также Белявского и Балашова. Безусловно одно: сегодня Карпов — сильнейший шахматист мира».

Ларсен: «Счет 6:2 я предсказал давно, ошибся только в общем числе партий, полагая, что их будет 22. Пожалуй, за всё послевоенное время еще не было матча на первенство мира, где чемпион бы настолько превосходил претендента. Думаю, следующим претендентом на корону будет Тимман, или Белявский, или... Ларсен. Каспаров? Жертвуя, он всегда уверен, что выигрывает, — слишком большой оптимист!»

Найдорф: «Я должен извиниться перед Карповым. До сих пор я считал его точным шахматным рабочим. В Мерано проявилась его гениальность. То, что он делает, можно сравнить с игрой Капабланки в период его высшей славы. Я отношу Анатолия к лучшим шахматистам истории».

Через девять лет и Корчной, поостынув, признает в интервью, что Карпов был настоящим чемпионом мира и занял достойное место в истории шахмат...

КТО СЛЕДУЮЩИЙ?

По итогам 1981 года журналисты присудили Карпову очередной — уже восьмой по счету! — шахматный «Оскар», а вторым назвали его ровесника и давнего конкурента Яна Тиммана. И голландский гроссмейстер тут же подтвердил свою силу, с блеском выиграв крупный турнир в Мар-дель-Плате (февраль 1982): 1. Тимман — 9,5 из 13; 2. Портиш — 8; 3—5. Карпов, Полугаевский и Сейраван — по 7,5; 6. Андерссон — 7.

Начиная с 3-го тура Тимман одержал восемь побед подряд (!), в том числе и над Карповым — снова черными в сицилианской защите (см. № 578, примечание к 9-му ходу белых). После такого спурта вопрос о победителе турнира уже не возникал... А что же чемпион мира?

Полугаевский: «Шахматный мир уже привык к тому, что Карпов занимает только первые места. Но нельзя забывать, что после матча в Мерано прошло немногим более двух месяцев. Всё это время чемпион был буквально «нарасхват» — провел множество встреч с любителями шахмат, и полноценно отдохнуть ему не удалось. Это сказалось на игре: в ряде партий он явно «недополучил» уже заработанные было очки, а стоявшую на выигрыш партию против Палермо даже проиграл... Еще ощущая усталость после матча за корону, чемпион мира, в отличие от подавляющего большинства своих предшественников, тем не менее не уклонился от своего принципа: участвовать в заранее запланированных сильных турнирах».

Отвлекающих дел у Карпова было и впрямь немало: с благословения высшего партийного руководства его «избрали» председателем правления советского Фонда мира (он руководит этой преобразованной организацией и поныне). А в качестве главного редактора «64» чемпион провел тогда заочную пресс-конференцию для читателей журнала, ответив на их многочисленные вопросы. Мое внимание привлекли два его высказывания.

О своем шахматном кредо: «Не раз мне приходилось слышать, как Ботвинник делит шахматистов на «исследователей» и... тех, к кому он относит меня. Не буду спорить с уважаемым Михаилом Моисеевичем — дело ведь не в названии, — но твердо верю в то, что шахматному миру моя «неисследовательская деятельность» не просто нравится, а и приносит пользу. К слову, наибольшее количество ценнейших шахматных изобретений Ботвинника относится к тому времени, когда он интенсивно играл в турнирах. И трудно подсчитать потери, понесенные шахматами, за годы добровольных «академи-

ческих отпусков» находившегося в расцвете сил гроссмейстера».

О своем будущем сопернике и перспективах молодежи — Каспарова, Псахиса, Юсупова и Долматова: «Если добавить к ним лучших из 30-летних, то получим имена тех, кто в ближайшем будущем будет бороться в претендентских матчах. А может быть, и участвовать в матче за звание чемпиона мира... Еще неясно, сумеет ли Корчной оправиться после разгромного поражения в Мерано, но пока он второй шахматист мира. Правда, я знаю гроссмейстера, который способен у него выигрывать. Думаю, если он выйдет в матчи претендентов и встретится с Корчным — победит. Это Тимман».

Тяжело складывался для Карпова и турнир в Лондоне (апрель 1982). На старте он упустил шансы на выигрыш в партии с Шортом, затем сделал еще три ничьи и только в 5-м туре одержал первую победу — над Местелом. Карпов: «Как писала местная пресса, «дракон» в этом поединке был повержен с помощью техники. Продолжая игру слов, я бы добавил, что это вполне естественно: ведь его голыми руками не возьмешь».

Затем последовали еще три ничьи, в том числе с Тимманом. Играя белыми, Карпов жаждал реванша за Мар-дель-Плату и на сей раз достиг явного перевеса в сицилианской защите. Но после ряда неточностей ему пришлось, наоборот, спасаться: на этом турнире были вечерние доигрывания, и партия длилась три дня кряду! Вообще же Тимман играл в Лондоне неровно —

«Карпов фантастически целеустремлен. Это – танк, который с намеченной цели не сбить. Его железная настойчивость – пытка для слабонервных» (Таль)

За доской Ларсен
и Карпов: старшему
поколению тяжело было
сдерживать натиск
молодого чемпиона

После Багио Анатолий
всерьез озаботился своей
физической подготовкой

«Одна из главных обязанностей чемпиона мира — быть играющим шахматистом» (Карпов)

Победа над Дорфманом стала для Карпова переломным моментом в золотом для него 44-м чемпионате СССР (1976)

Богатый шахматный и жизненный опыт Фурмана и Геллера
оказался для Карпова бесценным

Начало 1978 года. Одна из последних встреч с любимым тренером...

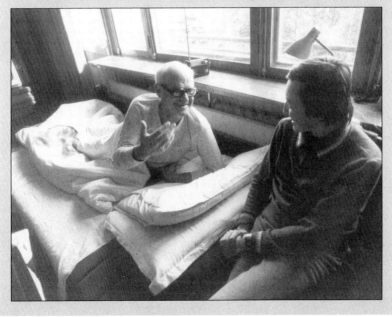

После матча в Багио (1978). Брежнев: «Взял корону, так держи!»

Ленинград, ноябрь 1975. Моя первая встреча с Карповым состоялась на турнире Дворцов пионеров

Москва, 1978. Пресс-конференция после победы над Корчным

Москва, 1981. Матч-турнир четырех сборных команд СССР.
Первая партия с Карповым один на один

Мерано, 1981. В центре Пищенко — «личный телохранитель Карпова, крупный специалист по карате, агент КГБ» (Корчной)

Амстердам, 1981. За анализом с голландцем Яном Тимманом

Наталья Карпова хорошо знает, что такое быть женой великого шахматиста

Артур Юсупов оказал
экс-чемпиону мира
достойное сопротивление
в полуфинальном матче
претендентов (1989)

Суперфинальный матч
с Андреем Соколовым
(1987) стал одним из
блестящих достижений
Карпова

Во второй половине 80-х годов Карпов обрел «второе дыхание»

55-й чемпионат СССР (1988). Михаил Ботвинник заинтересовался позицией из нашей партии

Москва, 15 февраля 1985. Трагический момент в карьере Карпова: только что Кампоманес прекратил наш первый матч и назначил новый со счета 0:0

Начало первого матча (1984/85) сложилось для меня катастрофически: уже после 9-й партии Карпов вел со счетом 4:0

Наш второй матч (1985) привел Карпова к потере титула чемпиона мира. Справа – президент ФИДЕ Кампоманес

Артур Юсупов и Виши Ананд. Во время матчей с Карповым
им было не до улыбок

Выиграв матч у Яна Тиммана (1993), Карпов стал
чемпионом мира по версии ФИДЕ

В матче с Гатой Камским (1996) он уверенно отстоял свой титул. В центре президент ФИДЕ Кирсан Илюмжинов и главный арбитр Герт Гийссен

«Лебединая песня» Карпова — выигрыш на тай-брейке финального матча у Ананда (1998)

«Карпов был подлинный самородок: изучил в детстве партии Капабланки — и начал играть. Это был чистый практик, Игрок!» (Разуваев)

как сказал Карпов, «неровность выступлений этого талантливого гроссмейстера удивляет, хотя становится уже почти привычной».

В 9-м туре чемпион наконец-то одержал вторую победу — и опять в «драконе», причем над видным его знатоком Тони Майлсом. Даже в этой системе Карпов изыскивал пути, позволявшие уходить от острейших вариантов и принципиальных теоретических дебатов в простые технические позиции, где решающее значение приобретало его превосходство в позиционном понимании и умении расставлять фигуры «как надо». Приводимая партия — одна из серии его «спокойных сицилианок» («sicilian pianissimo»).

№ 576. Сицилианская защита B76
КАРПОВ – МАЙЛС
Лондон 1982, 9-й тур

1.e4 c5 2.♘f3 d6 3.d4 cd 4. ♘:d4 ♘f6 5.♘c3 g6 6.♗e3 ♗g7 7.f3 0-0 8.♕d2 ♘c6 9.g4. Выбор Карпова можно объяснить тем, что в острых вариантах «дракона» — 9. 0-0-0 d5 или 9.♗c4 ♗d7 10.0-0-0 ♖c8 11.♗b3 ♘e5 12.h4 (№ 556) 12...h5 — Майлс чувствовал себя комфортно.

9...♗e6! Признаётся лучшим, ибо позволяет черным довольно легко создать контригру. Впрочем, порой они шли и на полукорректную жертву 9...♗g4?! 10.fg ♘:g4 или на добровольное создание изолированной пешки в центре: 9...e6 10.0-0-0 (при 10.♘db5?! черные перехватывают инициативу: 10...d5 11.♗c5 a6!? 12. ♗f8 ♔:f8 13.ed ed 14.♘a3 b5 Кочиев — Майлс, Манила 1974) 10...d5 11.g5 ♘h5 12.h4 (12.f4!?; 12.♖g1!?) 12...♘g3 13.♖g1 ♘:f1 14.♖:f1 ♘e5 15.b3 ♕a5 16.♔b1 ♖d8 17.ed ed (Долматов — Цешковский, Фрунзе 1983).

Чтобы понять решение Майлса сыграть 9...♗e6, взглянем на партию 5-го тура Карпов — Местел: 9... ♘:d4 10.♗:d4 ♗e6 (попутно большая редкость — Ботвинник играет атаку Раузера: 10...♕a5 11.h4 ♗e6 12.h5 ♖fd8? 13.hg hg 14.a3 d5 15.e5 ♘d7 16.♕h2 ♘f8 17.♗d3 с огромным перевесом, Ботвинник — Авербах, Москва 1955), и здесь чемпион, уже имевший практику в этой позиции (11.0-0-0 ♕a5 12.♔b1 ♖fc8 13.a3 ♖ab8 — 13...♗c4!? — 14.g5 ♘h5 15. ♘d5 ♕:d2 16.♖:d2 ♗:d5 17.ed Карпов — Дюбаль, Скопье(ол) 1972), придумал за доской 11.♘d5!? с очевидной целью помешать появлению ферзя на a5.

После 11...♗:d5 12.ed ♕c7 (12... ♕d7!? 13.♗c4 ♖fc8 14.♗b3 a5!, и контратака черных выглядит не слабее атаки белых) 13.h4 ♖ac8 14.♖h2 e5 15.de fe возникла обоюдоострая ситуация, в которой Карпов, использовав неточную игру соперника, довольно быстро добился перехода в благоприятный эндшпиль. По-видимому, Майлс хотел лишить белых возможности 11.♘d5.

10.0-0-0 ♘:d4 11.♗:d4 ♕a5 12.a3! «Лучше сделать этот ход сразу, без ♔b1» (Карпов).

12...♖ab8 13.h4 ♖fc8. Правильно 13...b5! (не теряя темпа), и вторжение коня на d5 обещает еще меньше, чем в партии: 14.♘d5 ♕:d2+ 15.♖:d2 ♗:d5 16.ed a5 17.♗e2 ♘d7 18.♗:g7 ♔:g7 19.♖e1 ♖fc8 20.♗f1 ♘c5= (Долматов – Альтерман, Элените 1995) или 14.g5 ♘h5 15.♘d5 ♕:d2+ 16.♖:d2 ♗:d5 17.ed ♘g3 18. ♖g1 ♗:d4 19.♖:d4 ♘:f1 20.♖:f1=.

14.♘d5. Не желая вести атаки на встречных курсах, исход которых трудно предсказать, Карпов вновь применяет свой излюбленный прием, образуя пешечный форпост на d5, что гарантирует ему простран-

ственный перевес в более спокойной обстановке: «Прямая атака на короля не всегда приводила к успеху, поэтому я решил удовлетвориться небольшим перевесом в предстоящем эндшпиле». Здесь, наверное, правильней было бы говорить о небольшой инициативе.

И все же, как показала более поздняя практика, вскрытие линии «h» — 14.h5! b5 15.hg с дальнейшим 15...hg 16.♕g5!, 15...fg 16. g5! или 15...b4 16.♘d5! ставит перед черными значительно более трудные проблемы.

14...♕:d2+ 15.♖:d2 ♗:d5. Позже более надежным будет признано взятие конем: 15...♘:d5 16.ed (на 16.♗:g7 уравнивает 16...♘e3) 16... ♗:d5! 17.♗:g7 ♗:f3 18.♖h3 ♗:g4 19. ♖g3 ♔:g7 20.♖:g4 (Долматов – Широв, Клайпеда 1988). Этот эндшпиль с тремя пешками за слона у черных труден для оценки. Дворецкий, подвергнувший его детальному анализу, считает шансы сторон примерно равными, но только вместо 20...f5 советует придерживаться выжидательной стратегии — например, 20...♖c7. Белым трудно использовать превосходство слона в открытой позиции, если пешечная структура черных не будет ослаблена.

16.ed a6 17.♗e2. У белых есть шансы добиться преимущества благодаря двум слонам и возможности комбинировать игру на королевском фланге и на дальнейший зажим.

17...♘d7. Рассчитывая в случае, если белые захотят сохранить слона — 18.♗e3, создать контригру после 18...♘e5 19.h5 b5 20.b3 ♘d7. Карпов, однако, не собирается пока отказываться от размена слона, не желая уступать большую диагональ.

18.f4 ♘c5 19.♖h3 ♖c7. После 19...♗:d4 20.♖:d4 неэффективно 20...e5?! из-за 21.fe de 22.♖d1 (Карпов), но 20...b5 21.♖e3 ♖c7 22.♔d2 ♘a4 23.b3 ♘b6 ведет к примерно равной позиции, которую Майлс мог получить позже.

20.♖e3 b5 21.♗:g7. Допускать активизацию черных ладей после b5-b4 белые не имеют права, и Карпов делает профилактическую перегруппировку, ожидая, что предпримет соперник.

21...♔:g7 22.♖d4! a5. Зная динамичную манеру игры соперника, на подобную активность чемпион и рассчитывал. Если бы Майлс сыграл 22...♘a4! 23.c3 ♘b6 (Карпов), стремясь связать активность вражеских фигур необходимостью защищать пешку d5, то было бы неясно, за счет чего белые претендуют на преимущество.

23.b4! Сразу же подчеркивая ослабление пешки b5. Полугаевский: «Изучая творчество Карпова и Фишера в технической стадии партии,

можно видеть, что они оба, играя белыми, были неравнодушны к белопольному слону. Как ни странно, но виновником того, что Карпов полюбил белопольного слона, я считаю себя! В 4-й партии нашего матча у меня в окончании был очень мощный конь против бесперспективного слона белых, однако я умудрился ту злополучную для себя партию проиграть» (№ 543).

23...♘a4. Этот ход кое-кто из комментаторов счел решающей ошибкой. На самом деле он ничего не портит, хотя проще было 23...ab 24.♖:b4 (Карпов: «с перевесом белых») 24...♖cb7: слабость пешки b5 уравновешивается слабостью пешки d5, а некоторый пространственный перевес нивелируется неприступной позицией коня c5.

24.ba! ♘c3 25.♗f1 ♖f8. Считалось, что на 25...♖a8 очень силен смелый рейд короля — 26.♔b2 ♘a4+ 27.♔b3 ♘c5+ 28.♔b4 (Карпов). Однако на доске еще хватает фигур, и в таком рейде немало риска. После 28...♘a6+ 29.♔:b5 ♖b7+ дальнейшее продвижение короля в глубь вражеского лагеря чревато неприятностями: 30.♔c6? ♘c5! 31. ♖:e7 (иначе мат) 31...♖:e7 32.♔:d6 ♖e4! (сильнее, чем 32...♖e1 33.♔:c5 ♖:f1 34.d6). А в случае бесславного возвращения — 30.♔c4 ♘c5 — черным не на что жаловаться.

Вместо 26.♔b2 более предприимчиво 26.♖dd3!?, но при 26...♘a4 (26...b4 27.a6! ♖c4 28.♖f3) 27.♖b3 ♖ac8 28.♗d3 ♘c5 29.♖:b5 ♘:d3+ 30.♖:d3 ♖:c2+ 31.♔b1 ♖h2 последствия борьбы в этом сложном эндшпиле до конца не ясны.

26.♔b2 ♖bc8? А вот это и есть решающая ошибка! После 26... ♘a4+! 27.♔b3 ♘c5+ 28.♔a2 ♘b7! (не 28...♘a4 29.♖d2 Карпов) исход борьбы оставался труднопредсказуемым: 29.a6 (29.♔b5 ♖:c2+ 30.♔b1 ♖g2) 29...♖:c2+ 30.♔b1 ♖f2 31.♗:b5 ♘c5 32.♖b4 ♖a8 33.♖e2 ♖f3 или 29. c3 ♘:a5 30.♖b4 ♖c5 31.a4 ♖a8! 32. ♗:b5 (32.♖:b5 ♘c4!) 32...♖:d5.

27.♔b3 ♖c5. Похоже, что Майлс стремился к этой позиции, уже думая о перехвате инициативы. Наверное, он лишь мельком посмотрел жертву качества, упустив из виду заключительный коварный ход тактического маневра белых.

28.a6! ♘:d5. Иначе просто аб-a7 и ♗h3.

29.♖:d5! ♖:d5 30.♖c3! «Серия фантастических ходов!» (Полугаевский). Теперь размен ладей неизбежен, и тогда оставленная без внимания пешка «a» неожиданно становится королевой.

30...♖d8. На 30...♖:c3+ 31.♔:c3 ♖c5+ 32.♔b4 ♖c7 проще всего 33. ♗g2! (Карпов). «Вот где в полном блеске проявляется сила слона!» (Полугаевский).

31.♖c7! С проникновением ладьи на 7-й ряд борьба заканчивается. К несложному выигрышу вело и 31.a7 b4 32.ab ♖d1 33.♗a6 ♖a1 34. b5 ♖a8 35.♖c7 и т.д.

31...♖d1 32.♗:b5 e5 33.a7 ef 34.♖b7 ♖b1+ 35.♔a4 ♖:b5 36. ♖:b5 f3 37.♖b8 f2 38.♖:d8+. Черные сдались.

В 10-м туре Карпов продолжил «сицилианскую серию» победой над Нанном — и нагнал долго лидировавшего Портиша. Но затем случилась «беспримерная чехарда лидеров». Чемпион проиграл молодому Сейравану (кстати, одному из секундантов Корчного), однако сохранил хладнокровие и в предпоследнем туре выиграл «по заказу» у Портиша.

В этом важном поединке встретилась еще одна разновидность «sicilian pianissimo» в исполнении Карпова — его излюбленный вариант против системы Найдорфа: **1. e4 c5 2.♘f3 d6 3.d4 cd 4.♘:d4 ♘f6 5.♘c3 a6 6.♗e2 e5 7.♘b3 ♗e7 8.0-0 0-0** (8...♗e6 — № 543, 545, 546) **9.♗e3.**

9...♗e6! В партии Карпов — Георгадзе (Москва 1983) было 9...♕c7, и вместо 10.a4 ♗e6 11.a5 ♘bd7 12. ♘d5 (№ 246) белые избрали 10.♕d2 (тоже ход Геллера) 10...♖e8!? (раньше играли 10...b5 11.♘d5! или 10... ♘bd7!? 11.a4 b6 12.♖fd1 ♗b7) 11.a4 b6 12.♗f3 ♗e6 13.♘c1! (с идеей ♘a2-b4-d5) 13...♘c6! 14.♘d5! ♗:d5 15.ed ♘a5?! (15...e4!? Карпов) 16.b3 ♖ec8 17.♖a2 ♘b7 18.♖d1 ♘c5 19.♕e1! (препятствуя ♘e4) 19...♕b7 20.g3 ♕d7 21.♗g2 h6? (верно 21...♘g4! 22.♗:c5 bc!, а если 22.♗d2, то 22...f5 или 22...b5) 22.a5! b5 23.♗:c5! ♖:c5 24.♘d3! ♖cc8?! (упорнее 24...♖c7 25.♘b4 ♕f5) 25.♘b4 ♖e8 26.♘c6 ♗f8 27.♕e2 e4?! 28.c4! bc 29.♕:c4 ♕f5?! 30.♖e2 h5 31.♖de1! ♕:d5 32. ♕:d5 ♘:d5 33.♗:e4 ♘c7 34.♘e7+! ♖:e7 35.♗:a8 ♖:e2 36.♖:e2 ♘:a8 37. ♖c2!, и черные сдались.

Здесь также ярко проявился игровой почерк Карпова: профилактическое ограничение контригры соперника (16.b3, 19.♕e1, 22.a5), внезапная трансформация одного вида преимущества в другой (23. ♗:c5) и молниеносный перевод коня на c6. Всё это было исполнено на высшем уровне!

10.♕d2 (на 10.a4 хорошо 10... ♘c6 или 10...♘bd7 11.a5 ♖c8! 12.f3 ♕c7! 13.♕d2 ♖fd8 14.♖fd1 d5!= Геллер – Ивков, Пальма-де-Мальорка(мз) 1970; Штейн – Бронштейн, Таллин 1971) **10...♘bd7 11.a4 ♖c8.** Неплохо и 11...♘b6 12.a5 ♘c4 13.♗:c4 ♗:c4 14.♖fd1 h6 15.♘c1 ♖c8 16.♘d3 ♗e6 17.♗b6 ♕e8 18.f3 ♘d7 19.♗e3 f5 20.ef ♖:f5 21.♘b4 ♕g6 22.♘d5 (Карпов – Кинтерос, Люцерн(ол) 1982) 22...♗d8!=.

12.a5. По Геллеру. Игра тут носит медленный, «ползучий» харак-

тер, и выиграет тот, кто лучше разберется в тонкостях позиции: вовремя осуществит нужный размен, правильно выстроит пешечную цепь и т.п. Для стиля Карпова это была идеальная система!

12...♕c7. Возможно и выжидательное 12...h6 (Пенроуз – Найдорф, Варна(ол) 1962) или современное 12...♘c5 13.♗:c5 dc 14.♕:d8 ♖f:d8 15.f3 c4 (Храчек – Пономарев, Блед(ол) 2002; Леко – Топалов, Вейк-ан-Зее 2004).

13.♖fc1. Подготовка прыжка ♘d5. В случае 13.♖fd1 ♘c5! 14.♘:c5 dc уже неэффективно 15.♘d5 ввиду 15...♗:d5 16.ed ♗d6 17.c4 e4 18.g3 ♖fe8=. Или 15.♗f3 ♖fd8 16.♕e1 ♖:d1 17.♕:d1 c4! 18.♗b6 ♕d6 19.♕e1 ♕b4= (Лотье – Гельфанд, Тилбург 1996).

13...♕c6 14.♗f3. Критический момент: выпад ♘d5 неизбежен, и от того, как черные к нему подготовятся, зависит исход дебютной дуэли.

14...♗c4. Портиш идет известным путем. Возможно и 14...♖fe8 15.♘d5 ♗:d5 16.ed ♕c4 17.♕d3 ♕h4 18.g3 ♕h3 с контригрой или 14...h6 15. ♕d1 ♘h7 16.♘d2 ♘g5! 17.♘d5 ♘:f3+

18.♕:f3 ♗d8 19.c4 ♔h7 20.b4 f5=
(Леко – Бологан, Блед(ол) 2002).

15.♖a4! Усиление! В партии Местел – Браун (Лон-Пайн 1978) после вялого 15.♕d1 ♖fd8 16.♘d5 ♘:d5 17.ed ♕b5 черные получили отличную игру.

15...♖fd8 16.♖b4! (отнимая у ферзя поле b5, что усиливает эффект вторжения коня) **16...♕c7 17.♘d5 ♘:d5 18.ed f5 19.♗e2 ♗:b3?!** Портиш дрогнул: лучше 19...♗:e2 20.♕:e2 ♗f6.

20.♖:b3 f4? А это уже тяжелая позиционная ошибка. Правильно было 20...♗f6!

21.♗b6! ♘:b6 22.♖:b6 ♗g5 23.♗g4 ♖b8 24.♖e1! ♕c5 25. ♖e4! (теперь черным не удается даже разменять ферзей, и они обречены на пассивное ожидание) **25...♖f8 26.b4 ♕c7 27.c4 ♔h8 28.c5!**, и на 40-м ходу черные капитулировали.

Партии с Портишем и Георгадзе отражают не только стиль Карпова, но и его игровую философию, а именно: нахождение наиболее неприятных для соперника схем, позволяющих получить небольшую стратегическую инициативу при отсутствии реальной контригры.

Одолев в заключительном туре еще и Спасского (черными в испанской партии), чемпион мира достойно завершил лондонский турнир: 1–2. Андерссон и Карпов – по 8,5 из 13; 3. Сейраван – 8; 4–7. Любоевич, Портиш, Спилмен и Тимман – по 7; 8–9. Майлс и Спасский – по 6,5; 10. Геллер – 6.

Следующим крупным событием был супертурнир в Бугойно (май

1982), где Карпов уже дважды праздновал успех, однако на сей раз его не было в составе участников. Зато удалось пробиться туда мне, 19-летнему чемпиону СССР, уже входившему в пятерку сильнейших шахматистов планеты. О том, с какими трудностями это произошло, я уже рассказывал в книге «Безлимитный поединок». Напомню лишь основные детали.

В начале 1982 года я получил персональные приглашения от организаторов сразу трех супертурниров – в Лондоне, Бугойно и Турине. Мы с тренерами остановили свой выбор на Бугойно. Но когда я сказал об этом начальнику Управления шахмат Спорткомитета Крогиусу (наследнику Батуринского), тот предложил мне... заурядный турнир в Дортмунде, который был ниже на четыре категории! На мой вопрос, что всё это значит, он ответил с обезоруживающей прямотой: «У нас есть чемпион мира, и другой нам не нужен». Да и его босс Ивонин прилюдно обмолвился: «Спорткомитет сделает всё, что в его силах, чтобы предотвратить встречу Каспарова с Карповым в этом цикле». Что мне было делать? Воспользовавшись кратким визитом в Баку Ивонина и председателя Советской шахматной федерации Севастьянова, я напрямую обратился к ним и к руководителю Азербайджана Гейдару Алиеву. И только тогда мне было разрешено играть в Бугойно.

Итоги этого состязания ведущих гроссмейстеров мира навевали мысль о грядущих бурях на шахматном Олимпе: 1. Каспаров – 9,5 из 13 (+6=7); 2–3. Любоевич и Полугаевский – по 8; 4–5. Спасский и Хюбнер – по 7,5; 6–8. Андерссон, Ларсен и Петросян – по 7; 9. Иванович – 6; 10. Тимман – 5,5. «Если прежде я считал, что Каспаров сможет стать соперником Карпова не ранее следующего цикла, то после Бугойно склонен допустить, что это, возможно, случится раньше», – сказал в интервью Ботвинник. Той осенью я выиграл и межзональный турнир в Москве (+7=6), а на олимпиаде в Люцерне, заменив на 1-й доске Карпова, одолел в острейшей борьбе Корчного.

Не сидел сложа руки и чемпион. В июне он отправился со своим тренером Зайцевым на мощный двухкруговой турнир в Турине. Планировалось участие восьми гроссмейстеров экстракласса, но в последний момент отказался играть Тимман, а после первого круга выбыл, имея «плюс один», и Хюбнер (хотя он, по словам Зайцева, «ни на кого не производил впечатления серьезно больного человека»). Карпов втягивался в игру тяжело: упустил перевес с Андерссоном, проиграл Любоевичу... В свою очередь, Портиш обыграл Любоевича и вошел в группу лидеров.

В такой ситуации очередная дуэль Карпова с Портишем имела исключительно важное значение. Видимо, памятуя о Лондоне, венгерский гроссмейстер отказался от 1...c5 в пользу русской партии. Так между соперниками начался своеобразный дебютный минимач из трех партий, сыгранных в течение

шести месяцев 1982 года. Здесь снова сработал запас, оставшийся от подготовки к матчам за мировую корону, который долгое время обеспечивал Карпову громадный перевес за доской даже против ведущих теоретиков мира.

№ 577. Русская партия C42
КАРПОВ – ПОРТИШ
Турин 1982, 6-й тур
1.e4 e5 2.♘f3 ♘f6 3.♘:e5 (3.d4 – № 593) **3...d6 4.♘f3 ♘:e4 5.d4 d5 6.♗d3 ♗e7 7.0-0 ♘c6 8.♖e1.** Современный порядок ходов – 8.c4! ♘b4 9.♗e2 0-0 10.♘c3 ♗f5(e6) приводит к актуальной дебютной табии, ставшей особенно популярной как раз на рубеже веков.

8...♗f5. В конечном итоге дискуссий более перспективным было все-таки признано традиционное 8...♗g4, несмотря на печальный для черных исход партии Карпов – Корчной (Москва(м/6) 1974).

9.c4! «Новинка, которую совместно с Зайцевым мы подготовили к матчу в Мерано, – комментирует Карпов, – но там в 4-й партии я сыграл 9.♗b5, находясь под впечатлением партии Тимман – Портиш (Москва 1981). Часто встречалось и 9.♘bd2, например: Каспаров – Карпов (Москва 1981)».

Добавлю, что в партии предыдущего тура Кавалек – Карпов было 9.a3?! 0-0 10.c4 ♗f6 11.♘c3 ♘:c3 12. bc ♗:d3 13.♕:d3 dc 14.♕:c4 ♘a5 15. ♕a4 b6, и черные без особых хлопот добились ничьей.

9...♘b4 10.♗f1! (конечно, не 10.cd? ♘:f2!) **10...0-0.** Неудачно 10...dc, как было во второй партии «русской серии». После 11.♘c3! ♘f6 (плохо 11...♘:c3? 12.bc ♘c2 13.♖e5 ♘:a1 14.♖:f5 или 12...♘d3 13.♗:d3 cd 14.♗a3) 12.♗:c4! 0-0 13.a3 ♘c6 14. d5 ♘a5 15.♗a2 c5 16.♗g5 (сильно и 16.♘e5 ♗d6 17.♕f3) 16...♖e8 17.♕a4 ♗d7 18.♕c2 h6 19.♗h4 ♘:d5 20. ♘:d5 ♗:h4 21.♖:e8+ ♗:e8 (Карпов – Портиш, Тилбург 1982) могло последовать 22.♘:h4! ♕:h4 23.♖e1, и дебютный эксперимент черных привел бы их к катастрофе.

11.a3 ♘c6 12.♘c3. В третьей партии с Портишем (Люцерн(ол) 1982) Карпов избрал лучшее продолжение 12.cd! ♕:d5 13.♘c3 ♘:c3 14.bc ♗g6?! (позволяя белым продвинуть обе центральные пешки; лучше 14...♗f6) 15.c4 ♕d7 (при 15... ♕d6 16.d5! уже плохо 16...♗f6? 17. c5! ♕d7 18.dc ♕:d1 19.♖:d1 ♗a1 20. cb ♖ab8 21.♗f4) 16.d5 ♗f6 17.♖a2 ♘a5 18.♗f4 (наращивая давление; неплохо и 18.♘e5) 18...♖fe8 19. ♖ae2! ♖ec8? (ведет к краху, но черным уже дорог хороший совет) 20. ♘e5 ♕f5 21.♗d2! ♘:c4 22.g4!, и белые выиграли.

12...♘:c3 13.bc dc! На большой диагонали слону пока делать

нечего: 13...♗f6 14.♗f4 dc 15.♗:c4 ♕d7 16.♗a2 ♖fe8 17.♕d2 b5 18.♗g5 с неприятным давлением (Адамс – Карпов, Дортмунд 1999). Портиш находит для чернопольного слона хорошую стоянку.

14.♗:c4 ♗d6!

15.♗g5. Ныне считается, что белые сохраняют инициативу путем 15.♖a2! ♕d7 16.♘g5, например: 16... ♗g6 17.♘e4 ♖fe8 18.♗ae2 ♗:e4 19. ♖:e4 ♖:e4 20.♖:e4 ♖e8 21.f3!? ♘d8 22. ♗b3 c6 23.a4 ♘e6 24.g3 (Адамс – Ананд, Нью-Дели(м/3) 2000) или 16...♘a5 17.♗d3 b5 18.♕f3 ♗g6 19. ♖ae2 (Широв – Карпов, Прага (блиц) 2002).

15...♕d7 16.♘h4. Обеспечивая преимущество двух слонов, но заслуживала внимания и игра по центру – 16.♘e5.

16...♘a5 17.♗a2 b5!? Черные не хотят создавать себе слабую пешку путем 17...♗e6 18.♗:e6 fe, хотя минимальный перевес белых трудно воплотить во что-то реальное: 19.♘f3 ♖ae8 20.♗h4 ♕c6 21.♕c2 h6 22.♗g3 ♕d5 (Адамс – Ананд, Нью-Дели(м/1) 2000). Испытывалось и 17...♗g4!? 18.♕d3

♖ae8 19.h3 ♖:e1+ 20.♖:e1 ♖e8=
(Свидлер – Адамс, Нью-Дели(м/3)
2000).

18.a4 a6? Динамика позиции
теперь явно в пользу белых, и Карпов пользуется этим очень искусно. Портиш еще рассчитывал
водрузить коня на c4 и потому отказался от хода 18...ba!, приводив-
шего к радикальному изменению
пешечной структуры. Но именно
таким образом черные могли получить полноправную игру!

Карпов собирался играть 19.♗d5
♖ae8 20.♖:e8 ♖:e8 21.♘:f5 ♕:f5 22.
♕:a4 ♖b8 23.♖e1 «с лучшими шансами», однако 23...c6 ведет к пол-
ному равенству: 24.♕:a5 cd 25.♕:a7
♖b1 26.♕a8+ ♗f8 27.♗d2 ♕e4 28.
♔f1 ♕d3+ 29.♔g1 ♕e4. Нет перевеса у белых и при 19.♘:f5 ♕:f5
20.♗e7 ♖fe8 21.♗b1 ♕d7 22.♗:d6
♘b3!

Остается рассмотреть 19.c4 c5.
При прямолинейном 20.dc ♗:c5
21.♖e5? белые могут даже проиграть: 21...♕:d1+ 22.♖:d1 ♗g4! 23.
♖dd5 (или 23.♖:c5 ♗:d1 24.♖:a5
♖fb8 25.♗c1 ♗b3 26.♗b1 ♖d8!) 23...
f6! (Карпов) 24.♖:c5 ♘b3 25.♗:b3
ab. В позиции после 20.♘:f5 ♕:f5
21.h4 ♘b3 22.♗b1 ♕d7 23.dc ♘:c5

24.♖a2 Карпов видит «отличные
атакующие возможности», но угроза 25.♖d2 легко отражается ходом 24...♕c7! Кстати, кроме 19...c5
возможно и 19...♘b3!?, например:
20.c5 (20.♗:b3 ab 21.♕:b3 ♖fb8)
20...h6 21.♘:f5 ♕:f5 22.♗:b3 ab 23.
cd ♕:g5 24.dc b2 25.♖b1 ♖ac8 26.
♖e5 ♕f6 27.♕c2 ♕d6 28.♖c5 ♖fe8
29.g3 ♖e7=.

**19.ab ab 20.♘:f5 ♕:f5 21.♗e7
♖fb8?!** Трудно назвать этот ход
ошибкой, но он, несомненно, способствует развитию инициативы
белых. Не лучше были и другие
ходы ладьей. После 21...♖fc8 22.
♗b1 ♕d7 23.♕f3! g6 24.♖a2 Карпов
оценил позицию как выигранную,
но он слишком категоричен. Неожиданная тактическая операция
24...♘c4! 25.♗:c4 ♕:e7! позволяла
еще продолжить сопротивление:
26.♗:f7+! ♔g7 27.♗d5 ♖:a1 28.♖:a1
и т.д.

Не решало проблем 21...♖fe8 22.
♗:d6 cd 23.♗b1 ♕d7 (23...♕h5?
24.♖:e8+ ♖:e8 25.g4! ♕h3 26.♖:a5
♕:c3 27.♖:b5 ♖e1+ 28.♔g2) 24.
♗e4! ♖a7 (теряет пешку 24...d5? 25.
♗:d5! ♕:d5 26.♖:a5) 25.♗f5 ♕c6
26.d5 ♖e1+ 27.♕:e1 ♕a8 28.♗d3 g6
29.♕e3 ♘c6 30.♖:a7 ♘:a7 31.♕d4,
и черному коню трудно войти в
игру.

Наиболее упорным было 21...
♗:e7!? 22.♖:e7 c6 (Карпов) 23.♗b1!
♕f6 24.♕e1 g6 25.♗d3. Теперь форсированно проигрывает 25...♘c4?
26.♖:a8 ♖:a8 27.♗:c4 bc 28.♖e8+
♖:e8 29.♕:e8+ ♔g7 30.♕e5, но позволяет держать оборону как 25...
♘b3 26.♖b1 ♖a3, так и 25...♔g7 26.
♖b1 ♖ab8.

22.g4! Этот резкий, но вполне логичный выпад (надо сбить ферзя с поля f5, где он защищает пешку f7 и не позволяет белому ферзю встать на f3), вероятно, шокировал невозмутимого венгра, и он сразу же пропустил неожиданный тактический удар.

22...♕d7? Необходимо было 22...♕f4 23.♗:d6 ♕:d6 (плохо 23...cd?! 24.♗d5! ♖a7 25.♖e4 ♕g5 26.♕f3) 24.♕f3 ♕d7! (но не 24...♖f8 25.♗:f7+ ♔h8 26.♕g3! ♕:g3+ 27.hg ♖:f7 28.♖:a5 ♖af8 29.♖:b5 ♖:f2 30. ♖f5 ♖2:f5 31.gf). После 25.♗b1! c6 26.♗e4 черным трудно развязаться, так как конь вынужден оставаться на a5 для защиты пешки c6, но обороняться еще можно.

23.♗:f7+! ♔h8. Ненадолго затягивало сопротивление 23...♔:f7 24.♖:a5! ♔g8 (к мату ведет 24...♔:e7 25.♕f3+ или 24...♖:a5 25.♕b3+ ♔g6 26.♖e6+) 25.♖:a8 ♖:a8 26. ♕b3+ ♔h8 27.♗:d6 cd. После 28. ♕e6 ♕c6 29.d5 ♕c8 30.g5 ♕d8 31.h4 к белому королю черным не подобраться, поскольку их тяжелые фигуры должны охранять 8-й ряд.

24.♗:d6 ♕:f7 25.♖e7 (окончательно ломая оборону) **25...♕f8**

26.♗c5. Белые предпочитают усиливать давление, не давая сопернику никаких шансов. Другой путь к победе — 26.♗:c7 ♕:e7 27.♗:b8 ♖:b8 28.♖:a5 ♕c7 29.♖a3 ♖f8 30. ♖b3, и надежды черных на контригру иллюзорны: 30...♕c4 31.♖b4 ♕d5 32.♕e2 ♕c6 33.♖:b5 ♕:c3 34. ♖f5 ♖g8 35.d5.

26...♕f4 27.♕e2 h6 28.♖e4 ♕f7 29.♖e5 ♘c4 30.♖:a8 ♖:a8 31.♖f5 ♕g6 32.♕e4! ♔h7 33.h3 ♖a1+ 34.♔g2 ♖c1 35.♖b4 ♘d6 36.♗:d6 cd 37.♕d3 d5 38.f3! Черные сдались: марш h3-h4-h5 неотвратим.

В оставшихся партиях Карпов взял неплохой реванш у Любоевича и сделал пять ничьих, чего хватило для дележа первого места: 1—2. Карпов и Андерссон — по 6 из 11 (за вычетом плюса от Хюбнера); 3—4. Любоевич и Портиш — по 5,5; 5. Спасский — 5.

«Если учесть, что прошло всего полгода с тех пор, как отгремели баталии в Мерано, отнявшие столько сил и энергии, то результаты, показанные чемпионом мира в двух последних турнирах, следует признать хорошими. Такова, во всяком случае, моя точка зрения как тренера», — писал в «64» Игорь Зайцев.

В июле в Лас-Пальмасе прошел первый из трех межзональных турниров, принесший успех Рибли и Смыслову, а неудачу — Петросяну, Тимману, Ларсену, Псахису... В августе в Толуке победу разделили Портиш и Торре, оставив не у дел Спасского, Полугаевского, Сейравана, Юсупова, Балашова... В сентябре в Москве отличились мы с Белявским, опередив Таля, Андерссона, Геллера... Так вместе с финалистами прошлого цикла Корчным и Хюбнером образовалась восьмерка претендентов, которым предстояло в матчах между собой выявить очередного соперника чемпиона мира.

Тем временем чемпион, видимо, наконец-то отдохнув после «баталий в Мерано», убедительно выиграл уже свой четвертый супертурнир в Тилбурге (осень 1982): 1. Карпов — 7,5 из 11; 2. Тимман — 7; 3—4. Андерссон и Сосонко — по 6,5; 5—6. Петросян и Смыслов — по 6. Могло быть еще лучше, но после великолепного старта — победы над Хюбнером (счет их встреч стал +5 =8), Петросяном (впервые в жизни!) и новоявленным претендентом Торре — он, неожиданно просчитавшись, отдал Портишу практически выигранную партию (см. № 577, примечание к 10-му ходу черных).

«Это резко повлияло на конечный результат, поскольку я не только потерял очко, но и настроение, понятно, испортилось, — рассказывал потом Карпов. — Как и следовало ожидать, одним из основных конкурентов в борьбе за первое место был Ян Тимман. Это очень своеобразный шахматист, который ведет постоянный поиск и в области теории дебютов, и в области миттельшпиля. Ничего не скажешь, сильный гроссмейстер. Но в годы отборочных соревнований с ним происходят странные вещи. Он, видимо, не может справиться с чувством ответственности, с нагрузками, присущими этим соревнованиям, не в силах совладать со своими нервами. Вот и в последнем цикле вновь неудачно выступил в межзональном турнире. Есть что-то несправедливое в том, что шахматист, прекрасно игравший на протяжении трех лет, но не сумевший подготовиться к одному турниру (или не сумевший справиться с нервными перегрузками), выбывает из розыгрыша первенства мира на очередные три года. Может быть, стоит подумать о том, чтобы неоднократные победители крупнейших турниров получали дополнительное право (или персональное приглашение) на участие в матчах претендентов?»

Такое впечатление, что чемпион мира мечтал тогда встретиться в матче именно с Тимманом и весьма сожалел о том, что этого не случилось. Счет его личных встреч с одним из лучших в то время гроссмейстеров Запада был +7−3=13. Позже голландец, словно забыв о «нервных перегрузках», не раз играл в матчах претендентов и дважды доходил до финала! К началу финального матча 1990 года Карпов — Тимман счет вырос уже до +16−4=30. Неутомимый Карпов выиграл вдобавок и этот матч — 6,5:2,5 (+4=5), и следующий, на первенство мира ФИДЕ (1993) — 12,5:8,5 (+6−2=13). Безусловно, талантливейший наследник Эйве мог бы реально претендовать на мировую корону, если бы не плотная стена из советских гроссмейстеров во главе с двумя «Ка»...

В ноябре 1982-го советская когорта — Карпов, Каспаров, Полугаевский, Белявский, запасные Таль и Юсупов — сокрушила всех на Всемирной олимпиаде в Люцерне: 1. СССР — 42,5 из 56; 2. Чехословакия — 36; 3. США — 35,5. Карпов: «Задача была выполнена неожиданно легко. Хорошая спортивная форма чрезвычайно редко сопутствует сразу всем участникам команды. Мы имели возможность свободно варьировать состав». В 14 турах Карпову довелось сыграть восемь партий (+5=3), мне — одиннадцать (+6=5).

Тогда же, при советской поддержке, президентом ФИДЕ был избран организатор матча в Багио Флоренсио Кампоманес. Перед объявлением результатов голосования случился весьма символический эпизод. Председательствующий трагическим голосом зачитал переданную ему записку: «С прискорбием извещаю о кончине президента Брежнева. Прошу всех встать и почтить его память минутой молчания». Сразу после этого, в гробовой тишине, была объявлена победа Кампоманеса. Казалось, будто шахматный мир скорбел не по ушедшему из жизни Брежневу, а по поводу собственного будущего...

Следующим выступлением чемпиона мира был супертурнир в Линаресе (февраль 1983): 1. Спасский — 6,5 из 10; 2—3. Карпов и Андерссон — по 6 (+2=8); 4—6. Майлс, Сакс и Юсупов — по 5,5 (впереди Геллера, Горта, Тиммана, Сейравана и Ларсена). Карпов играл очень сдержанно и надежно, но однажды блеснул яркой комбинацией — и завоевал приз за лучшую партию в турнире.

№ 578. Сицилианская защита В81
КАРПОВ — САКС
Линарес 1983, 3-й тур
1.e4 c5 2.♘f3 d6 3.d4 cd 4.♘:d4 ♘f6 5.♘c3 e6 6.g4. «Выбор варианта в известной степени определялся тем, что в первых двух турах Сакс одержал две победы, а в турнире короткой дистанции — это весомая заявка. Надо было попытаться его остановить», — пишет Карпов.

Как видно и из приведенных выше партий с Гортом, Дорфманом и Спасским, он при необходимости изменял своему сугубо профилактическому стилю, хотя даже острые варианты атаки Кереса пытался трактовать строго позиционно.

6...h6 (6...♘c6 — № 539; 6...♗e7 — № 560) **7.♖g1.** Основной ход чемпиона в начале 80-х (7.h4 — № 572).

7...♗e7. Незадолго до этого черные успешно испытали 7...♘c6 8.♗e3 g5!? 9.♕d2 ♘e5 (спорно 9...♘d7?! 10.0-0-0 ♘de5 11.♗e2 a6 12.h4 Ананд — Сакс, Реджо-Эмилия 1988) 10.♗e2 ♘g6! 11.0-0-0 a6... *1/2* (Карпов — Спасский, Турин 1982). На сей раз, возможно, их ждало 9.h4!? (Зайцев — А.Соколов, Москва 1983).

А в сыгранной вскоре партии Карпов – Тимман (Пловдив 1983) было 8...а6 9.♕е2 (9.h4!?) 9...♘:d4 10.♗:d4 е5 11.♗е3 ♗е6 12.h4, и после 12...g6!? 13.g5 hg 14.hg ♘h5 15. 0-0-0 ♘f4 16.♗:f4 ef 17.♘d5 ♗g7 черным удалось погасить инициативу соперника.

8.♗е3 (избегая 8.h4 d5!? 9.ed ♘:d5 10.♗b5+ ♔f8 с острой игрой, Радулов – Сакс, Вршац 1975) **8... ♘с6.** После этого поединка Сакс перешел на 8...а6.

9.♕е2. По словам Карпова, идея этого несколько необычного хода состоит в том, чтобы после 0-0-0 использовать противостояние белой ладьи и черного ферзя на линии «d». Раньше он пробовал 9.♗е2, но после 9...а6 10.♕d2 ♘:d4 11.♕:d4 е5 12. ♕d2 ♗е6 13.♗f3 ♘d7 14.♘d5 ♗g5 15.0-0-0 ♖с8 16.♔b1 ♗:d5 17.ed ♘с5 у черных не возникло особых проблем (Карпов – Тимман, Мар-дель-Плата 1982).

9...♗d7. Спорная новинка с типовой идеей ♘:d4 и ♗с6. В партии Карпов – Андерссон (Турин 1982) было 9...♘:d4 10.♗:d4 е5 11.♗е3 ♗е6 12.0-0-0 ♘d7!? 13.♔b1 а6 14.f4 ef 15.♗:f4 ♗f6! 16.♕е3 ♗е5 с удобной игрой у черных. Конечно, для встречи с Саксом было заготовлено усиление. К примеру, 13.♘b5!? ♘b6! (Зайцев) 14.♕d2, и черные должны еще поискать приемлемую защиту.

10.h4. На 10.0-0-0 Карпову показались неясными последствия варианта 10...♘:d4 11.♗:d4 е5 12.♗е3 ♖с8 с типовой идеей ♖:с3! «Поэтому в первую очередь белые приводят в готовность механизм оттеснения коня (g4-g5) с его важной позиции».

10...♘:d4 11.♗:d4 е5 12.♗е3 ♗с6 (если 12...♖с8, то 13.g5 hg 14.hg ♘g4 15.♖:g4 ♖:с3! 16.♖g3! или, что еще лучше, 15.♗d2!) **13.♕d3.** «Защищая пешку е4 и усиливая контроль над полем d5. Угрожает 14.g5» (Карпов).

По мнению Дворецкого, сильнее было 13.♕f3!? (но не 13.f3 ♘h7!), например: 13...d5 14.♘:d5! ♗:d5! (плохо 14...♘:d5 или 14...♘:е4 из-за 15. 0-0-0!) 15.ed ♕:d5 16.♗g2 с небольшим перевесом белых или 13...♕а5 14.0-0-0 (неясно 14.♗d2 ♕b4) 14... ♘:е4! 15.♘:е4 ♕:а2 (15...d5?! 16.♕f5! de 17.♗с4 ♖f8 18.♕:h7!?) 16.♘с3 ♗:f3 (опасно 16...♕а1+ 17.♔d2 ♕:b2 18. ♕g3!) 17.♘:а2 ♗:d1 18.♗b5+! ♔f8 19.♖:d1 с несколько лучшим для белых окончанием.

13...♕а5? На свою беду, Сакс задумал острую тактическую операцию. Сомнительно 13...d5?! 14.ed ♘:d5 15.0-0-0! ♘:е3 16.♕:е3 ♕а5 17. ♗b5! 0-0?! (17...♗:b5? 18.♕:е5) 18.g5 (Дворецкий) 18...hg 19.hg ♗:b5 20. ♘d5! ♖fe8 (20...♕d8 21.♕:е5) 21. ♘f6+! или 17...а6 18.♗:с6+ (не совсем ясно 18.♕:е5 ab 19.♕:g7 ♖f8) 18...bc 19.♕f3!? (если сразу 19.g5, то

19...hg 20.hg ♖b8! с идеей ♕b6)
19...♕b6 (19...0-0 20.g5!) 20.♘e4 ♖b8
21.b3, и разница в положении королей явно в пользу белых.

Но гораздо лучше было 13...♘h7!
с идеей омертвить атакующую пешечную цепь противника: после
14.h5 ♗g5! 15.0-0-0 0-0 или 14.0-0-0
♗:h4 15.♘b5 0-0 16.♘:d6 (16.♕:d6
♕a5!) 16...♕f6 и ♖fd8 у черных крепкая позиция. Карпов предлагает
гамбитное 14.g5 hg 15.♘d5 «с небольшим перевесом белых». Дворецкий возражает: «Заманчивая
жертва пешки, но неясно, корректная ли: 15...gh 16.♖:g7 ♘f6 17.0-0-0
h3». Добавлю, что и при 15...♘f6
доказать перевес белых весьма непросто, если вообще возможно.

14.0-0-0 ♘:e4. Отступать поздно: на 14...0-0-0? сильно 15.♕с4
♘:e4 16.♘d5! ♗:h4 17.♕:e4 ♕:a2
18.♗с4 (Дворецкий) или 15.g5! hg
16.hg ♘:e4 (если 16...♘h5(d7), то 17.
♕с4!) 17.♘:e4 d5 18.♘d2!, и жертва
коня оказывается некорректной:
18...d4 (18...g6 19.♔b1 и ♘b3) 19.
♘b3 ♕:a2 20.♕f5+ ♖d7 21.♕:e5 de
22.♖:d7 ♔:d7 23.♗c4+−.

15.♘:e4 d5 16.♕b3. Карпов
ставит к этому сильному ходу восклицательный знак: «Теперь черные вынуждены взять коня, после
чего их король не сможет укрыться
ни на одном из флангов и остается
на опасной позиции в центре».

Однако еще сильнее неожиданная и красивая идея гроссмейстера
Бологана 16.♘d2! d4 (16...♕:a2 17.
♕f5!) 17.♘b3 ♕:a2 18.♕f5!! de 19.
♗c4 0-0 20.g5 с победоносной атакой (указано Дворецким). Например: 20...e2 21.gh! ed♕+ 22.♖:d1 ♗e4

(22...♗f6 23.♖g1) 23.♕:e4 ♗f6 24.
♖d6+−.

16...de 17.♗c4 ♖f8. «Черная
ладья занимает неуклюжую позицию, на которой останется до конца партии. Плохо было 17...0-0 18.
g5 hg 19.♗:g5 с сильнейшей атакой»
(Карпов): 19...♗:g5+ 20.hg и ♕h3!

18.♖d5!? Эффектная позиционная
жертва качества, хотя напрашивается 18.g5! hg 19.hg, например: 19...
♕b4? 20.g6! fg 21.♕:b4 ♗:b4 22.♖g6
или 20...♕b3 21.gf+ ♖:f7 22.ab, добираясь до пешки g7. Но здесь Карпову не понравилась «единственная
возможность для черных – 19...g6:
было неясно, следует ли вызывать
этот ход». Ситуацию проясняет ход
20.♖h1!, указанный гроссмейстером
Мотылевым: на 20...♕b4? сразу выигрывает 21.♗:f7+! ♖:f7 22.♕e6.
Конечно, необходимо 20...♖d8, однако на это сильно 21.♖:d8+ ♗:d8
22.♖d1!

Примерно к тому же ведет и немедленное 19...♖d8 20.♖:d8+ ♗:d8
21.♖d1! (не так ясно 21.c3 ♗e7! Дворецкий) 21...♗e7 22.a3!, и у белых
полная доминация: черных губит
«плохой» король. Ненамного луч-

ше 19...♖c8 20.♗d5 ♕b4 21.♗:c6+
♖:c6 22.♕d5 ♕d6 23.♕:e4 и т.д.

18...♗:d5 (надо брать качество:
если 18...♕c7, то 19.♗b5!) **19.♗:d5
♖d8!?** «Естественный, но, возможно, нелучший ход. В случае 19...
♕b4 20.♗:b7 ♕:b3 21.ab ♖b8 проще
всего 22.♗:e4» (Карпов). Однако
Дворецкий рекомендует 21...♗d7!
22.♖d1+ ♔e6! 23.♗d5+ ♔f6 с шансами на ничью, зато ходом раньше —
20.♕:b4! ♗:b4 21.♗:b7 ♖b8 (21...♖d8
22.c3(a3) ♗d6 23.♗:a7) 22.♗c6+
♔e7 23.♗:a7 ♖a8 (23...♖bc8 24.♗:e4)
24.♗:a8 ♖:a8 25.♗e3 ♖:a2 26.♔b1 с
хорошими шансами на победу, тогда как «при ходе в партии игра носит более обоюдоострый характер».

20.♗c4! Избегая размена чернопольных слонов: 20.♗:e4 ♗c5!, а на
20.♗:b7?! возможно было не только 20...♗c5 (Карпов), но и 20...♗:h4!
(Дворецкий).

20...♕b4! (20...♗c5? 21.♗b5+
или 20...♗d6? 21.♕:b7 ♕c7 22.♕:e4)
21.c3 b5! «В случае 21...♗d6 22.
♕:b7 ♕c7 белые могли выбирать
между подавляющим эндшпилем —
23.♕:c7 ♗:c7 24.♗:a7 и продолжением атаки — 23.♕:e4. Очень сильно и 22.g5!? hg 23.♖:g5» (Дворецкий).

22.♗e2! «Конечно, белопольного слона следует сохранить. К неясным последствиям вело 22.cb bc
23.♕:c4» (Карпов). Действительно, после 23...♕d5 (Дворецкий)
24.♕:d5 (24.♕c7 ♖d7= или 24...
f6!?) 24...♖:d5 25.♗:a7 ♔d7! скорее
уже белым пришлось бы думать о
ничьей.

22...♗d6 23.♕d5! «Нет смысла играть 23.♗:b5+, так как после
23...♔e7 черные ладьи получают
оперативный простор» (Карпов). А
на 23.g5 возможно 23...b4! (Дворецкий).

23...♔e7? «Критический момент. Плохо 23...♕:c3+? 24.♔b1!
♕b2+ 25.♔:b2 ♗a3+ 26.♔:a3 ♖:d5
27.♗:a7+—, но больше шансов на защиту давал ход 23...♕c7, после которого белые оказались бы перед
нелегким выбором», — пишет Карпов и указывает две возможности:
24.g5, провоцируя 24...♕:c3+?! 25.
♔b1, и белые получают линию «с»,
или 24.♗:b5+ ♔e7 25.♔c2 — «полезный профилактический ход»,
но, по Дворецкому, после 25...♖b8
26.♖d1 (26.g5 ♕b7) 26...♖fd8 27.
♗c4 ♔f8 исход борьбы неясен. Поэтому, на мой взгляд, лучше 25.♕:e4
♖b8 26.♗c4 ♕b7 27.♕c2! ♖fc8 28.
♗b3, все-таки сохраняя перевес.

Кроме того, Дворецкий рекомендовал 23...a6, и «после 24.♖d1
♕c7 25.♕:e4 белые сохраняли достаточную компенсацию за пожерт-
вованное качество, но, видимо, не
более того». Однако сильнее 24.
♕c6+! ♔e7 25.♖d1 ♖d7 (не 25...♕c7?
26.♖:d6, 25...♕:a2? 26.♗c5 ♕e6 27.
g5! или 25...f6? 26.♔b1! ♖d7 27.♗b6
♕a4 28.b3 ♕a3 29.♖:d6!) 26.a3 ♕d8

(плохо 26...♖fd8? 27.♗b6 ♕a4 28.c4! или 26...♖b8? 27.g5! и ♗g4) 27.♕:a6 ♕a8 28.♕:b5 ♖b8 29.♕d5, и три связанные проходные пешки, поддержанные слонами, оставляют белым шансы на выигрыш.

24.♗c5! (похоже, Сакс зевнул этот сильный ход: такой размен слонов уже на руку белым) **24...♗:c5.** Нельзя ни 24...♗c7 25.♕:e5+ ♔d7 26.♗:d6 ♕:d6 27.♖d1, ни 24...f6 25. ♗c4! (Карпов).

25.♕:e5+ ♔d7 26.♕:c5 ♕c7 27.♕f5+ ♔e7?! В этой партии поле e7 стало для Сакса воистину роковым! Упорнее было 27...♔c6 28.♕:b5+ ♔d6, хотя и здесь после 29.♕b4+ в пользу белых как 29... ♕c5 30.♕:e4!, так и 29...♔e5 30.f3! (менее ясно 30.f4+ ♔:f4 31.♖f1+ ♔e3) со страшной атакой, например: 30...f5 31.gf ♖:f5 32.fe ♖f2 33. ♕b5+ или 30...♕b6 31.♕e7+ ♔d5 (31...♕e6 32.f4+! ♔:f4 33.♕c5 e3 34. ♗c4+−) 32.♖e1! ♔c6 33.a4! a6 34. b4 и т.д.

28.♕:e4+ ♔d7 29.♕f5+ ♔e7 30.♖e1! «После длительного размышления мне удалось найти лучший способ поддерживать напряжение и тогда, когда черный король укроется на поле d8» (Карпов).

30...♖d6 31.♗c4+! (не пропуская черную ладью на e6) **31... ♔d8 32.♗:b5 a6.** Не лучше 32... ♖f6 33.♕d5+ ♖d6 (33...♔c8 34. ♖e7!!, как в партии) 34.♕a8+ ♔c8 35.♕:a7+−.

33.♗a4! g6 34.♕f3! ♔c8. Проигрывает сразу. Продлевало агонию 34...♕c4, например: 35.♗b3 ♕c6(7) 36.♕f4 или 35.♕a8+ ♕c8 36.♕a7 ♕c7 37.♕e3 и т.д.

35.♖e7!! (изящный матовый финал) **35...♖d1+** (или 35...♕:e7 36. ♕a8+ ♔c7 37.♕a7+) **36.♔:d1 ♕:e7** (36...♖d8+ 37.♖d7!) **37.♕a8+ ♔c7 38.♕a7+ ♔d6 39.♕b6+.** Черные сдались: 39...♔e5 40.♕d4+ ♔e6 41. ♗b3#.

Затем чемпион мира выиграл юбилейный, 50-й чемпионат СССР (Москва, апрель 1983): 1. Карпов — 9,5 из 15 (+5−1=9); 2. Тукмаков — 9; 3—4. Ваганян и Полугаевский — по 8,5. Я в этом турнире не участвовал, ибо только что победил в четвертьфинальном матче претендентов Белявского и готовился к полуфинальному поединку с Корчным.

Об этом важнейшем матче всего цикла, первоначально сорванном Спорткомитетом по указке ЦК КПСС и КГБ, уже немного рассказано в главе «Прощание с мечтой». Карпов участвовал в московских переговорах с Кампоманесом, затем пригласил меня к себе домой, и мы обсудили ситуацию наедине. Он посоветовал мне обратиться к Алиеву, в то время члену Политбюро ЦК КПСС, и, со своей стороны, пообещал организовать встречу с секретарем ЦК КПСС Зимяниным.

Несколько позже, когда президент ФИДЕ присудил мне поражение за неявку в Пасадену, Карпов сделал осторожно-туманное заявление: «Корчному засчитан выигрыш без игры, но ведь его соперник не вышел на матч не из-за собственного каприза или болезни, а в результате сложившихся обстоятельств, то есть по причинам околошахматного характера».

Понятно, что те, кто создал эти обстоятельства и причины, преследовали одну цель: «сделать всё», чтобы Каспаров не дошёл до Карпова. Участвовал ли в интриге сам чемпион? В книге «Сестра моя Каисса» Анатолий Евгеньевич это категорически отрицает, утверждая, что, наоборот, сделал очень многое, чтобы эти матчи — мой с Корчным и Смыслова с Рибли — состоялись:

«Я хотел, чтобы всё это было честно, по совести. Тот Каспаров ещё не был мне серьёзным конкурентом. Я видел все его слабости и не сомневался, что без особого труда управлюсь с ним за шахматной доской. Этот матч был даже в моих интересах: чем раньше мы бы встретились, тем сокрушительней был бы разгром (и ход первого матча показал, что расчёт был верен)... Не правда ли, простой довод против всех измышлений Каспарова о моих злодейских планах и действиях?.. Мне даже пришлось слетать на Филиппины: все мы считали, что в интересах дела не грех эксплуатнуть мои добрые отношения с Кампоманесом. И расчёт оправдался».

Резонные доводы Карпова имеют один изъян: они приведены задним числом, уже после четырёх наших матчей. А тогда, летом 83-го, было совсем неясно, на чём мог базироваться такой оптимизм чемпиона: я выигрывал все соревнования подряд, уже получил свой первый шахматный «Оскар» (а вскоре и второй), мой рейтинг рос как на дрожжах и к концу года уже превышал карповский (первый случай за всё послефишеровское десятилетие!). Да и не помогли бы никакие его «добрые отношения с Кампоманесом», если бы в тот исторический момент оказался недостаточным политический ресурс Алиева. Недаром Смыслов потом сказал мне: «Молодой человек, если бы история с нашими полуфинальными матчами произошла бы не летом 1983 года, а несколько раньше *(то есть до ноября 1982-го, когда скончался Брежнев, а Алиев стал членом Политбюро. — Г.К.)*, мы бы никогда не встретились в финале».

В августе чемпион мира выиграл турнир 9-й категории в Ганновере, потерпев в 1-м туре сенсационное поражение от мастера Хартмана (белыми в атаке Кереса!) и затем одержав восемь побед при шести ничьих: 1. Карпов — 11 из 15; 2. Георгадзе — 10,5; 3. Балашов — 10. Я же в начале сентября выиграл супертурнир в Никшиче — 11 из 14. В свою очередь Карпов отпраздновал в октябре свой пятый триумф в Тилбурге — 7 из 11 (+3=8).

Выиграв в декабре многострадальный матч у Корчного, а в апреле 1984-го — и финальный матч у неувядаемого Смыслова, я дал окончательный ответ на давно витавший в воздухе вопрос, кто будет следующим соперником чемпиона мира.

Той весной Карпов довольно уверенно выиграл два хороших турнира – в Осло (+3=6) и в Лондоне: 1. Карпов – 9 из 13; 2–3. Полугаевский и Чандлер – по 8; 4. Тимман – 7,5; 5–6. Рибли и Сейраван – по 7; 7–8. Ваганян и Корчной – по 6,5. Здесь он «по старой памяти» одолел Корчного, который по окончании бойкота вновь стал встречаться в турнирах с советскими шахматистами.

В июне мы с Карповым сыграли в долгожданном втором матче СССР – Остальной мир. Наши первые три доски были известны: Карпов, Каспаров и Полугаевский. Соперники же, стремясь улучшить результат, хитроумно поменяли порядок досок: Корчной отправился терзать Полугаевского, непробиваемый Андерссон «встал на ворота» против Карпова, а опытный Тимман был брошен против «горячего» Каспарова. Этот замысел оправдался лишь отчасти: Корчной действительно обыграл Полугаевского (+1=3, включая ничью с запасным Тукмаковым), но Карпову и мне удалось одолеть своих партнеров с тем же счетом. Победила и вся наша команда – 21:19.

Десятого сентября 1984 года в Москве стартовал безлимитный матч на первенство мира Карпов – Каспаров. В 1-й партии была разыграна... атака Кереса! Однако тут я вынужден прервать свой рассказ, ибо это уже тема 7-го тома, который будет посвящен всем моим матчам с Карповым.

СУПЕРФИНАЛ

В июле 1985 года, перед нашим вторым матчем, Карпов выиграл двухкруговой турнир в Амстердаме – 7 из 10 (+4=6), на пол-очка обогнав Тиммана. Здесь он чередовал 1.e4 и 1.♘f3, а в матче со мной – 1.e4 и 1.d4. Решающую, 24-ю партию, в которой его устраивала только победа, чемпион мира начал излюбленным ходом королевской пешки, и сама логика борьбы в сложной «сицилианской» схеме заставила его оголить тылы путем g2-g4-g5. Он владел инициативой, однако на 23-м ходу промедлил, а на 36-м допустил грубую цейтнотную ошибку – и проиграл партию, матч (11:13) и титул.

После таких потрясений, как невыигрыш первого матча и поражение во втором, иному потребовался бы долгий восстановительный период, но Карпов во всем блеске проявил свои волевые качества, сразу ринувшись в пучину сражений, дабы прийти в оптимальной форме к предстоящему в 1986 году матчу-реваншу. Уже в ноябре он возглавил команду СССР на командном чемпионате мира в Люцерне (+3=4), в январской Вене впервые за 20 лет сыграл в «швейцарке», но сильной по составу (+3=6), весной играючи победил в Брюсселе (9 из 11, на 2 очка впереди Корчного и на 2,5 – Майлса, Тиммана и Торре), в начале лета выиграл двухкруговой супертурнир в Бугойно: 1. Карпов – 8,5 из 14; 2–3. А.Соколов и Любоевич – по 7,5.

В Бугойно Карпов потерпел единственное за полгода поражение — от новой яркой звезды советских шахмат Андрея Соколова (черными в испанской партии: система Зайцева). Стремительность взлета Соколова, моего ровесника и ученика опытного московского тренера Владимира Юркова, говорила о его огромном шахматном потенциале: чемпион мира среди юношей (1982), чемпион СССР (1984), один из победителей межзонального турнира в Биле и турнира претендентов в Монпелье (1985). В начале 1986 года он разгромил в полуфинальном матче претендентов Ваганяна — 6:2, тогда как в другом полуфинале Артур Юсупов в отличном стиле выиграл у Тиммана — 6:3.

Устроенный ФИДЕ небывалый марафон на первенство мира (четыре матча за сорок месяцев, причем первый — из 48 партий!) породил серьезную проблему, о которой задумался еще накануне 32-й партии матча в Багио Корчной: проигравший матч-реванш физически не успевает принять участие в новом отборочном цикле. И ФИДЕ нашла беспрецедентный выход из положения: победитель финального матча претендентов нового цикла получал право сыграть не с чемпионом мира, а с проигравшим матч-реванш, и лишь победитель этого «суперфинала» выходил на матч с чемпионом.

Осенью 1986-го почти одновременно я выиграл у Карпова драматичный матч-реванш (12,5:11,5), а Соколов у Юсупова — пожалуй, еще более драматичный финальный матч претендентов: на самом финише Артур вел со счетом 6:4, но проиграл три партии подряд! Ничья в последней, 14-й партии подвела итог его мучениям — 6,5:7,5. Андрей подтвердил свою репутацию «человека без нервов».

После такой предыстории суперфинальный матч Карпов — Соколов (Линарес, февраль—март 1987) выглядел весьма интригующим и ожидался с большим интересом. Игра шла на большинство из 14 партий. На этом матче остановимся особо, ибо с него фактически начинается новый этап в творчестве Карпова.

Анализируя матчи на первенство мира, мы не раз видели, как чемпионы, уступив более молодым, идущим в гору соперникам, начинали терять веру в себя и переставали находиться на острие современной шахматной мысли. Карпову же, наоборот, неудачи в матчах 1985 и 1986 годов только добавили мотивации! Ему удалось, проявив редкую шахматную гибкость, полностью перестроиться и выработать новый алгоритм своего игрового поведения. Благодаря этому 12-й чемпион мира еще десять лет сражался на высшем уровне, выиграл ряд матчей чемпионата ФИДЕ и одержал блистательную победу в Линаресе (1994), которая по праву считается одним из самых выдающихся турнирных триумфов в истории шахмат.

Прежде всего, итоги матчей 1984—86 годов привели Карпова к осознанию необходимости изменить свой дебютный репертуар. В принципе он перешел на 1.d4 уже в нашем матче-реванше, но именно матч с Соколовым показал, что этот переход

— окончательный. Видимо, экс-чемпион понял, что ему слишком трудно удерживать контроль над ситуацией в острых вариантах сицилианской защиты (кстати, Соколов, как и я, с удовольствием играл «схевенинген») и что закрытые дебюты все-таки ближе ему по духу, больше соответствуют его общему подходу к шахматам.

Кроме того, Карпов преподнес сюрприз черными: с этого матча прочное место в его арсенале занимает защита Каро-Канн с 4...♘d7 — очень надежное оружие, которое он будет использовать вплоть до начала 21-го века (подробнее об этом — в следующем томе).

В 1-й партии после **1.e4 c6** Соколов путем **2.c4 d5 3.cd cd 4. ed ♘f6 5.♘c3 ♘:d5 6.♘f3 e6 7. d4** получил улучшенную защиту Тарраша в ферзевом гамбите: **7... ♗e7** (7...♘c6 8.♗d3 Белявский — Карпов, Москва 1986 — см. № 265) **8.♗c4 0-0 9.0-0 ♘c6 10.♖e1** (одна из табий Ботвинника — № 184) **10...a6 11.♗b3!? ♘:c3 12.bc b5 13.♕d3,** и белые сохранили некоторую инициативу. Критический момент возник на 25-м ходу.

25.♖c5?! Андрей потом сожалел, что не сыграл 25.♘e4! «с шансами на победу». Тогда бы черным пришлось найти единственный ход 25...h5 и в случае 26.♕:g6! (неясно 26.♘g5 ♗d5 или, как указал Макарычев, 26.d5 ♕:d5! 27.♖c5 ♕:c5 28.♘:c5 ♖:c5) 26...fg 27.♘f6+ ♔g7 28.♘:d7 ♖:h4 29.♖c7 ♗d5 30.♘e5+ ♔g8 31.♘:g6 еще побороться за уравнение.

25...♕e7 26.♖:e6! ♕:f6! 27. ♖:f6 ♖d7 с ничьей на 36-м ходу. Тем не менее ход борьбы в стартовом поединке вроде бы подтвердил мнение ряда экспертов о том, что матч может оказаться для Карпова нелегким испытанием.

Во 2-й партии Карпов разыграл актуальный вариант новоиндийской защиты с 4.g3 (см. № 579, примечание к 19-му ходу), неоднократно встречавшийся в наших с ним матчах.

Партия была отложена в чуть лучшем для белых эндшпиле «слон против коня». Однако защищаться черными было довольно неприятно — особенно против Карпова! И в конце второго контроля Соколов дрогнул.

56...♞:e4?? «Ничья достигалась путем 56...♞:a4 57.♗d4 ♔d6 58.♔b5 (ничего не дает 58.e5+ ♔e6 59.h4 h6 с идеей g6-g5) 58...♞c5 59.♗:c5+ bc 60.h4 h6 61.♔c4 ♔c6 62.e5 h5 63.♔d3 ♔d7, и черные держат оппозицию по дальним полям соответствия» (Макарычев).

57.♔b5 ♞c5 58.♗f8!! (при 58. a5 ba 59.♔:c5 ♔f5 черные успели бы уничтожить неприятельские пешки) **58...♞d7** (58...♞:a4 59.♔:a4 ♔f5 60.♗d6) **59.♗a3 ♔d5** (59...♔f5 60.♗d6) **60.♗e7 ♔d4 61.♗d8**, и черные сдались.

Поскольку Соколов имел узкий дебютный репертуар и белыми играл только 1.e4, на что неизменно следовало 1...c6, а черными в ответ на 1.d4 — только новоиндийскую защиту, то именно на этом пятачке и разгорелись интересные теоретические баталии: в одиннадцати партиях — шесть Каро-Каннов и пять новоиндийских!

Следующие три встречи завершились ничейным исходом, и казалось, что Соколов еще сможет проявить себя ближе к финишу матча. Решающей было суждено стать 6-й партии.

№ 579. Новоиндийская защита E15
КАРПОВ — А.СОКОЛОВ
Матч претендентов,
Линарес (м/6) 1987

1.d4 ♞f6 2.c4 e6 3.♞f3 b6 4.g3 ♗a6 5.b3 ♗b4+ 6.♗d2 ♗e7 7. ♞c3 (7.♗g2 — № 587) **7...d5** (7... 0-0 — № 580) **8.cd ♞:d5 9.♞:d5 ed 10.♗g2 ♞d7 11.0-0 0-0 12. ♖c1 ♖e8.** Ход 12...c5 давал белым дополнительную возможность — 13.

dc bc 14.♞e1 ♞b6 15.a4 ♖c8 16.a5 *1/2* (Каспаров — Карпов, Москва(м/14) 1984/85). И хотя практика показала, что перевод коня на d3 не особенно опасен для черных, 12...♖e8 лишает белых этого выбора (13. ♞e1? ♗a3).

13.♖e1 c5 (по стопам 2-й партии; в 4-й было 13...♗d6, и белые владели некоторой инициативой) **14.♗e3 ♗b7 15.♞h3 cd 16.♗:d4 ♞f6 17.♖c2 ♗b4 18.♖f1 ♗a6.**

19.♞h4!? Во 2-й партии Карпов решил сразу освободить поле d4 для коня — 19.♗b2. Вместо 19...♗f8 Соколов мог избрать более активное продолжение 19...♗c5 (хорошо и 19...♞e4, так как 20.♗:g7 неопасно из-за 20...♔:g7 21.♕d4+ ♞f6 22. ♕:b4 ♗:e2, выигрывая качество) 20.a3 ♕e7 21.♞d4 (21.b4?! ♕:e2!) 21...♗c8!

Карпов намечает ♞f5, что связано не только с потенциальной угрозой пункту g7, но и с переводом коня на e3 для атаки пешки d5 (глядишь, и слон вернется на g2 с той же целью).

19...♗f8 20.♞f5 ♞e4 21.♞e3. Создав давление на изолированную пешку, белые удерживают позицию в состоянии динамического равновесия. После 21.♗b2 ♗c8 22.♕d4 f6 или 21.♕c1 ♘g5! 22.♗g4 h5! инициатива переходила к черным.

21...♕d6 22.♕c1 ♖ad8 23. ♖d1. Белые выполнили намеченную перестройку...

23...♘h6 24.♗g2 ♘g5 25. ♕b2 ♘h3+ 26.♔f1 ♘g5. Но контригра противника не позволяет им заняться «обработкой» изолированной пешки.

27.♔g1. Тут Карпову пришлось решать непростую задачу. Например, атака 27.♘f5 ♕:h2 28.♗:g7 парируется путем 28...d4! Этот прорыв ставит перед белыми неприятные проблемы. После 29.♘h6+ ♔:g7 30.♘g4 находится блестящий удар 30...♖:e2! (Зайцев смотрел 30...♕h5 31.♖:d4 ♗a3 32.♕a1+−, упомянул и 30...♖:e2, но не заметил следующего хода черных) 31.♖:e2 ♗a3! – уточнение компьютера, вынуждающее белых думать о спасении (32.♕c2 ♕h5 33.♕f5 ♕g6).

27...♘h3+ 28.♔f1 ♘g5 29. h4!? Понимая, что в длинном матче счет «плюс один» ему еще ничего не гарантирует, Карпов решил обострить борьбу. Сделанный ход ослабляет короля, но анализ показывает, что риск не очень велик и оценка экс-чемпиона была верной, хотя ему пришлось пережить тревожные минуты, когда Соколов перешел в атаку.

29...♘e4 30.♘g4 ♕e6 (вступление к бурным событиям − правда, 30...♕g6!? 31.♘e5 ♕f5 сохраняло высокий накал борьбы без опасных приключений) **31.♗h3.**

31...♗a3!? Менее обязывающим выглядело 31...♕g6, хотя после 32. ♘e5 фигуру все равно надо жертвовать, если черные не хотят находиться под прессом (32...♕f6 33.♘d3 ♕h6 34.♕c1). Итак, 32...♘:g3+!? 33. fg ♕:g3. Теперь в случае 34.♕c3 ♕h2 35.♗g2 ♗c8 36.♕f3 у них выбор между эффектной ничьей: 36...♖:c2 37. ♕:f7+ ♔h8 38.♕g8+! с вечным шахом и 36...♖:e5 37.♗:e5 ♕:e5 38.♖:c8 ♗:c8 − белые забирают пешку d5, но у черных прекрасная компенсация за качество. Лучше для белых сразу 34.♗g2!, и после 34...♕:h4 у черных три пешки за коня − более определенную оценку дать трудно.

Ясно, что атака черных была опасной, однако россыпь соблазнительных возможностей, имевшихся у них, таила в себе риск ошибиться при выборе, что и произошло. Ход ♗a3 − очень эффектный, но по окончании комбинационной бури белые получили небольшое преимущество в эндшпиле.

32.♕:a3 ♗e2+! Проигрывает 32...♘:g3+? из-за 33.♗g2! ♕e4+ 34. ♔:g3 ♕:c2 35.♘h6+ gh 36.♖g1.

33.♖:e2. Интересно 33.♔:e2 ♘c3++ 34.♔d3 ♕e4+ 35.♔:c3 ♖c8+

36.♗c5 ♖:c5+ 37.♕:c5 bc 38.♔b2 d4 39.♖cd2. В возникшей нестандартной позиции у белых материальный перевес, но не налажено взаимодействие фигур, поэтому черные должны успеть создать достаточную контригру после, скажем, 39...a5. Карпов выбрал более ясную дорогу.

33...♘g3+ 34.♔g2 ♕:e2 35. ♕c1! Скорее всего, этот прекрасный ход был недооценен Соколовым. Ферзь не только защищает ладью, но и посматривает на королевский фланг. Причем черному коню приходится уходить на h5, потому что прыжок в центр 35...♘e4 наталкивается на кинжальные удары: 36. ♘h6+! gh 37.♕:h6 f6 38.♖g1!

35...♘h5 36.♔h2! Комментаторы рассматривали 36.♕g5 ♖:d1 37. ♘h6+ ♔f8 38.♗b2 g6 39.♗a3+ ♔g7 40.♗e7, завершая доказательство решающего перевеса черных найденным Полугаевским ходом 40... ♕a1!, который, как и всю последующую цепочку, компьютер «находит» мгновенно: 41.♘f5+ ♔h8 42. ♗:d8 f6! 43.♕g4 ♕e5. Для полноты анализа стоит отметить, что 37. ♘f6+ ♔h8 38.♕:h5 ♕:h5 39.♘:h5 f6

40.♘g3 ♔g8 41.h5 ♔f7 приводит к позиции, где при нестандартном соотношении сил перевес тоже на стороне черных.

36...♖d6. Приходится защищать 6-й ряд, ибо 36...f6 проигрывает форсированно: 37.♘h6+! gh 38.♖g1+ ♔h8 39.♕:h6 ♖e5 40.♖g3! ♖g8 41.♗g4!

37.♕d2. Размен ферзей теперь не за горами, соотношение сил опять нестандартное, при этом ладья и два слона белых лучше, чем две ладьи и две пешки черных.

37...♕f3. Снова проигрывает 37...f6? из-за 38.♘h6+! ♔f8 39.♗b2!, а позиция после 37...h6 38.♕:e2 ♖:e2 39.a4 не слишком отличается от возникшей в партии. «Силовые» попытки доказать обратное — 39... ♖e4 40.♘e3 g6 41.♗g4 f5 42.♗f3 ♖:h4+ 43.♔g1 — могут привести лишь к нарастанию реальных трудностей.

38.♘e5 ♕f4+ 39.♕:f4 ♘:f4. С разменом ферзей напряжение борьбы резко уменьшилось и начинается стадия неторопливого маневрирования. Карпов очень искусен в подобных позициях. Вот и здесь он изыскивает малейшие шансы. Долгое время Соколов, как и во 2-й партии, демонстрирует цепкость и осмотрительность.

40.♗d7 ♖d8 41.♗b5 ♘e6 42. ♗b2 a6 43.♗f1 ♖c8 44.♖d2 d4 45.♗g2 ♘f4 46.♗f3 d3 47.♘c4 ♖h6 48.♔g3 ♘e2+ 49.♗:e2 de 50.♖:e2 b5 51.♘e3 ♖e6 52.♖d2 h5 53.♔f4 ♖c7 54.♖d5 f6 55. ♗a3. Вряд ли целесообразно 55. ♖:h5 — после 55...♖d6 черные активизируются и отыгрывают пешку.

Переводя слона на c5, Карпов, напротив, ограничивает активность черных ладей, а затем, укрепив слона ходом 57.b4, начинает игру на ферзевом фланге неожиданным переводом ладьи с d5 на a1.

55...g6 56.♗c5 ♔f7 57.b4 ♔e8 58.♖d1! ♖d7 59.♖a1! ♖d2. Белые добиваются создания слабости на a6, взамен черным удалось активизировать ладью.

60.♔f3 ♔f7 61.a4 ba 62.♖:a4 g5 63.♖a3 ♔g6 64.♔g2.

64...gh?! Потеряв терпение, Соколов делает шаг к пропасти. Ему казалось, что особых опасностей нет, и он решил этим взятием (превращающим цепочку черных пешек в руины) просто уменьшить количество белых пешек, надеясь на гипотетическую возможность еще одного размена после a6-a5. На какое-то время на доске устанавливается формальное, но, увы, не фактическое равновесие сил. В данной ситуации ладья и защищенные пешками слон и конь оказываются сильнее, чем две ладьи и слабые, требующие постоянной опеки пешки.

65.♘f1 ♖c2 66.♘h2 ♖c4 67. ♘f3 ♔f7 68.♔h2. Кажущееся более решительным 68.♘d4 ♖e5 69. ♘c6 могло почти форсированно — 69...♖g5+ 70.♔h2 ♖g:c5! 71.bc ♖:c5 72.♖:a6 ♖c2 73.♔g1 h3 74.f4 h2+ 75.♔h1 ♖f2 — привести к позиции, где белые, играя без короля, вряд ли могли спасти свою единственную пешку. Например: 76.♖a4 h4 77.♘a7 ♔g6 78.♘b5 ♔f5 79.♘d6+ ♔g4 80.f5+ ♔h3 81.♖a1 ♔g4 82.♖d1 ♔f4 83.♖d5 ♖e2.

68...♖f4 69.♔g2 ♖ee4?! Странно, что Соколов не повторяет позицию (может, чтобы избежать 70. ♘d4?). Вряд ли он надеялся, что сработает капкан: 70.♖:a6?? h3+ 71. ♔g3 h4+. Карпов не торопится и продолжает маневрирование.

70.♘d2 ♖e6 71.♘f1! ♖g4+ 72.♔h3 ♖f4 73.♖a2 ♖f3+ 74.♔g2 ♖d3. Если оставить ладью на 4-м ряду — 74...♖f4, то после 75.♘e3 f5 76.♘d5 ♖g6+ 77.♔h2 ♖fg4 78.♖a1! ♖g2+ 79.♔h1 ♖2g5 80.♘c7 теряется пешка a6.

75.♘e3 ♔g6 76.♖a1 f5?! (это продвижение только делает пешку более уязвимой) **77.♔h2 f4 78. ♖g1+ ♔f7.**

79.♘g2! Начинается сбор урожая. Пользуясь тем, что слон c5 защищает пешку f2, белые выигрывают одну из пешек.

79...♖c6. Попыткой замутить воду было 79...♖f6 80.♘:h4 ♔e6, имея в виду напасть на слона ходом ♔d5 и пытаясь ликвидировать пешки ферзевого фланга (a6-a5). Но к победе белых ведет как 81.♖g8 ♔d5 82.♖g5+ ♔c4 83.♖:h5 ♖d5 84.♖h7 a5 85.♖c7 ♖a6 86.♗f8+ ♔d3 87.ba ♖d:a5 88.♔h3, так и 81.♘g6 ♖d5 82.♖e1+ ♔f7 83.♘e5+ ♔g7 84.♘c4 ♔h6 85.♘b6 ♖g5 86.♘d7 ♖ff5 87.♖a1 ♖g6 88.♘b8, и пешку a6 не спасти.

80.♘:f4 ♖f3 81.♘h3. Дальнейшее можно считать уже делом техники: контригра у черных не получается, а слабые пешки «h» обречены.

81...♔f6 82.♖e1 ♖f5 83.♖e4 a5. Соколову все же удалось разменять пешки ферзевого фланга. Но единственной оставшейся пешки белым вполне достаточно для победы.

84.♗e3! ab 85.♖:b4 ♖a6 86. ♖:h4 ♖aa5 87.♖c4 ♖fb5 88.♔g3 ♖a8 89.♔h4 ♖g8 90.♗g5+. Черные сдались. Конечно, еще можно было продолжать игру, но Соколов понимал, что это пустая трата времени. Счет в матче стал 4:2.

Зайцев: «Иногда по мельчайшим штрихам можно установить душевное состояние человека. Больших шахмат не бывает без больших переживаний, страданий, а может, даже и потрясений. Когда я случайно встретил на лестнице Андрея, возвращавшегося вместе со своим тренером с доигрывания 6-й партии, я подумал, как в сущности трагичен бывает спорт. А ведь Соколов один из немногих, кто умеет сравнительно легко переносить поражения».

По всей видимости, эта партия предопределила исход матча. Оправиться от такого удара судьбы нелегко: вроде бы всё делаешь правильно, выкладываешься полностью, а соперник хладнокровно доказывает, что все твои усилия напрасны... Андрей тем не менее проявил мужество, и следующие три ничейных поединка прошли в упорной борьбе.

Но в 10-й партии, где возникло сложное окончание, он снова попал под неумолимый карповский «каток».

№ 580. Новоиндийская защита E15
КАРПОВ — А.СОКОЛОВ
Матч претендентов,
Линарес (м/10) 1987

1.d4 ♘f6 2.c4 e6 3.♘f3 b6 4.g3 ♗a6 5.b3 ♗b4+ 6.♗d2 ♗e7 7.♘c3 (7.♗g2 – № 587) **7...0-0** (7...d5 – № 579) **8.e4 d5 9.cd ♗:f1 10.♔:f1 ed 11.e5 ♘e4 12.♕e2.** В 8-й партии было 12.♖c1 c5! 13.♔g2 ♘c6 14.♖e1 ♘:c3 15.♗:c3 ♕d7 16. ♕d3 ♖ac8 17.♗d2 h6=.

12...♘:c3 13.♗:c3 ♕d7 14. ♔g2 ♘c6. Неплохо, но в дальнейшем стали предпочитать немедленное 14...c5 15.♖he1 ♕e6 16.♘g1 (идея Карпова, завоевавшая популярность после этой партии) 16... ♘c6 17.dc d4 18.♗d2 ♗:c5 – проходная «d» дает черным отличную игру. Так было в партии Огдестейн — Карпов (Гьёвик(м/2) 1991), в которой черные применили наиболее правильный порядок ходов и после 19.

♕e4 ♖fe8 20.f4 ♖ad8 21.♘f3 d3 22.♘g5 ♕d5 стояли прекрасно.

Смысл избранного Соколовым хода — в переводе коня на идеальную блокадную стоянку на е6. Уже потом черные сыграют с7-с5 в более благоприятной ситуации. Однако тонким маневром Карпов выявляет некоторые изъяны этого замысла.

15.♖he1 ♘d8.

16.♘g1! (планируя f2-f4, что подчеркнет неустойчивость положения коня на е6) **16...с5.** Путь, не лишенный стратегического риска. Нейтрализовать наступление белых можно было путем 16...♘е6 17.f4 g6 18.♘f3 ♖ае8, готовя блокирующее f7-f5 с вполне приемлемой игрой.

17.f4 cd 18.♗:d4. У черных появилась проходная, но она нуждается в защите. Поэтому им предстоит борьба за уравнение. По сценарию эта партия напоминает в какой-то степени 2-ю и 6-ю, где поначалу Соколов хорошо защищался и создавал контршансы, но потом не выдерживал напряжения и ошибался, чем Карпов искусно пользовался.

18...♕f5 19.♖ad1 ♗b4 20.♖f1 ♘e6 21.♕d3! ♕:d3. Черным не хватило одного темпа (g7-g6), чтобы построить блокаду по белым полям. Играть же сейчас 21...g6 22. ♕:f5 gf чересчур рискованно, ибо дефекты пешечной структуры сулят только неприятности.

22.♖:d3 ♖ас8 23.♘f3 ♖c2+?! Осторожнее было ограничить возможности противника ходом 23... g6. Перевес белых не виден ни при 24.♖f2 ♖fd8 25.♗b2 (25.♖е2!?) 25... d4! 26.♘:d4 ♗c5 27.♖fd2 ♘:d4 28. ♗:d4 ♖:d4 29.♖:d4 ♗:d4 30.♖:d4 ♖c2+, ни при 24...♘c5 25.♗:c5 ♖:c5 26.♘d4 ♖fc8 27.f5 ♖e8.

24.♖f2 ♖fc8 25.f5! «Наконец фаланга белых пешек начала поступательное движение» (Карпов).

25...♘:d4 26.♘:d4 ♖:f2+ 27. ♔:f2. Оценка позиции определилась: у белых ясное преимущество, но игра на выигрыш осложняется тем, что на доске мало материала.

27...♖c1 (активность ладьи — единственный шанс на спасение) **28.g4 ♔f8 29.♔f3 ♖f1+ 30.♔g3 ♖c1.** Еще один шах 30...♖g1+ мог не понравиться Соколову из-за 31.♔f4!

(31.♔h3 ♖c1) 31...♖g2 (31...♖f1+ 32.
♘f3 Карпов) 32.♘c6 ♖f2+ 33.♔g3
♗e1 34.♔h3.

**31.♔f4 h6 32.h4 ♔e8 33.
♘f3 ♖c2 34.a4 ♖b2 35.♘d4 ♗e7
36.h5.** Карпов двинул пешку после долгого раздумья, истратив почти всё оставшееся у него время.
Вероятно, он не хотел предприни-
мать действий, связанных с умень-
шением числа пешек и требующих
поэтому точного расчета. Но не подвела ли его на сей раз интуиция?

Этот ход осуждался большин-
ством комментаторов, считавших
более сильным 36.g5 hg+ 37.hg.
Продолжим анализ ходами 37...a6
(выжидательным и прикрывающим
поле b5) и 37...♖b1 (выжидательным
и дающим бóльшую свободу ладье).

Итак, 37...a6 38.f6 gf 39.gf ♗c5 40.
♘f3 ♗a3! (лучшая защита – нападение на белые пешки, переместив-
шиеся на черные поля!) 41.♔f5 ♖f2
42.e6 ♗b2! 43.b4 (после 43.e7 a5 белые не в состоянии усилить позицию) 43...b5 44.ab ab 45.e7 ♖f1 46.
♔g5 ♖f2 47.♖b3 ♗c1+ 48.♔f5 ♗b2 –
ничья очевидна.

В случае 37...♖b1 38.f6 (38.♘f3
♗c5 39.f6 с идеей 39...gf 40.ef! парируется путем 39...g6! 40.♘d2 ♖e1!

41.♖:d5 ♗e3+ с ничьей) 38...gf 39.gf
♗c5 возможен аналогичный вариант: 40.♘f3 a5! (опасно 40...♖b2
41.♔f5 ♖e2 42.♖:d5 ♖e3 43.♘g5 ♖:b3
44.♘:f7!) 41.♔f5 ♖f1 42.e6 ♗d4! 43.
e7 ♗b2. Другой ресурс – 40.♘b5 не
мешает черным осуществить примерно ту же идею: 40...♖f1+ 41.♖f3
♖e1 42.♘c7+ ♔d7 43.♘:d5 ♗d4 или
42.♘:a7 ♔d7 43.♘b5 ♗g1 44.♖h3
♖f1+ 45.♔g4 ♔e6, и вновь белые
пешки уязвимы.

Но этим анализ хода 36.g5 не ис-
черпывается. Возможно, ошибкой
является «логичное» 38.f6, тогда как
неожиданное 38.g6 дает другую картину: 37...a6 38.g6!? fg 39.fg ♖g2 40.
♘e6 ♖:g6 41.♘c7+ или 37...♖b1 38.
g6!? fg 39.fg ♖g1 40.♘b5. Отдавая
пешку «g», белые намереваются
отобрать пешки «a» и «d», после
чего черным остается уповать только на ограниченность материала.

36...a6 37.♔f3.

37...♗c5? В цейтноте оба соперника начинают делать ошибки. Контроль над пунктом g5 (и, оказывается, d8!) был важен, поэтому следовало маневрировать ладьей – 37...♖h2.
Например: 38.♘c6 (38.♔g3 ♖b2)

38...♖h3+ (после 38...♔d7 красивая жертва коня 39.♘b8+! ♔c7 40.♘:a6+ ♔b7 41.♖:d5 ♔:a6 42.♖d7 ♗g5 43. ♖:f7 приводит к ситуации, где белые пешки не остановить) 39.♔e2 ♖h2+ 40.♔e3 ♖h3+ (не 40...♗c5+ 41.♔f4 ♖f2+ 42.♔g3 — эта позиция рассматривается ниже) 41.♔d2 ♖h2+ 42.♔c3 ♖g2, и исход партии всё еще неясен.

38.♘e2? Карпов не решается на 38.♘c6! — совершенно неожиданно минимальными силами белые создавали матовые угрозы, что в сочетании с пешечными прорывами обещало победу!

У черных здесь несколько ответов:

1) пассивная оборона 38...♖f2+ 39.♔g3 ♖b2 взламывается путем 40. g5! hg 41.♖:d5 ♖:b3+ 42.♔g4 ♗e7 43. h6! gh 44.f6;

2) после 38...d4 39.g5! hg 40.b4! (белые хотят использовать тот же прием: 40...♗:b4 41.♖:d4 ♗e7 42. h6) 40...♗e7 41.h6 gh 42.♖:d4 ♖b3+ 43.♔e2 f6 44.e6 пешка e6 стоит ладьи (44...♔f8 45.♖d7 ♗:b4 46.♖d8+ ♔g7 47.♘:b4 ♖:b4 48.♔d3 ♖b3+ 49. ♔d4 ♖b4+ 50.♖d5 ♖f4 51.e7 ♖:f5+ 52.♔d4 ♖e5 53.e8♕ ♖:e8 54.♖:e8 h5 55.♔e4 или 50...♖:a4 51.e7 ♖a5+ 52.♔d6 ♖e5 53.e8♕ ♖:e8 54.♖:e8 h5 55.♔e6);

3) наконец, 38...♗e7, чтобы в случае 39.b4 ♗:b4 40.g5 разменять ладьи — 40...♗e1 41.♖:d5 ♖d2 42. ♖:d2 ♗:d2, после 43.g6 также проигрывает: 43...b5 44.f6 ♔f8 45.ab ab 46.e6 fe 47.f7 или 43...f6 44.ef gf 45. ♘d8 ♔f8 46.♘e6+ ♔g8 47.♘c7;

4) последний шанс состоит в переходе в ладейный эндшпиль: 38... ♖f2+ 39.♔g3 ♖c2! 40.♖:d5 (в случае 40.♘b8 a5! 41.♖:d5 ♖c3+ 42.♔f4 ♖:b3 43.♘c6 ♗e7 дело тоже сводится к ладейному эндшпилю, но в худшей для белых редакции) 40...♖f2+ 41. ♔f3 ♖:c6 42.♔:f2 ♖c3. Пешку черные отыгрывают, но, как выясняется после 43.♖d6! ♖:b3 44.f6! gf 45. ♖:f6 ♖b4 46.♔f3, только временно. А с образующимися вскоре белыми проходными черным не справиться.

Поскольку цейтнот не закончился, теперь очередь ошибаться за Соколовым.

38...d4?! Сильно осложняя себе защиту. После выжидательного 38... ♖b1! белая ладья связана защитой пешки, матовых угроз черному королю нет и партия близка к ничьей: 39.♘f4 ♖f1+ 40.♔g3 ♖g1+ 41. ♘g2 ♖b1 42.♘e3 ♗:e3 43.♖:e3 ♔d7.

39.♘f4. Как и на 36-м ходу, Карпов отказывается форсировать события — 39.f6!? gf 40.ef.

На первый взгляд, это дает белым хорошие шансы на выигрыш: 40... ♖b1? 41.♘g3 ♔d7 (к тяжелой позиции ведет и 41...♗d6 42.♘f5 ♗e5 43. ♘:h6 ♗:f6 44.♘f5) 42.g5! hg 43.h6 ♖b2 44.♘f1 g4+ 45.♔:g4 ♖e2 (не лучше 45...♖g2+ 46.♖g3 ♖e2 47.h7 ♖e8 48.♔f5 ♖h8 49.♖g7) 46.b4! ♗d6 (46... ♗:b4 47.♖:d4+ ♗d6 48.♘g3) 47.♖:d4, и черным впору сдаваться.

Надежду оставляет только ладейный эндшпиль после 40...♔d7! 41. ♘:d4 ♗:d4 42.♖:d4+ ♔e6 43.♖b4 ♔f6 (или 43...b5!?, сокращая оставшийся на доске материал: 44.ab ab 45.♖:b5 ♔f6 46.b4 ♖b1) 44.♖:b6+ ♔g5. Продолжая теперь 45.a5, белые получают две связанные проходные, но, кажется, черных спасает чудо в виде 45...♖a2! 46.b4 ♖a4. Для выигрыша времени ладья становится подальше от белого короля, и в случае 47.♔e4 ♖:g4 48.♔d5 f5 49.♔c5 ♔h5 50.♖:a6 f4 черные создают спасительную контригру. Например: 51.♖f6 ♔g5 52.♖f8 h5 53. ♔b5 ♖a1 54.a6 (или 54.♔a6 h4 55.b5 h3 56.♖h8 ♔g4 57.b6 ♔g3 58.b7 ♖b1 — ничья очевидна) 54...♔g4! (не 54...h4 55.♔b6 h3?? 56.a7 ♔g4 57. a8♕ ♖:a8 58.♖:a8 h2 59.♖a1 f3 60.♔c5+−; более важный кандидат в ферзи — пешка «f», и поэтому еще не поздно было 55...♔g4! 56.a7 f3 57.a8♕ ♖:a8 58.♖:a8 f2=) 55.♔b6 f3 56.a7 ♔g3 57.a8♕ ♖:a8 58.♖:a8 f2 с ничьей.

Вместо 41.♘:d4 белые, конечно, могут испробовать тот же прорыв, что и при 40...♖b1, а именно: 41.g5 hg 42.h6. Но здесь с пешкой h6 черные справляются без потерь: 42... g4+ 43.♔f2 ♖b1! (плохо 43...g3+?

44.♔f3 g2 45.♘g1 ♖b1 46.♔:g2, но не 46.h7? ♖:g1 47.h8♕ ♖h1, и уже белые должны спасаться: 48.♖:d4+! ♗:d4 49.♕f8 с вечным шахом) 44. ♘g3 ♖b2+ 45.♔g1 ♖b1+ 46.♔f1 ♖e1.

39...♔d7 40.e6+ ♔e8 41.♔e4 a5 42.♖f3! Записанный ход, над которым Карпов размышлял почти 20 минут.

42...♖b1 43.♘d5!

43...♖g1? При домашнем анализе Соколов не нашел верного плана защиты и, видимо, шел доигрывать, как он думал, проигранный эндшпиль. Такого же мнения был и Карпов. Однако на самом деле отложенная позиция была, скорее всего, ничейной!

Зайцев поведал в «64» об этюдном пути, которым Карпов и его команда (Зайцев, Подгаец и Убилава) собирались завершить партию при безусловно лучшем ходе 43...♔f8! После ночного и утреннего анализа было намечено 44.e7+! ♗:e7 45.♔:d4 ♖g1 46.♔c4! ♖:g4+ 47.♔b5 ♗d8 48.♖c3 ♖h4 49.♔c6 ♖:h5 50.♔d7 ♖:f5 51.♘:b6! Красивая «победная точка». Карпов: «Так как 51...♗:b6 ведет к смешному мату —

52.Шc8+ &d8 53.Ш:d8#, приходится отдавать качество — 51...Шf3, и после 52.Ш:f3 &:b6 решает неминуемый прорыв b3-b4».

Но давайте пожертвуем слона: 51...g5! 52.&d8 g4 53.◇c4 h5 — и уж не черные ли играют тут на победу?!

Поэтому, на мой взгляд, сильнее 48.&c6! Шh4 49. ◇:b6 &:b6 (49... Ш:h5 50.◇d7+ &g8 51.Шe3) 50.&b6 Ш:h5 51.&a5, и в пешечной гонке белые побеждают: 51...g5 52.b4 g4 53.Шf1 g3 54.b5 Ш:f5 55.Шg1 Шf3 (55...Шg5 56.&a6) 56.b6 Шb3 57.&a6 h5 58.b7 h4 59.&a7 f5 60.a5 f4 61.a6 f3 (61...h3 62.&a8!) 62.&a8! f2 63.Шc1 g2 64.a7 и т.д. Но здесь лучше 48... Шd4! 49.◇:b6 &e7 (49...&:b6 50. &:b6 Шd5 51.b4 ab 52.a5), пытаясь контролировать поле b4.

Последний вариант наводит на мысль, что «этюд» карповской команды имеет и более ранний дефект. Действительно, вместо 47...&d8 точнее сразу 47...Шd4! 48.◇:b6 &b4, и этот блок, кажется, непробиваем.

44.&d3 Ш:g4?! Несколько упорнее было 44...&f8 45.Шf4 Шg3+ 46. &c4 d3 47.&c3 &e8, хотя после 48.f6 или 48.e7! f6 49.Шe4 &d6 50.&d2 белые близки к победе.

45.f6! Гвоздь замысла. Не спасает ни 45...fe 46.f7+ &d7 (46...&f8 47. ◇c7) 47.◇:b6+ &c6 48.◇c4, ни «упорное» 45...Шg5 46.◇c7+ &d8 47.e7+ &:e7 48.fe+ &:e7 (Карпов) 49.&:d4 Ш:h5 50.◇d5+.

45...&d6 46.◇:b6 Шg5 47.fg Ш:g7 48.◇c4 &b4 49.ef+ Ш:f7 50.Ш:f7 &:f7 51.◇e5+! &f6 52. ◇c6 &e1 53.◇:d4 &b4 54.◇c6 &e1 55.&e2 &c3 56.&d3 &e1 57.&c4 &g5 58.◇:a5! Элегантное решение: белые пешки финишируют первыми с большим отрывом.

58...&:a5 59.b4 &d8 60.a5 &:h5 61.&b5 &g5 62.a6 &e3 63.&c6. Черные сдались, и счет стал 6,5:3,5 в пользу Карпова.

В 11-й партии после **1.e4 c6**, отчаявшись получить перевес при 2.d4 d5 3.◇d2 de 4.◇:e4 ◇d7 (3, 5 и 7-я партии) или 3.e5 &f5 4.◇c3 e6 5.g4 &g6 6.◇ge2 c5 (9-я), Соколов пошел по стопам стартовой дуэли — **2.c4 d5 3.ed cd 4.cd ◇f6 5. ◇c3 ◇d5 6.◇f3**, но Карпов, учитывая и состояние соперника, «сменил пластинку» — **6...◇:c3!? 7.bc g6**. И... «Соколов словно за ненадобностью отбросил свои уникальные спортивные качества, выплеснув взамен лишь голый азарт. А выиграть, действуя таким образом, у 12-го чемпиона мира, по-моему, в принципе невозможно» (Макарычев). После **8.h4?! &g7! 9.h5 ◇c6 10.Шb1 Шc7 11. &a3?! &f5 12.Шb5 a6 13.Шc5 Шd7 14.Шb3 0-0 15.hg hg 16. &c4 &f6! 17.d4 b5! 18.&d5 ◇a5 19.Шd1 ◇b7!** черные вскоре выиграли партию, а с ней и матч — 7,5:3,5.

«Андрей обладает запоминающимся атакующим стилем, великолепно и точно считает сложные варианты, четко разыгрывает темповой эндшпиль. И все же пока стиль его нельзя назвать универсальным, ибо существует разряд позиций технического и маневренного типа, где он еще чувствует себя не так уверенно, как в острых и сложных ситуациях, — писал Игорь Зайцев. — Наша задача как раз и заключалась в том, чтобы, избегая второго типа позиций, получать первые. По большей части Карпову удавалось удерживать соперника на дистанции, но не всегда. В 6-й партии произошел настоящий фейерверк. Нечто похожее при малейшей неосторожности могло начаться и в 11-й. Но в большинстве случаев до рукопашной дело не доходило... Впечатление от игры Карпова, от его виртуозной техники и умения проникнуть в суть позиции остается большое».

И счет, и итог дебютной дискуссии просто катастрофичен для Соколова: полный разгром! Эластичная, вкрадчивая манера игры великого чемпиона оказалась для Андрея неразрешимой загадкой. К сожалению, позже ему не удалось в полной мере извлечь уроки из проигранного матча и исправить свои шахматные недостатки. Постепенно результаты этого, безусловно,

талантливого гроссмейстера пошли на убыль, и через несколько лет Соколов выбыл из мировой элиты.

Карпов же вышел из этого матча обновленным: это и 1...с6, и укрепление позиций 1.d4. Если в 70-е годы он с одинаковым успехом играл за оба цвета одни и те же «испанские табии», то отныне и новоиндийская с 4.g3 становится «карповской территорией», на которой он чувствует себя уверенней, чем кто-либо. Дальнейшие многолетние успехи Карпова можно смело увязывать и с тем, что здесь он черными всегда мог нейтрализовать перевес соперника и при случае перейти в контратаку, а белыми постоянно изыскивал дополнительные ресурсы развития той мизерной игровой инициативы, которой белые обычно владеют в «новоиндийке» (рассказ об этом впереди: № 586—588).

В нашем четвертом матче за корону (Севилья, октябрь—декабрь 1987) Карпов после моей грубой ошибки при доигрывании 23-й партии повел в счете, но не выдержал адского напряжения заключительной, 24-й партии. Мне удалось сравнять счет (12:12) и сохранить титул. Теперь наши споры были отложены — наконец-то! — на три года, и Карпову пришлось начинать отбор уже с четвертьфинального матча претендентов.

ЗА ДВУМЯ ЗАЙЦАМИ

«Боевой дух Анатолия Карпова поистине неукротим! — писал в 1988 году журнал «Шахматы в СССР». — Почти сразу после матча в Севилье

наш прославленный гроссмейстер победил в Вейк-ан-Зее, стал вторым на мемориале Эйве (вслед за Шортом, которого обыграл в личной встрече), наконец, выиграл первый этап Кубка мира и получил приз за лучшую партию турнира!» Речь о победе над Тимманом, третьим по рейтингу шахматистом мира — белыми, в модном варианте принятого ферзевого гамбита: 1.d4 d5 2.c4 dc 3.e4 ♘f6 4.e5 ♘d5 5.♗:c4 ♘b6 6. ♗d3 (6.♗b3 — № 537) 6...♘c6 7.♘e2 ♗g4 8.♗e3 и т.д.

Напомню, что в 1988—89 годах помимо обычного претендентского цикла ФИДЕ впервые разыгрывался Кубок мира — по сути, турнирный чемпионат планеты, организованный Ассоциацией гроссмейстеров (GMA). Двухлетний цикл состоял из шести супертурниров по классическим шахматам: Брюссель — Бельфор — Рейкьявик — Барселона — Роттердам — Шеллефтео. Участвовали 25 сильнейших гроссмейстеров — каждый играл в четырех турнирах из шести, и три лучших результата шли в зачет. Надо ли говорить, как резко возросла интенсивность шахматной жизни и какое ожесточенное соперничество в борьбе за новый престижный трофей разгорелось между 12-м и 13-м чемпионами мира!

В первом, апрельском турнире я не участвовал, в мае мы встретились в четверном матч-турнире в Амстердаме (1. Каспаров — 9 из 12; 2. Карпов — 6,5; 3. Тимман — 5,5; мне удалось сыграть с Карповым +2=2), а в июне — на втором этапе Кубка мира в Бельфоре. Перед нашей партией в предпоследнем туре Карпов отставал от меня на два очка, но удачная новинка в защите Грюнфельда, в варианте Зайцева, который был пред-

метом нашего спора и в Севилье, и в Амстердаме (1.d4 ♘f6 2.c4 g6 3.♘c3 d5 4.cd ♘:d5 5.e4 ♘:c3 6.bc ♗g7 7.♗c4 c5 8.♘e2 ♘c6 9.♗e3 0-0 10.0-0 ♗g4 11.f3 ♘a5 12.♗:f7+!? ♖:f7 13.fg ♖:f1+ 14.♔:f1 ♕d6 и т.д.), позволила ему победить и в итоге сократить разрыв: 1. Каспаров — 11,5 из 15; 2. Карпов — 10,5.

Тем же летом в плотную череду супертурниров вклинился давно не виданный по составу 55-й чемпионат СССР (Москва 1988) — последний в истории, собравший весь цвет советских шахмат. Здесь между мной и Карповым тоже шла упорная борьба за первенство, хотя, разумеется, у нас были и другие конкуренты. После восьми туров группа лидеров выглядела так: Белявский и Салов — по 5,5; Карпов, Каспаров и Юсупов — по 5. В 9-м туре Салов одолел Белявского, а Карпов выиграл прекрасную партию у Юсупова.

№ 581. Ферзевый гамбит D36
КАРПОВ — ЮСУПОВ
55-й чемпионат СССР,
Москва 1988, 9-й тур
1.c4 e6 2.♘c3 d5 3.d4 ♗e7 4.♘f3 ♘f6 5.cd ed 6.♗g5 c6 7.♕c2. Карпов стремится к классическому карлсбадскому построению, которое обычно трактовал за белых с большим успехом. Но при таком порядке ходов черные могут сразу решить проблему развития слона c8.

7...g6 8.e4. План Тиммана, впервые примененный им против Шорта (Белград 1987). Слишком пресно 8.e3 ♗f5, как было в известной партии Бобоцов — Петросян (№ 340).

8...🨄:e4?! Новая идея, оказавшаяся не вполне удачной. В упомянутой партии Тимман — Шорт было 8...de 9.🨄:f6 🨄:f6 10.👑:e4+ 🨴f8 11. 🨄c4 🨴g7 12.0-0 🨂e8 13.👑f4 🨄e6 14. 🨄:e6 🨂:e6 15.🨂fe1 🨂:e1+ 16.🨂:e1 🨄d7 17.🨄e4 🨄e7 18.h4 с инициативой у белых. Но дальнейшая практика показала, что 15...👑d6 все-таки удерживает равенство: 16.👑:d6 🨂:d6 17. 🨄e4 🨂d8 18.🨄:f6 :f6 19.🨂e4 🨄a6 20. 🨂ae1 🨂d7 21.🨄e5 🨂c7, и активность белых мало-помалу нейтрализуется.

Вместо 10...🨴f8 пригоден и другой способ: 10...👑e7 11.🨄c4 0-0 12. 0-0 🨄f5 (или 12...👑b4 13.👑f4 🨄f5) 13.👑f4 👑b4 14.🨄e5 (14.🨄b3 🨄d7 Рубан — Дреев, Тбилиси 1989) 14... 🨄:e5 15.de 🨄e6 16.🨄e4 👑:c4 17.🨂ac1 👑b5 18.a4 👑a5 19.🨄f6+ 🨴g7 20. 🨄h5+ с вечным шахом (Гулько — Юсупов, Мюнхен 1990).

Постепенно вариант с 8.e4 вышел из употребления, но тогда он был очень актуален.

9.🨄:e7 👑:e7. Взятие 9...🨄:e7? немедленно проигрывает из-за 10. 🨄:d5! — в этом тактическое обоснование идеи Тиммана.

10.🨄:e4 de 11.👑:e4+ 🨄e6. В партии Новиков — Бродский (Ереван 1996) белые завладели инициативой после 11...🨴f8 12.🨄c4 🨄f5 13. 👑f4 👑e7+ 14.🨴f1! 🨴g7 15.🨄g5.

12.🨄c4 👑a5+. Другая линия — 12...🨂e8 13.🨄:e6 🨴f8, например: 14. 0-0 🨂:e6 15.👑f4 🨴g7 16.🨂fe1 🨂:e1+ 17.🨂:e1 🨄d7. Зильберман против Полайзера (Блед 1989) продолжал 18.👑d6 (эту позицию получил бы и Тимман, если бы вместо 18.h4 сыграл 18.🨄d6 🨄:d6 19.👑:d6) 18...🨄f6 19.👑e7 👑d7 и здесь мог путем 20.

🨄g5 🨂e8 21.🨄e6+ 🨴g8 22.👑:f6 🨂:e6 23.🨂:e6 дать партнеру выбор между двумя худшими окончаниями — ферзевым (23...fe) и пешечным (23... 👑:e6 24.👑:e6 fe 25.f4 — неясно, есть ли у черных ничья). Но после 15... 👑f6 явного усиления позиции белых не видно: 16.👑h6+ 🨴g7 17.👑h4 🨄d7 или 16.👑g3 🨴g7 17.🨂ae1 🨄a6.

Конечно, в этих вариантах для черных есть какие-то опасности, но все-таки меньшие, чем в случае спокойного 13.👑h4+ 🨴f8 14.👑:d8 🨂:d8 15.🨄:e6 fe 16.0-0-0. Пешка e6 слаба, и после примерного 16...🨂d6 17. 🨄g5 h6 18.🨄e4 🨂d7 19.🨄c5 🨄e7 20. 🨂he1 ситуация становится для них крайне неприятной.

13.🨴f1! 👑f5 14.👑e3. Эндшпиль со слабой пешкой на e6 (после 14.🨂e1 — видимо, это лучшее) хорош для белых, хотя и не так выгоден, как при 12...🨂e8. Но Карпов полагает, что при ферзях — с королем на e7! — черным будет жить труднее.

14...🨄d7 (на 14...🨄a6?! с идеей 🨄c7 сильно 15.d5! cd 16.👑a3+ 🨴f6 17.🨄:a6 ba 18.👑c3+ 🨴e7 19.🨄d4) **15.🨂e1 🨂ae8.** Черные явно готовят эвакуацию короля на ферзевый фланг, и белые идут на прорыв.

16.d5! Карпов потратил на обдумывание этой жертвы больше 40 минут. Он считал, что это критический момент партии: «Бросается в глаза наличие у белых множества тактических возможностей, но их никак не удавалось соединить в логически связанную цепочку ходов. Мне было ясно, что для развития инициативы надо жертвовать центральную пешку, но что делать дальше? И внезапно догадка пришла в голову: слабые черные поля в лагере черных защищает их конь. И тогда сразу нашелся маневр, целью которого было уничтожение этого коня».

Ничего не давало прямолинейное 16.♗:e6 fe 17.♖a3+ из-за 17... ♚d8! (17...♚f6 связано с прозрачной ловушкой — 18.♕:a7?? ♕b5+ 19.♔g1 ♖a8, но после 18.♔g1 a6 19.h4 черным не позавидуешь) 18.♕:a7 ♚c7 19.♕a3 ♖a8 20.♕c3 ♕b5+ 21.♔g1 ♖:a2 22.b3 ♕d5 23.h4 ♖f8 24.♖h3 ♖f5 25.♖g3 ♘f6. Другой заманчивый ход — 16.♘g5 также позволял черным после 16...♚d8! 17.♘:e6+ fe 18. ♗:e6 ♕b5+ 19.♖e2 ♖hf8 20.♕b3 ♖f4 21.♕:b5 cb 22.d5 ♖d4 23.g3 ♘c5 отыграть пешку с вероятной ничьей.

16...cd 17.♗b5 (17.♘d4 ♕e5!) **17...a6?** Решающая ошибка. Карпов рекомендует 17...d4, но и это форсированно проигрывало: 18. ♘:d4 ♕d5 19.♖d1 ♕h5 20.♗e2 ♕e5 21.♕a3+ ♔f6 22.♘:e6 ♖:e6 23.♕f3+ ♔e7 24.♗c4 ♖f6 25.♕:b7 и т.д.

Между тем никто не заметил хладнокровного хода 17...♕c2! Это не просто нападение на пешку b2, а существенное изменение роли ферзя в предстоящей борьбе (в партии он был оттеснен на жалкое поле h6).

Совсем не очевидно, как белым использовать «неприличное» положение черного короля и прочих фигур. Ведь и белый король разъединяет ладьи и затрудняет введение в бой всех резервов:

1) 18.b4 a6 19.♗:d7 ♖:d7 20.♘e5+ ♔e7 21.h4 d4!? 22.♕:d4 ♖d8 23.♕e3 ♖d1, и черные перехватили инициативу;

2) 18.♘d4 ♕b2 19.a4 ♔f6 20. ♕f4+, и плохо 20...♔g7? 21.♘:e6+ ♖:e6 22.♖:e6 fe 23.♗:d7 (23...♕b1+ 24.♔e2 ♕:h1? 25.♕e5+), но возможно 20...♗f5 21.♘:f5 ♖:e1+ 22.♖:e1 gf — у белых нет ничего лучшего, чем вечный шах.

Уже не раз мы видели, как проверка с помощью компьютера вносит коррективы в оценку даже самых безупречных на вид партий.

18.♕a3+. Серией точных геометрических маневров Карпов загоняет черные фигуры в положение полного пата.

18...♔d8 19.♕a5+! ♔e7. Сбежать на ферзевый фланг не удается: 19...♔c8 20.♖c1+ ♔b8 21.♕c7+ ♔a8 22.♘d4, и черные вынуждены отдать качество — 22...♕e5 23.♕:e5 ♘:e5 24. ♗:e8, ибо 22...♕f6 23.♗:a6! (при 23. ♗c6 ♖b8 24.♘:e6 bc 25.♕:c6+ ♔b7 26.♕:a6+ ♔b8 27.♕d6+ ♔a8 неожиданно выясняется, что 28.♘c7+ ♔b8 29.♕:d7 ♖:b2! 30.f3 ♕b6 31.♖c5 ♖c8 дает лишь ничью; лучше 28.♕a3+ ♔b8 29.♖c6, но и здесь после 29...fe 30.♕d6+ ♔a8 31.♖a6+ ♔a7 32.♖:a7+ ♔:a7 33.♕:d7+ ♔b6 указать четкий путь к перевесу белых нелегко) 23... ♖b8 24.♖c3! (не ход Карпова 24.♕a5 из-за 24...♖bc8!, но не 24...♕:d4?? 25.♗:b7++) 24...♕:d4 (24...ba 25. ♕c6+ ♔a7 26.♖a3 и т.д.) 25.♗e2 ведет к потере ферзя.

20.♕b4+ ♔f6. На 20...♔d8 неплохо и 21.♗e2, и рекомендованное Зайцевым очень эффектное 21. ♘d4 ♕f6 22.♗:a6! ba 23.♖c1! ♖eg8 24.♖c6! — черные беспомощны.

21.♕d4+ ♔e7 22.♗d3 ♕h5. При 22...♕f6 23.♕b4+ белые забирают пешки ферзевого фланга, а черный король по-прежнему в опасной зоне.

23.h4! (ферзь прижат к бортику!) **23...♔d8 24.♘g5 ♖hf8 25.♗e2** (неплохо также 25.f3 и ♔f2, соединяя ладьи) **25...♕h6 26.♗f3 ♖e7 27.♕b4! ♘f6 28.♕d6+.** Сразу выигрывало 28.♕f4 (Карпов), но позиция черных в любом случае незащитима.

28...♖d7 29.♕f4 ♘g8 30. ♗g4! ♔c8 31.♗:e6 fe 32.♖c1+ ♔d8 33.♘:e6+ ♔e7 34.♕:f8+ ♕:f8 35.♘:f8 ♔:f8 36.♖h3 ♘e7 37.h5 ♔g7 38.h6+ ♔f6 39.♖f3+ ♔e6 40.♖e1+ ♔d6 41.♖f6+ ♔c7 42.g4 ♘c6 43.♖e8 d4. Записанный ход. Не приступая к доигрыванию, черные сдались.

В 14-м туре мне удалось победить Салова и на два дня вырваться вперед, но в 16-м туре Карпов чисто переиграл Маланюка в ленинградском варианте голландской защиты, и мы пришли к финишу вместе: 1— 2. Каспаров и Карпов — по 11,5 из 17 (+6=11); 3—4. Салов и Юсупов — по 10. Регламент предусматривал дополнительный матч из четырех партий за звание чемпиона страны, но Карпов играть его не пожелал, и чиновники Спорткомитета вкупе с судейской коллегией пошли у него на поводу. В итоге чемпионские медали были присуждены нам обоим (подробнее об этом рассказано во 2-м томе, в главе о Ботвиннике).

В сентябре Карпов в отличном стиле выиграл свой шестой супертурнир в Тилбурге, на этот раз двухкруговой — 10,5 из 14 (+7=7), на два очка опередив Шорта и дважды победив Тиммана. В ноябре мы с ним сражались бок о бок за советскую команду на олимпиаде в Салониках и набрали, соответственно, +7=3 и +6=4 (1. СССР — 40,5 из 56; 2—3. Англия и Голландия — по 34,5).

Тогда же я с немалым трудом выиграл третий этап Кубка мира (Рейкьявик, октябрь 1988), а на четвертом (Барселона, весна 1989) разделил 1—2-е места с Любоевичем (но он стал первым по дополнительным показателям). Карпов в этих турнирах не участвовал, однако надежду завоевать Кубок не потерял. Попутно он разделил победу в проведенных ФИДЕ чемпионатах Европы и мира по быстрым шахматам (1988), а в начале 1989-го выиграл в Сиэтле короткий четвертьфинальный матч претендентов у Хьяртарсона (3,5: 1,5) и занял 2-е место за Иванчуком в Линаресе.

Пятый этап Кубка мира (Роттердам, июнь 1989) стал, наверное, самым драматичным турниром в шахматной биографии Карпова. Чтобы настичь меня перед заключительной битвой в Шеллефтео, он должен был занять 1-е место, набрав при этом против лучших гроссмейстеров по меньшей мере 11 из 15. И экс-чемпион мира стартует 5 из 6, затем имеет 9,5 из 12! Ему остается лишь сделать три ничьи, но... силы иссякают. Он терпит три поражения кряду — от Салова, Любоевича и Нанна — и уступает 1-е место Тимману! На церемонии закрытия счастливый голландец назовет этот результат лучшим в своей карьере...

В шестом турнире (Шеллефтео, август—сентябрь 1989) Карпов еще мог добиться общего успеха, если бы занял чистое 1-е место, набрав 11 из 15 (опять!) и опередив меня на очко. Мы встретились уже во 2-м туре, и мне удалось полностью переиграть его черными в «староиндийке», но в сильном цейтноте соперника я упустил выигрыш. Никитин: «Эта ничья сослужила плохую службу обоим партнерам». И все же мы финишировали первыми — по 9,5 из 15.

Наш суммарный отрыв от других участников Кубка составил почти целый турнир: 1. Каспаров — 83 балла; 2. Карпов — 81; 3. Салов — 68,5; 4. Эльвест — 68; 5. Любоевич — 66,5; 6. Нанн — 65,5; 7—8. Белявский и Шорт — по 63,5; 9—10. Тимман и Хюбнер — по 57,5; 11. А.Соколов — 57 и т.д. Итоги небывалой двухлетней гонки подвел на страницах журнала «Шахматы в СССР» Александр Никитин:

«В этом цикле, видимо, состоялось прощание с поколением эпохи Фишера. Трудно стало соревноваться с более молодыми коллегами блистательным асам — Корчному, Талю, Портишу, Спасскому, но выглядели они вполне достойно... Вряд ли все они пройдут сквозь сито швейцарского, почти лотерейного отбора к следующему Кубку — годы делают свое дело. И можно ожидать, что в борьбу с поколением Карпова и с поколением Каспарова через год вступит новое поколение. Наиболее яркими и подготовленными для такой борьбы, на мой взгляд, являются Иванчук, Лотье, Гельфанд, Дреев, Ананд и Акопян».

При всех этих переживаниях, несомненно, важнейшим для Карпова был тогда полуфинальный матч претендентов с Артуром Юсуповым (Лондон, октябрь 1989). Его исход казался предсказуемым: Артуру всегда трудно игралось с Карповым, и было неясно, за счет чего ему удастся изменить эту традицию. Однако матч сложился для экс-чемпиона очень непросто. Как видно, сказывалось и утомление после баталий Кубка мира, и то, что

Юсупов и его тренер Марк Дворецкий, не делая слишком больших ставок на кубковые турниры, сумели хорошо подготовиться к главному испытанию и выстроить верную дебютную линию.

По моде тех лет матч игрался на большинство всего из восьми партий, с новым, шестичасовым контролем времени: два часа на 40 ходов плюс час на 20 и лишь затем откладывание. Карпову кроме Игоря Зайцева и Михаила Подгайца помогал американский гроссмейстер Рон Хенли — тоже веяние времени!

В 1-й партии Карпов применил черными сильную новинку в новоиндийской защите с 4.g3 ♗a6 и получил удобную игру — ничья на 44-м ходу. Во 2-й он, избрав против защиты Нимцовича вариант с 4.♕c2, неожиданно угодил под грозную атаку, однако в решающий момент Юсупов промедлил.

23...e4? По общему мнению, 23... ♘d3! давало все шансы на победу. На 24.♕c3?! уже хорошо 24...e4! (25.hg fg–+). Не помогает 24.♗d5+ ♔h8 25.e4 ввиду 25...♘:c1 26.hg (26.♕:c1 ♘e3) 26...♘d3 27.♕g3 ♘f4

28.♖ae1 fg–+. Если 24.♕g3, то 24... ♘:c1 25.hg (25.♗:g4 ♘b3) 25... ♕:e3+ и т.д. А при 24.♕e2 ♘:c1 25. ♖f:c1 ♘:e3 26.de ♖:e5 у черных лишняя пешка и инициатива.

24.♗d1! (избегая неясных вариантов с 24.hg ♘d3 или 24...fg 25.♕:f2 gf) **24...♘:d1.** Не проходило 24... ♘:h3+? 25.gh ♕:h3 из-за 26.♖a2! Теперь же шансы уравниваются.

25.♕:d1 ♘:e3 26.♕e2 f4 27. ♗:e3 fe 28.♖:f8+ ♖:f8 29.♖e1 ♖d8 30.d5 c6 31.dc ♕:c6 32.♕:e3 ♕c4 33.♕:e4. Ничья.

В 3-й партии защиту Нимцовича применил уже Карпов. В ответ Юсупов избрал острейшую систему Земиша и смело пожертвовал качество. Экс-чемпион играл очень сильно, перехватил инициативу, но в жестоком обоюдном цейтноте начались истинные чудеса.

№ 582
ЮСУПОВ — КАРПОВ
Матч претендентов,
Лондон (м/3) 1989

36...♕e7? Красиво выигрывало 36...♖:e3! 37.f6 (37.fe ♖:f3) 37... ♕:g3+! или 37.♕b8+ ♔f7! 38.fe+

♔:e6 39.♖:e3+ ♘:e3 40.♕b3+ ♘d5 (Зайцев).

37.♕b8+ ♕d8 38.♕e5 ♕c7? (38...♕f6=) **39.♕:c7?** А теперь выигрыш упускают белые – 39.f6! ♖f8 40.f7+ ♔d8 41.♕g7 (Дворецкий) или 39...♕:e5 40.f7+ ♔f8 41.fg♕++ ♔:g8 42.de ♖:e3 43.♖:e3 ♘:e3 44. ♘e4 ♘c4 45.♘f6+ ♔f7 46.♘:d7 ♘:a3 47.♔g3! и т.д.

39...♖:c7 40.fe de. Но не 40... ♖c3 (Тайманов) 41.♘e4!+−. Возникло сложное, нестандартное окончание. Контроль миновал, и если в прежние времена партия была бы отложена, то теперь, по новым правилам, игра продолжалась до 60-го хода.

41.♘e4 ♖c2 42.♗d2 a5 43. ♖b3 ♔d7 44.♖b5 ♖a8?! «Очень странный ход, сделанный Карповым после долгого обдумывания. Во время партии Юсупов считал лучшей попыткой игры на выигрыш 44...♘e3!, хотя после 45.♘f6+ ♔c6 46.♖c5+ ♖:c5 47.♘:g8 ♘f1+ 48.♔g1 ♖c2 49.♗f4 белые должны устоять» (Дворецкий).

45.a4 ♔c6 (45...♖c4= Тайманов) **46.h4! ♖c4?! 47.♖c5+ ♖:c5 48. dc ♘b4.** С идеей ♔d5, но теперь перевес уже на стороне белых: в движение приходят проходные пешки «g» и «h».

49.h5. «Точнее 49.g4! ♔d5 50. ♘f6+, и черным пришлось бы играть 50...♔:c5, сохраняя шансы на ничью» (Дворецкий).

49...♔d5 50.♘f6+ ♔e5. При 50...♔:c5 51.g4 король слишком удален от опасных белых пешек. Но и сейчас черные вынуждены бороться за выживание.

51.♗c3+ ♔f4 52.g4 ♖d8! 53. h6 ♔g5 54.h7 ♔g6 55.♔g3 ♘c6 56.♔f4 ♔g7 57.g5?! (в дело опять вмешивается сильный обоюдный цейтнот; лучше 57.♔e3!) **57...♖d3 58.♗e5 ♖d1.**

59.g6?? (кошмарный зевок «на флажке»; 59.♗d6 ♖h1 вело к ничьей) **59...♖f1+ 60.♔g5 ♘:e5 61. ♘h5+.** Записанный ход, но белые сдались без доигрывания.

Поведя в счете, Карпов в 4-й партии избежал ходом 3.♘f3 защиты Нимцовича, а Юсупов вместо новоиндийской предпочел перейти в ферзевый гамбит и разыграл не популярную тогда систему ТМБ, а старинную защиту Ласкера. Карпов действовал неуверенно и уступил инициативу, однако всё закончилось для него благополучно.

В 5-й партии Карпов после неудачно разыгранного дебюта ферзевой пешки сумел почти уравнять шансы, но в обоюдном цейтноте Юсупов внезапно предпринял смелую позиционную жертву слона и одержал красивую победу. Эта партия была отмечена призом как лучшая в обоих полуфинальных матчах (игравшихся, кстати, на одной сцене, и во втором матче Тимман одолел Спилмена — 4,5:3,5).

Сравняв счет, Юсупов мог развить успех уже в 6-й партии, которая стала для него поистине трагичной. Снова была разыграна защита Ласкера, и снова черные захватили инициативу, но в самый последний момент упустили верную победу.

38...a3? Легко выигрывало 38... 🜲:h2, например: 39.f5 🜲f2+ 40.♔e1 🜲:f5 или 39.🜲a6 🜲f2+ 40.♔e1 🜲:f4—+.

39.🜲a6! 🜲f2+ 40.♔e1 a2 41. f5 ♔d7 (или 41...🜲:h2 42.f6! и т.д.) **42.f6 ♔e6 43.🜲a8! ♔:d6 44.f7 🜲:f7 45.🜲:a2 ♔c5 46.🜲a6.** Ничья.

Когда после матча Дворецкого спросили: «Чем объяснить, что Юсупов не раз упускал, казалось, совсем уже близкий выигрыш?» — опытный тренер ответил:

«Подозрительный человек отнес бы это на счет «доктора Зухаря», роль которого исполнял на матче Игорь Акимов, психолог, а заодно и журналист, давний помощник Карпова (*и литературный записчик его книги «Сестра моя Каисса». — Г.К*). На протяжении всех партий

Акимов сидел в первом ряду балкона и неотрывно смотрел на играющих, то есть вел себя, как когда-то Зухарь в Багио. Нормальное же объяснение проще: Юсупов тратит на партию слишком много сил, устает и в решающий момент, случается, уже ничего не видит. Этот его недостаток сказывался и раньше».

В 7-й партии снова встретился дебют ферзевой пешки. На сей раз Карпов удачно решил проблемы, однако на 24-м и 25-м ходах сыграл неточно, и белые перехватили инициативу. В уже привычном обоюдном цейтноте они выиграли пешку, но на доске возник «разноцвет». Ничья на 61-м ходу — и счет стал 3,5:3,5.

И вот, наконец, решающая 8-я партия — последняя в «основное время».

№ 583. Ферзевый гамбит D56
КАРПОВ — ЮСУПОВ
*Матч претендентов,
Лондон (м/8) 1989*

1.d4 ♘f6 2.c4 e6 3.♘f3 d5 4. ♘c3 ♗e7 5.♗g5 0-0 6.e3 h6 7. ♗h4 ♘e4 8.♗:e7 ♕:e7 9.🜲c1. В третий раз сталкиваясь с защитой Ласкера, экс-чемпион идет третьим путем. В 4-й партии было 9.♕c2, в 6-й — 9.cd.

9...c6 10.♗d3 ♘:c3 11.🜲:c3 dc 12.♗:c4 ♘d7 13.0-0 e5. Возникла позиция из системы Капабланки (6...♘bd7 7.🜲c1 c6 8.♗d3 dc 9.♗:c4 ♘d5 10.♗:e7 ♕:e7 11.0-0 ♘:c3 12.🜲:c3 e5), но с пешкой на h6. Это не просто лишний темп, но еще и ослабление позиции рокировки, а это для белых шанс на атаку!

Альтернатива – 13...b6 14.♗d3 c5. Так я играл против Смыслова в 6-й партии финального матча претендентов (1984) и после 15.♗b5 ♖d8 удержал равновесие. Затем более перспективным сочли сохраняющее небольшое давление 15.♗e4 ♖b8 16.♕c2 или 16.♕a4, как было, к примеру, в партиях Крамник – Каспаров (Лас-Пальмас 1996) и Карпов – Юсупов (Дортмунд 1997).

14.♗b3 ed. Вполне надежно и 14...♖e8, поддерживая пешечное напряжение в центре. Несколько поединков, начиная с партии Николич – Юсупов (Белград 1989), после 15.d5 cd 16.♕:d5 ♘f6 приходили к одной и той же позиции – 17.♕c5 ♘e4 18.♕:e7 ♖:e7 19.♗c2 ♘g5 – и неизменно заканчивались ничьей.

15.ed.

15...♘f6?! Серьезная неточность. Правильно 15...♖d8, как было, например, в свежей партии Лейтао – Морович (Бразилия 2003). Переводя коня на f8 и вовремя выставив заслон на e6, черные надежно нейтрализуют слона b3, иначе черному королю будет очень неуютно:

16.♖e1 ♕d6 17.♘ce3 ♘f8 18.♘e5 ♗e6 19.♕h5 ♗:b3 20.♖:b3 ♕c7, и Морович успел всё защитить.

16.♖e1 ♕d6 17.♘e5 ♘d5. Ход 17...♗f5?, как сыграл против меня Бенджамин (Хорген 1994), опровергается ударом 18.♘:f7! Я так не сыграл, не заметив, что после 18...♖:f7 19.♗:f7+ ♔:f7 20.♕b3+ ♔f8 21.♕:b7 ♖b8 22.♕:a7 ♖:b2 выигрывает 23. ♖:c6! ♕:c6 24.♕a3+ и т.д.

Вполне возможно было в корне ликвидировать угрозы пункту f7 путем 17...♗e6 18.♗:e6 fe, хотя изолированные пешки e6 и d4 не равноценны и позицию белых следует предпочесть – скажем, после 18.♖g3 (Макарычев).

18.♖g3. Теперь стало заметно, что пешка h6, обезопасив короля от угроз мата по последнему ряду, сама превратилась в объект атаки.

18...♗f5. Спорное решение. Вероятно, лучше было 18...♗e6 19.♕d2 ♔h8. Перевод ладьи 20.♖e4 ♗f5 21.♖h4 не дает ничего серьезного: 21...♖ae8 (21...♔h7? 22.♖hg4 g5 23.♗:d5 ♕:d5 24.♖:g5!+–), и белые должны ограничиться после 22.♖f3 ♗g6 23.♗:d5 cd (23...♕:d5? 24.♖:h6+) лишь большей активностью фигур.

19.♕h5 ♗h7? Серьезная ошибка, после которой уже трудно спасти партию. Необходимо было 19... ♕e6!, хотя такой ход (под прицелом слона b3 и ладьи e1) трудно сделать. Однако прямого опровержения нет. В случае 20.♗:d5 cd 21.♘d3 ♕f6 22.♖f3 у черных есть выбор: или 22...g6 23.♕:h6 ♕:d4 24.♖:f5 ♕:d3 25.♖fe5 ♕d4 26.h4 ♖ac8 27.♖1e2 с инициативой у белых в тяжелофигурном окончании, или 22...♗g6 23. ♖:f6 ♗:h5 24.♖d6 ♗g6 25.♘f4 ♖fe8! — в этом эндшпиле белым трудно использовать свой перевес.

20.♕g4! g5? Конечно, 20...g6 21.h4 (Карпов) выглядит неказисто, но теперь черные проигрывают форсированно.

21.h4 f6 22.hg! Позиция созрела для решительного штурма, и надо лишь выбрать верный путь. Рекомендовался лихой наскок 22. ♕h5 fe 23.hg ♔g7 24.♗:d5 cd 25.♖:e5 с атакой, но после 23...♗g6 24.♕:h6 e4! 25.♖:e4 ♖f7 белые рискуют оказаться в тупике.

22...hg. «В случае 22...fg ответ 23.f4! только выигрывал в силе» (Карпов).

23.f4?! Здесь Карпов, на мой взгляд, упустил форсированный выигрыш — 23.♖h3! Этот ход предлагался наряду с 23.♕h5 и 23.♘f3 «с интересными вариантами». Сегодня они интересны разве что тем, как компьютер опровергает человека. Например, после 23.♘f3 ♔h8 24.♖e6 ♕d7 25.♘:g5 ♖g8 правильно не 26.♖:f6? (Зайцев) 26...♕:g4 27. ♖:g4 ♖:g5!–+, а 26.♖:c6! ♕:g4 27.

♘f7+, да и в варианте 25...fg 26.♕:g5 ♖g8 27.♕e5+ ♗g7 28.♖h6 ♕e7 29. ♖:g7 ♕:g7 30.♗c2 Зайцев пропускает компьютерную защиту – 30...♘f6!

Но всё это второстепенные детали, поскольку 23.♖h3! давало белым решающий перевес:

1) 23...fe 24.♖:h7! ♕f6. По мнению Карпова, «благодаря этому ходу черные держатся» (в отличие от 24...♔:h7 25.♗c2+), однако это не так – после 25.♖:e5 ♕:f2+ 26. ♔h2 ♕f4+ 27.♕:f4 и ♖:b7 им впору сдаваться;

2) 23...♕e7 24.♖ee3! fe 25.♖:e5 ♕f7 26.♕:g5+ ♕g7 27.♖:d5! cd 28. ♕:d5+ ♔h8 29.♗c2 ♖ad8 30.♖:h7+! (эффектно, хотя можно и просто отступить ферзем) 30...♕:h7 31. ♕e5+ ♗g7 32.♕h5+ ♔g8 33.♗b3+ ♖f7 34.♗:f7+ ♔f8 (34...♕:f7 35. ♕g5+) 35.♕c5+ ♔:f7 36.♕c7+. Эта компьютерная геометрия показывает беззащитность черных.

23...♖ae8?! Юсупов упускает подвернувшийся шанс и переводит партию в проигранный эндшпиль. Рекомендовалось 23...♔h8, чтобы получить тот же эндшпиль в более выгодной редакции: 24.fg fe 25.g6 ♕:g6 26.♕:g6 ♗:g6 27.♖:g6 ed. Далее Зайцев дал любопытный вариант с цугцвангом в финальной позиции: 28.♖e4 ♖f7 29.♗:d5 cd 30. ♖h4+ ♖h7 31.♖:d4 ♖d8 32.♖g5 ♖hd7 33.a3 a6 34.a4 b5 *(? – Г.К.)* 35.ab ab 36.b4+– (этот вариант позже привел и Карпов), но после 34...a5 неясно, есть ли у белых выигрыш.

По-моему, гораздо сильнее 24. ♗:d5! cd (24...♕:d5 25.fg! fe 26.g6) 25.♘d3, и черным сложно защититься, например: 25...♖ae8 26.♖:e8

♖:e8 27.fg ♖g8 28.♖h3 или 25...♖g8 26.♖e6 ♕d7 27.f5 и т.д. И все же 23...♔h8 оставляло больше возможностей для сопротивления.

24.fg fe. На 24...♗f5 Карпов планировал эффектную жертву ферзя: 25.gf+!! ♗:g4 26.♖:g4+ ♔h8 27.♘f7+ ♖:f7 28.♖:e8+ ♖f8 29.f7! ♘f6 30.♖:f8+ ♕:f8 31.♖g8+ с переходом в элементарно выигранный пешечный эндшпиль. А на 29... ♔h7 решало 30.♗c2+ ♔h6 31.♖g6+ ♕:g6 32.♗:g6 ♔g7! 33.g3! (Макарычев).

25.g6 ♗:g6 26.de! (важный «промежуток», позволяющий удержать лишнюю пешку) **26...♕e6 27.♗:d5 cd 28.♕:g6+ ♕:g6 29. ♖:g6+ ♔h7 30.♖d6.** Возникший ладейный эндшпиль требует от белых лишь некоторой технической точности.

30...♖c8 (30...♖d8 31.♖d1!) **31.♖e3 ♖c2 32.♖d7+ ♔g6 33.♖:b7 ♖e8** (33...♖ff2? 34.♖g3+ ♔h6 35.♖b8 ♔h7 36.♖b4! Тайманов) **34.a3 d4 35. ♖d3 ♖:e5 36.♖:d4 ♖g5.** Чуть упорнее 36...♖ee2 37.♖g4+ ♔f5, но шансов на спасение нет и здесь: 38.♖gg7 ♖:b2 39.♖:b2 ♖:b2 40.♖:a7.

Не все из последующих ходов стоило делать, однако Юсупов, видимо, пребывал в шоке: так удачно складывавшийся матч был проигран им в последней партии фактически без борьбы.

37.♖d6+ ♔h5 38.♖h7+ ♔g4 39.♖d4+ ♔f5 40.♖d5+ ♔g6 41. ♖g7+ ♔:g7 42.♖:g5+ ♔f6 43. ♖b5 a6 44.♖b6+ ♔e7 45.♔h2 ♔d7 46.♔h3 ♔c7 47.♖b3 ♔d6 48.g4 ♔e5 49.♔h4 ♔f6 50. ♖b6+ ♔g7 51.♔h5 a5 52.♖b7+ ♔g8 53.a4. Черные сдались. Карпов выиграл матч со счетом 4,5:3,5 и вышел в финал.

Интересную характеристику победителю дал в послематчевом интервью Марк Дворецкий:

«Я бы выделил три фактора, сочетание которых долгое время давало Карпову ощутимый перевес над ведущими гроссмейстерами мира. Во-первых, он всегда был блестящим интуитивным шахматистом, великолепно чувствовал особенности позиции, играл легко, уверенно. Во-вторых, Карпов — идеальный игрок, спортсмен. Раньше он почти никогда не терял голову, знал, что и когда предпринять, где рискнуть; тонко улавливал состояние противника, находил продолжения, наиболее для него неприятные. В-третьих, многолетний чемпион мира пользовался в свое время услугами чуть ли не всех ведущих гроссмейстеров страны — и это давало ему огромный допинг в освоении теории.

Ныне действие этих факторов, резко выделявших Карпова среди других шахматистов, несколько уменьшилось. Он уже не так доверяет своей уникальной интуиции, тратит много времени на обдумывание, попадает в цейтноты. Не всегда срабатывает и его, прежде безупречный, игровой механизм: теперь решения Карпова корректируются порой то ли какими-то опасениями, то ли усталостью, то ли чем-то еще. Наконец, тренерский корпус экс-чемпиона мира сегодня изрядно поредел».

Тем не менее звезда Карпова, в отличие от некоторых иных звезд той поры, блеснувших у вершины шахматного Олимпа и угасших до срока, горела мощным светом еще почти целое десятилетие.

КРИЗИС ЖАНРА

После уверенной победы в финальном матче претендентов над Тимманом (Куала-Лумпур, март 1990) экс-чемпион мира заявил: «Со временем, с возрастом приходится искать новые для себя стимулы, находить столь необходимые в борьбе силы. Но мне в данном случае просто очень хочется выиграть у Каспарова». И наш пятый матч за корону (Нью-Йорк — Лион, октябрь-декабрь 1990) проходил, как обычно, в упорной борьбе. Почему-то Карпов временно отказался от Каро-Канна и отвечал на 1.e4 только 1...e5. Четыре нуля в открытых дебютах предопределили его общее поражение (11,5:12,5).

Очередной отбор Карпову вновь предстояло начать с четвертьфинального матча претендентов. Я хорошо помню, как во время жеребьевки, проходившей в феврале 1991 года на открытии турнира в Линаресе, он буквально светился от счастья, когда «вытащил» 21-летнего Виши Ананда. Впервые матчевый соперник Карпова годился ему в сыновья! Казалось маловероятным, что очень талантливый и перспективный, но еще слишком молодой и неопытный индийский гроссмейстер сумеет оказать серьезное сопротивление такому гиганту мировых шахмат как Анатолий Карпов. В Линаресе, кстати, оба выступили неважно (там блистал другой яркий лидер нового поколения — Василий Иванчук).

Но матч с Анандом (Брюссель, август 1991) сложился для Карпова даже еще труднее, чем матч с Юсуповым, и был очень похож на него по сюжету. Возможно, вновь давал знать о себе непривычный шестичасовой контроль времени, а скорее — общая психологическая усталость Карпова (которая позже сгубит его в полуфинале с Шортом). Во всяком случае, парад взаимных ошибок и упущений в брюссельском матче побил все мыслимые рекорды.

Игра шла на большинство из восьми партий. Как и в матче четырехлетней давности с Соколовым, соперники спорили только в двух дебютах — защите Каро-Канн и меранской системе, подготовленной Анандом специально к этому матчу. В 1-й партии Виши избрал против Каро-Канна редкий вариант 1. e4 c6 2.d3 и был переигран в спокойной маневренной борьбе. Но на исходе шестого часа игры, в цейтнотной спешке перед вторым контролем, Карпов упустил выигрыш.

59...♗f5? (решало простое 59... ♔f5 и ♔e4) **60.♗:b6! ♖:b6 61.♖:e2 ♖d6 62.♔c3! ♖d3+ 63.♔c4 ♖a3 64.♔c5 ♖a4 65.b6 ♖b4 66.♖a2 ♖b1 67.♖:a5** с ничьей на 76-м ходу.

После этого игру обоих соперников начинает лихорадить. Во 2-й партии, впервые столкнувшись с «мераном от Ананда», экс-чемпион неуверенно играл в миттельшпиле и уже сам спасся буквально чудом.

42...b4?! (проще 42...♕f5 43.♗e5 g5!–+ Ананд) **43.f3!** (единственный

шанс) **43...b3?** Выигрывая пешку, но позволяя белым построить крепость. По Ананду, лучше было 43... c3 44.bc b3 45.♗a3 ♗:f3, а еще сильнее — 43...♕b7! с решающей угрозой c4-c3.

44.♗b4 ♗:f3 45.♕f4 ♕b7 46. ♗c3 с ничьей на 73-м ходу.

В 3-й Ананд после непритязательно разыгранного дебюта сумел захватить инициативу и добиться совершенно выигранной позиции. Но в цейтноте соперника он на 38-м ходу упустил быструю победу, а затем и вовсе дал ему ускользнуть.

45.♖f8?? Мгновенно заканчивало борьбу 45.♕d8! ♖:f4 46.g4! с решающей угрозой ♕h4#.

45...♕b7 46.♕d8 (уже не выигрывает 46.♖g8(f6) ♕e4 47.♕f8+ ♔h5 48.♖:g6 ввиду 48...♕:f4+ 49. ♖g3 h6!= Ананд) **46...♕e4 47. ♕h4+ ♔g7.** Ничья.

В 4-й партии Карпов в результате острой дебютной стычки достиг очевидного перевеса (см. № 584, примечание к 10-му ходу) и точной игрой воплотил его в победу. Казалось бы, всё встало на свои места — но не тут-то было! В 5-й партии

Ананд избрал против Каро-Канна входивший в моду вариант с 3.e5, его неторопливую разновидность с ♘f3 и ♗e2. И полностью переиграл грозного противника!

61.ef+? (легко выигрывал переход в коневой эндшпиль — 61.♖:c7+ ♘:c7 62.♘h7 и т.д.) **61...♚:f6 62. ♖b8 ♘d6 63.♚f4 ♖c1.** Записанный ход. Отложенная позиция выглядит безнадежной для черных, но при доигрывании Ананд грубо ошибся на 74-м ходу, и через 20 ходов была зафиксирована ничья.

В 6-й партии, как и во 2-й, Карпов вновь неудачно трактовал «меранский» миттельшпиль. Индиец получил решающий перевес и при доигрывании победил на 71-м ходу. Но в тот же день, чуть раньше, Виши упустил выигрыш в отложенной 5-й партии... Если бы он её выиграл, то ситуация зеркально повторила бы Багио, где подобное удалось Карпову (при доигрывании 13-й и 14-й партий). А так получилось «зеркало» матча 1989 года, где Юсупов, хотя и без откладывания, наоборот, выиграл 5-ю партию и упустил победу в 6-й.

Так или иначе, счет в матче сравнялся. В 7-й партии, снова в спокойном Каро-Канне, Ананд очень тонко провел миттельшпиль, получил лучшее окончание и... не использовал ещё один шанс выйти вперед.

41.♖c8? В тяжелейшее положение ставило черных 41.♖g8+! ♚h7 42.♖c8, например: 42...♚g6 43.♗f4! ♖c4 44.♖g8+ ♚h7 45.♖a8 (Ананд).

41...f6! 42.♗c3 (на 42.♗f4 или 42.ef выручает 42...♖c4) **42...♚f7 43.ef ♚:f6 44.♗d2 ♖c4 45.♖f8+ ♚g6 46.♖a8 ♖c6** с ничьей на 63-м ходу.

И вот 8-я, заключительная партия — вновь меранская система. И вновь, как и в матче с Юсуповым, в решающий момент экс-чемпион применяет относительно свежую идею и добивается перелома в необычайно трудном поединке.

№ 584. Славянская защита D46
КАРПОВ — АНАНД
*Матч претендентов,
Брюссель (м/8) 1991*
1.d4 d5 2.c4 c6 3.♘f3 ♘f6 4. ♘c3 e6 5.e3 ♘bd7 6.♛c2. По-

скольку «меран» был для Ананда новым дебютом, Карпов весь матч сознательно избегал наиболее разработанной линии с 6.♗d3 (№ 569, 592, 594), к тому же имея успешный опыт применения 6.♕c2 против ван дер Виля (Тилбург 1988).

6...♗d6 7.♗e2. Ближе к концу века Карпов уже выводил слона на d3 – общепризнанный способ борьбы за инициативу.

7...0-0 8.0-0 dc. При слоне на e2 можно не спешить со снятием напряжения в центре. Надежнее 8...b6, пользуясь тем, что на 9.e4 двойной размен не проигрывает пешку, как в случае 7.♗d3. В партии Карпов – Кайданов (Тилбург 1993) 9...♘:e4 10.♘:e4 de 11.♕:e4 ♗b7 12. ♗d3 g6 13.♗h6 ♖e8 14.♖ad1 f5 15. ♕e3 c5 привело к примерно равной игре.

9.♗:c4 ♕e7. Табия четных партий матча. Только во 2-й Ананд играл 9...a6 с дальнейшим 10.♖d1 ♕e7!? 11.h3 b5 12.♗d3 c5=, и в будущем именно этот ход будет признан наиболее гибким, позволяющим черным сохранить разные возможности, связанные как с b7-b5 (и затем c6-c5), так и с e6-e5.

10.a3. До этого Карпов играл 10.h3 – и в 4-й партии добился успеха после 10...a6 11.e4! e5 12.♖d1! b5 13.♗f1 c5 14.d5 c4!? 15.a4 ♖b8 16. ab ab 17.♖a5! b4 18.♘a4 ♕d8 19.♖a7 b3!? 20.♕e2 ♘c5 21.♘:c5 ♗:c5 22. ♖a1! c3! 23.♘:e5! c2 24.♖d3 ♕e8? (24...♗d7! Спасский) 25.♘c6 ♖b6 26.♗e3 ♘:e4 27.♗:c5 ♘:c5 28. ♖e3... 1-0.

Но, видимо, он остался недоволен дебютными итогами 6-й пар-

тии, где после 10...c5 Ананд получил хорошую игру (11.dc ♗:c5 12.e4 ♗d6 13.♘d4?! ♘e5), хотя позже выяснилось, что этот ход полного уравнения не дает.

10...e5 11.h3. К этому и стремился Карпов (то же самое могло случиться и при 10.h3 e5 11.a3).

Современная трактовка этой позиции такова: белые сделали полезные ходы пешками и теперь собираются удачно расположить свои фигуры (♗a2, потом, может, ♗d2). Борьба идет вокруг пешечного напряжения в центре, причем бить на d4, открывая и дорогу слону c1, и линию «e» для нападения на своего ферзя, черным невыгодно. Поэтому они тоже должны выжидать, стараясь делать полезные ходы, но их выбор ограничен. Напрашивается отступление слона с d6, чтобы снизить эффект от потенциальной угрозы ♘h4, которая становится актуальной, если сыграть h7-h6, – а этот ход черным нужен, чтобы придать бо́льшую силу продвижению e5-e4 (11...e4 12.♘g5).

Вокруг подобных нюансов и ведется дебютное сражение.

11...♗c7. Одно время более тонким признавалось несколько вычурное 11...♗b8. То, что временно запирается ладья, считалось менее важным, чем незащищенность в вариантах слона c7. В нескольких партиях, в том числе Карпова, хорошо показала себя схема 11...♗b8 12.♗a2 h6 13.♘h4 ♖d8 14.♘f5 ♕e8. Но потом выяснилось, что естественное 11...♗c7 тоже ничего не портит.

12.♗a2 h6 13.♘h4 ♖e8. Неудачно 13...ed? 14.♘f5 ♕e5 15.f4 ♕e8 16.ed: белые доминируют, а на 16...♘b6? решает типовой удар 17. ♘:h6+. Черные не могли применить другую расстановку – 13...♖d8 14.♘f5 ♕e8 из-за 15.♘b5! Этот-то нюанс и заставил обратить внимание на 11...♗b8.

14.♘f5 ♕f8 15.♘b5 (испытывалось и 15.d5, но без особого успеха) **15...♗b8 16.♗d2!** С угрозой – ни много ни мало – поймать ферзя.

16...a5. Как уже говорилось, невыгодно 16...ed 17.ed. Теперь же от белых требуются энергичные действия – ведь их фигуры провисли, и если не использовать доминирующее положение коня f5, то черные «раскрутятся» и будут стоять прекрасно.

17.de ♗:e5?! Оплошность, хотя влияние этого хода на исход партии было преувеличено. У черных были две разумные альтернативы: 17... ♘:e5 18.♘bd4 c5 или даже 17...♖:e5 18.♘c3 ♘c5, прогоняя коня с f5 и получая после 19.♘g3 ♖e8 20.f4 ♗a7 сложную позицию с обоюдными шансами.

18.f4! Увеличивая свой атакующий потенциал на королевском фланге. Черных не может устроить 18...cb? 19.fe ♖:e5 (19...♘:e5 20.♘:h6+) 20. ♗c3, и приходится возвращаться слоном обратно. Таким образом, белые решили задачу сохранения коня на f5.

18...♗b8 19.♘c3 ♖d8?! Конь f5 слишком опасен, и с ним стоило начать борьбу в первую очередь – 19...♘c5!? Правда, надо считаться с 20.♘:h6+ gh 21.♕g6+ ♔g7 22.♗:f7+ ♔f8 23.♗:e8 ♘:e8, но оценка этой позиции не так очевидна. В эндшпиле – 24.♕:g7+ ♔:g7 – черным нечего опасаться (на 25.e4 сильно 25...♘d6). После 24.♕h5 ♗a7, наверное, лучше играть белыми, но предстоит напряженная борьба, в которой у черных свои контршансы.

В случае подготовительного 19... ♔h8 белые успевают сделать слабую пешку e3 заметной атакующей фигурой. Тактическое возражение – 20.e4 ♘c5 21.e5 ♘fe4 22.♘:h6 gh 23. ♘:e4 ♗f5 провоцирует жертву ферзя: 24.♕:c5!? (хорошо и 24.♖ae1!? ♘:e4 25.♖:e4 ♗a7+ 26.♔h1 ♗d4 27. ♖e1!) 24...♗a7 25.♕:a7 ♖:a7 26.♘d6 ♗e6 27.♘:e8 ♕:e8 28.♗:e6 fe 29.f5 ef

30.♖:f5 ♕d7 31.♖f2 с хорошей материальной компенсацией и атакой.

Ход Ананда преследует ту же цель: подготовить ♘c5, избегая ♘:h6+. Но Карпов находит недостаток в положении ладьи на d8.

20.♗e1! (теперь на 20...♘c5 очень сильно 21.♗h4) **20...♘h7 21.♗h4 ♘df6 22.♖ad1.** Белые явно преуспели: сохранены подвижная пешечная пара, мощные слон на a2 и конь на f5, слон c1 перешел на активную позицию h4, черные фигуры ютятся на 8-й линии, конь вместо c5 оказался на h7. И прежде всего — грозит 23.♘:h6+.

22...♖:d1. Кардинальные меры — 22...♗:f5 23.♕:f5 ♗a7 24.♗f2 ♕c5? давали белым после 25.♕:c5 ♗:c5 26.e4 ♗:f2+ 27.♔:f2, вероятно, выигранный эндшпиль (очень силен слон!). Но, безусловно, осложняло их задачу 24...b5!

23.♖:d1.

23...♗e6?? Грубейшая ошибка, имеющая не одно опровержение! Угрозу 24.♘:h6+ gh 25.♕g6+ ♕g7 26.♖d8+ отражало и 23...♗:f5 (с той же идеей 24.♕:f5 ♗a7 25.♗f2 b5), и 23...♗c7, после чего не видно ниче-

го форсированного. Если 24.♘e4, то 24...♗:f5 25.♘:f6+ ♘:f6 26.♕:f5 ♖d8 с массовыми упрощениями. И хотя путем 24.♔h1! белые сохраняли выгоды своей позиции — скажем, 24...♗:f5 25.♕:f5 ♖d8 26.♗f1 и т.д., всё еще предстояла упорная борьба.

24.♗:e6 fe 25.♕b3. Теперь занавес можно опускать. Выигрывало и эффектное 25.♘:h6+ gh 26.♕g6+ ♔h8 27.♘e4! ♕d5 (27...♘:e4 28.♖d7 ♕g8 29.♕:e4) 28.♖:d5 ed 29.♗f6+ ♘:f6 30.♘:f6.

25...♕e8 26.♘:g7! (дальнейшее сопротивление Ананда объяснимо только тем, что это была последняя партия) **26...♕f7 27.♘:e6 ♗a7 28.♗f2 ♖e8 29.♘d4 ♕b3 30.♘:b3 ♗:e3 31.♗:e3 ♖:e3 32.♘a5.** Черные сдались, и Карпов выиграл матч — 4,5:3,5.

Два трудных матча — и две победы в решающих партиях! Удивительное совпадение, не так ли? Но только на первый взгляд. На самом деле в критической ситуации Карпов опять проявил свои редкие бойцовские качества, доказав, что не разучился выигрывать «по заказу».

Уже через месяц экс-чемпион мира отлично выступил на первом — и, увы, оказавшимся последним — этапе второго Кубка мира (Рейкьявик, осень 1991). Только упущенный выигрыш при доигрывании партии заключительного тура с Чандлером (ничья на 119-м ходу!) лишил его чистого первого места: 1–2. Иванчук и Карпов — по 10,5 из 15. А вскоре показал свой потенциал и Виши, выиграв своеобразный «суперчемпионат СССР» (Реджо-Эмилия 1991/92): 1. Ананд — 6 из 9;

2–3. Гельфанд и Каспаров — по 5,5; 4. Карпов — 5; 5–7. Иванчук, Полугаевский и Халифман — по 4,5 и т.д.

После матча с Анандом «антимеранский» вариант с 6.♕c2 прочно вошел в дебютный репертуар Карпова и принес ему несколько ярких побед, одержанных в ту пору, когда ведущие гроссмейстеры только-только нащупывали правильные пути выхода из этого коварного лабиринта. Весьма показательна партия с 20-летним Алексеем Шировым — еще одной восходящей звездой конца 20-го века.

№ 585. Славянская защита D46
КАРПОВ – ШИРОВ
Биль 1992, 13-й тур

1.d4 d5 2.c4 c6 3.♘c3 ♘f6 4. e3 e6 5.♘f3 ♘bd7 6.♕c2 ♗d6 7.♗e2 0-0 8.0-0 dc 9.♗:c4 b5. На вид более энергичное, чем 9... ♕e7 (№ 584), типично «меранское» продолжение. Неудивительно, что именно его выбирает Широв. Теория варианта тогда была совсем не разработана.

10.♗e2 ♖e8. Или 10...♕c7 11. ♗d2 ♖e8 12.♖ac1 с некоторым перевесом белых (Карпов — ван дер Виль, Тилбург 1988). Естественнее 10...♗b7, но в те годы господствовало мнение, что планы белых связаны с продвижением e3-e4, и тогда после e6-e5 черная ладья окажется на месте (как уже было в одной из партий Широва).

11.♖d1 ♕c7. Поскольку белые разыграли дебют не очень активно, черные могут позволить себе определенные вольности, применив гибрид разных систем. Все же прак-

тика показала, что в такой конфигурации типовой маневр ♘c3-e4 позволяет белым получить инициативу. Кстати, в варианте 9...a6 10. ♖d1 ♕c7 ход 11.♘e4! впервые испытал на практике один из многолетних помощников Карпова гроссмейстер Епишин.

12.b3 e5 13.h3 (защищаясь от 13...e4) **13...♗b7.** Шабалов против Тукмакова (Биль-опен 1992) успешно отстоял позицию черных после 13...a6 14.♗b2 ed 15.♘:d4 ♗b7 16. ♘f5 ♗f8 17.♘d5 ♘:d5 18.♖:d5 ♖e6. Опасно 18...c5?! из-за 19.♘h6+! gh 20.♕f5 ♗d6 (20...♘c6 21.♗d3!) 21. ♕g4+ ♔f8 22.♕g7+ ♔e7 23.♖f5 ♖f8 24.♗h5 с атакой.

14.♗b2 a6. Широв готовит 15... ed 16.♘:d4 c5. Альтернатива — 14... ed 15.♘:d4 и лишь затем 15...a6 (см. партию Тукмаков — Шабалов). Интересно 15.♖:d4!?, чтобы на 15... ♗c5 ответить 16.♖h4 h6 17.♘e4, а на 15...♘e5 16.♖ad1 ♘:f3+ 17.♗:f3 ♗e5 пожертвовать качество: 18.♘:b5! ♕b8 19.♘d6 ♗:d4 20.♖:d4 с отличными перспективами.

15.de ♘:e5 16.a4! Максимально затрудняя c6-c5, без чего будущее слона b7 выглядит сомнительным.

16...Лаd8? Столь естественный ход трудно признать ошибкой. Немедленное 16...b4?! после 17.♘b1 c5 18.♘bd2 давало белым устойчивый позиционный перевес благодаря контролю над полем c4 и возможности атаки пешки c5. Ход ладьей сделан в надежде сыграть b5-b4 в более удобный момент, но...

Между тем Широв упускает действительно удобный момент: после 16...♘:f3+! 17.♗:f3 ♗h2+ 18.♔h1 ♗e5 помех для проведения освобождающего продвижения c6-c5 не оставалось.

17.♘g5! Подчеркивая, что теперь конь утвердится на ключевом поле e4 и, мешая продвижению c6-c5, обеспечит белым стойкий позиционный перевес.

17...♕e7 18.♘ce4 ♘:e4 19. ♘:e4 ♗b4. В случае 19...♗c7 белые могли с выгодой вызвать b5-b4: 20.♗a3 b4 21.♗b2. Широв готовит размены по линии «d», но Карпов задает ему новую задачу.

20.♘g3! Что противопоставить угрозе ♘f5 с последующим f2-f4? Напрашивается 20...g6, но нелегко решиться на такое ослабление большой черной диагонали при слоне не на f8, а на b4. И впрямь, после 21.♘e4 защищаться непросто. На 21...f5 сильно 22.f4 ♖:d1+ 23.♖:d1 ♘g4 24.hg ♕:e4 25.♕:e4 fe 26.♖d7 ♖e7 27.♖d8+ ♔f7 28.♖h8 ♔e6 29.g5!, а если 25...♖:e4, то после 26.♗e5! ♖:e3 27.♖d8+ ♔f7 28.♔f1 слона b7 не спасти.

20...f6. Широв счел, что это меньшее из зол, но Карпов незамедлительно пользуется ослаблением уже белых полей.

21.♗:e5! Неожиданный размен, оправданный конкретным расчетом. После 21...fe (лучшее) 22.♗d3 g6 23.♗e4 черным предстояла унылая защита, которая Широву была явно не по душе.

21...♕:e5?! 22.♗d3 (как защищать пешку h7?) **22...h6?!** Надо иметь большое мужество, чтобы решиться на 22...g6, допуская 23.♗:g6 hg 24.♕:g6+ ♔h8 (24...♔f8 25.♘f5 +−) 25.♕h6+ ♔g8 26.♘h5 f5 27.♘f6+ ♔f7 28.♘:e8 ♖:e8. У белых здесь много заманчивых продолжений, например: 29.♕h7+ ♔g7 30.♖d7+ ♖e7 31.♕:f5+ ♕f6 с выбором между сохранением ферзей и эндшпилем, где четыре связанные проходные, конечно, должны, скорее всего, обеспечить победу, но недооценивать двух черных слонов при потенциальной проходной «c» тоже не следует.

За доской всегда сложно решать такие проблемы: минусы каждого из ходов достаточно очевидны. Широв, не сделавший в этой партии ни одной грубой ошибки (зато целую серию второсортных ходов), предпочел не нарушать материальное равновесие, надеясь пережить атаку соперника по белым полям. Однако его надежды не сбылись: Карпов быстро и эффектно завершил борьбу.

23.♗g6 ♖f8 24.♘f5 c5. Другая линия обороны — 24...♕c5 25.♕e4 ♗c8 тоже пробивается: 26.♖dc1 ♗:f5 27.♗:f5 ♗c3 28.ab! (точнее, чем 28.♕g4 ♕e5, и нет выигрывающего ♖a7) 28...ab 29.♕g4 ♖a8 30. ♖ab1! с решающей атакой в «разноцвете». Например: 30...♕e5 31.♕g6 ♖fd8 32.♕h7+ ♔f8 33.♗g6 (или 33. b4 с идеей перевода слона на b3).

25.ab ab 26.♖a7 ♕c7. От комбинированной атаки всех белых фигур спасения нет. На 26...♖:d1+ 27. ♕:d1 ♕c7 решает 28.♘:h6+ gh 29. ♗e4 ♖b8 30.♗:b7 ♔f8 31.♕h5 ♖:b7 32.♕:h6+ ♔g8 33.♕g6+ ♔f8 34. ♕:f6+ ♔g8 35.♖a6. Ну, а после 26... ♕b8 смертельно 27.♘e7+ ♔h8 28. ♗f5! — тот же мотив, что и в партии: освобождение для коня поля g6.

27.♘h4 ♖:d1+ 28.♕:d1 ♖a8 (28...♖d8 29.♕g4 ♕d7 30.♖:b7! ♕:b7 31.♕e6+ ♔h8 32.♗c2) **29.♕g4! ♕c6.**

30.♖:b7! ♕:b7 31.♕e6+ ♔h8 32. ♗e4. Завершение белопольной симфонии! Черные сдались: 32... ♖a1+ 33.♔h2 ♕b8+ 34.f4 с матом.

В 1992-м Карпов выиграл три турнира — в Мадриде, Биле и Баден-Бадене. Однако в целом тот год оказался одним из самых драматичных в его карьере: весной в Линаресе он неожиданно проиграл полуфинальный матч претендентов Найджелу Шорту — 4:6 (в другом полуфинале Юсупов уступил с таким же счетом Тимману).

Это сенсационное событие вызвало подлинный фурор в шахматном мире. Матчевые обзоры в ведущих журналах пестрели броскими заголовками: «Конец эры» («New in Chess»), «Прервалась связь времен?..» («Шахматный вестник»), «Конец эпохи — западные шахматисты берут верх над русскими в матчах претендентов» («British Chess Magazine»), «Гибель богов в Линаресе» («Schach-Magazin 64»), «Исторический момент — Карпов выбывает» («Jaque»), «Шорт кладет конец эпохе» («Revista Internacional de Ajedrez»).

Ханс Рей писал в «New in Chess»: «В матчах победили те, кто лучше умел распоряжаться временем. Ужасно было наблюдать за Карповым в невероятных цейтнотах, в которых он оказывался почти в каждой партии. Но это еще не всё. Кажется, его железных нервов более нет. Я и раньше видел его в цейтнотах, но он всегда сохранял хладнокровие. Сейчас он трясся от напряжения, его лицо было искажено эмоциями. Его психолог Загайнов сидел в первом ряду. Человек, призванный излучать спокойствие, в эти минуты кусал ногти и ломал пальцы, переживая, словно школьник». (Вскоре в Москве вышла книга Рудольфа Загайнова, посвящённая этому матчу, под символичным названием «Поражение».)

Любопытны и наблюдения обозревателя журнала «Шахматный вестник» Валерия Мурахвери:

«Карпов обладает уникальным матчевым опытом. Журнал «Schach-Magazin 64» насчитал за 18 лет 254 партии, сыгранные им в матчах, из них 144 – против Каспарова. В тонкостях познав психологию и философию единоборств, Карпов, казалось бы, не должен был испытывать каких-либо трудностей, связанных со стилем и манерой игры Шорта. Следовало ожидать, что преимущество Карпова в стратегически определившихся позициях и в эндшпиле станет решающим фактором в матче, ибо сопернику вряд ли удастся его нейтрализовать, даже навязав чисто тактическую борьбу.

Однако 14-летняя разница в возрасте оказалась не в пользу Карпова. Возраст проявляется прежде всего в неспособности постоянно поддерживать высокий спортивный уровень. На фоне привычных успехов всё чаще случаются периоды спада, плохой формы, элементарного нездоровья. У одних шахматистов это происходит раньше, у других – позже, рубеж в 40 лет можно считать более или менее нормальным.

Изменилась и обстановка вокруг Карпова: в команде, прежде столь многочисленной и титулованной, по разным объяснимым причинам произошли замены и сокращение штатов. Этот процесс, судя по всему, не прошёл для экс-чемпиона безболезненно: в печати он высказал претензии целому ряду гроссмейстеров за неоказание помощи ему и оказание – его противникам. Люди, покровительствовавшие или служившие ему верой и правдой, ушли или утратили влияние, что также не могло не отразиться на его боевом духе».

Мой собственный комментарий случившегося был таким: «Для шахмат полезно, что на уровень соревнования за высший титул выходит шахматист с Запада. Это существенно поднимает интерес к шахматам в средствах массовой информации и у широкой общественности... Я не отдаю предпочтения кому-либо из финалистов – Тимману или Шорту, но для шахмат лучше, чтобы победил Шорт. Для публики интереснее, когда претендент моложе, чем чемпион».

Тогда многим казалось, что это действительно конец эры Карпова. Никто не мог и предположить, как повернётся шахматная история в 1993 году...

АНТИНОВОИНДИЕЦ

Пришла пора ненадолго отвлечься от спортивных подвигов 12-го чемпиона мира и рассказать о его вкладе в теорию закрытых дебютов – точнее, в трактовку тех спокойных стратегических схем, которые наиболее полно отвечали его стилю. Как я уже упоминал, Карпов очень уверенно чувствовал себя в новоиндийской защите – и тем, и другим цветом. Неудивительно, что многие партии, выигранные им белыми, стали для этого дебюта хрестоматийными.

Весьма урожайным в этом смысле выдался 1993 год. В конце февраля, на старте супертурнира в Линаресе, этого ежегодного «шахматного Уимблдона», Карпов дважды добился успеха в новоиндийской с 4.g3 — и против 4...♗b7, и против 4...♗a6.

№ 586. *Новоиндийская защита Е18*
КАРПОВ – САЛОВ
Линарес 1993, 1-й тур

1.d4 ♘f6 2.c4 e6 3.♘f3 b6 4.g3 ♗b7. Салов играл новоиндийские построения часто и довольно уверенно, но против Карпова его преследовали неудачи. Так, в Линаресе-1992 он уступил экс-чемпиону после 4...♗a6.

5.♗g2 ♗e7 6.♘c3 ♘e4 7.♗d2 ♗f6 8.0-0 (8.♕c2 — № 588) **8... 0-0 9.♖c1 c5.** Считается стратегически рискованной линией. Однако после 9...d6 10.d5 ♘:d2 11.♕:d2 белые в партии Карпов – Салов (Рейкьявик 1991) одержали победу в затяжной маневренной игре, использовав перевес в пространстве: 11...♗e7 12.e4 ♘d7 13.♘d4 ♗:d4 14. ♕:d4 e5 15.♕d2 a5 16.f4 ♘c5 17.f5 f6 18.♗f3 и т.д. И хотя у Салова по ходу партии имелись возможности обострить ситуацию, видимо, ему не понравился сам характер борьбы.

10.d5 ed 11.cd ♘:d2 12.♘:d2 d6 13.♘de4! Белые устанавливают коня в центре, чтобы использовать его силу для подготовки пешечного наступления на королевском фланге.

13...♗e7. В партии Каспаров – Лигтеринк (Мальта(ол) 1980) черные среагировали неудачно – 13... ♖e8?! 14.♕d2 a6, и ходом 15.b4! белые подчеркнули дисгармонию в расположении их фигур, а после 15...♗e7 16.bc bc 17.♕f4 ♕c7 18.♘a4 ♕a5 19.♖b1! ♗:d5 20.♘b6 ♗:e4 21. ♗:e4 ♖a7 нанесли решающий удар – 22.♘c8!

Салов должен был подготовиться лучше. Отступая слоном, он, очевидно, рассчитывал, что два слона позволят ему создать контригру с надвижением пешек на ферзевом фланге.

14.f4 ♘d7 15.g4! a6 16.a4. Не допуская немедленного b6-b5.

16...♖e8? Слишком спокойное отношение к позиционной угрозе g4-g5 с завоеванием пространства и реальной перспективой атаки. Если черные хотят пойти b6-b5, то лучше это было сделать сразу — 16...b5 17.ab ab 18.♘:b5 ♕b6, хотя после 19.♘bc3 вряд ли у них есть достаточная компенсация за пешку.

Впрочем, черные еще не обязаны идти на крайние меры — возможно, к примеру, простое 16...h6.

Но самый интересный ход — 16...
♘f6. В ответ на 17.♘f2 чересчур рискованно 17...h6 18.h4 g5?! из-за 19.hg
hg 20.e3, и ослабление королевского фланга может оказаться критическим. Надежнее вернуться обратно — 17...♘d7, чтобы на 18.g5 осуществить своевременный подрыв 18...f6, а на 18.♕c2 механически помешать надвиганию белых пешек — 18...h6.

17.g5 ♗f8 18.♔h1 b5. Салов решился на это, наверное, с нелегким сердцем, но иного способа создать контригру нет.

19.ab ab 20.♘:b5 ♕b6 21. ♘bc3. Активность черных на ферзевом фланге призвана всего-навсего отвлечь внимание белых от королевского. Однако даже если удастся выиграть пешку b2, это будет означать только восстановление материального равновесия, но никак не создание настоящей контригры.

21...♕b4. Черные препятствуют увеличению потенциала атаки после ♖f3-h3, но теперь туда устремляется белый ферзь, и им становится еще тяжелей.

22.♕d3 ♘b6 23.♕g3! ♔h8 24.♖cd1. У белых лишняя пешка, хорошо расположенные фигуры и перспектива прямой атаки на короля, контригра же соперника иллюзорна — все признаки того, что черные полностью проиграли сражение.

24...♘c4. Можно было уничтожить пешку b2 и даже создать видимость контратаки — 24...♘a4 25. f5 ♘:b2 26.♖b1 ♖a3, но после 27.♖f4 c4 28.♖h4 белые начинали решающий штурм: 28...♖:e4 29.♖:e4 ♖:c3

30.♖e8 ♔g8 31.♕h4, и нет защиты от 32.g6. Задержать продвижение пешек тоже не удается: 24...♗c8 25. f5 ♖e5 26.g6! ♗:f5 27.♘g5! ♗:g6 28. ♘:f7+ ♗:f7 29.♖:f7 с дальнейшим переводом слона с g2 на e6.

25.b3! ♘b6. Коню приходится возвращаться ни с чем. В случае 25...♕:b3 26.♖b1 ♘b2 у белых приятный выбор между продолжением атаки (27.f5) и выигрышем материала — 27.♖fd1 и т.д.

26.g6! Наиболее энергичное — «в сицилианском духе» — развитие атаки. Вело к цели и 26.f5 ♖a3 27.g6 f6 28.gh ♖:b3? 29.♕g6, и хотя 28... ♘d7 позволяло черным как-то сопротивляться, после 29.♘:d6 им не устоять.

Позиция белых настолько сильна, что можно наблюдать редкий случай в практике великого прагматика Карпова: он отказывается от материальных приобретений в пользу прямой атаки!

26...fg 27.f5 gf 28.♖:f5 ♘d7 29.♖df1. Возможно было и 29. ♘:d6 ♗:d6 30.♕:d6 ♘f8 (30...♗:c3 31.♕:d7 ♗a6 32.♖df1) 31.♕g3, но Карпов уже не отклоняется от своего генерального плана концентрации фигур рядом с черным королем.

29...♘e5 30.♖5f4 ♛b6 (плохо и 30...♘g6 31.♗g4 – с угрозой ♖:g6 – 31...♘e5 32.♖h4) **31.♗g5 ♘g6.** Допускает изящное завершение борьбы. А иначе с решающим эффектом в атаку включался белый слон: 31... ♗e7 32.♘f7+ ♘:f7 33.♖:f7 ♗f8 34. ♗e4! или 31...g6 32.♖h4 h5 33.♘f7+ ♔g7 34.♗e4.

32.♘f7+ ♔g8 33.♛:g6!, и ввиду 33...hg 34.♖h4 черные сдались.

Во 2-м туре экс-чемпион мира проиграл Тимману, но это ничуть не охладило его боевого пыла.

№ 587. Новоиндийская защита E15
КАРПОВ – БЕЛЯВСКИЙ
Линарес 1993, 3-й тур

1.d4 ♘f6 2.c4 e6 3.♘f3 b6 4.g3 ♗a6 (4...♗b7 – № 586, 588) **5.b3 ♗b4+.** Спорно 5...b5 – месяцем раньше в Вейк-ан-Зее Карпов дважды одолел Кристиансена после 6.cb ♗:b5 7.♗g2 ♗b4+ 8.♗d2 a5 9.0-0 (и, кстати, выиграл этот нокаут-турнир).

6.♗d2 ♗e7 7.♗g2 (7.♘c3 – № 579, 580) **7...c6 8.♗c3 d5 9.♘e5 ♘fd7 10.♘:d7 ♘:d7 11.♘d2 0-0 12.0-0.** Один из тех вариантов, что Карпов применял за оба цвета.

12...♖c8. Популярен и гибкий ход 12...♘f6, не раз встречавшийся в его партиях, например: Карпов – Портиш (Роттердам 1989) или Юсупов – Карпов (Лондон(м/1) 1989).

13.e4. Возникла позиция из памятной 6-й партии нашего первого матча (1984/85), где белыми играл я, и из 21-й партии матча-реванша (1986), где белыми играл Карпов.

13...c5. Очередная разработка венгерских шахматистов. Прежнее продолжение – 13...b5 14.♖e1 dc 15. bc, испытанное в упомянутых матчах, не утратило актуальности и в 21-м веке (отмечу партию Бологан – Крамник, Дортмунд 2004).

14.ed ed 15.dc dc 16.c6 cb 17.♖e1 ♗b5. Достаточно надежный ответ, однако лучшим на сегодня признано 17...b2 18.♗:b2 ♘c5 (свежий пример: Топалов – Ананд, Сан-Луис 2005).

18.ab! Одно время играли 18. ♘:b3 и считалось, что у черных нет проблем с уравнением. Эталоном была красивая ничейная партия Юсупов – Сакс (Роттердам 1989): 18...♗:c6 19.♗:g7 ♔:g7 20.♘d4 ♗g2 21.♘f5+ ♔h8 22.♖:e7 ♗h3 23.♛d4+ ♘e5 24.♛:e5+ f6 25.♛e2 ♗:f5 26. ♖d1 ♗g4.

18...♗c6 19.♗:c6 ♖:c6 20. ♖:a7! Оказывается, это сулит белым некоторую инициативу, так как нельзя 20...♖:c3? из-за парадоксального отступления 21.♘b1! с материальными приобретениями: 21... ♖c7 22.♖:c7 ♛:c7 23.♖:e7 ♖d8 24. ♛d5! ♛c1+ (24...♔f8? 25.♖:d7 ♛c1+ 26.♛d1) 25.♔g2 ♖f8 26.♖:d7 ♛:b1

27.♖d6! b5 28.♖b6, выигрывая пешку «b».

20...♗f6. В красочной партии Карпов — Корчной (Тилбург 1991) после 20...♘f6 21.♕f3 ♕d5? (лучше 21...♗c7) 22.♖e:e7 ♕:f3 23.♘:f3 ♖:c3 24.♘g5 белые, несмотря на размен ферзей, получили сильную атаку: 24...♖:b3 25.♘:f7 ♖e8 26.♖eb7 ♖e1+ 27.♔g2 ♘e8 28.♖b8 (грозит ♘d6) 28...♖d3 (не 28...♖e6? 29.♘d6 ♔f8 30.♖f7+ и т.д.) 29.f4 (с идеей ♘e5; 29.♖:b6 ♖d2! и ♖ee2) 29...♖e6.

30.h4? (цейтнотная ошибка — 30. ♔h3 ♖de3 31.♘g5 ♖e7 32.♖:e7 ♖:e7 33.♖:b6 оставляло хорошие шансы на победу) 30...♖e2+ 31.♔h3 h5! (отдавая фигуру, черные сплетают матовую сеть, вырваться из которой можно лишь ценой вечного шаха) 32.♘e5 ♖d1! 33.♖:e8+ ♔h7 34.g4 ♖e3+ 35.♔g2 ♖d2+ 36.♔f1 ♖h3 37. ♔g1 ♖g3+ 38.♔f1 ♖f3+ 39.♔g1 ♖g3+ 40.♔f1 ♖h3. Ничья.

Ход 20...♗f6 крепче, поскольку слон на e7 и другие фигуры черных занимают пассивные позиции и подвержены атакам.

21.♘c4. Пробовали и 21.♘e4, хотя после 21...♘:c3 22.♖:d7 ♕a8 черные обычно удерживали равновесие.

21...♘c5. Интересно, что в 16-й партии матча с Камским (Элиста 1996), когда судьба поединка была уже практически решена, Карпов сыграл этот вариант черными и ответил здесь 21...♘:c3. Однако после 22.♖:d7 ♘f6 23.♖e4 пропустил элементарный тактический удар — 23...♕f5? 24.♖f4 ♕e6 25.♖d:f7!, связанный с отсутствием «форточки» у черного короля. Если бы он об этом позаботился — 23...h6, то равенство еще оставалось бы достижимым.

22.♕:d8 ♖:d8. Взятие 22...♗:d8 позволяло белым путем 23.♗b4 ♗c7 24.♖d1 сохранить сильнейшее давление в эндшпиле.

23.♗:f6 ♖:f6? Уже после матча с Камским в партии ван Вели — Карпов (Кап д'Аг(бш) 1996) встретилось 23...gf!, и 24.♘e3 ♘:b3 25. ♘f5 ♗c1 привело в итоге к ничьей. А в случае 24.♖ee7 ♘:b3 25.♘e3 ♖f8 26.♘f5 находится сильный ход 26... h5!, освобождающий короля и нейтрализующий угрозы белых: 27. ♘h6+ ♔g7 28.♘:f7 ♔g6 — черным нечего опасаться.

24.b4! ♘e6?! Оказывается, у коня нет хороших полей для отступления. Меньшим из зол был переход в ладейное окончание без пешки: 24...b5 (с той же целью не годилось 24...♞a4, так как вместо 25.♖:a4 сильно 25.♖d7! ♖f8 26.♖e5 с большим перевесом) 25.bc bc 26.♖a4 ♖c6 27.♖:c4 — наличие четырех ладей оставляет черным надежду на спасение.

25.♞:b6 ♞g5 26.♖d7! ♞f3+ 27.♔f1 ♖b8 28.♖ed1. Искусно сочетая атакующие действия при малом количестве фигур с угрозой перехода в технически выигранный эндшпиль, Карпов четко реализует свой перевес.

28...♔f8 29.♞d5 ♖e6 30.♞c7 ♖h6 31.h4 g5 32.hg ♞:g5. При 32...♖h1+ 33.♔g2 ♖:d1 34.♖:d1 ♞:g5 35.♖d5 ♞e6 36.♖b5 у черных выбор между несколькими проигранными окончаниями.

33.♖1d5! ♞e4 34.♖d8+ ♖:d8 35.♖:d8+ ♔g7 («ладейник» после 35...♞e7 36.♖e8+ ♔d7 37.♖:e4 ♔:c7 38.♖f4 совершенно безнадежен) **36.♞e8+ ♔g6 37.♔g2 f6 38.♖d7 ♖h5 39.♖g7+ ♔h6 40.♖e7 f5 41.♖e6+ ♔g5,** и ввиду очевидного 42.f4+ ♔g4 43.♖:e4 черные сдались.

Напомню, что к тому времени Шорт уже выиграл финальный матч претендентов у Тиммана (6,5:4,5) и предложил мне одним махом разрубить клубок проблем, накопившихся в переговорах с Кампоманесом: сразиться за мировое первенство вне рамок ФИДЕ! Решив, что это удобный случай наконец-то поставить шахматы на профессиональную основу, я согласился. И 26 февраля, в разгар баталий в Лина-

ресе, мы с Шортом сделали неожиданное заявление, имевшее далеко идущие последствия для шахматного мира: о том, что «приняли совместное решение провести матч между собой вне юрисдикции ФИДЕ, под эгидой новой организации — Профессиональной шахматной ассоциации, задача которой — представлять шахматных профессионалов во всем мире и действовать во благо шахмат».

А супертурнир продолжался своим чередом. После восьми туров лидировал Ананд, опережая на пол-очка Карпова и меня. Но в 9-м и 10-м турах мне удалось выиграть белыми у Ананда и черными у Карпова (система Земиша в староиндийской защите — это был уже наш 162-й поединок!), что и решило исход всего состязания: 1. Каспаров — 10 из 13; 2–3. Ананд и Карпов — по 8,5; 4. Широв — 8; 5. Крамник — 7,5; 6–7. Иванчук и Салов — по 6,5; 8. Белявский — 6.

Уже через неделю после турнира, 23 марта, руководство ФИДЕ, не мудрствуя лукаво, лишило нас с Шортом прав чемпиона и претендента — а заодно предоставило право сыграть «матч на первенство мира» двум запасным кандидатам, неудачникам отборочного цикла Тимману и Карпову!

Внезапно возникший шанс вернуть корону, пусть даже только по версии ФИДЕ, буквально реанимировал и преобразил экс-чемпиона. В апреле и июле Карпов выиграл турниры в Дос-Эрманасе и Дортмунде, а осенью, когда я победил Шорта, он не оставил шансов

Тимману, который удерживал равновесие в счете лишь первые пять партий...

Получив титул чемпиона мира ФИДЕ, в ноябре он выигрывает свой седьмой (!) турнир в Тилбурге, проводившийся по модной тогда нокаут-системе. В миниматчах были повержены один за другим Романишин, Выжманавин, Кайданов (оба на тай-брейке), Юсупов, Белявский и, вновь на тай-брейке, Иванчук.

Новоиндийскую тему здесь продолжила следующая партия, в которой Карпов очень интересно трактовал ранний миттельшпиль.

№ 588. Новоиндийская защита E17
КАРПОВ – ЮСУПОВ
Тилбург 1993, 5-й тур
1.d4 ♘f6 2.c4 e6 3.♘f3 b6 4.g3 ♗b7 5.♗g2 ♗e7 6.♘c3 ♘e4 7. ♗d2 ♗f6 8.♕c2!? (8.0-0 – № 586) **8...♘:d2 9.♕:d2.** Типовая позиция: у черных два слона, у белых преобладание в центре и контроль над бóльшим пространством.

9...d6 10.d5 0-0 11.♘d4! Предлагая побить на d4 – тогда возникнет позиция типа той, что была в упомянутой партии Карпов – Салов (Рейкьявик 1991 – см. № 586, примечание к 9-му ходу). Юсупов предпочитает сохранить слона.

11...e5 12.♘c6 ♕d7 13.♘:b8 ♖f:b8. Казалось бы, черным не на что жаловаться. В случае 14.0-0 они могут развить слона на g7 и подготовить f7-f5, а встречное продвижение f2-f4 приведет к активизации черного слона, не имеющего оппонента.

14.h4! Неожиданно и сильно. Белые не только захватывают пространство на королевском фланге (при g7-g6 возможна и атака h4-h5), но в первую очередь подготавливают выход слона на h3. Его роль там очень важна, а его размен после ♗b7-c8 выгоден для белых, поскольку ослабление белых полей соперник будет чувствовать острее.

14...a5?! Шаблонный ход для позиций такого типа, где белые обычно готовят пешечное наступление на ферзевом фланге. Юсупов или не предвидел случившегося далее, или переоценил прочность своих бастионов.

На контригру позволяло рассчитывать 14...a6. Конечно, белые еще не сделали длинную рокировку и могли бы после 15.♗h3 ♕e8 16.♘e4 рокировать в короткую сторону. Но при таком развитии событий черные сохраняли больше возможностей, чем в партии.

15.a4! Карпов стабилизирует ситуацию на ферзевом фланге, чтобы начать агрессивные действия на королевском.

15...♖f8 16.e4 h5. На 16...g6 неприятно 17.h5.

17.0-0-0! Белые раскрывают карты. Их король здесь в полной безопасности — особенности пешечной структуры на ферзевом фланге не позволяют черным рассчитывать на подрывы и пешечные штурмы.

17...g6 18.♗h3 ♕e7 19.♚c2. Начинается маневрирование в условиях, где у белых больше пространства и возможностей усиливать позицию.

19...♚g7?! Последовательная оборонительная линия. На 19...♗g7 сильно выглядит 20.g4 hg 21.♗:g4 f5 22.♗f3, но после жертвы ферзя 20...♕:h4! 21.gh ♕:h5 22.♗c8 ♕d1+ 23.♕:d1 ♗:c8 (24.♘b5 ♗d7) возникает вопрос: а могут ли здесь белые выиграть?

20.f3 ♖h8 21.♖h2 ♗a6.

22.♘b5! ♖af8. Белых не страшит размен 22...♗:b5 23.cb!, оставляющий на доске разноцветных слонов. Конечно, пешку c7 черные защитят слоном с d8, но рано или поздно белые с выгодой проведут f3-f4. Впрочем, Карпов приступает к подготовке этого прорыва и без размена на b5.

23.♔b1 ♕d8 24.♕d3 ♗e7 25. ♖e2 ♗c8?! Юсупов устал ждать и решил все-таки разменять слонов, но, возможно, этого не стоило делать. Теперь белым очень легко играть, а их конь получил шанс перебраться на c6.

26.♗:c8 ♕:c8 27.♖g1 ♖d8. Вынужденная пассивность: 27...f5? 28.f4 быстро привело бы к неразрешимым проблемам.

28.♘a7 ♕h3 29.♕c2 ♖e8 30. ♘c6 ♗f6 31.♖f2 ♕d7 32.♕e2 ♖hf8 33.♖h2. Готовя благоприятный момент для продвижения g3-g4 или f3-f4. Карпов держит напряжение, сознавая, что черным нелегко понять намерения соперника. И действительно, опасаясь обоих этих подрывов, Юсупов так и не смог найти выход из трудного положения.

33...♖h8 34.♕f2 ♖ef8 35. ♖f1 ♔g8?! Черные могли бы сопротивляться упорнее, если бы предупредили движение пешки «f»: 35... ♖e8 36.g4 ♔g8 37.♕g3 ♗g7.

36.f4! ♕g4 37.♕f3! ♖e8 (хуже 37...♕:f3 38.♖:f3 ♖e8 39.♖hf2 ♖h7 40.f5) **38.♕:g4 hg 39.f5 g5?!** Об-

легчает задачу белых. Упорнее 39...
♔g7, сохраняя пешечное напряжение, хотя белые, думается, постепенно решили бы игру прорывом на ферзевом фланге: ♔c2, b2-b4 и на ab — ♔b3:b4 и т.д.

**40.h5 ♖a8 41.♔c2 ♔g7 42.
♔c3 ♖a6 43.♖a1 ♖ha8 44.b4
♔f8.** Отчаянная жертва качества. В случае 44...ab+ 45.♔:b4 ♔h6 наиболее изящный путь к победе указал Фтачник — 46.♔b5 ♗g7 47.f6 ♗h8 48.♖f2 ♔h7 49.h6 ♔g6 50.h7!, и остается лишь серия прощальных шахов 50...♖a5+ 51.♘:a5 ♖:a5+ 52. ♖c6 ♖c5+, заканчивающаяся матом: 53.♔d7 ♖:c4 54.a5 ba 55.♖:a5 ♖:e4 56.♖a8 ♔:h7 57.♔e7 и т.д.

45.b5. Белые могли бы выиграть и путем 45.ba ba 46.♖b1, но Карпов справедливо решил, что «крепости» не получится.

45...♖6a7 46.h6 ♗h8. Интересно, что после 46...♔g8 47.h7+ ♔h8 48.♖ah1 ♖b7 49.♖h6 ♗g7 уже белые жертвуют качество — 50.f6! ♗:h6 51.♖:h6, и черные абсолютно беспомощны: 51...♖e8 52.♘e7 (пла-

нируя ♘f5-e3:g4, что открывает дорогу для вторжения короля) 52... ♖:e7 53.fe ♖b8 54.c5! bc 55.b6!

47.f6! (необязательно, но эффективно) **47...♗:f6 48.♖f1 ♗h8 49.
♘:a7 ♖:a7 50.♖h5 ♔e7 51.♖:g5
♖a8 52.h7 f6 53.♖g8 ♖f8 54.
c5 dc 55.♔c4 ♔f7 56.d6 cd 57.
♖:f8+ ♔:f8 58.♔d5.** Черные сдались.

С удачного 1993 года начался новый, последний взлет Карпова, позволивший ему показать еще несколько выдающихся результатов в соревнованиях мирового ранга.

УДУШЕНИЕ «ГРЮНФЕЛЬДА»

Солидная система с g2-g3 стала коронным оружием 12-го чемпиона мира и в борьбе против «Грюнфельда» и староиндийской защиты. Наверное, Карпова привлекала ее универсальность и то, что в возникающих позициях черные не могут сразу проявить активность. Особых успехов он добился в симметричных построениях, когда соперники пытались нейтрализовать инициативу белых с помощью пешечного клина c6+d5. К этому средству, напомню, прибегнул еще Бронштейн в 23-й партии матча с Ботвинником, и хотя он довольно легко уравнял игру, в итоге чемпиону мира удалось переломить в свою пользу равный эндшпиль (№ 214).

Долгое время эти позиции считались слишком пресными. Вся премудрость сводилась к тому, что, мол, если черным удастся пойти ♘f6-e4, то шансы уравняются. Скажем, после 1.d4 ♘f6 2.c4 g6 3.g3 ♗g7 4.♗g2 c6 5.♘f3 d5 6.cd cd 7.0-0 0-0 8.♘c3 надо играть 8...♘e4! Соответственно, белым лучше ходить сразу 8.♘e5!, сохраняя небольшую инициативу, хотя вроде бы и это не обещает им ничего серьезного. Тем не менее, например, Петросяну против Корчного в 4-й партии матча в Одессе (1974) удалось таким способом получить перевес и довести его до победы.

Главной защитой считалось 8...e6 9.0-0 ♘fd7, вышибая коня с e5. Так играл против Карпова и я — дважды в матче-реванше-1986 (3-я и 13-я партии) и дважды в матче-1987 (1-я и 3-я), неизменно добиваясь ничьей (подробнее об этом — в 7-м томе). Но позже Карпов с успехом доказывал, что симметричные схемы далеко не столь безобидны для черных, как на первый взгляд. Приведу две его хрестоматийные партии против ведущих молодых гроссмейстеров, где он продемонстрировал необычайно тонкое понимание этих «пресных» позиций.

Первая — из супертурнира, посвященного 100-летию со дня рождения А.Алехина (Москва, осень 1992). Карпов набрал здесь всего 3,5 из 7, однако за партию с Гатой Камским творческое жюри — в составе Ботвинника, Лилиенталя и Найдорфа! — присудило ему приз «за победу в алехинском стиле».

Правда, один из комментаторов партии, гроссмейстер Михаил Красенков возразил: «Мне это решение кажется спорным. Действительно, в творчестве первого русского чемпиона мира неоднократно встречаются примеры переноса борьбы с ферзевого фланга на королевский. Но ведь здесь, наоборот, борьба переносится с королевского фланга на ферзевый. А это уже стиль Карпова!»

№ 589. *Защита Грюнфельда D79*
КАРПОВ – КАМСКИЙ
Москва 1992, 6-й тур

1.d4 ♘f6 2.c4 g6 3.♘f3 ♗g7 4. g3 c6 5.♗g2 d5 6.cd cd 7.♘c3 0-0 8.♘e5 e6 9.0-0 ♘fd7 10.f4 ♘c6 11.♗e3. Как теперь играть черным?

В партии Карпов — Тимман (Амстердам, май 1987) после 11...♘d:e5 12.fe f6 13.ef ♖:f6 14.♕d2 ♗d7 15. ♔h1 ♖:f1+ 16.♖:f1 ♕e7 17.♖d1! (типично карповский ход, укрепляющий пешку d4) 17...♖c8 18.a3 (еще один профилактический ход) 18... ♗f6 19.♗g1 ♗g5 20.♕e1 ♘d8 21.e4! de 22.♕:e4 белые получили ясное преимущество.

Игру Тиммана, вероятно, можно усилить, но после 11...♘d:e5 четкого равенства у черных, видимо, уже нет. Пришлось искать другие пути...

11...♘b6?! Камский следует 1-й партии севильского матча (1987).

Похоже, легкость, с какой я уравнял шансы, настроила Гату на оптимистичный лад. Но он не вник в тонкости позиции. На самом деле, осуществляемый черными план развития недостаточен для уравнения и лучше сразу изгнать коня ходом 11...f6 (№ 590).

12.♗f2 ♗d7. При 12...f6 уже надо считаться с 13.♘:с6 bc 14.е4! Именно из-за позиционной угрозы е2-е4 в 3-й партии того матча я предпочел 12...♘е7.

13.е4! ♘е7 14.♘:d7 ♕:d7 15.е5. Белые преуспели: продвинули до е5 отсталую пешку и захватили пространство.

Пока позиция носит замкнутый характер и сила двух слонов не чувствуется. Но у белых есть перспектива вскрыть игру маршем пешек королевского фланга. Черные же уповают на контригру на ферзевом фланге: ведь белым, чтобы помешать прыжку коня на с4, придется пойти b2-b3, а тогда черные смогут создать давление по линии «с». Они надеются и на то, что активность белых не приведет к скорому результату, то есть пешечный штурм (g3-g4, f4-f5) не окажется смертельным.

15...♖ас8. Я играл 15...♖fc8 (вряд ли это что-то меняет, ибо черным все равно надо сдваивать ладьи по линии «с») 16.♖с1 ♗f8. Здесь Карпов поосторожничал — 17.♗f3, и шансы сторон уравнялись: 17...♖с7 18.b3 ♖ас8 19.♕d2 ♘с6 20.♕b2 а6 21.♗е2 ♕е7. Но по горячим следам многие указали на возможность энергичного плана с g3-g4 и f4-f5!

16.♖с1 а6. Карпов рекомендовал 16...♖с7, но после 17.b3 ♖fc8

18.♕d2 неясно, что еще делать черным, кроме планового хода 18...а6, ведущего к позиции из партии.

Может быть, стоило сыграть 16...♘с4 17.b3 ♘а3 18.♕d2 ♖с7 19.♕b2 ♘b5, пытаясь разменять фигуры, но даже после 20.♘е2 у белых устойчивый перевес за счет большего пространства и двух слонов.

17.b3 ♖с7 18.♕d2 ♖fc8 19. g4! ♗f8 20.♕е3! Отказываясь от лучшего эндшпиля после 20.♘е2 ♖:с1 21.♖:с1 ♖:с1 22.♕:с1 ♘с6 23. ♘d3, Карпов претендует на большее. Он делает важный профилактический ход, снижающий эффективность контригры по линии «с». Черным для обязательного перевода слона на а3 надо перегородить эту линию конем, а тогда белые успевают сыграть f4-f5 и вовремя увести коня с с3 и ладью с линии «с», ничуть не нарушая взаимодействия своих фигур.

20...♘с6 21.f5! ♗а3. Камский последовательно проводит свой план, отказываясь от возможности обострить игру — 21...ef 22.gf ♕:f5.

У белых много заманчивых путей, и лучший далеко не очевиден. Пешка d5 заминирована: 23.♘:d5? ♘:d5 24.♗:d5 ♘b4 25.♖:с7? ♘:d5—+.

Свою же первоначальную рекомендацию 23.♗h3 ♕h5 24.♗:c8 ♗h6 25. ♕h3 (вряд ли удачнее 25.♕g3 ♗:c1) 25...♗:c1 26.♕:h5 gh 27.♗b7 Карпов опроверг в «New in Chess» путем 27...♗b2! 28.♗:c6? ♗:c3–+ (поэтому остается лишь 28.♘d1 ♗:d4=).

Перспективнее другая идея Карпова 23.♘e2!? – подключение коня резко усиливает атаку! Скажем, если 23...♕g4, то 24.♔h1 с угрозой ♗h3, а 23...♕h5 24.♘f4 ♕g4 25.♔h1 ♗h6 наталкивается на 26.♗e1! ♘e7 27. ♖:c7 ♖:c7 28.♗h3 ♕g5 (28...♗:f4 29. ♖:f4 ♕d1 30.♖f1) 29.♗a5 ♖c6 30. ♕e1! с угрозой 31.♗:b6 ♖:b6 32. ♗d7 и ♕a5, и не только: на 30...♗f8 есть и 31.♘d3!, а в случае 30...♗g7 31.♗:b6 ♖:b6 хорошо и 32.♕a5 ♖c6 33.♕d8+ ♗f8 34.♘:d5 ♔g7 35.♘f4.

22.♖cd1 ♘b4. Естественный ход, но он на мгновение перекрывает слону дорогу на королевский фланг. «Черные фигуры путаются друг у друга под ногами, чем и пользуются белые» (Красенков).

23.♕h6! Неточно 23.♘b1 из-за 23...♘c2! (Карпов), и слон a3 успевает вернуться на «родной» фланг.

23...♕e8?! Прыжки конем – 23...♘d3?! 24.♘:d5! ♘:d5 25.♖:d3 или 23...♘c2 24.♘e2 (Карпов) 24...♗f8 25.♕h4 ♘b4 26.a3 ♘c2 27.♘f4 ♘c6 28.a4 не избавляют от затруднений.

Но поле для ферзя (сторожа поля f8 и защитника коня b4) следовало выбрать точнее – 23...♕e7! 24.♘b1 ♗b2, «отменяя» 25.♕d2. После 25. ♗h4 (при 25.a3 ♘c2 26.♖d3 ♕f8 27.♕d2 черным стоит решиться на 27...♗:a3 28.♘:a3 ♕:a3 – проигрывает коня 28...♘:a3? 29.fe fe 30.♕a5

c6 31.♗e1 ♕e7 32.♗b4 – 29.♖h3 ♕f8 в надежде, что гроза пройдет стороной) 25...♕f8 26.♕d2 ♖c2 (Карпов) 27.♕e3 или 26.♕f4 ♖c2 (26...♘:a2? 27.fe fe 28.♕d2) 27.a3 шансы белых выше, но ладья на c2 сковывает их атакующие порывы.

24.♘b1! ♗b2 (теперь слон навсегда забудет дорогу домой) **25. ♕d2! ♘c2.** После 25...a5 26.a3! (26.♕:b2?? ♖c2 27.♕a3 ♖:a2) 26... ♘c2 Карпов просто взял бы пешку – 27.♕:a5, а на 26...♖c2 ответил бы 27.♕e1! ♕b5 28.ab! ♖e2 29.♕:e2 ♕:e2 30.ba ♘d7 31.♖d2, забирая злосчастного слона.

Черные фигуры глубоко вклинились в лагерь белых, однако на c2 лучше смотрелась бы ладья. Конь же парализует действия своих ладей, и это развязывает белым руки на королевском фланге.

26.♔h1. «Контригра черных временно отражена, и Карпов, не торопясь (в своем лучшем стиле), начинает подготовку к решительным действиям» (Красенков).

26...♕e7 27.♗g1 ♘d7 28.♖f3 ♘b4. «Черные предупреждают маневр ♖h3 и ♕h6» (Карпов).

29.♕h6! ♕f8 30.♕g5! ♕g7.
Белый ферзь переиграл черного, заманив его на g7. Упорнее было 30...
♕d8 31.♕d2 ♕e7, продолжая глядеть в обе стороны, хотя после 32.
♖df1! белые, скорее всего, заставили бы соперника пожалеть об ошибке на 23-м ходу.

31.♕d2! Впечатляющий ферзевый маятник! Черные скованы, их легкие фигуры безнадежно увязли, и белые могут продолжать готовить решающее наступление.

31...b6 32.♖df1 a5 33.h4 (при случае угрожая h4-h5-h6) **33...♘b4.**
Камский все-таки обеспечил вторжение на c2 ладьи (34.♕:b2? ♖c2),
но соперник тем временем преуспел на другом участке доски, и эта запоздалая активность белым уже не опасна (в итоге она им даже окажется на руку!).

34.a3 ♖c2 35.♕f4 ♘c6 36.♗h3! ♘d8 (36...♖e2 37.♘c3!) **37.♗e3 b5.**

38.♖3f2! Совершенно неожиданное решение. Видя, что черные достаточно крепки на королевском фланге, Карпов находит парадоксальный план: пользуясь отчаянным положением слона b2, он открывает второй фронт там, где сгрудились почти все черные фигуры, — на ферзевом фланге. После размена ладей — единственных боеспособных фигур противника! — белый ферзь ворвется во вражеский лагерь по линии «c», тогда как черный застрял на королевском фланге.

38...b4 39.ab ab 40.♖:c2 ♖:c2 41.♖f2! ♖:f2 42.♕:f2 ♗a3. В случае 42...♗c3 43.f6 ♕f8 44.♕c2 черные должны перейти в безнадежный эндшпиль без пешки (Карпов), так как 44...♗e1 еще хуже из-за 45.♕c7 ♕e8 46.♗f1 ♘f8 47.♕e7! ♕d7 48.♗h6! «Забавный финал! А на a3 слон оказывается совсем выключенным из игры» (Красенков).

43.♕c2 ♘:e5?! Проигрывает форсированно. Избежать немедленных потерь позволяло 43...♘b8,
хотя, конечно, после 44.f6 ♕f8 45.♗f1 (Красенков) или 45.♘d2 с дальнейшим ♘f3 и ♗f1 (Карпов) черным уже не устоять.

44.de ♕:e5 45.♕c8! ♕e4+ 46.♗g2 ♕:b1+ 47.♔h2 ♗b2 48.♕d8+ ♔g7. И тут Карпов венчает свой стратегический шедевр красивой матовой атакой.

49.f6+! ♗:f6 **50.♗h6**+! ♔:h6 **51. ♕:f6 ♕c2 52.g5**+ ♔h5 **53.♔g3!** Такое чаще встречается в этюдах. Еще не поздно было оступиться: 53.♔h3? ♕f5+.

53...♕c7+ **54.♔h3.** Мат неизбежен, и черные сдались.

В 1993 году, когда мы с Шортом «хлопнули дверью» и Карпов нежданно-негаданно вернулся на трон, ФИДЕ решила устроить дополнительный экзамен для своего чемпиона, обязав его начинать борьбу в новом розыгрыше с полуфинального матча на большинство из 10 партий. И такой матч состоялся в феврале 1995 года в индийском Сангинагаре.

Соперником Карпова стал талантливый 26-летний гроссмейстер Борис Гельфанд — еще одна яркая звезда рубежа 80—90-х годов, вполне сравнимая с Анандом и Иванчуком. В интервью после своего пятого матча с Карповым (1990) я даже высказал предположение, что в следующем отборочном цикле самым опасным соперником для экс-чемпиона будет именно Гельфанд. Однако им довелось встретиться тремя годами позже, после того как Борис выиграл уже свой второй межзональный турнир (1993), а затем победил в матчах Адамса и Крамника.

Наверняка Гельфанд связывал с этим полуфинальным матчем большие надежды. На его стороне была 17-летняя разница в возрасте, что могло стать существенным фактором, учитывая сложные климатические условия Индии... После двух стартовых ничьих он повел в счете, выиграв 3-ю партию в Каро-Канне с

3.e5 — с этим вариантом у Карпова всегда были непростые отношения.

Но уже в следующей партии Карпов сумел отыграться в излюбленном симметричном «Грюнфельде». На сей раз борьба была более сложной и обоюдоострой, нежели с Камским.

№ 590. Защита Грюнфельда D79
КАРПОВ – ГЕЛЬФАНД
Матч претендентов ФИДЕ,
Сангинагар (м/4) 1995

1.d4 ♘f6 2.c4 g6 3.g3 c6 4. ♗g2 d5 5.cd cd 6.♘f3 ♗g7 7. ♘e5 0-0 8.♘c3 e6. В Линаресе-1991 Гельфанд избрал против Карпова 8...♗f5 9.0-0 ♘e4, и после 10. ♗e3?! (Петросян в упомянутой в начале главы партии с Корчным сыграл активнее — 10.♗f4) 10...♘c3 11.bc ♘c6 белые не получили перевеса, но... выиграли возникший вскоре ничейный четырехладейный эндшпиль. Забавно, что в этой же схеме Фишер выиграл у Геллера аналогичный эндшпиль черными (Пальма-де-Мальорка(мз) 1970).

9.0-0 ♘fd7 10.f4 ♘c6 11.♗e3 f6. Основное продолжение (11... ♘b6?! – № 589).

12.♘f3. В партии Карпов – Тимман (Куала-Лумпур(м/4) 1990) было 12.♘d3 (12.♘:c6 bc= Гиоргадзе – Хузман, Ужгород 1987) 12...♘b6 13.b3 ♕e7?! 14.a4 ♗d7 15.♗c1! ♖fd8 16.e3 ♗e8 17.♗a3 ♕f7 18.♖c1 ♗f8 19. ♗:f8 ♔:f8 20.g4! с инициативой у белых, но затем черные исправились: 13...♗d7 14.♗f2 ♕e7 15.♖c1 ♖ad8 16.♖c2 ♗e8= (Карпов – Тимман, Голландия – Индонезия(м/12) 1993).

12...♘b6 (к некоторому перевесу белых привело 12...f5 13.♘e5 ♘b6 14.b3 ♗d7 15.♕d3 ♘c8 16.♗c1! Каспаров – Топалов, Леон(м/2) 1998) **13.♗f2.** Испытывалось и 13. b3 ♗d7 14.♗c1 f5 15.♗a3 (Бологан – Леко, Дортмунд 2004).

13...♗d7. Новинка, хотя надежнее 13...f5 (пресекая e2-e4) 14.♘e5 ♗d7, и черным обычно удавалось погасить небольшую инициативу соперника: 15.♕d2 ♘c8 16.♕e3 ♔h8 17. ♖fd1 ♘d6 18.b3 ♖c8 19.♖ac1 ♗e8 20. ♗e1 ♗f6 (Карпов – Каспаров, Лондон – Ленинград(м/13) 1986), 15. ♖c1 ♕e7 (Бареев – Леко, Сараево 1999) или 15.g4 ♕e7 16.gf gf 17.♔h1 ♔h8 18.♕d3 ♗f6 19.♕h3 ♖g8, затем ♖g7 и ♖ag8 (Бологан – Леко, Дортмунд(бш) 2004).

Впрочем, такая игра как раз в стиле Карпова: можно заниматься постепенным усилением позиции, выискиванием слабостей в лагере противника, маневрированием в ожидании какого-то его неосторожного действия.

14.e4 de 15.♘:e4 ♘d5. Взяв под прочный контроль пункт d5, Гельфанд надеялся при случае использовать слабость изолированной пешки d4. Но очевидны и дефекты позиции черных: слабая пешка e6 и пассивный слон g7, которого трудно активизировать, ибо f6-f5 ослабит поле e5.

16.♖e1 (невыгодно 16.♘c5 b6 17.♘:d7 ♕:d7 Фтачник) **16...b6 17.♘c3!** С исчезновением перспективы попасть на c5 коню нечего делать на e4 и его возвращение на c3 вполне логично – борьба за пункт d5!

Едва ли лучше попытка сразу нажать на пешку e6 – 17.♗h3, так как черные без труда защищают свою слабость: 17...♕c7 18.♖c1 ♖ac8 19. ♘c3 ♕d6. Но в комбинации с давлением на пункт d5 эта угроза будет неприятна, поскольку черным не так просто маневрировать на ограниченном пространстве.

17...♘ce7 18.♕b3 (18.♗h3 ♘c7 Карпов) **18...a5.** На естественное 18...♖c8 уже достаточно хорошо 19.♗h3! ♖c6 (или 19...f5 20.♘g5 ♖c6 21.♗g2) 20.♖ac1 (Фтачник). Не желая терпеть ферзя на b3, Гельфанд решается на ослабление пешечной структуры.

19.a3. Карпов никогда не любил без надобности ослаблять свои пешки. Вот и сейчас он предупреждает марш a5-a4-a3, хотя после 19.♗h3!? a4 20.♕c2 ♕c8 (Фтачник) 21.♕e2 a3 22.♘:d5 ♘:d5 23.♖ac1 ♕e8 24.b3 у черных оставались нерешенные проблемы: 24...f5 25.♗g2 ♖c8 26.♖:c8 ♕:c8 27.♘e5, а если 24...♖c8, то не 25.♖:c8 ♕:c8 26. ♗:e6+ ♗:e6 27.♕:e6+ ♕:e6 28.♖:e6 ♖c8 с контригрой, а 25.♖c4!, сохраняя давление.

19...a4 20.≝d1. При 20.≝a2 ♘:c3 21.bc b5 (= Карпов) 22.♘d2 ♖c8 23.♘e4 шансы на стороне белых, но после 20...♖c8 21.♖ac1 ♖c6 (Фтачник) 22.♘d2 ♗e8 черным удается защитить свои слабые пешки: 23.♘c4 ♗f7, а на 23.♘:d5 ed 24.b3 (попытка использовать слабость на b6) возможно 24...♖:c1 25. ♖:c1 g5 с контригрой на королевском фланге.

20...♘c7. Гельфанд заменяет блокирующего коня: на d5 встанет конь e7, чтобы другой c c7 защищал пешку e6.

В пользу белых защита этой пешки ферзем: 20...≝b8 21.♗h3 ≝d6 22.♘e4 ≝c6 23.♖c1 ≝b5 24.♖c2 ♘f5 25.♘c3! (борьба вокруг поля d5) 25...≝c6 26.♘:d5 ≝:d5 27.♗g2 ≝d6 28.♘d2, подготавливая прорыв в центре.

Критиковать ход 20...♘c7 не стоит: черные еще сохраняют приемлемую игру. Но поучительно пронаблюдать, как Карпов изыскивает ресурсы, маневрируя на центральном пятачке.

21.♖c1 ♘ed5 22.♘d2! ♖e8 (при 22...b5 у коня иной маршрут — 23.♘de4) **23.♘c4! ♗f8.**

24.♘e4. Неожиданно Карпов меняет планы: не считая полезным размен коня c3, он временно прекращает осаду пункта d5. Все же логичное усиление этой осады путем 24.♘e3 ставило перед черными довольно серьезные проблемы: 24...♗c6?! 25.♘c:d5! ♗:d5 26.♘:d5 ♘:d5 27.≝c2! (сильнее, чем рекомендация Карпова 27.♖c6) с очевидным перевесом или 24...♘:c3 25.♖:c3 ♖a7 (неэстетично, однако на ход Фтачника 25...♖c8 следует 26.≝c2, и развязаться непросто) 26.h4 c инициативой у белых.

В партии же сохранившийся форпост на d5 позволял черным держать надежную оборону. Но, с другой стороны, при большем количестве фигур на доске Гельфанду пришлось решать и более сложные проблемы. В итоге замысел Карпова оправдался, так как в последующем маневрировании черные действовали не лучшим образом.

24...♗b5 25.♖e2! ♗e7 26. ♖ec2 ♖b8 (грозило ♘:b6) **27.≝d2 ♖f8?!** Черные начинают вроде бы неплохую перегруппировку: ладья освобождает поле для коня, который переходит на g7, чтобы прикрыть короля и помешать возможному движению пешки «h». Но у этого плана есть очевидный недостаток: ослабляется контроль над полем d5. Желание Гельфанда убрать коня c c7, где он находится под «рентгеном» белых ладей, понятно, но, по-моему, явно предпочтительнее было 27...≝d7 — на 28.h4 можно было пойти либо 28...♖ec8 29.h5 ♘e8 30.hg hg 31.♘e3 ♗c6, либо даже 28...h5. То есть благодаря контролю над пунктом d5 черные все-таки могли надеяться на получение нормальной игры.

28.h4! ♘e8?! (последовательно, хотя опять лучше было 28...♕d7 – даже с потерей темпа!) **29.♘e3 ♘g7.**

30.♘c3! Возвращаясь к атаке пункта d5. Серьезного внимания заслуживала и жертва качества: 30.♘:d5!? ed 31.♘c3 ♗c4 (на ход Фтачника 31...♗c6 сильно 32.♕e2!, и черным трудно держать пешки a4 и d5) 32. ♘:a4 ♗b3 33.♘c3 (Карпов), и если 33...♗:c2, то 34.♖:c2! Так или иначе, белые заберут пешку d5 и будут иметь отличную компенсацию. Но Карпов хочет добиться большего!

30...♘:c3. Черные вынуждены сдать форпост. В случае 30...♗c6 31.♘c:d5 ♗:d5 32.♘:d5 ed 33.♕d3 b5 34.♕f3 (Фтачник) они теряли важнейшую пешку.

31.♖:c3 g5!? Понимая, что спокойное течение событий не сулит ничего хорошего, Борис решает вскрыть игру на королевском фланге.

32.hg. Теперь опасный прорыв 32.d5!? парируется путем 32...gf 33.

gf ♔h8, и ослабление белого короля дает черным контршансы.

32...fg 33.♘g4 gf 34.gf ♗d6?! Фтачник рекомендовал атаковать пешку f4 иначе – 34...♘h5!? Это и в самом деле ставило перед белыми несколько более сложные задачи.

Многообещающе выглядит 35.f5!? ef 36.♕h6! (но не 36.♘h6+ ♔g7 37. ♖c7 ♔g6!, и у белых нет ничего лучше ничьей: 38.♘g4 fg 39.♗e4+ ♔f7 40.♕h6 ♘f6 41.♗:h7 ♖h8 42.♕g6+). Как бы черные ни сыграли, им будет нелегко:

1) 36...♘g7 37.♘e5 ♖f6 (на 37... ♗g5 сильно 38.♗d5+! ♕:d5 39.♕:g5 ♕d6 40.♖c7 ♕f6 41.♕g2 ♔h8 42. ♗h4 ♕h6 43.♗g5 ♕d6 44.♗f4 ♕f6 45.♖f7+–) 38.♕h1! (слон нацелился на d5, а ладья – на h3) 38...♔h8 39.♖h3 h5 (39...♕g8 40.♗h4) 40. ♖:h5+ ♘:h5 41.♕:h5+ ♔g8 42.♕g5+ ♔f8 43.♗c3 и т.д.;

2) 36...fg 37.♕:h5 ♗e8 (37...♗g5 38.♖c7 ♗d3 39.♕:g4 ♗g6 40.♖1c6, и черным не устоять; одна из угроз – 41.♖:g6+ hg 42.♕e6+ ♔h8 43.♕h3+) 38.♕:g4+ ♔h8 39.♗g3 ♗d6 40.♖c7! ♗g6 41.♖d7, и приходится отдать ферзя: 41...♗:g3 42.♖:d8 ♗f2+ 43. ♔h1 ♖b:d8 44.d5. У белых явный перевес, но борьба еще продолжается.

Лучшая защита после 35.f5 состоит в жертве ферзя иным способом: 35...♗g5! 36.♗e3 ♖:f5 37.♗:g5 ♖:g5 38.♖c8 ♖:g4 39.♖:d8+ ♖:d8 40.♕h6 ♘f4 41.♔h1 ♖f8 42.♗e4 ♘g6 – здесь шансы белых на выигрыш не так велики.

Впрочем, «талевскому» 35.f5 Карпов наверняка предпочел бы 35.♖f3 (Фтачник) 35...♗d6 36.♘h6+ ♔g7 37.f5 с атакой или 35...♘f6 36.♘h6+ (слабее 36.♘e5 ♘e4 37.♕e3 ♘:f2 38.♖:f2 ♗h4 39.♖f3 ♖b7! и ♗g7) 36...♔h8 37.♕e3 с явным преимуществом в случае 37...♗d7 38.♕e5 ♖c8 39.♖:c8 ♕:c8 40.♖c3 ♕e8 41.♖c7. Жертва пешки 37...♗d6 38.♕:e6 ♕d7 не дает черным полноценной контригры: 39.f5 ♖be8 40.♕:d7 ♗:d7 41.♗g3 ♗:g3 42.♖:g3.

35.♖f3! ♗e8. Даже не пытаясь использовать вскрытие линии «g» – 35...♔h8. И впрямь, после программного 36.d5! (слабее 36.♘e5 ♘f5 37.d5 из-за 37...♗f6!, но не 37...♗:e5 38.fe ♕:d5 39.♕:d5 ed 40.♗h3 ♗d7 41.♖c7 ♗e6 42.♖c6 ♗d7 43.♖f6 ♖:f6 44.ef ♖g8+ 45.♔h2 ♖g5 46.♗e3 ♖h5 47.♔g1 и ♗g4!) 36...ed 37.f5 угрозы белых быстро нарастают.

Цель хода 35...♗e8 очевидна: в случае 36.d5? ♗h5 37.♗h3 e5 перехватить инициативу.

36.♘e5 ♘f5. Черные должны что-то противопоставить продвижению d4-d5, но что? При 36...♗:e5 37.fe ♖:f3 38.♗:f3 их позиция тяжела: на 38...♗h5 верно 39.♗g2! (рекомендация Фтачника 39.♗c6 с идеей 39...b5 40.d5 ed 41.♗a7! сомнительна из-за 39...♔h8! 40.♗:a4 ♘f5).

37.d5! Решающий прорыв в некогда хорошо укрепленном пункте. Позиция вскрывается к явной выгоде белых.

37...♗:e5 (не лучше 37...ed 38.♕:d5+) **38.fe ♖b7.** На 38...ed (38...♕:d5? 39.♖g3+) Карпов указал 39.e6. Но возможно и 39.♖f4!? (ход Фтачника 39.♖d3 неясен ввиду 39...d4, и плохо 40.♗:d4?! ♗b5) 39...d4 (39...♘e7 40.♖:f8+ ♔:f8 41.♗h4 Фтачник) 40.♗:d4 ♘:d4 41.♖:d4 ♕e7 42.e6, а еще сильнее 40.♖f1! Теперь на 40...♕g5 выигрывает 41.♗h4 ♕g6 42.♔h2, а на 40...♗b5 41.♗h4 ♕d7 – отвлекающее 42.e6!, и в случае 42...♕:e6 черный ферзь уже не защищает пешку d4: 43.♖g4+ ♔h8 44.♖:f5 или 43...♘g7 44.♕:d4 ♕d7 45.♗d5+ ♔h8 46.♗f6.

Может показаться, что перевод ладьи на g7 дает черным какие-то шансы, но Карпов убедительно доказывает, что это иллюзия.

39.♔h2! ♖g7 (39...ed 40.♖f4! ♖d7 41.♖f1 и т.д.) **40.♗h3 ♗h5.** На 40...♗g6 сильно не только 41.d6 (Фтачник), но и 41.♖c6!, и черным не позавидуешь.

41.♖f4 ♔h8?! Все же больше практических шансов оставляло

41...♗g6, несмотря на 42.d6 (Карпов) или 42.♖с6!

42.♗:f5! Расставаться с главным защитником короля здесь не страшно: белые выигрывают качество, а угрозы черных легко отражаются.

42...ef (42...♖:f5 43.♗h4!) **43. ♗h4 ♕e8** (43...♕b8 44.d6!) **44.♗f6 ♗g4 45.♗:g7+ ♔:g7 46.♖с7+ ♔h8 47.е6!** Наконец-то позволяя сопернику выгнать короля в центр, но: **47...♕h5+ 48.♔g1 ♕g5 49. ♔f2! ♕h4+ 50.♔е3.** Черные сдались: проходные пешки белых неудержимы.

Эта монументальная партия оказала, пожалуй, решающее влияние на дальнейший ход матча: выиграв в хорошем стиле, Карпов не только сравнял счет, но и подорвал веру

Гельфанда в конечный успех. После ничьей в 5-й партии Борис проиграл 6-ю, а за ней и 7-ю — белыми в новоиндийской защите. Записывая 61-й ход, он еще сохранял надежду спастись в очень интересном слоновом эндшпиле, но при доигрывании уже на 63-м ходу допустил неочевидный промах, и Карпов создал настоящий сангинагарский этюд! Потом он скажет: «Эта отложенная позиция была самой сложной в моей карьере».

Сделав ничью в 8-й партии и победив еще и в 9-й, Карпов досрочно выиграл матч с убедительным счетом 6:3. Теперь ему предстояла финальная схватка с Гатой Камским, разгромившим в другом полуфинале Валерия Салова...

«ТУРНИР ЖИЗНИ»

Говоря о взлете Карпова после возвращения на трон ФИДЕ, все сразу же вспоминают его феноменальный триумф в Линаресе-1994. Однако, прежде чем рассказать об этом, надо отметить, что в творческом отношении, пожалуй, не менее удачным для него был турнир 1992 года в Биле, состоявшийся всего через три месяца после злополучного матча с Шортом. С одной из партий оттуда вы уже знакомы (№ 585), а вот другой яркий пример.

№ 591. Испанская партия C95
КАРПОВ – БЕЛЯВСКИЙ
Биль 1992, 5-й тур
1.е4. В 90-е годы Карпов «подавал справа» уже в основном лишь под конкретного соперника. Так, в данном случае он наверняка учел привязанность Белявского к системе Брейера, которую и сам когда-то охотно играл за оба цвета.

1...е5 2.♘f3 ♘c6 3.♗b5 а6 4. ♗а4 ♘f6 5.0-0 ♗е7 6.♖е1 b5 7.♗b3 d6 8.с3 0-0 9.h3 ♘b8 10. d4 (10.d3 – № 540) **10...♘bd7 11. ♘bd2 ♗b7 12.♗с2 ♖е8 13.а4.** Этот ход, рожденный еще в 1964 году московскими мастерами, получил международную известность лишь девять лет спустя (см. следующее примечание). А его популярность стала расти с 1988 года, хотя основной линией осталось 13.♘f1 (13.b4 — № 559) 13...♗f8 14.♘g3 (№ 489).

13...♗f8. В партии Керес — Решевский (Петрополис(мз) 1973) было 13...с5 14.♘f1 (сильнее 14.d5!)

14...♗f8 (14...d5!?) 15.♘g3 g6 16.b3 ♗g7 17.de со скорой ничьей, но при 17.d5! черных ждала традиционная «испанская пытка».

14.♗d3. Надеясь сковать действия соперника давлением на пешку b5.

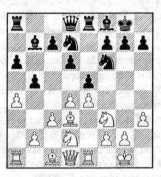

14...c6. Положение слона на d3 дает шанс провести освобождающий удар в центре: 14...b4 15.a5 d5!? 16.ed ed 17.♖:e8 ♕:e8 18.c4 ♘c5 (Халифман — Белявский, Ленинград 1990). Недавняя партия Хазнедароглу — Шорт (Измир 2004) подтвердила, что это вполне приемлемо для черных: 19.♘b3 ♘:d3 20. ♕:d3 c6 21.dc ♕:c6 22.♘b:d4 ♕c7 с достаточной контригрой за пешку.

Жертва пешки в другой редакции — 14...ed 15.cd c5 (Спасский — Карпов, Тилбург 1983) в турнирной практике не прижилась.

15.b3. При стандартном 15.♘f1 Белявский дважды успешно решил дебютные проблемы путем 15...d5 16.♗g5 de 17.♖:e4 ♗e7 — против Балашова (СССР(ч) 1989) и Ананда (Линарес 1992).

15...g6. Здесь 15...d5?! ведет после 16.ed к потере пешки, напри-

мер: 16...♘:d5 17.de ♘c5 (17...♘:c3? 18.♕c2) 18.♕c2 ♘:d3 19.♕:d3 b4 (19...♘f4 20.♕f5) 20.c4 ♘c3 21.♕c2! c5 22.♗b2 и т.д.

16.♕c2 ♗g7. Интересно 16... ♖c8!? 17.♗b2 ♘h5 (рано 17...ed?! 18. cd d5 19.e5 ♘h5 из-за 20.e6! ♖:e6 21. ♖:e6 fe 22.♗:g6 hg 23.♕:g6+ ♔g7 24.♘g5 ♘f6 25.♕f7+ и ♕:b7) 18.♗f1 ed! 19.cd (19.♘:d4 ♗g7 20.♘4f3=) 19...d5, и после 20.e5 b4! черные даже захватывают инициативу (Безгодов — Балашов, Пермь 1997).

17.♗b2 ♘h5 18.♗f1 ♕b6. До сих пор стороны маневрировали по испытанным на практике рецептам.

19.b4! Видимо, Карпов, играя 1. e4, имел в виду эту новинку. Белые завоевывают пространство на ферзевом фланге, готовят c3-c4, а главное — ограничивают активность черных. В этом весь Карпов, умеющий почти в каждой партии найти такую расстановку фигур, которая позволяла бы ограничивать возможности соперника и одновременно неторопливо усиливать свою позицию.

19...♘f4 20.de. Можно было поддерживать напряжение — 20.

2b3 Дac8 21.Дad1 2e6 22.2a5 Дa8 23.Wb3 Дcd8 24.Wa2 (А.Соколов — Ноткин, Элиста 1994), но Карпов предпочитает прояснить ситуацию. Смысл этого выявится чуть позже.

20...2:e5. В случае 20...de 21.c4 (Карпов) 21...ba хорошо 22.c5 Wb4 23.Дa3 Wa5 24.2c4 Wc7 25.2d6 или 22.W:a4, и черным трудно помешать дальнейшему зажиму: подрыв 22...a5? не годится из-за 23.ba! W:b2 24.Дeb1 Wc3 25.Дc1!

21.2:e5 de. Приходится запирать слона, ибо не сулило равенства 21...Д:e5 22.2f3 (22.c4!?) 22...Дg7 23.Wd2 (Карпов).

22.c4. В отличие от своего визави, слон b2 активизируется, и черным предстоит решать сложные стратегические задачи.

22...Дad8. Оживлять слона b7 ходом 22...c5 невыгодно ввиду 23. cb! cb 24.a5 Wf6 25.b6. Белявского беспокоит неопределенность с пешками ферзевого фланга, и он провоцирует ход c4-c5, стабилизирующий пешечную структуру.

23.ab! При 23.c5 Wc7 24.2b3 Дc8 черным играть было бы проще, чем в партии. Карпов пытается добить-

ся большего, используя слабость пешки b5.

23...ab?! Надеясь найти работу слону на диагонали c8-h3, но этой надежде сбыться не суждено. Смелее 23...cb!, открывая слона b7 и оживляя борьбу. В этом случае мало что обещала белым игра на слабость пешки b5 после 24.cb ab. Карпов рекомендовал 24.g3 2e6 25.c5 или сразу 24.c5! Wf6 25.Дe3 — по-моему, точнее 25.Дa3, а если 24...We6, то 25.2f3!, тормозя f7-f5 (25...f5? 26.2g5 We7 27.Wb3+ 2e6 28.c6) и удерживая инициативу после 25... h6 26.Дa3.

24.Дa5! (теперь у черных нет времени думать о будущем слона b7) **24...Дf8.** После 24...bc 25.2:c4 Wc7 (25...Д:b4?! 26.Дb1!) Карпов предложил 26.g3 со знаком «±», видимо, посчитав, что 26...2e6 просто проигрывает пешку: 27.Д:e5 Д:e5 28.Д:e5. Однако после 28...c5 29.bc 2d4 (острее 29...f6 30.Д:e6! Д:e6 31.Wb3, и плохо 31...Дd5? 32. Дe3 Дb8 33.Wa2 Дa8 34.ed! Д:a2 35.de We7 36.c6!+—, но при 31...Дg7! 32.2d6 черные могут контржертвой качества получить тот же эндшпиль «четыре против трех» на одном фланге) 30.Д:e8+ Д:e8 31.Wd3 W:c5 32.2d2 Дd8 33.We3 2e6 реализовать лишнюю пешку белым нелегко.

Поэтому предпочтительнее 26. Wb3!, продолжая наращивать инициативу, например: 26...Дc8 27. Дea1 2e6 28.We3 f6 29.Дa7 Дb8 30. 2a5!? (интересно и 30.2:e5!? fe 31. Дg7+ Дg7 32.W:f4 2f7 33.Дa5 или 30...2:h3+ 31.gh fe 32.Wc5) 30... W:b4 31.2c3 Wf8 32.2:c6 Дd7 33. Д:d7 2:d7 34.2b4 Wf7 35.Дa7.

25.♗c3! (но не 25.c5? ♗:c5) **25...♘e6!** На этот ход черные возлагали все надежды. Взятие на c4 вело к потере пешки e5 уже без какой-либо компенсации.

26.♘f3! Если 26.cb, то 26...♘d4!, ценой пешки завязывая оживленную игру в центре. После 27.♗:d4, правда, недостаточно 27...♕:d4 28. ♘f3! ♕:b4 29.♖a7 (29...♗e7 30.♖b1! ♕d6 31.b6) или 27...♖:d4 28.♘c4 ♕d8 (28...♕c7 29.b6 ♕b8 30.♕c3) 29.bc ♗:b4 30.cb (Карпов). Но в случае 27...ed! 28.♘c4 d3! 29.♕:d3! форсированно возникало одно из двух окончаний, где черные сохраняли реальные шансы на спасение:

1) 29...♖:d3 30.♘:b6 ♗:b4 31.♖a7! (Карпов) 31...♖a3 32.♖:a3 ♗:a3 33. ♘c4 ♗c5 34.♖c1 cb 35.♘a5 ♖c8 36. ♘b7 ♗:f2+ 37.♔:f2 ♖:c1 38.♗:b5;

2) 29...♕:a5 30.ba ♖:d3 31.♗:d3 cb 32.♘b6 ♗b4 33.♖a1 ♗c3 34.♖a2 ♖e6 35.♘d5 ♗:d5 36.ed ♖a6 37.d6! ♖:d6 38.♗:b5 ♖d1+ 39.♔h2 ♖a1 40. ♖:a1 ♗:a1 41.a6 ♗d4 и т.д.

И Карпов нашел более интересную возможность, связанную со стратегическим планом закупорки слона b7 и использования перевеса в пространстве. При этом у черных даже появляется проходная в центре, поддержанная ладьей d8, и ладья e8 входит в игру. Но Карпов считал, что активность черных фигур носит временный характер, а активность белых, с учетом угрозы движения пешки «e» и вскрытия позиции черного короля, гораздо долгосрочнее и опаснее.

26...♘d4 27.♗:d4 ed 28.c5 ♕c7. Для полного счастья черным осталось всего один ход — ♗c8, и трудно представить, что сделать его так и не удастся.

29.♖a7! ♕b8. Чтобы задержать движение белой пешки «e», Белявский стремится активизировать свою пешку «d». На самом деле 29... ♗g7 30.e5 (Карпов) было бы вполне приемлемо для черных: 30...♕b8 31.♕a2 ♖d5 (31...d3? 32.e6), и вторжение 32.♕a5 ♖e7 33.♕b6 для них не смертельно — 33...d3 34.♖d1 d2 35.g3 (не лучше 35.♖:d2 ♖:d2 36. ♘:d2 ♖:e5, и если 37.♘e4?, то 37... ♗h2+ 38.♔h1 ♖:e4 39.♖:b7 ♕f4) 35...♕c7 36.♖:d2 ♖:d2 37.♘:d2 ♗:e5 38.♘b3 (или 38.♕:c7 ♖:c7 39.♘b3 ♗c3 40.♘a5 ♖:b4 41.♘:b7 ♔g7 42. ♖a6=) 38...♕d7! 39.♘a5 ♗:g3! 40. ♘:b7 ♗:f2+ с вечным шахом.

Однако белые не были обязаны форсировать события, и 30.♗d3! ♖a8 31.♖:a8 ♗:a8 32.♖a1 оставляло им явный позиционный перевес.

30.♕a2 d3. Последовательно, однако еще была возможна и сдержанная линия поведения: 30...♗g7 31.♗d3 ♖d7 32.♕a5 ♗f6 33.g3 ♗d8 34.♕a2 с преимуществом белых.

31.♖a3! (слабее 31.e5?! d2 32. ♖d1 ♗h6! Карпов) **31...d2.** Этим и следующим ходами Белявский удерживает материальное равновесие, но этот путь ведет к быстрому краху. Похоже, бросив пешку на произвол судьбы − 31...♗g7!? 32. ♖:d3 (32.♗:d3 ♛f4) 32...♖:d3 33. ♗:d3 ♗c8, он мог заметно осложнить задачу соперника.

32.♘:d2 ♖d4? По существу, это проигрывает форсированно! Лучший практический шанс вновь состоял в попытке наладить оборону без пешки: 32...♗c8 33.♘f3 ♗e6.

На первый взгляд дела черных и сейчас не так плохи: атакована пешка, ферзь хочет выпрыгнуть на f4, слон не теряет надежды попасть на e6. Однако следующий ход Карпова показывает, что это не реальные намерения, а запоздалые мечты.

33.e5! ♖:b4 (нет 33...♖:e5? 34.♖:e5 ♛:e5 из-за «вилки» 35.♘f3) **34.e6!** Очень энергично. Стремительное вторжение фигур в лагерь противника приносит белым эффектную победу.

На вид сильнее 34.♘e4 и на 34... ♖e6 (34...♛:e5? 35.♘g5!) − парализующее 35.♘d6. Однако черные откупались качеством − 34...♖:e4! 35.

♖:e4 ♖:e5 36.♖:e5 ♛:e5 37.♖f3 ♛e7 38.♖d3 ♗c8 39.♛a8 ♗f5 40.♖d6 ♛e5, получая вполне обороноспособную позицию.

34...fe. Альтернатива − 34...♔g7 35.♛a1+ f6, и белым для сохранения большого, а затем и решающего перевеса пришлось бы найти довольно длинное решение, первую половину которого составляли нервные предконтрольные ходы: 36. ♘e4! ♖e6 37.♘g5 ♖e1 38.♛e1 ♖a4 (конечно, не 38...fg? 39.♛:b4 Карпов) 39.♘e6+ ♔g8 40.♖d3! ♛e5 41. ♖e3 ♛b2 42.♛d1! ♖a2 43.♖e2 ♛a1 44.♛d8 ♖a8 45.♛c7+−.

35.♖:e6 ♔h8 36.♖ae3! Ладья, вторжения которой на a7 так опасались черные, неожиданно перебегает на линию «e».

36...♖:e6? Куда упорнее было 36...♛a8! 37.♛c2 ♖:e6 38.♖:e6. Черные могут перебросить к месту боя тяжелые фигуры, но их белопольный слон, застрявший на ферзевом фланге, не успевает прийти на помощь: на 38...♗g7 решает внезапное 39.♘c4!! с угрозой ♛e4(2), не выручает и 38...♛d8 39.♘e4 ♛d7 40.♖f6! ♗g7 41.♖f3 ♖d4 42.♘d6 или 38...♖d4 39.♛c3 ♗g7 40.♛e3 ♖d8 41. ♘e4 (неплохо и 41.♘f3 ♖f8 42.♖e7 ♗c8 43.♘e5) 41...♗c8 (41...♖e8 42. ♘d6 ♖:e6 43.♛:e6) 42.♖e7 ♖f8 43. ♘d6 ♛a2 44.♘:c8 ♖:c8 45.♖e8+ ♖:e8 46.♛:e8+ ♛g8 47.♛:c6 ♛f8 (47...b4 48.♛b7) 48.♛d5+−.

37.♛:e6 ♖f4 (37...♗c5 38.♛f6+ и ♖d3 Карпов) **38.♘e4 ♛d8?** Цейтнотный зевок ладьи, но ввиду неизбежного вторжения коня на f6 или d6 спасения уже нет: 38...♗g7 (h6) 39.♘d6! и т.д.

39.♕e5+. Черные сдались. Слон на b7 — немой укор их стратегии. Четкая и уверенная игра Карпова в самый напряженный момент партии производит большое впечатление.

В этом двухкруговом турнире восьми гроссмейстеров Карпов дважды (!) победил Корчного и Широва, а в итоге был первым с большим отрывом — 10,5 из 14 (+8—1=5). Как видно, он жаждал доказать себе и всему миру, что его еще рановато списывать со счетов...

А в Линаресе (февраль—март 1994) он, уже будучи чемпионом мира по версии ФИДЕ, изо всех сил старался доказать, что его официальный титул, обретенный в матче с Тимманом, «весит» ничуть не меньше, нежели мой исторический титул, подтвержденный победой на Шортом.

Был у Карпова и еще один мощный стимул: из всех традиционных супертурниров, в которых он когда-либо принимал участие, Линарес почему-то удавался ему хуже других: 1—2-е места (1981), 2—3-е (1983), 2-е (1989), 7—8-е (1991), 4-е (1992), 2—3-е (1993). Причем в 1992 и 1993 годах я занял 1-е место с одинаковым результатом 10 из 13, а Карпов отстал от меня, соответственно, на 2,5 и 1,5 очка. Как пишут В. и И. Линдеры, все эти «относительные неудачи, кажется, разожгли в нем страстное желание победить именно в Линарес-турнире, ставшем со временем своеобразной лакмусовой бумажкой определения «кто есть кто» в шахматном мире».

Немаловажную роль, как потом выяснилось, сыграла уже жеребьев-

ка, расположившая нас друг за другом: я получил 10-й номер, Карпов — 11-й. Таким образом, все участники, кроме одного (Лотье), играли с нами подряд. Авербах: «Не исключено, что именно в этом секрет столь высокого результата Карпова: после схватки с Каспаровым они выходили на него изрядно измотанными...» Однако едва ли случившееся чудо можно объяснить только этим или поразительным везением, которое сопутствовало чемпиону ФИДЕ с самого старта.

«Везение несет в себе заряд настроения», — скажет Карпов после турнира. Эта мысль подтвердилась уже в 1-м туре, когда он черными в обоюдном цейтноте вырвал победу у Лотье.

39...♗e4?! (вместо спокойного 39...♘d8) **40.♕:c6?** Несложным 40. ♘e5! fe 41.♗:e4 ef 42.♕:c6 fg+ 43. ♔:g3 белые вынуждали ничью с позиции силы — 43...♖d8= (Карпов).

40...♕:c6 41.♖:c6 ♘d:f4! (конечно!) **42.♖d6 ♘:g2 43.♔:g2 ♘c7!** (не 43...♘g5 44.♗:g5 fg 45. ♖a6!= Карпов) **44.♔f2 ♖a8 45. ♗e3 ♘b5! 46.♖b6 ♘c3 47.♖b3?**

(обескураженный своим зевком на контрольном ходу, Лотье проигрывает без борьбы) **47...♘d1+ 48. ♔e2 ♗d5!** (или 48...♗c2! 49.♖b7 ♖e8) **49.♖d3** (49.♖b6 ♘:e3) **49... ♗c4.** Белые сдались.

Во 2-м туре Карпов «принял» от меня Бареева и, зная о его приверженности французской защите, после 1.e4 e6 2.d4 d5 3.♘d2 c5 4.ed ed 5.♘gf3 ♘f6 6.♗b5+ ♗d7 7.♗:d7+ ♘b:d7 8.0-0 ♗e7 9.dc ♘:c5 10.♘d4 затеял свою излюбленную игру против изолированной пешки. Бареев уравнял шансы, но за пять ходов до контроля, уже в бито-ничейном окончании, непостижимым образом зевнул ладью и мат в один ход!

Итак, мы стартовали с двух побед и в 3-м туре оба играли черными: я сделал ничью с Топаловым, а Карпов неудачно разыграл дебют против Ильескаса и затем... поймал его ферзя в центре доски!

26.♗b4? (необходимо было 26. g4) **26...a5! 27.♗e7 e5!** (вот так сюрприз: если 28.de?, то 28...g5!–+) **28.♕h4 ed 29.♕f4 de 30.♕:e3 d4,** и хотя черные затем упустили перевес, Ильескас не нашел путь к

ничьей, и дело решила проходная пешка «d».

В 4-м туре мне удалось в эффектном стиле победить Иванчука, однако не на шутку разыгрался и Карпов, красиво разгромив Топалова. Эта партия была признана лучшей в 60-м томе «Информатора» и, наряду с № 556, 560 и 568, по праву вошла в известный сборник «The World's Greatest Chess Games».

18.♘c5! dc (плохо и 18...♗e8 19. ♘:e6! fe 20.♖:e6) **19.♕:d7 ♖c8 20.♖:e6!** (разящий удар) **20...♖a7 21.♖:g6+! fg** (иного не дано) **22. ♕e6+ ♔g7 23.♗:c6 ♖d8 24.cb ♗f6 25.♘e4 ♗d4 26.ba ♕b6 27.♖d1 ♕:a6 28.♖:d4!** (Карпов: «Редкий случай — третий раз подряд ладья приносит себя в жертву!») **28...♖:d4 29.♕f6+,** и белые выиграли.

В 5-м туре я победил Юдит Полгар, а Карпов получил щедрый подарок от Иванчука, который после благоприятно сложившегося для него дебюта внезапно «поплыл» и, зевнув на 28-м ходу важную пешку, тут же сдался. В 6-м я с трудом спас пол-очка в схватке с Гельфандом, а

Карпов технично выиграл у Полгар, применив «специальное оружие»: 1.e4 c5 2.c3!? e6 3.d4 d5 4.ed ed 5.♘f3 ♘c6 6.♗b5 c4?! 7.♘e5! ♛b6 8.♗:c6+ bc 9.0-0 ♗d6 10.b3! и т.д. В связи с этой партией вспоминаются слова Игоря Зайцева: «У каждого выдающегося гроссмейстера есть свое шахматное видение, свой шахматный компас, который не позволяет ему в дебюте идти против своих внутренних убеждений. Так, Капенгут за черных обольщал Карпова защитой модерн-Бенони, Свешников уговаривал его окунуться в тихоструйные воды варианта с 2.c3 в сицилианской защите — но все усилия были тщетны!» И лишь для одной Юдит он сделал исключение...

Перед 7-м туром, в котором мы играли между собой, Карпов имел 6 из 6 (!), я — на очко меньше. У меня был белый цвет, и было ясно, что это решающая партия турнира. Мы с моим тренером Юрием Дохояном долго ломали голову, как же на этот раз пробивать защиту Каро-Канн. В ней я выиграл у Карпова дважды в Амстердаме (1988) и дважды в Линаресе (1992 и 2001), но тогда, в 1994-м, что-то не сложилось — видимо, я перегорел еще при подготовке к партии. После неудачно разыгранного дебюта мне даже пришлось спасаться! Авербах: «Если в двух предыдущих турнирах в Линаресе именно победы над Карповым во многом предрешали окончательный успех Каспарова, то на сей раз «коса нашла на камень»: партия закончилась вничью, и разрыв в очко сохранился».

В 8-м туре я сделал ничью с Шировым, а воодушевленный лидер в цейтноте переиграл в сложнейшей позиции Гельфанда, хотя тот мог на 37-м ходу поставить перед соперником трудные проблемы. В 9-м Карпов не выиграл лучшее окончание у Широва, а мне удалось победить Камского и сократить разрыв: у меня стало 7 очков, но у Карпова — 8!

В 10-м — редкий случай — удача отвернулась от моего конкурента: получив против Камского эндшпиль с лишней пешкой и шансами на победу, он упустил перевес опрометчивым 33-м ходом... Однако мне это не помогло: стремясь во что бы то ни стало обыграть черными новую звезду российских шахмат Владимира Крамника, я слишком рискованно трактовал староиндийскую защиту, перегнул палку, попал под атаку и проиграл.

По мнению Авербаха, «вопрос о первом месте, по существу, решил Крамник: выиграв у Каспарова, он в следующем туре проиграл Карпову». Накануне партии Володя, которому тогда еще не было и 19 лет, заявил в интервью: «В этом турнире Карпов очень агрессивен, часто идет на сомнительные позиции. Если он будет так же играть и со мной, у меня есть шанс его победить». Но этого шанса Карпов ему не дал.

№ 592. Славянская защита D48
КАРПОВ — КРАМНИК
Линарес 1994, 11-й тур
1.d4 d5 2.c4 c6 3.♘f3 ♘f6 4.♘c3 e6 5.e3 ♘bd7. В то время Крамник применял «меран» регу-

лярно и чувствовал себя в нем комфортно.

6.♗d3 (6.♕c2 — № 584, 585) **6...dc 7.♗:c4 b5 8.♗d3 a6.** В партии 9-го тура Карпов — Широв после 8...♗b7 9.a3 b4 10.♘e4 a5?! 11.♘:f6+ ♘:f6 12.e4 ♗e7 13.♕e2 c5 14.♗b5+ ♔f8 15.dc ♗:c5 16.♗d3 белые получили перевес. Уравнивает 10...♘:e4 11.♗:e4 ba 12.ba ♗d6, как против Карпова играли потом Крамник (Дортмунд 1995; Монако(бш) 1996) и Ананд (Лозанна(м/3) 1998).

9.e4 c5 10.d5 c4. Через месяц в Монако Крамник ответил уже 10...♕c7 11.0-0 ♗b7 12.de fe 13.♗c2 ♗e7 (см. № 594, примечание к 13-му ходу черных).

11.de fe (11...cd — № 569) **12. ♗c2 ♗b7** (пробуют и 12...♕c7 13. 0-0 ♗c5) **13.0-0 ♕c7 14.♘g5.** Альтернатива — 14.♘d4 или 14. ♕e2 (№ 594).

«Белые должны торопиться с поиском активных продолжений. Если им не удастся использовать свое временное преимущество в развитии, то активные пешки на ферзевом фланге, открытые линии и диагонали позволят черным перехватить инициативу» (Карпов).

14...♘c5 (14...♕c6?! 15.♕f3! Глигорич — Любоевич, Линарес 1991) **15.e5!** (новинка начала 90-х) **15... ♕:e5 16.♖e1 ♕d6 17.♕:d6 ♗:d6.** На эту позицию Крамник пошел без колебаний, вероятно, считая, что знает ее «вдоль и поперек». Но тут столкнулся с оригинальной идеей, носящей не тактический, а стратегический характер, — связанной с тонкой трактовкой нестандартного эндшпиля.

18.♗e3! Сюрприз! Раньше встречалось лишь 18.♘:e6 ♘:e6 19.♖:e6+ ♔d7 20.♖e2 ♖ae8 (20...b4!?) или 20. ♗f5 ♔c7, и инициатива даже переходила к черным. Карпов открывает новую страницу в развитии варианта, откладывая взятие пешки ради быстрейшей мобилизации.

18...0-0. Естественный ход, однако Крамник обдумывал его около 50 минут. Очевидно, он размышлял над тем, какие неприятности поджидают его в случае столь же естественного ответа 18...♘d3!? 19. ♗:d3 cd. При 20.♘:e6 (Фтачник) 20...♔f7 черных устроило бы и 21. ♘f4 b4 22.♘a4 ♗:f4 23.♗:f4 ♖ac8!, и 21.♗c5 d2! 22.♖e2 b4 23.♘a4 ♗c6 24.♘b6 ♗:c5 25.♘:a8 ♗b5. Лучше 20.♖ad1!, забирая и пешку d3, и пешку e6, например: 20...0-0 21. ♖:d3 ♗d5 22.♘:e6 ♗:h2+ 23.♔:h2 ♗:e6 24.♖d6 ♖fe8 (Крамник — Кучинский, бундеслига 1994) 25.♗d2 с незначительным перевесом.

19.♖ad1 ♗e7 (конечно, не 19... ♖fd8? 20.♖:d6 и ♗:c5) **20.♗:c5 ♗:c5 21.♘:e6 ♖fc8 22.h3!** В случае 22.♘:c5 ♖:c5 23.♖e7 ♖b8 (Карпов) или 23...♗c6 (Фтачник), как и после 22.a3 ♗b6! 23.♘:g7 ♘g4 24.

Ξf1 Ξd8! (Гельфанд — Ильескас, Дос-Эрманас 1995), черные отбиваются.

Скромный, типично карповский ход 22.h3 готовит масштабное наступление на королевском фланге. Первая цель — согнать коня с f6. Получив после этого доступ к пунктам е4, d5 и d7, белые смогут извлечь выгоду из сильной позиции коня е6 и ладей, выдвинутых на центральные вертикали.

Столкнувшись с «ядовитой» задачей, не имеющей форсированного решения, Крамник в условиях ограниченного времени так и не сумел до конца разобраться в тонкостях возникшей позиции.

22...&f8? Напрашивающийся, но слабый ход. Еще хуже 22...&а7? 23. ❨:g7! b4 24.❨а4. Позже испытывалось 22...&b4, однако удачнее рекомендация Корчного 22...Ξab8! (с идеей &а7) — черные удерживают равновесие и после 23.g4 &f3 24.Ξd2 b4 (потом перешли на 24...Ξe8!?) 25.❨а4 &а7! 26.g5 ❨d5 (Николич — Бареев, Мюнхен 1994), и при 23. ❨:c5 Ξ:c5 24.Ξe6 b4 25.❨а4 Ξg5! (Крамник — Широв, Новгород 1994)

или 24.Ξd6 b4 25.❨а4 Ξd5 (Гельфанд — Широв, Биль 1995).

Тем не менее ход 18.&e3 был признан важнейшей теоретической новинкой в 60-м томе «Информатора» — и, таким образом, две партии триумфатора Линареса (с Топаловым и Крамником) победили в обеих номинациях. Карпов: «Редчайший случай в истории этих конкурсов!»

23.g4 h6. Хотелось бы пригвоздить пешку «f» к полю f2, но после 23...&f3 24.Ξd4! у черных все равно трудная позиция. Так, при 24...b4?! 25.❨а4 их губит слабость пешки c4: 25...Ξab8 (на 25...❨d5? Карпов указывает 26.Ξe5 «и т.д.», но куда проще 26.❨g5!) 26.❨:f8 &:f8 (26...Ξ:f8 27.Ξ:c4) 27.Ξf4 (Фтачник) или 24...Ξab8 25.❨b6 Ξc6 (25...Ξe8 26. ❨:f8 и ❨:c4) 26.❨d7! ❨:d7 27.Ξ:d7 с угрозой &:h7+ или ❨:f8 и Ξее7.

24.f4! (пользуясь тем, что черный слон покинул диагональ a7-g1) **24...&f3.** Черные сталкивают ладью с 1-го ряда, чтобы возможное противостояние ладей на линии «e» несло заботы и белым.

25.Ξd2. «Энергичнее выглядит 25.Ξd4 с идеей 25...&c6?! 26.g5 hg 27.fg ❨d7 28.Ξh4, и король черных в матовом кольце. Однако при 25...Ξe8 они угрожают Ξ:e6 и &c5 или сразу &c5» (Карпов). Правда, и здесь после 26.❨f2 Ξ:e6 (или 26...&b7 27.❨:f8) 27.Ξ:e6 &c5 28.❨:f3 &:d4 29.❨d1 у белых лучший эндшпиль.

25...&c6. Крамник обеспечивает поле d7 для коня, не желая после 25...b4 26.❨а4 Ξab8 (26...c3?! 27. bc bc 28.Ξf2 &d5 29.❨b6 &:e6 30.

патовые мотивы — 58...♖d1+! 59. ♔e3 ♖d8! Поэтому, на мой взгляд, точнее 58.♘c6! и уже затем ♖a8.

Возможно, быстрее ведет к цели 52.♔d4 ♖b4+ 53.♔c5, например: 53...♖f4 54.♘e7+ ♔h8 55.♔d5 ♖f3 56.♔e4 ♖f6 57.♘f5 ♖e6+ 58.♔f4 ♔g8 59.♖:a3 ♖e8 60.♖a7 ♘e6+ 61.♔g4 ♖f8 (61...♔h8 62.h6) 62.♖e7 ♖f6 63.♖e8+ ♘f8 64.♔g5 ♔h8 65.♘:g7 — занавес!

Интересно, что позиция с тем же соотношением сил — ладья, конь и две пешки (на g6 и h5) против ладьи, коня и пешки g7, но с конем на g8 — возникла и в партии Крамник — Красенков (Вейк-ан-Зее 2003), также закончившейся в пользу белых.

После этой победы судьба турнира решилась окончательно. Напоследок Карпов сделал еще ничью с Анандом и разгромил в «каталоне» Белявского. Для знаменитого украинского гроссмейстера он всегда был трудным соперником, о чем говорят как партии № 587 и 591, так и общий счет их встреч с 1973 года: +16−3=10 в пользу Анатолия Евгеньевича.

Так был достигнут один из самых выдающихся турнирных результатов в истории шахмат: 1. Карпов — 11 из 13 (+9=4); 2–3. Каспаров и Широв — по 8,5; 4. Бареев — 7,5; 5–6. Крамник и Лотье — по 7; 7–9. Ананд, Камский и Топалов — по 6,5; 10. Иванчук — 6. Еще не остыв после сражения, я заявил: «Этот спортивный триумф, с моей точки зрения, не был подкреплен выдающейся игрой. Мне доводилось видеть Карпова, когда он играл луч-

ше. Сейчас он нашел оптимальную манеру игры, которая в силу его личных и игровых качеств позволяет при минимальной затрате нервной энергии добиваться максимальных результатов. Своеобразный апофеоз прагматизма!»

Реакцию же шахматного мира в сжатом виде выразил Авербах: «Супертурнир в Линаресе закончился сенсационно: результат Карпова вызывает в памяти легендарные успехи Алехина в Сан-Ремо (1930) и Бледе (1931) и триумф Ботвинника в чемпионате СССР 1945 года (+13 =4). Сенсацией стал и небывалый старт Карпова — 6 из 6! Похоже, обретенный титул чемпиона мира ФИДЕ придал ему уверенности в своих силах. В этом году Каспаров в точности повторил прошлогодний результат Карпова — но Карпов... прыгнул выше головы!» Как сообщили статистики, это была уже его 125-я турнирная победа!

После этого «турнира жизни» Карпов, по-видимому, решил, что уже всем всё доказал, и даже сделал смелое заявление в прессе: «Да, я хотел бы сыграть еще один матч с Каспаровым, но ему этот матч сейчас нужен больше, чем мне».

Впрочем, вскоре турнирные успехи Карпова пошли на убыль: в апрельском Дос-Эрманасе он уступил первую строчку Гельфанду, в майском Лас-Пальмасе — Камскому (набрав оба раза по +4−1=4), а осенью столкнулся с большими проблемами на двухкруговом «сицилианском» супертурнире в Буэнос-Айресе, где разделил лишь 5–6-е места с Камским, пропустив вперед Салова, Ананда, Иванчука и Полгар.

Участники этого необычного турнира были обязаны начинать игру ходами 1.e4 c5 2.♘f3 и затем 3. d4 cd 4.♘:d4 – только открытая «сицилианка»! «Таким оригинальным способом был отмечен 60-летний юбилей выдающегося гроссмейстера современности Льва Полугаевского. Хотя с именем Полугаевского связано огромное количество новинок, разбросанных по различным разделам шахматной теории, его вклад в развитие сицилианской защиты наиболее впечатляющ», – писал Зайцев.

Далее, похвалив игру победителей турнира, многолетний тренер Карпова отметил с присущим ему тактом: «Более скромные результаты остальных участников во многом могут быть оправданы отсутствием (или утратой) необходимых для столь жестокой сечи сицилианских навыков». Мне кажется, надо отдать должное мужеству Карпова, который решился испытать свои силы, пожалуй, на самом трудном для себя «участке работы».

В Линаресе-1995, где не было меня, Крамника и Ананда, он финишировал вторым (+5=8) вслед за блестяще игравшим Иванчуком (+7=6), а итоги двухкругового Линареса-2001 отразили неумолимый бег времени: 1. Каспаров – 7,5 из 10; 2–6. Карпов... – 4,5.

КОРОЛЬ ФИДЕ

Розыгрыш первенства мира в середине 90-х годов был, несомненно, самым напряженным и необычным в истории шахмат. Претенденты сражались сразу в двух циклах, отбираясь по линии ПША к матчу со мной, а по линии ФИДЕ – к матчу с Карповым. Более того, согласно мирному договору между ФИДЕ и ПША, заключенному в дни олимпиады и конгресса в Москве (1994), предусматривался еще и «объединительный» матч за корону.

Фаворитами обоих циклов оказались уже опытный 25-летний индус Виши Ананд и стремительно набирающий силу 20-летний «новый американец» Гата Камский. В январе 1994 года они отличились в матчах ФИДЕ: Ананд победил Юсупова, Камский – ван дер Стеррена (по 4,5:2,5). В июне оба убедительно выиграли матчи ПША: Ананд – у Романишина (5:2), Камский – у Крамника (4,5:1,5).

А уже в июле слепой жребий свел их в четвертьфинальном матче ФИДЕ. Это была жестокая схватка! Виши упустил явный перевес в 1-й партии и несложный выигрыш во 2-й, затем все-таки одержал две победы и был очень близок к успеху в 5-й партии, но стоило ему промедлить, и Гата упорной защитой спас пол-очка. Игра шла на большинство из восьми партий, и матч мог закончиться досрочно... Правда, и счет 3,5:1,5 вроде бы не предвещал сенсаций. Но тут что-то сломалось в отлаженном как часы механизме Ананда (такое бывало с ним и в матчах со мной и Карповым). Исключительно волевой Камский сравнял счет (4:4) и – о чудо! – добил деморализованного противника на тай-брейке – 2:0, и это против одного из признанных королей быстрых шахмат!

«Камский, безусловно, вырос как шахматист, налицо качественный прогресс, – заявил после этого Карпов. – Но все же я глубоко убежден, что результат двух его матчей – с Крамником и с Анандом – лежит в области психологии. Обоих соперников Камского погубило то, что они не восприняли Гату всерьез...»

А Гата, вдохновленный удачей, в сентябрьском полуфинальном матче ПША буквально разорвал в клочья Шорта – претендента «номер один» прошлого цикла (5,5:1,5). Но и Ананд недолго горевал после обидного поражения в цикле ФИДЕ: с таким же счетом он разгромил в другом полуфинале Адамса – и снова вышел на Камского, однако теперь уже в финале ПША!

Менее чем за месяц до этого тяжелого испытания, в феврале 1995-го, Камский словно играючи (вновь 5,5:1,5) расправился в полуфинальном матче ФИДЕ над Саловым, что выглядело также впечатляюще, ибо тот ранее выбил из розыгрыша Халифмана и Тиммана.

Однако второй раз пройти индийца Гате не удалось: на сей раз Виши, несмотря на стартовую просрочку времени в выигранной позиции, доминировал на протяжении всей дистанции и выиграл финальный матч ПША (6,5:4,5).

Таким образом, моим очередным соперником по матчу на первенство мира (Нью-Йорк, осень 1995) стал

Ананд, и я одолел его в суровой борьбе – 10,5:7,5 (+4–1=13). А в финальном матче чемпионата мира ФИДЕ (Элиста, лето 1996) Карпов не оставил надежд Камскому – тоже 10,5:7,5 (но +6–3=9).

Как видно, Карпов «воспринял Гату всерьез». Хотя поначалу исход этого поединка на большинство из 20 партий представлялся неясным и загадочным: сможет ли многолетний обитатель шахматного Олимпа устоять под натиском поразительно целеустремленного лидера нового поколения? Этим качеством Камский живо напоминал молодого Карпова. Но чего ему точно не хватало, так это карповской гибкости и глубины в оценке позиции, что в конце концов и определило итог матча. Гате не помогло даже то обстоятельство, что его соперник был старше аж на 23 года...

А ведь Камский связывал с этим матчем огромные надежды! Еще в 1994 году в прессе мелькали сообщения, что, мол, по той или иной линии – ПША или ФИДЕ (а может, и по обеим!) он обязательно «доберется до Каспарова». Теперь у него оставался лишь один шанс – победить Карпова. И он даже сделал необычную для себя длительную игровую паузу, уделив много времени подготовке. Гата применял в матче много разных дебютов, видимо, надеясь на то, что Карпов уже не в силах уследить за стремительно меняющимися оценками современных вариантов. Однако, несмотря и на всю подготовку, и на необычайную работоспособность, усидчивость, настрой на борьбу, Камскому не удалось оказать чемпиону по-настоящему серьезного сопротивления.

Уже 1-я партия, выигранная Карповым в излюбленном позиционном стиле, показала его явное преимущество в маневренной игре. Правда, Камский эффектно выиграл 2-ю. Такой старт стал традиционным для «короля ФИДЕ»: с победы и поражения он начинал и матч с Тимманом (1993), а впоследствии и с Анандом (1998).

Затем последовала 50-ходовая ничья, а в 4-й Карпов взял убедительный реванш за 2-ю партию: 1.e4 c6 2.d4 d5 3.ed cd 4.c4 ♘f6 5.♘c3 e6 6. ♘f3 ♗b4 7.cd ♘:d5 8.♗d2 ♘c6 9.♗d3 0-0 10.0-0 ♗e7 11.♕e2 ♘f6 12.♘e4 ♕b6!? (во 2-й было 12...♗d7 13.♖ad1 ♖c8 14.♖fe1 ♘d5 15.♘c3 ♘f6 16.a3 ♕c7?! 17.♗g5 ♕a5?! 18.d5! ed 19.♗:f6! ♗:f6 20.♗:h7+! ♔:h7 21.♖:d5... *1-0*) 13.a3 ♗d7 14.♖fd1 ♖ad8! 15.♘:f6+ ♗:f6 16.♕e4 g6 17.♗e3 ♘e7!... *0-1*. Пресса писала: «Стратегия лавирования Карпова осталась неразгаданной 22-летним соперником».

После этой победы чемпион уже не упускал лидерства и дальнейшая борьба в матче проходила под его диктовку. И если острая дебютная стычка в 5-й партии привела к быстрой ничейной развязке, то удивительные события в 6-й, по всей вероятности, подорвали веру Камского в конечный успех.

№ 593. Русская партия С43
КАМСКИЙ – КАРПОВ
Матч на первенство мира ФИДЕ,
Элиста (м/6) 1996

1.e4 e5 2.♘f3 ♘f6. Временный отказ от Каро-Канна в пользу крепкого запасного дебюта не должен был удивить Гату.

3.d4 (тогда эта система была очень популярна; 3.♘:e5 – № 577) **3...♘:e4 4.♗d3 d5 5.♘:e5 ♘d7 6.♘:d7.** Но не 6.♕e2 ♘:e5! и т.д., как было в известной партии Карпов – Ларсен (№ 430).

6...♗:d7 7.0-0 ♗d6 («У Карпова свой путь – он не пускается в острейшие варианты после 7...♕h4 8.c4 0-0-0 9.c5 g5» Белявский, Михальчишин) **8.♘c3.** Ход, вошедший в моду с легкой руки гроссмейстера Харлова. Главной линией было и остается 8.c4! (см. № 430, примечание к 6-му ходу белых).

8...♕h4. Над этим рискованным выпадом Карпов продумал 42 минуты. Позже надежным путем к уравнению сочли 8...♘:c3 9.bc 0-0 10.♕h5 f5, как, например, против Широва играли Крамник (Белград 1997; Касорла(м/2) 1998) и Ананд (Гронинген(м/2) 1997).

9.g3 ♘:c3 10.bc ♕g4?! (крепче все-таки 10...♕h3 11.♖e1+ ♗e6 с идеей 12.♖b1 0-0-0, а рекомендация Белявского и Михальчишина 12. ♗f1 ♕f5 13.g4 сомнительна ввиду 13...♕f6!) **11.♖e1+.**

11...♚d8!? «Ценная новинка» (Карпов), продолжающая рискованную стратегию. Этот ход, как и 10...♛g4, черные сделали мгновенно — всё было решено во время раздумий над 8-м ходом. «Потеря рокировки отнюдь не смущает нынешнего Карпова» (Белявский, Михальчишин). Не правда ли, это чем-то напоминает смелую и нешаблонную манеру игры Стейница и Ласкера?

Стандартное 11...♚f8 вело после 12.♗е2 ♛f5 (Магем — Ильескас, Памплона 1995) 13.♖b1! с дальнейшим с3-с4 к проблемам для черных ввиду нарушенного взаимодействия их фигур. Кажется, что при необычном ходе в партии им будет еще сложнее соединить ладьи. Но Карпов считает, что самое главное — быстро ввести в бой ладью h8, а уж соединить ладьи можно потом, причем оригинальным способом. И, что весьма характерно, ему удается реализовать свой дерзкий замысел!

12.♗е2. Камский, естественно, стремится наказать соперника: при ферзях белые могут рассчитывать на атаку. Эндшпиль после 12.♛:g4 ♗:g4 13.♖b1 b6 14.с4 с6 (М.Гуревич) или 13...♖b8 (Фтачник) 14.с4 (14. ♚g2 ♚d7) 14...dc 15.♗:с4 f6 сулил белым очень мало.

12...♛f5 13.♖b1 (13.с4!? Карпов) **13...b6.** В случае 13...♚с8 14. с4 dc 15.♗:с4 h5 16.h4 у черных оставались затруднения, поэтому они придерживаются иного плана.

14.с4 dc (14...с6?! 15.с5! и с2-с4 Карпов) **15.♗:с4 ♖е8!** После 15...h5 16.♗d3 ♛g4 17.♗е2 и ♗f3!

(Карпов) белые с темпом переводили слона на «свою» диагональ и их атака в центре была бы куда более опасной, чем фланговая диверсия черных.

16.♗е3. Перекрывая линию «е» и уклоняясь от разменов, чтобы использовать дисгармонию в боевых порядках черных. При 16.♖:е8+ ♚:е8 17.♗d3 (17.♛е2+ ♚f8=) 17...♛d5 18.с4 ♛:d4 19.♗b2 ♛g4 (М.Гуревич) положение черного короля в центре неуязвимо, и у белых, пожалуй, нет ничего лучшего, чем размен ферзей и отыгрыш пешки с примерно равным эндшпилем.

16...♗с6! Важный ход: угроза ♗f3 (е4) заставляет белых перекрыть большую диагональ. «Ценой двух темпов черные предотвращают прорыв с2-с4-с5» (Карпов).

17.d5. Понятно, не 17.♗f1? ♛d5. Однако теперь пешка d5 ограничивает мобильность белопольного слона белых, а черный слон d6 становится не только сильной оборонительной фигурой, но и при случае атакующей!

17...♗d7 18.♗f1?! Похоже, Гата не представлял, как черные решат проблему завершения развития, и считал, что у него достаточно времени на подготовку атаки. Поэтому, не видя пока активного плана, он делает «добротные» ходы.

По Карпову, замысел черных можно было поставить под сомнение только острым 18.♗d3! В случае 18...♕:d5 19.c4 черным трудно обезопасить короля: на 19...♕a5? последует 20.c5! ♗:c5 21.♗b5 ♗d6 22.♕d5 ♖b8 23.♗g5+ f6 24.♖:e8+ ♗:e8 25.♗d2 ♕a3 26.♗b4, выигрывая ферзя, а на 19...♕e5 сильно 20. h4 f6 (20...♔c8 21.c5) 21.♗:h7.

Явного перевеса добивались белые после 18...♕f6 19.♕d2 h6 20. ♗a6!, например: 20...c5 21.dc ♗:c6 22.c4 ♔c7 23.c5 или 22...♖e6 23.♗f4 ♖:e1+ 24.♖:e1 ♔c7 25.♕:d6+! ♕:d6 26.♖e7+ ♗d7 27.♗b5 ♖d8 28.♗:d6+ ♔:d6 29.♖:f7+.

Менее заметное преимущество имели бы они при 18...♕g4! Если теперь 19.♗e2 ♕g6 20.c4, то черные могут форсировать ничью — 20...♖:e3 21.fe ♗:g3 22.♗d3 ♗:h2+ 23.♔:h2 ♕h6+. Но после 19.♕d2 проблемы остаются: 19...h6 20.c4 или 19...a5 20.♗f1 (20.♗e2 ♕f5 21. ♗d4) 20...♗e7 21.♗d4 с некоторой инициативой.

18...h6. Неочевидная прелюдия к весьма эффективной перегруппировке. Возможно было и сразу 18... ♖e7 19.c4 ♔e8 20.♗d3 ♕f6 (хуже 20...♕h3 21.c5! bc 22.♕c2), но ход h7-h6 все равно нужен, чтобы в вариантах не висела лешка h7 и было прикрыто поле g5, например: 21. ♕d2 ♔f8? (21...h6!) 22.♗g5 ♖:e1+ 23.♖:e1 ♕d4 24.♗:h7 ♕:c4 25.♖e4 ♕b5 26.♗f6! с решающей атакой.

19.c4 ♖e7! А вот теперь план черных уже очевиден: они хотят пойти ♔e8-f8 и ♖ae8. Тогда инициатива белых быстро улетучится, и их будет ожидать чуть худший эндшпиль. Пока у Камского есть время, чтобы избежать такого развития событий. Но вопрос в том, чувствует ли он приближение критического момента?

20.♗d3. Белые, на свое несчастье, тоже задумывают перестройку, стремясь помешать черному королю скрыться на королевском фланге. Камскому кажется, что, создав батарею ♕+♗ по диагонали b1-h7, он выявит изъяны в позиции черных и король на f8 не будет в безопасности. Но это оказывается фантомом!

Вряд ли намного лучше 20.♗g2 (Карпов) — черные проводили бы тот же план: 20...♔e8 21.♕d4 ♕g6 (21...♔f8? 22.♗:h6 ♗e5 23.♕h4 gh? 24.d6!) 22.♕c3 ♔f8 23.c5 dc 24.♗:c5 ♗:c5 25.♕:c5 ♕d6, и ничья после 26.♕:d6 cd 27.♖:e7 ♔:e7 28.♖b7 ♔d8 29.♗f1 ♖c8 30.♖:a7 ♖c5 была бы вполне закономерным исходом.

20...♕f6 21.♔g2?! Камский продолжает уклоняться от упрощений, не веря, что медлительный план черных может остаться безнаказанным. «Такое впечатление, что белые перепутали фигуры: вместо того чтобы поставить слона на свое законное место g2, заняли это поле королем» (Карпов).

Активнее 21.♕c2 ♔e8 22.c5 bc 23.♗:c5, и в случае 23...♗:c5 24.♕:c5 ♕d6 25.♕:d6 cd 26.♖:e7+ ♔:e7 27.♖b7 (Фтачник) у белых лучший эндшпиль, а при 23...♔f8 24.♖:e7 ♕:e7 25.♗d4 с идеей ♕c3 и ♖e1 (Кристиансен) — инициатива. Однако после 23...♖:e1+ 24.♖:e1+ ♔f8 шансы постепенно уравниваются.

21...♔e8! 22.♗c2 (вероятно, и здесь лучше 22.♕c2 с идеей c4-c5 Белявский, Михальчишин) **22...♕c3!** Сильный промежуточный ход. «Мой ответ охладил пыл Камского» (Карпов). Конечно, ферзь на c3 долго не удержится, но пока он мешает плану с ♕d3.

23.♗b3?! Разумеется, и 23.♕d3 ♕:d3, и 23.♗d4 ♖e1, скорее всего, привело бы к ничьей. Но Камский по-прежнему думает о большем.

С этой точки зрения любопытно было 23.♖c1!?, и если 23...♔f8, то 24.♗b1, заставляя черных проявлять осмотрительность: 24...♕f6 25.♕d3 ♖ae8 26.♗d4 (26.♕h7 g5) 26...♗e5 27.♕h7 g5 28.♖:e5 ♖:e5 29.♖c3 c5! 30.♖f3 ♕g7 31.♕:g7+ ♔:g7 32.♗:e5+ ♖:e5 33.♖a3 ♖e7! Этот ход позволяет черным отразить угрозы ферзевому флангу. На забавное 29.♗g6 можно играть и 29...♕:g6 30.♕h8+ ♕g8 31.♕:h6+ ♕g7 32.♕:g7+ ♔:g7 33.f4 f6 с ничейным эндшпилем, и не менее забавно: 29...

♗h3+ 30.♔:h3 g4+ 31.♔:g4 fg 32.♕:h6+ ♔g8 33.♔h3 ♕f5+ 34.♔g2 ♕e4+ 35.♔g1 ♕:d4, после чего белые дают вечный шах.

Впрочем, не видно большой опасности в случае 23...♕:c4. Только на 24.♗f5 не стоит, наверное, брать вторую пешку – ситуация после 24...♕:a2 25.♗:d7+ ♔:d7 26.♕d3 ♖e5 27.♖ed1 может оказаться для черных неприятной. Надежнее 24...♕a4 25.♗:d7+ ♕:d7 26.♕d3 f5, например: 27.♗d4 ♔f8 28.♖e6 ♖:e6 29.♕:f5+ ♕f7 30.♕:f7+ ♔:f7 31.de+ ♔:e6 32.♗:g7 h5 с обоюдоострым эндшпилем.

23...♔f8 24.♖c1 ♕f6 25.♗c2?! Упрямство в проведении бесперспективного плана ведет к непоправимым последствиям.

Логичнее 25.c5 bc 26.♗:c5, и попытка черных нанести удар – 26...♗:c5 27.♖:c5 ♗g4? встречает эффектное опровержение: 28.♕:g4 ♖e1 29.d6! (трещит пункт f7) 29...♕g6 30.♕f3 c6 31.♖:c6 ♕f6 (совсем плохо 31...♖d8 32.♖c7) 32.♕:f6 gf 33.♖c7 с лучшим окончанием у белых. Но после 26...a5! (Карпов) 27.♖:e7 ♕:e7 28.♕f3 a4 29.♗c4 ♖e8! позиция равна.

25...♖ae8. Карпов благополучно завершил задуманную перестройку, приведя в изумление комментировавшего партию гроссмейстера Кинга:

«Как Карпов всё это делает, я понять не могу. Он обладает таинственной способностью координировать действия своих фигур с максимальной эффективностью. Заметьте, как он расставляет фигуры, — они у него не мешают друг другу и все защищены; кажется, что его армия не имеет ни малейшей слабости. Сравните эту позицию с той, что была после 11...♘d8; трудно вообразить, как за короткое время можно достичь такой гармонии в действиях своих фигур. Король черных в безопасности, ладьи сдвоены на «горячей» линии, а поскольку убежище белого короля ослаблено, инициатива теперь закономерно переходит к Карпову».

Действительно, позиция черных уже предпочтительнее. И белым в таких случаях, после больших усилий, затраченных на поиски атакующих продолжений, перестроиться на защиту бывает очень нелегко. По инерции делаются активные ходы, которые зачастую приводят к катастрофе...

26.♕d3? Гате еще мерещатся угрозы, которые создаст батарея ♕+♗... Здесь в последний раз он мог отказаться от запланированной расстановки и срочно разменять слонов — 26.♗a4 ♖:a4 27.♕:a4, окончательно передавая инициативу сопернику (27...♕g6 28.♕c2 ♖e4 29.♗d2 ♗c5), но сохраняя реальные шансы на ничью.

26...♗g4! Словно ледяной душ обрушился на Камского! Белые потратили много времени, чтобы создать угрозу вторжения ферзя на h7, но оказалось, что после 27.♕h7 g5! не они, а черные начинают решающую атаку на короля: 28.♖b1 (28.♔g1 ♗b4! 29.♖f1 ♗e2) 28...♗:g3! 29. hg ♖:e3! 30.♖:e3 ♖:e3 31.fe ♕f3+ 32.♔g1 ♕:e3+ 33.♔g2 ♗f3+ 34.♔h3 g4+ 35.♔h4 ♕g5#.

Одним ходом Карпов перевернул оценку ситуации!

27.♗d2?? «Настоящая катастрофа» (Карпов). Позиция белых, конечно, трудна, но еще обороноспособна. Определенные проблемы ставил ход 27.f4 (но не 27.♗d4? ♕f3+!) — в варианте Карпова 27... ♗c5 28.♗:c5 bc 29.♖:e7 ♖:e7 30.♗d1 шансы черных на успех резко снижались. Однако выигрывало внезапное 27...♖:e3!! 28.♖:e3 ♖:e3 29.♕:e3 ♕b2!, например: 30.h3 ♗f5 31.♕d2 ♗e4+ 32.♔f1 a5! 33.a4 f5 34.g4 ♗a3 35.gf ♗:f5 36.♔e2 ♗b4 37.♕d1 g6.

Наиболее упорной защитой было 27.♗d1! ♗f5 28.♕b3! (не 28.♕d2 ♗a3 Карпов), хотя после 28...♗e4+ 29.♔g1 ♔g8 30.♗c2 h5 армия черных выглядит очень грозно.

27...♖e2! (решающее вторжение) **28.♖:e2 ♖:e2 29.♖f1** (29.♔e1
♗c5! Карпов) **29...♖:d2!**, и ввиду
30.♕:d2 ♕f3+ 31.♔g1 ♗h3 белые
сдались.

Невероятный финал! После сто-
льких скитаний черного короля
трудно было предположить, что всё
закончится молниеносной и неотразимой атакой на... белого короля. «Похоже, Камский так до конца
и не понял, что произошло на доске» (Карпов).

Чемпион выиграл затем и 7-ю
партию, длившуюся почти семь часов и 71 ход, а после ничьей в 8-й —
еще и 9-ю! Счет стал разгромным —
6,5:2,5. Однако тут Гата, к его чести, сумел проявить свои волевые
качества, и вторая половина матча
прошла в равной и ожесточенной
борьбе. Свою шестую победу Карпов одержал уже в 14-й партии (как
бы отдав дань памяти безлимитным
матчам), а после 18-й набрал и необходимые 10,5 очка.

Надо ли говорить, сколь велико
было разочарование Камских — Га-
ты и его строгого отца Рустема, от-
давших все силы для достижения
высшей цели. Вскоре по настоя-
нию отца этот одаренный гроссмейстер надолго прекратил шахматные выступления и всерьез за-
нялся изучением медицины...

Между тем 23 августа 1996 года
на четырехсторонней встрече между мной, Карповым, президентом
ФИДЕ Кирсаном Илюмжиновым и
президентом Российской шахматной федерации Андреем Макаро-
вым было в принципе решено, что
в 1997 году пройдет матч «за абсо-

лютное первенство» Каспаров —
Карпов, и через несколько дней мы
поставили подписи под соответствующим меморандумом.

Не буду здесь углубляться в вопрос, почему наш шестой матч так и
не состоялся (свою точку зрения я
изложу в автобиографической книге), но не последнюю роль в этом
сыграли итоги двухкругового супертурнира шести сильнейших шахматистов мира в Лас-Пальмасе (декабрь 1996): 1. Каспаров — 6,5 из 10;
2. Ананд — 5,5; 3—4. Топалов и Крамник — по 5; 5—6. Карпов и Иванчук
— по 4.

В соревновании рекордной для
того времени 21-й категории, срав-
нимом разве что с эпохальным
АВРО-турниром (1938), Анатолий
Евгеньевич, проиграв во втором круге Ананду и мне, оказался единственным, кто не одержал ни одной
победы. Конечно, он мог и должен
был сыграть лучше, если бы отнесся
к турниру со всей ответственностью
и не отлучился в разгар борьбы в
Париж на открытие какого-то дет-
ского чемпионата. Как тут не вспомнить Капабланку, который во время
Московского международного турнира (1925) тоже уехал в другой город — Ленинград, чтобы дать сеанс,
а вернувшись, потерпел поражение.

После этого Карпову оставалось
лишь защищать свой титул чемпиона ФИДЕ... Как раз в ту пору
ФИДЕ с подачи Илюмжинова, под
предлогом повышения боевитости
и зрелищности, стала разыгрывать
титул чемпиона мира в турнирах по
нокаут-системе, при 128 участниках, игравших навылет миниматчи

из двух партий (на последних стадиях — из четырех и шести). В случае ничейного счета дело решал тай-брейк: быстрые шахматы, а при необходимости и блиц.

Разумеется, я был не против самой системы, по которой проводился еще знаменитый первый международный турнир (Лондон 1851), однако считал ее — и не я один! — хорошей лишь для соревнований типа Кубка мира и абсолютно непригодной для выявления сильнейшего шахматиста планеты. Поэтому, когда нам с Карповым «в целях всеобщего умиротворения» предложили вступить в борьбу с полуфиналов (серьезная привилегия!), я отказался играть из принципиальных соображений, не желая создавать прецедент, наносящий ущерб историческому титулу чемпиона мира.

Но тогда ФИДЕ допустила Карпова сразу в суперфинал (!), несмотря на протесты многих известных гроссмейстеров, — Крамник даже отказался от участия... «Маленькая» деталь: участникам суперфинала доставалась львиная доля общего пятимиллионного призового фонда: 1,37 миллиона долларов получал победитель, 768 тысяч — проигравший.

Основная часть первого чемпионата мира ФИДЕ по нокаут-системе проходила с 9 по 30 декабря 1997 года в Гронингене и принесла заслуженный триумф Виши Ананду. На пути к цели он одолел Николича (2:0), Халифмана (1:1; быстрые — 2,5:1,5), Алмаши (2:0), Широва (1,5:0,5), Гельфанда (1,5:0,5) и Адамса (2:2; быстрые — 2:2; блиц — 1:0).

А уже 1 января 1998 года — подумать только! — в Лозанне состоялось открытие его суперфинального матча с Карповым, прилетевшим туда с Канарских островов...

Надо сказать, что Карпов с большим уважением отзывался об игре индийского гроссмейстера: «Его гениальность — в самобытности. Ананд выделяется среди многих, с кем мне довелось играть, и запоминается. Здесь что-то особенное, восточное, нам неведомое. Мы, вероятно, иначе видим не только жизнь, но и шахматную доску...» То, что Виши видит жизнь иначе, было понятно и из его интервью после Гронингена, в котором он заявил: «Думаю, мы должны войти в 21-й век, забыв о привилегиях, и играть нормальные чемпионаты мира».

Итак, шахматный мир стал свидетелем небывалого «лозаннского эксперимента» ФИДЕ — матча на большинство из шести партий между свежеотдохнувшим 46-летним Карповым и изнуренным трехнедельной борьбой 28-летним Анандом.

№ 594. Славянская защита D48
КАРПОВ – АНАНД
Матч на первенство мира ФИДЕ, Лозанна (м/1) 1998

1.d4 d5 2.c4 c6 3.♘c3 ♘f6 4.e3 e6 5.♘f3 ♘bd7 6.♗d3. В матче претендентов (1991), в Биле (1997) и в 5-й партии матча в Лозанне Карпов играл против Ананда 6.♕c2 (№ 584, 585), и в целом черным удалось решить дебютные проблемы.

6...dc 7.♗:c4 b5 8.♗d3 ♗b7. Этот ход Ларсена встречался в «меранских» поединках соперников чаще всего. Несколько раз Виши играл и 8...b4, и лишь в последней попытке (Монако(бш) 1996) Карпов после энергичного 9.♘e4 ♗e7 10. 0-0 ♗b7 11.♘:f6+ ♘:f6 12.a3 0-0 13. ab ♗:b4 14.e4 h6 15.e5! ♘d7 16.♗c2 ♖e8 17.♕d3 ♘f8 18.♕e4 ♘g6 19.♖d1 ♕e7 20.♕g4! получил осязаемое преимущество.

9.0-0 (9.a3 — см. № 592, примечание к 8-му ходу; 9.e4 — № 425—429) **9...a6.** Теперь борьба переходит в русло системы с 8...a6. Ананд применял и 9...b4 (как и Полугаевский — № 515) или даже 9...♗e7.

10.e4 c5 11.d5 ♕c7 12.de fe 13.♗c2. Преждевременное 13.♘g5 парируется путем 13...♘c6! 14.♕e2 c4 15.♗c2 ♗c5 16.♗e3 0-0 17.♖ad1 h6 18.♘f3 ♕c7 19.♘d4 ♖ae8 20.a3 ♘e5 с отличной игрой у черных (Карпов — Ананд, Монако(бш) 1994).

13...c4. Испытывалось и обоюдоострое продолжение 13...♗e7 14.♘g5 ♕c6 15.♕f3 h6 16.♕h3 hg!? 17.♕:h8+ ♗f7 18.♕h3 g4 19.♕h4 ♘e5 (Карпов — Крамник, Монако(бш) 1994), а со второй половины 90-х и ходы Дреева 13...0-0-0 и 13...♗d6!?

14.♕e2. К тому времени уже было обезврежено 14.♘g5 (№ 592) и открыто новое направление — 14. ♘d4 ♘c5 15.♗e3!, жертвуя пешку e4: 15...0-0-0 16.♕e2 e5 17.♘f3 (Лотье — Гельфанд, Амстердам 1996) или 15...e5 16.♘f5 (Лотье — Крамник, Монако(бш) 1996). Сильнее 16. ♘f3!, и если 16...♘c:e4, то 17.♘:e4 ♘:e4 18.♖e1 с инициативой (Гельфанд — Бареев, Новгород 1997). Черным лучше заканчивать развитие, даже ценой жертвы качества: 16... ♗e7! 17.♘g5 0-0! 18.♗:c5 ♗:c5 19.

♘e6 ♕b6 20.♘:f8 ♖:f8 (Касымжанов — Каспаров, Линарес 2005).

14...♗d6 15.♘d4 ♘c5 16.f4 e5.

17.♘d:b5!? «Неприятный сюрприз» (Карпов). В партии с Акопяном (Ереван(ол) 1996) я долго обдумывал этот острый удар на b5 и все же сыграл 17.♘f5, однако после 17...0-0 18.♘:d6 ♘:d6 19.fe ♕:e5 20.♖f5 ♕c7 21.♗g5 черные точным 21...♘f:e4! 22.♖:f8+ ♖:f8 23.♘:e4 ♕:e5 вынудили ничью: 24.♘f6+ gf 25.♗:h7+ ♔:h7 26.♕h5+.

После домашней подготовки Карпову было легче решиться на жертву коня, особенно учитывая, что соперник, утомленный боями в Гронингене, вполне мог не разобраться в возникающих осложнениях.

17...ab 18.♘:b5 ♕b6 19. ♘:d6+ ♕:d6 20.fe ♕:e5 21.♖f5 ♕e7 22.♕:c4. Теперь черные перед ответственным выбором.

22...♖c8. «Искусная защита — по центру!» (М.Гуревич). Пожалуй, именно этот ход почти полностью вывел вариант с 17.♘d:b5 из употребления. Опасно 22...♘c:e4?! 23. ♕b5+! (лишая соперника рокировки) 23...♔f8 24.♗e3 с сильной атакой. К неясной игре ведет 22... ♘cd7 (по словам Ананда, «Крамник сказал, что этот путь он обсуждал с друзьями еще в 1991 году») 23.♗d2 ♖c8 24.♕b3.

23.♕b5+! ♘cd7! «С обеих сторон идет безукоризненное тактическое фехтование» (Зайцев).

24.♕:b7 (24.♗a4?! ♗c6 25.♕a6 0-0! 26.♗:c6 ♘b8 Карпов) **24... ♖:c2 25.♗g5.** На 25.♖a5!? (Карпов) хорошо 25...♔f7! (Штоль), так как после 26.♕b3+ ♕e6! 27.♕:c2 черные ходом 27...♕b6+ тоже забирают ладью.

25...♕d6! Нельзя 25...♕:e4? 26. ♕:e4 ♘:e4 27.♖e1 ♖c4 28.b3! (28. ♖d5? 0-0!) 28...♖d4 29.♖f2! (очень сильный маневр) 29...h6 30.♖d2! (Карпов) 30...♖b4 31.a3+–, а после 29...♘df6 30.♖f4 (Штоль) 30...♖d1 31.♖:d1 ♘:g5 32.a4 черные тоже, скорее всего, проигрывают.

26.♕a8+ ♔f7? Усталость все же сказалась: Ананд решил красиво вынудить ничью вечным шахом, но издалека зевнул 31-й ход белых. Напрашивалось 26...♕b8 27.♕:b8+ ♘:b8 28.♗:f6 (28.a4 0-0! Зайцев) 28...gf 29.♖f2 (Карпов) 29...♖:f2 30.♔:f2 ♘c6 (Штоль) или 29.♖:f6 ♖b2 30.a4 ♘d7 31.♖f2 ♖b4 32.a5 ♖:e4 33.a6 ♔e7 34.a7 ♖a8 (Флир – Галкин, Порт-Ерин 2001) с ничейным эндшпилем.

27.♕:h8 ♕d4+ 28.♔h1 ♕:e4 (28...♕:b2 29.♖d1! М.Гуревич) **29. ♖f3 ♖:g2!?** (соль замысла черных; 29...♘e5? 30.♖:f6+) **30.♔:g2 ♘e5.** И здесь вместо 31.♖f1, на что рассчитывал Ананд и что после 31... ♘:f3 32.♖:f3 ♕e2+ вело к ничьей, следует... жертва ферзя, после ко-

торой белый слон успевает уничтожить обоих коней!

31.♕g7+! «Обычно ферзь стреляет по королю из центра доски, а здесь коварный удар наносится из самого угла» (Карпов).

31...♔:g7 32.♗f6+ ♔g6 (ничего не меняет 32...♔h6 ввиду 33. ♗:e5 ♕:e5 34.♖f2) **33.♗:e5 ♕:e5 34.♖g1** (красивая засада, но достаточно и 34.♖f2 Штоль) **34...h5.** Иного нет: 34...♕:b2+? 35.♔h1+! ♔h5 36.♖h3#.

35.b3! ♕e2+ 36.♖f2. Быстрее вело к цели 36.♔h3+ ♔h7 37.♖f7+ ♔h6 38.♖f6+ ♔h7 39.a4 (Карпов) или 37...♔h8 38.♖f6! ♕d3+ 39.♖g3 ♕d7+ 40.♔h4 ♕d4+ 41.♔g5 и т.д.

36...♕e4+ 37.♔f1 ♕?! А это уже промах. Теперь пешка a2 теряется и борьба надолго затягивается. В случае 37.♔h3+! ♔h7 38.♖f7+ ♔h6 (38...♔h8 39.♖f6! – см. выше) 39.♖f6+ ♔h7 40.♖g3 в ферзи шли обе пешки ферзевого фланга.

37...♔h6 38.♖g3 ♕b1+ 39. ♔g2 ♕e4+ 40.♖gf3 ♕g6+ 41. ♔f1 ♕b1+ 42.♔g2 ♕g6+ 43. ♔h1 ♕b1+ 44.♖f1 ♕:a2. Чтобы избавиться от шахов, белым пришлось отдать пешку, но в дальнейшем Карпов играл четко: слаженная работа ладей помогала белому королю укрываться от ферзя, а пешке «b» – двигаться в ферзи.

45.♖f6+ ♔g7 46.♖f7+ ♔h8 47.♖f8+ ♔g7 48.♖8f7+ ♔g8 49. ♖7f3 ♔g7 50.h3 ♕c2 51.♖1f2 ♕e4 52.♔g2 ♕b4 53.♖e2 ♕d4 54.♖e7+ ♔g6 55.♖e6+ ♔g7 56.♖g3+ ♔f7 57.♖ge3 ♕d5+ 58. ♔g3 ♕g5+ 59.♔f2 ♕h4+ 60. ♔e2 ♕d4 61.♖6e4 ♕a1?! «Мгновенный импульсивный ход» (М.Гуревич). Все комментаторы справедливо считали более упорным 61... **♕b2+**, но после 62.♔f3 ♕h2 63.h4 (Зайцев, Карпов) у белых все равно выигранная позиция.

62.♔d3 ♔f6 63.♖e6+ ♔f5 64.b4 ♕c1 65.♔d4 ♕c8 66.b5 ♕d8+ 67.♔c5 ♕c7+ 68.♔b4 ♕f4+ 69.♔b3 ♕c7 70.b6. «С пешкой на b6 выигрыш – лишь вопрос времени» (М.Гуревич).

70...♕d7 71.♖3e5+ ♔f4 72. ♖e4+ ♔g3 73.♖e3+ ♔h2 74.♔c4. Фигуры белых достигли полной согласованности действий, и теперь очередь короля помочь движению пешки b6.

74...h4. Ананд упрощает задачу белых, отдавая пешку. После этого Карпов, пользуясь прикованностью ферзя к пешке b6, спокойно меняет маршрут своего короля, отправляя его на правый фланг за добычей.

75.♔c5! ♕c8+ 76.♔d5 ♕d8+ 77.♔e4 ♕d7 78.♔f5 ♔g2 79. ♕g5 ♕g7+ 80.♔:h4 ♔f2 (80... ♕h7+ 81.♔g5 ♕g7+ 82.♖g6) **81. ♖3e5 ♕h8+.** Безнадежно и 81... ♕g3+ 82.♔h5 ♕:h3+ 83.♔g6 ♕g2+ 84.♖g5 ♕b7 85.♖f5+ (Штоль) 85... ♔g3 86.♖f7 и т.д.

82.♔g4 ♕g7+ 83.♔f5 ♕h7+ 84.♔f6 ♕h4+ (84...♕:h3? 85.♖e2+ вело к потере ферзя) **85.♔f7 ♕h7+ 86.♔e8 ♕b7 87.h4 ♕b8+ 88. ♔f7 ♕b7+ 89.♔g6 ♕b8 90.h5 ♕g8+ 91.♔f5 ♕h7+ 92.♔f6 ♔f3 93.♖e3+ ♔f2 94.♖e2+ ♔f3 95.♖2e3+ ♔f2 96.♔g5 ♕g8+ 97.♔h4 ♕d8+ 98.♔h3 ♕d1 99.♖e2+ ♔f3 100.♔h2.** «Оба соперника крайне утомлены. Так, я упустил возможность сделать эффектный ход 100.♖e1! с неизбежным матом» (Карпов).

100...♕d8 101.♖6e3+ ♔f4 102.b7 ♕b6 103.♖e4+ ♔f3 104.♖2e3+ ♔f2 105.♖e7 ♕d6 106.♔h3 ♕b8 107.♖3e5 ♔g1 108.♖g7+. Черные сдались: 108...♔f2 109.♖f7+ ♔g1 110.♖e1#.

«Крайне досадное для Виши поражение – и очень болезненный удар на столь короткой дистанции матча» (М.Гуревич). Отдадим должное мужеству и классу Ананда: во 2-й партии он сравнял счет, в 3-й легко добился ничьей в «меране» и, без сомнения, надеялся развить успех в 4-й.

Но в тот день у него что-то не заладилось в дебюте. Не получив перевеса, Виши неуверенно трактовал миттельшпиль и попал в довольно неприятную позицию, требовавшую кропотливой защиты. Карпов же, находясь в своей стихии, изыскивал малейшие шансы для игры на выигрыш. После размена ладей на 32-м ходу возник эндшпиль с ферзями и разноцветными слонами, где защита белых осложнялась слабостью пешки h5 и наличием у соперника отдаленной проходной по линии «a».

№ 595
АНАНД – КАРПОВ
Матч на первенство мира ФИДЕ,
Лозанна (м/4) 1998

зевый эндшпиль после 40.♗e3 (40. ♕d2?! ♗c6! 41.f3 ♕:c4) 40...♗c6 41.f3 ♕:e3 42.♕:c6 ♕:e5+ («и т.д.» Зайцев) белые еще могут спасти. Но у них есть более сильное возражение – 37.♖a8! (контроль над большой диагональю) 37...a5 38.c5 a4 39.c6 f4 40.c7! (Фтачник) с ничьей.

35...♕d7! «Прекрасный маневр» (Зайцев). «Пешка h5 не убежит, можно сначала активизировать ферзя» (М.Гуревич).

36.♗c3 ♕d3 37.♕d4. Во избежание худшего (37.♗d4?! a5 или 37.♗b4?! ♕d5) белые разменивают ферзей, переходя в слоновый эндшпиль без пешки, ибо пешка h5 обречена.

37...♕:d4 38.♗:d4 a5.

33...♗b5! 34.c4 (34.♕b4?! ♕:h5!) **34...♗e8 35.c5?** Этот естественный ход упускает реальный шанс на ничью: после 35.♕d8! ♕:h5 36.♗e3 выигрыша за черных не видно. За доской Карпов рассматривал здесь 36... ♗c6 37.♕d6 ♗a8 38.♕d8 ♗e4 39.f3=.

Позже Зайцев рекомендовал 36... ♕g6, чтобы в случае 37.♕d6 f4! 38. ♗:f4 ♕b1+! 39.♔h2 ♕e4 выиграть пешку, хотя не исключено, что фер-

39.c6? «Самоубийственный ход, сделанный мгновенно!! «Позиция была проигранной в любом случае», – сказал Ананд на пресс-конференции. Пусть даже так (что для меня, например, не очевидно), но 39.c6? – кратчайший путь к поражению» (М.Гуревич).

Действительно, этот ход заслуживает вопросительного знака, потому что облегчает задачу черных. Похоже, Виши прав: этот интереснейший «разноцвет» уже проигран для белых! Рассмотрим два способа защиты – с пешкой на f3 и на f4:

1) 39.f3 ♗:h5 (39...f4!?) 40.c6 ♗e8 41.c7 ♗d7 42.♔f2 a4 43.♗c5 f4 (Фтачник). Затем черные играют g7-g5, ♔g6-f5, h6-h5, переводят слона на b7 и далее h5-h4 и ♔g6-f7-e8-d7 или g5-g4, чтобы при f3:g4 и h5:g4 с последующим g2-g3:f4 и ♔:f4 получить позицию типа той, что возникает и во 2-м варианте: черные ставят пешку на g3 и без помех прорываются королем на ферзевый фланг.

По Карпову, упорнее линия обороны с 42.g3 a4 43.♗b2, однако, на мой взгляд, это не сильно усложняет задачу черных: 43...g5 44.♔f2 ♔g6 45.♔e3 ♗c8 46.♗a3 ♗b7 47. ♗d6 ♔f7 48.♗a3 ♗e8 49.f4 ♔d7 50. ♗d6 ♔c6 51.♔d4 gf 52.gf h5 53.♔e3 ♔d5 или 49.♗b4 ♔d7 50.♗d6 ♔c6 51.♔d4 (если 51.f4, то 51...♔d5 52.fg hg 53.♔d3 ♗a6+! 54.♔e3 ♔c4) 51... h5! 52.♗e7 (при 52.f4 gf 53.gf h4 54. ♔e3 ♔d5 выигрыш прост) 52...♔:c7 53.♗:g5 ♗:f3 с двумя лишними пешками и скорым образованием второй проходной;

2) 39.f4 a4 40.♗b2 ♗:h5 41.c6 ♗e8 42.c7 ♗d7 43.♔f2, и черные перед непростым выбором.

Поспешное 43...g5? упускает выигрыш: 44.♔g3 ♔g6 45.♗c1! ♔h5 46. ♗a3 ♗c8 47.♗c1 ♗b7 48.♗a3 ♔g6 49.♗c1. Создавшееся пешечное напряжение на руку белым. Если 49... g4, то у них появляется ход 50.♔h4 с угрозой пешке h6. А после 49...♔f7, чтобы перевести короля на ферзевый фланг, белые заберут пешку (50.fg hg 51.♗:g5), вернутся слоном (51...♗a3 52.♗c1 a2 53.♗b2), затем успеют разменять слабую пешку «g» (53...♔e7 54.♔f4 ♗d7 55.g4 fg 56. ♔:g4 ♗:c7) и вернуться королем (57.♔f4 ♗b6 58.♔e3 ♗c5 59.♔d2). Хитрее 49...♗a6 50.♔f3 gf 51.♔:f4 ♔f7 52.g4 fg 53.♔:g4 ♔e7. Теперь 54. ♔h5? проигрывает: 54...♗d7 55. ♔:h6 ♗:c7 56.♔g5 ♗c6 57.♔f4 ♗d5 58.♗b2 ♗c4 59.♔e3 ♗b3 60.♗d4 ♗c2! 61.♗c5 ♗b5 – цугцванг. Правильно 54.♗a3+ ♔d7 55.♗d6 ♗e2+ 56.♔h4 ♗c8 57.♔g3, и черным не прорваться королем. Слон на d6 расположен идеально: защищает пешку c7 и контролирует пешку a4.

К решающему усилению позиции ведет 43...♔g6! 44.♗a3 ♗c8 45. ♔e3, и теперь не 45...♔f7 46.♔d4 (Фтачник) 46...♗e8 47.♔c5 ♗d7 48.♔b5! (не 48.♔b6? из-за 48...g5 49.fg hg 50.♗b2 f4 51.♗c1 ♔e7 – черные отдают слона за пешку «c», но создают вторую проходную на королевском фланге) 48...♗:c7 49. ♔:a4 с ничьей, а 45...♔h5! (может быть, годится и 45...♗b7, препятствуя ♔f3) 46.♔f3 ♔h4 47.♗e7+ g5 48.fg hg 49.g3+ ♔h5 50.♗a3 ♗b7+ 51.♔f2 ♔g4 52.♗c1 ♗a6 53.♔g2 ♗c8 54.♔f2 ♗b7 (цугцванг вынуждает белых увести слона c c1) 55.♗a3 f4 56.gf ♔:f4! 57.♗c1+ ♔g4 58.♔g1

♔h4, и черная пешка идет на g3, а король с решающим эффектом — на ферзевый фланг.

Ничего не меняло и 39.♗c3 a4 40.♗b4 ♗:h5! 41.c6 ♗e2! 42.c7 ♗a6 (Зайцев, Карпов). После f2-f3 или f2-f4 черные реализуют один из рассмотренных выше планов. Таким образом, можно с большой долей уверенности утверждать, что ничью Ананд упустил раньше, хотя если бы белые сохранили пешку «c», выигрыш черных был бы сложнее. Ананд надеется облегчить себе защиту, сохранив равное количество пешек на королевском фланге.

39...♗:c6 40.f3 f4! Эту этюдную возможность Виши недооценил. «Ключевой ход, который Карпов, бесспорно, предвидел заранее» (Зайцев). При 40...♗e8 41.g4 партия, скорее всего, закончилась бы вничью. Теперь же черные забирают пешку h5, а белые, занимаясь пешкой f4, вынуждены пропустить вражескую проходную до a2.

41.♗b2 ♗e8 42.♗c1 a4 43. ♗:f4 a3 44.♗e3 ♗:h5.

Белых губит слабость пешек королевского фланга. Если они будут стоять на белых полях, то из-за угрозы их истребления слоном белый король не сможет направиться на ферзевый фланг, когда туда прорвется черный король. А их расстановка по черным полям создает непоправимые белопольные слабости, которые использует черный король для образования второй проходной пешки.

45.♔f2. Или 45.g4 a2 46.♗d4 ♗e8 47.f4 g6 (черные приступают к созданию проходной) 48.♔f2 h5 49. ♔g3 ♗a4 50.♔h4 ♔h6 51.♗c3 ♗d1 52.gh gh (Фтачник) — теперь белый король будет прикован к пешке «h», а черный отправится на ферзевый фланг.

45...♗e8 46.♗d4 ♗c6 47.♗c3 a2. «У черных четкий план выигрыша: ♔g6-f5, g7-g5, h6-h5-h4 и g5-g4! Понимая это, Виши вызывает кризис» (М.Гуревич).

48.g3 h5! 49.g4. «Ускоряет развязку» (Карпов). Но безнадежно и 49.♔g2 g5 50.♔f2 ♔g6 51.♔e3 h4 52.♔f2 h3, а если 49.f4, то 49... ♔g6 50.♔e3 ♔f5 51.♗b2 ♔g4 52.♔f2 h4 53.gh ♔:f4! (Фтачник), и теряется пешка «h».

49...h4! Белые сдались. После 50.f4 g5! 51.f5 (51.fg ♔g6) 51...ef 52. gf g4 черные пешки неудержимы.

«Наверное, Ананд был потрясен свершившимся: в этой партии произошло нечто из ряда вон выходящее — то, что надолго закрепляется в памяти шахматных поколений» (Зайцев). Кстати, парой десятилетий раньше Карпову уже довелось выиграть похожий «разноцвет» у Кураицы (№ 558). Эти два окончания — отличная иллюстрация того, как 12-му чемпиону мира удавалось с максимальным эффектом использовать малозаметные промахи, которые допускали под гнетом нарастающих проблем его соперники.

«Первая победа Карпова над Анандом черными! – писал после 4-й партии гроссмейстер Михаил Гуревич. – Поражение поставило Виши в предельно трудную матчевую ситуацию. Что же до качества его игры в этой партии, то оно объяснимо лишь крайней усталостью. Силы человеческие не беспредельны: позади у него был уже месяц непрерывной игры...»

Тем не менее Ананд без особых проблем достиг ничьей в 5-й партии, а затем выиграл последнюю, воистину «партию жизни» – 3:3! «Конечно же, я не ожидал, что мне удастся победить, – сказал он сразу после игры, – и сейчас я очень и очень счастлив. Я так рад, что мне удалось сравнять счет, что о завтрашнем тай-брейке пока не думаю. Буду думать позднее».

Драматичный момент! Макарычев: «Виши наверняка испытал чувство опустошенности – опустошенности триумфатора, когда после тяжелейшей работы радость соседствует с оцепенением и апатией. Но ведь нужно было еще играть тай-брейк!» Кампоманес: «С Карповым случилось то же самое, что и в 1987 году в Севилье: он снова не смог сделать ничью в последней, решающей партии матча. Но в Севилье не было тай-брейка, а здесь он есть – и предсказать победителя практически невозможно».

Карпов: «Расстроился я очень сильно: проиграл позицию, в которой никаких опасностей для черных уже не было. Не посчитал вариант. Ну, и довести прекрасно складывавшийся матч до такого состояния – это, конечно, потрясение, и всю ночь мы почти не спали. Хотя приняли решение: никаких шахмат, никаких анализов ни прошлого, ни будущего – просто иметь свежую голову. Единственное, что помогло, – это холодный душ перед партией».

На следующий день судьба матча и короны ФИДЕ решилась в миниматче из двух партий по быстрым шахматам. Казалось бы, это конек Ананда, но когда-то должна же была усталость подвести его окончательно?! В 1-й партии он добился черными совершенно выигранной позиции, имея к тому же большой перевес во времени, но... «поплыл»! Без пяти минут победитель вдруг зашатался и упал на последних метрах марафона.

39...♘:f3+? Решало 39...a4! (Юсупов) 40.♗d7 (40.♘g5 a3) 40...♘:f3+ 41.♕:f3 ♖:f3 42.♖:f3 ♖e7 43.♗:a4

(иного нет: 43.♖c8+ ♖:c8 44.♗:c8 ♖a7) 43...♖:c7 44.♗:b3 ♔f8 и т.д.

40.♕:f3 a4? (здоровую лишнюю пешку еще сохраняло 40...♘d4!) **41.♕:f6 gf 42.♗d7 ♘d4?** (42...♖e7=) **43.♗:e8 ♘e2+ 44. ♔g2 ♘:c3 45.♗:f7+ ♔f8 46. ♗:g6,** и черные не смогли сдержать натиск белых пешек.

Карпов: «В начале 1-й партии тай-брейка я был какой-то заторможенный, а потом ожил и уже вернулись ясность мысли, быстрота... Я думаю, Ананд просто не был готов к жесткой борьбе: считал, что в быстрые шахматы он играет лучше и дело сделано. По всему было видно, что он уже считал: чемпионское звание у него. Но в финале я лучше собрался». Впрочем, судя по 1-й партии, этого не скажешь: скорее не Карпов «собрался» и победил, а Ананд отключился и проиграл.

Зайцев: «Перерыв между партиями — 15 минут — был использован тренером Карпова по физподготовке Валерием Крыловым для массажа своего подопечного, в то время как Элизбар Убилава тщетно пытался успокоить своего («Виши уже не слышал меня и не видел: он отсутствовал...»). Увы, во 2-й партии Ананд не продемонстрировал твердости духа, потерял контроль над собой и позицией, в бешеном темпе отдал белым ни за что две пешки, и первый матч за звание чемпиона мира по новой системе завершился».

Так Карпов сохранил за собой титул «короля ФИДЕ», вызвав, однако, неоднозначную реакцию шахматного мира. Дворецкий:

«Слишком колоссальная и незаслуженная фора! Против предельно утомленного Ананда боролся свежий, хорошо подготовленный Карпов. Даже в этих условиях ему не удалось победить в «основное время», а в первой быстрой партии он просто чудом избежал поражения. Ананд сейчас, не только на мой взгляд, заметно сильнее Карпова и, скорее всего, добился бы успеха при игре на равных (когда оба соперника одинаково свежи или одинаково утомлены). Карпов юридически стал чемпионом мира, но в глазах почти всех шахматистов он таковым по существу не является».

Что поделаешь, после 1993 года вопрос о том, кто же настоящий чемпион — фактический или «юридический», каждый решал для себя сам, исходя из своих пристрастий... Однако, что для меня несомненно и подтверждено приведенными в этом томе партиями, Анатолий Карпов является одним из величайших, эпохообразующих шахматистов конца 20-го века, и его вклад в познание тонкостей древней игры поистине неоценим.

Рассказ о творческом пути 12-го чемпиона мира уместно закончить словами его многолетнего тренера Игоря Зайцева:

«Характерно, что Карпова за черных всегда больше привлекали те дебюты, где выбор систем оставался именно за черными. Например, в Каро-Канне — 4...♘d7 или 4...♗f5, в испанской партии — системы Смыслова, Брейера или Зайцева. То же самое относится и к новоиндийской защите, и к защите Нимцовича. По-моему, это неосознанное проявление разумной экономичности, присущей этому великому шахматисту.

Выстраивая те или иные дебютные концепции, мы, конечно, чуть ли не в первую очередь учитывали шахматные пристрастия самого Карпова. Мне всегда казалось, что, подключаясь к непосредственной подготовке лишь в самый последний момент, он дает определенную фору всем своим матчевым соперникам и с годами эта привычка у него только укоренилась. Карпов никогда не считался дебютчиком по складу своего дарования. В лучшие свои годы колоссальный практик с потрясающей позиционной интуицией, он всегда больше доверял своему чутью, чем подогнанным под ответ длинным вариантам. Но при всем том его вклад в дебютную теорию достаточно велик и своеобразен, как и вклад триумвирата чемпионов мира — Капабланки, Смыслова и Петросяна, со столь же похожим отношением и подходом к проблемам дебюта».

Напоследок — традиционная подборка высказываний чемпионов мира.

Эйве: «По стилю игры Карпова можно сравнить с гениальным кубинцем Капабланкой, хотя есть и одно важное отличие. Когда разыгрываешь партии Капабланки, невольно мелькает мысль: ой, как всё просто, и я бы так мог. Партии же Карпова поначалу поражают своей стратегией, кажущейся нелогичностью, но вскоре становится ясно,

что как раз в его игре и заключается высшая логика. Так же, как и кубинец, он особенно упорен в трудных позициях. Капабланку и Карпова роднит еще одна черта — крайне редкие проигрыши... Феномен Карпова не имеет аналогов; во всяком случае, так чемпионами еще не становились. Я имею в виду не его молодость и не стремительность, с которой он проложил себе путь к Олимпу, а его удивительно стабильные результаты и сбалансированную игру. Игру прекрасную: Сколько в ней взрослого гроссмейстерского расчета, сколько трезвости, спокойной уверенности в себе, в своих силах!»

Ботвинник: «Многие специалисты оценивают Карпова как рационалиста, на редкость хладнокровного бойца, чуждого каких-либо эмоций, и т.п. Теперь можно утверждать обратное: Карпов эмоционален, как многие люди, но хорошо владеет и управляет собой, поэтому и создается ошибочное впечатление. Он, несомненно, обладает сильной программой самообучения. Он демонстрирует прекрасное понимание позиционных принципов и не имеет себе равных в искусстве гармонично располагать фигуры. Его фигуры обычно неуязвимы, в то время как фигуры соперника подвергаются постоянному давлению. В этом отношении стиль Карпова значительно лучше, чем Петросяна, который, достигнув абсолютно безопасной для себя позиции, терпеливо ждет ошибки соперника. Карпов не ждет: он играет активно».

Смыслов: «В игре Карпова меня всегда поражала его удивительная способность трезво и абсолютно точно оценивать позицию, возникшую на доске. Оценивать быстро, не тратя много времени на анализ. Это — от фантастической шахматной интуиции, от врожденной талантливости. А ведь правильная оценка позиции, оценка своих возможностей в ней — основа успешной игры. Пожалуй, именно этим прежде всего выделяется Карпов среди ведущих гроссмейстеров мира».

Таль: «Карпов фантастически целеустремлен. Это — танк, который ничем не сбить с намеченной цели. Его железная настойчивость — пытка для слабонервных. Недаром некоторые мои коллеги после проигрыше Карпову сетовали: невоз-

можно играть — давит на психику. Характер Карпова — его игра. И в жизни, так же, как за шахматной доской, он чрезвычайно целеустремлен. Это в нем главное. Можно сказать, его сильных сторон как раз недостает мне. Карпов просто классически реализует преимущество — я этого делать так и не научился. Он умеет в критические минуты борьбы контролировать свои порывы — я не сдерживаю эмоций... Анатолий всегда поражал меня умением вести защиту, что называется, на последней черте, там, где многие уже опустили бы руки».

Петросян: «Карпов доказывает своими выступлениями, что у него очень целеустремленная натура. Его шахматное мировоззрение четко очерчено. Это очень важно. У каждого растущего талантливого шахматиста должны быть свое мировоззрение, свои вкусы, пристрастия, своя точка зрения на определенные проблемы шахмат — теоретические, практические, философские. У Фишера есть твердые вкусы, и он удивительно постоянен в своих симпатиях. Примерно то же мы наблюдаем у Карпова. Правда, стиль Карпова эволюционирует. Думаю, что он будет универсалом, шахматистом многоплановым».

Спасский: «Карпов — шахматный гений, но в идейном плане он примыкает к Ботвиннику. Карпов использовал партийные паруса для достижения личной цели. А позднее начал оправдывать это целями государственными... Но надо отдать ему должное: как шахматист он действительно велик».

ПРИЛОЖЕНИЯ

ПО СЛЕДАМ ПРЕДЫДУЩИХ ТОМОВ

Перед вами наиболее важные исправления по второму, третьему и четвертому томам, подготовленные для 2-го издания «Моих великих предшественников». Лидером по числу интересных находок остается петербуржец Сергей Сорохтин, однако в 2005 году весомый вклад в поиски истины внес и гроссмейстер Владимир Акопян.

Начнем с этюдного окончания, живописно прокомментированного Тартаковером.

№ 154
ЭЙВЕ – КАПАБЛАНКА
Бад-Киссинген 1928

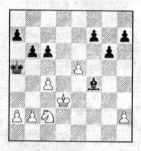

28.♔e4?! Тартаковер ставит к этому ходу два восклицательных знака, хотя, судя по всему, необходимо было 28.♘d4!, сужая выбор соперника до 28...c5 (28...♗:e5? 29. ♘:c6+; 28...♗:h2?! 29.♘c6+ ♔a4 30.♔e4 и ♘d8!) 29.♘c6+ ♔a6 30.♔e4 ♗:h2 (30... ♗g5? 31.♔d5! и ♔d6-d7) 31.♘d8 с шансами на ничью или 29...♔a4 30.♔e4 ♗:h2 31. ♘d8 (с угрозой ♘:f7; опасно 31.♘:a7?! h5 и т.д.) – см. примечание к 29-му ходу черных.

28...♗:h2 29.♘d4. «Атакуя целую цепь пешек. Те, кто считает, что слон сильнее коня, в этой партии могут наблюдать обратное».

29...♔b4! Активизируя короля. «Куда хуже было бы 29...c5 30.♘c6+ ♔a6 31. ♘d8». Или 30...♔a4 31.♘d8 (эту позицию Эйве мог получить, сыграв 28.♘d4) 31... ♗:e5! 32.♔:e5 f5, и путь белых к спасению еще тернист – 33.♘c6 (33.♘e6 ♔b4) 33... a6 34.♔f6 с такими вариантами: <...>

2) 34...f4 35.♘e5 ♔b4 36.♔g5 f3 37.♘:f3 (37.♔h6?! f2 38.♘:f3+ ♔:c4 39.♘:f2 ♔d4 40.♔:h7 ♔e3 41.♘d1+ ♔d3 42.♘c3 g5! 43.♔g6 g4 44.♔f5 g3 45.♘d5 ♔c2 46.♔f4 g2 47.♘e3+ ♔:b2 48.♘:g2 ♔a2–+ Акопян) 37...♔:c4 38.♘e5+ ♔d5 (38...♔d4 39.♘d7 b5 40.♘b8, забирая пешку «а») 39.♘d7 b5 40.♔f4 c4 (40...♔d4 41.♘b8!) 41.♔e3 h6 (41...h5 42.♘f8!) 42.♘f6+ ♔c5 43.♔e4 b4 44.♘d7+ ♔b5 45.♘e5, и контроль над обоими флангами обещает ничью.

30.♘c6+. Не спасает и 30.♘f3 ♔g3 31.♘g5 ♔:c4 32.♘:f7 ♔c5! 33.♘d6 h5 34. ♘c8 a5 35.e6 ♗h4 36.e7 ♗:e7 37.♘:e7 g5 38.♔f5 h4 (Сорохтин) 39.♔g4 a4 40.♘f5 ♔c4 41.♔:g5 h3 42.♔g4 h2 43.♘g3 ♔d3 или 33.♘g5 h5 34.♘e6+ ♔c4 35.♘d4 ♗:e5! 36.♔:e5 c5 и d3–+.

30...♔:c4 31.♘d8! «Спеша реализовать свой единственный козырь – продвижение пешки e5. Потерей важнейших темпов было бы 31.♘:a7? h5 32.♘c6 (или 32.♘c8 ♔c5! 33.♘d6? f5+) 32...h4, и белые опоздали».

31...♗:e5!? «Контрудар» – и снова два восклицательных знака! Хотя после 31... ♔c5 32.♘:f7 ♔c6! (Сорохтин; при 32...h5

33.е6 ♔c6 34.b4 a6 35.a4 b5 36.ab+ ab 37.♘e5+ ♔d6 38.♘f3 ♗g3 39.♘d4 ♗e1 40. ♘:b5+ ♔e6 41.♘d4+ ♔d6 42.♘f5+! на доске ничья) 33.е6 ♗d6 черные задерживали проходную «е» и имели все шансы реализовать лишнюю пешку.

32.♔:e5 ♔d3? «Даже великий Капабланка оказывается не на высоте задачи, поставленной ему насмешливым роком. Предварительное 32...f5!, вероятно, давало ему заслуженную победу в борьбе двух пешечных масс против коня».

Эйве, комментируя партию в журнале «Kagan's Neueste Schachnachrichten» (1929), был даже категоричнее Тартаковера: «Ход 32...f5! легко выигрывал». Но как? В случае 33.♘e6 ♔d3 34.♘f8 (34.♔f4 a5! и ♔c2 –+) 34...♔c2?! 35.b4! ♔b2 36.b5 ♔:a2 37. ♘:h7 ♔b3 38.♘f8 ♔b4 39.♘:g6 белые точной игрой достигают ничьей. Верный путь — 34...♔e3! указал в 1998 году москвич М.Соколов. Черные выигрывают коня за пешку «f» (или «g») и затем успевают забрать белые пешки: 35.♘:h7 (35.♘e6 ♔f3!) 35...f4 36.♘f6 f3 37.♘g4+ ♔e2 38.♔f6 f2 39.♘:f2 ♔:f2 40.♔:g6 ♔e3 41.♔f5 ♔d3.

33.♘:f7 ♔c2 34.b4! <...> 1/2

Следующую партию признали красивейшей в турнире, конечно, не только из-за удара 17.♗:e6!, но и благодаря неожиданному прыжку коня на 20-м ходу.

№ 346
СПАССКИЙ – ПОЛУГАЕВСКИЙ
25-й чемпионат СССР, Рига 1958

20.♘a4!! В книге «Boris Spassky's 300 Wins» (1998) этот эффектный ход тоже снабжен двумя восклицательными знака-

ми. Почему? Дело в том, что напрашивающееся 20.♘f5? (с идеей 20...♖de8? 21. ♘a4! ♘:a4 22.♖d7 ♘c5 23.♖:e7+ ♔h8 24. ♗:f7! или 20...♘:b3+?! 21.ab bc 22.♘:e7+ ♔h8 23.♕b1) плохо из-за 20...bc! 21.♘:e7+ ♔h8 22.♗:f7 ♗e4! или 22.♔b1 ♘e4!, и белые в отчаянном положении (Акопян).

Теперь – кульминационный момент партии, наложившей неизгладимый отпечаток на всю карьеру Спасского.

№ 347
СПАССКИЙ – ТАЛЬ
25-й чемпионат СССР, Рига 1958

57.♖c8?! «Теперь у черных играет лишь ладья. Ферзь связан защитой полей d5 и e8» (Таль). Поспешное 57.g4? наталкивалось на 57...♕c7. Но, как указал на сайте chesschamps.com Д.Эшбах, красиво выигрывало 57.♕b8! ♗f6 58.g4! hg 59.fg ♖e4 60.♕h8+ ♔e7 (60...♔e6 61.♖e8+ и ♖d8) 61.♕f8+ ♔f6 62.♖a6+ ♖e6 63.g5+ ♔f5 64. ♕a3! ♔g4 (64...♖:a6 65.♕f3+) 65.♕f3+ ♔:h4 66.♕f4+ ♔h5 67.♖a1, пленяя короля.

57...♖d6? Вроде бы вынужденный, а на деле сразу проигрывающий ход. Единственным шансом было 57...♖c6. По Талю, это не проходило из-за 58.♕f8+ ♔f6 59.♖d8 ♔c7 60.♕h8+ ♔e7(6) 61.♖e8+ *(слабее 61.♕e8+ ♔f6 62.♖c8 ♖c2+ 63.♔e3 ♖c3+. – Г.К.)* 61...♔d7 62.♕e5, «и белые осуществили выгодную расстановку сил».

Тем не менее после 62...♖e6! черные еще могли сражаться за ничью: 63.♖:d5+ ♔e7 64.♖b5 (или 64.♖e5, и проигрывает 64...♖:e5? 65.♕:e5+ ♕:e5 66.de ♔e6 67.f4 f6 68.ef ♔:f6 ввиду 69.♔e3! ♔f5 70.♔f3 ♔f6 71.♔e4 ♔e6 72.f5+ gf+ 73.♔f4 ♔f6 74. g3)

64...♕c2+ 65.♔g3 ♕c7+ 66.♖e5 ♔d7!
(66...♖:e5? 67.♕:e5+) 67.♕g7 ♔e7 68.f4!
(Сорохтин; 68.♔h3 ♖:e5 69.♕:e5+ ♕:e5
70. de ♔e6 71.f4 ♔f5=) 68...♕c3+ (68...♕c2
69.f5) 69.♔h2 ♖:e5 (69...♔c7? 70.d5) 70.
♕:e5+ ♔d7 71.f5 с шансами на успех.

На 57...♖c6 возможно и 58.♕e5+!? ♖e6
59.♕g5+ ♖f6 60.♖a8! с переходом к атаке,
рассмотренной в примечании к 62-му ходу.

58.♕f8+. Комментируя партию в
журнале «Шахматы в СССР» (№ 5/1958),
Таль никак не отмечает ни этот, ни следующий ходы белых. Но вскоре в «Шахматной Москве» появился анализ ленинградского мастера В.Чеховера, доказывающий,
что решало 58.g4! <...>

58...♔f6 59.♖e8? (и здесь выигрывало 59.g4! hg 60.fg <...>) **59...♖e6 60.
♕h8+ ♔f5 61.♕h6 ♔f6.** Конечно, не
61...♖:e8?? 62.♕g5+ ♔e6 63.♕e5#.

62.♕h8+. Ничего не давало 62.♖d8 ♔c6
63.♕g5+ (63.♕h8+ ♔f5) 63...♔g7, и плохо как 64.♖:d5? f6, так и 64.♕:d5? ♕c3!
(Сорохтин). Но никем не указано, что серьезные шансы на успех еще сохраняло
62.♖g8! Например: 62...♔e7 63.♕g5+ ♔f6
64.♖a8! ♕b7 65.♖a2! (неожиданное рас-
ширение фронта атаки) 65...♕c6 66.♕f5+
♔f8 67.♖a5 ♕g7 68.♖:d5, и едва ли выручает 68...♕e6 69.♕:e6 ♖:e6 70.♖e5 ♖b6
71.♔e3 ♖b2 72.d5! ♔f6 73.♖e8 и т.д.

62...♔f5 63.♖d8? (еще не поздно
было 63.♕h6! ♔f6 64.♖g8!) **63...♕c6!**
Черные сумели активизироваться и угрожают опасной контратакой. <...>   **0-1**

И еще одна драма Спасского, упустив-
шего сначала верную победу, а перед самым контролем и ничью.

№ 350
СПАССКИЙ – ПОЛУГАЕВСКИЙ
*28-й чемпионат СССР,
Москва 1961*

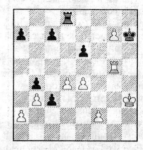

39.f4? Спасение белых заключалось в
сохранении и активизации центральных
пешек <...>. Рассмотрим три плана:

1) 39.♔g3 ♔g8! 40.♖c5 ♖:d4 41.♔f4
(ставка на проходную g7) 41...♖d2 42.♔e5
♖:f2 43.♖:c7 ♖:a2 44.♔:e6 (44.♔f6 ♔h7!
45.♔:e6 a5–+) 44...♖h7! (44...a5? 45.♔f6
♖h7 46.♖c5!+– Акопян) 45.e5 a5 46.♔d5
♖d2+ 47.♔c4 (или 47.♔e4 ♖e2+ 48.♔d4
a4 49.ba c2 50.♔d3 b3 51.♔e2 b2 52.♖:c2
b1♕) 47...♖d7 48.♖c6 ♖b7 49.♔d3, и теперь не 49...a4?! 50.ba b3 51.♖g6! (Сорохтин) 51...♔g8 52.♖g1 ♖c7 53.e6 c2 54.e7
♖:e7 55.♔c3 ♖d7 56.♖c1=, а 49...♔:g7–+.

И все-таки Акопян нашел за белых
этюдное спасение: 47.♔c5!! ♖e2! (47...♖d7
48.♖c8! ♔:g7 49.e6!) 48.♔b5 ♖:e5+ 49.♔a4
♖g5 50.g8♕+! (отрезая короля по 8-й линии) 50...♔:g8 51.♖c5! ♖g7 52.♔:a5 ♖g4
53.♖c7! ♔f8 54.♖b5! (единственное!) 54...
♔e8 55.♔c5!! ♔d8 56.♖h7 ♖g1 57.♖h2=;

2) 39.g8♕+!? ♖:g8, и теперь не 40.♖c5?!
♖g1! 41.♖:c7+ ♔g6 42.f3! a5! 43.♖c6 (43.♖c4
♖a1 44.♔g4 ♖:a2–+) 43...♔f7 44.♔g4 ♖f6
45.♖c6 ♖a1 46.f4 ♖:a2=, а 40.♖h5+! (заставляя короля перекрыть путь ладье к
пешке a2) 40...♔g6 41.♖b5 a5 42.♖:a5 ♖d8
43.d5 с ничьей (Сорохтин);

3) 39.d5! (самый неочевидный шанс)
39...ed (39...c2?! 40.♖g1=) 40. g8♕+! ♖:g8
41.♖:d5! ♔g6 42.♖c5 ♔f6 43.f4 ♖e8 44.♖c4
c5 (пленяя белую ладью) 45.♔g4 ♖c8 46.
f5! ♔e5 47.♔f3 ♖d8 48.♔e3= <...>.

39...♔g8! <...>   **0-1**

№ 351
СПАССКИЙ – ПАХМАН
Москва 1967

21.☖fe1! Пришла пора вводить в бой ладью — надо вводить, не считаясь с жертвами! Угрожает 22.☖f6+! и ☖e4(3). <...>

21...☗h8. Рискованная стратегия белых оправдывается! Снова в действии психология: Пахман уводит короля «от греха подальше». <...> Впрочем, и смелое 21... ☖:e1 не избавляло черных от мучений — 22.☖g4+ ☗h8 23.☖:d4 ☖:d4 24.☖h4! (Сорохтин; неясно 24.☖e2 c5! 25.☖d6 ☗:d6 26.ed ☖d3) 24...☖g8 25.☖f4 ☖:g2+ 26.☗f1 ☗:h4 27.☖:h4 ☖g5 (27...☖g7 28.☗:f7 ☖g1+! 29.☗e2!) 28.☖f4! ☗h5 (28...☖:e4 29.☖f6+) 29.☖f6+ ☗g8 30.☖d6 ☖:d6 31.ed ☖d5 32. ☗:e1 ☖:d6 33.☖e7 ☖d5 34.☗:b7, разрушая крепость: 34...a5 35.☗a8+ ☗g7 36.☖:a5 ☖e5+ 37.☗f1 ☖d5 38.☗c3+ ☗g6 39.a4!+–.

22.☖d6! ☖:e1 (на 22...☗:d6? сразу решает 23.☖e4!) **23.☖:e1** <...> **☖:d6?** Это проигрывает сразу, хотя и терпеть коня невыносимо (грозит ☖d1 и ☖:f7+ или сразу ☖:f7+), и позиция без чернопольного слона после 23...☗:d6 24.ed f6 (24...☖d2?! 25.☗e5+! ☗h7 26.☖d1 ☗g5 27.☗f6) 23...☖:e6 ☖:b2 26.h4 (Долматов) довольно неприятна, например: 26...☗c8 27.☖e7 ☖b1+ 28.☗h2 ☖f5 29.☖e2! ☗d7 30.☗f7 или 29... ☖d3 30.☖e1! с атакой.

Заслуживает внимания и 24.☖f6+ ☗h7 25.☗:f7 ☖d2?! 26.☗g6+ ☗g8 27.☖:e6+ ☗g7 28.ed ☖f6 29.☖e4 или 25...☗g4 26.ed ☖g7 27.☖:g7+ ☗:g7 28.☗:e6 ☖fe8 29.☖e3 c5 30. ☗e5+ ☗f8 31.☗f4 ☗g7 32.d7 ☖:e6 33.☖:e6 ☖:d7 34.h4 с видами на победу (Сорохтин).

24.ed <...> **1-0**

№ 386
РЕШЕВСКИЙ – АЛЕХИН
АВРО-турнир 1938

51.☗e2?! А это затягивает путь к победе. Короля надо было активизировать: 51.☗g4 ☖d2 52.g3! (52.☗h3 a2 ведет к позиции, аналогичной случившейся в партии) 52...a2 (известный теоретически выигранный эндшпиль возникает при 52...☖:h2 53.☖:a3 ☗:d5 54.☗g5 ☗e6 55.☗g6+–) 53. h4 ☗d6 54.h5 ☖d4+ 55.☗f3 ☖:d5 56.☖a6+! <...> или 53...☗d4 54.d6 ☗c3 55.☗f5!

51...☖b3 52.☗f2 ☖b2+ 53.☗g3 ☖b3+ 54.☗h4? При 54.☗g4! ☖b2 55.g3 ☖:h2 56.☖:a3 ☗:d5 57.☗g5 еще получался упомянутый эндшпиль (Сорохтин).

54...☖b2 55.☗h3 a2 <...> **1/2**

№ 397
КОТОВ – РЕШЕВСКИЙ
Турнир претендентов, Цюрих 1953

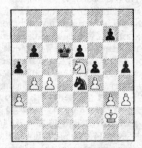

50...a4?! Рискованный план. После 50...ab 51.ab ☖c3 52.☗f3 точным ходом 52...b5!, обеспечивающим коню поле d5, черные достигали ничьей <...>.

51.♔f3 g5 52.♔e3! g4 <...> **53.hg hg 54.♘:g4 ♘c3?** Решающая ошибка. Необходимо было 54...♘:g3 55.♘e5 ♔c7 56.♘d3 ♘f1+ 57.♔d4 ♘d2 58.♘b2 (58.b5 ♘e4=) 58...♘f3+ 59.♔e3! (59.♔d3 e5! 60.♔e3 e4 позволяет коню безнаказанно взять пешку а3: 61.♘:а4 ♘е1=) 59...♘е1 60.♘:а4, и теперь ход Сорохтина 60...♘g2+! (отвлекая короля на защиту пешки «f») 61.♔f3 ♘е1+ 62.♔f2 (62.♔е2 ♘g2) 62...♘с2 63.♔е2 ♘:а3 64.♔d3 b5 65.cb ♘:b5=.

55.♘e5 ♖b1 56.♔d3 ♖:а3 57.b5! <...> **1-0**

РЕШЕВСКИЙ – ФИШЕР
Нью-Йорк — Лос-Анджелес (м/1) 1961

34.♖с2. Пожалуй, больше проблем ставила перед черными попытка сохранить четыре ладьи — 34.♖f8 или 34.♖f7.

34...♖:с2 35.♖:с2 ♖:d5 36.а4 ♖d4? Ничью обеспечивал переход в пешечный эндшпиль: 36...♖с5 37.♖:с5 bc 38.♔g3 ♔g5 39.h4+, и здесь указанное Сорохтиным 39...♔h5! (мешая созданию проходной «h») 40.♔h3 g5! 41.g4+ ♔g6 42. hg (при 42.h5+ ♔f6 43.♔g3 d5 у черных крепость) 42...♔:g5 43.♔g3 d5 — черный король успевает на ферзевый фланг.

37.b3 ♖d3 38.♖:с7 ♖:b3 39.♖:а7 d5 40.♖d7 ♖d3 41.♖d6 ♖d4 42.♖:b6 ♖:а4 43.♔g3? Верно 43.♖d6! d4 44.♔g3 ♖b4 (44...♔g5 45.♖d5+ ♔f6 46.♔f4 ♔e6 47.♖g5 ♔f6 48.♖с5+—) 45.b6 d3 46.♔f3 d2 47.♔е2 ♖b2 48.h4!, и положение белой ладьи сбоку от пешки b6 решает (Сорохтин).

43...♖b4 44.♖b8 d4 45.♔f3 (45.♔f4 d3! 46.♔е3 ♖b3!=) **45...♖b3+ 46.♔е4**

d3 47.♔е3 g5 48.♖b6+ ♔g7 49.♔d2 ♔f7 50.g3 ♖b2+? К ничьей вело топтание королем на месте — 50...♔g7= <...>.

51.♔:d3 ♖b3+ 52.♔с4 <...> **1-0**

РЕШЕВСКИЙ – ФИШЕР
Нью-Йорк — Лос-Анджелес (м/5) 1961

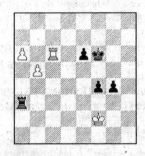

43.♖с8. Фишер: «Я ожидал 43.♖с1 g3+ 44.♔g1 ♖а2! 45.♖b1 (*? — Г.К.*) 45...f3 46.b6 ♖g2+ 47.♔f1 ♖h2! 48.♔е1 ♖h1+ 49.♔d2 ♖:b1 50.а7 f2 51.а8♕ f1♕, и черные выигрывают, ибо у белых нет вечного шаха».

Но куда упорнее было 45.b6! ♖:а6 (ничего не дает 45...f3 46.b7 ♖g2+ 47.♔f1 ♖h2 48.♔е1 ♖b2 49.♔f1!=) 46.♖b1 ♖а8 47.b7 ♖b8 48.♔g2 e5 49.♔f3 ♔е6 — по «докомпьютерному» мнению Дворецкого, «с легким выигрышем», но после 50.♖b6+ ♔d5 51.♖b5+ ♔d6 52.♖b6+! ♔с7 53.♖b5 ♖:b7 (53...♖е8 54. b8♕+ ♖:b8 55.♖:е5 ♖f8 56. ♖е6!) 54.♖:е5 ♖b1 55.♖е2! ♖b4 (55...♖f1+ 56.♔g2) 56.♖е6! ♔d7 57.♖g6 — ничья.

И все же после 43.♖с1 у черных имелся элегантный выигрыш — 43...♖а2+! 44.♔g1 f3!! 45.b6 ♖:а6 46.♖b1 ♖а8 47.b7 ♖b8 48. ♔f2 ♔f5 49.♔g3 e5, и белые не в силах справиться с тремя проходными: при 50. ♖b4 e4 51.♖b5+ ♔е6 они в цугцванге (52. ♖b4 ♔е5 53.♖b3 ♔d5 54.♔f2 ♔с6−+), а если 50.♖b5, то 50...♔е4 51.♖b3 (51.♔:g4 f2!) 51...♔d4 52.♖b4+ (или 52.♔f2 e4 53. ♖b4+ ♔d5 54.♔е3 g3) 52...♔е3 53.♖b3+ ♔d2 54.♖b4 ♔d3 55.♖b3+ (55.♔f2 e4) 55...♔с4 56.♖b6 e4 57.♔f2 ♔с5 58.♖b1 ♔с6 59.♖е1 ♖:b7 60.♖:е4 ♖b2+ (Сорохтин).

43...♔f5 44.b6 g3+ <...> **0-1**

БИБЛИОГРАФИЯ

Авербах Ю.Л., Туров Б.И. Шахматные олимпиады. Москва, 1974.

Авербах Ю.Л. (общ. ред.). Матч на первенство мира: Мерано-81. Москва, 1982.

Авербах Ю.Л. (общ. ред.). Шахматные окончания. 2-е изд. Москва, 1980—84.

Авербах Ю.Л. Шахматы на сцене и за кулисами. Москва, 2003.

Батуринский В.Д. Страницы шахматной жизни. 2-е изд. Москва, 1990.

Ботвинник М.М. Три матча Анатолия Карпова. Москва, 1975.

Ботвинник М.М. Аналитические и критические работы 1928—1986. Москва, 1987.

Ботвинник М.М. Портреты. Москва, 2000.

Бразильский Ю.А. (ред.-сост.). Межзональный турнир Ленинград-73. Москва, 1974.

Бронштейн Д.И., Воронков С.Б. Давид против Голиафа. Москва, 2002.

Быкова Е.И. (сост.). Шахматный ежегодник-1960. Москва, 1962.

Васильев В.Л. Седьмая вуаль. Москва, 1963.

Воронков С.Б., Плисецкий Д.Г. Русские против Фишера. Москва, 2004.

Геллер Е.П. Победа в Мерано. Москва, 1982.

Дамский Я.В. (авт.-сост.). Гроссмейстер Полугаевский. Москва, 1982.

Дворецкий М.И., Юсупов А.М. Школа будущих чемпионов. Т. 1—5. 1-е и 2-е изд. Харьков, 1996—2001.

Загайнов Р.М. Поражение. Москва, 1993.

Кажич Б., Юдович М.М. (ред.-сост.). Матчи претендентов на первенство мира. Белград, 1969.

Карпов А.Е. Избранные партии: 1969—1977. Москва, 1978.

Карпов А.Е., Рошаль А.Б. Девятая вертикаль. Москва, 1979.

Карпов А.Е. В далеком Багио. Москва, 1981.

Карпов А.Е. Сто победных партий. Москва, 1984.

Карпов А.Е. (авт.-сост.). Семен Фурман. Москва, 1988.

Карпов А.Е. Сестра моя Каисса. Нью-Йорк, 1990.

Карпов А.Е. Мои 300 лучших партий. Москва, 1997.

Карпов А.Е. Мои лучшие партии. Москва, 2001.

Каспаров Г.К. Испытание временем. Баку, 1983.

Каспаров Г.К. Безлимитный поединок. Москва, 1989.

Кикнадзе А.В. Тогда, в Багио. Москва, 1981.

Константинопольский А.М. (авт.-сост.). XXI первенство СССР по шахматам. Москва, 1955.

Корчной В.Л. Антишахматы. Москва, 1992.

Корчной В.Л. Избранные партии. С.-Петербург, 1996.

Корчной В.Л. Мои 55 побед белыми. Москва, 2004.

Корчной В.Л. Мои 55 побед черными. Москва, 2004.

Корчной В.Л. Шахматы без пощады. Москва, 2005.

Котов А.А. Уральский самоцвет. 2-е изд. Москва, 1980.

Крогиус Н.В., Голубев А.Н., Гутцайт Л.Э. Борис Спасский (в 2 томах). Москва, 2000.

Линдер В.И., Линдер И.М. Короли шахматного мира. Москва, 2001.

Никитин А.С. С Каспаровым ход за ходом, год за годом. Москва, 1998.

Петросян Т.В., Матанович А. (ред.-сост.). СССР – Сборная мира. Белград, 1970.

Полугаевский Л.А. В сицилианских лабиринтах. Москва, 2003.

Сосонко Г. Мои показания. Москва, 2003.

Туров Б.И. Пять шахматных олимпиад. Москва, 1984.

Туров Б.И. Жемчужины шахматного творчества. 4-е изд. Ростов-на-Дону, 2000.

Црнчевич Б. Эмигрант и Игра: о Корчном и его судьбе. Москва, 1997.

Чепижный В.И. (авт.-сост.). Турнир звезд: Монреаль-79. Москва, 1979.

Шахматы. Энциклопедический словарь. Москва, 1990.

Юдович М.М. (авт.-сост.). Матч века. Москва, 1971.

Baturinski V. Das Schachgenie Karpov. Berlin, 1991.

Burgess G., Nunn J., Emms J. The World's Greatest Chess Games. New York, 1998.

Dvoretsky M. Dvoretsky's Endgame Manual. Milford, 2003.

Euwe M. and Nunn J. The Development of Chess Style. London, 1997.

Greiff B. de. Las 500 Grandes Partidas de la Historia. Bogota, 2002.

Karpov A. (with Roshal A.). Chess Is My Life. Oxford, 1980.

Karpov A. (with Baturinsky V.). From Baguio to Merano. Oxford, 1986.

Korchnoi V. Practical Rook Endings. Germany, 2002.

Kortschnoi V. Meine beste Kämpfe. Düsseldorf, 1986.

Sahovski informator (№ 1–71). Belgrade, 1966–98.

Timman J. The Art of Chess Analysis. London, 1997.

Timman J. Curacao 1962. Netherlands, 2005.

УКАЗАТЕЛЬ ПАРТНЕРОВ
(цифры обозначают номера партий и окончаний)

УКАЗАТЕЛЬ ДЕБЮТОВ
(цифры обозначают номера партий)

СОДЕРЖАНИЕ

Научно-популярное издание
Серия «Великие шахматисты мира»

Каспаров Гарри Кимович
в сотрудничестве с Плисецким Дмитрием Германовичем

МОИ ВЕЛИКИЕ ПРЕДШЕСТВЕННИКИ
Новейшая история развития шахматной игры

В семи томах

Том 5

КАРПОВ И КОРЧНОЙ

Генеральный директор издательства *С. М. Макаренков*

Ведущий редактор-составитель *С. Б. Воронков*
Художественное оформление серии: *Н. Ю. Дмитриева*
Компьютерная верстка: *Е. А. Атаров*
Технический редактор *Е. А. Крылова*

Подписано в печать с готовых диапозитивов 09.12.05 г.
Формат 60х90/16. Печать офсетная. Гарнитура «НьютонС».
Печ. л. 33,0. Тираж 10 000 экз.
Заказ № 4507245.

Отпечатано с готовых диапозитивов
на ФГУИПП «Нижполиграф».
603006, Нижний Новгород, ул. Варварская, 32.

Качество печати соответствует качеству
предоставленных диапозитивов

Адрес электронной почты: info@ripol.ru
Сайт в Интернете: www.ripol.ru

ООО «ИД «РИПОЛ классик»
107140, Москва, Краснопрудная ул., д. 22а, стр. 1
Изд. лиц. № 04620 от 24.04.2001 г.